1 MONTH OF
FREE
READING

at
www.ForgottenBooks.com

By purchasing this book you are eligible for one month membership to ForgottenBooks.com, giving you unlimited access to our entire collection of over 1,000,000 titles via our web site and mobile apps.

To claim your free month visit:
www.forgottenbooks.com/free1031144

ISBN 978-0-331-22050-6
PIBN 11031144

This book is a reproduction of an important historical work. Forgotten Books uses
state-of-the-art technology to digitally reconstruct the work, preserving the original format
whilst repairing imperfections present in the aged copy. In rare cases, an imperfection in
the original, such as a blemish or missing page, may be replicated in our edition. We do,
however, repair the vast majority of imperfections successfully; any imperfections that
remain are intentionally left to preserve the state of such historical works.

14588

ARCHIV
FÜR
OHRENHEILKUNDE

BEGRÜNDET 1864

VON

DR. A. v. TRÖLTSCH
WEILAND PROF. IN WÜRZBURG.

DR. ADAM POLITZER
IN WIEN

UND

DR. HERMANN SCHWARTZE
IN HALLE A. S.

IM VEREIN MIT

PROF. C. HASSE IN BRESLAU, PROF. V. HENSEN IN KIEL, PROF. A. LUCAE IN BERLIN, PROF. E. ZAUFAL IN PRAG, PROF. J. KESSEL IN JENA, PROF. V. URBANTSCHITSCH IN WIEN, PROF. F. BEZOLD IN MÜNCHEN, PROF. K. BÜRKNER IN GÖTTINGEN, DR. E. MORPURGO IN TRIEST, S. R. DR. L. BLAU IN BERLIN, PROF. J. BÖKE IN BUDAPEST, G. S. R. DR H. DENNERT IN BERLIN, PROF. G. GRADENIGO IN TURIN, PROF. J. ORNE GREEN IN BOSTON, PROF. J. HABERMANN IN GRAZ, PRIVATDOCENT UND PROFESSOR DR. H. HESSLER IN HALLE, PROF. G. J. WAGENHAUSER IN TÜBINGEN, PROF. H. WALB IN BONN, PRIVATDOCENT DR. A. JANSEN IN BERLIN, PRIVATDOCENT UND PROF. DR. L. KATZ IN BERLIN, PROF. P. OSTMANN IN MARBURG, DR. L. STACKE, PROF. IN ERFURT, DR. O. WOLF IN FRANKFURT A. M., PROF. A. BARTH IN LEIPZIG, PROF. V. COZZOLINO IN NEAPEL, PROF. L. HAUG IN MÜNCHEN, S. R. DR. F. KRETSCHMANN, PROF. IN MAGDEBURG, PROF. E. LEUTERT IN GIESSEN, PRIVATDOCENT DR. V. HAMMERSCHLAG IN WIEN, S. R. DR. F. LUDEWIG IN HAMBURG, DR. F. MATTE IN KÖLN, DR. HOLGER MYGIND, PROF. IN KOPENHAGEN, PRIVATDOCENT DR. G. ALEXANDER IN WIEN, PROF. E. BERTHOLD IN KÖNIGSBERG I. PR., DR. O. BRIEGER IN BRESLAU, PROF. A. DENKER IN ERLANGEN, DR. R. ESCHWEILER, PRIVATDOCENT IN BONN, DR. A. DE FORESTIER IN LIBAU RUSSL., DR. H. FREY IN WIEN, DR. H. HAIKE, PRIVATDOCENT IN BERLIN, DR. RUDOLF PANSE IN DRESDEN, PROF. K. A. PASSOW IN BERLIN, PROF. O. PIFFL IN PRAG, DR. WALTHER SCHULZE IN MAINZ, DR. E. DOLLMANN IN HALLE, PROF. P. H. GERBER IN KÖNIGSBERG I. PR., PROF. B. HEINE IN KÖNIGSBERG I. PR., PRIVATDOCENT U. PROF. DR. P. STENGER IN KÖNIGSBERG I. PR., DR. S. SZENES IN BUDAPEST.

HERAUSGEGEBEN VON

PROF. ADAM POLITZER UND PROF. H. SCHWARTZE
IN WIEN   IN HALLE A. S.

UNTER VERANTWORTLICHER REDAKTION
VON H. SCHWARTZE SEIT 1873.

EINUNDSIEBZIGSTER BAND.

Mit 30 Abbildungen im Text.

LEIPZIG,
VERLAG VON F. C. W. VOGEL
1907.

Inhalt des einundsiebzigsten Bandes.

Erstes und zweites (Doppel-) Heft

(ausgegeben am 7. Mai 1907).

Seite

Drittes und viertes (Doppel-) Heft

(ausgegeben am 29. Juni 1907).

Seite

I.

Aus der Kgl. Universitäts-Ohrenklinik zu Halle a. S. (Direktor Geh. Med.-Rat Prof. Dr. H. Schwartze).

Ein weiterer Beitrag zu den Erfahrungen bei der klinischen Behandlung von Mittelohreiterungen mit Stauungshyperämie nach Bier.

Von

Dr. A. Fröse, Marine-Stabsarzt a. D.,
Assistenten der Klinik.

(Mit einer Kurve.)

Die Behandlung der Otitis media mit der Kopfstauung nach Bier ruht trotz der sich mehrenden einschlägigen Veröffentlichungen noch auf sehr unsicherer Grundlage. Wenn auch die günstigen Erfolge, welche die chirurgische Klinik von Bier aufzuweisen hat, dafür sprechen, daß zu ihrer Erzielung ausgedehnte Erfahrung und technische Übung in der Stauungsbehandlung, geschärfter Blick für die im Einzelfall erforderliche Dosierung nicht zu entraten sind, so ist doch nicht zu verkennen, daß die Schwierigkeit der otologischen Diagnose (z. B. bei Cholesteatom, Extraduralabsceß) die Ausscheidung hoffnungsloser Fälle geradezu unmöglich machen kann und ebenso wie der eigenartige, komplizierte und individuell wechselvolle anatomische Aufbau des Warzenfortsatzes einen Vergleich der Mastoiditis mit der Osteomyelitis der langen Röhrenknochen vom Gesichtspunkte der Stauungstherapie kaum zulassen dürfte. Nimmt man hinzu, daß bei der Unbekanntschaft mit den jedesmal vorhandenen anatomischen Verhältnissen am Warzenfortsatze die unmittelbare Nähe des Schädelinhalts um so größere Vorsicht gebietet, so erhellt zur Genüge, welche Summe von Arbeit durch ohrenärztliche klinische Beobachtung noch zu leisten sein wird, bis die Indikationsstellung einigermaßen gesichert ist.

Herr Geheimrat S c h w a r t z e hielt es daher für angezeigt, die in seiner Klinik durch I s e m e r [1]) begonnenen Versuche an einer weiteren Anzahl von Patienten fortsetzen zu lassen. Für diesen mir gewordenen Auftrag verfehle ich nicht, hier meinen gehorsamsten Dank abzustatten.

Die vorliegenden Krankengeschichten sind folgende.

1. Emil H., 4 Jahre alt, Arbeiterssohn aus Halle a. S.

Diagnose: Akute Mittelohreiterung links mit Mastoiditis. Aufgen. 11. Juni 06. Entl. 12. Juli 06.

Anamnese. Bei dem bis dahin gesunden Knaben traten ohne bekannte Ursache am 25. Mai Schmerzen im linken Ohre auf, und am folgenden Tage begann das Ohr zu eitern. Bis zur Aufnahme in die Klinik wurde wiederholt die Paracentese des Trommelfells ausgeführt; doch ließen trotz guten Eiterabflusses die Schmerzen nicht merklich nach. Auch Aufpinselung von Jodtinktur auf den Warzenfortsatz und Ohreisblase erwiesen sich als wirkungslos.

Status praesens. Ziemlich kräftiger Knabe in gutem Ernährungszustande. Innere Organe ohne pathologischen Befund. Temp. Vorm. 39,5°.

Ohrbefund. Rechts: Bis auf leichte Einziehung des vorn oben etwas getrübten Trommelfells normal.

Links: Die häutige Auskleidung des mit dünnem gelben Schleimeiter teilweise erfüllten Gehörgangs entzündlich geschwollen, dunkelrot. Trommelfell diffus gerötet, hinten oben vorgewölbt. Aus einer kleinen Perforation vorn unten quillt Eiter.

Umgebung des Ohres. Über dem linken Warzenfortsatze schuppt die etwas verdickte, gelb gefärbte Haut (Jodtinktur). Planum und Spitze mäßig druckempfindlich. Vorn unter der Spitze eine bohnengroße schmerzhafte Lymphdrüse.

Behandlung und Krankheitsverlauf. Paracentese. Steriler Mullstreifen in den Gehörgang, Schlußverband. Kopfstauung nach B i e r mittelst eines um den Hals gelegten Gummibandes, 22 Stunden täglich.

13. Juni. Profuse Eiterung. Druckschmerz am Warzenfortsatze unverändert. Gesicht bläulichrot, leicht gedunsen. Temp. Morgens 38,7, Abends 39,3°.

In den nächsten Tagen sinkt die Temperatur zur Norm ab, die sehr kopiöse Eiterung wird dünnflüssiger. Gleichzeitig nimmt jedoch die Druckempfindlichkeit des Warzenfortsatzes allmählich zu und wird schließlich allgemein.

20. Juni. Sehr starke Schmerzhaftigkeit des ganzen Warzenfortsatzes bei leiser Berührung. Die bedeckende Haut ist weder gerötet noch wesentlich verdickt. Lymphdrüse unter der Spitze pflaumenkerngroß, leicht empfindlich. Auch am hinteren Rande des Kopfnickers eine harte geschwollene Drüse. Kopiöse dünne Eiterung wie bisher.

Wegen der diffusen hochgradigen Schmerzhaftigkeit des Warzenfortsatzes bei unverminderter Eitermenge wird trotz fehlenden Fiebers die typische Aufmeißelung vorgenommen: Weichteile und Knochen sehr blutreich. Im Warzenfortsatz disseminierte Herde stark geschwellter Schleimhaut, besonders nach der Spitze zu. In dem großen Antrum freier Eiter und sehr verdickte, grau verfärbte Schleimhaut.

Die durch eine Angina vorübergehend leicht gestörte Rekonvaleszenz verlief im übrigen normal.

12. Juli. Der Knabe wird auf den Wunsch seiner Angehörigen mit vernarbter Trommelfellöffnung, trockener Pauke und beiderseits gleichem guten

---

1) I s e m e r, Klinische Erfahrungen mit der Stauungshyperämie nach Bier bei der Behandlung der Otitis media. Arch. f. Ohrenh. Bd. 69, S. 131 ff.

Hörvermögen (Flüstersprache in mindestens 6 m) aus der klinischen Behandlung entlassen.

Die retroaurikuläre Wunde war nach einigen Wochen ambulatorischer Nachbehandlung ausgefüllt und überhäutet.

Bakteriol. Befund. Im Eiter aus der Pauke mikroskopisch (12. Juni und 17. Juni) Diplokokken mit hellem Hof. An einzelnen Stellen kürzere gerade und auch leicht gekrümmte, an den Enden vielfach etwas verdickte Stäbchen. — Der bei der Aufmeißelung aus dem Warzenfortsatze gewonnene Eiter enthält mikroskopisch Diplokokken mit deutlichen Kapseln. Sie liegen großenteils einzeln, hie und da in kurzen Ketten.

Mikroskopische Diagnose: Diplococcus lanceolatus; daneben in dem Paukeneiter diphtherieähnliche Stäbchen (?).

2. Ida D., 8 Jahre alt, Bahnarbeiterstochter aus Halle a. S.

Diagnose: Rechtsseitige akute Mastoiditis nach Masernotitis, mit Durchbruch durch die Corticalis. Links subakuter Katarrh. Aufgen. 14. Juni 1906. Entl. 11. Juli 1906.

Anamnese. Vor 2 Jahren 8 Tage lang Ohreiterung rechts, die nach der Entfernung adenoider Wucherungen aus dem Nasenrachenraume bald aufhörte. 4 Wochen vor der Aufnahme Masern, die innerhalb 14 Tagen abliefen. Im Anschluß an dieselben traten Schmerzen im rechten Ohre auf, und ohne Eiterausfluß aus dem Ohre begann die Gegend hinter der Ohrmuschel schmerzhaft anzuschwellen. Die ärztlicherseits applizierte Eisblase brachte die Erscheinungen nicht zum Rückgang, weshalb auf die Schwellung eingeschnitten und Eiter entleert sein soll. Hierauf waren die spontanen Schmerzen beseitigt; nur auf Druck hinter dem Ohre blieben sie bestehen.

Status praesens. Blasses, aber ziemlich kräftiges, gut entwickeltes Kind. Innere Organe bieten nichts Abweichendes. Temp. normal.

Ohrbefund. Beide Gehörgänge blass und weit. Links: Trommelfell eingezogen, Hammergriffgefäße erweitert, Lichtkegel verschmälert. Rechts: Trommelfell mäßig diffus rot, vorn mit weißen Schüppchen bedeckt, hinten abgeflacht. Konturen des Hammergriffs undeutlich. Flüstersprache rechts in 4, links in 6 m. Bei Lufteintreibung durch den Katheter rechts fast normales, wenig rauhes Blasegeräusch, links Knisterrasseln.

Umgebung des Ohres. Rechter Warzenfortsatz, leicht aufgetrieben, ohne erheblichere Schwellung der Weichteile. Über dem Planum klafft eine senkrecht verlaufende, etwa 1,5 cm lange, speckig belegte Schnittwunde mit lividen Rändern. Warzenfortsatz außer am Planum nicht druckempfindlich. Am hinteren Umfang seiner Spitze eine linsengroße unempfindliche Lymphdrüse.

Behandlung und Krankheitsverlauf. Nach Reinigung trockener Verband der Wunde hinter dem Ohre mit sterilem Mull. Kopfstauung nach Bier, 22 Stunden täglich.

16. Juni. Starke Cyanose des Gesichts. Anschwellung der Haut des Halses oberhalb der Binde. Umgebung der Wunde am Warzenfortsatze teigig geschwollen. Aus der Tiefe der Wunde quillt vorwiegend klare seröse Flüssigkeit.

17. Juni. Warzenfortsatz diffus druckempfindlich. Weichteile über ihm und in seiner Umgebung infiltriert. Rechtes Trommelfell erscheint serös durchtränkt.

19. Juni. Dunkle Rötung der Haut über dem Warzenfortsatze. Aus der Inzisionswunde quillt in spärlicher Menge gelber rahmiger Eiter. Die Sonde trifft unter den die Wunde erfüllenden Granulationen auf rauhen Knochen und dringt hinten oben am Planum in ein Loch der Corticalis. In der rechten Pauke vereinzeltes Rasseln; das Knisterrasseln in der linken Pauke unverändert.

22. Juni. Warzenfortsatz erheblich weniger druckempfindlich. Weichteile nur in der nächsten Umgebung der Wunde noch gerötet. Die Wunde liefert wenig trübseröses Sekret.

27. Juni. Absonderung dicken gelben Eiters aus der Wunde.

1*

2. Juli. Nach dauernd spärlicher- Eiterung ist die retroaurikuläre Wunde heute fast trocken; ihre Ränder sind livide.

7. Juli. Wunde mit trockener Kruste bedeckt. In beiden Pauken feuchtes Blasegeräusch. Stauung auf 15 Stunden täglich beschränkt.

9. Juli. Wunde überhäutet. Warzenfortsatz und Weichteile über ihm sonst normal. Rechtes Trommelfell blaß, noch etwas trübe und verdickt. Auskultation bei Luftdusche ergibt rechts normales, links etwas rauhes Blasegeräusch, kein Rasseln. Flüstersprache beiderseits in mindestens 6 m. Stauungsbinde fort.

11. Juli. Hinter dem oberen Drittel des Kopfnickers beiderseits einige unempfindliche geschwollene Drüsen.

Geheilt entlassen.

Bakteriologischer Befund. Der aus dem Corticalisdurchbruch entleerte Eiter enthält mikroskopisch (14.6, 16.6, 23.6, 28.6) Kapseldiplokokken, einzelne Staphylokokken.

Mikroskop. Diagnose: Diploc. lanceolatus mit sekundärer Beteiligung von Staphylokokken.

3. Richard We., 12 Jahre alt, Bergarbeiterssohn aus Zeitz.

Diagnose: Akute Mittelohreiterung beiderseits. Aufgen. 17. Juni 06. Entl. 15. Juli 06.

Anamnese. Von Jugend auf angeblich etwas schwerhörig gewesen. In früheren Jahren wurden Masern und Scharlach überstanden. Seit dem 2. Juni besteht beiderseits Ohreiterung, für die keine bestimmte Ursache zu ermitteln ist. Seit einigen Tagen sind Schmerzen hinter beiden Ohren hinzugetreten, besonders rechts.

Status praesens. Der Knabe ist nicht sehr kräftig entwickelt, von schmächtigem Körperbau, hat aber, abgesehen von leichtem chronischen Bindehautkatarrh beider Augen, sonst gesunde Organe. Temperatur Nachmittag 38,1°.

Ohrbefund. Links: Auskleidung des Gehörgangs im inneren Drittel gerötet und verdickt. In der Tiefe, am Trommelfell, einige Tropfen serösen Eiters. Trommelfell diffus gerötet, teilweise mit weißen Schüppchen bedeckt. Vor dem undeutlich erkennbaren Hammergriff eine kleine Perforation mit punktförmigem Lichtreflex.

Rechts: Vordere untere Gehörgangswand leicht entzündlich geschwollen. Im Gehörgang mäßig reichlicher dünnflüssiger Eiter. Trommelfell scharlachrot, hinten oben flach vorgewölbt. Unten quillt aus einer stecknadelkopfgroßen Öffnung hellgelber Eiter. Flüstersprache links in 5, rechts in 1 m. Rinne rechts —, links +. Weber (C₁) nach rechts.

Umgebung des Ohres. Spitze und Planum des rechten Warzenfortsatzes sind stark druckempfindlich, in geringerem Grade auch die Spitze des linken. Weichteile unverändert.

Behandlung und Krankheitsverlauf. Rechts ausgiebige Paracentese. Mullstreifen in die Gehörgänge. Schlußverband. Kopfstauung nach Bier, 22 Stunden täglich. Calomel.

18. Juni. Die Binde verursacht keinerlei Beschwerden. Die Eiterung ist rechts profus, links entleert sich nur wenig trübe seröse Flüssigkeit. Druckempfindlichkeit am Warzenfortsatz nur links etwas zurückgegangen. Temperatur über Nacht 38,9 und 39°, am Morgen 38,2°.

20. Juni. Die rechtsseitige kopiöse Eiterung ist noch dünnflüssiger geworden; links in der Tiefe des Gehörgangs noch eine Spur Eiter. Linker Warzenfortsatz fast unempfindlich auf Druck, auch am rechten ist heute die Schmerzhaftigkeit erheblich geringer. Der linke Gehörgang ist gegen den Befund bei der Aufnahme nicht verändert, im rechten ist im Bereich des knöchernen Abschnitts eine starke konzentrische Verengerung eingetreten, die den Einblick sehr erschwert. Die Temperatur ist stetig gefallen und heute normal. Nach Trockentupfen Pinselung des rechten Gehörgangs mit einer Lösung von 3% Arg. nitricum.

26. Juni. Linkes Ohr fast trocken, rechts mäßige dünne Eiterung. Warzenfortsätze völlig schmerzfrei auf Druck. Rechtsseitige Externa bei öfterer Höllensteinpinselung gebessert, doch nahe dem Trommelfell noch entzünd-

liche Verengerung. Temp. blieb meist normal, schwankte Abends zwischen
37,1 und 37,8°.

29. Juni. Linkes Ohr trocken. Rechts wechselt die Eitermenge.
Warzenfortsätze dauernd unempfindlich. Verengerung des rechten Gehörgangs besteht weiter.

2. Juli. Die rechtsseitige Externa geht zurück.

7. Juli. Rechtes Ohr trocken. Die Paracentese im Zuheilen begriffen.
Trommelfell blasst ab. Stauung 15 Stunden täglich.

10. Juli. Rechtes Ohr trocken geblieben. Paracentese geschlossen.
Trommelfell leicht verdickt, graurot. Linkes Trommelfell eingezogen, glanzlos, bläulich, ohne Perforation. Bei Luftdusche durch den Katheter links
scharfes rauhes, rechts feuchtes, giemendes Blasegeräusch. Stauung fällt
fort. Luftdusche täglich.

14. Trommelfell rechts grauweiß, leicht verdickt, hinten oben etwas
abgeflacht; links stumpf, graublau, mäßig eingezogen. In beiden Pauken
normales Blasegeräusch. Warzenfortsätze unempfindlich, Weichteile normal.
Hinter dem oberen Drittel des Kopfnickers rechts eine, links vier bohnengroße, harte, schmerzlose Lymphdrüsen. Flüstersprache beiderseits in mindestens 6 m.

15. Juli. Geheilt entlassen.

20. Nov. Wiederholte Kontrolle bestätigte die Heilung. Beide
Trommelfelle trocken, glänzend, leicht eingezogen. Drüsenschwellung am
Halse verschwunden

Bakteriologische Untersuchung. Im Paukeneiter mikroskopisch
(17. Juni) lanzettförmige Diplokokken mit hellem Hof, einige kurze Diplo-
kokkenketten. Mehrere lange schleifenförmige, aus Einzelkokken bestehende
Ketten. Es wurde nur der Eiter aus der rechten Pauke untersucht.

Mikroskopische Diagnose: Diploc. lanceol. und Streptoc. pyogenes.

4. Walther N., 1 Jahr alt, Bergmannskind aus Eisleben.

Diagnose: Akute Mittelohreiterung rechts mit periostitischem Abszeß.
Aufgen. 18. Juni 06. Entl. 28. Juli 06.

Anamnese. Seit 14 Tagen rechts Ohreiterung aus unbekannter Ursache. Vor 2 Tagen trat eine Anschwellung hinter dem Ohre auf.

Status praesens. Gut genährtes, seinem Alter entsprechend entwickeltes Kind. Temp. Abends 37,6°.

Ohrbefund. Links: Normale Verhältnisse. Rechter Gehörgang mit
schleimigem Eiter angefüllt. Das diffus gerötete Trommelfell ist hinten oben
stark vorgewölbt. Aus einer kleinen Öffnung vorn unten quillt nach Abtupfen Eiter nach.

Umgebung des Ohres. Die rechte Ohrmuschel wird durch eine
über dem Warzenfortsatz bestehende, von dunkelroter Haut bedeckte, schwappende Geschwulst vorgedrängt.

Behandlung und Krankheitsverlauf. Breite Paracentese. 1,5 cm
lange senkrecht geführte Inzision, etwa 1 cm hinter der Muschel, entleert
aus der fluktuierenden Anschwellung ca. einen Eßlöffel dünnen gelben Eiters.
Streifen in den Gehörgang. Verband. Stauungsbinde, 22 Stunden täglich.

20. Juni. Starke Sekretion aus der Inzisionswunde, geringere aus der
Pauke. Temp. regelrecht.

23. Juni. Wunde von wenig Sekret bedeckt. Aus dem Mittelohre spärliche Eiterung. Die verkleinerte Paracentese wird erweitert. In den letzten
Tagen Temp. Abends etwa 38°. Binde gelockert.

26. Juni. Reichliche schleimige Eiterung aus der Pauke. Gehörgang
stärker entzündlich gerötet, ohne erhebliche Verengerung. Haut des Halses
hängt sackartig über die Binde herab. Temp. normal.

27. Juni. Der dünne Paukeneiter heute grün, mit Geruch nach Pyocyaneus. Tägliches Einblasen von Borpulver in dünner Schicht.

30. Juni. Eiter aus der Pauke dünn, blaßgelb; guter Abfluß. Borsäureeinblasung fällt fort.

2. Juli. Retroaurikuläre Wunde grauweiß belegt, sondert keinen Eiter
ab; benachbarte Weichteile leicht infiltriert. Hinter dem oberen Drittel

des rechten Sternocleidomastoideus hat sich ein größeres hartes Drüsenpacket gebildet.

16. Juli. Aus der Paracentese und zeitweise auch aus der Abszeßwunde entleerte sich in der letzten Zeit spärlicher fadenziehender Schleimeiter. Trommelfell blaßt ab.

22. Juli. Wunde hinter dem Ohre mit trockener Kruste bedeckt. Paracentese trocken, klafft. Trommelfell blass. Binde und Verband fallen fort.

28. Juli. Ohr dauernd trocken, Paracentese verheilt. Hinter der Ohrmuschel blassrote verschiebliche Narbe in gesunder Umgebung, Halsdrüsen erheblich zurückgegangen. Geheilt entlassen.

Bakteriologische Untersuchung. Im Ausstrich vom Abszeßeiter mikroskopisch (18. Juni) zwischen den gut erhaltenen Eiterkörperchen zahlreiche Streptokokken; keine anderen Bakterien.

27. Juni. Im Ausstrichpräparat vom grünen Paukeneiter zahlreiche schlanke und plumpere Stäbchen.

Kulturverfahren. Verdünnungsausstrich auf 3 Agarröhrchen. Nach 24 Stunden auf 1 und 2 nur zahlreiche große feuchte Kolonien, die grünlichen Farbstoff produzieren. Mikroskopisch im hängenden Tropfen kleine, lebhaft bewegliche, schlanke Stäbchen. Aus einer Kolonie von Röhrchen 2 werden 3 Gelatineverdünnungsplatten beschickt. Von diesen sind nach 24 Stunden 1 und 2 in eine diffus grünliche, nach Pyocyanin riechende Flüssigkeit verwandelt; auf der 3. Platte sind zahlreiche rundliche, graugrüne halblinsengroße und etwas größere Verflüssigungsherde aufgetreten, in denen kleine grünliche Kolonien liegen. Die Stäbchen sind gramnegativ.

Im 3. Agarröhrchen finden sich zwischen gleichen Kolonien, wie in den Röhrchen 1 und 2, vereinzelte kleine (etwa 1 mm im Durchmesser) grau durchscheinende. Diese bestehen, im hängenden Tropfen betrachtet, aus polymorphen, an den Enden teils zugespitzten, teils kolbig verdickten, bald massenhaft in Haufen, bald in Stern- und Rosettenform zusammenliegenden, unbeweglichen kurzen Stäbchen. Isolierung auf Agar, dann auf Serum. Die Stäbchen sind grampositiv, zeigen bei Färbung nach M. Neisser keine Polkörperchen.

Am 9. Juli sind aus dem gelben schleimigen Paukeneiter auf Agar nur die schlanken beweglichen Stäbchen in Gestalt eines feuchten grünen Rasens gewachsen.

Bakteriologische Diagnose: Im Paukeneiter Bacillus Pyocyaneus und Pseudodiphtheriebazillen; zuletzt Bac. Pyocyan. in Reinkultur.

Im Abszeßeiter mikroskopisch Streptoc. pyogenes.

5. Marie A., 4 Jahre alt, Formerstochter aus Wernigerode.

Diagnose: Akute Mittelohreiterung rechts; tuberkulöse Mastoiditis und periostitischer Abszeß. Aufgen. 23. Juni 06. Entl. 18. Juli 06.

Anamnese. Bei dem bis dahin gesunden Kinde trat ohne erweisliche Ursache Anfang Juni 1906 rechtsseitige Ohreiterung auf. Ausspritzungen mit Kamillenthee. Seit 8 Tagen entwickelte sich eine Anschwellung hinter dem Ohre.

Status praesens. Blasses zartes Mädchen von zierlichem Knochenbau, in etwas reduziertem Ernährungszustande. Herz und Lungen, sowie Unterleibsorgane ohne pathologischen Befund. Temp. normal.

Ohrbefund. Linkes Trommelfell eingezogen, gleichmäßig etwas getrübt. Rechts: Gehörgangswände in der Tiefe gerötet und geschwollen, mit wenig serös-citrigem Sekret belegt. Nach Austupfen erscheint das Trommelfell dunkelrot, teilweise mit weißen Schüppchen bedeckt, hinten vorgewölbt. Vorn besteht eine kleine Perforation.

Umgebung des Ohres. Rechte Ohrmuschel vorgedrängt durch eine pralle, schwappende, mit geröteter Haut bedeckte Anschwellung über dem Warzenfortsatze.

Behandlung und Krankheitsverlauf. Breite Paracentese. 2 cm lange, senkrecht verlaufende Inzision entleert aus der retroaurikulären Schwellung einen knappen Eßlöffel dünnen blutigen Eiters. Rauher Knochen liegt in ziemlichem Umfange bloß. Kopfstauung, täglich 22 Stunden.

24. Juni. Stauung ohne Beschwerden ertragen. Aus Pauke und Abszeßwunde geringe Eitersekretion.

27. Juni. Paukeneiterung in den letzten Tagen dünn, mäßig reichlich. Auch die Insisionswunde entleert etwas Eiter. In der Tiefe der letzteren ist, etwas hinter dem Planum, ein Knochendefekt sondierbar (Sut. mast.-squamosa?)

2. Juli. Allgemeinbefinden ungestört. Eiterung hat abgenommen. Paracentese klafft. Wundränder hinter dem Ohre livid und leicht infiltriert. Hinter dem Kopfnicker sind oben mehrere geschwollene Lymphdrüsen aufgetreten. Temp. normal.

5. Juli. Auch die Umgebung der Wundränder geschwollen. Rechter Gehörgang stärker entzündet, innen konzentrisch verengt. Eiterung aus der Pauke beträchtlich, schleimigen Charakters. Temp. Abends 37,2°.

6. Juli. Gehörgang allseitig sehr verengt, mit hellgelbem, fade riechenden Schleimeiter erfüllt. Starke teigige Schwellung der dunkel geröteten Haut über dem Warzenfortsatz und seiner Umgebung in gut Handflächengröße. Abszeßwunde speckig belegt, mit schwartig verdickten Rändern, bei deren Auseinanderdrängen dicker Eiter hervorquillt. Warzenfortsatz an der Spitze sehr druckempfindlich. Seit gestern ist am ganzen Körper, am stärksten zwischen den Schulterblättern, ein aus ziemlich dicht stehenden roten, miliariaartigen Knötchen gebildeter Ausschlag aufgetreten. Temp. Morgens 37,2°.

Typische Aufmeißelung: Weichteile hochgradig speckig infiltriert. Corticalis des Planums vollständig arrodiert, auch die Knochenschale der hinteren knöchernen Gehörgangswand z. T. abgelöst. Zahlreiche schmierige Granulationen in den Zellen des Warzenfortsatzes. Antrum sehr erweitert.

Eine größere aus dem Warzenfortsatze stammende Granulation wird dem pathologischen Institute behufs histologischer Untersuchung übergeben.

7. Juli. Operation gut überstanden. Kein Erbrechen. Temp. leicht erhöht.

11. Juli. Verbandwechsel. Beginnende Granulationsbildung. Im Drain und am Verband dünner Eiter. Auch aus der Pauke spärliche Eiterung. Hautausschlag verschwunden.

Die Untersuchung der bei der Operation entnommenen Granulation hat in den aus derselben angefertigten Schnitten laut Mitteilung des pathologischen Instituts (Dr. Fuss) histologisch das typische Bild der Tuberkulose ergeben (Vielkernige Riesenzellen; Nekrose innerhalb derselben und in ihrer Umgebung).

17. Juli. Antrumeiterung geringer. Gehörgangssequester wenig gelockert.

18. Juli. Auf Wunsch der Angehörigen wird das Kind zu weiterer ärztlicher Nachbehandlung in die Heimat entlassen.

Bakteriologischer Befund. Im Abszeßeiter finden sich mikroskopisch (24. Juni) zahlreiche Streptokokken, die in kürzeren und langen gewundenen Ketten liegen. Daneben Diplokokken, ohne deutliche Kapseln.

Mikroskopische Diagnose: Streptoc. pyogenes.

6. Otto Ge., 1 Jahr alt, Bergmannskind aus Gerbstedt.

Diagnose: Akute Eiterung links mit subperiostalem Abszeß. Aufgen. 24. Juni 06. Entl. 20. August 06.

Anamnese. Vor etwa 8 Tagen soll hinter der linken Ohrmuschel eine Anschwellung aufgetreten sein, doch ohne Eiterung aus dem Ohre. In der letzten Nacht war das Kind unruhig. Kein Erbrechen.

Status praesens. Gut genährtes, sonst gesundes Kind, ohne Fieber.

Ohrbefund. Rechts normale Verhältnisse. Links: Trommelfell hochgerötet, mit weißen Schüppchen bedeckt; hinten besteht Vorwölbung.

Umgebung des Ohres. Hinter dem linken Ohre befindet sich, die Muschel nach vorn drängend, eine flache, prall fluktuierende Anschwellung, über der die Haut dunkel gerötet ist.

Behandlung und Krankheitsverlauf. Breite Paracentese läßt reichlich blutigen Eiter austreten. Eröffnung des retroaurikulären Abszesses durch 1,5 cm langen senkrechten Schnitt. Entleerung einer kleinen Quantität dünnflüssigen Eiters. Mullstreifen in den Gehörgang. Schlußverband. Stauung, 22 Stunden täglich.

25. Juni. Allgemeinbefinden durch die Stauung nicht beeinträchtigt. Guter Abfluß schleimigen Eiters aus dem Mittelohre. Aus der retroaurikulären Wunde, deren Ränder wenig klaffen, quellen einige Tropfen trüben Serums.

27. Juni. Am Morgen leichtes Fieber. Paracentesenöffnung teilweise durch prolabierte sulzige Schleimhaut verlegt; wird erweitert. Weichteile um die Abszeßwunde gerötet und teigig geschwollen.

29. Juni. Infiltration über dem Warzenfortsatze hat zugenommen; Haut livide. Wunde fast trocken, neigt zur Verklebung. Erweiterung. Reichliche schleimige Eiterung aus dem klaffenden Trommelfellschnitt.

2. Juli. Die in den letzten Tagen wenig erhöhte Temperatur ist wieder normal, das Allgemeinbefinden dauernd gut. Haut über dem Proc. mast. blaß. Abszeßwunde will sich schließen.

7. Juli. Wunde hinter dem Ohre verklebt und überschorft.

11. Juli. Die Haut über dem Warzenfortsatze neuerdings wieder bläulich verfärbt. Inzisionswunde verklebt geblieben. Sekretion aus der Pauke spärlich. Paracentese erweitert. Temp. normal.

12. Juli. Stärkere Infiltration der Weichteile über dem Warzenfortsatze nötigt zu nochmaliger Inzision an der früher gewählten Stelle. Austritt bernsteingelben serösen Eiters.

15. Juli. Schwellung über dem Warzenfortsatz zurückgegangen; livide Hautfarbe besteht weiter. Aus der Wunde quillt spärlicher seröser Eiter. Aus der Pauke kopiöse Sekretion. Kein Fieber.

20. Juli. Abszeßwunde zu granulierender Fistel verengt, sezerniert spärlich hellgelben Schleimeiter. Weichteile über dem Warzenfortsatz bläulich, wieder etwas teigig geschwollen. Aus der Pauke sehr reichliche Eiterung. Temp. regelrecht.

Typische Aufmeißelung: Oberflächliche Karies der Corticalis. Sehr blutreicher spongiöser Knochen. Im Antrum geschwellte Schleimhaut und Schleimeiter. Beim Fortnehmen der vorderen lateralen Antrumwand ziemlich starke venöse Blutung. Beendigung der Operation.

21. Juli. Operation gut überstanden. Befinden befriedigend.

Die Eiterung aus der Pauke machte sich im Laufe der folgenden 14 Tage nach temporärem Versiegen wieder in geringem Grade bemerkbar, und die retroaurikuläre Wunde hatte sich, als Pat. am 20. August aus der weiteren Behandlung ausschied, nahezu durch Granulationsbildung geschlossen.

Bakteriologischer Befund. Im mikroskopischen Präparate vom Abszeßeiter (24. Juni) spärliche Kapseldiplokokken; keine anderen Bakterien.

Mikroskopische Diagnose: Diploc. lanceolatus.

7. Frieda B., 10 Monate alt, Arbeiterskind aus Artern.

Diagnose: Subakute Eiterung rechts. Aufgen. 2. Juli 06. Entl. 19. Juli 06.

Anamnese. Vater des Kindes soll lungenkrank sein. Seit etwa 6 Monaten ist das Kind unruhig, schreit oft, fasst auch nach dem rechten Ohre. Hinter demselben ist vor einiger Zeit vom behandelnden Arzte 2 Mal eingeschnitten worden. Rechtsseitige Ohreiterung „seit längerer Zeit".

Status praesens. Mageres, blasses, dürftig genährtes Kind, ohne nachweisbare Organerkrankungen.

Ohrbefund. Rechter Gehörgang eng, entzündlich gerötet, voll Schleimeiter. Das diffus rote Trommelfell wölbt sich hinten stark vor; vorn kleine Perforation, die Eiter entleert.

Umgebung des Ohres. Hinter der rechten Ohrmuschel kleine graurote verschiebliche Längsnarbe. Auf Druck anscheinend kein Schmerz hinter dem Ohre. Links nichts Pathologisches.

Behandlung und Krankheitsverlauf. Paracentese. Mullstreifen in den Gehörgang. Verband.

9. Juli. Anhaltend reichliche Eiterung. Unterhalb des Gehörganges mehrere infiltrierte Drüsen. Temp. normal.

11. Juli. Versuchsweise Anlegung einer Stauungsbinde.
16. Juli. Eiterung unvermindert. Temp. Abends 37,7°.
17. Juli. Bei freiem Eiterabfluß Abendtemp. 38,1°.
18. Juli. Hinter der Ohrmuschel, etwa der Lage der Sutura mast.-squamosa entsprechend, ist in geröteter Umgebung eine bohnengroße, gelb durchscheinende, fluktuierende Blase entstanden. Auf Inzision entleert sich eine kleine Menge dünnen hellgeben Eiters. Sonde dringt in eine rauhe enge Knochenöffnung. Verband.
19. Juli. Weitere Behandlung aus äußeren Gründen abgebrochen. Bei der Entlassung war die Inzisionswunde eitrig belegt, die Sekretion aus der Pauke wenig verändert.

Bakteriologische Untersuchung. Im gefärbten Ausstrichpräparate vom Paukeneiter (2. Juli) vorwiegend Kettenkokken; einzelne Kokken und solche in häufchenförmiger Anordnung.

Kulturverfahren. Im Verdünnungsausstrich auf Agar sind (4. Juli) fast ausschließlich kleine, nicht konfluierende, grauweiße Kolonien gewachsen; zwischen denselben spärliche größere orangefarbene. Im hängenden Tropfen von der ersteren Kolonienart: stark lichtbrechende, einzelne, paarweise und in vielgliedrigen Ketten liegende Kokken. Die anderen Kolonien zeigen mikroskopisch gleichfalls sehr helle, aber größere Kokken, die einzeln oder in unregelmäßigen Haufen liegen.

Bakteriologische Diagnose: Streptoc. pyogenes und Staph. pyogenes aureus.

8. Karl Wi., 42 Jahre alt, Schäfer aus Frenz i. A.

Diagnose: Links chronische Eiterung, rechts akute Eiterung. Aufgen. 1. Juli 06. Entl. 5. August 06.

Anamnese. Mit 21 Jahren litt der Kranke an Unterleibstyphus. Im übrigen war er angeblich stets gesund. Seit 8—10 Wochen soll das linke Ohr mit kurzen Pausen geeitert haben. Vor etwa 8 Tagen trat im rechten Ohre unter Schmerzen Sausen und Plätschern auf, das allmählich immer stärker mit dem Gefühl von Schwere in der rechten Kopfhälfte verbunden war. Nähere Ursache für die Ohrbeschwerden ist nicht zu ermitteln. Poliklinisch rechts Paracentese.

Status praesens. Großer, kräftiger, wohlgenährter Mann mit gerötetem Gesicht. Brust- und Unterleibsorgane ohne krankhaften Befund. Temp. normal.

Ohrbefund. Rechts: Gehörgang blass und weit. Trommelfell graurot, getrübt, hinten oben flach vorgewölbt. Hinten unten verklebte strichförmige Inzision mit suffundierten Rändern. Links: weiter, wenig geröteter Gehörgang, unten mit dünner Eiterschicht überzogen. Im Trommelfell großer Defekt. Oben V-förmiger Rest mit horizontal liegendem Hammergriff, sonst nur ein unten breiterer peripherer verdickter Saum erhalten, auf dessen freiem Rande unten eine Anzahl kleiner Granulationen aufsitzen. Freiliegende Paukenschleimhaut mit dickem gelben Eiter bedeckt, dunkelrot, gewulstet. Flüstersprache rechts auf 0,5, links auf 2 m.

Umgebung des Ohres. Planum und Spitze des rechten Warzenfortsatzes druckempfindlich. Weichteile unverändert.

Behandlung und Krankheitsverlauf. Vom 2. bis 18. Juli wurde wegen des etwas apoplektischen Habitus des Patienten von der Kopfstauung abgesehen. Nach ausgiebiger Paracentese kam rechts ein quantitativ wechselnder, meist reichlicher Abfluß serösen Eiters zustande. Gehörgangsstreifen, Verband. Der rechte Warzenfortsatz blieb leicht druckempfindlich. Links wurde die spärlichere, dickflüssige Eiterung mittelst Durchspülungen der Pauke von der Tube her mit Kochsalzlösung und folgender Instillation von Boralkohol ins Mittelrohr bekämpft. Auf keiner Seite war eine wesentliche Besserung zu bemerken. Nur die links vorhandenen kleinen Granulationen schienen etwas zu schrumpfen.

18. Juli. Beiderseits ziemlich reichliche Sekretion, links dicken rahmigen, rechts dünnen serösen Eiters. Versuchsweise Kopfstauung nach Bier, unter Fortfall sonstiger therapeutischer Maßnahmen. Es wird nur das

Sekret in den Gehörgängen trocken ausgetupft. Streifen in die Gehörgänge, Verband, Calomel.

19. Juli. Das bisher vorhandene Gefühl von Schwere in der rechten Kopfhälfte ist bald nach dem Anlegen der Binde gewichen. Der rechte Warzenfortsatz nicht mehr druckempfindlich. Eiterung beiderseits reichlich.

25. Juli. Die Eiterung hat auf boiden Seiten erheblich nachgelassen, ist rechts heute nur spurweise vorhanden.

26. Juli. Rechtes Mittelohr trocken. Trommelfell blaß, hinten oben noch leicht abgeflacht. Paracentesenöffnung sehr verkleinert. Auch linkes Ohr fast ohne Sekret. Am Abend tritt, boi umgelegter Binde, ohne sonstigen erweislichen Grund (insbesondere kein Pressen beim Stuhlgang) plötzlich eine ziemlich heftige Blutung aus dem rechten Ohre auf, die auf Tamponade sofort steht. Fortlassung der Stauungsbinde.

27. Juli. Nach Entfernung des blutig durchtränkten Mullstreifens und Austupfen der Blutgerinnsel im Gehörgange und auf dem Trommelfell erscheint im hinteren oberen Quadranten des letzteren eine kleine spaltförmige, etwa senkrecht gestellte Perforation, aus welcher ein kleines Blutkoagulum heraushängt. Das Trommelfell ist völlig blaß, zeigt vorn deutlich blaue Transparenz. Die trockenen Ränder des hinten unten befindlichen Paracentesenrestes klaffen.

28. Juli. Im rechten Trommelfell hinten oben stecknadelkopfgroße Exkoriation, in grauroter flach vorgewölbter Umgebung. Links fast normale, nur wenig verdickte und feuchte Paukenschleimhaut.

5. August. Beide Gehörgänge weit, reizfrei. Das blasse rechte Trommelfell zeigt hinten eine strichförmige Narbe. Links trockene grauweiße Paukenschleimhaut. Flüstersprache rechts in 3, links in 1,5 m. Geheilt entlassen.

Bakteriologische Untersuchung. Es wurde nur das Sekret aus der rechten Pauke untersucht. Im gefärbten Ausstrichpräparate (5. Juli) größere, einzeln und zu zweien liegende Kokken, außerdem eine Anzahl plumper, gerader und gekrümmter Stäbchen, deren Enden z. T. kolbig verdickt sind.

Kulturverfahren. Auf Agar zahlreiche feine grauweiße, milchige, stippchenförmige, bis 1 mm im Durchmesser haltende Kolonien. Hängender Tropfen: kurze plumpe, gerade und leicht gekrümmte, vielfach an den Enden verdickte, unbewegliche Stäbchen, stellenweise in Stern- und Rosettenform angeordnet. Grampositiv. Außerdem wuchs eine Anzahl großer ockergelber Kolonien; hängender Tropfen: Kokken, einzeln und in Häufchen.

Wiederholung der Untersuchung ergab am 15. Juli im Ausstrichpräparate neben spärlichen Stäbchen lanzettförmige Kapseldiplokokken. Auf Agar wuchsen außer den beschriebenen, aus den gleichen Stäbchen bestehenden eine mäßige Anzahl kleiner, zarter, tautropfenartiger, durchsichtiger Kolonien. Hängender Tropfen: Diplokokken, auch in kurzen Ketten liegend. Nach Isolierung derselbe Befund bei den Stäbchen und Diplokokken. Überimpfung von einer Kolonie der Stäbchenreinkultur auf Blutserum. Nach 18 Stunden saftiger, gelbweißer Rasen, stellenweise einzelne kleine mattglänzende Häufchen. Bei Färbung nach M. Neisser schlanke und plumpere braune Stäbchen, ohne blaue Pole. Grampositiv.

Bakteriologische Diagnose: Beide Male Pseudodiphtheriebazillen. Außer diesen zuerst Staphyloc. pyog. aureus, dann Diploc. lanceolatus

9. Marie Z., 14 Jahr alt, Gerberstochter aus Sandersleben.

Diagnose: Akute Eiterung links mit Mastoiditis, Cortcialisdurchbruch und subperiostalem Abszeß. Aufgen. 21. Juli 06. Entl. 17. Okt. 06.

Anamnese. Mit 6 Jahren Masern. Vor 8 Tagen trat ohne nachweisbare Ursache Stechen im linken Ohre auf, und 3 Tage später Eiterung aus demselben. Jetzt begann auch hinter dem linken Ohre sich eine schmerzhafte Schwellung zu bilden. Appetitlosigkeit, angehaltener Stuhl. Bis zur Aufnahme nach ärztlicher Anweisung Ausspülungen des Ohres mit lauem Wasser.

Status praesens. Ziemlich großes, blasses, für sein Alter normal entwickeltes Mädchen in leidlichem Ernährungszustande. Zunge braungelb belegt; foetor ex ore. Innere Organe ohne krankhaften Befund. Temp. Vorm. 38,4°.

Ohrbefund. Rechts: eingezogenes Trommelfell. Links: Gehörgang von dünnem, gelben, wenig fötiden Eiter völlig erfüllt. Gehörgangswände, zumal im knöchernen Teile, gerötet und geschwollen, Lumen zu schräg gestelltem Oval verengt. Trommelfell deshalb und wegen des von unten her gleich nach dem Abtupfen wieder pulsierend nachströmenden Eiters nicht völlig zu übersehen. Dunkelrot und vorgewölbt, unten perforiert. Flüstersprache links unsicher ad concham, rechts normal

Umgebung des Ohres. Linke Ohrmuschel vorgedrängt. Haut über dem Warzenfortsatz tumorartig vorgetrieben und, am stärksten über dem Planum, dunkel gerötet. Pralle Fluktuation. Infiltration der Weichteile rings um den Warzenfortsatz, auch unterhalb der Spitze. Hier mehrere bohnengroße, schmerzhafte Drüsenschwellungen.

Behandlung und Krankheitsverlauf. Paracentese. 2 cm langer Einschnitt hinter und parallel der Muschel bis auf den Knochen entleert etwa einen Eßlöffel dünnen blutigen Eiters. Gehörgangsstreifen. Schlußverband. Bier sche Kopfstauung, 22 Stunden täglich. Calomel. — Temp. Nachm. 37,7°. Nachlaß der Schmerzen im Ohre.

22. Juli. Ohrschmerzen verschwunden; die Stauung verursacht keine Beschwerden. Warzenfortsatz auf Druck überall noch sehr empfindlich. In der Inzisionswunde liegt das Planum als weiße Knochenfläche in Zehnpfennigstückgröße frei, mit linsengroßer zackiger Fistel, aus der spärlicher gelber, rahmiger Eiter sickert. Das jetzt in seiner hinteren Hälfte übersehbare Trommelfell ist blaurot und vorgewölbt. Aus der Paracentese entleert sich dünner Eiter in mäßiger Menge. Temp. Nachm. 36,8°.

24. Juli. Warzenfortsatz bei Druck schmerzfrei. Eiterung aus Pauke und Fistel spärlich, dünn. In der Tiefe der Corticalisfistel sind weißgelbliche beim Sondieren feste Zellsepta zu sehen. Zunge frei von Belag. Keine gastrischen Störungen mehr.

27. Juli. Eiterabfluß ziemlich reichlich. Geringer Druckschmerz am Warzenfortsatze. Paracentese erweitert.

28. Juli. Gehörgang weiter und blasser. Eiterung geringer. Druckempfindlichkeit des Warzenfortsatzes beseitigt.

1. August. Reichlichere Sekretion. Vorm. 37,6°. Erweiterung der Paracentese.

4. August. Schluckbeschwerden. Temp. Vorm. 40,1°. Gaumentonsillen gerötet, zeigen mehrere grauweiße Pfröpfe. Ohrbefund unverändert. Halsprießnitz. Gurgelungen mit Kal. permang.

7. August. Angina abgelaufen; bei geringer Temperatursteigerung seit gestern zunehmende Schmerzen hinter dem Ohre. Mäßig reichliche Eiterung aus der Pauke und Fistel. Aus letzterer starke Granulationsbildung.

10. Juli. Stetig steigende Temperatur. Stärkere Schmerzen im linken Ohre und in der linken Kopfhälfte. Geringe Eiterung.

11. August. Sehr unruhige Nacht infolge linksseitiger Ohr- und Kopfschmerzen. Hohes Fieber (40°).

Typische Aufmeißelung: Infiltrierte Weichteile. Planum des Warzenfortsatzes in über Zehnpfennigstückgröße durch weiße Farbe scharf gegen die Umgebung abgesetzt, in dem unteren Drittel nekrotisch, weist eine Fistel auf, die in die darunter liegenden Zellen führt, die Warzenfortsatzzellen mit dicken Granulationen gefüllt. Im Antrum kein Eiter. Hintere knöcherne Gehörgangswand stark verdünnt.

Nach 4 Tagen war die Eiterung aus der Pauke versiegt. Die Nachbehandlung nahm wegen der bei dem anämischen Mädchen sehr trägen Granulationsbildung in der Wundhöhle ungewöhnlich lange Zeit in Anspruch, führte aber bei Darreichung von Eisenpräparaten schließlich zur Ausfüllung und Überhäutung der Wunde.

17. Okt. Linkes Trommelfell stumpf, blaugrau. Paracentesen- und

Perforationsnarbe nicht deutlich zn erkennen. Normales Blasegeräusch. Hinter dem Ohre eingezogene, rosafarbene, unempfindliche Narbe. Flüstersprache beiderseits in mindestens 7 m. Geheilt entlassen.

Bakteriologische Untersuchung. Mikroskopisches Präparat vom Paukeneiter (21. Juli): Kokken in langen schlingenförmigen Ketten, ziemlich zahlreiche Diplokokken, hie und da einzelne Kokken. Im Ausstrich vom Abszeßeiter (21. Juli): lanzettförmige Kapseldiplokokken.

Kulturverfahren. A. Paukeneiter. Auf Agar zahlreiche stippchenförmige grauweiße Kolonien; hängender Tropfen: Kettenkokken. Wenige blaugrau durchscheinende, tröpfchenartige Kolonien; im hängenden Tropfen: Diplokokken.

B. Abszeßeiter. Auf Agar Reinkultur kleiner zarter durchsichtiger Kolonien; hängender Tropfen: Diplokokken.

Bakteriologische Diagnose. Pauke: Streptoc. pyogenes und Diploc. lanceolatus. Abszeß: Diploc. lanceolatus.

10. Franz Bu., 36 Jahre alt, Bergmann aus Trebnitz.

Diagnose: Subakute Eiterung rechts. Aufgen. 23. Juli 06. Entl. 5. August 06.

Anamnese. Vor einigen Jahren Gelenkrheumatismus, angeblich ohne Herzbeschwerden. Als Soldat wegen Durchlöcherung eines Trommelfells vom Baden befreit gewesen; Seite nicht mehr festzustellen. Vor 6 Wochen begann gelegentlich eines Schnupfens das rechte Ohr unter Sausen schmerzlos zu eitern. Die Eiterung hörte einige Male auf, wobei sich regelmäßig rechtsseitige Kopfschmerzen einstellten. Der bis dahin gelbe Eiter soll gestern grüne Farbe angenommen haben.

Status praesens. Großer kräftiger Mann von gutem Ernährungszustande. Herz, Lungen und Unterleibsorgane bieten normalen Befund. Temp. normal.

Ohrbefund. Links Ohrenschmalzpfropf. Nach Ausspülung sieht man in dem verdickten Trommelfell hinten unten eine längliche Kalkeinlagerung, vorn unten eine große Narbe. Letztere auf Ansaugen beweglich. Rechts: Gehörgangsauskleidung gerötet und mäßig verdickt. Untere Gehörgangswand und Trommelfell von grünem, rahmigen Eiter überzogen. Trommelfell hoch gerötet, ohne erheblichere Wölbungsanomalie. Vom Hammer nur der Proc. brevis als kleiner roter Knopf erkennbar. Aus halblinsengroßer ovaler Perforation vorn unten quillt pulsierend seröser gelber Eiter. Flüstersprache links in mindestens 7, rechts in 1 m.

Umgebung des Ohres. Der äußerlich unveränderte rechte Warzenfortsatz ist in der Gegend des Planums und am hinteren Rande stark druckempfindlich.

Nase und Nasenrachenraum. Atrophische Rhinitis mit einzelnen Eiterborken in den unteren Nasengängen. Auf der mit glasigem Schleimeiter bedeckten grauroten Hinterwand des Nasenrachenraums einzelne Granula.

Behandlung und Krankheitsverlauf. Nach trockener Reinigung Einblasen einer dünnen Schicht fein pulverisierter Borsäure in den Gehörgang. Mullstreifen. Verband. Kopfstauung. Nasenspray mit physiologischer Kochsalzlösung.

24. Juli. Reichliche dünne Eiterung, schleimig, von gelber Farbe. Planum noch leicht druckempfindlich. Stauung gut ertragen.

27. Juli. Druckempfindlichkeit des Warzenfortsatzes verschwunden. Sekretmenge nimmt ab. Borsäureeinblasung fällt fort. Temp. dauernd normal.

29. Juli. Infiltrierte Paukenschleimhaut überlagert die Ränder der Perforation. Minimale Sekretion.

1. August. Paukenschleimhaut verdickt, blaß in der stecknadelkopfgroßen trockenen Perforation sichtbar.

3. August. Pauke trocken geblieben. Binde fortgelassen.

5. August. Geheilt entlassen.

23. Okt. und 3. Dez. Kontrolluntersuchungen: Ohr dauernd trocken. Flüstersprache beiderseits in mindestens 7 m.

Bakteriologische Untersuchung. Am 24. Juli wurden in dem spärlichen, gelben, serösen Paukeneiter mikroskopisch keine Bakterien gefunden (wenig Eiterzellen). Am 28. Juli im kohärenten hellgelben Paukeneiter überwiegend schlanke, gerade, außerdem plumpere und gebogene, z. T. segmentierte Stäbchen mit abgerundeten oder leicht verdickten Enden. Nach Gram Entfärbung.

Kulturverfahren. Auf dem 1. Agarröhrchen etwa 30 stecknadelkopf- bis halblinsengroße, rundliche graugrüne, teilweise konfluierte Kolonien, auf dem 2. Röhrchen 4 ebensolche von halber Linsengröße. Keine anderen Kolonien. Hängender Tropfen: Schlanke, lebhaft bewegliche Stäbchen. Dieselben sind gramnegativ und verwandeln eine Gelatineplatte binnen 24 Stunden in eine grüne, nach Pyocyanin riechende Flüssigkeit.

Bakteriologische Diagnose: Bacillus Pyocyaneus.

11. Otto F., 6 Jahre alt, Tischlerssohn aus Gräfenhainichen.

Diagnose: Akute Maserneiterung rechts mit Mastoiditis und periostitischem Abszeß. Aufgen. 15. Sept. 06. Entl. 10. Okt. 06.

Anamnese. Vor 6 Wochen Masern. 3 Wochen nach Beginn derselben schwoll die Gegend hinter dem rechten Ohre allmählich an und begann zu schmerzen. Seit 8 Tagen soll auch rechtsseitiges Ohrlaufen bestehen, während die Schmerzen etwas abgenommen haben.

Status praesens. Gut entwickelter, kräftiger und wohlgenährter Knabe mit gesunden Brust- und Unterleibsorganen. Temp. Vorm. 37,0°.

Ohrbefund. Links: Einziehung und leichte diffuse Trübung des Trommelfells. Rechts: Haut des Gehörgangs dunkel gerötet, ebenso Trommelfell. Dieses ist hinten mit mazerierten Epidermisschüppchen bedeckt. Hammergriffumrisse verwaschen. Perforation nicht zu sehen. Flüstersprache links in mindestens 7 m, rechts in 0,5 m.

Umgebung des Ohres. Über dem rechten Warzenfortsatz handtellergroße fluktuierende Schwellung, welche die Ohrmuschel vordrängt. Spitze des Warzenfortsatzes druckempfindlich. Unterhalb derselben eine bohnengroß geschwollene Lymphdrüse.

Behandlung und Krankheitsverlauf. Paracentese entleert nur Blut, 2 cm lange Inzision hinter der Muschel reichliche Menge blutigen Eiters. Verband. Kopfstauung.

16. Sept. Spitze des Warzenfortsatzes unempfindlich. Inzisionswunde sezerniert dünnen braunen, die Pauke gelben rahmigen Eiter. Rechter Gehörgang stärker verengt. Weichteile über dem Proc. mastoid. in weitem Umfange infiltriert. Temp. normal.

20. Sept. Paukeneiterung reichlich. Inzisionswunde, die immer spärlicher sezernierte, heute verklebt. Infiltration ihrer Umgebung geringer. Unterhalb der Spitze erhebliche Verdickung der Weichteile. Gehörgang etwas weiter.

23. Sept. Trommelfell blasser, Eiterung spärlich. Die stark verkleinerte Paracentesenöffnung wird erweitert.

24. Sept. Eiterabfluß frei. Gehörgang wieder enger und mehr gerötet. Aus dem unteren Winkel der sonst verklebten Inzisionswunde tritt auf leisen Druck ein Tropfen bernsteingelben serösen Eiters.

25. Sept. Gehörgang schlitzförmig verengt. Keine Eiterung aus der Pauke. Teigige Schwellung über dem Warzenfortsatz stärker, greift auf die Schuppe des Schläfen- und Hinterhauptbeins über und reicht auch 2 Querfinger breit nach unten über die Spitze hinaus. Temp. regelrecht. Paracentese entleert nur Blut.

27. Sept. Infiltration erheblich zurückgegangen. Gehörgang noch stark verengt. Pauke trocken.

29. Sept. Gehörgang weiter, läßt hinten unten die trockene, klaffende Paracentesenöffnung erkennen, an deren Rändern Blutkrusten haften. Weichteile neben der Inzisionsstelle noch mäßig verdickt. Stauung 16 Stunden täglich.

3. Okt. Gehörgang weit, blaß; Paracentese geschlossen. Trommelfell abgeflacht, graurot, verdickt. Weichteile über dem Warzenfortsatz bis auf die gerötete Narbe der Inzisionswunde normal. Tuben gut durchgängig.

Rechts rauhes Blasegeräusch. Flüsterworte in mindestens 7 m beiderseits. — Täglich Luftdusche.

4. Okt. Auskultation nach Laennec, vom Planum mastoideum aus ergibt, bei Atmung allein durch das gleichseitige Nasenloch, links weiches, nahes, schlürfendes, rechts rauhes, lautes, ferneres Atemgeräusch.

5. Okt. Stauung fällt fort.

10. Okt. Vorn unter der Warzenfortsatzspitze eine kleine unempfindliche Drüse. Über dem Planum rosafarbone verschiebliche Narbe in gesunder Umgebung. Rechtes Trommelfell leicht verdickt und getrübt; Lichtkegel angedeutet. Gehörgang blaß, gegen den linken noch sehr wenig verengt. Normales Blasegeräusch in beiden Pauken. Vom Planum mastoid. aus weiches, nahes, schlürfendes Atemgeräusch, rechts und links ohne deutlichen Unterschied. Geheilt entlassen.

17. Okt. Kontrolluntersuchung: Rechter Gehörgang von normaler Weite. Sonstiger Befund wie bei der Entlassung.

Bakteriologische Untersuchung. Dieselbe wurde auf den Abszeßeiter beschränkt. In demselben mikroskopisch (15. Sept.) längliche Diplokokken mit Kapseln.

Kulturverfahren. 16. Sept. auf Agar im ersten Röhrchen fast ausschließlich, im zweiten als Reinkultur zarte, durchscheinende, tautropfenartige Kolonien; hängender Tropfen: kleine Diplokokken, auch zu kurzen Ketten vereinigt. Im ersten Röhrchen auch einzelne große zitronengelbe Kolonien; mikroskopisch: Traubenkokken. Diese Kolonien nehmen in den nächsten Tagen tiefgelbe Farbe an.

Am 25. Sept. wuchsen aus dem Abszeßeiter nur Diplokokkenkolonien vom beschriebenen Charakter.

Bakteriologische Diagnose: Dipl. lanceolatus. Bei der ersten Untersuchung Verunreinigung (bei der Überimpfung) durch Staphyloc. pyogenes aureus.

12. Walther R., 12 Jahre alt, Magistratsassistentensohn aus Halle a. S.

Diagnose: Akute Exazerbation chronischer Eiterung links mit Mastoiditis. Aufgen. 19. Sept. 06. Entl. 9. Okt. 06.

Anamnese. Mit 5 Jahren Scharlach. Hinzutritt linksseitiger Ohreiterung, die nach einiger Zeit (?) wieder versiegte. Aus unbekannter Ursache begann vor 9 Tagen das linke Ohr abermals zu eitern. Während der seit 7 Tagen eingeleiteten poliklinischen Behandlung sollen sich zeitweise Schmerzen im linken Ohr eingestellt haben.

Status praesens. Mäßig kräftiger Knabe. Rechte Pupille weit, linke mittelweit; beide reagieren gut auf Lichteinfall und bei Konvergenz. Befund am Herzen, an den Lungen- und Unterleibsorganen regelrecht. Temp. normal.

Ohrbefund. Rechts nichts Pathologisches. Links: Gehörgang voll dünnen, graugelben, leicht fötiden Eiters, im inneren Teile gerötet und durch Verdickung der hinteren oberen Wand schlitzförmig verengt. Trommelfell nicht deutlich zu übersehen. Pulsierender Flüssigkeitsreflex in der Tiefe. Flüstersprache links in 0,5, rechts in mindestens 7 m.

Umgebung des Ohres. Planum und Spitze des linken Warzenfortsatzes druckempfindlich. Weichteile unverändert, nur unter der Spitze infiltriert. Dort und tiefer, am vorderen Rande des Kopfnickers, mehrere bohnengroß geschwollene Drüsen.

Nase. Akute Rhinitis. Borkiges Ekzem am rechten Naseneingange.

Behandlung und Krankheitsverlauf. Paracentese hinten unten. Reinigung des Gehörgangs. Mullstreifen. Verband. Kopfstauung. Nasenspray mit physiologischer Kochsalzlösung. Pinselung des Ekzems mit $3^0/_0$ Arg. nitric. Weiße Präzipitatsalbe.

21. Sept. Keine Schmerzen mehr im Ohre. Auch der Warzenfortsatz nicht mehr druckempfindlich. Reichliche dünne Eiterung aus der Pauke.

24. Sept. Wohlbefinden. Dauernd fieberfrei. Eiterung unverändert, ebenso die Verengerung des Gehörganges. Das Ekzem am Naseneingang ist abgeheilt. Schleimhaut der Nasenmuscheln blaß, noch leicht verdickt.

25. Sept. Eiterung geringer, Gehörgang etwas weiter. Unterhalb beider

Warzenfortsätze je ein unempfindliches Drüsenpacket, von teigig verdickten Weichteilen umgeben.

27. Sept. Eiterung dünner, spärlich.

29. Sept. Gehörgang weit. Paracentese verklebt. Vorn im grauroten Trommelfell wird der hintere Rand einer großen Perforation sichtbar.

3. Okt. An der Tamponspitze noch ein Tropfen serösen Eiters.

5. Okt. Pauke fast trocken. Stauung auf 16 Stunden beschränkt.

6. Okt. Mittelohr trocken. Vorn große ovale Perforation, in der die hellrote feucht glänzende Paukenschleimhaut zutage liegt.

8. Okt. Ohr trocken geblieben. Trommelfell hinten oben noch mäßig verdickt. Paukenschleimhaut graurot, glatt, trocken. Binde fällt fort.

9. Okt. Gehörgang weit und, ebenso wie Trommelfell und Paukenschleimhaut, blaß. Perforation trocken. Flüsterworte in mindestens 7 m beiderseits. Warzenfortsatz normal. Keinerlei Drüsenschwellung nachweisbar. Nasenhöhlen ohne Sekret. Geringe Schwellung am unteren Umfang der unteren Muscheln. Geheilt entlassen.

23. Okt., 3. Nov., 29. Dez. Kontrolluntersuchungen: Befund wie bei der Entlassung.

Bakteriologische Untersuchung. Im Paukeneiter (19. Sept.) mikroskopisch längliche Kapseldiplokokken; einige aus Einzelkokken bestehende Häufchen und einzelne mittellange, an den Enden abgerundete, gerade und gekrümmte Stäbchen.

Kulturverfahren. (21. Sept.) Auf Agar mäßig viele kleine, tröpfchenartige, durchsichtige Kolonien: einzeln und in kurzen geraden Ketten liegende Diplokokken. Etwa ebensoviele etwas größere, flach erhabene, weißlichgraue Kolonien: plumpe, kurze, unbewegliche Stäbchen, gerade und von Hantelform, viele rosettenartige Anordnungen; grampositiv; nach 20 stündigem Wachstum auf Blutserum negative Polfärbung nach M. Neisser. Einige große weiße hügelige Kolonien: Kokken, einzeln und in Häufchen.

Bakteriologische Diagnose: Diploc. lanceolatus, Pseudodiphtheriebazillen und Staphyloc. pyogenes albus.

13. Otto Kl., 13 Jahre alt, Bergmannssohn aus Trebitz.

Diagnose: Akute Exazerbation chronischer Eiterung rechts; Mastoiditis und subperiostaler Abszeß. Aufgen. 2. Okt. 06. Entl. 9. Nov. 06.

Anamnese. Das rechte Ohr des angeblich sonst nie ernstlich erkrankten Knaben soll seit dem 9. Lebensjahre zeitweise eitern, ohne daß sich eine Ursache hierfür ermitteln läßt. Vor etwa 8 Tagen trat unter gleichzeitigem Versiegen der Eiterung eine Anschwellung hinter dem rechten Ohre auf, die allmählich an Umfang zunahm und lebhaft schmerzte. Vor der Aufnahme in die Klinik wurde ärztlicherseits der Trommelfellschnitt gemacht.

Status praesens. Gut entwickelter, kräftiger Knabe. Zunge weiß belegt. Brust- und Unterleibsorgane bieten normalen Befund. Temp. Vorm. 38,0°.

Ohrbefund. Linkes Trommelfell getrübt und stark eingezogen. Punktförmiger Reflex auf der Shrapnellschen Membran. Rechts: Spärlicher dünner, gelber, etwas fötider Eiter am Boden des Gehörganges. Haut des letzteren im knöchernen Abschnitte entzündlich gerötet und verdickt. Trommelfell vorn nicht zu übersehen, hinten unten graurot, mit weißen Schüppchen bedeckt, hinten oben dunkelrot und halbkugelig vorgewölbt, geht dort ohne scharfe Grenze in die verdickte Gehörgangsauskleidung über. Hinten unten schmaler Paracentesenschlitz, aus dem rote, geschwellte Paukenschleimhaut hervorsieht. Flüstersprache rechts auf 0,5, links auf mindestens 7 m. Bei Luftdusche durch den Katheter links dünnes Blasegeräusch.

Umgebung des Ohres. Rechte Ohrmuschel abstehend und vorgedrängt durch flache, undeutlich fluktuierende Anschwellung über dem Warzenfortsatze. Haut über der Schwellung, besonders nach der Spitze zu, gerötet. Um die Rötung besteht Infiltration der Weichteile. Spitze stark druckempfindlich. Unterhalb derselben, am vorderen Rande des Kopfnickers, mehrere geschwollene, schmerzhafte Drüsen.

Behandlung und Krankheitsverlauf. Ausgiebige Paracentese

entleert blutigen Eiter. 2 cm lange senkrechte Inzision hinter der Ohrmuschel bis auf den Knochen; Abfluß einer reichlichen Menge gelben rahmigen Eiters mit Blut. Der bloßliegende Knochen rauh. Gehörgangsstreifen. Verband. Kopfstauung. Calomel.

3. Okt. Morgens Temp. 37,6°. Stauung gut ertragen. Druckschmerz an der Spitze des Warzenfortsatzes geringer. Gehörgangstampon vorn mit dünnem, gelben Eiter durchtränkt. Aus der Abszeßwunde werden mittelst Saugnapfs innerhalb 5 Minuten ca. 20 ccm Blut und Eiter entleert.

☞ 4. Okt. Reichliche dünne Eiterung aus dem Mittelohr. Druckschmerz am Warzenfortsatz fast ganz beseitigt. Der Sauger entleert aus der Inzisionswunde wenige Tropfen dicken Eiters.

5. Okt. Auf Ansaugen folgt nur wenig trübes Serum. Sauger fort.

6. Okt. Inzision verklebt. Warzenfortsatz unempfindlich. Insertionsfalte der Muschel tritt hervor. Spärliche Eiterung aus der Pauke. Beträchtliche Verengerung des Gehörgangs. In der linken Pauke bei Luftdusche zähes Rasseln.

9. Okt. Inzisionswunde vernarbt. Weichteile über dem Warzenfortsatze normal. Vor der Spitze eine kleine unempfindliche Drüse. Trommelfell von spärlichem Eiter bedeckt. Temp. dauernd normal.

17. Okt. Spärliche Sekretion aus der Pauke hält an. Eiter grüngelb.

20. Okt. Paracentese fast geschlossen. Trommelfell täglich von dünner Eiterschicht überzogen, seine vordere Hälfte noch immer durch beträchtliche Gehörgangsschwellung verdeckt. Einführung eines mit 0,5 % Arg. nitr.-Lösung getränkten Mullstreifens.

23. Okt. Gehörgang weiter. Unten fast linsengroßer nierenförmiger Defekt des Trommelfells, aus dem die granuläre Paukenschleimhaut hervorsieht. Eiterung auf die Perforation beschränkt, hellgelb.

24. Okt. Stauung fällt fort. Ätzung der Granula auf der Paukenschleimhaut mittelst Lapisperle. Neutralisierung durch Kochsalzlösung.

5. Nov. Nach wiederholter Ätzung und späterer Einträufelung von Boralkohol ist die Paukenschleimhaut blaß, trocken, epidermisähnlich geworden. Trommelfell verdickt. Links feuchtes Blasegeräusch in der Pauke. Täglich Luftdusche.

9. Nov. Rechte Pauke trocken geblieben. Schleimhaut epidermisiert, ohne Sekret. Trommelfell weißlich, verdickt. Auf dem rechten Warzenfortsatz blasse, strichförmige, verschiebliche Narbe in gesunder Umgebung. Keine geschwollenen Drüsen. Bei Luftdusche links rauhes Blasegeräusch. Flüstersprache beiderseits in mindestens 7 m. Geheilt entlassen.

Bakteriologische Untersuchung. Mikroskopisch im Paukeneiter (2. Okt.) zahlreiche schlanke, wenig dickere, einzelne segmentierte Stäbchen, im Abszeßeiter zahlreiche Kokken, einzeln und in Mengen beisammenliegend.

Kulturverfahren. Auf Agar entwickeln sich (3. Okt.) vom Abszeßeiter saftige dunkelgelbe Rasen: Häufchenkokken. Vom Paukeneiter ist ein gleichmäßiger, üppiger Überzug von großen, runden, feuchten, hellgrünen Kolonien gewachsen: Reinkultur lebhaft beweglicher, schlanker, gerader, hie und da auch leicht gekrümmter Stäbchen. Dieselben sind gramnegativ und verwandeln binnen 24 Stunden Gelatine in eine dunkelgrüne dickflüssige Masse.

Bakteriologische Diagnose: Pauke: Bac. Pyocyaneus. Abszeß: Staphyloc. pyogenes aureus.

14. Ernst Ga., 31 Jahre alt, Fabrikarbeiter aus Halle a. S.

Diagnose: Subakute Eiterung rechts mit Mastoiditis, Corticalisfistel und subperiostalem Abszeß. Aufgen. 3. Okt. 06. Entl. 7. Nov. 06.

Anamnese. Patient war in früheren Jahren angeblich nie ernstlich krank. Anfang Juli dieses Jahres trat im Verlaufe eines Schnupfens Summen in beiden Ohren auf. 11. Juli Paracentese beider Trommelfelle durch den behandelnden Arzt. Danach Eiterung aus beiden Ohren. Nach 6 Wochen das linke Ohr trocken und beschwerdefrei. Nur zeitweise leichtes Sausen. Rechts wurde die Paracentese noch mehrere Male wiederholt. Die Eiterung hielt an bis vor etwa 8 Tagen. Da trat hinter dem rechten Ohre eine Anschwellung auf, die bei Druck und bei Kopfdrehungen schmerzte. Das Sausen blieb rechts mit kurzen Unterbrechungen dauernd bestehen. Status praesens: Großer kräftiger Mann in gutem Ernährungszustande. Herz, Lungen und Unterleibsorgane ohne pathologischen Befund. Kein Schwindel, kein Nystagmus. Pupillen mittelweit, reagieren prompt. Patient ist sehr erregt, bei Berührung seines rechten Ohres äußerst empfindlich und gestattet nur mit größtem Widerstreben die notwendigen Eingriffe. Viele kariöse Zähne. Trägt künstliches Gebiß. Temp. Nachm. 37,3°.

Ohrbefund. Links: blasser weiter Gehörgang. Trommelfell stark eingezogen; peripher und am Hammergriff erweiterte Gefäße. In der Pauke normales Blasegeräusch. Rechts: Gehörgang leicht gerötet und im medialen Teile etwas gleichmäßig verengt. Im Sinus tympan. wenig hellgelber, nicht fötider Eiter. Trommelfell verdickt, graurot. Hinten oben Vorwölbung, durch welche die untere Hälfte des Hammergriffs überlagert wird. Vorn unten kleine Perforation, aus der Eiter quillt. Flüstersprache links in mindestens 6 m, rechts in 30 cm.

Umgebung des Ohres. Rechte Ohrmuschel abstehend und vorgedrängt; ihre hintere Insertion verstrichen. Über dem ganzen Warzenfortsatz, nach oben auf die Schläfenbeinschuppe übergreifend, flache Schwellung mit tiefer Fluktuation. Haut unverändert. Planum sehr druckempfindlich, weniger der hintere Umfang des Warzenfortsatzes, am geringsten die Spitze.

Nase. Mäßige umschriebene Hypertrophieen an den Muscheln.

Behandlung und Krankheitsverlauf. Paracentese hinten unten; folgt nur Blut. 1,5 cm lange Inzision über dem Planum bis auf den Knochen entleert wenig blutigen Eiter. Gehörgangsstreifen, Schlußverband, Kopfstauung. Calomel.

4. Okt. Druckempfindlichkeit des Warzenfortsatzes verschwunden. Aus der Abszeßwunde durch Saugnapf etwa 20 ccm blutigen Eiters entleert. Starke hämorrhagische Eiterung aus der Pauke. Nach Umlegung der Binde wurde bald große Erleichterung empfunden.

5. Okt. Der teilweise verklebte Schnitt hinter der Muschel, der bei der Unruhe des Patienten trotz Anwendung von Chloräthyl etwas klein ausgefallen war, wird in der Tiefe erweitert und auf 2 cm verlängert. Absaugen von ca. 20 ccm dünnen blutigen Eiters. Temp. regelrecht.

6. Okt. Infiltration am hinteren Rande des Warzenfortsatzes zurückgegangen, über der Basis und an den Wundrändern noch beträchtlich. Flach sackförmige ödematöse Schwellung der Weichteile zwischen Binde und Warzenfortsatz, in geringerem Grade auch links. Rechts am vorderen Rande des Sternocleidomastoideus einige geschwollene Lymphdrüsen. Spärliche seröse Eiterung aus der Pauke, bei klaffender Paracentese. Gehörgangsentzündung hat unerheblich zugenommen. Aus der Abszeßwunde ca. 1 Eßlöffel dünnen Eiters abgesaugt.

7. Okt. Schwartige Verdickung der Weichteile um die Inzision wesentlich geringer. Konturen der hinteren Anheftungslinie der Muschel treten wieder hervor. In der Tiefe der Abszeßwunde wird heute, hinten unten am bloßliegenden Planum in der Corticalis ein linsengroßer rundlicher Durchbruch nachgewiesen. Sonde trifft in der Tiefe von 1,5 cm auf rauhen Knochen. Knapper Theelöffel trüben Serums mit geringer Eiterbeimengung abgesaugt. Pauke eitert wenig. Paracentese erweitert.

12. Okt. Bei der täglichen Applizierung des Saugnapfes wurden jedesmal binnen 10—15 Minuten 10—20 ccm mehr oder weniger trüben Serums mit Spuren von Eiter aus der Corticalisfistel entleert. Aus der klaffenden Paracentesenöffnung traten nur wenige Tropfen serösen Eiters; heute quillt außerdem reichlich klares Serum hervor. Schnittwunde überschorft. Weichteile daneben mäßig verdickt, blaß, Temp. normal. Keine Beschwerden. Sauger ausgesetzt.

14. Okt. Leichte Schwellung um die Inzionsstelle. Stumpfe Eröffnung Etwa 1 Theelöffel dicken Eiters abgesaugt.

15. Okt. Starke seröse Eiterung aus der Pauke. Infiltration der Weichteile über dem Warzenfortsatze hat zugenommen, greift wieder auf

die Schläfenbeinschuppe über. Sauger entleert einen Eßlöffel Eiter. Temp.
Nachm. 37,9°. Der Sauger, bei dessen Anwendung der Kranke niemals Beschwerden äußerte, wird von heute ab 2 mal täglich angesetzt.

17. Okt. Gestern und heute reichliche Eiterentleerung aus Paracentese
und Fistel. Normale Temperatur.

18. Okt. Inzisionswunde granuliert stark, wird ausgelöffelt und locker
tamponiert.

20. Okt. Trommelfell blaßt ab. Perforation vorn unten geschlossen.
Paracentese verkleinert, läßt wenig seröses Sekret austreten. Gehörgang
weit und blaß, Flüstersprache rechts über 7 m weit. Fistel füllt sich mit
Granulationen, entleert beim Absaugen kleine Mengen serösen Eiters. Stauung
auf 16 Stunden verringert.

25. Okt. Costicalisfistel mit Granulationen gefüllt. Wundränder livid,
leicht ödematös. Sauger bleibt fort, ebenso Tamponade der Wunde.

28. Okt. Inzisionswunde geschlossen und mit trokenem braungelben
Schorf bedeckt. Weichteile der Umgebung livid, unempfindlich, sehr wenig
verdickt. Trommelfell blaß, hinten graurot. Paracentese trocken und bis auf
kleinen unteren Spalt verheilt.

5. Nov. Abszeßwunde mit rosafarbener Narbe überhäutet. Paracentese
geschlossen. Bei Luftdusche normales Blasegeräusch. Auskultation vom Planum mastoideum aus, nach Laennec, ergiebt links weiches schlürfendes,
nahes, rechts rauhes, lautes, ferneres Atemgeräusch. Stauung fällt fort.

7. Nov. Trommelfell blaß, trocken, leicht diffus getrübt. Hinten unten
hellrote, etwas verdickte, strichförmige Narbe. Auf dem Warzenfortsatze in
blasser, unempfindlicher, wenig verdickter Umgebung graurote, verschiebliche
schmale Narbe. Am Halse keine Drüsenschwellung zu fühlen. Flüstersprache
beiderseits in mindestens 7 m. Geheilt entlassen.

22. Nov. Wiederholte Kontrolluntersuchungen bestätigten die
Heilung. Der Lage der Costicalisfistel entsprechend besteht noch eine
geringfügige umschriebene, weiche und unempfindliche Hautverdickung. Bei
der Auskultation vom Planum mastoideum aus ist rechts nur das Inspirium
noch etwas rauher als links.[1]

Bakteriologische Untersuchung. Im Abszeßeiter (3. Okt.) mikroskopisch eine spärliche Anzahl von Kapseldiplokokken. Keine anderen
Bakterien.

---

[1] Patient, der bis dahin voll arbeitsfähig gewesen war, erkrankte etwa
Mitte Februar 1907 mit Stichen in der Brust und Husten. Einige Tage
später Schmerzen in der linken Oberkieferhälfte, dann auch im linken Ohre.
Bei der Aufnahme in die Ohrenklinik am 23. Febr. 1907 wurde eine Pleuropneumonie und eine akute linksseitige Mittelohreiterung mit Mastoiditis
und subperiostalem Abszesse über dem Warzenfortsatze festgestellt. Nach
Ablauf des Lungenleidens am 4. März typische Aufmeißelung: Sehr
umfangreicher Weichteilabszeß, disseminierte Herde im Warzenfortsatze, im
Antrum sulzige Schleimhaut und freier Eiter. Wände der Knochenzellen
morsch. Keine Corticalisfistel.

Nach dem ganzen Verlauf des Falles ist die wegen der Erkrankung
des rechten Ohres s. Zt. vorgenommene Stauungsbehandlung, deren Abschluß länger als ¼ Jahr zurücklag, als das linke Ohr neuerdings erkrankte,
an der Entstehung dieser Otitis und Mastoiditis offenbar unschuldig. Traten
doch auch, während der Stauung, am linken Ohre keinerlei Symptome auf,
welche ein Aufflackern der gut 6 Wochen vorher abgelaufenen Otitis auch
nur vermuten ließen. Der mikroskopische Befund im Warzenfortsatze —
ein bakteriologischer liegt nicht vor — deutet auf Pneumokokkeninfektion
und stützt ebenso wie die zeitliche Aufeinanderfolge von Lungen- und Ohrbeschwerden unsere Annahme, daß im Verlaufe der Pleuropneumonie eine
Neuinfektion des linken Mittelohres wahrscheinlich auf dem Wege der Tube
erfolgt ist.

Das rechte Ohr erwies sich am 9. März als frei von jeder nachweisbaren Entzündung: Flüstersprache in mindestens 7 m. Bei der Auskultation nach Laennec weiches Inspirium und Exspirium.

Kulturverfahren. Von den beiden Agarröhrchen ist (4. Okt.) das zweite steril geblieben. Im ersten sehr spärliche, vereinzelte, etwa 0,5 mm im Durchmesser große, graublau durchscheinende, tröpfchenförmige Kolonien. Hängender Tropfen: Reinkultur von Diplokokken.
Bakteriologische Diagnose: Diploc. lanceolatus.

15. Magdalene Ku., 5 Jahre alt, Bahnarbeiterstochter aus Halle a. S.
Diagnose: Akute Eiterung rechts; Furunkel im rechten Gehörgange. Aufgen. 23. Okt. 06. Entl. 6. Nov. 06.
Anamnese. Vor 3 Jahren Masern. Vor 3 Wochen begann das rechte Ohr heftig zu schmerzen. Nach 4 Tagen poliklinisch Paracentese, die bei Verringerung der profusen Eiterung wiederholt wurde. Ein hinzugetretener Furunkel an der vorderen Gehörgangswand wurde gestern gespalten. Wegen starker Ohrschmerzen und Schlaflosigkeit Aufnahme in der Klinik.
Status praesens. Schwächliches, blasses Kind. Über den Lungen normaler Befund. Herz: 1. Ton an der Spitze und Basis hauchend, der 2. verstärkt. Herzgrenzen nicht verbreitert. An den übrigen Organen nichts Krankhaftes. Temp. Nachm. 37,6°.
Ohrbefund. Links: Trommelfell eingezogen. Rechts: Gehörgang entzündlich gerötet, an der Grenze zwischen knorpligem und knöchernem Abschnitt stark verengt. Dort vorn oben eine umschriebene blaßrote Hautverdickung, auf deren Kuppe sich eine mit koaguliertem Blute und nekrotischen Gewebsfetzen erfüllte Längsinzision befindet. Reichlicher dünner, bräunlicher Eiter im Gehörgange. Trommelfell nur hinten sichtbar, von roter Farbe. Flüstersprache links in 2, rechts in 0,5 m (unsichere Angaben).
Umgebung des Ohres. Am rechten Warzenfortsatze nichts Abweichendes. Am hinteren Rande des rechten Kopfnickers (oberes Drittel) eine bohnengroße empfindliche Drüse.
Nasenrachenraum. Adenoide Wucherungen mäßigen Grades. Nasenatmung unbehindert.
Behandlung und Krankheitsverlauf. Paracentese. Gehörgangsstreifen. Kopfstauung. Verband.
24. Okt. Freier Abfluß serösen gelben Eiters. Temp. regelrecht.
25. Okt. Gehörgang außen weiter, innen noch gerötet und verengt. An der Stelle des Furunkels lineare verklebte Einziehung. Wenig Sekretion aus der fast geschlossenen Paracentese. Letztere wird erweitert.
27. Okt. Über Nacht Schmerzen im rechten Ohre. Leichte Infiltration und Druckempfindlichkeit am Warzenfortsatze. Mäßig reichliche Eiterung aus einer kleinen Perforation vorn unten. Paracentese verklebt, Trommelfell hinten oben flach vorgewölbt. Wiederholung der Paracentese. Temp. Vorm. 36,7°, Nachm. 36,8°.
28. Okt. Infiltration über dem Warzenfortsatz zurückgegangen. Planum und Spitze noch etwas empfindlich. Kopiöse Eiterung. Am Halse sind unter der Binde mehrere Druckusuren entstanden. Puderung.
29. Okt. Freie Eiterung. Entzündliche Verengerung des Gehörgangs noch erheblich. Warzenfortsatz kaum noch druckempfindlich. Stauung auf 16 Stunden beschränkt.
1. Nov. Eiterung aus der Pauke wird geringer. Trommelfell blaßt ab. Noch sehr beträchtliche diffuse Externa im innersten Gehörgangsabschnitt. Täglich Betupfen des entzündeten Bezirks mit 3% Arg. nitric.-Lösung.
5. Nov. Trommelfell blaß, verdickt und getrübt. Paracentese und Perforation verklebt. Bei Luftdusche weiches Blasegeräusch beiderseits. Nach derselben wird Flüstersprache auf beiden Ohren auf mindestens 6 m verstanden. Stauung bleibt fort.
6. Nov. Weiter blasser Gehörgang. Sonst Befund wie gestern. Am Halse einige punktförmige subkutane Blutaustritte, rechts vorn zwei kleine Blutschorfe. Hinter dem oberen Drittel des rechten Sternocleidomastoideus eine unempfindliche, leicht geschwollene Lymphdrüse. Geheilt entlassen.
20. Nov. und 3. Dez. Kontrolluntersuchung ergibt dauernde Heilung.

2*

Bakteriologische Untersuchung. Im gefärbten mikroskopischen Präparate vom Paukeneiter (24. Okt.) zahlreiche Kokken, einzeln, zu Paaren und zu kurzen und längeren Ketten vereinigt. Einzelne mittellange, schlanke Stäbchen.

Kulturverfahren. In beiden Agarröhrchen überwiegend blaßgrüne, rundliche, fast linsengroße, teilweise konfluierte Kolonien: schlanke sehr bewegliche Stäbchen, gramnegativ, bilden nach 24, deutlicher nach 48 Stunden auf der Gelatineplatte einen dünnen, graugrünen Überzug, an dessen Rande sich eine schmale Verflüssigungszone befindet. Außer diesen im 1. Röhrchen eine kleine Anzahl, im 2. zahlreichere, punktförmige, grauweiße, einzeln stehende Stippchen: stark lichtbrechende Kokken, einzeln und zu vielgliedrigen Ketten und Schleifen vereinigt.

Bakteriologische Diagnose: Bac. Pyocyaneus und Streptoc. pyogenes.

16. Franz Sch., 12 Jahre alt, Kaufmannssohn aus Halle a. S.

Diagnose: Subakute Eiterung rechts mit Mastoiditis. Aufgen. 18. Okt. 06. Entl. 22. Nov. 06.

Anamnese. Mit 2½ Jahren Masern, mit 4 Jahren Scharlach. Vor 5 Wochen begann ohne bestimmte Ursache nach kurzdauernden Schmerzen das rechte Ohr zu eitern. Poliklinisch wurde Pat. mit Ausspülungen, seit dem 13. Okt. daneben ambulatorisch mit Bierscher Stauung (täglich drei mal 2 Stunden, mit zweistündigen Pausen) behandelt. Der vorher an der Spitze sehr druckempfindliche Proc. mast. soll dabei unempfindlicher geworden sein. Die Eiterung blieb kopiös, wurde indes dünner und schleimig.

Status praesens. Ziemlich kräftiger Knabe. Gesicht von roter Farbe, aber gedunsen. Dicke, aufgeworfene Lippen. Kopf wird etwas nach rechts geneigt gehalten. Herz, Lungen und Unterleibsorgane ohne pathologischen Befund. Temp. normal.

Ohrbefund. Linkes Trommelfell eingezogen. Rechts: Viel serösschleimiger Eiter im Gehörgang. Dieser gerötet und verengt. Trommelfell nur hinten zu übersehen, rot und verdickt. Hinten oben pulsierender Reflex. Flüstersprache links auf mindestens 7, rechts auf 0,75 m.

Umgebung des Ohres. Weichteile über dem rechten Warzenfortsatz normal. Planum wenig, Spitze mäßig druckempfindlich. Unterhalb letzterer, hinter dem Sternocleidomastoideus, eine unempfindliche geschwollene Drüse.

Nase und Nasenrachenraum. Akute Rhinitis. Adenoide Wucherungen mäßigen Grades. Nasenatmung ziemlich frei.

Behandlung und Krankheitsverlauf. Paracentese, Mullstreifen in den Gehörgang. Kopfstauung. Nasenspray mit Kochsalzlösung.

19. Okt. Aus der Paracentese quillt pulsierend reichlich bernsteingelber Schleimeiter. Druckempfindlichkeit des Warzenfortsatzes beseitigt. Die Stauungsbinde wird als lästig bezeichnet, obwohl sie nicht besonders fest liegt. Sie behindert erheblich die Nasenatmung.

20. Okt. Über Nacht Kopfschmerz und einige Male Erbrechen. Zunge ohne Belag; Appetit gut. Binde für die Nacht etwas gelockert. Paracentese wegen teilweiser Verklebung und leichter Vorwölbung des Trommelfells erweitert. Temp. normal.

25. Okt. Profuse Eiterung.

29. Okt. Sekretion geringer. Wegen starker Externa Austupfung des Gehörgangs mit 3 % Arg. nitric.-Lösung.

9. Nov. In den letzten Tagen war die Eiterung fast versiegt auch der Gehörgang blasser geworden. Infolge von Erkältung durch Zugluft ist mit einem Aufflackern der Rhinitis auch wieder stärkere Sekretion aus dem Mittelohre aufgetreten.

12. Nov. Nur die Tamponspitze eitrig durchtränkt. Am Halse einige rote Striemen.

18. Nov. Rhinitis abgeheilt. Trommelfell noch entzündlich gerötet. Aus der klaffenden Paracentese kohärente, dunkelgelbe Schleimeiterung. Mäßige Gehörgangsentzündung. Stauung fällt fort. Täglich Bleiessigtropfen in steigender Konzentration.

19. Nov. Adenotomie. Mehrere flache, zapfenförmige Wucherungen entfernt. Geringe Blutung.

22. Ohreiterung unverändert. Flüstersprache beiderseits in mindestens 7 m. Auf Wunsch der Mutter zu ambulatorischer Weiterbehandlung entlassen.

Die kopiöse Schleimeiterung trotzte weiterhin wochenlang allen therapeutischen Bemühungen. Mitte Dezember war sie nach Anwendung kaustischer Lapislösungen nahezu versiegt, um dann in geringerem Grade wiederzukehren. Starke Bleiessiglösungen brachten sie schließlich zum Verschwinden. Innerl. Ol. Jecoris Aselli.

Bakteriologische Untersuchung.   Im Paukeneiter (18. Okt.) mikroskopisch zahlreiche Kokken, vielfach zu zweien und in kurzen Ketten, außerdem blaß gefärbte schlanke Stäbchen von mittlerer Länge.

Kulturverfahren. Auf Agar entwickeln sich (19. Okt.) binnen 24 Stunden zahlreiche stippchenförmige, bis zu 1 mm große grauweiße und zwischen ihnen einzelne kleinlinsengroße hellgrüne Kolonien. Hängender Tropfen: erstere Kettenkokken, letztere schlanke, lebhaft bewegliche Stäbchen. Diese Stäbchen verflüssigen weiterhin unter Grünfärbung Gelatine und färben sich nicht nach Gram.

Bakteriologische Diagnose: Streptoc. pyogenes und Bac. Pyocyaneus.

17. Rosa E., 13 Jahre alt, Lokomotivführerstochter aus Halle a. S.

Diagnose: Rechts akute Eiterung mit Mastoiditis. Links chronischer Katarrh. Aufgen. 31. Okt. 06. Entl. 1. Dez. 06.

Anamnese. Patientin, welche vor mehreren Jahren Scharlach überstand, acquirierte Mitte Oktober einen heftigen Schnupfen. Seit dem 27. Okt. stetig zunehmendes Stechen im rechten Ohr. Bald traten auch Schmerzen hinter dem Ohre auf, und obwohl am 30. Okt. poliklinisch die Paracentese des Trommelfells ausgeführt wurde, stellte sich Rötung und Schwellung der Haut über dem Warzenfortsatze ein.

Spätere Nachfragen ergaben, daß eine Schulgefährtin der E., mit der diese vor dem Auftreten ihres Schnupfens häufigen Verkehr gehabt hatte, vom 14. bis 31. Okt. wegen Rachendiphtherie in der medizinischen Universitätsklinik behandelt wurde.

Status praesens. Großes kräftiges, sehr entwickeltes Mädchen. Gesicht gedunsen, Lippen dick, vortretend. An den inneren Organen nichts Krankhaftes. Temp. Vorm. 38,1°, Nachm. 39,1°.

Ohrbefund. Linkes Trommelfell allgemein leicht getrübt, hinten radiär gestreift, stark eingezogen. Rechts: Gehörgang von gelbem, dünnen Eiter erfüllt, innen ziemlich stark verengt. Trommelfell scharlachrot, hinten oben flach vorgewölbt. Hinten unten pulsierender Lichtreflex. Flüstersprache links in mindestens 6 m, rechts in 1,5 m. Bei Luftdusche links rauhes Blasegeräusch.

Umgebung des Ohres. Haut über dem rechten Warzenfortsatz gerötet und verdickt. An der Spitze und besonders am Planum lebhafter Druckschmerz. Unter der Spitze eine geschwollene Drüse.

Nase. Weite atrophische Nasenhöhlen. Schleimhaut gerötet und geschwollen, mit reichlichem, zähen, gelben Eiter bedeckt. Eine größere Menge am Boden des unteren Ganges. Ekzem des Naseneingangs.

Behandlung und Krankheitsverlauf. Paracentese entleert blutigen Eiter. Mullstreifen. Verband. Kopfstauung. Nasenspray. Pinselung des Ekzems mit 3% Arg. nitr.-Lösung. Weiße Präzipitatsalbe.

1. Nov. Abundante schleimige Eiterung erfordert zweistündliche Reinigung des Gehörganges. Warzenfortsatz nicht mehr druckempfindlich. Feurige Rötung der ihn bedeckenden Weichteile. Temp. nachts und tagsüber etwa 38,0°, steigt gegen Abend auf 39,5°.

2. Nov. Teigige Infiltration über den hinteren Teil des Warzenfortsatzes hinaus; Weichteile unterhalb der Spitze sackartig verdickt. Profuse Eiterung. Aus der erweiterten Paracentesenöffnung drängt sich sukkulente Paukenschleimhaut hervor. Temp. unverändert, abends 39,8°. Binde gelockert, liegt 16 Stunden.

5. Nov. Temperatur ist langsam abgefallen; heute nachmittag 38,1°. Kopiöse Eiterung aus der klaffenden Paracentese. Infiltration auf den Warzenfortsatz beschränkt. Haut feurig gerötet, wachsartig glänzend. Geringe Druckempfindlichkeit der Spitze. Linkes Trommelfell völlig getrübt. In der linken Pauke spärliches Rasseln.

8. Nov. Bei hochnormaler Abendtemperatur (37,5—37,8°) ist der Ohrbefund der gleiche geblieben. Binde etwas angezogen.

10. Nov. Stärkere Infiltration über dem Warzenfortsatz, besonders unterhalb der aufgetriebenen, sehr druckempfindlichen Spitze, über welcher lebhaftere Hautrötung besteht. Temp. zwischen 37 und 38°. In der Stauungspause von heute ab täglich abends 10 Minuten lang ein Vollbad von 40° C. Hinterher 2 Stunden lang Einwicklung in wollene Decken; Trockenreiben. Gummibinde etwas loser umgelegt.

11. Nov. Rötung der Haut über der Spitze und Infiltration geringer. Die durch Schweiß unelastisch gewordene Binde wird durch eine andere ersetzt.

12. Nov. Bei abundantem Abfluß dünnen schleimigen Eiters nimmt Rötung und Infiltration der Weichteile über dem Warzenfortsatze zu. Caput obstipum. Zeitweilig Klopfen im Ohre. Temp. nachm. 39,0°.

13. Nov. Der ganze an sich sehr umfangreiche Warzenfortsatz beträchtlich aufgetrieben, an der Spitze druckempfindlich. Feuriges Ödem etwa 2 Querfinger breit nach oben, hinten und unten über den Warzenfortsatz hinaus. Hinten unten vom Planum eine dunkelrote, pfennigstückgroße, besonders druckschmerzhafte Stelle, mit tiefer Fluktuation. Dort unter Chloräthyl 2 cm langer senkrechter Einschnitt bis auf den Knochen. Entleerung von Blut mit wenig Eiter und Gewebsfetzen. In der Corticalis ein linsengroßes Loch mit rauhem Rande. Bäder und Kopfstauung fallen fort. — Nachmittags werden aus der Abszeßwunde mittelst Saugers 20 ccm Blut und trübes Serum entleert. Temp. zwischen 37 und 38,6°. Augenhintergrund normal (Dr. Möller, Augenklinik).

14. Nov. Die gestern noch kopiöse Eiterung aus dem Mittelohre fast völlig versiegt; nur der Gehörgangstampon noch durchfeuchtet. Kein Klopfen mehr im Ohre. Infiltration der Weichteile über dem Warzenfortsatze wenig zurückgegangen. Wundränder livide, verklebt. Nach stumpfer Öffnung folgen beim Absaugen vormittags 20 ccm dicken blutigen Eiters, nachmittags neben einigen Tropfen Eiter trübes Serum. Druckempfindlichkeit nur noch angedeutet. Links weiches Blasegeräusch in der Pauke. Temp. zwischen 37,6 und 39,1°.

15. Nov. Der Sauger entleert nur einige Tropfen blutigen Eiters. Infiltration der Weichteile stärker, auch über den benachbarten Bezirken des Hinterhauptbeines. Unterhalb der Spitze besteht keine Infiltration mehr. Mäßig reichliche dickflüssige Eiterung aus der Pauke. Temp. nachts dauernd etwa 39°.

Typische Aufmeißelung: Schnitt durch die stark infiltrierten Weichteile und die alte Inzisionswunde: es entleert sich ein halber Eßlöffel Eiter. Durchbruch am hinteren oberen Rande der Spitze. Ausgedehnte Zerstörungen des ganzen Warzenfortsatzes, nach hinten bis an die Sulcuswand reichend. Sehr zellreicher Warzenfortsatz, besonders nach oben und hinten. Antrum sehr eng. Resektion der Spitze.

16. Nov. Operation gut überstanden. Keine Beschwerden.

19. Nov. Erster Verbandwechsel. Wundhöhle trocken, mit grauweißen nekrotischen Fetzen belegt. Aus dem Mittelohre ziemlich reichliche dickflüssige Eiterung. Nasenschleimhaut noch ziemlich stark gerötet. Im unteren und mittleren Gange mäßig viel Schleimeiter. Am Boden der rechten Nasenhöhle einige leicht blutende ulcerierte Stellen. Betupfen mit 3 % Arg. nitric. Salbe.

23. Nov. Wunde sezerniert stark. Eiterung aus der Pauke und Verdickung der Weichteile über dem Proc. mast. nehmen ab.

1. Dez. Pauke trocken, Trommelfell blaß, Paracentese in Heilung begriffen. Wundhöhle füllt sich mit Granulationen. Zu ambulatorischer Weiterbehandlung entlassen.

28. Dez. Wundhöhle mit blaßroter, schmaler, etwas, eingezogener

wenig verschieblicher Narbe verheilt. Weichteile in der Umgebung normal. Trommelfell blaß, verdickt; Paracentese geschlossen. Feuchtes Blasegeräusch in der rechten Pauke. Flüstersprache rechts in 2, links in 4 m. Nasenschleimhaut blaß. Auf dem rechten Nasenboden wenig Schleimeiter. Luftdusche.

7. Jan. 07. Flüstersprache beiderseits auf mindestens 7 m. Leichte Eitersekretion in beiden Nasenhöhlen besteht fort. Nasenspülungen mit gelegentlicher Wiedervorstellung.

Bakteriologische Untersuchung. Am 31. Okt. im gefärbten Ausstrichpräparate vom Paukeneiter größere und kleinere Kokken, einzeln, die kleineren auch zu zweien und, sehr spärlich, in kurzen, bis viergliedrigen Ketten liegend.

Kulturverfahren. Nach 24 Stunden sind auf Agar sehr zahlreiche grauweiße, im Durchmesser bis zu 1 mm große Kolonien gewachsen; hängender Tropfen: stark lichtbrechende Kokken, einzeln, als Diplokokken und zu geraden und geschlängelten Ketten vereinigt. Im ersten Röhrchen auch 4 gelblichweiße halblinsengroße Kolonien; mikroskopisch einzeln und in Häufchen liegende Kokken. Die letzteren Kolonien nehmen in den folgenden Tagen ockergelbe Farbe an.

Am 13. Nov. bot das Mittelohrsekret im gefärbten Präparate einen ähnlichen Befund wie am 31. Okt.; außerdem fanden sich plumpe und gekrümmte Stäbchen vor.

Kulturverfahren. Auf Agar entwickeln sich binnen 24 Stunden drei makroskopisch verschiedene Arten von Kolonien, die im dritten Röhrchen fast sämtlich einzeln liegen. Zunächst sind wieder die bei der ersten Kultur beschriebenen beiden Koloniensorten aufgegangen, und zwar herrschte die zweite Art, welche graugelb gefärbt war, im ersten Röhrchen vor. Außerdem sind in größerer Zahl weißliche, milchig aussehende Kolonien gewachsen, wenig größer als die der Streptokokken. Bei Betrachtung im hängenden Tropfen bestehen sie aus kurzen, polymorphen, geraden oder leicht gekrümmten, unbeweglichen Stäbchen, vielfach mit verdickten Enden, die meist in Haufen, hie und da auch in Rosettenform angeordnet liegen. Nach Isolierung auf Agar makroskopisch wie mikroskopisch der gleiche Befund; nur die graugelben Kolonien sind mehr orangefarben.

Die Stäbchenkultur wurde weiter untersucht.

1. Auf Rinderserum übertragen zeigten die Stäbchen nach 15 Stunden bei Färbung nach M. Neißer hie und da nicht sehr intensive, aber doch deutliche und vielfach recht ausgesprochene Polkörner. Die Färbung wurde nach Überimpfung mit demselben Resultate wiederholt. Grampositiv; palisadenartige Lagerung der Stäbchen.

2. Es wurden (19. Nov.) 2 Platinösen einer 20 Stunden alten Serumreinkultur in die Brusthauttasche eines gesunden, 310 g schweren Meerschweinchens verimpft. Das Tier wurde nach 40 Stunden tot aufgefunden.

Sektion: Nekrose in der Umgebung der Hauttasche. Ziemlich starke Injektion der benachbarten Weichteile. Größeres Quantum trübserösen Exsudats im Peritonealsack, eine kleine Menge in der linken Pleurahöhle und im perikardialen Raume. Nebennieren groß, rotgelb.

3. Am 21. Nov. wurden von einer 24 Stunden alten Bouillonreinkultur in 3 Bouillonröhrchen (Alkaleszenz = 0.7 $^1/_{10}$ SO$_3$) je eine Öse übertragen. Nach 24—48—72 Stunden keine Säurebildung (Bestimmung der Neutralitätsgrenze durch Azolithminpapier). Bouillon diffus getrübt, mit zarten, weißlichen, zu Boden sinkenden Flocken.

4. Im Kölbchen wurde die Bouillon nach etwa 8 Tagen ziemlich klar. Außer einer dicken, lockeren weißen Bakterienschicht am Boden waren Ansätze zu Oberflächenwachstum zu sehen, das aber erst nach 14 Tagen zur Bildung eines etwa ein Drittel der Flüssigkeitsoberfläche einnehmenden dünnen weißen Häutchens führte. Überimpfungen von diesem Häutchen auf die Oberfläche anderer Bouillonkölbchen hatten auf die Art des Wachstums der Stäbchen anscheinend keinen Einfluß.

5. Toxinversuche. Am 6. Dez. wurden zwei gesunden Meerschweinchen von je 220 g Gewicht 0,01 bezw. 0,1 g eines Filtrates, das aus

einer am 23. Nov. in einem Kölbchen angelegten Bouillonreinkultur mittelst Berkefeldkerze gewonnen war, unter die Brusthaut gespritzt. Am 10. Dez. wurde der Versuch mit 1 ccm des Filtrats einer 10 Tage alten Bouillonreinkultur an einem dritten, gleichschweren Meerschweinchen wiederholt. Sämtliche Tiere blieben (zwölf- bezw. achttägige Beobachtung) gesund und zeigten auch keine Infiltration in der Nähe der Einstichstellen. — Die von den drei Filtraten auf Glyzerinagar angelegten Kulturen blieben steril.

6. Am 9. Dez. wurde von der am 15. Nov. gewonnenen Agarreinkultur, welche nunmehr einen dicken, saftigen, hellgelben Rasen bildete, auf Rinderserum übergeimpft. Am 10. Dez. wurden von den nach 30 Stunden in großer Zahl als Reinkultur gewachsenen Kolonien 2 Ösen einem 220 g schweren Meerschweinchen in eine Brusthauttasche gebracht. Dies Tier war nach 4 Tagen noch völlig munter und zeigte nur am blinden Ende der Hauttasche eine kleine flache Infiltration.

Sektion, nach Tötung durch Äther: Zahlreiche Sugillationen im Zellgewebe um die Hauttasche. Seröse Höhlen, Nebennieren ohne pathologischen Befund.

Aus Abstrichen von einer aus der Operationshöhle des Warzenfortsatzes (15. Nov.) entnommenen Granulation wurden mikroskopisch und kulturell (auf Agar und in Bouillon) Kettenkokken nachgewiesen; keine Stäbchen. Im ersten Agarröhrchen vereinzelte Kolonien von Staph. pyog. aureus (Verunreinigung bei der Entnahme des Materials).

Bakteriologische Diagnose: Im Warzenfortsatzeiter Streptoc. pyogenes. Im Paukeneiter Streptoc. pyogenes und Staph. pyogenes aureus, später auch Diphtheriebazillen.

18. Paul De., 5 Jahre alt, Klempnerssohn aus Halle a. S.

Diagnose: Subakute Scharlacheiterung beiderseits.

Aufgenommen 3. Nov. 06. Entlassen 4. Dez. 06.

Anamnese. Mitte August 1906 Scharlach. Am 3. Krankheitstage begannen beide Ohren zu eitern. Seit dem 6. Oktober wurde die Eiterung poliklinisch behandelt, ohne sich merklich zu bessern. In den letzten Tagen trat links Senkung der hinteren oberen Gehörgangswand auf, weshalb das Kind der Klinik überwiesen wird.

Status praesens. Gut genährter und kräftig entwickelter Knabe. Innere Organe gesund. Temperatur regelrecht.

Ohrbefund. Rechts: Gehörgang entzündlich gerötet und verengt. Nur der hintere Teil des Trommelfells zu übersehen, dunkelrot, hinten oben Vorwölbung. Hinten unten großenteils verklebte Schnittwunde, aus deren unterem Winkel gelber, rahmiger, wenig fötider Eiter fließt. Links: Der mit spärlichem, dicken, gelben Eiter überzogene Gehörgang wird im inneren Drittel, nahe dem Trommelfell, durch eine graurote Verdickung der hinteren oberen Wand und durch eine von dieser entspringende, weichelastische, zitzenförmige Vorwölbung völlig obturiert. Auf der Spitze des Kegels ein Eiterpunkt.

Behandlung und Krankheitsverlauf. Breite Paracentese beiderseits. Dieselbe wird links durch die vorgewölbte Gehörgangswand nach dem hinteren Abschnitt des Trommelfells hin geführt. Links folgt nur Blut, rechts reichlich Eiter. Gehörgangsstreifen. Verband. Kopfstauung.

4. Nov. Beiderseits mäßig reichliche Eiterung. Die Vorwölbung der hinteren oberen Wand des linken Gehörgangs ist erheblich zurückgegangen. Binde gut ertragen. Gesicht stark cyanotisch.

5. Nov. Nur die Spitze der Tampons von schleimigem Eiter durchfeuchtet. Linker Gehörgang weit; nur im inneren Drittel, ebenso wie rechts, noch gerötet und geschwollen. Im linken Trommelfell ist hinten oben, an der Stelle der Paracentese, ein großer, ovaler, fast bis zum Rande reichender Defekt sichtbar geworden, in dem sulzig geschwollene Paukenschleimhaut liegt.

6. Nov. Stuhlverhaltung. 0,15 g Calomel. Danach reichliche Entleerung. Einmal Erbrechen.

8. Nov. Eiterung stärker, besonders links, wo auch die Externa wieder zugenommen hat. Bepinselung mit 3% Arg. nitr.-Lösung.

10. Nov. Dünne, spärliche Sekretion. Gehörgänge blasser und weiter. Die Paracentese des rechten Trommelfells verheilt. Hier besteht hinten unten eine etwa ein Drittel des Trommelfells einnehmende nierenförmige Perforation. Links ist vorn unten ein großer, hinten oben ein etwas kleinerer ovaler Defekt vorhanden.

16. Nov. Beide Ohren zeitweise trocken. Dann wieder Spuren von Schleimeiter.

17. Nov. Verdickte, graurote feuchte Paukenschleimhaut. Stauungsbinde versuchsweise fortgelassen.

19. Nov. Rechts etwas Schleimeiter. Wiederaufnahme der Stauung.

22. Nov. Beide Trommelfellreste blaß. Rechtes Ohr trocken. Links Spur Schleimeiter, Paukenschleimhaut sukkulent.

26. Nov. Rechtes Ohr trocken geblieben. Links Tamponspitze feucht. Einträufelung von Hydrog. peroxyd. durab. 1 : 4 Aq. destillata.

28. Nov. Vermehrte Sekretion links. Hydr. perox., nach zweimaliger Anwendung heute mit Einblasen gepulverter Borsäure vertauscht.

1. Dez. Beide Ohren trocken. Binde liegt täglich noch 6 Stunden.

3. Dez. Kein Sekret wieder aufgetreten. Stauung fortgelassen.

4. Dez. Blasse, weite Gehörgänge. Trommelfellreste weißlich, verdickt. Rechts besteht hinten unten, links vorn unten und hinten oben je eine große Perforation. Paukenschleimhaut blaßrot und trocken. Geheilt entlassen. [1]

28. Dez. Bei wiederholten Kontrolluntersuchungen wurde derselbe Befund, wie bei der Entlassung erhoben.

Bakteriologische Untersuchung. Im mikroskopischen Präparate vom Eiter der rechten Paukenhöhle (3. Nov.) zahlreiche Kokken, einzeln und in unregelmäßigen Haufen; im Eiter aus der linken Pauke (4. Nov.) viele schlanke mittellange und dickere, kürzere Stäbchen, letztere zum Teil mit verdickten Enden, außerdem einzelne Kokken.

Kulturverfahren. Rechts (4. Nov.) nach 20 Stunden auf Agar dicker ockergelber Rasen, am Rande desselben einzelne stippchenförmige bis doppeltstecknadelkopfgroße gleichfarbige Kolonien: stark lichtbrechende, größere Kokken, zu zweien, einzeln und vielfach in größeren Mengen zusammenliegend. Reinkultur.

Links (5. Nov.) nach 24 Stunden 3 verschiedene Kolonienarten:

a) Sehr zahlreiche, trübmilchige, fast stecknadelkopfgroße. Hängender Tropfen: schlanke und plumpere, vielfach auch gekrümmte und an den Enden verdickte, unbewegliche Stäbchen, stellenweise in Sternform vereinigt. Grampositiv. Neißerfärbung negativ.

b) In geringer Zahl tiefgelbe, bis halblinsengroße Kolonien: Kokken mittlerer Größe, meist einzeln, stellenweise Häufchen und kurze Ketten bildend.

c) Wenige hellgrüne, wie zerflossen aussehende, linsengroße Kolonien, die anderen teilweise überlagernd: polymorphe, meist schlanke, sehr bewegliche Stäbchen. Gramnegativ. Auf der Gelatineplatte graugrüne, sehr flache, runde Kolonien; auch nach mehreren Tagen keine Verflüssigung. Auf Agar gezüchtete Reinkulturen boten den gleichen Befund.

Bakteriologische Diagnose: Rechts Staph. pyogenes aureus in Reinkultur. Links Pseudodiphtheriestäbchen, Staph. pyog. aur. und Bac. fluorescens (?).

Der Vollständigkeit wegen sei noch angeführt, daß außerdem bei einem mit Extraduralabszeß verbundenen Fall und einem anderen Fall von beiderseitigem Cholesteatom (Kind) vorübergehend,

---

[1] Seit dem 10. März 1907 mit einem Rezidiv der Eiterung rechts von neuem in poliklinische Behandlung gekommen. Es besteht große nierenförmige Perforation, durch welche granulär geschwellte Schleimhaut am Promontorium sieht. — Offenbar hatte das Borpulver nur eine temporäre Latenz der Sekretion herbeigeführt.

solange die Diagnose nicht sicher gestellt war, die Bindenstauung
angewandt wurde. Bei dem Falle von Extraduralabszeß deutete
schon nach wenigen Stunden eine, besonders über der Schläfenbeinschuppe aufgetretene Infiltration und Druckempfindlichkeit
auf den intrakraniellen Prozeß hin, den am folgenden Tage die
Operation aufdeckte. In dem anderen Falle gelang es nach
einigen Tagen, geschichtete Epidermislamellen zu erhalten, wonach die Stauung abgebrochen wurde. Beide Patienten wurden
operativ geheilt.

Von den 18 übrigen Fällen gelangten unter Mithülfe oder
bei alleiniger Anwendung der Bierschen Stauung, die 3 Mal
mit der Saugtherapie kombiniert wurde, 11 (darunter 3 doppelseitige Eiterungen) zur Heilung. Bei 5 Kranken mußte schließlich
die typische Aufmeißelung des Warzenfortsatzes vorgenommen
werden. In einem sechsten Falle blieb die Eiterung kopiös,
und bei einem Kinde wurde nach kurzer Stauungsdauer aus
äußeren Gründen die Behandlung abgebrochen.

15 der Kranken waren Kinder, im Alter von 10 Monaten
bis zu 14 Jahren, 3 Männer von 31 bis 42 Jahren. Die zur
Operation Gekommenen waren sämtlich Kinder.

Vom ätiologischen Gesichtspunkt handelte es sich 2 mal
um akute Masernotitiden, 1 Mal um subakute Scharlacheiterung.
Auch eine chronische Eiterung ließ sich auf Scharlach zurückführen, war jedoch gelegentlich eines Schnupfens akut exazerbiert.
Die übrigen Fälle müssen als genuin angesehen werden. In
einer Anzahl von ihnen traf mit dem Beginn der Ohrbeschwerden
ein Schnupfen zusammen. Im Fall 16 war die Rhinitis mit adenoiden Wucherungen im Nasenrachenraum verbunden, und im
Fall 5 entpuppte sich die Mastoiditis als tuberkulöser Natur.

Nur bei 3 Patienten (Fall 7, 15, 18) war zu Beginn der Stauungsbehandlung eine Warzenfortsatzkomplikation ziemlich bestimmt auszuschließen. Alle Übrigen hatten mehr oder
weniger deutliche Anzeichen von Mastoiditis. Bei den Operierten
stimmte mit dieser Diagnose der Operationsbefund überein;
zudem bestand bei 3 von ihnen über dem Warzenfortsatze ein
Abszeß, 1 Mal mit einer Fistel in der Corticalis. Auch von den
Geheilten hatten 5 periostitische Abszesse, 2 auch Corticalisdurch-
brüche. Ein Mal war der Abszeß bereits anderweitig geöffnet
worden. In weiteren 4 geheilten Fällen machte die Druckempfindlichkeit von Spitze und Planum bezw. am hinteren Umfange ein
relatives Ergriffensein des Warzenfortsatzes wahrscheinlich.

Die Zeitdauer, binnen welcher nach Einleitung der Stauung die Heilung der 11 Fälle eintrat, schwankte zwischen 13 und 40 Tagen und betrug im Mittel 26 Tage. Die längste Zeit, 40 Tage, beanspruchte der lose gestaute einjährige Knabe N. (Fall 4), dessen Mittelohreiter schließlich eine Reinkultur des Bac. Pyocyaneus aufwies. Denselben bakteriologischen Befund bot in der Pauke Kl. (Fall 13) mit 39 Behandlungstagen. Wie dieser, waren Fall 14 und 18 (35 bezw. 31 Tage) chronisch bezw. subakut und boten teils wegen der bereits vorhandenen offenbar umfangreichen Zerstörungen im Warzenfortsatze, teils wegen des Grundleidens (Scharlach) der Therapie besondere Schwierigkeiten. Unter Ausschluß dieser 4 Fälle sinkt die durchschnittliche Behandlungsdauer auf 20,7 Tage.

Bei 7 Patienten — darunter 2 mit beiderseitiger Eiterung — ergab die verschieden lange, meist mehrere Wochen, bis zu 4 Monaten nach der Entlassung vorgenommene Kontrolluntersuchung, daß kein Rezidiv aufgetreten war.[1]) Die übrigen 4 geheilten Kranken erschienen leider nicht wieder zur Kontrolle.

Die mikroskopischen Untersuchungen wurden teilweise in der Ohrenklinik, teilweise, wie alle kulturellen, im hygienischen Institute der Universität ausgeführt. Herrn Professor Dr. Sobernheim bin ich für seine liebenswürdige Unterstützung und Kontrolle zu Dank verpflichtet. Die Technik war folgende. Sollte aus dem Mittelohre Material zur Untersuchung gewonnen werden, so wurde der mit Kochsalzlösung ausgespülte Gehörgang durch Austupfen mittelst sterilisierter entfetteter Watte getrocknet, und das Trommelfell mit steriler Nadel paracentesiert. Durch den Schnitt hindurch wurde dann mittelst ausgeglühter Platinöse unter Vermeidung von Berührung des Gehörganges der Eiter entnommen und auf dem gereinigten Objektträger verteilt bezw. auf in Röhrchen schräg erstarrtem Agar ausgestrichen. Gewöhnlich wurden 2—3 Verdünnungsausstriche hergestellt. Bei den periostitischen Abszessen wurde nach Inzision analog verfahren. Im Falle 10 wurde der Eiter aus der vorhandenen Perforation entnommen. Die mikroskopischen Präparate wurden mit Löfflerschem Methylenblau, wo es zur Feststellung der Mikroorganismen erforderlich war, auch nach Gram etc. gefärbt. Die beschickten Röhrchen kamen für meist 20—24 Stunden in den Brütschrank (37° C.). Für die Untersuchung der Kulturröhrchen

---

1) Vgl. jedoch S. 25, Anm. bei der Korrektur.

genügte im Allgemeinen die Prüfung der auf den Originalröhr-
chen gewachsenen Kolonien. War dies nicht der Fall, so wurden
von den verschiedenen Kolonieformen Reinkulturen angelegt
und genauer untersucht. Zur Identifizierung der verschiedenen
Bakterienarten wurden die gebräuchlichen Methoden der mikroskopischen und kulturellen Untersuchung herangezogen. Die
mikroskopische Betrachtung der gezüchteten Bakterien geschah
zunächst stets im hängenden Tropfen.

Aus äußeren Gründen konnten nur die letzten 12 Fälle
mikroskopisch und kulturell und der vierte teilweise auch
kulturell untersucht werden. Bei den ersten 3 und bei Fall
5 und 6, wie beim Bakterienbefund des Abszeßeiters von Fall 4
liegen nur die mikroskopischen Diagnosen vor. Im ersten Falle
deckten sich die mikroskopischen Diplokokkenbefunde aus dem
Eiter der Pauke und der Operationshöhle des Warzenfortsatzes,
und die Annahme, daß hier tatsächlich eine Diplokokken-
mastoiditis vorlag, wird auch durch die in den Warzenfortsatzzellen gefundenen charakteristischen disseminierten Herde eitrig
infiltrierter Schleimhaut gestützt, sodaß die bakteriologische
Diagnose hier als nahezu sicher erscheint. Die übrigen rein
mikroskopischen Befunde beanspruchen nur den Wert einer
Wahrscheinlichkeitsdiagnose.

Die Stauungshyperämie wurde in der bekannten Weise
mittelst gewebter, mit Baumwolle gefütterter elastischer Binden
erzielt, welche für Kinder 2, für Erwachsene 3 cm breit gewählt wurden. Eine Öse und mehrere Haken an den beiden
Enden erlaubten verschiedene Dosierung des Stauungsgrades.
In den letzten 8 Fällen wurde ein Behelf nachgeprüft und oft
als ganz praktisch befunden, welchen Verfasser in der Bonner
chirurgischen Klinik anwenden sah. Die Binde wird so lang
bemessen, daß sie bei Berührung ihrer Enden dem Hals fest
anliegt. Wird die Öse dann an dem einen Ende, und der
äußerste Haken 4 cm vom andern entfernt befestigt, so wird
in vielen Fällen, wenigstens für die ersten Tage, der richtige
Grad der Stauung erreicht. Die Rücksichtnahme auf die
Schwere der Infektion und auf die subjektiven Angaben des
Kranken behielt jedoch ihren leitenden Wert. Später mußte
die Binde, entsprechend der Abnahme ihrer Elastizität, gewöhnlich fester angezogen werden, sofern sie nicht durch eine
neue ersetzt wurde. Im Allgemeinen wurden die Binden bei
den letzten 8 Patienten etwas enger angelegt, als bei den

früheren. Besonders lose lagen sie, wegen der Gefahr der Dyspnoe, bei den 3 Säuglingen (Fall 4, 6 und 7). Da die Baumwollunterfütterung sich öfter ablöste und zusammenballte, wurde sie mehrere Male entfernt, ohne daß dabei Nachteile zutage traten. Die Haut des Halses wurde täglich mit Kampherspiritus abgerieben. Während der Stauung lagen die Kranken an den ersten Tagen dauernd im Bett. Die schwereren Fälle und auch einige leichter kranke, aber unruhige Kinder verblieben auch später darin. Sonst wurde den Erwachsenen und den älteren Kindern bald gestattet, sich tagsüber erst einige Stunden, dann länger außer Bett im Zimmer aufzuhalten. Die täglichen Stauungspausen betrugen zunächst 2 Stunden, bei stärkerer Schwellung über dem Warzenfortsatze und am Halse auch etwas mehr. War über dem Warzenfortsatze ein Steigen und Fortschreiten der Entzündungssymptome bemerkbar (cf. operierte Fälle), so wurden längere Pausen eingeschaltet. Sonst wurde jedoch erst, wenn die Eiterung dem Versiegen nahe, und alle übrigen lokalen Symptome verschwunden waren, die Binde 8 und mehr Stunden, und wenn jede Sekretion aufgehört hatte, völlig fortgelassen, und das Heilungsergebnis noch einige Zeit bis zur Entlassung kontrolliert. 3mal wurde bei subperiostalen Abszessen (Fall 13, 14 und 17) auch der Sauger angewandt. Die Glasglocke wurde 1—2mal täglich 10—20 Minuten lang auf die eingefettete Haut um die Inzisionswunde gesetzt und, bei reichlichem Eiterabfluß, auch zuweilen mehrere Male in derselben Sitzung entleert. Breite, nach Bedarf wiederholte Trommelfellparacentese und hinreichend große Inzision der Abszesse über dem Warzenfortsatze (Chloräthyl) sorgten für tunlichst freien Eiterabfluß. Die Entfernung des Sekrets aus dem Gehörgange erfolgte durch öfteres Austupfen; war die Eiterung kopiös, so wurde daneben, in einem Falle (17) Tag und Nacht zweistündlich, mit Kochsalzlösung ausgespritzt. Besonderer Wert wurde auf die Regelung des Stuhlganges durch Calomel gelegt. In zwei Fällen (4 und 10) von Grünfärbung des Eiters durch den Bac. Pyocyaneus wurde nach dem Vorgange von Voss[1]) Borpulver eingeblasen; nach 2—3maliger Applikation war der Eiter gelb, und von weiterer Verwendung des Mittels wurde im Interesse der Stauung dann abgesehen. Die Wirkung des Borpulvers scheint vor allem auf der Aus-

---

1) Voss, Der Bac. Pyocyan. im Ohr. Veröffentlichungen a. d. Gebiete d. Militär-Sanitätswesens. Heft 33, S. 178 ff.

trocknung des Nährbodens der Bazillen zu beruhen. Ein ähnlich
prompter Erfolg wurde übrigens im Fall 13 durch die Einführung
von Mullstreifen erzielt, die mit 0,5 Proz. Arg. nitr.-Lösung getränkt waren. In diesem chronischen Falle trat die völlige
Heilung erst ein, als eine derbe Granulation auf dem Promontorium durch wiederholte Touchierung mit der Lapisperle zum
Schrumpfen gebracht war.

Im allgemeinen wurde die Stauung gut ertragen und oft
als Wohltat bezeichnet. Die spontan oder auf Druck vorhandenen Schmerzen am Warzenfortsatze, im Ohre, im Kopfe,
an geschwollenen Lymphdrüsen wurden vielfach schon nach
wenigen Stunden gemildert und pflegten, mit Ausnahme der
zur Operation gelangten Fälle, nach einigen Tagen, oft sogar
nach 24 Stunden beseitigt zu sein. Auch die Umgebung der
Inzisionswunde über dem Warzenfortsatze wurde unempfindlich,
was besonders bei der Anwendung der Saugglocke angenehm
empfunden wurde. Nur beim 2. Falle, der mit inzidiertem Abszesse und Corticalisfistel übernommen wurde, steigerte sich anfänglich der Druckschmerz am Warzenfortsatze, ohne daß am
unperforierten Trommelfelle stärkere Entzündung oder Vorwölbung auf Retention deuteten; doch klangen die Erscheinungen
ohne weitere Maßnahmen in kurzer Zeit wieder ab. Über
stärkere Belästigung durch die Binde klagte allein der Knabe
Sch. (16), bei dem auch Erbrechen auftrat. Nach vorübergehender Lockerung wurde die Binde später auch festliegend
ertragen; es war also trotz der im Nasenrachenraume vorhandenen adenoiden Wucherungen, die immerhin eine mittlere
Größe hatten, Gewöhnung an die Stauung eingetreten. Leichte
abendliche Temperatursteigerung ist auch bei den geheilten
Patienten mehrere Male notiert und wohl als Ausdruck der in
der Stauungspause erfolgten Resorption infektiösen und toxischen
Materials aus dem Entzündungsherde zu betrachten.

Bei dem Kind Bo. (7) kam es am 7. Stauungstage zu einem
kleinen Abszesse über der Sut. mast.-squamosa, obgleich aus der
klaffenden Paracentese reichlich Eiter quoll. Bemerkenswert
sind die in den Fällen 11 und 15 beobachteten Retentionserscheinungen, die ohne Fieber in einer Nacht sich entwickelten
und nach Herstellung ausreichenden Abflusses von Eiter bezw.
mit toxischen Stoffen beladenem Blut ebenso schnell wieder verschwanden. Es sei deshalb hier gleich erwähnt, daß die tägliche
genaue Kontrolle des Trommelfellschnitts dringend notwendig

erschien. Die Paracentesenöffnung, wie ausgiebig sie auch bemessen war, verlegte sich häufig durch stark geschwollene Schleimhautwülste, neigte auch zu auffallend schneller Verklebung, und auf der Höhe der Eiterung mußte öfter täglich ihre Erweiterung mittelst Knopfmessers erfolgen. Zuweilen genügte ein Auseinanderdrängen der Wundränder mit der Sonde.

Gehörgangsentzündungen wurden trotz sorgfältiger Reinigung mehrere Male gesehen, jedoch nur bei akuten Eiterungen. Störend hochgradig waren sie in den Fällen 3, 11 und 13. Es ist wohl anzunehmen, daß sie nicht allein in der vermehrten durchpassierenden Eitermenge, sondern auch in der durch die Stauung herbeigeführten Lockerung des Epithels und Durchtränkung der Weichteile des Gehörganges mit den aus dem Entzündungsherde stammenden bakteriellen Produkten ihre Ursache haben. Da auf einen möglichst freien Überblick über das Trommelfell nicht verzichtet werden sollte, wurde die Externa nebenher durch die Anwendung von Lapislösungen bekämpft.

Zu den sonstigen unliebsamen Begleiterscheinungen gehören die deutlichen Anzeichen von Mittelohrkatarrh, die in 2 Fällen (13 und 17) während der Stauung an dem anderen Ohre zur Beobachtung kamen. Beide Male handelte es sich um Verschlimmerung geringfügiger katarrhalischer Erscheinungen. Nach Fortfall der Stauung verschwanden die Rasselgeräusche wieder aus der Pauke, doch bedurfte es bei der Patientin E. längere Zeit der Luftdusche, um das beim Beginn der Behandlung vorgefundene Hörvermögen wiederherzustellen. Da eine andere Ursache für die Verschlimmerung des Katarrhs nicht nachzuweisen war (die Rhinitis im Falle 17 befand sich in der Besserung), dürfte die Transsudation bezw. Exsudation in die Paukenhöhle wesentlich durch die Stauungshyperämie zu erklären sein.

Nicht unbedenklich erscheint die bei dem Patienten Wi. (8) aufgetretene Hämorrhagie. Wegen des etwas apoplektischen Habitus des Mannes war zunächst von der Stauung abgesehen worden. Da die Eiterung indes durch die sonst übliche Behandlung nicht beeinflußt zu werden schien, wurde doch schließlich ein Versuch gemacht, der auch bei dem akuten wie bei dem chronischen Leiden in kurzer Zeit zum Ziele führte. Die Ruptur des Trommelfells erfolgte etwa am ursprünglichen oberen Ende der Paracentese, deren junge Narbe dem Andrängen der strotzend

hyperämischen Schleimhautpolster in der Pauke nicht standzu-
halten vermochte. Das Blut wurde schnell wieder resorbiert,
und die Heilung der Otitis nicht beeinträchtigt.

Auf den beim Falle 15 vorhandenen Gehörgangsfurun-
kel hatte die Stauung offenbar einen sehr günstigen Einfluß.
Der Furunkel war am Tage vor dem Beginn der Behandlung gespalten und 2 Tage nachher mit eingezogener Narbe verheilt.
Schoengut[1]) inzidierte seine Fälle nicht, sah unter der
Stauungsbinde meist nach wenigen Stunden Spontaneröffnung
und erreichte fast stets binnen 3 Tagen Heilung.

Einige Male traten unter der Binde einzelne Schnürstriemen
am Halse auf, wahrscheinlich infolge Drucks des abgelösten
und zusammengeballten Bindenfutters auf die transpirierende
Haut. Die Stauung wurde hierdurch nicht unterbrochen. Die
Usuren heilten, mit etwas Puder bedeckt, unter der Binde, von
der das Futter entfernt worden war. Ungefütterte Binden, die
wegen dieser üblen Erfahrungen öfter von vornherein benutzt
wurden, belästigten, wie bemerkt, die Patienten durchaus nicht,
sofern nur die Schlußstelle etwas gepolstert war, und es erscheint, wenn der Futterstoff sich nicht zuverlässig haltbar befestigen läßt, ratsam, überhaupt auf denselben zu verzichten.
Auch Hasslauer[2]) scheint ungefütterte gewebte Binden als
praktisch erprobt zu haben, und in der Bierschen Klinik sah
Verfasser im vergangenen Sommer die Kopfstauung ebenfalls
mittelst ungefütterter Binde ausführen.

Treten wir nun der Frage näher, ob sich aus den therapeutischen Ergebnissen brauchbare Schlüsse ziehen lassen zur
Unterscheidung solcher Fälle, die für die Kopfstauung, ev. mit
Saugbehandlung geeignet sind und derjenigen, bei denen diese
Methoden voraussichtlich versagen werden und gefährlich werden
können. Daß den folgenden Überlegungen nur der durch die
geringe Krankenzahl ihnen zugewiesene Wert zukommt, bedarf
keiner Betonung. Erst von weiteren eingehenden Versuchen
größeren Maßstabes kann eine relative Klärung der Indikationsstellung zu erhoffen sein.

Wenn Keppler[3]) hinsichtlich der Stauungsbehandlung bei

1) Schoengut, Z. Ther. d. Otit. ext. circumscr. u. verwandt. Affekt.,
D. med. Wochenschr. 1906, No. 43.

2) Hasslauer, D. Stauungsb. bei d. Behdlg. v. Ohreiterungen. Münch.
med. Wochenschr. 1906, No. 34.

3) Keppler, Die Behdlg. entzündl. Erkrankungen von Kopf u. Gesicht
mit Stauungshyp. Münch. med. Wochenschr. 1905, No. 45—47.

Otitiden meint, „der Erfolg ist um so sicherer und bestimmter zu erwarten, je früher bezw. je akuter der betreffende Fall zur Behandlung gelangt", so steht die allgemeine Fassung dieses Satzes mit unseren Erfahrungen nicht im Einklange. Der frischeste Fall war die Patientin E. (17), deren Otitis erst 3 Tage alt war, als mit der Stauung begonnen wurde. Der Fall verlief am schwersten. Bei den anderen mißglückten Fällen bestand die Eiterung 8, 9 und 17 Tage. Das Kind A. (5), dessen Warzenfortsatz tuberkulöse Granulationen beherbergte und Sequesterbildung aufwies, nimmt hier eine Sonderstellung ein, und das vorzeitig entlassene Kind Bo. (7) muß außer Betracht bleiben.

Nur der ungeheilt gebliebene Fall Sch. (16) (Aden. Veg.), dessen Eiterung 5 Wochen alt war, schließt sich in der Zeitdauer seines Leidens vor der Stauung der Mehrzahl der geheilten Fälle an. 4 derselben waren 14 bezw. 15 Tage alt; alle übrigen 10 Eiterungen bestanden, wenn man von der seit 9 Tagen rezidivierten alten Scharlachotitis (Fall 12), die nicht als Analogon einer frischen Erkrankung gelten darf, absieht, bereits 3, 4, 8, 10 und mehr Wochen. In der bisher vorliegenden Literatur finden sich eine ganze Reihe frischer durch Stauungshyperämie mit mehr oder weniger Erfolg behandelter Otitiden. Es sei hier nur an Kepplers und Hasslauers Fälle erinnert. Zu den 4 Entzündungen „leichteren Grades", die Hasslauer heilte, haben wir kein Pendant. Seine übrigen 12 akuten Fälle zeigten „hochgradige, z. T. stürmische Entzündungserscheinungen", und 8 Mal beteiligte sich der Warzenfortsatz. Da von Weichteilveränderungen nicht gesprochen wird, scheint nur spontaner Schmerz oder Druckempfindlichkeit vorgelegen zu haben. Für die Tatsache, daß 4 Fälle in durchschnittlich 8 Tagen ohne Paracentese, 5 weitere nach Trommelfellschnitt in durchschnittlich 16,4 Tagen zur Heilung kamen, fällt das Moment ins Gewicht, daß die Kranken kräftige Männer im widerstandsfähigsten Lebensalter waren. Trotzdem rezidivierte während der Stauung ein weiterer Fall und war erst nach 51 Tagen geheilt, und 2 Fälle hämorrhagischer Otitis, darunter einer nach Influenza, mußten operiert werden. Von Hasslauers weiteren 7 akuten Fällen scheinen die 3 glatt geheilten zur ersten Kategorie zu gehören. 3 mit Mastoiditis kamen zur Operation, ebenso eine durch Nasenkatarrh akut aufgeflackerte chronische Eiterung mit Mastoiditis. Wenn auch Hasslauer nur 3 Fälle in der üblichen Weise

aufmeißelte und 3 Mal nach Stengers Vorgange eine Fistel
durch die Corticalis in die Zellen des Warzenfortsatzes hinein
anlegte, und die weitere Eliminierung der Infektionserreger der
hyperämisierenden und mechanisch entleerenden Wirkung des
Saugers überließ, der Zweck blieb in jedem Falle eine den
Knochen eröffnende operative Nachhilfe für den im Warzenfortsatz befindlichen Entzündungsherd, dessen die Stauungshyperämie allein nicht Herr zu werden vermochte. Hasslauers
besonders wegen des gleichmäßigen Krankenmaterials wertvolle
Beobachtungen zeigen demnach, daß selbst bei sehr abwehr-
kräftigen Organismen, wie es Soldaten zu sein pflegen, eine gewisse Zahl genuiner wie sekundärer akuter, mit Mastoiditis
komplizierter Mittelohreiterungen der bloßen Bindenstauung — nach
Paracentese — unzugänglich sind. Die vorherige Krankheitsdauer ist leider nicht angegeben, sie darf aber, mit Ausnahme
des chronischen Falles, angesichts der lokalen Erscheinungen
bei der Aufnahme, wohl durchweg auf nur wenige Tage bemessen werden. — Bei Kepplers [1]) 11 geheilten akuten Fällen
hatten 9 Eiterungen 3 und mehr Wochen bestanden, als mit
der Stauung begonnen wurde, nur 2 8 bezw. 10 Tage. Fall 3
(Rezidiv einer Influenzaotitis) darf wohl nicht als frische, ca.
11 Tage alte Eiterung betrachtet werden. Wichtig ist außerdem, daß Keppler den durch die Stauung potenzierten Grad
der lokalen Entzündung 9 Mal durch Eröffnung subperiostaler
Abszesse bezw. eines Senkungsabszesses zu regulieren in der
Lage war; so auch bei den beiden Fällen mit kürzester vorheriger Krankheitsdauer. Die beiden Fälle ohne Abszeß hatten
je 4 Wochen bestanden, bis es schließlich zu ödematöser Schwellung über dem Warzenfortsatze gekommen war.

Wenn diese Erfahrungen darauf hinzuweisen scheinen, daß
ein gewisses Alter der Otitis für die Chancen der Stauungsbehandlung von Wichtigkeit ist, eine Ansicht, der auch
Stenger [2]) zuneigt, so sind doch noch mancherlei andere
Faktoren inbetracht zu ziehen. Bevor wir diese bei der weiteren
Besprechung unserer Fälle näher ins Auge fassen, empfiehlt es
sich, zur vergleichenden Orientierung kurz die klinischen Krank-

---

[1]) Keppler, Die Behdlg. eitr. Ohrerkrkgen. mit Stauungshyp. Zeitschrift f. Ohrenh., Bd. 50, S. 231 ff.

[2]) Stenger, Die Biersche Stauung bei akuten Ohreiterungen.
Deutsche med. Wochenschr. 1906, No. 6.

heitsbilder zu betrachten, wie sie bei chirurgischem Krankenmaterial unter dem Einfluß der Stauung zustande kommen.

Nach Lexers [1]) Beobachtungen lassen sich bei oberflächlichen Weichteilinfiltraten verschiedenen Alters und verschiedener
Bakterienstärke vier Grundtypen der Stauungswirkung unterscheiden.

1. Leichte fieberlose, frühzeitig gestaute Entzündungen: Das
Infiltrat geht vollkommen zurück.

2. Leichte fieberlose, mehrere Tage alte Entzündungen und
schwerere von geringem Fieber begleitete, sofern früh gestaut
wird: Schnelle Erweichung des Infiltrats, ohne Vergrößerung,
Durchbruch durch die Haut; das Fieber fällt.

3. Schwere fieberhafte Entzündungen: Das Infiltrat erweicht
und vergrößert sich durch Fortschreiten in die Umgebung.
Dabei tritt, besonders bei Streptokokkeninfektionen, eine erysipelähnliche Rötung der Haut bis zur Stauungsbinde hin auf,
zuweilen auch serös gefüllte Bläschen. Das Fieber bleibt unbeeinflußt oder steigt.

4. Schwere Infektionen: Das Infiltrat wächst rasch unter
dem Bilde der akut fortschreitenden Phlegmone (Lymphangitis,
Lymphadenitis, Thrombophlebitis). Das Fieber steigt unter
schweren Erscheinungen. Der Einfluß der Stauung scheint an
der Verschlimmerung die Schuld zu tragen.

Der Vorgang bei tiefen Infiltraten und der Ablauf eitriger
Entzündungen in geschlossenen Hohlräumen verhalten sich diesen
4 Grundtypen analog, mit der Modifikation, daß in präformierten
Hohlräumen (Sehnenscheiden, Schleimbeuteln, Gelenken usw.)
durch Entzündung der Wandungen von Anfang an ein Exsudat
besteht. Dieses kann zurückgehen, bestehen bleiben oder zunehmen. Dementsprechend bildet sich die Entzündung der
Wandungen zurück oder führt zur Erweichung, Nekrotisierung
und Einschmelzung, auch der Nachbargewebe, wodurch sekundäre Operationen nötig werden.

Die Wirkung der Bierschen Stauungshyperämie beruht bekanntlich auf der Anhäufung von bakteriziden Stoffen am Orte
der Entzündung während der Stauung und auf der Fort-
schwemmung (Resorption) der durch die Stauung veränderten
infektiösen und toxischen Stoffe in den Körperkreislauf während

---

i) Lexer, Zur Behdlg. ak. Entzdgen. mittelst Stauungshyp. Münch.
med. Wochenschr. 1906, No. 14.

der Stauungspause. Die durch den Reiz der Bakterien und
ihrer Stoffwechselprodukte auf die Gefäßnerven herbeigeführte
— „entzündliche" — Modifikation der stetigen örtlichen Durch-
blutung und die gleichmäßige Aufnahme der Produkte der
Bakteriolyse in den Körperkreislauf wird durch die venöse
Stauung geändert. Nach den sich mehrenden klinisch-otolo-
gischen Beobachtungen, auch nach unseren eigenen, scheinen
die bei dieser Änderung sich abspielenden Zirkulationsprozesse
im Warzenfortsatze leicht in der Richtung der Sequestrations-
vorgänge zu gravitieren, wie sie Ricker[1] neuerdings einleuchtend dargestellt hat. Danach ist anzunehmen, daß für eine
gewisse Zeit, bei niedriger Reizhöhe im Warzenfortsatze und
geeignetem Stauungsgrade, der Blutstrom in den Kapillaren und
Venen um den Infektionsherd verbreitert und beschleunigt fließt,
wobei, wie bei jeder Hyperämie, aus dem plasmatischen Rand-
strome ein Transsudat austritt. Nehmen infolge dauernder oder
gesteigerter bakteriochemischer Reize mit der Reizbarkeit der
Gefäßwand auch der neuromuskuläre Tonus und der elastische
Rückstoß der Gefäße, Kapillaren und des umgebenden Gewebes,
also die lokalen Triebkräfte ab, so strömt die vermehrte Blut-
menge verlangsamt, die spezifisch leichteren Leukozyten gelangen in den plasmatischen Randstrom, und durch die erweiterten Stomata der Kapillarwand wird vermöge des erhöhten
intrakapillären Druckes ein zellreiches Exsudat getrieben, das
sich um so reichlicher im benachbarten Gewebe ansammelt, je
mehr dessen Elastizität abnimmt, und je mehr der Tonus der
Lymphgefäße sinkt. Schließlich wird der Kapillarinhalt fast
rein zellig, seine Bewegung nimmt immer mehr ab und steht
schließlich still, womit die Sequestration des aus der Zirkulation ausgeschalteten Gebietes gegeben ist. Der Zusammenhang
der Zellelemente wird aufgehoben, und es entsteht, unter wesentlicher Mitwirkung der beim Zerfall der Leukocyten auftretenden
proteolytischen Fermente (Salkowski[2]) ein Abszeß. In der
Umgebung desselben herrscht, infolge abgeschwächter Reizwirkung der im Abszeßgebiet selbst anwesenden Mikroorganismen auf die Gefäßnerven, Hyperämie mit beschleunigtem
Stromcharakter, welche in der nächsten Zone zellige und fasrige,
in einer weiteren rein fasrige Bindegewebshyperplasie und in
größerer Entfernung lediglich Transsudation, Ödem bedingt.

1) Ricker, Entwurf einer Relationspathologie. 1905. S. 34—37.
2) Salkowski, bei Lexer, a. a. O.

Entleerung des Abszesses vermindert oder entfernt mit den Mikroorganismen die Reize, setzt mit der Beseitigung des Abszeßdruckes die Elastizitätswirkung des umgebenden Gewebes herab und verhindert durch diese Erleichterung des Blutstromes den Tonusverlust weiterer Gefäßgebiete.

In den Hohlräumen des Warzenfortsatzes werden sich bei niedriger Reizhöhe die durch den Entzündungsprozeß ohnehin schon angebahnten Sequestrationserscheinungen zunächst auf das Oberflächenepithel beschränken, in dem sie allerdings wegen der durch die Stauung gesetzten weiteren Behinderung des venösen Blutabflusses zu schnellerer Entwicklung gelangen werden. Gelingt in diesem Stadium die ausreichende Beseitigung der im Sequestrationsgebiete angehäuften Mikroorganismen (Abfluß, Resorption), so gewinnen die Gefäße mit dem Aufhören der Reizung ihren Tonus zurück, es tritt zunächst wieder Strombeschleunigung und Transsudation, darauf der ursprüngliche Zustand ein, womit die „Heilung" gegeben ist. Sind die bakteriellen Reize intensiver, so greift die Sequestration vermutlich um so tiefer, je größer die Wirkungskomponente der Stauung ausfällt, und es kommt durch Verflüssigung des Sequestrierten zu erheblichen Defektbildungen, von denen schließlich auch in weitem Umfange die Zellsepta betroffen sein können. Von wesentlicher Bedeutung für das Fortschreiten der Sequestration scheint, neben den ungünstigen Abflußverhältnissen, auf welche später noch eingegangen werden soll, auch der Umstand zu sein, daß das für die Abgrenzung der Entzündung unentbehrliche Spiel des neuromuskulären Gefäßtonus im Warzenfortsatze nur möglich ist, soweit Weichteile in Anspruch genommen werden können. Die Gefäße in den Zellsepten und vor allem in den knöchernen Wandungen des Warzenfortsatzes sind vermöge ihrer zirkulären Anheftung in den Havers'schen Kanälen einer Veränderung ihrer Lichtung auf nervösen Reiz hin unfähig. Sie werden demnach, solange sie bei leichten Infektionen, zumal in frühen Stadien der Mastoiditis nur einer abgeschwächten Reizwirkung preisgegeben sind, wohl als Absaugekanäle für Bakterien und deren Gifte dienen und so eine gewisse Entlastung des Entzündungsherdes vermitteln können. Rückt jedoch die Sequestrationsgrenze im Mukoperiost näher an die Knochenwand heran, so scheinen sie vielfach frühzeitig zu thrombosieren, wodurch in ihrem Bereiche ein Abschluß des intramastoidealen Verflüssigungsherdes nach außen hin bedingt, und zugleich der Zerfall der von der Stase am stärksten betroffenen Knochenpartie eingeleitet wird.

Durch die Unterbrechung der Stauung wird nun die Tendenz des Blutstromes zur Stase zeitweilig vermindert und zugleich Gelegenheit zur schubweisen Resorption des mit Bakterien, ihren Toxinen und Endotoxinen beladenen Exsudats geboten. In den Fällen leichterer Infektion von Mittelohr und Antrum kräftiger Organismen geht diese unter den gegebenen anatomischen Bedingungen allerdings kaum erhebliche Resorption, bei gleichzeitigem Exsudatabfluß durch die Trommelfell-öffnung, ohne bemerkbare Störungen des Allgemeinbefindens vor sich. Eine deletäre lokale Reizhöhe wird vermieden, und die bald einsetzende vermehrte Sekretion von Schleimeiter signalisiert die beginnende Rückkehr der Schleimhaut zu ihrem früheren Zustande. So verliefen auch unsere leichteren Fälle.

Auch bei schwereren Mastoiditiden scheint, wenn sie bereits einige Zeit bestanden haben, häufiger noch eine günstige Beeinflussung durch die Stauungshyperämie möglich zu sein. Man wird hier eine Abnahme der Virulenz der Eitererreger annehmen dürfen, die vielleicht mit einem neu geschaffenen Gleichgewicht des Gefäßtonus verbunden ist und für die Stauung somit geeignetere Bedingungen bietet, als sie in einem früheren Stadium der Entzündung vorhanden waren. Es ist jedoch durch bakteriologische Untersuchungen nachgewiesen, daß trotz der Stauung und der durch diese herbeigeführten Bakteriolyse zuweilen noch lange Zeit hindurch eine Wucherung der Eitererreger im Entzündungsherde stattfindet (Lexer). Die Bakterienbefunde bei unseren Fällen 1, 2, 4 und 17 scheinen dies bis zu gewissem Grade zu bestätigen. Daß diese noch nach längerer Zeit nachweisbaren Mikroorganismen eine erhebliche Virulenz bewahren bezw. wiedererhalten können, dürfte durch das erneute Aufflackern bereits unter der Stauung gebesserter Otitiden (Fall Hasslauers u. A.) bewiesen werden.

Wie Kepplers, Heines[1]) und teilweise unsere eigenen Erfahrungen zeigen, gehen von schwereren Mastoiditiden am ehesten diejenigen unter der Stauungsbinde zurück, bei denen außer der Paracentese des Trommelfells die Eröffnung eines subperiostalen Warzenfortsatzabszesses erfolgen konnte. Daß durch die letztere, infolge der Reiz- und Druckverminderung,

---

1) Heine, Verhdlgen d. deutsch. otol. Gesellsch. 1905, Ref. Zeitschr. f. Ohrenheilk., Bd. 50.

günstigere Chancen für die Stauung geschaffen werden, leuchtet ein, indes kommt diese chirurgische Hülfe der Entleerung eines einfachen Weichteilabszesses nur dann nahe, wenn gleichzeitig aus dem Innern des Warzenfortsatzes durch eine vorhandene Corticalisfistel leicht und ausgiebig virulentes Material abfließen kann. In nicht mehr ganz frischen Fällen scheint allerdings oft auch durch die unperforierte Knochenschale hindurch das schädliche Übermaß der bakteriellen Reize in die äußeren Weichteile übergetreten zu sein, sodaß nach Eröffnung des Abszesses der im Warzenfortsatz verbliebene Rest dem Einfluß der Stauung erliegt. Hierher gehören unsere Fälle 11 und 13. Fall 4, der ein einjähriges Kind betraf, reiht sich wegen relativen Offenstehens des Antrums durch Vermittlung der Sutura mast.-squamosa mehr den Abszeßfällen mit Corticalisfistel an. Von letzteren wurden zwei (Fall 2 und 14) geheilt, deren Otitis 14 Tage bezw. 3 Monate bestanden hatte.

Im Falle 2, der otoskopisch keine Zeichen erheblicher Entzündung mehr darbot, war der Abszeß bereits anderweitig gespalten worden, und das Fehlen heftiger Allgemein- und Lokalsymptome deutete darauf hin, daß die Virulenz der im Warzenfortsatze vorhandenen Eitererreger keine bedeutende mehr war. Immerhin stellte sich trotz der Stauung noch auf mehrere Tage eine erhöhte Druckempfindlichkeit des Warzenfortsatzes ein, eine Erscheinung, die dafür sprach, daß zu dieser Zeit die durch die bakteriellen Stoffe ausgeübte Reizung der sensiblen Nervenenden den mechanischen und chemischen Einfluß des Stauungstranssudats noch überstieg.

Im Falle 14 wurde, wie schon im Falle 13 ohne Fistel, in der Stauungspause der Saugnapf angewandt. Der Kranke hatte einen sehr umfangreichen Warzenfortsatz; die aus der Corticalisfistel abgesaugten Eitermengen waren jedoch so ungewöhnlich groß, daß der Verdacht einer extraduralen Eiterung erweckt wurde, für welche indes keine weiteren Symptome vorlagen. Da trotz Offenhaltens der Abflußwege die Sekretion mehrere Male vorübergehend stark verringert, dann wieder sehr kopiös war, und erst nach etwa dreiwöchiger Stauung und Saugung endgültig versiegte, ist zu schließen, daß im Warzenfortsatze zahlreiche getrennte Entzündungsherde bestanden, die erst allmählich nach Durchbruch ihrer Wandungen bezw. nach Rückgang obturierender Schleimhautschwellungen zur Entleerung gelangten. Der Fall stellt anscheinend ein gutes Beispiel dar

für die Indikation zur Kombinierung von Stauungs- und Saugtherapie. Kräftiger, 31jähriger Mann mit einer 3 Monate alten
Eiterung subakuten Charakters; seit 8 Tagen periostitischer
Abszeß. Aus der Dauer und Menge der Eiterung ist eine schon
länger währende Beteiligung des Antrums mit sonst symptom-
loser Mastoiditis zu entnehmen. Nach Entleerung des Abszesses
und breiter Paracentese des Trommelfells konnte der Fall,
zumal bei der günstigen tiefen Lage der Corticalisfistel, zunächst
für die alleinige Bindenstauung geeignet erscheinen. Indes flößte
der beträchtliche Umfang des Warzenfortsatzes von vornherein
Bedenken gegen ausreichenden Eiterabfluß ein, und als die
kulturelle Untersuchung des Abszeßeiters die Gegenwart von
Pneumokokken ergab, deren Neigung, einzeln liegende Entzündungsherde in den pneumatischen Zellen zu bilden, bekannt
ist, durfte auf die Erleichterung der Eiterentleerung durch Ansaugung nicht verzichtet werden. Daß der Kranke im Anschluß
an die Stauungspausen niemals nennenswerte Temperatursteigerungen hatte, auch in der ersten Zeit nicht, als der Sauger
nur ein Mal täglich auf kurze Zeit angelegt wurde, spricht
gegen eine erheblichere Resorption aus dem Entzündungsherde.
Der Hauptwert der Stauung lag anscheinend in der schnellen
Sequestrierung und Verflüssigung der infizierten Bezirke und
in deren Herausspülung auf der vorher geschaffenen Bahn der
Corticalisfistel. Diese mechanische Entleerung wurde durch den
Saugnapf unterstützt.

Derselbe leistet wohl auch in manchen Fällen periostitischer
Abszesse ohne makroskopisch erkennbare Fistel, bei denen
lediglich erweiterte Gefäßlöcher im Planum den Weg bezeichnen,
den die Eitererreger genommen haben, gute Dienste. Abgesehen von schnellerer Ausheilung des Abszesses wird ein er-
leichterter und vermehrter Durchtritt infektiösen und toxischen Materials durch die Knochengefäße, also eine gewisse Reizentlastung
im Innern des Warzenfortsatzes angenommen werden dürfen.

Um einen Anhalt zu gewinnen, wann und in welchem Grade
die Luftpassage durch die wiederhergestellten bezw. neuformierten
Hohlräume des Warzenfortsatzes wieder eintrat, wurde in den
Fällen 11 und 14 nach Verheilung der Abszeßwunden und
Trommelfellöffnungen und bei durchgängiger Tube die Aus-
kultation des Warzenfortsatzes nach Laennec[1]) versucht. Das

---

[1]) Laennec, Sur l'auscultation médiate. Bruxelles 1634. p. 57, zit.
von Schwartze, Arch. f. Ohrenh., Bd. 11, S. 51, Anm.

Atemgeräusch hatte bei beiden Patienten erst einen rauhen und lauten Charakter und klang dabei ferner. Bei dem Knaben F. nahm es schließlich denselben weichen, schlürfenden Charakter an und klang ebenso nahe wie auf der gesunden Seite. Bei G. blieb das nahe klingende Inspirium rauh, während das Exspirium wie vom gesunden Warzenfortsatze aus gehört wurde. Die letzte Prüfung geschah hier 15 Tage nach der Entlassung, als die Weichteile über dem Planum nur noch eine ganz geringfügige Verdickung zeigten.[1]

Die ausschließliche Stauung der mit Abszeß und Corticalisfistel verbundenen Pneumokokkenotitis (im Paukeneiter auch Streptokokken) bei dem Mädchen Z. (9) führte zur Aufmeißelung. Das genuine Ohrleiden war erst 8 Tage alt, und 5 Tage vor der Aufnahme hatte die Anschwellung hinter dem Ohre begonnen. Es lag also angesichts des Corticalisdurchbruchs eine sehr virulente Infektion vor, bei der die Anämie des Kindes eine wesentlich fördernde Rolle zu spielen schien. Allerdings ist zuzugeben, daß wohl die interkurrente Angina für den weiteren ungünstigen Verlauf mit verantwortlich ist, da im Anschluß an dieselbe die Verschlimmerung der Mastoiditis einsetzte. Jedenfalls ist neben der anämischen Konstitution der Patientin hervorzuheben, daß in diesem Falle das für die zweckmäßige Anwendung der Stauung anscheinend wichtige Vorstadium sehr kurz war. Den Fistelgrund bildeten dicht unter der Corticalis feste Zellsepta, und auch der Operationsbefund wies überall erhaltene Zellen mit granulationsartigem Inhalt nach. Einer ungenügenden Abflußmöglichkeit für das in den einzelnen abgeschlossenen Herden exsudierte Material stand obendrein im Mukoperiost ein Entzündungsprozeß von solcher Intensität gegenüber, daß die Beschaffenheit des umgebenden Gewebes die Hinausschiebung der Sequestrationsgrenze erheblich weiter hätte gestatten müssen, als es infolge der abschließenden Zellen- und Warzenfortsatzwände möglich war. Vielleicht hätte sich, wäre mit der Stauung noch gewartet worden, nach Entleerung des Abszesses der bakterielle Reizbetrag in den Zellenherden gemildert, und die künstliche Zirkulationshemmung hätte nun von der bakteriziden Transsudation und dem bescheidenen Maß der im Warzenfortsatz angängigen Resorption erfolgreich Gebrauch machen können. Vielleicht wäre auch bei gleichzeitiger Anwendung des Saugers

1) Vgl. hierzu S. 18, Anm.

die Sequestrierung der trennenden Zellenwände nach der Fistelöffnung zu beschleunigt und mit der Eröffnung eines derartigen
Abflußkanals der Circulus vitiosus endgültig durchbrochen worden.
Wie die Sachlage aber war, reichten sich vermutlich mangelhafte Qualität des Blutes, frische, noch im Fortschreiten begriffene,
hochvirulente Infektion in den einzelnen, durch knöcherne Scheidewände oder auch durch hochgradige Schleimhautschwellung abgeschlossenen Zellen des Warzenfortsatzes mit einer durch die
Angina gesetzten Exazerbation die Hand, um die bakterizide
und die mechanisch entleerende Eigenschaft des Transsudats
herabzusetzen bezw. aufzuheben, und auch in weiterem Umkreis
des Entzündungsherdes die Stauungshyperämie in Stase. um-
schlagen zu lassen.

Als ziemlich schwere Infektion imponierte von Anfang an
der Fall des vierjährigen Knaben H. (1). Warzenfortsatz an
Planum und Spitze mäßig druckempfindlich, ohne Veränderung
der Weichteile; Fieber vormittags 38,5, abends über 39°. Im
Hinblick auf die bereits 17 tägige Krankheitsdauer erschien
trotzdem die Prognose bei Stauungsbehandlung nicht durchaus
ungünstig. Die Temperatur wurde auch nach einigen Tagen
normal, doch nahm die Schmerzhaftigkeit des Warzenfortsatzes
nur langsam und unvollkommen ab, um bald in hohem Grade
und diffuser Verbreitung wiederzukehren. Dabei waren die
Weichteile nicht nachweislich verdickt oder gerötet; nur die
Schwellung einer Lymphdrüse unter der Spitze hatte zugenommen. Bei der nach 9 Stauungstagen ausgeführten Aufmeißelung
fanden sich die Wandungen der Knochenzellen, wie in dem
zuletzt beschriebenen Pneumokokkenfalle, erhalten und die Zell-
räume, besonders nach der Spitze zu mit disseminierten Herden
stark geschwellter, grau verfärbter Schleimhaut erfüllt. Der
Operationsbefund sprach also durchaus für Pneumokokkeninfektion, wenn diese Erreger auch nur mikroskopisch nachgewiesen wurden. Das durch die Stauung erzielte Resultat war
eine erhebliche Steigerung der Oberflächensequestration in den
einzelnen Entzündungsherden gewesen, ohne daß bei den anatomischen Verhältnissen die Möglichkeit ausreichender Entleerung
oder gar Resorption mit derselben Hand in Hand ging. Da
nach einigen Tagen der Stauung das Fieber verschwunden war,
kann zu dieser Zeit eine inbetracht zu ziehende Resorption von
Bakterien und toxischen Substanzen aus den Entzündungsherden
überhaupt nicht mehr stattgefunden haben. Für das Fehlen

eines entzündlichen Odems über dem Warzenfortsatze scheint weniger ein niedriger Virulenzgrad der Eitererreger, als eine individuell geringe, für die Prognose der Stauungsbehandlung ungünstige Durchgängigkeit der Corticalis als Ursache angenommen werden zu müssen.

Der Fall legte die Herstellung einer künstlichen Fistel in die Warzenfortsatzzellen hinein nahe, wie sie Stenger empfiehlt. Doch wurde gemäß den an der Halleschen Ohrenklinik geltenden Grundsätzen, da nun einmal eine mit allgemeiner Narkose verbundene Knochenoperation nicht zu umgehen war, der erprobte sichere Weg der typischen Aufmeißelung vorgezogen.

Bei dem Kind Ge. (6), dessen spongiöser Knochen und periostitischer Abszeß trotz der erst 8 tägigen Krankheitsdauer vielleicht ein günstiges Resultat hätten erreichbar erscheinen lassen, ist die Stauung wegen allzu vorsichtiger, lockerer Anlegung der Binde nicht zur vollen Wirkung gelangt. Die örtlichen Entzündungserscheinungen schritten zwar nicht weiter, hielten sich jedoch auf gleicher Höhe, und die unveränderte Sekretmenge nötigte trotz fehlenden Fiebers schließlich zur Operation.

Der Fall des vierjährigen Mädchens A. (5) ist als ein diagnostischer Fehlgriff zu betrachten, da der Eiter aus der Pauke und dem periostitischen Abszesse nicht auf Tuberkelbazillen untersucht wurde. Allerdings deutete außer der Blässe von Haut und sichtbaren Schleimhäuten und dem dürftigen Ernährungszustande des Kindes nichts auf den tuberkulösen Charakter der Mastoiditis hin. Die Stauung wurde jedenfalls nach den Erfahrungen Biers[1]) nicht richtig gehandhabt, vor allem auf viel zu lange tägliche Zeiträume ausgedehnt. Daß bei geeigneter, d. h. länger fortgesetzter kurzdauernder Stauung schließlich Heilung eingetreten wäre, muß indes bezweifelt werden, da sich, wie bei der Operation gefunden wurde, ein großer Sequester aus der hinteren Gehörgangswand loszulösen begann. Es erscheint im Hinblick auf den anatomischen Bau des Warzenfortsatzes nicht gerade wahrscheinlich, daß dort tuberkulöse Sequester Dank der Stauungshyperämie einheilen oder aufgesogen werden, wie Bier[2]) meint und z. T. bei orthopädischen Resektionen, also an Gelenken, beobachtet hat.

Wie wirkt nun die Stauungshyperämie, wenn der 3. bezw.

---

1) Bier, Hyperämie als Heilmittel. 3. Aufl. 1906, S. 256.
2) l. c., S. 260.

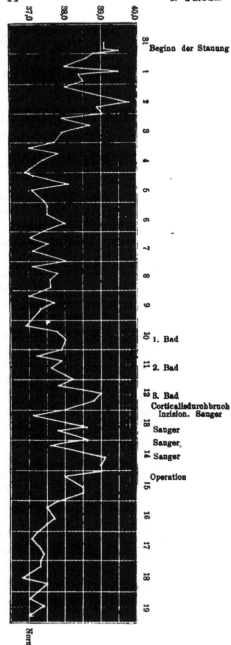

4. Typus Lexers, schwere fieberhafte Entzündung im Mittelohr und Warzenfortsatz vorliegt, und sich noch kein periostitischer Abszeß gebildet hat? In gewissem Sinne gehört schon Fall 1 hierher. Unser eigentliches Paradigma hierfür ist jedoch Fall 17, eine genuine (Schnupfen), stürmisch verlaufende Streptokokkenotitis bei einem großen, fast vollentwickelten 13jähr. Mädchen von allerdings skrofulösem Habitus. Im Paukeneiter fanden sich in Symbiose mit den (im Warzenfortsatz allein vorhandenen) Streptokokken auch der Staph. pyog. aureus und für Meerschweinchen virulente (cf. 1. Tierversuch) Stäbchen, welche als echte Diphtheriebazillen angesehen wurden. Fast gleichzeitig mit den Schmerzen im Ohre stellten sich auch solche im Warzenfortsatze ein, und trotz der am 3. Krankheitstage ausge· führten Paracentese des Trommelfells und reichlichen Eiterabflusses waren tags darauf bei höherem Fieber lebhafte Druckempfindlichkeit des Proc. mastoid., sowie Rötung und Schwellung der

ihn bedeckenden Weichteile vorhanden. Die Entzündung im Innern des Warzenfortsatzes war deutlich noch im Fortschreiten begriffen, als nach Erweiterung der Paracentese mit der Stauung begonnen wurde. Die Binde wurde von vornherein nur lose und mit längeren Pausen angelegt, mußte aber trotzdem wegen offenbarer schädlicher Folgen für die lokale Blutbewegung wiederholt noch mehr gelockert werden. Das Fieber sank zwar, wie die nebenstehende Kurve zeigt, bis zum 5. Behandlungstage, und die Temperatur bewegte sich dann 8 Tage lang zwischen 37 und 38°. Obwohl dabei der dünner und mehr schleimig gewordene Eiter stetig in großer Menge hervorquoll, auch die Druckempfindlichkeit an Planum und Spitze schnell völlig zurückgegangen war, entwickelte sich mit Pausen, die einer Erweiterung des Trommelfellschnitts oder Lockerung der Binde entsprachen, allmählich eine deutliche Auftreibung des Proc. mast., besonders an der Spitze, und die entzündliche Infiltration der Weichteile überschritt nach allen Seiten die Grenzen desselben. Zugleich nahm die Haut eine erysipelartige Röte an. Der dann gemachte Versuch, vermittelst einer an 3 Tagen neben gelinder Stauung eingelegten Schwitzkur durch heiße Bäder den Prozeß günstig zu beeinflussen, schlug fehl. Die äußeren lokalen Entzündungssymptome nahmen zwar erst merklich ab, um aber sofort nach wenig festerem Zusammenziehen der Binde noch stärker als vorher aufzuflammen. Bei feurigem Ödem über dem hochgradig aufgetriebenen Warzenfortsatze und seiner Umgebung kam es unter steigendem Fieber zum Durchbruch der Corticalis. Inzision und Eiterentleerung mittelst Saugers brachten lediglich temporäre subjektive Erleichterung. Die Operation durfte nun nicht länger aufgeschoben werden. Sie ergab einen sehr geräumigen und zellenreichen, mit Granulationen und detritusähnlichem Inhalt erfüllten Warzenfortsatz und ein enges Antrum. Die Zellensepta waren überaus morsch, größtenteils völlig zerfallen. Die Sulcuswand hatte der Zerstörung widerstanden.

Die Stauung war also in diesem Falle durchaus unangebracht, und das anfängliche Sinken der Temperatur nichts weniger als ein Beweis für die eingeleitete Heilung gewesen. Wäre die gewünschte Resorption in den Stauungspausen eingetreten, so hätte sich die Temperatur entsprechend der schubweisen Überschwemmung des Körpers mit den gemäß dem foudroyanten Anfangsstadium sehr virulenten Bakterien und ihren Giften unmöglich so lange in wenig über hochnormalen Grenzen bewegen können. Nur

an den ersten 3 Tagen deuten die abendlichen Zacken der
Kurve — die Stauungspausen lagen gegen Mittag und Nachmittags — auf eine heftige Allgemeininfektion; dann verschleierte
sich das Bild 8 Tage lang, und erst mit dem Durchbruche des
Eiters durch die Corticalis nahm das der Schwere der Infektion
entsprechende Resorptionsfieber wieder seinen Fortgang. Dies
Verhalten erklärt sich aus den anatomischen Bedingungen, welche
die Stauung im Warzenfortsatze antraf, und aus ihrer Sum-
mationswirkung mit der hochgradigen Schädigung, die das
Mukoperiost in den Zellen bereits durch die Bakteriengifte erfahren hatte. Die ungeheuren Eitermengen, die sich während
der Stauung aus der Pauke entleerten, bezeugten im Verein mit
der ausgedehnten Infiltration, den feurigem Ödem, der erysipel-
artigen Röte der Weichteile über dem Warzenfortsatze, daß im
Innern desselben eine rapide Gewebsverflüssigung im Gange
war. Die Bakteriolyse durch das Stauungstranssudat, die zudem
nach Nötzels [1] Untersuchungen in wirksamem Grade nur bei
den ersten, zu Beginn der jedesmaligen Stauungszeit austreten-
den Schüben nachzuweisen ist, war der Weiterentwicklung der
Bakterien gegenüber machtlos. Ferner wurden in den Resorptions-
stunden der ersten Tage zwar vielleicht noch gewisse Mengen
der toxischen Stoffe in den Kreislauf geschwemmt — sofern
man das Fieber nicht allein auf die vor der Stauung bereits
aufgenommenen Bakterien beziehen muß —, dann aber war diese
lokale Reizentlastung so gut wie zu Ende. Man darf wohl
annehmen, daß jetzt durch das örtliche Übermaß der bakteriellen
Reize zusammen mit der mechanischen Hemmung durch die
Stauung die Blutbewegung im Innern des Warzenfortsatzes zum
Stillstand gekommen war. Diese totale Sequestration mußte an
der starken Corticalis und an den übrigen widerstandsfähigen
Knochenwänden der pneumatischen Zellen zunächst Halt machen.
Die hier vorhandenen Knochengefäße aber, die keiner Ausdehnung ihrer Wandungen fähig sind, thrombosierten früh teilweise oder ganz, wodurch die Aufnahme bakterieller Substanzen
in den Körperkreislauf aufgehoben oder doch in hohem Grade
beeinträchtigt wurde. Trotz der abundanten Eiterung aus der
Pauke genügte wegen des engen, durch Schleimhautschwellung
zu schmalem Spalt reduzierten Antrumlumens und wegen der
hohen, ungünstigen Lage der abführenden Aditusöffnung die

---

1) Zitiert bei Lexer a. a. O.

Entleerung nicht, und die Einschmelzung der am meisten exponierten und am ungenügendsten ernährten Knochenpartie, hier am oberen Rande der Warzenfortsatzspitze, war in wenigen Tagen vollendet. Die heißen Bäder dürften diesen Prozeß lediglich etwas beschleunigt haben. Nun war die Blockade des Entzündungsherdes gebrochen, und die Resorption nahm von dem Weichteilabszesse aus ihren Fortgang.

Die Zerstörung der Warzenfortsatzwände scheint jedoch, soweit Heines, Isemers und Fleischmanns[1]) Beobachtungen schon ein Urteil zulassen, viel häufiger nach der Schädelhöhle zu, als selbst an den unteren Abschnitten der kompakten Corticalis zu erfolgen, wodurch die folgenschwersten Eventualitäten nahegerückt werden. Dies beleuchtet zugleich die Gefährlichkeit sklerotischer Corticalis bei der Anwendung der Stauung.

Die Ursache der ausgedehnten Nekrose auch in der entfernteren Nachbarschaft des Eiterherdes sieht Lexer vor allem in der örtlichen Vermehrung der Endotoxine und in ihrer deletären Wirkung auf das Gewebe. Der den proteolytischen Fermenten hierbei zufallenden Rolle wurde bereits gedacht. Auch die von v. Brunn[2]) und ihm selbst öfter beobachtete erysipelähnliche Hautrötung mißt Lexer der Wirkung der Endotoxine, vorwiegend der Streptokokkenendotoxine bei, und er erklärt den Vorgang als die Folge einer gewissen Überempfindlichkeit des Organismus durch wiederholte Aufnahme auch geringer Endotoxinmengen. In Bläschen, die Friedberger von einem sehr ausgesprochenen 48 Stunden hindurch gestauten Falle Lexers im Pfeifferschen Institute untersuchte, wurden mit größter Wahrscheinlichkeit Streptokokkenendotoxine nachgewiesen. Die Frage nach der Endotoxinbildung der Streptokokken ist jedoch noch keineswegs entschieden, und man wird bei der Bewertung eines solchen Bakteriengiftes für den Ablauf des Entzündungsprozesses seine vorläufig noch ziemlich hypothetische Natur im Auge behalten müssen. Fehlen von Schüttelfrost und plötzlichem Fieberanstieg unterschieden auch in unserem Falle die Hautröte vom echten Erysipel. Sie bestand, auf den Warzenfortsatz und seine nächste Umgebung

---

1) Fleischmann, Über d. Behdlg eitr. Mittelohrerkrankgen. mit Bierscher Stauungshyp. Monatsschr. f. Ohrenh. 40. Jahrg., 1906, Heft 5.
2) v. Brunn, zit. bei Lexer a. a. O!

beschränkt, mit zeitweiligem geringen Nachlaß vom zweiten bis letzten Stauungstage.

In den beiden Exazerbationen chronischer Eiterung (Fall 12 und 13), von denen eine mit periostitischem Staphylokokkenabszeß verbunden war, verschwanden unter der Stauung, in Übereinstimmung mit den Beobachtungen von anderer Seite, bald die akuten Symptome. Auch die Eiterung aus der Pauke versiegte bei R. (12), wie in einem anderen chronischen Falle (Wi., 8, links), wo die Paukenschleimhaut keine erhebliche hyperplastische Degeneration erkennen ließ, relativ schnell ohne weitere Maßnahmen. Allerdings waren kleine Granulationen im letzteren Falle unter vorherigen Alkoholeinträufelungen bereits etwas geschrumpft. Bei Kl. (13) trat erst Heilung ein, als eine derbe knopfförmige Schleimhautwucherung durch mehrmalige Lapisätzungen zum Schwinden gebracht war. Es ist nicht zu verkennen, daß in diesen durch die Stauung bald ihres akuten Charakters entkleideten und in den übrigen subakuten (10, 18) Fällen, die sämtlich wegen Fehlens von Knochengries im Paukeneiter von vornherein einen gewissen Schluß auf die Intaktheit der Knochenwandungen zuließen, die Stauungshyperämie günstig wirkte. Wenn es nun auch einleuchtet, daß die herabgesetzte Virulenz der in einer chronisch eiternden Schleimhaut angesiedelten Erreger ein dankbares Objekt für das Stauungstranssudat sein wird, so scheint doch für das völlige Versiegen der Exsudation unter der Stauung Voraussetzung zu sein, daß die Schleimhautgefäße im Laufe der chronischen Entzündung ihren Tonus nicht völlig eingebüßt haben bezw. nach Entfernung der bakteriellen Reize wiedergewinnen können. Waren die Gefäße bei dem neu entstandenen Tonusgleichgewicht erweitert, oder bestand eine gewisse Insuffizienz des Tonus, andauernde Hyperämieformen, die in ihrem Bereiche nach Ricker[1]) das Wachstum von Polypen bezw. faserige Bindegewebshyperplasie fördern, so wird die Stauung nur imstande sein, die bakteriellen Reize zu beseitigen. Scheint dieser Zweck erreicht, wird man sie beiseite lassen und lokale chirurgische Eingriffe, tonisierende Einträufelungen u. dgl. zu Hilfe nehmen, deren Anwendung sich anscheinend unter Umständen auch vor der Stauung empfiehlt.

In ätiologischer Hinsicht bieten unsere Fälle wenig

1) l. c., S. 39.

Anhalt zu Schlußfolgerungen. Von den 5 operierten waren 4 genuin. Bei der Warzenfortsatztuberkulose war, wie wohl in allen Fällen von Karies und Nekrose im Innern des Proc. mastoid., auf kein günstiges Resultat zu rechnen. Von den beiden geheilten Scharlacheiterungen war die eine nach fünfjährigem Bestande akut aufgeflackert, die andere, beiderseitige, subakut und leichteren Charakters. Bei dem letzteren Patienten lagen keine Zeichen von Mastoiditis vor. Akute Scharlacheiterungen dürften jedoch sämtlich von der Stauungsbehandlung auszuschließen sein. Die beiden akuten Masernfälle waren mit subperiostalem Abszeß bezw. Durchbruch durch die Corticalis verbunden. Ihre Heilung läßt die Anwendbarkeit der Stauung nach Ablauf der Infektionskrankheit und bei derartiger Reduzierung der Reizhöhe im Warzenfortsatze möglich erscheinen. Unter anderen Umständen würden wir bei frischen Masernotitiden die Stauung nicht ohne weiteres riskieren. Der akute Fall Sch. (16) mit adenoiden Wucherungen im Nasenrachenraume verhielt sich refraktär. E s c h w e i l e r [1] sieht zwar in der Gegenwart der Vegetationen keine Kontraindikation gegen die Stauungsbehandlung, und unser Fall 15, bei dem sie allerdings nicht stark entwickelt waren, bot der Heilung keine Schwierigkeiten. Daß eine hochgradige Entwicklung der Rachenmandel indes durch Atembehinderung und auch durch auftretenden Würgreiz die Stauung beeinträchtigen, wenn nicht verhindern und, wie S t e n g e r s Erfahrung zeigt, für das gesunde Ohr gefährlich werden kann, ist nicht von der Hand zu weisen.

Weitere Versuche würden zu zeigen haben, ob nicht auch einige Zeit nach der Adenotomie der lymphatische Habitus solcher Kranken noch einen Gegengrund gegen die Stauung bilden kann. Der Knabe Sch. machte ebenso wie die Patientin E. (17) bei dem gedunsenen Gesichte und den dicken, vortretenden Lippen einen entschieden skrofulösen Eindruck, der durch den Nasen- und Rachenbefund beider gestützt und durch das frühzeitig entwickelte Fettpolster des Mädchens nicht widerlegt wurde. Auch die erethische Konstitution und die schon erwähnte Anämie der Patientin Z. (9) weist darauf hin, welche Bedeutung anscheinend bei der Indikationsstellung zur Stauungs-

---

1) E s c h w e i l e r, Die Behdlg. d. ak. Mastoiditis mit Stauungshyperämie nach B i e r. Vortrag in der Vereinigung westdeutscher Hals- und Ohrenärzte, 18. Sitzung, 29. April 1906. Ref. Münch. med. Wochenschr., 1907, No. 5.

Lfde. No.	Ätiologie	Charakter u. vorherige Dauer der Eiterung	Art der Eitererreger	Ort der Entnahme des Materials	Art des Nachweises	Stauungsdauer (Tage)	Bemerkungen
1	Genuin	Akut, 17 Tage	Kapseldiplokokken u. diphtherieähnliche Stäbchen (?) Kapseldiplokokken	Pauke / Warzenfortsatz	mikroskopisch	9	Operiert
2	Masern	Akut, ca. 14 Tage	Kapseldiplokokken u. Staphylokokken	Warzenfortsatzfistel	„	25	Keine Mittelohreiterung, Trommelfell nicht perforiert
3	Genuin	Akut, 15 Tage	Kapseldiplokokken und Streptokokken	R. Pauke	„	24	Doppels. Eiterung
4	Genuin	Akut, 14 Tage	Zahlreiche Streptokokken Pseudodiphtheriebazillen + Bac. Pyocyaneus; zuletzt Pyocyaneus allein	Periostit. Abszeß / Pauke	mikroskopisch u. kulturell	34	Säugling
5	Tuberkulöse Mastoiditis	Ak. Paukeneiterung, 20 Tage	Streptokokken und Diplokokken ohne Kapseln	Periostit. Abszeß	mikroskopisch	13	Operiert
6	Genuin	Akut, 8 Tage	Spärliche Kapseldiplok.	Periost. Abszeß	„	26	Säugling Operiert
7	Genuin	Subak., „mehrere Wochen"	Streptokokken, einzelne Staphylokokken	Pauke	mikrosk. und kulturell	8	vorzeitig entlassen
8	Genuin	R ak., 4 Wochen, L chronisch. 12 Wochen	Diploc. lanceol. + Staph. Pyog. aureus + Pseudodiphtheriebac.	R. Pauke	„	8	Doppels. Eiterung
9	„	Akut, 8 Tage	Diploc. lanceolat. Diploc. lanceol. + Streptoc. pyogenes	Subp. Abszeß Pauke	„	21	Operiert

			Bac. Pyocyaneus	Pauke	mikroskopisch u. kulturell		
10	Genuin (Schnupfen)	Subakut, 6 Wochen	Bac. Pyocyaneus	Pauke	—	11	
11	Masern	Akut, 3 Wochen	Diploc. lanceolat.	Subp. Abszeß	"	20	
12	Chron. Scharlacheit, exazerbiert durch Schnupfen	Chron., 5 Jahre, seit 9 Tagen Rezidiv	Diploc. lanceol. + Pseudodiphtheriebac. + Staph. pyog. albus	Pauke	"	18	
13	Genuin	Chron., 4 Jahre, seit 8 Wochen Exazerbation	Bac. Pyocyaneus Staph. pyog. aureus	Pauke Subp. Abszeß	"	22	Im Trommelfell großer nierenf. Defekt. Granuläre Paukenschleimhaut
14	Genuin (Schnupfen)	Subakut, 3 Mon.	Diploc. lanceolatus spärlich	Subp. Abszeß, Corticalisfistel	"	34	
15	Genuin	Akut, 3 Wochen	Streptoc. pyogenes + Bac. Pyocyaneus	Pauke	"	13	Gehörgangsfurunkel, Adenoide gering. Grades
16	Genuin (Schnupfen)	Akut, 3 Wochen	Streptoc. pyogenes + Bac. Pyocyaneus	Pauke	.	31	Adenoide. Ungeheilt entlassen
17	Genuin (Schnupfen)	Akut, 3 Wochen	Streptoc. pyogenes*) Streptoc. pyog. + Diphtheriebazillen + Staph. pyog. aureus	Warzenfortsatz Pauke	"	13	Operiert. *) Einz. Kolon. von Staph. pyog. aur. durch Verunreinigung des Materials bei der Entnahme
18	Scharlach	Subakut, ca. 10 Wochen	Staph. pyog. aureus Staph. pyog. aureus + Pseudodiphtheriebac. + Bac. fluorescens (?)	R. Pauke L. "	"	28	Beiders. Eiterung mit großen Perforationen

4*

behandlung akuter Mastoiditiden derartigen allgemeinen Ernährungsstörungen beizumessen ist. — Ob und wie weit übrigens
an dem Versagen der Stauung in Isemers erstem Falle die
ja allerdings kompensierte Mitralinsuffizienz des Kindes mit die
Schuld trägt, ist schwer zu entscheiden. Denkbar wäre es
immerhin, daß die Herztätigkeit den im Stromgebiet des Kopfes
gesetzten Zirkulationswiderstand nicht dauernd in ausreichendem
Maße überwinden konnte.

Vom bakteriologischen Standpunkte lag, wenn wir in
erster Linie das mikroskopisch und kulturell untersuchte Material
berücksichtigen, ein vielgestaltiger Befund vor. Unter den
Geheilten beherbergten im Eiter des periostitischen Abszesses
Fall 11 und 14 den Diploc. lanceolatus und Fall 13 den Staph.
pyog. aureus in Reinkultur. Bei den operierten Fällen 9 und
17 fand sich im Abszeß- bezw. Warzenfortsatzeiter der Diploc.
lanceolatus resp. der Streptoc. pyogenes. Aus dem Paukeneiter
wurden nur 3 mal Reinkulturen gezüchtet, im Fall 10 (subakut)
und 13 (chronisch) der Bac. Pyocyaneus und im Fall 18 (subak.
Scharlacheiterung) rechts der Staph. pyog. aureus. Bezüglich
der im Paukeneiter gefundenen Mischinfektionen wird auf die
vorstehende Tabelle verwiesen.

3 Mal wurde mikroskopisch und kulturell der Eiter der
Pauke und des Warzenfortsatzes bez. periostitischen Abszesses
untersucht. In den beiden akuten Fällen 9 und 17 fanden sich
die im Abszeß und im Warzenfortsatz vorhandenen Mikroorganismen auch in dem Material aus der Pauke wieder, aber
in Symbiose mit anderen Bakterien. Bei der akut verschlimmerten
chronischen Otitis des Falles 13 hatte, bei einem allerdings
schon achtwöchigen Bestande des Rezidivs, der Bac. Pyocyaneus den wohl ursprünglich in der Pauke vorhanden gewesenen
Staph. pyog. aureus völlig verdrängt. Es ist ja bekannt, daß
der Pyocyaneus andere Bakterienarten leicht überwuchert und
durch seine Stoffwechselprodukte (Pyocyanase: Emmerich) in
empfindlichster Weise schädigt. Daß der Bac. Pyocyan. im
Falle 10, wo er aus dem Paukeneiter in Reinkultur wuchs, als
primärer Erreger der Otitis anzusehen ist, muß bei dem chronischen Charakter derselben bezweifelt werden; auch bemerkte
der Patient erst am Tage vor der Aufnahme die Grünfärbung
des vorher gelben Eiters. Auch in den Fällen 4, 15 und 16
war der Bac. Pyocyan., im Falle 18 der Bac. fluorescens (?) im
Laufe einer 3-, 5- und 10-wöchigen Krankheitsdauer offenbar

erst sekundär in die Pauke eingedrungen. Im 4. Falle wurde der Paukeneiter am 9. Behandlungstage, als seine grüne Farbe auffiel, zum ersten Male untersucht. Der Pyocyaneus teilte hier seine Herrschaft anfänglich mit Pseudodiphtheriebazillen, während von den im Abszeßeiter allerdings nur mikroskopisch nachgewiesenen Streptokokken keine einzige Kolonie aufging. Später verschwanden unter der Stauung die Pseudodiphtheriestäbchen ebenfalls, indes der Pyocyaneus weiter wucherte.

Für die Scharlachotitis im Falle 18 ist angesichts des zehnwöchigen Bestehens der Eiterung natürlich nicht mehr sicher zu entscheiden, ob es sich ursprünglich um eine beiderseitige Infektion mit Staph. pyog. aureus gehandelt hat, die nach den Befunden Blaxalls und Zaufals[1] ja bei Scharlach vorkommt. Der milde Verlauf der Eiterung spricht dafür.

Erwähnt sei der Befund des Diploc. lanceolatus im Abszeßeiter der Masernotitis, Fall 11.

3 Mal (Fall 8, 12 und 18) beteiligten sich Pseudodiphtheriestäbchen an der Mischinfektion. Im Falle 17 dagegen müssen die gezüchteten diphtherieverdächtigen Stäbchen wohl als echte Löfflersche Diphtheriebazillen angesehen werden, und zwar deshalb, weil die wiederholt ausgeführte und stets positiv ausgefallene Neisserfärbung dafür spricht, und das mit frischer Kultur infizierte Meerschweinchen unter typischem Diphtheriebefund innerhalb 40 Stunden zugrunde ging. Das Verhalten in Bouillon war nach Wachstum und Säurebildung nicht ganz typisch, auch ließ sich in zehn- bezw. dreizehntägigen keimfreien Filtrat keine stärkere Giftbildung nachweisen; doch dürften diese beiden Umstände, wie auch die Tatsache, daß nach 26 tägigem Wachstum der Stäbchen auf künstlichen Nährböden der zweite bazilläre Impfversuch negativ ausfiel, der Diagnose „Diphtheriebazillen" nicht direkt widersprechen. Da keine fibrinöse, sondern nur eine einfache Rhinitis und Pharyngitis bestand, dürfte die Kranke, wenn auch das Nasen- und Rachensekret daraufhin nicht untersucht wurde, den von Aaser[2] gefundenen „Bazillenträgern" an die Seite zu stellen sein. Gelegenheit zur Aufnahme der Diphtheriebazillen hatte die

---

1) Blaxall und Zaufal, zit. bei Leutert, Bakt.-klin. Studien über Komplik. ak. u. chron. Mittelohreiterungen. Arch. f. Ohrenh., Bd. 46, S. 205.

2) Aaser, zit. bei Günther, Einführg. in d. Studium d. Bakteriol. etc. S. 579, Anm. 3.

Patientin durch den Verkehr mit ihrer Schulgefährtin. Ihr
„Schnupfen" exazerbierte etwa gleichzeitig mit der Erkrankung
der letzteren an Diphtherie. — Der Virulenzgrad der in diesem
Falle wohl allein oder doch vorwiegend primär vorhandenen,
aus der Operationshöhle des Warzenfortsatzes gezüchteten
Streptokokken wurde zwar nicht durch den Tierversuch festzustellen versucht, ist aber durch den klinischen Krankheitsverlauf und die enormen Verheerungen im Warzenfortsatze als
besonders hoch erwiesen. Ein Grund hierfür scheint in der
Symbiose mit den Diphtheriebazillen zu liegen, die indes anfänglich in so geringer Zahl aus dem Nasenrachenraum in die
Paukenhöhle gelangt waren, daß sie sich zunächst dem kulturellen Nachweise entzogen.

Zur Beantwortung der Frage, ob bei bestimmtem Bakterienbefunde die Stauungstherapie aussichtsvoll und bei anderem
zwecklos und gefährlich erscheint, lassen sich aus unseren Beobachtungen keine sicheren Schlüsse ableiten. Streptokokken-
und Diplokokkenmastoiditiden sind sowohl zur Operation gekommen als auch geheilt worden. Die Staphylokokkeninfek-
tionen verliefen günstig. Sie scheinen den Anforderungen,
welche die Stauungshyperämie an die Änderung der Zirkulation
im Warzenfortsatze stellt, am ehesten gerecht zu werden. Der
größeren Destruktionstendenz der Streptokokken steht bei den
Diplokokken deren Neigung zu sprunghaftem Einwandern in
isoliert liegende pneumatische Zellen gegenüber, sodaß hier die
Schwierigkeiten der Resorption und des Exsudatabflusses die
an sich mildere Infektion bedenklich gestalten können. Unter
Beachtung dieser Eigentümlichkeit darf vom bakteriologischen
Gesichtspunkte als entscheidend der Virulenzgrad der Eitererreger betrachtet werden, wie er in manchen Fällen durch
Tierversuche festgestellt werden kann, vor allem aber aus der
Dauer der Infektion, der Intensität der örtlichen Reaktion, dem
Allgemeinbefinden, dem Charakter des Fiebers, der Art des
ev. Grundleidens und aus der allgemeinen Körperkonstitution
hervorgeht.

Fassen wir unsere Erfahrungen und Überlegungen mit
allem Vorbehalt weiterer Nachprüfung zusammen, so ergeben
sich die nachstehenden Folgerungen.

1. Die anatomische Struktur des Warzenfortsatzes und die
ungünstige Lage und oft geringe Weite seiner natürlichen Ab-
flußöffnung bieten der erfolgreichen Anwendung der Stauungs-

hyperämie nach Bier bei Mastoiditiden erhebliche Schwierigkeiten.

2. Da die in Knochenkanälen verlaufenden abführenden
Gefäße, welche die Hohlräume des Warzenfortsatzes umgeben,
zu der von der Bindenstauung beanspruchten Dilatation ihrer
Wandungen unfähig sind, wird die Resorption aus dem Entzündungsherde in den Stauungspausen beeinträchtigt, während
der Stauung dem Auftreten einer kumulativen Reizhöhe im
Warzenfortsatze, zunächst bei fallendem Fieber, Vorschub geleistet und somit Stase und Sequestration gefördert.

3. Dieser ungünstige Ausgang scheint bei schweren Infektionen des Mittelohrs und Warzenfortsatzes, die vor der Stauung
nicht zur Bildung eines subperiostalen Abszesses geführt hatten,
die Regel zu sein. Getrübt wird die Prognose anscheinend
auch durch ein erst kurzes Bestehen des Ohrleidens, durch das
Vorhandensein umfangreicher adenoider Vegetationen im Nasenrachenraum und durch Konstitutionskrankheiten (Scrofulose,
Anämie).

4. Die Tuberkulose des Warzenfortsatzes kann durch die
Kopfstauung wahrscheinlich nicht geheilt werden.

5. Die eigentliche Domäne der Stauungstherapie dürften
leichte akute unkomplizierte Otitiden und solche mit Mastoiditis
einhergehenden genuinen subakuten und nicht zu frischen akuten
Fälle sein, in denen mit oder ohne Corticalisdurchbruch bereits
ein periostitischer Abszeß über dem Warzenfortsatze besteht.
Bei letzteren ist die gleichzeitige Anwendung des Saugnapfes
indiziert.

6. War die Paracentese des Trommelfells erforderlich, so
ist ihre stetige weite Offenhaltung von großer Wichtigkeit.

7. Chronische Eiterungen ohne Karies und Cholesteatom
scheinen durch die Stauungshyperämie günstig beeinflußt zu
werden, bedürfen jedoch häufig noch anderer therapeutischer
Maßnahmen. Bei Verdacht auf Osteosklerose ist von der Stauung
Abstand zu nehmen.

8. Bakteriologisch giebt der Virulenzgrad der Eitererreger
den Ausschlag. Ceteris paribus scheinen Staphylokokken-
infektionen die Prognose günstiger zu gestalten.

II

Aus der königlichen Universitätsklinik für Ohren-, Nasen- und Kehlkopfkrankheiten in Erlangen (Professor Denker).

Untersuchungen über die Funktion des Bogengangapparates bei Normalen und Taubstummen.

Von

Dr. Wilhelm Brock.
Assistent an der Klinik.

(Fortsetzung und Schluß.)

***

Hitzig, Kny und Breuer waren die ersten, die beim Menschen den sogenannten galvanischen Nystagmus näher untersuchten; auf die Untersuchungen Kiesselbachs und die anderen noch in Betracht kommenden Autoren einzugehen, liegt außerhalb des Rahmens dieser Arbeit.

Als konstante Symptome des galvanischen Schwindels beim Menschen wurden dabei gefunden.

1. Schwanken des Kopfes beim Öffnen und Schließen des Stromes,

2. Das Auftreten nystagmusartiger Augenbewegungen während der Durchströmung.

Breuer kommt am Schluß seiner Arbeit zu der Überzeugung, daß die Erscheinungen des galvanischen Schwindels unter Verhältnissen erscheinen, welche die Beteiligung von Stromschleifen ins Gehirn ausschließen lassen. Der galvanische Schwindel entsteht hauptsächlich durch Reizung des Vestibularapparates, wie das galvanische Phosphen durch Reizung der Retina.

Pollak war es, der diese Art der Untersuchung auch zur Taubstummenuntersuchung verwendete.

Zur Untersuchung in dieser Weise kamen 82 Taubstumme, von denen 64 von Kreidl bereits auf dem Drehbrett untersucht waren.

Die Pollakschen Resultate sind folgende:

Normale Kopfbewegungen	50	= 61	Proz.
Fragliche oder unregelmäßige	5	= 6	Proz.
Keine Kopfbewegungen	27	= 33	Proz.
Normale Augenbewegungen	53	= 64,6	Proz.
Fragliche oder schwache	4	= 4,9	Proz.
Keine Augenbewegungen	24	= 29,3	Proz.
Weder Kopf- noch Augenbew. hatten	25	= 30,6	Proz.

Berücksichtigung der von Kreidl vorher untersuchten 64 Taubstummen.

Es hatten   a) Kopfbewegungen

Normale	36	= 56,2	Proz.
Zweifelhafte	5	= 7,8	Proz.
Keine	23	= 36	Proz.

b) Augenbewegungen.

Normale	38	= 59,4	Proz.
Zweifelhafte	4	= 6,2	Proz.
Keine	22	= 34,4	Proz.
Weder Kopf- noch Augenbew. hatten	21	= 32,8	Proz.
Normal verhielten sich	31	= 48,5	Proz.

Strehl, der ebenfalls Untersuchungen mit galvanischem Schwindel machte, fand von diesen ziemlich abweichende Resultate. Dieser Autor kommt daher zu der Überzeugung, daß der sogenannte statische Sinn des Labyrinths beim Menschen eine äußerst geringe Bedeutung habe.

Zu einer ähnlichen Anschauung kam Bruck.

Bezold setzte die Untersuchungen auf Gleichgewichtssuchungen fort; er bediente sich 1893 des Kreidlschen Drehbretts, um das Vorhandensein oder Fehlen der beim Drehen in der Norm sich einstellenden rhythmischen Augenbewegungen zu kontrollieren und kam dabei zu folgenden Resultaten.

Die Schwindelerscheinungen wurden geprüft nach aktivem Drehen um die Vertikalachse.

Die Resultate dieser Untersuchungen seien hier angeführt.

Gar kein Schwanken zeigten   30 oder 38,0 Proz.
Geringes Schwanken   „   16   „   20,3 Proz.
Starkes Schwanken   „   32   „   40,5 Proz.

Bei Vergleichung der einzelnen Gruppen untereinander in Beziehung der Stärke des Schwankens fand Bezold, daß sich die unter den Taubstummen am zahlreichsten vertretenen Gruppen, die absolut Tauben und die Gruppe VI, d. h. die Taubstummen mit den geringsten Hördefekten sich geradezu entgegengesetzt verhalten.

Unter den absolut Tauben zeigten nämlich nicht weniger als 54,2 Proz. gar kein Schwanken und nur 20,8 Proz. stärkeres Schwanken.

In der Gruppe VI dagegen fanden sich nur 12,1 Proz. welche kein Schwanken zeigten, während bei 66,7 Proz. ein starkes der Norm entsprechendes Schwanken sich einstellte.

Zwischen diesen beiden extrem von einander abweichenden Gruppen im ganzen mitten inne stehen die übrigen Gruppen:

Bezüglich der Augenbewegungen kam Bezold zu folgenden Zahlen:

Gar keine Augenbewegungen zeigten

    im ganzen   11 = 13,9 Proz.
nur einzelne   22 = 27,8 Proz.
Subnormale   18 = 22,8 Proz.
Normale   14 = 17,7 Proz.

Obwohl Bezold nur 65 Individuen auf ihre Augenbewegungen hin untersuchte, hat er die Prozente doch auf die Gesamtzahl der 79 Taubstummen berechnet; die Zahlen sind daher alle zu klein. Die Prozente auf die untersuchten 65 berechnet geben folgende Zahlen:

    gar keine Augenbewegungen   11 oder 16,9 Proz.
nur einzelne   22   „   33,8 Proz.
Subnormale   18   „   27,7 Proz.
Normale   14   „   21,6 Proz.

So oft die Bezoldschen Zahlen angeführt werden, habe ich hinter die Bezoldschen Zahlen die auf 65 Gesunde berechneten Prozentzahlen gesetzt.

Wenn wir die einzelnen Hörgruppen miteinander vergleichen, so treten uns ebenso, wie wir dies beim Schwanken nach dem willkürlichen Drehen gefunden haben, auch hier wieder die größten Kontraste entgegen zwischen den absolut Tauben und der Gruppe VI, oder den am besten Hörenden.

Unter den absolut Tauben zeigten:

Keine Augenbewegungen	25,0	(29,2 Proz.)
Nur einzelne	33,3	(39,2 Proz.)
zusammen:	58,3	(68,4 Proz.)
Subnormale Augenbewegungen	20,8	(24,3 Proz.)
Normale „	6,3	(7,3 Proz.)
zusammen:	27,1	(31,6 Proz.)

In der Gruppe VI dagegen zeigten:

Keine Augenbewegungen	6,1	(7,4 Proz.)
Nur einzelne „	15,2	(18,5 Proz.)
zusammen:	21,3	(25,9 Proz.)
Subnormale Augenbewegungen	18,9	(22,2 Proz.)
Normale „	42,4	(51,3 Proz.)
zusammen:	61,3	(74,1 Proz.)

Die übrigen Gruppen nehmen eine Mittelstellung ein, neigen bald mehr zu den Totaltauben, bald mehr zur Gruppe VI der Besthörenden.

Bezold findet demnach unter den totaltauben Kindern ein bedeutendes Überwiegen der Drehversager, unter den mit guten Hörresten ausgestatteten Kindern ein noch bedeutenderes Überwiegen der normal Reagierenden.

Durch die 2. Untersuchungsreihe wurden diese Befunde bestätigt.

Bei dieser 2. Untersuchungsreihe, bei welcher das Schwanken und der Nystagmus nach aktivem Drehen geprüft wurden, finden wir folgende Notizen:

Kein Schwanken zeigten	47,5 Proz.
Geringes „ „	23,7 Proz.
Starkes „ „	28,8 Proz.

Für das Auftreten und Fehlen des Nystagmus fand Bezold folgende Zahlen:

Keinen Nystagmus zeigten	28,8 Proz.
Geringen „ „	28,8 Proz.
Starken „ „	42,4 Proz.

Auch hier tritt der Kontrast zwischen den Totaltauben und Gruppe VI deutlich hervor.

Von den Totaltauben zeigten 85,3 Proz. kein Schwanken während dasselbe bei Gruppe VI nur in 21,6 Proz. ausfiel.

	Totaltaube	Gruppe VI.
Keinen Nystagmus zeigten	55,9 Proz.	2,7 Proz.
Starken Nystagmus zeigten	11,8 Proz.	67,6 Proz.

Eine Anzahl Autoren, die sich auch mit der Untersuchung von Taubstummen beschäftigte, unterließ die Prüfung auf Gleichgewichtsstörungen.

Denker, Haslauer, Wanner, Hugo Frey und Hammerschlag nahmen diese Untersuchungen wieder auf und kamen zu folgenden Resultaten.

Denker, der die Insassen der Taubstummenanstalt zu Soest auf ihre Hörreste hin untersuchte, benützte zur Untersuchung der Gleichgewichtsstörungen zuerst die Kreidlsche Methode; wegen eigenen subjektiven Schwindels beschränkte er sich später auf die Untersuchung des Nachnystagmus.

Von 63 Taubstummen zeigten:

Starkes Schwanken	19 = 28,5 Proz.
Geringes Schwanken	20 = 31,9 Proz.
Kein Schwanken	25 = 39,6 Proz.
Keine Augenbewegungen zeigten:	35 = 41,7 Proz.
Einzelne „ „	11 = 18,3 Proz.
Subnormale „ „	10 = 16,7 Proz.
Normale „ „	14 = 23,3 Proz.

Haslauer, der die Taubstummen der Würzburger Anstalt untersuchte, fand folgende Zahlen:

Von 176 Gehörorganen zeigten:

Starken Nystagmus	40 = 22,8 Proz.
Geringen Nystagmus	49 = 27,8 Proz.
Keinen Nystagmus	87 = 49,4 Proz.

Wanner untersuchte 108 Taubstumme; von denen zeigten

Kein Schwanken	47,2 Proz.
Geringes „	15,9 Proz.
Starkes „	16,9 Proz.

Keinen Nystagmus ohne Rücksicht auf die Drehungsrichtung zeigten 37 = 34,7 Proz.

Geringen Nystagmus ohne Rücksicht auf die Drehungsrichtung zeigten 18 = 16,6 Proz.

Starken Nystagmus ohne Rücksicht auf die Drehungsrichtung zeigten 53 = 48,7 Proz.

Nager, der keine tabellarische Übersicht gibt, kommt zu
ähnlichen Resultaten. Die ziffermäßige Zusammenfassung der
Versuchsergebnisse von Frey und Hammerschlag ergab
folgendes Resultat.

Von 93 Untersuchten reagierten 46 = 49,5 Proz. positiv
42 = 45,2 „ negativ
5 = 5,3 „ fraglich

Zur besseren Übersicht sei Tabelle VI eingefügt, die zum
größten Teil aus der Arbeit von Frey und Hammerschlag
entnommen ist.

Tabelle VI.

Versuchsergebnisse	I. Bezold 1893 %	II. Bezold 1898 %	III. Denker %	IV. Hass-lauer %	V. Wanner %	VI. Frey u. Hammer-schlag %	VII. Brook c/o
Normale Augenbewe-gungen I. III. Subnormale Augenbe-wegungen I. III. Starker Nystagmus II. IV. V. VII. Nystagmus VII. Positive Reaktion VI.	49,3	42,4	40,0	22,8	48,7	49,5	57,2
Vereinzelte Bewegungen I. III. Geringer Nystagmus II. IV. V. VII. Fragliche Reaktion VI. Unsicherer (fraglicher) Nystagmus VII.	33,8	28,8	18,3	27,8	16,6	5,3	2,0 6,1 8,1
Keine Augenbewegungen I. III. Kein Nystagmus, Fehlen des Nystagmus II. IV. V. VII. Negative Reaktion VI. Einzelne Zuckungen VII.	16,9	28,9	41,7	49,4	34,7	45,2	34,7

Tabelle VII.

Gleichgewichtsstörungen und Nystagmus bei den untersuchten 49 T... nach Drehversuch ohne Rücksicht auf die Drehungsrichtung in absoluten und Proz... zahlen.

	Absolute Taubheit	Gruppe I	Gruppe II	Gruppe III	Gruppe IV	Gruppe V	Gruppe VI	Gesamtzahl der Gehörorg.	Indiv.
Summe der Gehörorgane	36	6	6	3	5	10	32	98	49
Gleichgewichtsstörung nach Drehen um die Vertikalachse ohne Rücksicht auf die Drehungsrichtung									
Kein Schwanken	23—63,9%	3—80%	1—16,7%	—	—	2—20%	5—15,6%	34—34,7%	17
Geringes Schwanken	6—16,7%	—	1—7%	—	1—20%	—	2—6,20%	10—10,2%	5
Starkes Schwanken	6—16,7%	2—33,3%	4—66,6%	2—66,7%	4—80%	8—80%	16—50%	42—42,8%	21
Unsicher	1—2,8%	1—16,7%	—	1—33,3%	—	—	9—28,2%	10—10,2%	5
Nystagmus nach Drehversuch ohne Rücksicht auf die Drehungsrichtung									
Kein Nystagmus	21—58,3%	4—66,7%	1—16,7%	—	—	—	4—12,5%	30—30,6%	15
Einzelne Zuckungen	3—8,3%	—	—	—	—	—	1—3,1%	4—4,10%	2
Geringer Nystagmus	—	—	1—16,7%	—	1—20%	—	—	2—3,0%	1
Nystagmus	11—30,6%	2—33,3%	4—66,6%	3—100%	4—80%	8—80%	22—68,8%	54—55,2%	27
Starker Nystagmus	—	—	—	—	—	—	2—6,2%	2—2,0%	1
Unsicherer Nystagmus	1—2,8%	—	—	—	—	2—20%	3—9,4%	6—6,1%	3

Tabelle VIII.

Augenbewegungen nach Drehen von links nach rechts unter den untersuchten Taubstummen bei verschiedener Blickrichtung in absoluten Zahlen.

Summa der Gehörorgane		Absolute Taubheit	Gruppe I	Gruppe II	Gruppe III	Gruppe IV	Gruppe V	Gruppe VI	Gesamtzahl der Gehörorgane	Individuen
		36	6	6	3	5	10	32	98	49
Nystagmus nach Drehen von links nach rechts beim Blick nach links	Kein Nystagmus	23	4	1				4	32	16
	Einzelne Zuckungen	1	0	0				1	2	1
	Geringer Nystagmus	0	0	1		1		0	2	1
	Nystagmus	11	2	4	3	4	8	22	56	28
	Starker Nystagmus							2	2	1
	Unsicherer Nystagm.	1					2	3	6	3
beim Blick geradeaus	Kein Nystagmus	28	5	4	1	2	4	12	56	28
	Einzelne Zuckungen									
	Geringer Nystagmus	6		1	1	2		10	20	10
	Nystagmus	1	1	1	1	1	4	7	16	8
	Unsicherer Nystagm.	1					2	3	6	3
	Starker Nystagmus									
beim Blick nach rechts	Kein Nystagmus	35	6	4	2	4	6	21	78	39
	Einzelne Zuckungen			1			1	2	4	2
	Geringer Nystagmus							2	2	1
	Nystagmus			1	1	1	1	4	8	4
	Starker Nystagmus									
	Unsicherer Nystagm.	1					2	3	6	3

Die genannten Autoren suchten in ihrer Abhandlung die großen Differenzen der letzten Querreihe der Tabelle zu erklären; ich werde auf diese Frage später zurückkommen.

Die Untersuchung der Zöglinge der Nürnberger Taubstummenanstalt wurde von mir in der Anstalt selbst vorgenommen und zwar in folgender Weise.

Bevor ich zur Untersuchung vermittelst der aktiven und passiven Drehung auf einem sogenannten Schwebereck schritt, wurde jeder Zögling auf spontanen Nystagmus geprüft; alsdann mußte sich der Taubstumme 10 mal aktiv um seine eigene

Achse drehen. Der Nachnystagmus wurde alsdann nach den Vorschriften Wanners unter Fixierung eines in 20—30 cm Entfernung vorgehaltenen Fingers bei Blick nach rechts, geradeaus und links geprüft.

Die Untersuchung nahm ziemlich viel Zeit in Anspruch; denn bei jedem Zögling mußte 8 mal der Drehversuch gemacht werden.

Aktives Drehen von links nach rechts:

1. Prüfung des Nachnystagmus beim Blick nach rechts, geadeaus, links,

Tabelle IX.

Augenbewegungen nach Drehversuch von rechts nach links unter den untersuchten Taubstummen bei verschiedener Blickrichtung in absoluten Zahlen.

Summa der Gehörorgane		Absolute Taubheit	Gruppe I	Gruppe II	Gruppe III	Gruppe IV	Gruppe V	Gruppe VI	Gesamtzahl der Gehörorgane	Individuen
		36	6	6	3	5	10	32	98	49
Nystagmus nach Drehen von rechts nach links beim Blick nach rechts	Kein Nystagmus	21	4	1				4	30	15
	Einzelne Zuckungen	3						1	4	2
	Geringer Nystagmus			1	1	2			4	2
	Nystagmus	11	2	4	1	2	8	34	54	27
	Starker Nystagmus					1	1		2	1
	Unsicherer Nystagm.	1					2	3	6	3
beim Blick geradeaus	Kein Nystagmus	27	5	2	1	2	2	7	46	23
	Einzelne Zuckungen	1		1					2	1
	Geringer Nystagmus	7	1	3	1	2	6	20	40	20
	Nystagmus					1	1	2	4	2
	Starker Nystagmus									
	Unsicherer Nystagm.	1					2	3	6	3
beim Blick nach links	Kein Nystagmus	35	6	5	2	4	7	23	82	41
	Einzelne Zuckungen			1			1	2	4	2
	Geringer Nystagmus							2	2	1
	Nystagmus					1	1	2	4	2
	Starker Nystagmus									
	Unsicherer Nystagm.	1					2	3	6	3

Tabelle X.
Augenbewegungen nach Drehversuch von links nach rechts unter den untersuchten 49 Taubstummen bei verschiedener Blickrichtung in Prozentzahlen.

Summa der Gehörorgane		Absolute Taubheit	Gruppe I	Gruppe II	Gruppe III	Gruppe IV	Gruppe V	Gruppe VI	Gesamtzahl der Gehörorgane	Individuen
		36	6	6	3	5	10	32	98	49
		%	%	%	%	%	%	%	%	%
Nystagmus nach Drehen von links nach rechts beim Blick nach links	Kein Nystagmus	63,9	66,7	16,7				12,5	32,6	
	Einzelne Zuckungen	2,8		16,6				3,1	2	
	Geringer Nystagmus					20			2	
	Nystagmus	30,5	33,3	66,7	100	80	80	68,7	57,2	
	Starker Nystagmus							6,3	2	
	Unsicherer Nystagm.	2,8					20	9,4	6,2	
beim Blick geradeaus	Kein Nystagmus	77,9	83,3	66,6	33,4	40	40	37,5	57,1	
	Einzelne Zuckungen									
	Geringer Nystagmus	16,7		16,7	33,3	40		31,3	20,4	
	Nystagmus	2,7	16,7	16,7	33,3	20	40	21,8	16,3	
	Starker Nystagmus									
	Unsicherer Nystagm.	2,7					20	9,4	6,2	
beim Blick nach rechts	Kein Nystagmus	97,3	100	66,7	66,7	80	60	65,6	79,6	
	Einzelne Zuckungen			16,6			10	6,2	4	
	Geringer Nystagmus							6,2	2,0	
	Nystagmus			16,6	33,3	20	10	12,6	8,3	
	Starker Nystagmus									
	Unsicherer Nystagm.	2,7					20	9,4	6,1	

3—5 Minuten Pause für den betreffenden Taubstummen, während welcher Zeit ein anderer Zögling untersucht wurde.

Aktives Drehen von links nach rechts:

2. Prüfung des Nystagmus beim Blick nach links, geradeaus rechts.

Aktives Drehen von rechts nach links. —

Der Nystagmus wurde in derselben Weise geprüft.

Ebenso wurde verfahren bei der Prüfung des Nystagmus nach der passiven Drehung. In der Tabelle IV sind die

Tabelle XI.
Augenbewegungen nach Drehversuch von rechts nach links unter den 49 untersuchten Taubstummen bei verschiedener Blickrichtung in Prozentzahlen.

Summa der Gehörorgane		Absolute Taubheit	Gruppe I	Gruppe II	Gruppe III	Gruppe IV	Gruppe V	Gruppe VI	Gesamtzahl der Gehörorgane	Individuen
		36	6	6	3	5	10	32	98	49
		%	%	%	%	%	%	%	%	%
Nystagmus nach Drehen von rechts nach links beim Blick nach rechts	Kein Nystagmus	58,4	66,7	16,6				12,5	30,6	
	Einzelne Zuckungen	8,3						3,1	4,0	
	Geringer Nystagmus			16,6	33,4	40			4,1	
	Nystagmus	30,5	33,3	66,7	33,3	40	80	75	55,1	
	Starker Nystagmus					33,3	20		2,0	
	Unsicherer Nystagm.	2,8					20	9,4	6,2	
beim Blick geradeaus	Kein Nystagmus	75	83,3	33,4	33,4	40	20	21,8	46,9	
	Einzelne Zuckungen	2,8		16,6					2	
	Geringer Nystagmus	19,4	16,7	50	33,3	40	60	62,6	40,8	
	Nystagmus				33,3	20		6,2	4,1	
	Starker Nystagmus									
	Unsicherer Nystagm.	2,8					20	9,4	6,2	
beim Blick nach links	Kein Nystagmus	97,2	100	83,4	66,7	80	70	71,9	83,7	
	Einzelne Zuckungen			16,6			10	6,2	4,1	
	Geringer Nystagmus							6,2	2	
	Nystagmus				33,3	20		6,3	4	
	Starker Nystagmus									
	Unsicherer Nystagm.	2,8					20	9,4	6,2	

Resultate, die ich auf diese Weise gewann, zusammenge-stellt.

Schwanken wurde notiert nach der aktiven Drehung ohne Rücksicht auf die Drehungsrichtung.

Es zeigten kein Schwanken	17 = 34,7	Proz.
Geringes Schwanken	5 = 10,2	„
Schwanken	21 = 42,8	„
Starkes Schwanken	5 = 10,2	„
Unsicher war es bei	1 = 2,1	„

Ohne Rücksicht auf die Drehungsrichtung zeigten

Keinen Nystagmus	15	= 30,6	Proz.
Einzelne Zuckungen	2	= 4,1	„
Geringen Nystagmus	1	= 2,0	„
Nystagmus	27	= 55,2	„
Starken Nystagmus	1	= 2,0	„
Unsicheren Nystagmus	3	= 6,1	„

Bei Vergleichung dieser Zahlen mit den von Bezold und den 'anderen Autoren gefundenen Zahlen ist die verschiedene Einteilung natürlich störend. Ich glaube aber, daß nur das Ausbleiben des Nystagmus von besonderer Wichtigkeit ist. Vergleichen wir nur die hierfür gefundenen Zahlen, so finden wir für das

Fehlen des Schwankens

bei Bezold 93, Bezold 98, Denker Wanner Brock
    38 Proz.   47,5 Proz.   39,6 Proz. 47,2 Proz. 34,7 Proz.

Keine Augenbewegungen resp. keinen Nystagmus und nur einzelne Augenbewegungen zeigten

    bei Bezold 93, Bezold 98, Denker   Haßlauer
13,9 (16,9) Proz.   28,8 Proz.   41,7 Proz.   49,4 Proz.

Wanner   Frey und Hammerschlag   Brock
34,7 Proz.   45,2 Proz.   30,6 Proz. (34,7)[1]

Es ergaben sich somit Differenzen, auf deren Erklärung ich später noch zurückkommen werde.

Ferner wollen wir noch die beiden Gruppen der Total-tauben und die Gruppe VI der Besthörenden hinsichtlich des Schwankens und des Nystagmus einander gegenüberstellen.

Wanners Resultate sind folgende:

Absolute Taubheit		Gruppe VI.	
Kein Schwanken	85,7 Proz.	13,8 Proz.	
Geringes Schwanken	7,9 „	36,9 „	
Starkes „	6,4 „	49,3 „	
Brock:			
Kein	63,9 „	15,6 „	
Geringes „	16,7 „	6,2 „	
Schwanken	16,7 „	50 „	
Starkes Schwanken	0 „	28,2 „	
Unsicheres Schwanken	2,7 „	0 „	

---

[1] Einzelne Augenbewegungen hinzugezählt.

Wanner:	Absolute Taubheit	Gruppe IV.
Kein Nystagmus	63,5 „	7,7 „
Geringer Nystagmus	12,7 „	13,9 „
Starker „	23,8 „	78,4 „
Brock:		
Kein Nystagmus	58,3 „	12,5 „
Einzelne Zuckungen	8,3 „	3,1 „
Geringer Nystagmus	0 „	0 „
Nystagmus	30,6 „	68,8 „
Starker Nystagmus	0 „	6,2 „
Unsicheren Nystagmus	2,8 „	9,4 „

Die Ergebnisse der anderen Autoren, wenn wir nur das
Fehlen des Schwankens der Augenbewegungen resp. des
Nystagmus berücksichtigen, sind folgende:

Bezold 93:	Total Taube	Gruppe VI.
Kein Schwanken	54,2 Proz.	12,1 Proz.
	Total Taube	Gruppe VI.

Keine und nur einzelne Augenbewegungen
                       58,3 (68,4) Proz.   21,3 (25,9)

Bezold 98:		
Kein Schwanken	85,3 Proz.	21,6 Proz.
Kein Nystagmus	55,9 „	2,7 „

Hinsichtlich der Verteilung des Schwankens auf die Total
Tauben und Gruppe VI kam Denker zu folgenden Resultaten:
Total Taube: Kein Schwanken 42,9 Proz., Gruppe VI:
                                          20,0 Proz.

Denker fährt fort:

Von der 25 Zöglingen ohne Bewegungen des Augapfels
waren 15 total taub und 10 hatten geringe Hörreste; von den
11 Zöglingen mit einzelnen Bewegungen des Bulbus waren 2
totaltaub, 8 hatten geringe Hörreste und nur einer gehörte der
Gruppe der besser hörenden Taubstummen an. Subnormale
Augenbewegungen zeigten 5 total taube, 2 über kleine Hörbezirke verfügende und 3 mit einem oder beiden Ohren zur
Gruppe VI gehörige Taubstumme. Normale Bulbusbewegungen
wiesen 2 total Taube, 1 mit einem kleinen Hörrest versehener
und 11 mit einem oder beiden Ohren der Gruppe VI zu-
zurechnender Zöglinge auf. Es zeigte sich demnach, daß
die Zöglinge, bei denen keine oscillatorischen Bewegungen
am Bulbus auftraten, zum großen Teil total taub waren
oder über nur ganz kleine Hörbezirke verfügten. Bei keinem

der gut hörenden Zöglinge fehlten die Bulbusbewegungen, dagegen traten sie bei 11 derselben (84,3 Proz.) in durchaus normaler Weise wie beim Vollsinnigen auf.

Die Resultate D e n k e r s ziffermäßig dargestellt, ergeben folgende Zahlen für die total Tauben und die Gruppe VI.

		Gruppe VI
Total Taube:		
Keine Augenbewegungen in 63,7 Proz.		0 %
Vereinzelte „ „ 10,4 „		0 %
Zusammen 74,1 Proz.		0 %

Indem wir abermals, wie bei D e n k e r, die absoluten Zahlen der Originaltabellen H a ß l a u e r s in Prozente umrechnen, finden wir:

Unter 89 Gehörorganen der V. Gruppe Schwendt-Wagners [1]) fand er keinen Nystagmus bei 56 = 62,9 Proz. Dagegen fand er unter 31 Gehörorganen der I. Gruppe (Gehör für Worte und kurze Sätze) keinen Nystagmus bei 7 = 22,6 Proz.

H u g o F r e y und H a m m e r s c h l a g teilten die Taubstummen hinsichtlich ihrer Hörreste in 3 Gruppen ein:

1. Taubstumme mit bedeutenden Hörresten (Wort und Satzgehör ein- oder beiderseitig) Begabte; entspricht der Gruppe I nach Schwendt und Wagner.

2. Mit geringen Hörresten (Vokal- und Schallgehör) Begabte.

3. Total Taube.

Hinsichtlich der Verteilung des Nystagmus auf Gruppe I und Gruppe III kamen sie zu folgendem Resultate:

Von 18 Kindern mit bedeutenden Hörresten zeigten keinen Nystagmus 3 = 16,6 Proz.

Von 52 total Tauben dagegen zeigten keinen Nystagmus 32 = 61,5 Proz.

Es schließen sich demnach diese Resultate den von anderen Autoren gefundenen gleichsinnig an.

Es zeigt sich also, daß die Gruppe der total Tauben und die Gruppe VI der Besthörenden, die was Häufigkeit und Doppelseitigkeit betrifft, einander am nächsten stehen, in Beziehung auf das Vorhandensein von Schwanken und Nystagmus nach dem Drehen sich geradezu entgegengesetzt verhalten.

Bei der Zusammenstellung der Tabellen der von mir untersuchten Taubstummen habe ich nur die Aufzeichnungen nach der passiven Drehung benutzt. Die Unterschiede in dem Be-

---

[1]) Ohne nachweisbare Hörreste.

fund nach der aktiven und nach der passiven Drehung sind so
gering, daß man sie unberücksichtigt lassen konnte.

Nach Abschluß dieser meiner Untersuchungen über den
Drehschwindel der Taubstummen erschien die Arbeit Baranys
in der er das Auftreten oder Fehlen von Nystagmus nach Einspritzung von verschieden temperierter Flüssigkeit ins Ohr als
einen Beweis des funktionierenden oder des nicht funktionstüchtigen zerstörten Bogengangapparates ansieht.

Ich habe mich nach Durchsicht der Baranyschen Arbeit
sofort daran gemacht, die Taubstummen der Nürnberger Anstalt
mit dieser Methode zu untersuchen. Zu gleicher Zeit stellte ich
meine diesbezüglichen Versuche an den Normalhörenden an.

Wegen Zeitmangels, die großen Ferien der Kinder waren
nicht mehr fern, mußte ich mich darauf beschränken, Ausspritzungen bei aufrechter Körperhaltung mit kaltem Wasser,
d. h. mit Wasser unter Körpertemperatur vorzunehmen. Der
Gang der Untersuchung war derselbe wie der bei den Vollsinnigen.

9 von den zur Untersuchung gelangten Taubstummen zeigten
bei starker Bulbusdrehung nach rechts oder links spontanen
Nystagmus. Bei einigen dieser Kinder war eine deutliche Beeinflussung durch den kalorischen Nystagmus sichtbar, bei
anderen dagegen war eine Einwirkung nicht ganz klar; diese
Fälle wurden als unsicher bezeichnet.

In Tabelle XII (S. 278 f.) finden sich alle diesbezüglichen Notizen:
Keinen kalorischen Nystagmus, weder nach Einspritzung in das
rechte noch in das linke Ohr zeigten 17 Individuen —
34,7 Proz. Nach Drehen zeigten keinen Nystagmus 15 Kinder
— 30,6 Proz.

Es sei mir zur Vergleichung gestattet, diejenigen der
Kinder, welche keinen Nystagmus zeigten, hier anzuführen.

Keinen Nystagmus nach Drehen ohne Rücksicht auf die
Drehungsrichtung zeigten die Kinder mit der laufenden Nr. 2.
8. 9. 15. 17. 22. 24. 25. 28. 42. 47. 48. 49. 18. 19.

Keinen kalorischen Nystagmus zeigten:
2. 4. 8. 13. 15. 17. 19. 21. 24. 25. 28. 29. 34. 41. 47.
49. 42.

Keinen kalorischen Nystagmus zeigten also, während nach
dem Drehversuch Nystagmus notiert ist: Nr. 4. 13. 21. 29.
34. 41.

Nr. 4. Beiderseitige totale Taubheit, spontaner Nystagmus.

Befund nach Drehversuch.

Nach Drehen von links nach rechts
beim Blick nach

rechts	links	geradeaus
kein Nystagmus,	kein Nystagmus,	Nystagmus.

Nach Drehen von rechts nach links
beim Blick nach

rechts	geradeaus	links
Nystagmus	kein Nystagmus	kein Nystagmus.

Berücksichtigen wir den spontanen Nystagmus, so ist der Nachnystagmus nach Drehen wohl fälschlich notiert.

Nr. 13 rechts VI zeigt nach Drehversuch deutlichen Nystag-
links VI mus neben starkem Schwanken.

Befund nach Drehversuch:

Nach Drehen von links nach rechts
beim Blick nach

rechts	geradeaus	links,
einzelne Zuckungen,	geringer Nystagmus,	Nystagmus.

Nach Drehen von rechts nach links
beim Blick nach

rechts	geradeaus	links
Nystagmus,	geringer Nystagmus,	geringer Nystagmus.

Auch bei wiederholter Ausspritzung der beiden Ohren (ich ging mit der Temperatur bis auf 12° C herunter) war kein Nystagmus auszulösen.

Eine Erklärung vermag ich hierfür nicht zu geben.

Nr. 21. Beiderseitige totale Taubheit. Nur nach Drehen von rechts nach links zeigten sich beim Blick nach rechts einzelne Zuckungen, die wohl nicht als wirklicher Nystagmus anzusprechen waren.

Nr. 29. rechts V zeigt spontanen Nystagmus bei extremer
links I
Bulbusdrehung nach rechts und links.

Notizen nach Drehversuch.

Nach Drehen von links nach rechts
beim Blick nach

rechts	geradeaus	links
kein Nystagmus,	kein Nystagmus,	Nystagmus.

Nach Drehen von rechts nach links beim Blick nach

rechts	geradeaus	links
Nystagmus,	kein Nystagmus,	kein Nystagmus.

Tabelle XII.[1])

Laufende Nr.	Name	Alter in Jahren	Gruppe nach Bezold		Nystagmus nach Einspritzung von Wasser (unter Körpertemperat.) in den Gehörgang rechts: Beim Blick nach				in den Gehörgang links: Beim Blick nach				Bemerkungen
			rechts	links	rechts	gerade-aus	links	Schwindel	rechts	gerade-aus	links	Schwindel	
1	Conrad Ungerer		VI	VI	0	0		esl Zgn	esl Zgn	0	0	—	Spontaner Nystagmus bei extremer Blickrichtung nach rechts oder links
2	Elise Waldrab		tot.Tbh.	tot.Tbh.	0	0				0	0	—	Enbrikat fixiert schlecht
3	Georg Zech		1	VI	0	0		N.	N.	0	0	—	Spontaner Nystagmus bei extremer Bulbusdrehung
4	Georg Salfner		Sbh.	tot.Tbh.	0	0		0	0	0	0	—	
5	Wolfgang tBin		VI	VI	esl Zgn	ger. N.							
6	Bette tMer		tälbh.	tot.Tbh.				N.	ger. N.	0	0	—	Spontaner Nystagmus bei extremer Blickrichtung nach rechts. Fixiert läht
7	Eva Aug		VI	VI				"	"	0	0	—	
8	Marg. Held		tot.Tbh.	tot.Tbh.									Spontaner Nystagmus bei extremer Blickrichtung nach rechts und links
9	Marie Fischer		"	"						unsich.	0	—	
10	Michael Diaterer		V	V							0	—	
11	Carl Brauner		—	—							0	—	Spontaner Nystagmus bei extremer Blickrichtung nach rechts und links
12	Karl Best		Taubh.	VI						unsich.		—	
13	Mie Daubinger		VI	VI							0	—	Spontaner Nystagmus bei extremer Blickrichtung nach rechts und links
14	Hans Eokstein		tot.Tbh.	Sbh.							0	—	
15	Heinrich Gebert												
16	Jol ann Graf		-	-							"	—	Einige Zuckungen in großen

Nr.	Name		eal Zgn			Bemerkungen
18	Frieda Kenner					
19	Marie Seitz					
20	Elisabeth Schrögler					
21	Marie Blödel					
22	Johann Bock					Ausschläge sehr klein, Spontaner Nystagmus bei extremer Blickrichtung
23	Babette Gechter					
24	Elise Güntsch					
25	Johann Maul					
26	Fritz Maar					
27	Frieda Pfans					Ausschlag sehr gering
28	Fritz Schlegel					Spontaner Nystagmus bei allen Blickrichtungen, Strabismuskonvergens
29	Leonhard Schlemmer		0	0	0	Spontaner Nystagmus bei extremer Blickrichtung nach rechts und links
30	Konrad Sonntag	VI		unsich.	unsich.	Fixiert schlecht
31	Karl Zöller	VI		ger. N.	0	
32	Johann Bär	Taubh.		gerZgn	0	
33	Georg Beringer	III	0	ger. N.	0	
34	Willibald Braun	VI	0	0	0	
35	Anna Deml		0	ger. N.	0	
36	Babette Fassold	VI	0	.	0	Links Nystagmus besser ausgeprägt
37	Johann Fechter	VI	0	-	0	
38	Johann Hartmann	IV	0	"	0	Ausschläge sehr klein

1) tot.Tbh — totale Taubheit; Taubh. — Taubheit; eal Zgn — einzelne Zuckungen; unsich. — unsicher; ger. N. — geringer Nystagmus; N. — Nystagmus; N. (m.) — mittlerer Nystagmus; N. (rot.) — starker Nystagmus (rotierend); gerZgn — geringe Zuckungen.

[Fortsetzung von Tabelle XII.]

Laufende Nr.	Name	Alter in Jahren	Gruppe nach Bezold		Nystagmus nach Einspritzung von Wasser (28° C) in den Gehörgang rechts; Beim Blick nach				Nystagmus nach Einspritzung von Wasser (28° C) in den Gehörgang links; Beim Blick nach				Bemerkungen
			rechts	links	rechts	gerade-aus	links	Schwindel	rechts	gerade-aus	links	Schwindel	
39	Georg Himmelocher	13	Taubh.	IV	0	ger. N.	N.	—	N.	Migrn	0	—	
40	Georg Lieb	11	VI	IV	0	'	N.	—	0	0	0	—	
41	Johann Linz	12	V	VI	0	0	0	—	0	0	0	—	
42	Georg Merkl	11	II	VI	0	0	0	—	0	0	0	—	
43	Andreas Ulrich	14	VI	VI	0	ger. N.	N.	—	st. N.	N.	ger. N.	starker Schwindel, Brechreiz kalter Schweiss	Spontaner Nystagmus beim Blick nach rechts
44	Karl Zeh	14	VI	V	unsich.	inh.	unsich.	—	unsich.	unsich.	unsich.	—	
45	Konrad Brumer	14	V	V	0	0	0	—	N.	ger. N.	0	—	
46	Mie Schmidtlein	14	Taubh.	V	0	exl Zgn	N.	—	N.	'	0	—	
47	Theodor Räber	18	tot.Tbh.	Sh.	0	0	0	—	0	0	0	—	
48	Johann Forster	13	I	VI	0	0	0	—	N.	ger. N.	0	—	
49	Hiler	13	Taubb	I	0	0	0	—	0	0	0	—	Ausschläge sehr klein
50	Whelmine Merle	12	VI	VI	ger. N.	N.	st. N. (rot.)	—	N.	ger. N.	0	—	

Eine Verwechselung des spontanen Nystagmus mit dem Nachnystagmus ist wohl wahrscheinlich.

Nr. 34 r. VI   zeigt nach dem Drehversuch nur einzelne
                      Zuckungen,
          l. Taubheit die wohl nicht als wirklicher Nystagmus
                      anzusprechen sind.
Nr. 41 rechts V. links VI.

Bei diesem Zögling habe ich nach dem Drehversuch einmal „unsicher" und einmal kein Nystagmus notiert. Durch das Fehlen des Nystagmus nach den Einspritzungen ist wohl das Fehlen des Nystagmus auch nach dem Drehversuch anzunehmen.

Umgekehrt zeigten keinen Nystagmus nach Drehversuch, während nach den Ausspritzungen unsicherer oder sicherer Nystagmus vorhanden war die Nr. 9. 18. 22. 28.

Nr. 9 beiderseitige totale Taubheit zeigt spontanen Nystagmus. Ausspritzung des rechten Ohres ergibt keinen Nystagmus. Bei Ausspritzung des linken Ohres war, der Befund unsicher.

Nr. 18 rechts Taubheit, rechts kalorischer Nystagmus negativ,
          links   VI,   links   „   „   unsicher.

Nr. 22 rechts I Spontaner Nyst. bei extremer Bulbusdrehung,
          links VI rechts kalorischer Nystagmus negativ; links
                    geringer Nystagmus bei Blick nach rechts.
Nr. 48 rechts I, rechts kalorischer Nystagmus negativ, links VI, links Nystagmus bei Blick nach rechts. Geringer Nystagmus bei Blick geradeaus, kein Nystagmus bei Blick nach links (Ausschläge sehr klein).

Betrachten wir in dieser Weise die Differenzen, die sich bezüglich des Auftretens des Nystagmus bei den zwei Methoden der Prüfung derselben ergeben haben, so schmelzen diese auf ein Minimum zusammen. Bei einem großen Teil der Fälle machte die Anwesenheit von spontanem Nystagmus die Beurteilung schwierig, bei einem anderen Teil war der Nystagmus als unsicher notiert worden oder die Ausschläge waren sehr klein, sodaß sie leicht übersehen werden konnten.

Nur für den Fall 13 treffen diese Regeln nicht zu; eine Erklärung für das Versagen des kalorischen Nystagmus vermag ich nicht zu geben. Ob durch das Ausspritzen der Ohren bei den Taubstummen Schwindel ausgelöst wurde, konnte nicht festgestellt werden; den meisten Taubstummen fehlte der Begriff Schwindel vollständig.

Nur bei einem, Andreas U., Nr. 43 trat nach Ausspritzung Brechreiz und kalter Schweiß auf.

40 von 98 auf den kalorischen Nystagmus untersuchte Gehörorgane, die 23 Individuen angehörten, zeigten keinen Nystagmus. Von diesen 40 gehörten 34 17 Individuen an, d. h. 17 Individuen mit 34 Gehörorganen zeigten weder rechts noch links kalorischen Nystagmus. Bei den noch übrig bleibenden 6 Individuen fehlte nur auf einer Seite der kalorische Nystagmus, während das andere Ohr diesen auslösen ließ. Was die Verteilung dieser 40 Gehörorgane hinsichtlich ihrer Hörreste betrifft, so sind 25 davon totaltaub, 5 gehören der Gruppe I, 1 der Gruppe II, 1 der Gruppe IV, 3 der Gruppe V und 5 der Gruppe VI an.

Wenn wir die Totaltauben und die Gruppe VI der Besthörenden hinsichtlich des Nystagmus vergleichen, so tritt auch hier das entgegengesetzte Verhalten in dieser Beziehung klar zu Tag.

Es zeigten:	die total Tauben	die Gruppe VI
Bei Ausspritzung des rechten Ohres		
keinen Nystagmus	14 = 66,7 Proz.	2 = 14,3 Proz.
einzelne Zuckungen	0 = 0 „	1 = 7,1 „
Geringen Nystagmus	0 = 0 „	0 = 0 „
Nystagmus	5 = 13,8 „	8 = 57,2 „
Starken Nystagmus	0 = 0 „	1 = 7,1 „
Unsicheren Nystagmus	2 = 9,5 „	2 = 14,3 „

Nach Einspritzen des linken Ohres zeigten	total Taube	Gruppe VI
Keinen Nystagmus	11 = 73,3 Proz.	3 = 16,6 Proz.
Einzelne Zuckungen	0 = 0 „	1 = 5,6 „
Geringen Nystagmus	0 = 0 „	3 = 16,7 „
Nystagmus	3 = 20 „	7 = 38,9 „
Starken Nystagmus	0 = 0 „	1 = 5,5 „
Unsicheren Nystagmus	1 = 6,7 „	3 = 16,7 „

Das Verhältnis der anderen Gruppen nach Bezold zum Nystagmus ist aus der beigefügten Tabelle XIII und XIV ersichtlich. Gruppe I neigt zu den total Tauben, für die Gruppen II, III, IV, V kann nichts Sicheres gesagt werden, doch neigten sie eher zur Gruppe VI als zu den total Tauben hin.

Tabelle XIII.

Untersuchungen des Nystagmus nach Ausspritzung des rechten Ohres mit Wasser von 28° C bei den 49 Taubstummen in absoluten Zahlen und in Prozentzahlen bei verschiedener Blickrichtung.

Summa der Gehörorgane		Absolute Taubheit	Gruppe I	Gruppe II	Gruppe III	Gruppe IV	Gruppe V	Gruppe VI	Zahl der Gehörorgane
		21	3	3	1	2	5	14	49
Kalorischer Nystagmus rechts bei Blick nach rechts	Kein Nystagmus	14 — 66,7%	2 — 66,7%	1 — 33,3%			3 — 60%	2 — 14,3%	22 — 44,9%
	Einzelne Zuckungen							1 — 7,1%	1 — 2,0%
	Geringer Nystagmus								
	Nystagmus	5 — 23,8%	1 — 33,3%	2 — 66,7%	1 — 100%	1 — 50%	2 — 40%	8 — 57,2%	20 — 40,8%
	Starker Nystagmus							1 — 7,1%	1 — 2,0%
	Unsicherer Nystagmus	2 — 9,5%				1 — 50%		2 — 14,3%	5 — 10,3%
beim Blick geradeaus	Kein Nystagmus	14 — 66,7%	3 — 100%	1 — 33,3%		1 — 50%	3 — 60%	3 — 21,4%	24 — 48,9%
	Einzelne Zuckungen	1 — 4,8%		2 — 66,7%					3 — 6,1%
	Geringer Nystagmus	4 — 19%			1 — 100%		2 — 40%	8 — 57,2%	10 — 32,7%
	Nystagmus							1 — 7,1%	1 — 2,0%
	Starker Nystagmus								
	Unsicherer Nystagmus	2 — 9,5%				1 — 50%		2 — 14,3%	5 — 10,3%
beim Blick nach links	Kein Nystagmus	19 — 90,5%	3 — 300%	3 — 100%	1 — 100%	1 — 50%	5 — 100%	9 — 64,3%	41 — 83,6%
	Einzelne Zuckungen							2 — 14,3%	2 — 4,1%
	Geringer Nystagmus							1 — 7,1%	1 — 2,0%
	Nystagmus								
	Starker Nystagmus								
	Unsicherer Nystagmus	2 — 9,5%				1 — 50%		2 — 14,3%	5 — 10,3%

Von den 13 als beiderseitig total taub gefundenen Individuen mit 26 Gehörorganen zeigten nach dem Drehversuch nur

Tabelle XIV.

Untersuchungen des Nystagmus nach Ausspritzung des linken Ohres mit Wasser von 28° C bei den 49 Taubstummen in absoluten und Prozentzahlen bei verschiedener Blickrichtung.

Summa der Gehörorgane		Absolute Taubheit	Gruppe I	Gruppe II	Gruppe III	Gruppe IV	Gruppe V	Gruppe VI	Zahl der Gehörorgane
		15	3	3	2	3	5	18	49
Kalorischer Nystagmus links beim Blick nach rechts	Kein Nystagmus	11 — 73,3%	3 — 100%			1 — 33,3%		3 — 16,6%	18 — 36,7%
	Einzelne Zuckungen							1 — 5,6%	1 — 2,0%
	Geringer Nystagmus			2 — 66,7%		1 — 33,3%	1 — 20%	3 — 16,7%	7 — 14,3%
	Nystagmus	3 — 20,0%			2 — 100%	1 — 33,4%	3 — 60%	7 — 38,9%	16 — 32,7%
	Starker Nystagmus							1 — 5,5%	1 — 2,0%
	Unsicherer Nystagmus	1 — 6,7%		1 — 33,3%			1 — 20%	3 — 16,7%	6 — 12,3%
beim Blick geradeaus	Kein Nystagmus	11 — 73,3%	3 — 100%			1 — 33,3%	1 — 20%	5 — 27,7%	20 — 40,7%
	Einzelne Zuckungen	1 — 6,7%		2 — 66,7%		1 — 33,3%	3 — 60%	3 — 16,7%	8 — 16,3%
	Geringer Nystagmus	2 — 13,3%			2 — 100%	1 — 33,4%		6 — 33,3%	14 — 28,7%
	Nystagmus							1 — 5,6%	1 — 2,0%
	Starker Nystagmus								
	Unsicherer Nystagmus	1 — 6,7%		1 — 33,3%			1 — 20%	3 — 16,7%	6 — 12,3%
beim Blick nach links	Kein Nystagmus	14 — 93,3%	3 — 100%	2 — 66,7%	2 — 100%	3 — 100%	4 — 80%	14 — 77,7%	42 — 85,7%
	Einzelne Zuckungen								
	Geringer Nystagmus							1 — 5,6%	1 — 2,0%
	Nystagmus								
	Starker Nystagmu								
	Unsicherer Nystagmus	1 — 6,7%		1 — 33,3%			1 — 20%	3 — 16,7%	6 — 12,3%

(3 mit 6 Gehörorganen Nystagmus; bei dem Zögling M. Bl. Nr. 21) wurden nach dem Drehversuch nur einzelne Zuckungen konstatiert, die ich aber nicht als wirklichen Nystagmus be-

zeichnen konnte. Bei der Prüfung des kalorischen Nystagmus dagegen wiesen nur 2 Kinder deutlichen Nystagmus auf und zwar die Kinder mit den laufenden Nummern 6 und 14, die auch nach Drehversuch Nystagmus zeigten. Nr. 4 dagegen zeigte nach Ausspritzung der Ohren keinen Nystagmus. Da aber bei diesem Kinde spontaner Nystagmus vorhanden war, war eine Täuschung leicht möglich. Es stimmen also die bei den Untersuchungsmethoden gefundenen Resultate überein.

Einer besonderen Besprechung bedürfen noch die einseitig Tauben, die in folgender Tabelle XV zusammengestellt sind.

Diese 10 Gehörorgane sind demnach vergesellschaftet, 2 mal mit Gruppe I, 2 mal mit Gruppe II, 1 mal mit Gruppe III, 1 mal mit Gruppe IV, 1 mal mit Gruppe V, 3 mal mit Gruppe VI.

Betrachten wir zuerst den kalorischen Nystagmus.

Von den 8 rechtsseitigen tauben Gehörorganen zeigten:
Nystagmus 3.
Keinen Nystagmus 3.
Unsicheren Nystagmus 2.

Von den 2 linksseitigen tauben Gehörorganen zeigte 1 deutlichen Nystagmus und das andere keinen Nystagmus.

Von den 4 tauben Gehörorganen, die keinen Nystagmus zeigten, zeigten die entsprechenden mit Hörresten versehenen anderen Ohren 3 mal keinen Nystagmus, einmal war unsicherer Nystagmus notiert.

„Die einseitig tauben Gehörorgane als einseitig labyrinthlose betrachtet, kann man sich theoretisch falls das andere Labyrinth funktionstüchtig ist, das Verhalten des Nystagmus leicht konstruieren. Findet die Drehung nach der gesunden Seite statt, so wird während der Drehung das gesunde Labyrinth stärker erregt als beim Anhalten, da die während der Drehung auftretende Endolymphbewegung als stärkerer physiologischer Reiz wirkt, wie die entgegengesetzte beim Anhalten. Es wird also während der Drehung nach der gesunden Seite der Nystagmus stärker sein als der beim Anhalten auftretende. Umgekehrt wird der beim Anhalten nach Drehung nach der kranken Seite auftretende Nystagmus stärker sein, als der während dieser Drehung bestehende. Untersucht man nur den Nachnystagmus beim Anhalten, so wird man also beim Anhalten nach Drehung zur kranken Seite stärkeren Nystagmus finden, als beim Anhalten nach Drehung zur gesunden Seite."

Tabelle XV.

Laufende Nr.	Gruppe rechts	Gruppe links	Art der Erkrankung	Nystagmus nach Drehen von links nach rechts; wegen spont. Nystagmus unsicher — Blick nach rechts	gerade aus	link	rechts nach links; wegen spont. Nystagmus unsicher — Blick nach rechts	gerade aus	links	Bemerkungen	Kalorischer Nystagm. rechts: wegen spont. Nystagmus unsicher — Blick nach rechts	gerade aus	links	Kalorischer Nystagm. links: wegen spont. Nystagmus unsicher — Blick nach rechts	gerade aus	links	Bemerkungen
12 Taubh.		VI	angeboren	k. N.	k. N.	k. N.	k. N.	k. N.	k. N.	mäß. S.	k. N.	k. N.	k. N.	k. N.	k. N.	k. N.	
18 .		I / VI	wohl in den erst. Jahr. d. Rachitis entstanden	k. N.	k. N.	k. N.	k. N.	k. N.	k. N.	k. S.	k. N.	k. N.	k. N.	unsich.	unsich.	unsich.	
17 .		I / VI		k. N.	k. N.	k. N.	k. N.	k. N.	k. N.	k. S.	k. N.	k. N.	k. N.	unsich.	unsich.	unsich.	
,																	
27 .		II	mit 4 Jahren doh. Genickkrampf erw.	k. N.	N.	N.	exl Zgn	ger. N.	ger. S. unsic	ger. N.	ger. N.	N.	exl Zgn	k. N.	k. N.	
31 .		III	mit 1½ Jahr. doh. Masern u. Lungenentzdg. erw.	k. N.		ger. N.	Schw.	k. N.	ger. N	N.	ger. N.		k. N.	
39 .		IV	angeboren	r. N.		k. N.	er. S. Schw.	exl Zgn		ger. N.	exl Zgn ger. N.		
46 .		V	durch Genickkrampf im 1. Lebensjhr. erworben	N.	k. N.	Schw.							
49 .		I	mit 10 Jahren d. Meningitis cerebro spiralis erw.	k. N.	k. N.	k. S.	k. N.	k. N.	k. N.	k. N.	k. N.	
26 .	II	Taubh.	cerebro spiralis erw. / wahrscheinlich angebor.	ger. N.	N.	ger. N.	Schw	k. N.	ger. N.	N.	N.	ger. S.	
34 .	VI	.	mit 3½ Jahr. doh. Gehirnhautentzndung erw.	k. N.	k. N.	exl Zgn exl Zgn	k. N.	ger. S.	k. N.	k. N.	k. N.	exl Zgn	k. N.	

Ausschlag sehr gering.

Die Bedingungen, die in vorliegendem gestellt sind, um durch Drehen eine einseitige Zerstörung des Labyrinthes konstatieren zu können, sind bei meinem Material nicht gegeben; es sind deshalb auch aus den Resultaten, die die einseitig Tauben hinsichtlich des Nystagmus nach Drehen ergeben haben, keine Schlüsse zu ziehen.

Viel genauer ist sicherlich durch das Fehlen des kalorischen Nystagmus einseitige Zerstörung des Labyrinthes nachzuweisen.

Es ist uns demnach meiner Ansicht nach in der Methode der Einspritzung von verschieden temperierter Flüssigkeit in das Ohr ein Verfahren gegeben, durch das wir die einseitige Zerstörung des Bogengangapparates mit ziemlicher Sicherheit nachweisen können, ein Verfahren, das die anderen, als Drehung, Galvanisierung, an Exaktheit und Einfachheit weit übertrifft.

Hugo Frey und Viktor Hammerschlag suchten in ihrer Abhandlung über den Drehschwindel der Taubstummen die Frage zu lösen, wodurch die Differenzen der verschiedenen Autoren betreffs der Zahlen für das Fehlen des Nystagmus bedingt seien.

Ihr Resultat ist eigentlich ein negatives. Die beiden Autoren suchten die Ursache in der verschiedenen Häufigkeit der angebornen und der erworbenen Taubstummheit in dem Material der Autoren.

Die genannten Autoren schieden die Taubgeborenen von den später Ertaubten. Bei der Untersuchung dieser beiden Gruppen bezüglich des Auftretens oder des Fehlens des Nachnystagmus kamen sie zu folgenden Zahlen:

Von 45 später Ertaubten zeigten Nystagmus 12 = 26,7 Proz. keinen Nystagmus zeigten 29 = 64,4 Proz. und das Resultat war fraglich bei 4 = 8,9 Proz.

Von 43 Taubgeborenen zeigten Nystagmus 31 = 72,1 Proz., keinen Nystagmus zeigten 11 = 25,6 Proz. und das Resultat war fraglich bei 1 = 2,3 Proz.

Während so nach von den, als später ertaubt bezeichneten Kindern nahezu zwei Drittel sich als Versager erwiesen, finden wir unter den taubgeborenen Kindern bei mehr als zwei Drittel eine positive Reaktion.

Nach noch schärferer Trennung der später Ertaubten und der kongenitaltauben kamen die beiden Autoren zu folgenden Zahlen:

Von 26 später Ertaubten zeigten Nystagmus 4=15,4 Proz.,
keinen Nystagmus zeigten 21 = 80,8 Proz. und das Resultat
war fraglich bei 1 = 3,8 Proz.

Von 21 kongenital Tauben zeigten Nystagmus 15=74,4 Proz.,
keinen Nystagmus zeigten 5 = 23,8 Proz. und das Resultat
war fraglich bei 1 = 4,8 Proz.

Um noch weiteres Material zu gewinnen, haben die Autoren
aus den Tabellen Wanners die 89 ätiologisch bestimmbaren
Fälle abgesondert.

Von diesen 89 Fällen betrafen 41 angeborene, 48 erworbene
Taubstummheit.

Von den 41 Taubgeborenen ergaben 30 = 73,2 Proz. positive Raktioen.

Von den 48 später Ertaubten ergaben nur 18 = 37,5 Proz.
positive Reaktion.

Weiter stellten sich die Autoren die Frage: „Lassen sich
Beziehungen zwischen dem Grade der Hörstörungen und der
Einschränkung in der Funktion der Bogengänge feststellen?“

Schon Bezold fand unter den total Tauben ein bedeutendes Überwiegen der Drehversager, unter den mit guten Hörresten
ausgestatteten ein noch bedeutenderes Überwiegen der normal
reagierenden.

Auf Grund ihrer weiteren Versuche kamen die Autoren zu
der Ansicht, daß die von Bezold und späteren Autoren gefundene Regel, nach der die Total tauben der großen Majorität
nach Drehversager sind, an den später Ertaubten sich bestätige.
Bei den Taubgeborenen verhält sich ihrer Ansicht nach die
Sache anders; denn sie fanden: von den 22 total Tauben der
Taubgeborenen zeigten deutlichen Nystagmus 15 = 68,2 Proz.,
fraglichen 0 = 0 Proz., keinen 7 = 31,8 Proz.

Von den 28 total Tauben der später Ertaubten zeigten
deutlichen Nystagmus 3 = 10,7 Proz., fraglichen 2 = 7,1 Proz.,
keinen 23 = 82,2 Proz.

Ich bin nun im Laufe meiner Untersuchungen zu der Ansicht gelangt, daß die Differenzen bezüglich des Fehlens des
Nystagmus in den Resultaten der verschiedenen Autoren bedingt sei, durch den größeren oder kleineren Prozentsatz der
doppelseitig total tauben in dem untersuchten Material, denn
diese sind es, die weitaus die meisten Drehversager liefern.

Von den 13 beiderseitig total Tauben der von mir unter-

suchten Taubstummen zeigten nur 3 oder richtiger nur 2 =
15,4 Proz. Nystagmus oder in 84,6 Proz. keinen Nystagmus.

Wanner fand in 82,6 Proz. seiner beiderseitig total Tauben
keinen Nystagmus. Unter den 15 Fällen Wanners von beiderseitiger totaler Taubheit ist die

Taubheit angeboren bei	4 = 16 Proz.
Erworben bei	16 = 64 „
Unsicher bei	5 = 20 „
Bei meinen 13 Fällen	
Taubheit angeboren bei	1 = 7,7 „
Erworben bei	11 = 84,6 „
Unsicher bei	1 = 7,7 „

Schon aus diesen Zahlen geht meiner Ansicht hervor, daß
die Versager bei den später Ertaubten überwiegen müssen.
Insofern, als die angeborene Taubheit nur wenige Fälle von
doppelseitiger Taubheit aufweist, lassen sich auch die Resultate
Freys und Hammerschlags erklären.

Doppelseitig total taube Individuen unter den Taubstummen
fanden:

Bezold 22 Proz., Denker 39 Proz., Haßlauer 44,9 Proz.,
Wanner 13,1 Proz., Frey und Hammerschlag 55,9 Proz.,
Brock 26,5 Proz.

Versager hatten

Bezold 28,8 Proz., Denker 41,7 Proz., Haßlauer 49,4
Proz., Wanner 34,7 Proz., Frey und Hammerschlag 45,2
Proz., Brock 31,6 Proz.

Aus dieser kleinen Tabelle ist ersichtlich, daß bei Bezold,
Denker, Haßlauer, Wanner und mir die Zahl der doppel-
seitig total Tauben zu der Zahl der Versager in einem gewissen
Verhältnis steht.

Eine Ausnahmestellung nehmen die Resultate Hugo Freys
und Hammerschlags ein, bei denen die total Tauben sogar
die Zahl der Versager übertreffen, während bei allen anderen
Autoren gerade das Gegenteil der Fall ist.

Auffallend an den Befunden dieser beiden Autoren ist
schon der hohe Prozentsatz der Total tauben und noch auffallender die große Zahl der total Tauben unter den Taubgebornen.

Worin der Grund hierfür zu suchen ist, in einem Zufall
oder in der Fragestellung, vermag ich natürlich nicht anzugeben.

Resumé.

1. Totale doppelseitige Taubheit ist in der großen Mehrzahl der Fälle postembryonal erworben.

2. Der Ausfall der Prüfung auf Nystagmus nach Rotation und nach Einspritzung verschieden temperierter Flüssigkeit in die Gehörgänge ist bei den beiderseitig total Tauben meistens negativ.

3. Für die einseitig Tauben läßt sich eine bestimmte Regel nicht aufstellen.

4. Die Gruppe VI der Besthörenden verhält sich hinsichtlich der Reaktion auf Rotation und Ausspritzung der Ohren in der überwiegenden Mehrzahl wie die Normalhörigen.

5. Die Gruppen I—V lassen sich hinsichtlich der Funktion des Bogengangapparates nicht in ein bestimmtes Schema unterbringen.

6. Meine Untersuchungen haben ergeben, daß im ganzen die Resultate des Drehversuchs übereinstimmen mit den Ergebnissen der Prüfung des kalorischen Nystagmus; es dürfte daher

7. Zur Untersuchun gauf Gleichgewichtsstörungen, auf die erhaltene oder erloschene Funktion des Bogengangapparates in Zukunft genügen, die von Barany angegebene Methode der Ausspritzung der Ohren mit warmem und kaltem Wasser und die Untersuchung des hierbei auftretenden Nystagmus auszuführen; zumal diese Methode insofern genauere Resultate liefert, als man imstande ist, die Prüfung der Gleichgewichtsstörungen für jedes Ohr isoliert vorzunehmen.

8. Das Auftreten des in entgegengesetzter Richtung bemerkbaren Nystagmus nach Einspritzung von Wasser über und unter Körpertemperatur in die Gehörorgane macht es in hohem Maße wahrscheinlich, daß sowohl die Bewegung der Endolymphe vom glatten Ende zur Ampulle als auch die umgekehrte Bewegungsrichtung ein reizauslösendes Moment darstellt.

III.

Die Behandlung
der Mastoiditis mit Stauungshyperämie nach Bier.

Von

Privatdozent Dr. Eschweiler in Bonn.

(Mit 2 Kurven.)

Die Aufnahme, welche die Anwendung des Bierschen Verfahrens auf die Mastoiditis bei den Ohrenärzten gefunden hat, ist eine so ablehnende, daß es als ein Wagnis erscheinen könnte, die Methode nochmals zu empfehlen. Aber die Durchsicht der Literatur ergibt, daß das abfällige Urteil mancher Fachgenossen weniger auf Erfahrung, als auf theoretischen Erwägungen beruht; ja sogar die Erfahrung scheint vielfach unter dem Eindruck einer starken Voreingenommenheit gewonnen zu sein, ganz abgesehen von den Fällen, wo eine fehlerhafte Anwendung der Stauungsbinde ein günstiges Resultat von vornherein ausschließen mußte.

Aber selbst wenn man alle veröffentlichten Fälle für beweiskräftig erklären wollte, würde ihre Zahl doch nicht zur Gewinnung eines abschließenden Urteils genügen, und es kann daher nur durch Voreiligkeit oder mangelnde Sachkenntnis erklärt werden, wenn auf der diesjährigen Versammlung der deutschen otologischen Gesellschaft in schärfsten Worten über das Verfahren der Stab gebrochen wurde. Die Äußerung Alexanders: „Es scheint mir, daß es von Leuten gemacht wird, die von der Sache nichts verstehen"[1], sei hier gebührend niedrig gehängt.

Seit der ersten Publikation Kepplers[2] haben Heine,

---

[1] Verhandlungen der deutschen otologischen Gesellschaft zu Wien 1906. Jena. G. Fischer. S. 27.
[2] Zeitschrift für Ohrenheilkunde 1905, Bd. 50, S. 223.

Stenger, Haßlauer, Fleischmann, und endlich Isemer aus der Hallenser Ohrenklinik Nachprüfungsresultate veröffentlicht. Auch Körner bespricht kurz die Stauungsbehandlung in seinem neuen Lehrbuch und glaubt dieselbe nicht empfehlen zu können. Etwas milder, aber im allgemeinen auch ablehnend urteilt Heine.

Da jeder Ohrenarzt, der die Stauungsbehandlung der Mastoiditis unternimmt, sich mit der einschlägigen Literatur bekannt machen muß, so erübrigt sich ein genaues Eingehen auf die veröffentlichten Fälle. Dagegen mögen einige kritische Betrachtungen der betreffenden Arbeiten am Platze sein, wobei nur die mit Stauungshyperämie behandelten akuten Mastoiditiden berücksichtigt werden sollen.

Heine[1]) hat seine Fälle behandelt und publiziert, ehe die Arbeit Kepplers erschienen war. Vielleicht wären seine Resultate besser geworden, wenn er die praktischen Ratschläge Kepplers und die inzwischen wieder vermehrte Erfahrung hätte ausnutzen können.

Heine teilt seine Mastoiditiskranken in drei Klassen: Fälle mit Druckempfindlichkeit des Warzenfortsatzes ohne Schwellung; solche mit Infiltration der Weichteile; drittens solche mit Absceßbildung.

Zur ersten Gruppe gehörten 6 Fälle. Zwei heilten, 4 wurden operiert. Die Stauung wurde bei letzteren 13 bis 18 Tage lang durchgeführt. Bei einem Kranken konnte nur 5 Tage lang gestaut werden, weil ein Retrotonsillarabszeß entstand, der die Anlegung der Binde unmöglich machte.

Von 5 Fällen der zweiten Gruppe wurde einer vollständig geheilt, bei zweien bestand zur Zeit der Veröffentlichung nur noch spärliche Sekretion aus dem Mittelohr ohne Anzeichen einer Warzenfortsatzerkrankung; 2 Fälle wurden operiert, von denen einer — 2 Tage lang gestaut — nach Ansicht Heines vielleicht nach längerer Stauung geheilt worden wäre.

Von den abszedierten Mastoiditiden sind zwei geheilt, einer ist gebessert noch in Behandlung.

Da ausführliche Krankengeschichten fehlen, kann man an den Fällen keine Kritik üben. Über Dauer der Stauung in jedem einzelnen Falle, über den Grad derselben, über die subjektiven

---

1) Heine: Über die Behandlung der akuten eitrigen Mittelohrentzündung mittelst Stauungshyperämie nach Bier. Berliner klin. Wochenschrift 1905, No. 28.

Beschwerden usw. gibt Heine keine ausführlichen Daten. Dagegen möchte ich einige Punkte der epikritischen Bemerkungen Heines kritisch berühren.

Einmal meint Heine: „Es ist interessant, daß die Angina unter der Stauung zunahm und zu einem peritonsillären Abszeß führte, der inzidiert wurde." Aus diesen Worten klingt der Vorwurf hervor, daß die Abszeßbildung von der Stauung begünstigt oder zum wenigsten nicht im günstigen Sinne beeinflußt worden sei. Dazu ist zu bemerken, daß die Stauung aus anatomischen Gründen auf die Halsorgane von wenig intensiver Einwirkung sein kann. Die Abflußwege aus der Tonsillen- und der Gaumenregion sind schwer zu umschnüren. Zum Teil liegen sie in der straffen und derben Muskulatur und zwischen den tiefen Fascien der prävertebralen Region, teils liegt die den Hals komprimierende Binde so nahe an der Mandelgegend, daß die entsprechenden Venen nicht hinreichend in ihrer Continuität gefaßt werden. Wir haben dementsprechend auch bei stärkster Kopfstauung keine ödematöse Schwellung der Rachenorgane gesehen.

Ferner ist Einsprache gegen folgende Ausführung Heines zu erheben: „Ein Fall der ersten Gruppe hat einen Verlauf genommen, der uns auffallen muß. Bei einer doppelseitig erkrankten Patientin trat anscheinend eine Besserung ein, dann entwickelte sich nach 15 Tagen unter hohem Fieber ein Recidiv und eine Mastoiditis, so daß wir uns schließlich doch noch zur Operation entschließen mußten. Es gehört immerhin doch zu den Seltenheiten, daß bei einer nicht schweren akuten Otitis, die wir fast von Anfang an bei Bettruhe in Behandlung haben, sich noch eine Warzenfortsatzkomplikation einstellt. Bei einer zweiten Patientin ging die Infiltration und die Mittelohrentzündung erst zurück, es kam unter Temperaturanstieg ebenfalls zu einem Recidiv, und schließlich mußten wir nach 24 tägiger Behandlung doch noch operieren."

Ich glaube, daß man hier nicht von nachträglicher Entwicklung einer Mastoiditis reden und sie noch weniger der Stauungsbehandlung in die Schuhe schieben darf. Es dürfte doch wohl heutzutage allgemeine Ansicht sein, daß die akute Mastoiditis nicht eine Folgekrankheit der Paukenhöhleneiterung ist, sondern gleichzeitig mit ihr entsteht; ob dann eine Spontanheilung unter entsprechender konservativer Behandlung eintritt, oder späterhin die Mastoiditis als selbständige Erkrankung die Paukenhöhleneiterung

überdauert, ist von anatomischen Faktoren und vom Charakter
der Infektion abhängig. Heine wäre also höchstens berechtigt
zu sagen, daß die Stauung nicht zur Heilung geführt hat.

Bei den Fällen mit Abszeßbildung bezweifelt Heine die
Wirksamkeit der Stauung, weil unter dem Wildeschen Schnitt
auch früher schon vielfach Heilung der Mastoiditis beobachtet
worden sei. Dazu möchte ich zunächst bemerken, daß der
Wildesche Schnitt, „ein freier, wenigstens einen Zoll langer
Einschnitt in das Periosteum" (Wilde, Praktische Bemerkungen
etc. S. 278, Göttingen 1855) etwas ganz anderes ist, als die Sticheröffnung eines Abszesses. Allerdings ist von den älteren Ärzten
manchmal eine Heilung nach dem Wildeschen Schnitt, ja sogar nach spontanem Aufbruch oder nach Sticheröffnung des
Abszesses beobachtet worden. Aber diese Fälle sind stets als
Ausnahmen betrachtet worden, während wir jetzt — in unseren
Fällen — bei Kombination der Stauung mit der Sticheröffnung
die Heilung als Regel sahen.

Stenger[1]) hat vor dem Erscheinen der Kepplerschen
Arbeit seine Saugmethode angegeben. Ich setze sie als bekannt
voraus und gehe nicht weiter auf sie ein, möchte aber keines-
falls einen Fortschritt in ihr erblicken. Was uns die Biersche
Methode wert macht, ist ja gerade das Ersparen der Narkose
und eines operativen Eingriffs. Wenn aber Stenger eine Incision macht, das Periost zurückschiebt, einen Meißelkanal bis
ins oder ans Antrum anlegt, und eventuell noch mit dem scharfen Löffel kratzt — Eingriffe, die doch in Narkose gemacht werden —, warum geht er dann nicht noch einen Schritt weiter und
operiert, wie wir es bisher immer machten?

Es ist zu bedauern, daß Stenger bei der Mastoiditis nicht
zunächst einmal die Umschnürungsstauung versucht hat. Ich
glaube, er wäre zu ebenso günstigen Resultaten gekommen, wie
bei seinen beiden nicht heilenden Antrumoperationswunden, die
erst unter der Stauung zur Heilung kamen.

Daß adenoide Vegetationen eine Kontraindikation zur Stauungsbehandlung seien, muß ich bestreiten. Eine Schwellung der
Rachenorgane tritt nicht ein. Wenn aber bei einem mit ver-
größerter Rachenmandel behafteten Kinde während der Stauungs-

---

1) Stenger: Die Biersche Stauung bei akuten Ohreiterungen.
Deutsche medizinische Wochenschrift 1906, No. 6.

behandlung eine Otitis auf dem anderen Ohre auftritt, so ist dies ohne gleichzeitige Stauung ein derartig häufiges Ereignis, daß wirklich viel Mißtrauen gegen das neue Verfahren nötig ist, um diese Otitis durch Folgen der Stauung zu erklären.

Haßlauer[1]) hat sich, ohne eingehendere Versuche mit der Stauungsbehandlung bei der akuten Mastoiditis zu machen, sehr bald dem Stengerschen Verfahren zugewendet und empfiehlt dasselbe warm. Haßlauer gibt keine ausführlichen Kranken- geschichten. Eine Kritik seiner Fälle ist daher nicht möglich; jedoch kommt er selbst zu folgendem Schlusse: „Drei Fälle ge- langten zur Operation, doch bin ich nicht berechtigt, diese bei- den Fälle als einen Mißerfolg der Stauungsbehandlung anzu- rechnen. Im Anfang meiner Versuche stand ich noch zu sehr im Banne der bis jetzt üblichen Behandlungsmethoden, die mich in der Befürchtung durch längeres Zögern den richtigen Moment zur Operation zu verpassen, voreilig zum Messer greifen ließ."

Fleischmann[2]) behandelte 12 Fälle von akuter Mastoiditis mit Stauungshyperämie. Von diesen heilten fünf; operiert wur- den sechs. Einer ist ungeheilt noch in Behandlung.

Von den fünf geheilten Fällen sind vier (IX, XVI, XVIII, XIX) kaum als Mastoiditisfälle anzusehen. Das einzige Symp- tom, welches für diese Diagnose verwertet wurde, war Schmerz- haftigkeit der Spitze des Warzenfortsatzes auf Druck. Wenn Fleischmann daher sagt: „daß wir solche Mastoiditiden auch bei der bisher üblichen konservativen Therapie oft zurückgehen sehen", so gehe ich noch weiter und nehme die erfolgte Heilung wegen unsicherer Diagnose überhaupt nicht für die Biersche Stauung in Anspruch.

Einer von diesen fünf geheilten Fällen (XIV) wird meines Erachtens vom Autor ohne Grund als unsicher in der Differenzial- diagnose zwischen Mastoiditis und Otitis externa abscedens be- zeichnet, aber es würde diese scharfe Selbstkritik der erfolgreich behandelten Fälle anzuerkennen sein, wenn auch bei den nicht geheilten Mastoiditiden ebenso verfahren worden wäre.

Zunächst scheidet Fall XV, der noch in ambulatorischer Be- handlung steht, aus, weil die Grundbedingung für einen

1) Haßlauer: Die Stauungshyperämie bei der Behandlung von Ohr- eiterungen. Münchener mediz. Wochenschrift 1906, No. 34.

2) L. Fleischmann: Über die Behandlung eiteriger Mittelohr- erkrankungen mit Bierscher Stauungshyperämie. Monatsschrift für Ohren- heilkunde 1906, No. 5.

Erfolg, nämlich Aufenthalt im Krankenhause mit ständiger ärztlicher Aufsicht, nicht erfüllt ist.

Aus demselben Grunde sind die Fälle XI und XVII, die operiert wurden, gar nicht diskutierbar. In Fall XVII wurde der 17jährige Schuhmacher mit seiner schweren Mastoiditis während der Weihnachtszeit ambulatorisch der Stauungsbehandlung unterworfen. (!)

In Fall X bestand ein periostaler Abszeß, der nicht inzidiert wurde. In Fall XII wurde 11 Tage lang 12 Stunden pro die die Stauungsbinde angelegt. Warum wurde nicht in diesen beiden Fällen nach Kepplers Vorschrift verfahren, warum wurde nicht inzidiert, resp. 22 Stunden lang gestaut?

In Fall XIII wurde ohne Erfolg gestaut und bei der Operation folgender Befund erhoben: „Die Weichteile und die Corticalis von normaler Beschaffenheit, die Spongiosa auffallend blutreich, stark blutend. Die Schleimhaut der Zellen geschwollen, aber nirgends Eiter oder erweichter Knochen. Vorsichtige Eröffnung des Antrums, in demselben nur stark geschwollene Schleimhaut." Warum führt Fleischmann diesen Fall nicht unter den durch Stauung günstig beeinflußten Fällen an?

Als einwandfrei kann von allen 12 Fällen nur ein operierter gelten, nämlich Fall XX. Hier wurde 10 Tage lang unter Beobachtung aller Kautelen das Biersche Verfahren angewendet und bei der Operation eine sehr starke Einschmelzung des Warzenfortsatzes gefunden.

Auch der Anhänger Biers muß diesen Fall als einen Mißerfolg ansehen, indessen werde ich später noch einmal auf die Frage der Mißerfolge zurückkommen.

Das gewichtigste Wort, welches bisher gegen die Stauungsbehandlung in die Wagschale geworfen wurde, stammt aus der Halleschen Ohrenklinik. Aus derselben berichtet Isemer[1] über 12 systematisch behandelte Fälle. Die ausführlichen Krankengeschichten geben ein klares Bild des Krankheitscharakters sowie der eingeleiteten Therapie und machen die Resultate unanfechtbar. Unter seinen 12 Fällen waren 7 sicher diagnostizierte akute Mastoiditiden (1, 2, 3, 4, 6, 8, 9), von denen zwei (6, 8) unter Stauungsbehandlung heilten, während vier operiert wurden (1, 2, 3, 4),

---

[1] F. Isemer: Klinische Erfahrungen mit der Stauungshyperämie nach Bier bei der Behandlung der Otitis media. Archiv für Ohrenheilkde. Band 69, S. 131.

und einer (9) (Eiterung nach Scharlach) gebessert, aber noch mit spärlicher Ohreiterung behaftet, entlassen werden mußte.

Woran es gelegen hat, daß Isemer trotz seiner rite durchgeführten Behandlung so viel schlechtere Resultate gehabt hat, als wir, ist mit Sicherheit nicht zu entscheiden. Seine Fälle müssen sehr ungünstig gelegen haben. Zweifellos sind die Fälle 2 bis 4 ganz besonders bösartige und bei Eintritt in die Behandlung schon weit ausgebreitete Erkrankungen des Schläfenbeins gewesen. Außerdem handelte es sich um Diplokokkeneiterungen. Ich will daher nicht leugnen, daß diese Fälle nicht durch Stauung zu heilen waren; aber energisch muß zurückgewiesen werden — was auch durch Isemers Epikrise durchscheint —, daß nämlich der bedrohliche Zustand dieser Patienten durch die Stauung verdeckt oder gar verschlechtert worden sei.

Besonders bedenklich erschien Isemer die Besserung des Allgemeinbefindens, welche nach der Stauung eintrat, und die nicht im Einklang mit dem pathologisch-anatomischen Substrat der Erkrankung stand.

Hierzu möchte ich bemerken, daß bei den betreffenden drei Kranken nach Aufnahme in die Klinik Paracentese gemacht und das sonstige Heilverfahren — Bettruhe, Reinigung des Gehörgangs usw. — eingeleitet wurde. Hierdurch konnte sich das Allgemeinbefinden bessern, auch wenn der Krankheitsprozeß lokal fortschritt. Es ist also unseres Erachtens nicht nötig, diese Besserung auf Rechnung der Stauung zu setzen. Wenn Isemer dies dennoch tut, so befindet er sich in Widerspruch mit sich selbst, denn an anderer Stelle führt er die genannten Faktoren — Bettruhe usw. — als Gegenbeweis gegen die schmerzstillende Wirkung der Stauung an.

Noch in anderer Weise steht der Vorwurf der Verschleierung auf schwachen Füßen; es sind nämlich die Fälle mit stärkster Zerstörung des Processus nur sehr kurze Zeit konservativ behandelt worden. Bei Fall 2 z. B., der bis zur Operation nur 6 Tage lang beobachtet und gestaut wurde, hätte man auch ohne Biersche Stauung nicht sofort zum Messer gegriffen. Dasselbe ist von Fall 3 zu bemerken.

In Fall 1 war 2½ Monat vor Beginn der Stauungsbehandlung eine mit Mastoiditis komplizierte Mittelohreiterung konservativ behandelt und anscheinend geheilt worden. Ein im Anschluß an Angina auftretendes Recidiv wurde dann der Stauung unterworfen und wiederum trat anscheinend Heilung ein, um wiederum zu recidivieren und dann nochmals — aber bei nunmehr schlechtem Allgemeinbefinden — zu heilen und endlich zum dritten Mal zu recidivieren. Die Krankengeschichte läßt keinen Zweifel darüber aufkommen, daß es auch beim ersten Recidiv sich nur um ein Aufflammen des schlummernden Antrumempyems gehandelt hat. Da damals noch keine Stauung angewandt worden war, so bestreiten wir auch in diesem Falle eine verhängnisvolle Verschleierung des Zustandes.

Seit der Publikation Kepplers haben wir folgende 11 Fälle von akuter Mastoiditis mit Bierscher Hyperämie behandelt.[1]

Fall I   Heinrich N., 9 Monate alt   Aufgenommen in das St. Johanneshospital am 12. Juni. Geheilt entlassen am 19. Juni.

Akute Mastoiditis mit Abszeß über dem Warzenfortsatz. Inzision. Stauung. Heilung in 7 Tagen.

Anfangs Mai erkrankte das Kind an fieberhaftem Husten, welcher zunächst den Charakter von Pertussis hatte, aber nach drei Tagen wieder verschwand.

Am 9. Juni kam die Mutter zu dem damals behandelnden Arzte und gab an, daß das linke Ohr seit drei Tagen vom Kopf abstände, und daß das Kind viel schreie. Am 12. Juni überwies der Hausarzt das Kind in meine Behandlung.

Status: Hinter dem linken Ohr des ganz munteren Kindes befindet sich in thalergroßer Ausdehnung eine teigige, fluktuierende Schwellung, durch welche das Ohr des Kindes vom Kopfe abgedrängt erscheint. Die retroaurikuläre Furche ist deutlich erhalten. Die Schwellung sitzt ziemlich hoch, entsprechend dem Prädilektionsort des Durchbruchs bei kindlicher Mastoiditis und ist auf Druck schmerzhaft. Im Gehörgang befindet sich, von der Mutter noch nicht bemerkt, etwas dicker Eiter. Nach Ausspritzen desselben zeigt sich das Trommelfell stark mit abschilfernder Epidermis bedeckt, ist aber doch soweit von den aufhaftenden Schollen zu befreien, daß man die Abwesenheit stärkerer Rötung und Schwellung konstatieren kann. Perforation nicht zu sehen. Es wird in der unteren Hälfte der Membran breit paracentesiert und ein Gazeverband aufs Ohr gelegt. Nach der Paracentese war nur Blutung zu sehen.

13. Juni. Ohne Narkose wird an der Stelle stärkster Fluktuation ein 1 cm langer Schnitt bis auf den Knochen gemacht. Es entleert sich ein Teelöffel voll dicken, nicht fötiden Eiters. Verband. Am Abend wird die Stauungsbinde angelegt.

14. Juni. Die Stauung ist gut ertragen worden. Im Gehörgang befindet sich zum ersten Mal reichlich dicker, nicht fötider Eiter. Die retroaurikuläre Wunde ist verklebt und wird mit der Sonde geöffnet. Es entleert sich aber kein Eiter, sondern nur etwas blutiges Serum. Fluktuation besteht nicht, dagegen ist deutliches Stauungsödem über dem Warzenfortsatz zu sehen.

15. Juni. Der Gehörgang ist mit Eiter gefüllt. Eine starke, in den Verband übergegangene Eiterung hat dagegen nicht bestanden. Auch heute kann aus der geöffneten Wunde kein Eiter ausgedrückt werden.

18. Juni. Der Gehörgang ist ohne Sekret. Das Trommelfell ist nur in seinem oberen Abschnitt noch gerötet und geschwollen. Paracentesenwunde verklebt. Hinter dem Ohr bestehen normale Verhältnisse. Auch ist trotz der Kopfstauung kein Ödem mehr zu sehen.

19. Juni. Das Kind wird aus dem Krankenhause entlassen.

Fall II. Marie J., 23 Jahre alt. Aufgenommen in das St. Johanneshospital am 19. April 1906. Geheilt entlassen am 29. Mai 1906.

Otitis media purulenta acuta sin. mit Zitzenperforation

[1] Siehe den Nachtrag.

im hinteren oberen Quadranten. Geringe Schwellung der retro-aurikulären Weichteile. Druckschmerz der Warzenfortsatz-spitze. Kein Eingriff an der Zitze. Stauung. Geheilt in 40 Tagen.

23 Jahre altes Dienstmädchen, erkrankte am 12. April mit Halsschmerzen. Am 13. April traten heftige Ohrschmerzen links ein, die sie zum Arzt führten. Trotz Eisblase hielten die Schmerzen bis zum 18. April an, an welchem Tage morgens Eiter aus dem Ohr floß.

Status am 19. April. Aus dem linken Ohr quillt dicker rahmiger Eiter in großer Menge. Im hinteren oberen Quadranten ist eine Zitze mit punkt-förmiger Perforation sichtbar. Der Warzenfortsatz ist an der Spitze auf Druck schmerzhaft. Stärkere Infiltration hinter dem linken Ohr besteht nicht, jedoch erscheint die retroaurikuläre Gegend beim Betrachten von hinten her etwas geschwollen im Vergleich zur rechten Seite. Flüstersprache wird nicht gehört. Webersscher Versuch nach links lateralisiert. Knochen-leitung nicht verkürzt — R. obere Tongrenze im Galtonpfeifchen normal. Temperatur 38,1° C. Anlegung der Stauungbinde für 21 Stunden täglich. Tägliche Reinigung durch Ausspülen und aseptischer Verband.

19. April. Temperatur morgens 37,7, abends 38,6° C.
20. April. Temperatur morgens 37,6, abends 38,8° C.
21. April. Temperatur morgens 37,5, abends 38,1° C.
22. April. Temperatur morgens 37,5, abends 37.8° C.
23. April. Temperatur morgens 36,7, abends 37,4° C, von da ab Temperatur normal.
26. April. Die Zitze ist etwas flacher geworden. Die Druckschmerz-haftigkeit läßt nach. Flüstersprache wird auf 10 cm Entfernung gehört.
30. April. Die Sekretion hat weiter nachgelassen, ist aber noch ziemlich reichlich. Schmerzhaftigkeit besteht noch an der Spitze des Processus mastoideus.
4. Mai. Status idem.
8. Mai. Die Sekretion ist nicht mehr reichlich. Die Spitze des Warzen-fortsatzes ist kaum mehr druckempfindlich. Das Trommelfell ist noch immer gerötet und stark geschwollen, so daß es in der oberen Hälfte wie mit Höckern besetzt erscheint.
14. Mai. Es entwickelt sich eine Otitis externa circumscripta, welche mit feuchter Wärme und Prießnitzschen Verband behandelt wird.
18. Mai. Die Sekretion aus dem Mittelohr ist heute versiegt. Das Trommelfell ist weniger gerötet, aber noch geschwollen. Flüstersprache wird auf 2 m gehört.
26. Mai. Entlassung aus dem Krankenhause mit der Weisung, noch 8 Stunden täglich die Staubinde zu tragen.
29. Mai. Das Trommelfell ist nicht mehr geschwollen, nur noch etwas gerötet. Der Katheterismus ergibt freie Tube und freies Mittelohr. Flüster-sprache auf mehr als 7 m.

Fall III. Marie H, 18 Jahre alt. Aufgenommen in das St. Jo-hanneshospital am 10. April. Geheilt entlassen am 21. April.

Otitis media purulenta acuta mit heftigen Schmerzen trotz bestehender Perforation und sehr starkem Druckschmerz des Warzenfortsatzes. Stauung. Heilung in 11 Tagen.

18jährige Patientin erkrankte am 3. April mit Halsschmerzen. Zwei Tage später traten Ohrschmerzen auf, die rasch eine große Heftigkeit erreichten, Tag und Nacht anhielten und die Nachtruhe raubten. Als Patientin am 10. April in meine Behandlung trat, gab sie an, seit fünf Nächten gar nicht geschlafen zu haben. Der Arzt hätte sie zur Mastoidoperation nach Bonn geschickt.

Die Ohruntersuchung am 10. April ergab eine hochgradige Schwellung und Rötung des Trommelfells und der angrenzenden Gehörgangskutis. Im Gehörgang befindet sich spärliches serös-eitriges Sekret. Nach dem Ausspritzen desselben sieht man es aus einer anscheinend zentral gelegenen Öffnung pul-sierend vorquillen. Der Warzenfortsatz ist hochgradig druckempfindlich, be-sonders an der Spitze und am hinteren Rande. Infiltration der Weichteile besteht nicht. Die Stauungsbinde wird angelegt und gut ertragen. Aseptischer Verband.

11. April. Patientin hat viel weniger Schmerzen und ist froh, wieder einige Stunden geschlafen zu haben. Trommelfellbefund unverändert. Flüstersprache wird nicht gehört. Weberscher Versuch nach rechts lateralisiert.

12. April. Die Sekretion ist fast ganz versiegt. Es bestehen etwas mehr Schmerzen als gestern.

13. April. Der gestern ins Ohr gelegte Gazestreifen ist mit seröser Flüssigkeit durchtränkt. Im hinteren oberen Quadranten bildet sich eine Zitze aus. Der Druckschmerz über dem Warzenfortsatz hat indessen nachgelassen.

14. April. Sekretion spärlich. Status idem.

15. April. Die Zitze bildet sich wieder zurück.

20. April. Das Ohr ist seit 2 Tagen völlig trocken. Das Trommelfell noch etwas gerötet und geschwollen. Flüstersprache auf 4 m.

21. April. Patientin wird aus dem Krankenhause entlassen.

24. April. Der Katheterismus ergibt freie Paukenhöhle; nach der Lufteinblasung wird Flüstersprache auf mehr als 7 m gehört.

Die Luftdouche wurde noch einigemal angewendet, und Patientin mit normalem Trommelfellbefund und normaler Hörschärfe entlassen.

Fall IV. Olga A., 27 Jahre alt. Aufgenommen in das St. Johanneshospital am 20. März. Geheilt entlassen am 16. April.

Otitis media purulenta acuta mit profuser Sekretion, heftigen Schmerzen auch nach dem Durchbruch des Trommelfells, lebhaftem Druckschmerz des Warzenfortsatzes und außerordentlich gestörtem Allgemeinbefinden. Stauung. Heilungsdauer 26 Tage.

Fall IV. Olga A. Nur die höchste und niedrigste Temperatur jeden Tages ist eingetragen.

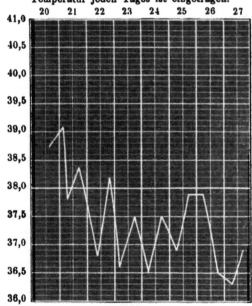

Kurve 1.

Am 11. März erkrankte Patientin unter Kopfschmerzen, Fieber und allgemeiner Mattigkeit. Nach Einnahme eines Pulvers besserte sich der Zustand etwas, aber am 14. März traten heftige Schmerzen im linken Ohr ein, welche bis jetzt anhielten. Am 17. März bemerkte Patientin auch lebhaften Druckschmerz hinter dem linken Ohr. Patientin hat in den letzten Nächten nicht geschlafen. Am 20. März trat der Durchbruch des Trommelfells ein mit reichlichem Sekretabfluß. Einige Stunden nachher wurde die Kranke ins St. Johanneshospital aufgenommen.

Status am 21. März: Die Patientin ist eine grazil gebaute, sehr leidend und angegriffen aussehende Person. Sie klagt über heftigen Schmerz in und hinter dem linken Ohr. Aus dem Ohr entleert sich massenhaft eitriges Sekret. Die vorige Nacht war trotz reichlichen Eiterabflusses sehr schlecht. Hinter dem Ohr besteht etwas Rötung der Haut (Patientin hatte sich zu Hause Senfpflaster aufgelegt), aber keine Infiltration der Weichteile. Der Warzenfortsatz ist auf Druck äußerst schmerzhaft, besonders an der Spitze und am hinteren Rande. Das Trommelfell ist stark gerötet, geschwollen und mit Epidermislamellen belegt. Die Perforation befindet sich anscheinend in der vorderen Hälfte. Die hintere Gehörgangswand und der hintere obere Trommelfellquadrant ist nicht vorgewölbt. Temperatur 39,1° C. Temperatur zweistündlich gemessen.

11 Uhr. Es wird die Stauungsbinde angelegt und das Ohr mit sterilem Gazeverband bedeckt.

6 Uhr. Die Stauung, welche in den ersten Stunden etwas Beschwerde machte, wird gut ertragen. Die Schmerzen sind angeblich etwas geringer.

22. März. Patientin hat seit 8 Tagen zum ersten Male wieder ziemlich geschlafen. Die Sekretion ist abundant.

24. März. Heute ist Vorwölbung des hinteren oberen Quadranten und der angrenzenden Gehörgangspartie zu konstatieren. Die Stauung wird gut ertragen, wenn Patientin zu Bett liegt, macht aber beim Umhergehen Beschwerden. Der Allgemeinzustand ist noch wenig befriedigend.

25. März. Die Temperatur ist etwas angestiegen. Der Druckschmerz des Warzenfortsatzes sehr stark, das Allgemeinbefinden schlecht. Es wird die Aufmeißelung erwogen.

27. März. Die Sekretion läßt etwas nach. Die Temperatur ist seit gestern meist unter 37° C. geblieben. Druckschmerz noch immer sehr lebhaft.

29. März. Heute ist eine wesentliche Besserung zu konstatieren, insofern als die Vorwölbung des Trommelfells, die Sekretion und der Druckschmerz zurückgegangen sind.

31. März. Die Vortreibung von Trommelfell und Gehörgang ist verschwunden.

3. April Die Sekretion ist sehr gering. Der Warzenfortsatz ist an seiner hinteren Kante noch druckempfindlich. Eine neue Stauungsbinde wird etwas fester angelegt, da Patientin jetzt eine stärkere Hyperämie des Kopfes erträgt und auch aufstehen kann. Das Allgemeinbefinden hat sich wesentlich gebessert.

6. April. Sekretion fast verschwunden. Flüstersprache wird auf 20 cm Entfernung gehört.

9. April. Flüstersprache auf 2 m. Weber nach links. Knochenleitung für a' nicht verkürzt. — R. Obere Tongrenze normal.

14. April. Kein Sekret mehr. Trommelfell noch gerötet und in den oberen Partien gewulstet. Flüstersprache auf 5 m. Es besteht noch ganz geringe Druckempfindlichkeit hinter dem Warzenfortsatz.

16. April. Patientin wird entlassen, mit der Weisung, die Stauungsbinde noch täglich 8 Stunden zu tragen.

25. April. Das Trommelfell ist noch immer gerötet und etwas geschwollen, so daß die Reliefs noch nicht zu sehen sind. Flüstersprache wird prompt auf mehr als 10 m gehört. Knochenleitung a' etwas verlängert. + R. obere Tongrenze normal.

Patientin hat keinerlei Beschwerden und ist wieder in den Dienst getreten.

Fall V. Herr W., 26 Jahre alt. Aufgenommen in das St. Johanneshospital am 14. März, aus der Behandlung entlassen am 18. Mai.

Malariaartige Fieberanfälle seit dem 4. Jahr. Vor 5 Jahren wird bei einer solchen Attacke das Ohr reizlos befunden. Vor 2 Jahren Hammer und Amboß entfernt. Patient behandelt sein Ohr in unzweckmäßiger Weise selbst. Jetzt besteht wieder ein Fieberanfall ohne erklärenden Ohrbefund. Nach Abfall des Fiebers Angina mit konsekutiver Otitis media purulenta acuta und Mastoiditis. Stauungbehandlung scheitert an dem Widerstand des Patienten. Ungeheilt aus der Behandlung geschieden.

Patient leidet nach Scharlach im 4. Lebensjahre, bei dem es zu einer Ohreiterung rechts und einer Lähmung der rechten Peronei kam, an periodischen Fieberanfällen, welche ähnlich einer Malaria mit quotidianem Typus verlaufen. Vor 5 Jahren sah ich den Patienten in einem solchen Anfall.

Der behandelnde innere Mediziner veranlaßte damals die Ohruntersuchung,
da man Verdacht auf einen Eiterherd im Schläfenbein hatte. Es fand sich
aber nur eine große zentrale Perforation bei minimaler nicht fötider
Schleimabsonderung. Ich lehnte die Radikaloperation ab und der Fieberanfall ging wie gewöhnlich, spontan in Heilung über. Vor 2 Jahren wurden
dann dem Patienten auswärts Hammer und Amboß entfernt, wobei indessen
nichts auf Eiterretention hindeutendes gefunden worden sein soll. Danach
blieb der Patient ein Jahr lang von seinem bis dahin jährlich einmal auftretenden Leiden verschont.

Am 14. März 1906 erfolgte die Aufnahme des Patienten in das St. Johanneshospital zwecks Operation seines paralytischen Spitzfußes. Der chirurgische Eingriff, sowie die Heilung ging glatt, ohne jede Störung von statten.

Die Operation fand am 15. März statt. Am 19. März trat wieder Fieber auf, genau in der früheren Form.

An diesem Tage war der Status folgender: Im rechten Gehörgang
befindet sich etwas schleimiges Sekret, nach dessen Entfernung sich an Stelle
des Trommelfells eine trommelfellartige Membran zeigt, in deren unterer
Hälfte eine gut stecknadelkopfgroße Perforation sichtbar ist. Offenbar hat
sich nach Entfernung der Gehörknöchelchen der operative Defekt teilweise
geschlossen. Außerdem ist eine Abschlußmembran regeneriert worden, die
größer ist, als der vor 5 Jahren beobachtete Trommelfellrest. Die Paukenhöhlenschleimhaut ist gerötet und geschwollen. Der Patient hat sich daran
gewöhnt, das Ohr eigenhändig trocken zu reinigen und die Sekretion durch
Eingießen einer medikamentösen Flüssigkeit zu unterhalten, da er sich bei
Ohrenfluß besser befinden will, als bei trockenem Mittelohr.

Es wurde zunächst die Selbstreinigung des Ohres verboten und das Ohr
nach Ausspülen mit Einblasung antiseptischen Pulvers, sowie mit sterilem
Okklusivverband behandelt. Irgend welche Anzeichen für eine schwerere,
das Fieber bedingende Ohrerkrankung lagen nicht vor. Die bakteriologische
Untersuchung des Ohrsekretes am 24. März ergab: „vorwiegend Staphylokokken. Etwas weniger Pseudodiphtheriebazillen, außerdem einige Streptokokken. Bei unverändertem Ohrbefund blieb das Fieber in gleicher Weise
bestehen.

Am 1. April wurde Kopfstauung angelegt. Das Fieber schien insofern
beeinflußt, als es an diesem Tage ohne Schüttelfrost anstieg. Im übrigen
blieb die Höhe dieselbe Gegen die Stauung hat Patient vielerlei einzuwenden. Er behauptet, nicht schlafen zu können, will bei etwas energischer
Stauung gleich Kopfschmerzen bekommen usw. Dabei ist er, wohl infolge
seines langen Leidens, geneigt, langatmige theoretische Bedenken eigener
Produktion vorzubringen. Da Patient die Staubinde vielfach ohne Kontrolle
abnimmt, wird auf Stauung verzichtet.

Am 8. April verschwand das hohe Fieber ziemlich plötzlich. Im Ohr
Status idem.

12. April. Die bakteriologische Untersuchung des Ohrsekretes ergibt
Streptococcus pyogenes.

Am 26. April trat im Anschluß an eine Erkältung eine Angina catarrhalis und gleichzeitig sehr starke, schleimig-eitrige Absonderung aus dem
rechten Ohre auf, mit nur leichter Temperatursteigerung. Wiederum wurde
versucht, die Kopfstauung einzuleiten. Aber der Patient behauptete wieder,
die Binde nicht zu ertragen.

Das Ohr wurde täglich gereinigt und aseptisch verbunden. Die Sekretion
blieb auf gleicher Höhe, und es begann langsam eine Senkung der hinteren
oberen Gehörgangswand einzutreten. Die Beschwerden des Patienten waren
mäßig, ab und zu etwas Kopfschmerz.

Am 9. Mai wurde bei unverändertem Ohrbefund wieder ein Versuch
mit Kopfstauung gemacht und diesmal unter Inaussichtstellung der Operation
erreicht, daß die Binde wenigstens stundenweise liegen blieb. Immerfort
aber hatte man mit dem Vorurteil des Patienten zu kämpfen, daß ihm die
Blutfülle des Kopfes schaden könne. Es war die erforderliche leichte Ge-
dunsenheit des Gesichts und schwache Cyanose überhaupt nicht zu erzielen.
Der Zustand veränderte sich objektiv nicht bis zum 18. Mai, und als dem

Patienten eröffnet werden mußte, daß bei Unmöglichkeit der Stauungsbehandlung die Mastoidoperation nötig werden würde, begab er sich anderwärts in Behandlung.

Fall VI. Jakob K., 25 Jahre alt. Aufgenommen in das Krankenhaus der Barmherzigen Brüder am 14. Mai. Geheilt entlassen am 28. Mai.

Mastoiditis acuta mit eitriger Periostitis über dem Warzenfortsatz. Stichinzision. Stauung. Heilungsdauer 13 Tage.

Am 30. April trat nach Erkältung Ohrschmerz und Eiterung ein. Nach Angabe des Arztes verlief die Eiterung in befriedigender Weise bis zum 11. Mai, wo plötzlich unter Zunahme der Schmerzen Schwellung hinter dem Ohr eintrat. Es wurde ohne Erfolg Biersche Stauung vom Hausarzt angewandt, der den Patienten am 14. Mai zu mir verwies.

Status am 14 Mai: Die retroaurikuläre Gegend ist stark geschwollen, gerötet und ödematös. Fluktuation nicht nachzuweisen, aber wegen sehr großer Schmerzhaftigkeit auch kaum zu prüfen. Der Gehörgang ist in seinem äußeren Drittel durch Schwellung seiner hinteren Wand, welche beim Einführen des Trichters sehr schmerzhaft ist, stark verengt. Wenn man den Trichter nach Reinigung des Gehörgangs an dieser Schwellung vorbeischiebt, so sieht man, daß das Trommelfell zwar hochgradig geschwollen und gerötet, aber nicht in seinem hinteren oberen Abschnitt gesenkt ist. Flüstersprache wird auf dem Ohr nicht gehört. Weber nach links. — R. Knochenleitung nicht verkürzt. Die Sekretion ist reichlich und schleimig-eitrig. Temperatur 38,0° C. Am selben Abend wird hinter dem Ohrmuschelansatz ein 1 cm langer Einstich mit dem Skalpell gemacht und etwa ein Teelöffel dicken nicht fötiden Eiters entleert

Anlegung der Stauungsbinde am 15. Mai. Die Kopfstauung wird sehr gut ertragen. Patient ist fieberfrei.

16. Mai. Die kleine Inzisionswunde muß mit der Knopfsonde eröffnet werden. Eine stärkere Sekretion infolge der Stauung ist nicht eingetreten. Auch ist trotz deutlicher Stauungserscheinungen am Kopfe kein verstärktes entzündliches Ödem über dem Warzenfortsatze eingetreten. Patient hat keine Ohrschmerzen mehr.

17. Mai. Wiederum wird nach Sondierung der Wunde eine kleine Menge dicken Eiters ausgedrückt. Das Ohrsekret ist spärlich und schleimig-eitrigen Charakters. Das Trommelfell ist noch stark gerötet und mit festhaftenden Epithellamellen bedeckt. Keine Schmerzen. Temperatur normal.

22. Mai. Heute wird nach Eröffnung des Einstiches nur ein Tropfen klaren gelblichen Sekretes entleert. Der Gehörgang ist von normaler Weite. Es besteht noch etwas Schwellung der retroaurikulären Weichteile.

24. Mai. Das Mittelohr secerniert nicht mehr. Das Trommelfell ist noch gerötet, aber wenig geschwollen. Schwellung und Infiltration hinter dem Warzenfortsatz besteht nicht mehr. Flüstersprache auf ½ m.

28. Mai. Patient wird zur ambulanten Behandlung entlassen. Flüstersprache auf 4 m. Trommelfell noch gerötet. Keine Beschwerden.

Fall VII. Peter P., 5 Jahre alt. Aufgenommen in das St. Johanneshospital am 1. Dezember 1905. Geheilt entlassen am 20. Januar.

Ohreiterung nach Masern. Rötung und Schwellung der Weichteile über dem Warzenfortsatz und Verengerung des Gehörgangs in seinen tiefsten Partien. Keine Fluktuation. Stauung. Keine Inzision. Mit trockener nierenförmiger Perforation entlassen. Heilungsdauer 46 Tage.

Der früher gesunde Junge erkrankte vor 4 Wochen an Masern und Lungenentzündung. Seit 14 Tagen klagte er über Ohrschmerz, besonders links. Aus beiden Ohren entleerte sich übelriechendes Sekret. Die Beschwerden und der Ausfluß des rechten Ohres besserten sich, so daß nunmehr vorwiegend über das linke geklagt wird.

Am 1. Dezember 1905 suchte die Mutter mit dem Patienten mein Ambulatorium auf. Aus dem linken Ohr fließt übelriechender Eiter in mäßiger

Menge. Über dem Warzenfortsatz besteht entzündliche Infiltration und heftiger Druckschmerz, der besonders an der Spitze lokalisiert ist. Die entzündliche Schwellung erstreckt sich auch auf die präaurikulare Gegend. Nach Ausspülen des Eiters zeigt sich der Gehörgang verengt. Die stärkste entzündliche Schwellung betrifft die tiefsten Partien des Gehörgangs; es ist indessen noch zu sehen, daß das Trommelfell hochgradig gerötet und geschwollen ist. Aus einer in der unteren Hälfte befindlichen Perforation quillt ein dicker weißer Sekretpfropf hervor. Temperatur normal. Anlegung der Stauungsbinde für 22 Stunden. Außerdem täglich Ausspülen des Gehörgangs mit Borwasser.

5. Dezember. Die Sekretion ist reichlicher. Die Schwellung des Gehörgangs und Trommelfells ist kleiner geworden. Der Druckschmerz über dem Warzenfortsatz ist geringer, als vorher.

9. Dezember. Kein Druckschmerz mehr.

In der Folge ging die Eiterung immer mehr zurück.

Am 16. Januar 1906 wurde festgestellt, daß im linken Trommelfell eine nierenförmige, sich hauptsächlich in den hinteren unteren Quadranten erstreckende Perforation befand. Das Trommelfell war noch etwas gerötet und geschwollen. Es besteht keine Sekretion mehr.

20. Januar. Da das Ohr trocken geblieben ist, wird das Kind entlassen.

Fall VIII. Johanna R., 3½ Jahre alt. Aufgenommen in das St. Johanneshospital am 3. September 1906. Geheilt entlassen am 22. September 1906.

Otitis media purulenta acuta nach Scharlach. Mastoiditis mit eitriger Periostitis über dem Planum mastoideum. Stichinzision. Stauung. Heilungsdauer 18 Tage.

Das Kind hat Anfang August Scharlach gehabt. In der Abschuppungsperiode traten zu Anfang September heftige Ohrschmerzen auf. Am 2. Sept. wurde vom Hausarzte Druckempfindlichkeit, Rötung und Schwellung des Warzenfortsatzes festgestellt und das Kind nach hier verwiesen.

Status am 3. September: Kind von mittelmäßigem Ernährungszustand. Im Bereich des linken Warzenfortsatzes befindet sich eine diffuse fluktuierende Schwellung, über der die Haut nur wenig gerötet ist. Aus dem Gehörgang entleert sich spärlich fötider Eiter. Die hintere Gehörgangswand ist vorgetrieben und die Trommelfellgegend mit reichlichen Epidermismassen verlegt, so daß ein Trommelfellbefund nicht zu erheben ist. Temperatur 39,0° C.

Es wird eine kleine Stichinzision gemacht und etwa ein Kaffeelöffel dicken nicht fötiden Eiters entleert. Das Ohr wird durch Ausspülen gereinigt und 22 stündige Stauung eingeleitet. Aseptischer Okklusivverband. Höchste Tagestemperatur 38,4° C.

4. Sept. Hinter dem Ohre ist etwas blutig seröse Flüssigkeit entleert worden. Die Stichöffnung hat Neigung zum Verkleben und wird täglich mit der Sonde eröffnet. Höchste Tagestemperatur 37,8° C.

5. Sept. Das Kind ist munter. Keine Klagen über Schmerz. Temperatur 37,7° C.

6. Sept. Temperatur 36,3—36,5° C.

7. Sept. Temperatur 36,4—36,6° C.

9. Sept. Nach Eröffnung der Wunde läßt sich kein Tropfen mehr ausdrücken. Im Gehörgang noch etwas schleimig-eitrige, nicht fötide Sekretion. Noch immer reichliche Epidermisabstoßung, die aber anscheinend aus dem Gehörgang stammt. Hinter dem Ohr besteht nur noch mäßige Rötung und Schwellung. Kein teigiges Ödem, keine Fluktuation. Temperatur normal.

11. Sept. Temperatur normal. Absonderung aus dem Ohr sehr gering.

13. Sept. Hinter dem Ohr normale Verhältnisse. Stauung 20 Stunden pro die.

22. Sept. Das Kind wird mit trockenem Mittelohr und geheilter Stichöffnung ohne Anzeichen einer Mastoiditis nach Hause entlassen. Eine Nachuntersuchung am 7. Dezember ergibt normales Trommelfell. Perforationsstelle nicht mehr als solche zu erkennen.

Fall IX. Hubert R., 53 Jahre alt. Aufgenommen in das Krankenhaus der Barmherzigen Brüder am 2. Juli. Gestorben am 28. Juli.

Kuppelraumentzündung rechts ohne Eiterung (2 mal Paracentese). Eintritt in ambulatorische Behandlung am 12. Juni. Mit unverändertem Status ins Krankenhaus aufgenommen am 2. Juli. Stauung bis zum 6. Juli. Operation nach Schwartze am 6. Juli. Gut abgegrenzter Abszeß im Warzenfortsatz. Meningitische Symptome am 27. Juli. Radikaloperation und Trepanation auf Schläfenlappen und Kleinhirn am 27. Juli. Tod an eitriger Meningitis am 28. Juli.

53 jähriger Patient suchte am 12. Juni meine Hilfe nach wegen Ohrschmerz rechts. Es handelte sich um eine isolierte Entzündung des Kuppelraums der Paukenhöhle. Das Trommelfell war nur an seinem oberen Pol gerötet und geschwollen, so daß der kurze Fortsatz nur angedeutet sichtbar war. Es bestanden im Vergleich zum objektiven Befunde unverhältnismäßig heftige subjektive Beschwerden: Gefühl der Völle im Ohr, Eingenommensein des Kopfes, schlafraubende Schmerzen, welche in die Temporalgegend ausstrahlten. Ich machte am 15. Juni im hinteren unteren Quadranten des Trommelfells und am 19. Juni im hinteren oberen Quadranten Paracentese, welche indessen jedesmal nur einige Tropfen Blut, aber keinen Eiter lieferte. Außerdem sollte der Patient, der nicht zu bewegen war, im Krankenhause zu bleiben, die Stauungsbinde 22 Stunden pro die tragen und mit Eis kühlen.

Da unter dieser Therapie die Beschwerden nicht abnahmen und die Nachtruhe dauernd schlecht blieb, ließ der Patient sich endlich am 2. Juli bewegen, ins Krankenhaus zu kommen.

Der Status war der gleiche, wie am Tage bei Eintritt in die ambulante Behandlung. Flüstersprache wird auf ¹/₃ m Entfernung gehört. Weberscher Versuch nach rechts lateralisiert Knochenleitung nicht verkürzt. — R.

Die nunmehr rite durchgeführte und kontrollierte Stauungsbehandlung brachte auch nicht den gewünschten Erfolg, so daß ich mich, besonders beunruhigt von den in die Temporalgegend ausstrahlenden zuckenden Kopfschmerzen, zur Operation entschloß, die am 6. Juli ausgeführt wurde. Es fand sich unter nur wenig verdickten Weichteilen eine undurchbrochene Corticalis, nach deren Eröffnung sich ein etwa kleinhaselnußgroßer, eitergefüllter und mit einer dicken Granulationsschicht ausgekleideter Hohlraum im Warzenfortsatz zeigte. Der Eiter stand nicht unter Druck. Dura und Sinus lagen nicht frei. Das Mittelohr wurde nicht eröffnet. Man hatte den Eindruck, als ob eine lebhafte Demarkation in der Umgebung des Eiterherdes stattfinde und der Eiter wohl auch ohne operativen Eingriff resorbiert worden wäre.

Nach Auskratzung der Wundhöhle, wobei sorgfältig auf etwaige Fistelgänge oder „Cellules aberrantes" geachtet wurde, blieb die Wunde zum größten Teile offen und wurde in der üblichen Weise tamponiert und nachbehandelt. Der lokale Verlauf war befriedigend, aber es wurde das Allgemeinbefinden nicht so gebessert, wie wir es nach der Mastoidoperation zu sehen gewöhnt sind. Vor allem traten noch ab und zu die Temporalschmerzen auf, und auch die Hörweite für Flüstersprache hob sich nur unwesentlich. Der bestehende Verdacht auf eine intrakranielle Komplikation, speziell Gehirnabszeß, ließ sich aber nicht bestätigen Weder der Puls, noch die Temperatur, noch die Augenhintergrunduntersuchung ergaben verdächtige Symptome. Die retroaurikuläre Wunde, welche absichtlich länger als sonst durch kräftige Tamponade offen gehalten wurde, schloß sich durch reichliche Bildung gesunder Granulationen immer mehr, und der Patient wurde auf sein Drängen mit nur ganz kleiner retroaurikulärer Wundhöhle am 21. Juli nach Hause entlassen. Er erschien dann regelmäßig zum Verbandwechsel und gab an, daß sein Befinden immer besser würde. Am 27. Juli wurde ich, nachdem ich am 25. Juli noch relatives Wohlbefinden konstatiert hatte, zu ihm gerufen und fand ihn schwer besinnlich und über wütende Kopfschmerzen klagend. Es bestand leichte Nackenstarre. Pupillar-

7*

und sonstige Reflexe waren normal. Im Ohr und an der retroaurikulären
Wunde keine Besonderheiten. Temperatur 39,5°C.

Die Diagnose lautete auf Meningitis purulenta, wahrscheinlich durch
Bersten eines Gehirnabszesses entstanden Vier Stunden später fand die
Operation statt. Es wurde in der alten Wunde inzidiert, die Warzenfort-
satz- und Temporalgegend freigelegt, und zunächst die in Vernarbung begriffene Operationshöhle im Warzenfortsatz ausgekratzt. Nirgendwo wurde,
obschon der Knochen bis über den Sinus hinaus mit der Zange abgetragen
wurde, ein versprengter Eiterherd oder sonst ein die Meningitis bedingender
Herd gefunden. Darauf wurde das Mittelohr eröffnet, in dem sich gesund
aussehende Gehörknöchelchen und kein Eiter befanden. Endlich wurde auf
Kleinhirn und Schläfenlappen trepaniert, aber kein Abszeß trotz mehrfachen
Einstechens mit dem Skalpell gefunden. Der Sinus hatte ganz normales
Aussehen und enthielt flüssiges Blut.

Der Tod erfolgte 10 Stunden post operationem
Die Sektion ergab eitrige Meningitis im Bereich des rechten Schläfenlappens. Hintere Schädelgrube frei. Ein Ausgangspunkt für die Meningitis
konnte nicht gefunden werden.

Fall X. Severin Sch., 45 Jahre alt. Aufgenommen in die
chirurgische Klinik am 30. April 1906. Gestorben am 7. Mai 1906.
Ohreiterung beiderseits mit septischen Erscheinungen,
aber ohne Anzeichen einer Mastoiditis. Paracentese rechts.
Stauung wird schlecht vertragen und mit Unterbrechungen nur
4 Tage durchgeführt. Tod an Sinusphlebitis und Meningitis
am 7. Mai 1906.

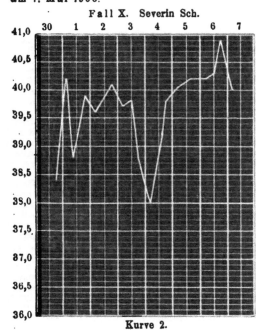

Fall X. Severin Sch.

Kurve 2.

„Patient hat schon fünf-
mal Lungen- und einmal
Rippenfellentzündung
überstanden Die jetzige
Krankheit begann mit
Schmerzen und Ausfluß
im linken Ohr. Seit vier
Tagen heftige Schmerzen
ohne Ausfluß im rechten
Ohr. Hier wurde polikli-
nische Paracentese ge-
macht.

Befund bei der Auf-
nahme: Beide Trommel-
felle sind gerötet und
geschwollen, aber nir-
gendwo vorgewölbt. Im
rechten Trommelfell sieht
man im hinteren unteren
Quadranten die scharf-
randige Paracentesen-
wunde, aus der nicht fötides, serös-eitriges Sekret
ziemlich reichlich vor-
quillt. Im linken Trom-
melfell befindet sich eine
hirsekorngroße zentrale
Perforation. Auch hier
besteht reichliche serös-
eitrige Absonderung
Beim Ausspritzen des
Ohres fließt Spülwasser
reichlich in den Nasenrachenraum. Die Perforation ist auffallend scharf-
randig und erinnert an die bei Tuberkulösen auftretenden Perforationen.

Flüstersprache wird gar nicht, laute Sprache so schlecht verstanden, daß
ein Mißverhältnis zwischen dem objektiven Befund und der Hörstörung besteht.

Seitens der Warzenfortsätze bestehen keine krankhaften Erscheinungen. Über beiden Lungen trockne giemende Geräusche, rechts unten trockene knackende Geräusche. Lungenschall nirgends gedämpft. Atmung sehr oberkächlich; Herpes labiarum. Temperatur 40,0° C.

Abdominalbefund normal. Per rectum nichts zu tasten. Puls kräftig, etwas gespannt.

Therapie: 22 stündige Kopfstauung. Nur ein geringer Grad von Umschnürung wird vom Patienten ertragen.

2. Mai. Prießnitzscher Umschlag über die ganze Brust. Temperatur andauernd nahe an 40° C. Subjektives Befinden euphorisch. Täglich Ausspülen beider Ohren: nur geringe Sekretion. Trotzdem die Binde keineswegs festliegt, klagt Patient dauernd über Druck und Luftmangel.

3. Mai. Patient hat über Nacht die Binde entfernt. Mittags wird dieselbe wieder angelegt. Ohrbefund derselbe. Keine Druckempfindlichkeit über dem Warzenfortsatz. Nur spärlicher, dünner Ausfluß. Temperatur 40,0° C.

4. Mai. Da Patient wegen der bestehenden Atembeschwerden fortwährend über die Binde klagt, wird die Stauung fortgelassen. Lungenbefund derselbe. Der zugezogene Interne diagnostiziert schwere Bronchitis mit beginnender Pneumonie rechts unten. Temperatur andauernd nahe an 40°. Ohrbefund unverändert. Allgemeine Abgeschlagenheit, keine Kopfschmerzen, keine Druckempfindlichkeit am Kopf. Tägliches Ausspülen der gering secernierenden Ohren.

5. Mai. Patient ist leicht benommen. Keine Änderung im Befund.

7. Mai. Unter andauernder Benommenheit stirbt Patient in der Frühe.

Sektion: Dura stark gespannt, durchscheinend. An der Basis ist die Pia stark getrübt und mit gelblichem, trübem Exsudat bedeckt. Das Tentorium auf der rechten Seite ist ebenfalls sehr stark mit fibrinösem, zum Teil gelblich grünem Exsudat bedeckt. Der rechte Sinus transversus ist mit grünlich-schmutzigem, weichem Material angefüllt, welcher der Wand adhärent ist. Sinus longitudinalis und transversus links sind frei von thrombolischem Material. Nach Abhebung der Dura zeigt sich der Knochen an der hinteren Fläche des Felsenbeins grau-grünlich, zum Teil gelblich verfärbt. In den Zellen des Proc. mastoides dicklicher hellgelber puriformer Brei, ebenso im Mittelohr. Sonst keine Herderkrankungen im Gehirn. Ausgedehnte Bronchitis."

Fall XI. Georg H., 32 Jahre alt. Aufgenommen in die chirurgische Klinik am 29. November 1905. Geheilt entlassen am 16. Dezember 1905.

Otitis media purulenta acuta. Mastoiditis acuta mit eitriger Periostitis mastoidea. Stichinzision. Stauung. Heilungsdauer 17 Tage.

"Früher stets gesund, erkrankte Patient vor 8 Wochen plötzlich ohne nachweisbare Ursache an einem eitrigen Ausfluß aus dem rechten Ohr. Trotz sofortiger ärztlicher Behandlung trat erst nach 6 Wochen, und zwar ziemlich plötzlich, ein Sistieren des Ohrflusses ein. In den nächsten Tagen stellten sich aber schon heftige Schmerzen in dem Warzenfortsatz ein, und bald war auch daselbst eine stark schmerzhafte Anschwellung wahrzunehmen.

Da dieselbe immer größer wurde und sich fieberhafte Begleiterscheinungen einstellten, sucht Patient am 29. November die Klinik auf.

Status: Etwas blaß und elend aussehender Mann mit gesunden inneren Organen. Das rechte Ohr steht deutlich vom Kopfe abgedrängt. Über dem zugehörigen Warzenfortsatz ist eine fast hühnereigroße Anschwellung zu sehen; dieselbe zeigt sich von entzündlich geröteter Haut bedeckt, ist auf Druck äußerst empfindlich und läßt deutlich Fluktuation erkennen. Der äußere Gehörgang ist derart verschwollen, daß an eine Spiegeluntersuchung nicht zu denken ist. Kein Ausfluß aus dem Gehörgang. Temperatur 38,0° C.

1. Dezember. Der Abszeß über dem Processus mastoides wird durch einen 1 cm langen Einschnitt an seiner tiefsten Stelle eröffnet; es entleert sich massenhaft Eiter, der zum Schluß durch Ausspülen mit physiologischer Kochsalzlösung nach Möglichkeit entfernt wird. Drei Stunden danach wird die 22 stündige Kopfstauung eingeleitet.

2. Dezember. Patient hat gut geschlafen; aus der großen Wundhöhle entleeren sich schon heute nur wenige Tropfen einer trüb-serösen Flüssigkeit, die Temperatur ist zur Norm abgesunken. Die Stauung wirkt gut, insofern nicht nur die Partie über dem Processus, sondern auch die ganze rechtsseitige Kopf- und Gesichtshälfte ödematös geschwollen sind.

10. Dezember. Die Sekretion aus der Operationswunde sistiert seit einigen Tagen völlig; die Wundränder sind miteinander verklebt. Die Spiegeluntersuchung ergibt normale Verhältnisse. Flüstersprache ist wieder auf mehrere Meter wahrnehmbar.

16. Dezember. Patient wird geheilt entlassen."

Eine Überschau unserer Fälle ergibt, daß 11 akute Mastoi-'diditen mit Stauungshyperämie behandelt wurden, und zwar waren dies alle zur Beobachtung gelangten Fälle. Ich halte es für wichtig, nochmals zu konstatieren, daß sowohl bei Keppler, wie hier keine engere Wahl sowohl zur Behandlung, wie zur Veröffentlichung getroffen wurde; handelte es sich doch für uns darum, Erfahrungen zu gewinnen, die für eine Indikationsstellung zur Stauungsbehandlung nutzbar gemacht werden sollten.

Aus demselben Grunde wurde auch keine andere Behandlung mit der Stauung kombiniert. Zwar wurde nach dem bekannten Grundsatz ubi pus etc. die Paracentese gemacht, wenn sie erforderlich erschien, aber sonst wurde sogar die Reinigung des Gehörgangs auf das allernotwendigste beschränkt, und besonders von dem Gebrauch der Antiseptica Abstand genommen. Es sollte ja gerade nachgewiesen werden, was die Stauung, und zwar nur die Stauung zu leisten imstande sei. Es wird sich späterhin vielleicht empfehlen, nicht auf diesem Standpunkte zu verharren. Wenn erst einmal in ohrenärztlichen Kreisen die Überzeugung herrschen wird, welch mächtiger Heilfaktor die Hyperämie auch bei der Erkrankung des Gehörorgans ist, wenn es sich nicht mehr um die Gewinnung der Erfahrung handelt, sondern um Nutzbarmachung der gewonnenen Erfahrung, dann wird die Kombination der Hyperämiebehandlung mit den bisher geübten konservativen Methoden doppelt dahin wirken, die Zahl der operativ behandelten Mastoiditiden einzuschränken. Ich sage: einschränken, denn es möge zur Beruhigung vieler Otochirurgen gesagt sein, daß auch wir nicht glauben, mit der Stauungstherapie die Aufmeißelung des Warzenfortsatzes abzuschaffen. Genau so, wie auch die Behandlung der Extremitäteneiterungen nicht stets zum Ziele führt, wird auch die Stauung der Mastoiditis acuta gelegentlich unwirksam sein. Es gibt eben leider keine therapeutische Methode, welche stets zur Heilung führt.

Aber auch eine wesentliche Einschränkung der operativen

Methoden wird der humane Ohrenarzt mit Freuden begrüßen müssen. Ich gestehe zu, daß die Lokalisation der Eiterung in unserem Gebiet zu besonderen Bedenken Anlaß gibt; aber bei dem fast leidenschaftlichen Widerspruch, den die Biersche Methode bei den Ohrenärzten findet, scheint mir der Erfahrungssatz eine Rolle zu spielen, daß es viel leichter ist, eine neue, wenn auch überflüssige oder gar thörichte Operationsmethode in die Praxis einzuführen, als die Indikationsstellung für eine bisher geübte Operation einzuschränken.

Ein Hinweis auf die lückenlose Serie von 22 akuten Mastoiditiden, von denen 19 heilten, während der Mißerfolg der anderen 3 Fälle nicht der Stauungsbehandlung zur Last gelegt werden kann, scheint mir die beste Erwiderung auf Hinsbergs[1] kurze Notiz zu sein, der zweimal einen Abszeß über dem Warzenfortsatz spaltete und danach auch ohne Stauung die Heilung der Mittelohreiterung beobachtete.

Ein derartiger Erfolg der Inzision hat mit Recht stets als Ausnahme gegolten, und die überwiegende Zahl der Mißerfolge hat ja gerade zur Ausbildung der operativen Methoden geführt.

Von unseren 11 Fällen sind 8 geheilt. Die Heilungsdauer betrug bezw. 7, 11, 13, 17, 18, 26, 40, 46 Tage. Unter den 8 geheilten Fällen waren 4 mit eitriger Periostitis über dem Warzenfortsatz verbunden. In allen diesen Fällen kam man nach der Stichinzision auf rauhen Knochen, resp. in einen kraterförmigen Durchbruch der Corticalis. Hier schwankte die Heilungsdauer zwischen 7 und 18 Tagen. Von den anderen 4 Patienten hatten 3 in der Umgebung des äußeren Ohres keine Anzeichen für Mastoiditis, trotzdem handelte es sich nach dem ganzen Krankheitsbilde um Mastoiditis ac., d. h. es waren Fälle, welche man vor Einführung der Stauungsbehandlung in die Therapie operiert hätte.

Daß die abszedierten Warzenempyeme glatt und in kurzer Frist (7, 13, 18, 17 Tage) heilten, entspricht der schon von Keppler veröffentlichten und von Heine bestätigten Erfahrung.

Von diesen Fällen verdient besonders Fall 8 Beachtung. Es handelte sich um eine Eiterung, die in unmittelbarem Anschluß an Scharlach bestand. Ich will nicht behaupten, daß es sich um eine echte Scharlacheiterung schwerster Art gehandelt habe, wie

1) Hinsbergs Referat über Kepplers Arbeit; im Zentralblatt für Chirurgie 1906, No. 50.

wir sie nach Scharlachdiphtherie beobachten; aber auch die als Nachkrankheit der akuten Exantheme beobachteten Otitiden und Mastoiditiden gelten als besonders bedenklich, so daß uns der Erfolg der Stauungstherapie hier doppelt erfreulich war.

Von den nicht abszedierten Mastoiditiden interessierte uns am meisten Fall 4. Die Genese, der Befund und vor allem das Allgemeinbefinden ließen eine sehr ausgedehnte Erkrankung annehmen, so daß ich bei keinem der behandelten Fälle mit so großer Sorge wie hier an der konservativen Behandlung festhielt. Ich glaube sicher, daß man bei der Operation eine weitreichende Einschmelzung gefunden hätte. Tatsächlich weist denn auch diese Patientin die längste Heilungsdauer auf. Bei ihr habe ich ein besonderes Augenmerk auf das Labyrinth gerichtet. Daß eine pathologische Hyperämie desselben zu Funktionsstörungen führen kann, ist klar. Es erschien mir denkbar, daß unter Hinzufügung der artefiziellen Hyperämie doppelt leicht eine Schädigung eintreten könne. Dies war aber, wie die Prüfung ergab, nicht der Fall. Als die stürmischsten Erscheinungen abgeklungen, aber noch deutliche entzündliche Veränderungen zu sehen waren, wurde beim Weberschen Versuch nach dem kranken Ohr lateralisiert. Die Knochenleitung war verlängert, der Rinnesche Versuch positiv, das Gehör für c^4 und die obere Tongrenze normal.

Von den drei nicht geheilten Fällen starben zwei Patienten, während einer in andere Behandlung überging. Daß dieser Fall V hier veröffentlicht wird, ist dem Grundsatze zuzuschreiben, alle mit Stauung behandelten Fälle zu publizieren. Tatsächlich beweist er nur, wie man die Stauungsbehandlung nicht durchführen soll, resp. auf welche Schwierigkeiten man bei einem zu viel an Selbstbehandlung und übertriebene Selbstbeobachtung gewöhnten Patienten stoßen kann.

Die Zahl der Todesfälle — 2 — würde, wenn die Stauungsbehandlung, sei es durch Verzögerung des Eingriffes, sei es durch Verschlimmerung des Zustandes den Exitus letalis herbeigeführt hätten, erschreckend groß sein. Eine Durchsicht der Krankengeschichten wird aber diese Annahme widerlegen.

In Fall 9 handelte es sich um eine Kuppelraumentzündung, bei der die Paracentese keinen Eiter ergab. Es lag zunächst gar kein Grund vor, zur Aufmeißelung des Warzenfortsatzes zu schreiten. Darum wurde auch von dem sonst strikte befolgten Grundsatze abgegangen, die Stauung nur im Krankenhause vorzunehmen. Als dann die subjektiven Beschwerden eher zu-, als abnahmen, wurde noch vier Tage lang im Krankenhause die Stauung angewendet, und da auch jetzt keine Besserung eintrat, sondern vor allem die Temporalschmerzen heftig blieben, ohne daß objektive Anzeichen einer Mastoiditis vorhanden waren, zur Operation geschritten. Der hierbei erhobene Befund war so, daß ich fast bedauerte, nicht noch länger bei der Stauungsbehandlung geblieben zu sein. Der Eiterherd im Warzenfortsatz war von einem sehr dicken, hochrot gefärbten Granulationspolster umgeben und schien ringsherum demarkiert zu sein. Nirgendwo war eine diffuse Einschmelzung des Knochens zu sehen.

Der Fall, bei dem wir also in keiner Weise den Operationstermin durch die Stauungsbehandlung verzögert hatten, schien erledigt; aber drei Wochen später erfolgte der Tod an einer in der mittleren Schädelgrube lokalisierten eitrigen Meningitis, welche ich nach dem Operations- und Sektionsbefund nicht auf die Mastoiditis, sondern auf die primäre Kuppelraumentzündung zurückführen möchte. Die Wegleitung scheinen die Lymphbahnen bewirkt zu haben.

In Anbetracht der kurzen Dauer einer energischen Stauungsbehandlung kann der Fall nicht als beweisend für die Unwirksamkeit des Verfahrens angesehen werden. Noch weniger aber wäre der Vorwurf gerechtfertigt, daß hier auf Grund der Stauung der rechtzeitige blutige Eingriff versäumt oder sonst etwas dem Patienten Schädliches veranlaßt worden sei.

Der andere Todesfall betraf einen dekrepiden, häufig an Lungenentzündung erkrankten Patienten, bei dem otoskopisch nichts auf eine Komplikation seitens des Warzenfortsatzes hinwies. Da gleichzeitig mit der unverhältnismäßigen Schwerhörigkeit und der Wegsamkeit der Tube auch ein pathologischer Befund in den Atmungsorganen zu konstatieren war, da auch die Temperaturbewegung sowie der rapide Verlauf der Krankheit gegen eine Sinuserkrankung sprach, so glaubten wir die Diagnose auf eine otogene Sepsis oder eine Miliartuberkulose stellen zu müssen und sahen von einem operativen Eingriff ab; wir würden ebenso verfahren sein, wenn wir die Stauung nicht eingeleitet hätten. Daß dann nachher die Sektion eine Meningitis und Sinusphlebitis ergab, schien uns zu der Frage der otogenen Sepsis interessant. Sollten nicht doch manche, oder alle in der Literatur niedergelegten Fälle von otogener Sepsis auf einer wegen fehlender oder nicht genügend ausgedehnter Sektion

unentdeckt gebliebenen Sinuserkrankung beruhen? Besonders
denke ich hier an den jüngst veröffentlichten Fall Hinsbergs[1]).

· Eine Scheinheilung, vor der Fleischmann zuerst warnte
und die auch in dem Körnerschen Lehrbuche als bedrohliche
Folge der Stauungsbehandlung angesehen wird, haben wir nicht
beobachtet. Man hat in dieser Frage an Kepplersche Fälle
angeknüpft (Chronische Eiterungen Fall 3 und 4).

Es muß zugegeben werden, daß es nicht genügt, bei einer
mit Mastoiditis verbundenen chronischen Eiterung die Symptome
der ersteren durch die Stauung zu beseitigen und die fortbe-
stehende Mittelohrerkrankung zu vernachlässigen. Aber derartiges schlägt Keppler auch nicht vor. Er meint im Gegenteil,
daß man das Mittelohr nach Ausheilung der Mastoiditis, oder
besser gesagt, nach Verschwinden der Symptome des Warzenempyems konservativ behandeln und heilen solle. Daß dies in
den Fällen Kepplers nicht geschah, lag an äußeren Verhältnissen. Es würde sich bei einer Mittelohrbehandlung in Kürze
herausgestellt haben, ob es sich um eine Scheinheilung oder eine
wirkliche Heilung des Warzenempyems gehandelt hätte.

Unser Fall 7, bei dem nach der Heilung eine trockene
nierenförmige Perforation festzustellen war, gehört wahrscheinlich in die Kategorie der bei Otit. med. purulenta chronica inter-
kurrent auftretenden Mastoiditiden. Betreffs der Frage, ob man
diese mit Stauungshyperämie behandeln soll, wird man zwei
Möglichkeiten unterscheiden müssen. Entweder hat der mit chronischer Ohreiterung behaftete Patient eine akute Mastoiditis unabhängig von seinem chronischen Leiden akquiriert — dann ist
nach unseren Erfahrungen unzweifelhaft die Stauung anzuwenden.
Oder aber es handelt sich um eine chronische, die Mittelohreiterung unterhaltende Mastoiditis, welche aus irgend welchen
Gründen exacerbiert ist — dann wird die Frage aufgeworfen
werden müssen, ob man sofort (à chaud), oder nach vorheriger
Stauungsbehandlung (à froid) die Totalaufmeißelung machen soll.
Die Entscheidung dieser Frage wird von Fall zu Fall auf Grund
des otoskopischen Befundes zu treffen sein.

Die Fähigkeit, einen otoskopischen Befund richtig zu erheben und richtig zu deuten, gehört nicht nur hier, sondern über-

---

1) Hinsberg: Zur Kenntnis der vom Ohr ausgehenden akuten Sepsis.
Beiträge zur Ohrenheilkunde (Festschrift für Lucae) S. 241.

haupt zu dem unumgänglich Notwendigen für den, der sich mit der Kopfstauung bei Mastoiditis befaßt. Die Methode ist daher gerade in der Hand des Ohrenarztes berufen, Gutes zu leisten, und es ist zu bedauern, daß sich die Fachgenossen bisher vielfach so scharf ablehnend verhalten haben. Der Zweck dieser Ausführungen würde erreicht sein, wenn sich die Ohrenärzte durch die vorliegenden ungünstigen Berichte nicht von einer objektiven Nachprüfung der Stauungsbehandlung bei akuter Mastoiditis abhalten ließen.

Bei Krankenhausbehandlung und steter ohrenärztlicher Kontrolle wird die Gewinnung weiterer Erfahrungen nicht nur interessant, sondern nach unseren Beobachtungen und Erfolgen auch erfreulich sein.

Nachtrag bei der Korrektur.

Während der Drucklegung dieser Arbeit wurden noch weitere drei Fälle von Mastoiditis behandelt.

Fall XII. Martin G., 10 Monat. Aufgenommen in das St. Johanneshospital am 28. Jan. 07. Geheilt entlassen am 26. Febr.

Akute Mastoiditis mit starkem Ödem der retroaurikulären Weichteile. Trotz zweimaliger Inzision kein Eiter. Drohende Sepsis. Stauung. Spontandurchbruch des Abszesses. Heilung in 25 Tagen.

Am 17. Jan. 07 suchte das Kind mein Ambulatorium auf. Die Mutter gab an, das rechte Ohr habe geeitert und darauf sei die Ohrmuschel verschwärt. Es bestand ein nässendes Ekzem der Ohrmuschel. Im Gehörgang befand sich aber kein Eiter und keine Schwellung der Gehörgangswände. Trommelfell nicht entzündet, aber glanzlos und dunkelgrau. Es wird weiße Praezipitatsalbe verordnet und die Mutter ließ sich nicht mehr sehen bis zum 28. Jan. 07. An diesem Tage kam sie mit dem Kinde wieder und gab an, seit gestern eine Anschwellung hinter und über dem rechten Ohr bemerkt zu haben.

Das Ekzem war verschwunden. Der Gehörgang war weit, das Trommelfell gerötet und geschwollen, aber nicht vorgewölbt. Hinter und über dem rechten Ohr besteht starke teigige Schwellung, die sich bis auf die Parietalgegend fortsetzt. Keine Rötung, keine Fluktuation. Am 29. Jan. erfolgte die Aufnahme in das St. Johanneshospital. Es wurde dicht über dem Ohrmuschelansatz an der Stelle stärkster Schwellung eine Inzision von 1½ cm Länge gemacht und mit der Zornzange in die Tiefe eingegangen. Dabei entleert sich kein Eiter. Kein rauher Knochen zu fühlen. Temperatur 39.3° C.

30. Jan. Die Schwellung hat abgenommen. Aus der Wunde entleert sich nur etwas Blut. Der Gehörgang ist stark verengt. Paracentese des Trommelfells. In den Gehörgang wird ein Streifen Gaze eingeführt. Anlegung der Stauungsbinde 22 Stunden pr. die.

31. Jan. Im Gazestreifen etwas Blut und ein wenig Eiter. Die teigige Schwellung ist fast völlig verschwunden.

4. Febr. Heute abend hohes Fieber (39,8° C.) Das Ödem ist wieder stärker geworden. Der Gehörgang ist frei von Sekret. Das Trommelfell ist graurötlich und geschwollen aber nicht vorgewölbt. Die Stichinzision ist verklebt. Sie wird mit der Sonde eröffnet. Beim Eindringen mit der

Sonde entleert sich nur ein Tropfen Eiter. Man fühlt in der Tiefe rauhen Knochen.

5. Febr. Temp. 39,1—39,2—39,6°.

6. Febr. Temp. 38,6—39,1—39,7°.

Heute wird der Schnitt nach unten hin erweitert, aber ohne auf Eiter zu stoßen. Die Wunde sieht etwas septisch-schmutzig aus.

7. Febr. Temp. 38,0—37,6—38,5. Kein Eiter ist aus der Wunde geflossen. Das Ödem erstreckt sich auf die ganze rechte Kopfhälfte.

8. Febr. Heut entleert sich bei Druck auf die Weichteile unter dem Ohr reichlich dicker gelbgrüner Eiter aus der Wunde. Die Infiltration der Nachbarschaft ist zurückgegangen. Kein Fieber mehr.

9. Febr. Heute wird nur noch wenig Eiter entleert.

11. Febr. Noch etwas dünnflüssiges, gelbes Sekret läßt sich aus der Wunde ausdrücken. Die Schwellung der Weichteile ist fast vollständig verschwunden.

21. Febr. Die Wunde ist geschlossen. Kein Ödem in ihrer Umgebung. Stauung fällt weg.

26. Febr. Das Kind wird geheilt entlassen. Trommelfell getrübt, aber weder geschwollen noch vorgewölbt. Narbe hinter dem Ohr reaktionslos.

Fall XIII. Marie E., 34 Jahre alt. Aufgenommen in das St. Johanneshospital am 20. Nov. 06. Geheilt entlassen am 2. März 07.

Die zuckerkranke Patientin bekam im Anschluß an Angina am 30. Dez. Ohrschmerzen. Paracentese am 4. Jan., danach reichliche Sekretion aber Fortdauer der subjektiven Beschwerden. Unter Stauung wechselt Besserung mit Verschlimmerung. Operation nach Schwartze am 8. Febr. Keine Eiterentleerung. Heilung.

Die Patientin gibt an, früher nie krank gewesen zu sein und seit 6 Wochen an Mattigkeit, Schwindel, Kopfschmerz und Durchfällen zu leiden. Seit einigen Tagen besteht heftiger Durst. Die Urinuntersuchung ergibt 5 Proz. Zucker, Aceton und reichlich Acetéssigsäure ist vorhanden. Urinmenge 4500. Diät, Opium.

4. Dez. Urinmenge 3700. $1/4$ Proz. Zucker. Spuren von Aceton. Durst stark.

17. Dez. $1/2$ Proz. Zucker. Diät wird erleichtert.

22. Dez. $3/4$ Proz. Zucker. Kein Aceton.

25. Dez. Bei der Patientin ist eine Angina eingetreten. Zucker 3 Proz. Wenig Aceton. Wieder strenge Diät.

28. Dez. Urinmenge 2200. $1/4$ Proz. Zucker.

30. Dez. Abends Ohrschmerzen und leichte Temperatursteigerung.

31. Dez. Temperatur abends 38,5° C.

1. Jan. 07. Die heute vorgenommene otoskopische Untersuchung ergibt eine Myringitis bullosa links. Aus dem äußeren Gehörgang entleert sich etwas seröses Sekret, anscheinend aus geplatzten Trommelfellblasen stammend Fieber besteht nicht. Kein Zucker, kein Aceton.

4. Jan. Seit gestern bestehen sehr heftige Ohrschmerzen links. Der Warzenfortsatz ist leicht druckempfindlich. Paracentese.

5. Jan. Das Ohr sezerniert reichlich serös-eitriges Sekret, sodaß der aufsaugende Verband zweimal täglich erneuert werden muß. Trotzdem besteht nur geringe Erleichterung. Hinter dem Ohr wird auch spontan über Schmerzen geklagt. Temperatur normal. Die Stauung wird eingeleitet.

Flüstersprache wird garnicht, Konversationssprache nur dicht am Ohr verstanden.

6. Jan. Heute morgen saures Erbrechen. Heftige Schmerzen hinter dem Ohr, aus dem sich reichlich Eiter entleert. Temperatur subfebril.

10. Jan. Seit gestern lassen die Schmerzen im Gebiet des Warzen-

fortsatzes nach. Das Befinden bessert sich. Im Ohr ist das Trommelfell
weniger gerötet und geschwollen. Flüstersprache wird dicht am Ohr, Umgangssprache auf 1 m Entfernung gehört.

14. Jan. Heute hat die Patientin zum erstenmale nicht erbrochen.
Der Schmerz in und hinter dem Ohr ist geringer.

20. Jan. Seit zwei Tagen sind wieder stärkere Ohrschmerzen vorhanden. Paracentese ergibt nur Blut. Kein Zucker im Harn.

22. Jan. Befinden besser.

25. Jan. Heute entleert sich aus dem Ohr blutigseröse Flüssigkeit in
mäßiger Menge. Es tritt wieder häufiges Erbrechen auf. Im Urin
$3/4$ Proz. Zucker.

1. Februar. In 2400 Gesamtmenge Urin ist $1^1/2$ Proz. Zucker. Das
Trommelfell ist verdickt, aber nur mäßig gerötet. Es besteht noch Erbrechen. Die Druckschmerzhaftigkeit des Warzenfortsatzes ist größer. Außer
den Ohrschmerzen wird auch über heftigen Stirnkopfschmerz geklagt.

5. Febr. Status idem.

8. Febr. Andauernd Kopfschmerzen. Puls 64. Kein Fieber, aber Temperatur hypernormal. Im Urin kein Zucker, kein Eiweiß. Starke Druckempfindlichkeit des Warzenfortsatzes. Operation nach Schwartze
unter Lokalanästhesie. Der Warzenfortsatz ist diploetisch gebaut
und sehr blutreich. Die Schleimhaut der kleinen Warzenzellen ist gerötet
und geschwollen. Nirgendwo, auch im Antrum nicht, findet sich freier
Eiter. Eine die Spitze des Warzenfortsatzes einnehmende, linsengroße Zelle
ist mit fadenziehendem Schleim gefüllt. Freilegung des Sinus ergibt normale
Wandung, normale Füllung und Abwesenheit eines extraduralen Abszesses.

Nachbehandlung in der üblichen Weise.

Der fernere Verlauf war ungestört. Die Kopf- und Ohrschmerzen nahmen allmählich ab. Das Erbrechen trat noch bis zum 23. Februar gelegentlich auf. Der Urin blieb unter Diät zuckerfrei.

Am 2. März wurde die Patientin geheilt entlassen. Trommelfell nicht
mehr geschwollen, leicht getrübt. Flüstersprache wird auf mehr als 6 m gehört. Das Mittelohr ist frei von Exsudat.

Fall XIV. Peter Sch., 22 Jahre alt. Aufgenommen in die
chirurgische Klinik am 10. März 1907. Geheilt entlassen am
28. März 1907.

Mastoiditis acuta mit Periostitis am Warzenfortsatz. Keine
Fluktuation. Keine Inzision. Stauung. Geheilt in 18 Tagen.

„Vor ca. 5 Wochen zum ersten Mal Schmerzen im linken Ohr; seit
3 Wochen daselbst eitriger Ausfluß. Da sich in den letzten Tagen auch
Schmerzen hinter dem Ohr eingestellt haben, sucht Patient die Klinik auf.

Status: Etwas blaß aussehender Mann mit gesunden inneren Organen. Die Partie hinter dem linken Ohr ist leicht gerötet und ödematös
geschwollen; namentlich nach unten an der Spitze des Warzenfortsatzes ist
eine druckempfindliche diffuse Schwellung zu konstatieren; Fluktuation ist
nicht nachzuweisen. Aus dem linken Gehörgang entleert sich reichlich
eitrige Flüssigkeit. Die hintere obere Wand des Gehörgangs ist gesenkt.
Aus einer zentral gelegenen Trommelfellperforation quillt reichlich Eiter
hervor. Temperatur 39° C. Das linke Ohr wird täglich mit Borsäurelösung
ausgespült. Außerdem 22stündige Stauung.

11. März. Temperatur 37,1—37,9°.

12. März. Die Stauung wird gut ertragen, so daß die Binde fest angezogen werden kann. Die schon bei der Aufnahme zu beobachtende
Schwellung ist unter der Stauung bedeutend stärker geworden, Fluktuation
ist aber auch heute nicht nachweisbar. Die Sekretion aus dem Gehörgang
besteht in gleicher Weise fort. Die Temperatur beträgt 37,2—37,6°. 13. März.
Temperatur 37,2—37,5°. 14. März. Temperatur 36,8—36,9°. 15. März. Temperatur 36,1—36,5°.

17. März. Die Schwellung hinter, bezw. unterhalb des Ohres ist trotz
der fortgesetzten Stauung wie mit einem Schlage geschwunden; die eitrige
Sekretion, die schon seit mehreren Tagen in Abnahme begriffen war, sistiert
nunmehr völlig.

20. März. Otoskopisch besteht noch ausgesprochene Rötung und Schwellung des Trommelfells, so daß die Reliefs noch nicht zu erkennen sind. Die Senkung der Gehörgangswand ist verschwunden. Stauung fällt fort.

27. März. Die Sekretion ist nicht wieder aufgetreten, die Schwellung hinter dem Ohr ist völlig geschwunden. Patient wird gänzlich beschwerdefrei entlassen."

Fall 12 und 14 gehören zu den mit Periostitis des Warzenfortsatzes verbundenen Mastoiditiden, die nach unsern bisherigen Erfahrungen die günstigsten Aussichten für die Stauungstherapie bieten. Ich gestehe zu, daß es in Fall 12 eines gewissen Heroismus bedurfte, um nach zweimaliger keinen Eiter ergebenden Inzision trotz des hohen Fiebers nicht zur Aufmeißelung zu schreiten. Da der kleine Patient sehr gut einen hohen Grad von Stauung ertrug, vertrauten wir auf den Erfolg.

Bei Fall 14 wurde trotz bestehender Periostitis nicht inzidiert, weil keine Fluktuation nachweisbar war. Es ergab sich im Laufe der sehr gut ertragenen starken Stauung das bemerkenswerte und von uns noch nicht beobachtete Faktum, daß am siebenten Behandlungstage das Ödem hinter dem Ohr mit einem Schlage verschwand, ohne daß es sich um eine plötzliche Abszeßentleerung gehandelt hätte.

Fall 13 gehört zu denjenigen Mastoiditiden, wo es uns analog dem Fall 9 bedenklich erschien, an der Stauungstherapie festzuhalten. Insbesondere fiel die Komplikation mit Diabetes in die Wagschale. Bei der Operation am 38. Behandlungstage fand sich indessen der Warzenfortsatz frei von Eiter. Nur in einer Spitzenzelle lag etwas fadenziehendes, schleimiges Sekret. Wir hatten den Eindruck, daß es der Operation nicht bedurft hätte zur Heilung und können diese nicht auf Rechnung der Aufmeißelung setzen, wenn auch zugegeben ist, daß der blutige Eingriff zur Beschleunigung der Heilung beigetragen hat. Ob ohne Stauungsbehandlung der Verlauf in Anbetracht der Diabetes nicht ein ungünstiger, zu großer Einschmelzung führender gewesen wäre, bleibe der Erwägung anheimgestellt.

IV.

Über die Einwirkung des berufsmässigen Telephonierens auf den Organismus mit besonderer Rücksicht auf das Gehörorgan.

Von

Dr. N. Rh. Blegvad,

ehem. Assistent an der Ohren- und Halsklinik des Kopenhagener
Kommunehospitals.

Die erste Mitteilung über den schädlichen Einfluß, den das Telephonieren auf das Ohr ausübt, verdankt man Clarence Blake [1] in Boston. Er behauptet in einem Artikel, wie er es schon 1878 getan, daß der anhaltende Gebrauch des Telephons in vielen Fällen für Individuen mit im voraus schon herabgesetztem Hörvermögen schädlich sei. Jedoch scheint seine Beweisführung auf rein theoretischer Grundlage zu ruhen. Durch Versuche hat er festgestellt, daß die Intensität des Schalles, welchen der Empfänger hört, tausendmal geringer ist als die Intensität, mit welcher vom Absender in den Apparat hineingesprochen wird. Dieser Verlust an Intensität wird nun kompensiert, indem das Ohr dazu akkomodiert wird, Töne von geringerer Intensität zu vernehmen. Diese Anstrengung kann das Ohr aber nur ca. 15 Sekunden lang aushalten, dann stellen sich Symptome von Müdigkeit ein, die in Abnehmen des Gehörs besteht. In diesem Zustande ist das Ohr für die Einwirkung der schrillen, metallischen Töne, die fortwährend im Telephon vorkommen, sehr empfänglich.

Der nächste, der sich mit dieser Frage beschäftigte, war Gellé.[2] Dieser Verfasser hat in mehreren Fällen beobachtet,

---

1) Zeitschr. für Ohrenheilkunde, Bd. 20, 1890, S. 83 ff.
2) Ann. des malad. de l'oreille, du larynx. etc. 1889, No. 12, und Zeitschr. f. Ohrenheilk., Bd. 20, 1890, S. 150.

daß das Telephonieren nicht nur einen schädlichen Einfluß auf
das Hörvermögen hatte, sondern auch, daß die Irritation des
nervösen Apparates des Gehörorgans zugleich auf das ganze
Nervensystem übertragen wurde, indem sich eine allgemeine
nervöse Alteration entwickelte. Er meint, daß der Grund zu
diesem Phänomen entweder die starke und nahe Schallwirkung
sei, oder die Müdigkeit, die durch die angespannte Aufmerksamkeit entsteht, und er ist der Auffassung, daß jedenfalls nervöse Disposition, bisweilen auch krankhafte Veränderungen im
Ohr, die aus früherer Zeit stammen, vorhanden seien. Gellé
stellt die Symptome nebst den pathologischen Veränderungen,
die unter dem Einflusse des Schalles im Telephon entstehen,
mit denen zusammen, die bei Maschinisten und andern, die
starken Schallwirkungen ausgesetzt sind, entstehen; bei diesen
— sagt er — handelt es sich um Veränderungen des Trommelfells und der Paukenhöhle, starke Neuralgien, heftige subjektive Schallempfindungen, einen hohen Grad von Schwerhörigkeit
nebst Schwindelgefühl.

Ungefähr zu der Zeit, als Gellés Arbeit erschien, hielt
Lannois auf dem Otologen- und Laryngologen-Kongreß in
Paris 1889 einen Vortrag über das Telephonieren und die Ohrenleiden. [1) Er stützt sich hier teils auf Blakes, teils auf Gellés
obenerwähnte Arbeiten, teils auf einige von ihm beobachtete
Fälle, wo nach längerem oder kürzerem Gebrauch des Telephons
subjektive Symptome seitens des Ohres, wie Ohrensausen,
Schwindelgefühl, Kopfschmerzen und Gehörshalluzinationen,
entstanden waren. Er hatte ferner 14 Telephonistinnen in Lyon
untersucht; unter diesen klagten zwei über subjektive Gehörsempfindungen, die im Anschluß an das Telephonieren entstanden
waren. Aus den beobachteten Fällen zieht Lannois die
Schlußfolgerung, daß der häufige Gebrauch des Telephons für
ein gesundes Ohr ungefährlich sei, aber eine schädliche Wirkung
auf ein krankes Ohr habe.

Später erschienen einige kasuistische Mitteilungen über
diesen Gegenstand: Treitel[2)] sah eine Diplacusis binauralis
bei einem nervösen Bureaubeamten nach längerem Telephonieren
entstehen. Beide Ohren des Patienten waren bei der Untersuchung mit Flüsterstimme, bei Inspektion und Katheterisation

---

1) Archiv f. Ohrenheilk., Bd. 29, 1889, S. 310 ff.
2) Archiv f. Ohrenheilk., Bd. 32, 1892, S. 215 ff.

der Tuba normal. Treitel meint, daß der Fall dadurch erklärt werden kann, daß das Ohr während des Telephonierens unter Einwirkung der zahlreichen Obertöne im Telephon ermüdet worden sei. Das Symptom verschwand bei Anwendung von Bromkalium und Ruhe. — Urbantschitsch[1]) teilt einen Fall von Druckempfindung im Ohre, Schwerhörigkeit und Ohrensausen mit, durch Überanstrengung des Ohres bei berufsmäßigem Telephonieren entstanden. In einem anderen Falle entstanden Schwerhörigkeit und subjektive Gehörsempfindungen. Die Symptome schwanden bei Luftduschenbehandlung, stellten sich aber wieder ein, sobald der Patient zu telephonieren anfing.

Alle diese Mitteilungen stammen aus einer Zeit, wo das Telephon in technischer Hinsicht unvollkommener war als jetzt, und es ist darum durchaus nicht sicher, daß die damals geäußerten Anschauungen unmittelbar auf die Verhältnisse der Gegenwart übertragen werden können. Dazu kommt, dass die Kasuistik nur sehr wenige Fälle umfaßt. Von Kahn[2]) ist es auch hervorgehoben, daß die früher so oft erwähnten hohen, metallischen Töne und Obertöne nicht die Rolle bei den modernen ausgezeichneten Apparaten spielen, wie bei den älteren; doch meint Kahn, daß das intensive und fortgesetzte Anspannen des Gehörs unangenehme Phänomene hervorbringen kann, die jedoch wieder verschwinden, wenn sich das Ohr nach einiger Zeit an das Telephonieren gewöhnt hat.

Trotzdem meint Politzer[3]), auf die obenerwähnten veralteten Mitteilungen gestützt, in seinem vor kurzem herausgegebenen Lehrbuche feststellen zu können, daß das Telephonieren auch bei Individuen mit früher normalem Gehör folgende Symptome hervorbringen kann: Hyperästhesia acustica, subjektive Schallempfindungen, Gefühl von Druck und Eingenommenheit im Kopfe und progressive Herabsetzung des Gehörs. Außerdem nahm Politzer wahr, daß in mehreren Fällen eine allgemeine Nervosität entstand, die nach bestimmter Angabe des Patienten unter dem Einflusse des Telephonierens entstanden war. Er meint, daß die hohen Töne des Telephons, das beim Telephonieren entstehende Knattern der Telephonmembran, nebst der angestrengten Aufmerksamkeit an diesen Symptomen schuld seien.

---

1) Lehrbuch d. Ohrenheilk. 4. Aufl. S. 104.
2) Die Gewerbe- und Berufskrankheiten des Ohres. S. 20.
3) Lehrbuch der Ohrenheilk. 4. Aufl. S. 649.

Röpke[1]) untersuchte 8 Telephonistinnen, die mit einem
Telephon (Kopftelephon) arbeiten mußten, das fortwährend vor
dem Ohre festgehalten wurde. Sie klagten darüber, daß sie
im Winter bei schlechtem Wetter und starker Kälte auf dem
Heimwege vom Dienst abends Schmerzen im Gehörgang und
inwendig im Ohre nebst Empfindlichkeit in der Ohrmuschel be-
kämen. Den vorigen Winter hatten sie nichts davon verspürt
und meinten darum, daß das Kopftelephon (das sie vermeintlich
früher nicht gehabt hatten) die Ursache davon sei. Alle diese
Telephonistinnen, die 2—2¹/₂ Jahre beim Telephondienst angestellt gewesen waren, hatten jedoch normales Gehör, nur eine
klagte über Ohrensausen.

Die größte Arbeit über den Einfluß des Telephonierens auf
das Ohr verdankt man Braunstein.[2]) Sie erschien im Jahre
1903 und beruht auf Untersuchungen, die am Münchener
Telephonamt unternommen wurden. Es waren daselbst 270 Be-
amte und Telephonistinnen angestellt, und Braunstein unternahm Funktions- und Ohrenuntersuchungen bei 160 von ihnen
(bei 3 Beamten und 157 Telephonistinnen), die sich freiwillig
meldeten. Das Resultat der Braunsteinschen Untersuchung war,
daß sämtliche Untersuchte normales Gehör hatten, und Braunstein kommt deshalb zu dem Schluß, daß das berufs- und gewohnheitsmäßige Telephonieren auf ein gesundes Gehörorgan
keinen schädlichen Einfluß ausübt. Zur Beurteilung der Einwirkung, den das Telephon auf ein krankes Gehörorgan ausübt, bietet Braunsteins Kasuistik nicht genügendes Material.
Braunstein fand nur 2 Telephonistinnen mit Ohrenleiden
(beziehungsweise Otalgia nervosa und Otomycosis benigna),
aber bei keiner ließ sich Verminderung des Hörvermögens
nachweisen. In 12 Fällen, wo die Untersuchten bis kurz vor
der Untersuchung an Ohrenaffektionen: Tuba- und Mittelohrkatarrh, Ohrensausen, Schwerhörigkeit usw. gelitten hatten,
und ihren Telephondienst während der Krankheit nicht eingestellt hatten, war das Gehör bei der Untersuchung völlig
normal. Auch keine starken subjektiven Symptome — wie sie
Gellé und Politzer erwähnen — hatte das gewohnheitsmäßige
Telephonieren hervorgerufen; doch klagten 23 Telephonistinnen
über Stechen und Schmerzen im Ohre, über Kopfschmerzen und

---

1) Die Berufskrankheiten des Ohres u. der oberen Luftwege. 1902.
2) Archiv f. Ohrenheilk., Bd. 59, 1903, S. 240 ff.

Ohrensausen, Symptome, die in der Regel auftraten, nachdem die Betreffende längere Zeit das Telephon angewandt hatten. Schließlich meint Braunstein feststellen zu können, daß das berufsmäßige Telephonieren jedenfalls nicht notwendigerweise einen Irritationszustand des Nervensystems mit sich führt; er fand nämlich nur 2 Telephonistinnen, die über Nervosität klagten, und er meint, daß die Nervosität in diesen beiden Fällen eine andere Ursache als das Telephonieren habe.

Indessen hat Braunsteins Arbeit den Fehler, daß der Verfasser nicht alle in München angestellte Beamtinnen untersucht hat, sondern nur solche, die sich freiwillig meldeten. Die Möglichkeit ist also vorhanden, daß ihm gerade die „interessantesten" entgangen sind, solche, die die besten Beiträge, z. B. zur Beurteilung der Einwirkung des Telephonierens auf ein krankes Gehörorgan, sein Verhältnis zur Nervosität usw., hätten liefern können. Diese Vermutung liegt ziemlich nahe. Eine solche Untersuchung erweckt leicht eine gewisse Animosität, besonders bei nervösen Beamtinnen und bei solchen, die schlecht hören, welche fürchten, daß es unangenehme Folgen, eventuell Entlassung, nach sich ziehen könnte, wenn ihr schlechter Gesundheitszustand konstatiert würde. Es ist kaum zu bezweifeln, daß Braunstein mehr anormale Gehörorgane gefunden hätte, wenn er die Gelegenheit gehabt hätte, sämtliche Münchener Beamtinnen zu untersuchen.

Tommasi[1]) hat alle 9 Telephonistinnen des Telephonamtes zu Lucca untersucht. Eine von ihnen, die 2- bis 3 mal „elektrische" Läsionen bekommen hatte, litt an doppelseitiger Otitis media catarrhalis chronica mit initialen Symptomen einer Affektion des Labyrinths. Eine andere, die 18 Jahre lang angestellt gewesen war, hat einmal einen Blitzschlag bekommen und hatte herabgesetztes Hörvermögen, von 3 anderen hatte nur eine normales Gehör. Keine von diesen wußte, daß ihr Gehör herabgesetzt war. Sämtliche Telephonistinnen klagten über Schmerzen im äußeren Ohre und im Innern des Gehörganges an der Seite, wo sie den Hörer trugen. Eine der Untersuchten, die 7 Jahre lang im Dienst stand, war sehr nervös, irritabel, litt sehr an Kopfschmerzen und war nach beendetem Dienst sehr müde; sie gab an, daß die Ursache ihrer Nervosität

_____

1) Atti del VII Congresso della Soc. Italiana di laringologia, otologia etc. Neapel 1904. S. 17 ff.

das andauernde Anspannen der Aufmerksamkeit sei, und daß
die Arbeit immer eilig vor sich gehen müsse. Tommasi
meint, daß die gefundenen Läsionen teils auf Fortpflanzung
einer Affektion der Nase und des Nasenrachenraumes nach dem
Ohre beruhe, teils auf fortgesetztem Telephonieren, welches
durch die anhaltend in Anspruch genommene Aufmerksamkeit
bei Neurasthenikern, Hysterischen und von Temperament mehr
oder weniger Nervösen eine Reizung in den Nerven des Gehörorgans hervorruft, die sich dann auf das gesamte Nervensystem
ausdehnt. Tommasi behauptet, daß der Gebrauch des Telephons
ein normales Hörorgan zwar nicht schwer schädigt, auf die
Dauer jedoch dafür gefährlich werden kann.

Die oben zitierten Arbeiten stammen alle von Otologen.
In jüngster Zeit scheint die Frage auch die Neurologen zu
interessieren, jedenfalls liegt von solchen eine Reihe von Arbeiten
vor, die sich jedoch vorzugsweise mit Entladung bei Gewitter
und „Läuten" beschäftigen. Ich werde später hierauf zurückkommen. Doch sprechen sich auch einige von ihnen über die
Wirkungen des gewöhnlichen täglichen Telephonierens aus.

(Fortsetzung folgt.)

V.

Bemerkung zur Arbeit des Herrn Dr. Stein-Königsberg i. Pr.

„Die Nachbehandlung der Totalaufmeisselung ohne Tamponade."

(A. f. O. Bd. 70, S. 271.)

Von

Dr. med. A. von zur Mühlen in Riga.

————

In seiner Arbeit sagt Stein: „Die Nachbehandlung der Totalaufmeißelungen ohne Tamponade, die 1898 von Zarniko[1]) zum ersten Male vorgeschlagen und drei Jahre später von von zur Mühlen[2]) nach Erprobung der Methode, anscheinend an einer größeren Anzahl von Fällen, warm empfohlen worden war, hat, wenigstens in Deutschland, eine vollkommene Ablehnung erfahren."

Jeder, der diesen Ausspruch liest, wird und kann aus demselben nur den Schluß ziehen, daß ich erst auf die Empfehlung von Zarniko hin die tamponlose Nachbehandlung der Totalaufmeißelung begonnen und an einer größeren Reihe von Fällen durchgeführt habe. Dieses ist in der Tat aber nicht der Fall. Die tamponlose Nachbehandlung habe ich vollkommen unabhängig von Zarniko bereits zwei Jahre früher, und zwar im Jahre 1896, begonnen und sie anfangs so gut wie an allen, sehr bald überhaupt an allen Fällen, die ich zu operieren Gelegenheit hatte, konsequent bis jetzt durchgeführt. Als ich meine Erfahrungen im Jahre 1901 publizierte, kannte ich den Bericht von Zarniko, nicht, er war mir leider entgangen; andererseits hätte ich ihn doch wohl angeführt und zu demselben Stellung genommen. Aber auch abgesehen davon, daß

---

1) Sitzung des ärztlichen Vereins zu Hamburg. Deutsche med. Wochenschrift 1898. Vereinsbeilage S. 255.

2) Z. f. O. Bd. 39, S. 380.

Zarnikos Name in meiner Arbeit fehlt, wird meiner Meinung
nach jeder, der den Bericht von Zarniko und meine Publikation miteinander vergleicht, wohl zu dem Urteile kommen
müssen, daß jeder von uns bei der Ausbildung seines Verfahrens von ganz verschiedenen Überlegungen ausgegangen ist.

Zarniko hat in richtiger Würdigung der Schädlichkeit des
Tampons diesen fortgelassen, ersetzt ihn aber durch dick auf-
gepuderte Borsäure, „die als Pulververband die ganze
Höhle ausfüllt". Weiter folgt kein Verband, sondern das
Ohr wird mit Watte nach außen hin abgeschlossen, die der
Patient nach Bedarf selbst wechselt. Wie Z. hervorhebt, ist
es das Bezoldsche Verfahren bei der gewöhnlichen
Mittelohreiterung, welche ihm als Vorbild gedient hatte.
An Stelle des Tampons kommt also die Borsäure. Eine ähnliche Überlegung dürfte in meiner Arbeit kaum zu finden sein.
Was mich zur Aufgabe der Tamponade führte, waren die Erfahrungen, welche ich während meiner Assistentenzeit an den
chirurgischen Kliniken von Riga und Königsberg gesammelt
hatte. Die Chirurgie hatte mich gelehrt, daß das Tamponieren
nach Möglichkeit rasch aufzugeben sei. Es war mit dem Tamponieren viel Unfug getrieben worden, und manche unliebsamen
Zwischenfälle hatten gezeigt, daß auch der aseptische Tampon
ein Fremdkörper sei, dessen zu langer Verbleib nur reize und
die Heilung verzögere. Aus diesem Grunde hätte ich auch niemals wie Zarniko an Stelle des Tampons die Borsäure gesetzt, denn auch die Borsäure ist ein Fremdkörper, wenngleich
ich zugeben will, daß sie chemisch reizende Eigenschaften gewiß
nur in sehr geringem Grade besitzt. Wenn ich gelegentlich
Borsäure anwende, so geschieht es nach bereits vollkommen
erfolgter Epidermisierung der Wundhöhle, wenn das Ohr sich
gleichsam im Zustande einer unkomplizierten chronischen Otitis
med. perf. mit großem Trommelfelldefekt befindet, wo sich die
Behandlung mit Borsäure gegen die pathologisch sezernierende
Schleimhaut richtet. Andererseits lege ich dem aseptischen
Okklusivverband eine große Bedeutung bei; ich würde mich
schwer dazu entschließen, die Vorteile, die derselbe gegen
Mischinfektion von außen bietet, gegen den Pulververband mit
Watteabschluß nach Zarniko zu vertauschen, welche einen
doch nur unvollkommenen Schutz gegen äußere Schädlichkeiten
bilden können. Ich erinnere an das häufige, oft unwillkürliche
Bohren mit dem Finger im Gehörgange, was wir nicht nur bei

Kindern finden. Dagegen schützt nur ein Verband. Ich lerne die Vorteile des Okklusivverbandes immer mehr schätzen, seitdem ich ihn systematisch bei der Behandlung einer jeden Form von Otorrhoe brauche.

Die klassische Form der Tamponade, wie sie mit wenigen Ausnahmen auch noch jetzt nach der Totalaufmeißelung ausgeführt wird, habe ich daher in vollem Umfange eigentlich nie ausgeübt. Wenn ich in den ersten Jahren bei stärkerer Granulationsbildung mich veranlaßt sah, zu tamponieren, so waren es immer locker eingeführte Gazestreifen, die ich zwischen die Granulationen schob, um an den Prädilektionsstellen Verwachsungen zu vermeiden. Im Laufe der Zeit habe ich auch dieses fortgelassen, nachdem ich erkannt hatte, daß auch eine stärkere Wucherung der Granulationen keine Gefahr involviere. Die Nachbehandlung gestaltet sich daher bei mir zu dem für Arzt und Patienten denkbar einfachsten Verfahren. Ich will auch hervorheben, daß ich die Nachbehandlung in geeigneten Fällen ruhig dem Nichtspezialisten in kleineren Städten und auf dem Lande, ja im Notfalle dem Patienten selbst überlasse, wenn ihm die Verhältnisse einen längeren Aufenthalt in meinem Wohnort nicht gestatten. Ich bestelle ihn in diesen Fällen in längeren Zwischenräumen zur Kontrolle. Ich erinnere mich nicht, daß daraus je ein Schaden erwachsen ist. Wenn nur an der Wundhöhle nicht gerührt wird, heilt sie gut; die Verbände lernen die Patienten oder deren Angehörige leicht machen.

VI.

Besprechungen.

1.

Lehrbuch der Ohrenheilkunde und ihrer Grenzgebiete. Nach klinischen Vorträgen für Studierende und Ärzte von Prof. Dr. Otto Koerner. Mit 2 photographischen Tafeln u. 118 Textabbildungen. Verlag von J. F. Bergmann, Wiesbaden 1906. 274 Seiten.

Besprochen von
Professor Wagenhäuser.

Das Lehrbuch von Koerner ist eigenartig in der Anordnung und Behandlung des Stoffes, aber gerade in dieser Eigenart liegen seine Vorzüge.

Sehr knapp, leicht verständlich und klar, wird das gesamte Gebiet der Ohrenheilkunde behandelt, und dabei trotz aller Kürze das praktisch Wichtige, das, was jeder Arzt von der Ohrenheilkunde wissen und können muß, durch ausführlichere Darstellung hervorgehoben. Der Standpunkt, den Verf. in Bezug auf die Therapie einnimmt, nur solche Methoden zu erwähnen, für deren Brauchbarkeit er aus eigener Erfahrung einstehen kann, ohne damit, wie er ausdrücklich hervorhebt, sagen zu wollen, daß diese Therapie die allein richtige sei, ermöglicht es, scharf präzisierte Verhaltungsmaßregeln für die einzelnen Krankheitsfälle zu geben. Die Therapie, „für welche Koerner einstehen kann", unterscheidet sich übrigens im wesentlichen nicht von der in andern Kliniken üblichen und in andern Lehrbüchern empfohlenen.

Daß man in einer Reihe von Fragen auch anderer Meinung sein kann wie der Verf., daß der ausgesprochen subjektive Charakter der Darstellung mit seiner stellenweise sehr scharf pronzierten apodiktischen Diktion dazu angetan ist, hier und da einen lebhaften Widerspruch hervorzurufen, versteht sich von selbst, tut aber dem Werte des Buches in keiner Weise Eintrag. Gerade so, wie es sich gibt, in seiner Klarheit, Kürze und Bestimmtheit, wird es für den Studierenden und den Rat suchenden Praktiker seinen Zweck am besten erfüllen. Der Verf. gibt grundsätzlich keine literarischen Quellennachweise. Nur ausnahmsweise zitiert er hier und da einen andern Autor durch Beifügung des Namens in Klammern, ohne nähere Angabe der Quelle. Durch diesen Mangel jeglichen Literaturnachweises ist der lernbegierige Leser nicht in der Lage, sich über den betreffenden Gegenstand eingehenderen Aufschluß zu verschaffen.

Über die Anordnung des Stoffes und den Inhalt des Buches sei in dem Folgenden eine kurze Übersicht geboten.

Die einleitenden Kapitel (S. 1—35) umfassen Geschichte der Ohrenheilkunde, Einteilung des Gehörorganes und seiner Krankheiten, Gehörprüfung und Technik der Otoskopie. Ausführlich ist im Kapitel Gehörprüfung die Besprechung der Prüfung mit der Flüstersprache und ihrer Verwendung für differenzial-diagnostische Zwecke behandelt, während die Stimmgabelprüfung kurz abgemacht wird.

Der II. Abschnitt (S. 36—68) befaßt sich mit den Erkrankungen der Nase und des Nasenrachenraumes als Ursachen von Erkrankungen der Ohrtrompete und der Paukenhöhle. Entsprechend ihrer praktischen Bedeutung erfahren hier die Erkrankungen der Rachenmandel eine besonders umfangreiche Schilderung. Koerner erklärt sich als ausgesprochener Gegner der Narkose bei der Operation. Als empfehlenswerteste Operationsmethode bezeichnet er die mit dem gefensterten Messer, in zweiter Linie die schneidenden Zangen. K. bezweifelt die physiologische Involution der hyperplastischen Rachenmandel in der Pupertätszeit, oder sagt vielmehr, daß „dies nur in geringem Maße zutreffe". Er fand die Hyperplasie auch bei Erwachsenen noch recht häufig. Dies widerspricht der sonst allgemeinen Erfahrung. Die photographische Aufnahme der digitalen Palpation des Nasenrachenraums auf S. 55 zeigt uns das Porträt des Verfassers, ebenso noch einmal das Bild auf S. 76 „Fixation des Katheters in der richtigen Lage".

Auffallenderweise findet S. 67 unter den Reinigungsmitteln der Nase und des Nasenrachenraums weder der Nasenspray (nach v. Tröltsch), noch der Schlundhaken (nach Schwartze)

eine Erwähnung. Im Gegensatz zu den Nasenduschen und
Nasenspülungen erfolgt bei der Benutzung jener Reinigungs-
mittel für die Nase und den Nasenrachenraum niemals eine
Infektion des Ohres.

In Abschnitt III (S. 69—82) (Krankheiten der Ohrtrompete
einschließlich der Technik der Luftdusche und der Bougierung)
erscheint mir die Technik des Katheterismus bezüglich des Vorgehens bei den Hindernissen etwas zu kurz gehalten. Vielleicht
wäre es für eine künftige Neuauflage auch angezeigt, hier
einige technische Winke anzufügen für die Durchspülung der
Paukenhöhle durch den Katheter. Auf die Notwendigkeit und
die Vorzüge dieser doch nicht so ganz einfachen Prozedur wird
später (S. 101 und 131) mehrfach hingewiesen, ohne daß sich
eine Anleitung dazu vorfindet.

Am umfangreichsten und in seiner Behandlung am interessantesten erscheint Abschnitt IV (S. 83—159), Krankheiten der
Mittelohrräume und des Schläfenbeines. Hier werden Otitis
media im akuten Stadium mit ihren verschiedenen Formen,
genuinen und sekundären, Otitis media der Neugeborenen und
Säuglinge, dann die akute Mastoiditis mit Einschmelzungspro-
zessen und Knochennekrose, das chronische Stadium der Otitis
media, die Mastoiditis im Anschlusse an chronische Mittelohreiterungen und die Tuberkulose des Mittelohres und Schläfenbeines in ausführlicher Weise dargestellt. Der Aktinomykose
und den Tumoren des Schläfenbeines, der hysterischen Hyperästhesie des Warzenfortsatzes, der Otalgie, den Krämpfen der
Binnenmuskeln, sowie den Verletzungen des Schläfenbeines
und der Paukenhöhle sind entsprechend kurze Kapitel gewidmet.

Der bisher allgemein üblichen Trennung der Otitis media
in eine katarrhalische und eitrige Form spricht Verf. die wissenschaftliche Berechtigung ab in strenger Konsequenz der allgemein geteilten Anschauung, daß es sich dabei nur um gra-
duelle, nicht prinzipielle Unterschiede handelt. Er erkennt
auch die weitere Trennung in perforative und nichtperforative
Entzündung nicht an und spricht nicht mehr von einer akuten
und chronischen Form, sondern nur von einem akuten und
chronischen Stadium.

Daß auch didaktische Gründe die Trennung nicht unbedingt erfordern, zeigt er durch seine Darstellung.

Die therapeutischen Anschauungen Koerners bei Otitis

media acuta, seine Stellung zur Paracentesenfrage — die hierauf bezügliche statistische Tabelle des Lehrbuches besitzt bei der Kleinheit des Zahlenmaterials keine Beweiskraft — und seine Grundsätze für die Nachbehandlung sind aus früheren Arbeiten und der Beteiligung an Kongreßverhandlungen über dieses Thema bekannt. Dem Ausspruche S. 104: „Wer in solchen Fällen mit der Symptomentrias: Fieber, Schmerz und Vorwölbung den Spontandurchbruch des Exsudates durch das Trommelfell abwartet, quält und gefährdet den Kranken" wird sicher allgemeine Zustimmung zuteil werden. Daß Koerner hier sowohl bei der Otitis media, wie auch nachher noch bei der akuten und chronischen Mastoiditis auf die Biersche Stauungsbehandlung eingeht, zur Vorsicht mahnt und warnt, sei besonders hervorgehoben. In Bezug auf dieses Verfahren heißt es (S. 117) bei Behandlung der akuten Mastoiditis: „Wem nicht eine reiche Erfahrung auf dem Gebiete der Ohrenheilkunde zu Gebote steht, der sollte hier stets den sicheren Weg der operativen Beseitigung des Krankheitsherdes einschlagen." Gewiß eine dankenswerte Mahnung. Wenn aber der Verf. S. 101 bei der Behandlung der akuten Otitis media im Beginn als Linderungsmittel der Schmerzen das Einträufeln von „warmem Kamillentee" wieder auf das Tapet bringt, so ist dies doch eine nicht zu billigende Konzession an den nicht auszurottenden Aberglauben der Volksmedizin.

Für die Mastoidoperation ist (S. 120 und 121) zur Bestimmung des Eingehens auf das Antrum die von Schwartze vor wohl 40 Jahren zuerst empfohlene Linea temporalis als wesentlichster Orientierungsanhalt wieder zu Ehren gebracht. Die Notwendigkeit, bei Sinusblutung die Operation zu unterbrechen (S. 122), wird von vielen Fachgenossen nicht anerkannt werden. Auffällig erscheint S. 133 bei der Behandlung chronischer Schleimhauteiterung der Passus betreffs Verwendung der Borsäure, „daß man damit den Gehörgang regelmäßig füllen müsse (Bezold)". Dazu macht der Verf. allerdings den Zusatz, „daß das Pulver mit dem Eiter zusammenbacken und kleinere Perforationen verlegen kann, so daß nachteilige Eiterverhaltungen entstehen". Ich glaube, Bezold begnügt sich mit dem Einstäuben einer feinen Schicht des Pulvers. Ebendaselbst ist auch die Konzentration der Höllensteinlösung — „5—15 Proz. (Schwartze)" — unrichtigerweise zu hoch angegeben.

In Bezug auf das Cholesteatom verlangt Koerner eine

scharfe Trennung zwischen den Produkten der Epidermisein-
wanderung in eiternde Mittelohrräume, für die er höchstens die
Bezeichnung Pseudocholesteatom zuläßt, und dem unter den
Tumoren des Schläfenbeins beschriebenen wahren Cholesteatom.
Daß die Differenzialdiagnose auf große Schwierigkeiten stoßen
kann, wird zugegeben und weiter, daß es in zweifelhaften
Fällen auf das Gleiche, den operativen Eingriff, hinauskommt.

Anschaulich, aber für die bloße Orientierung des Prak-
tikers, der sich an die Ausführung der als ungemein schwierig
und verantwortungsvoll genannten Operation doch nicht heran-
wagen kann, vielleicht etwas zu eingehend, ist die Beschreibung der Radikaloperation. Als Nachteile seiner Lappenbildung
gesteht Verf. jetzt zu, „eine dauernde Erweiterung der Ohröffnung, die zwar in den meisten Fällen nicht entstellend wirkt“
und sodann die Gefahr der Perichondritis conchae. Das Urteil
über die Thierschen Transplantationen lautet zu ungünstig.
Auf das recht häufige Auftreten von „Hautrezidiven“ in der
Operationshöhle und ihre Hartnäckigkeit wird hingewiesen.

Die Empfehlung des kahnförmigen scharfen Löffels zur
sorgfältigen Entfernung der Granulationen in der Paukenhöhle bei der Totalaufmeißelung hat wegen der damit verbundenen Gefahr ihre Bedenken. Daß dadurch schon öfter postoperative Meningitis herbeigeführt ist, unterliegt keinem Zweifel.

Daß die Fälle von sogenannter Knochenneuralgie des
Warzenfortsatzes und die operativen Erfolge dabei stets nur auf
Hysterie resp. Suggestion beruhen, wie S. 156 behauptet wird,
dürfte doch bezweifelt werden.

Abschnitt V (S. 160—165) bringt in sehr kurzer Darstellung
die Otosklerose. Darunter versteht der Verf. „einen ohne vorherige Mittelohrentzündung oder Tubenverschluß schleichend in
Erscheinung tretenden Zustand, dessen wesentliche anatomische
Unterlage die knöcherne Fixation des Steigbügels im Vorhoffenster bildet. Dazu kommen aber auch Veränderungen in der
knöchernen Labyrinthkapsel, ja sogar Schädigungen der End-
organe des Nervus cochlearis und vestibularis, so daß die Otosklerose, die bisher zu den Krankheiten des Mittelohres gezählt
wird, mit gleichem Rechte bei den Labyrinthkrankheiten besprochen werden könnte“.

Das Urteil über die Phosphorbehandlung lautet noch zurück-
haltend. Die Mahnung an die Hausärzte, den Otosklerotikern
von der Ehe abzuraten, damit sie ihr Leiden unvererbt mit ins

Grab nehmen, ist gut, besser noch die, sie vor den fortwährend in den Zeitungen angepriesenen schwindelhaften Mitteln und Apparaten zu warnen.

Die drei folgenden Abschnitte enthalten in knapper Kürze die Krankheiten des Labyrinthes und des Nervus acusticus, die cerebralen Hörstörungen, hysterische Taubheit und Beteiligung des Gehörorganes bei traumatischer Neurose. Wieder ausführlicher (S. 185—194) wird in Abschnitt IX, dem auch ein Verzeichnis der deutschen Taubstummenanstalten beigegeben ist, die Taubstummheit besprochen. Abschnitt X (S. 195—218) bringt dann, natürlich entsprechend gekürzt, die Schilderung der intrakraniellen Folgeerkrankungen in der Darstellung, welche aus dem Buche des Verfassers: Die otitischen Erkrankungen des Hirns usw., ja allseitig bekannt ist. Hierbei ist jedoch zu erwähnen, daß in dem Abschnitt Sinusphlebitis (S. 201) Körner sich bei der von ihm als Osteophlebitis-Pyämie bezeichneten Unterart jetzt (S. 206), anscheinend in soweit auf einen veränderten Standpunkt stellt, als er mit dem Satze: „Wird die ursächliche Erkrankung im Schläfenbeine nicht frühzeitig operativ beseitigt, so wird sich wohl aus dieser Osteophlebitis stets eine, zunächst natürlich nur wandständige, Sinusthrombose entwickeln," zugiebt, was er früher bekämpft hat.

Eine eingehende Behandlung mit ungemein reicher Beigabe von Illustrationen erfahren in Abschnitt XI (S. 219—253) die Erkrankungen der Ohrmuschel und des Gehörganges. Auf eine irrige Angabe möchte ich jedoch im Interesse der historischen Treue hier hinweisen. Bei der Atresieoperation nimmt Körner das Vorgeben mit Vorklappung der Ohrmuschel und Erweiterung des knöchernen Gehörganges mit den Worten — „wie ich es zuerst ausgeführt habe" — für sich in Anspruch. Ein Blick in die Arbeit von Schwartze — Über erworbene Atresie und Striktur des Gehörganges und deren Behandlung" — (Dieses Archiv, Bd. XLVII. S. 74) läßt ersehen, daß der erste Fall bereits 1893 derartig operiert worden ist, während die diesbezügliche Mitteilung von Körner aus dem Jahre 1896 (Nürnberger Verhandlungen der Deutschen otologischen Gesellschaft[1])) stammt.

Dem kurz gehaltenen Abschnitte XII, die selbständigen Erkrankungen des Trommelfelles, folgt noch ein Anhang, schwer-

---

[1]) Verhandlungen der Deutschen otologischen Gesellschaft in Nürnberg 22. bis 23. Mai 1896. Jena bei Gustav Fischer, S. 105.

hörige Schulkinder und Begutachtung von Ohrenkranken. Ein
recht brauchbares Sachregister bildet den Schluß.

Dem Vorstehenden wäre noch hinzuzufügen, daß jeweils
den einzelnen Abschnitten kurze, meist sehr reich illustrierte
anatomische Vorbemerkungen beigegeben sind. Druck und Ausstattung sind geradezu opulent.

An Erfolg wird es dem Buche sicher nicht fehlen.

2.

**Kayser, Anleitung zur Diagnose und Therapie der
Kehlkopf-, Nasen- und Ohrenkrankheiten. 4. vermehrte und verbesserte Auflage. S. Karger, Berlin 1907.**

Besprochen von
Dr. Fröse, Halle a. S.

Das Kompendium, von dem hier nur der otologische Abschnitt (S. 111—189) Berücksichtigung finden kann, erfreut sich,
wie die binnen 7 Jahren erschienenen 4 Auflagen dartun, in
dem Leserkreise, für den es geschrieben ist, unverminderter
Beliebtheit. Unter Bezugnahme auf die Besprechung der ersten
Auflage (D. Arch. Bd. 51, S. 37) sei nur hervorgehoben, daß
Verf. die Anwendung der Bierschen Stauung bei akuter Mittelohrentzündung für die allgemeine Praxis mit Recht verwirft.

Ohne in allen therapeutischen Maßnahmen dem Verfasser
völlig beizupflichten, verdient bemerkt zu werden, daß der
otiatrische Teil des Buches, so wenig er auch ein Lehrbuch der
Ohrenheilkunde ersetzen kann, von rein praktischen Gesichtspunkten den Stoff in vorzüglich knapper Darstellung vorführt
und zu den alten voraussichtlich manche neuen Freunde finden
wird.

3.

**Geschichte der Ohrenheilkunde von Dr. A. Politzer.
Zwei Bände. Erster Band (467 Seiten). Von den ersten
Anfängen bis zur Mitte des neunzehnten Jahrhunderts. Mit
31 Bildnissen auf Tafeln und 19 Textfiguren. Verlag von
F. Enke in Stuttgart. 1907. Preis 20 Mark.**

Besprochen von
H. Schwartze, Halle a. S.

Sicher eine überraschende und große Leistung am Ende
einer ruhmvollen wissenschaftlichen Laufbahn!

Nachdem Wilhelm Meyer vor 14 Jahren seine in Form
und Inhalt vortreffliche Bearbeitung der Geschichte der Ohren-

heilkunde [1]) publiziert hatte, die zwar nur drei Druckbogen einnimmt, aber damals aus äußeren Gründen auf die knappeste
Form der Darstellung zusammengedrängt bleiben mußte, war
nichts Hervorragendes auf diesem Gebiete geleistet worden.
W. Meyers Arbeit basiert überall auf eigenem Quellenstudium,
zu dessen Ermöglichung der Verf. sich durch Reisen im Auslande große Opfer an Zeit und Mühe auferlegt hatte. W. Meyers
Darstellung der ganzen geschichtlichen Entwicklung der Ohrenheilkunde wird für alle Zeiten wertvoll bleiben. Nach Meyer
haben sich in der deutschen Literatur nur A. Lucae in einer
vortrefflichen historischen Skizze, die sich indessen nur auf die
neuere Zeit (wissenschaftliche Periode) beschränkt, und Dr. Stern
(Metz) in einem geschichtlichen Gesamtüberblick (in der Enzyklopädie der Ohrenheilkunde von Blau) mit dem Gegenstande
beschäftigt. In dem Artikel von Stern ist die Arbeit von
W. Meyer großenteils reproduziert, und da, wo Meyer mit
seiner Geschichte schließt (die neueste Zeit) und absichtlich mit
seinem Urteil zurückgehalten hat, werden von Stern recht
sonderbare und oft unzutreffende Urteile gefällt.

Meyer teilte die Hauptabschnitte der Geschichte der Ohrenheilkunde in 3 Perioden: 1. Mystik, bis zum Anfang des 16. Jahrhunderts. 2. Aufklärung, 1500—1821 (Itard). 3. Wissenschaftliche Periode seit Itard 1821.

Politzer macht nun abweichend hiervon nachstehende
Einteilung:

1. Otiatrie bei den alten Völkern des Orients.
2. Otiatrie bei den Griechen und Römern.
3. Otiatrie im Mittelalter.
4. Otiatrie in der Übergangsperiode zur Neuzeit.
5. Otiatrie im 17. Jahrhundert.
6. Otiatrie in der neueren Zeit.
7. Otiatrie in der ersten Hälfte des 19. Jahrhunderts.

Im Vorwort sagt der Verf. sehr richtig: „Wer Anspruch
darauf erheben will, sein Gebiet nach jeder Richtung hin zu
beherrschen, muß die Leistungen früherer Epochen kennen.
Nur das gründliche Studium der Fachliteratur öffnet ihm den
Blick für wichtige und unentbehrliche Vorarbeiten, und die
lebendige Beziehung zwischen den Leistungen einer früheren
Zeit und den Errungenschaften der Gegenwart werden ihn vor

[1] Handbuch der Ohrenheilkunde von Schwartze, 2. Band. 1893.
S. 858—903.

Prioritätsansprüchen schützen, wo es sich um literarisch festgestellte Leistungen einer früheren Epoche handelt." Ferner:
„Die Geschichte einer Spezialwissenschaft soll in gewissem
Sinne der Leitfaden aus der Vergangenheit in die Gegenwart
sein und die Grundlage, auf der die Wissenschaft weiter ausgebaut werden soll."

Das groß angelegte Werk Politzers ist von hervorragender
Bedeutung wegen der Gründlichkeit der Quellenstudien und der
sachlichen Kritik des Überlieferten. Es steckt die Arbeit langer
Jahre darin und sind bei derselben zweifellos die hilfreiche
Unterstützung und Vorarbeit vieler medizinisch und philologisch
vorgebildeter Hilfskräfte dienstbar gemacht, wie dies auch in
der Vorrede des Buches vom Verfasser angedeutet ist. Ohne
solche Mithilfe wäre es sonst kaum erklärlich, wie der Verf.
neben seinen übrigen Lehr- und ärztlichen Pflichten in Klinik
und Privatpraxis die Zeit finden konnte, ein derartiges Werk
zu schaffen. Die dankbare Anerkennung der Fachgenossen für
dasselbe wird ihm allgemein gezollt werden; für mich war das
Studium des Buches eine Quelle der Belehrung und des Ge-
nusses. Daß man in der Wertschätzung der historischen Be-
deutsamkeit mancher Autoren und Forscher nicht überall mit
dem Verfasser übereinstimmen wird, ist bei dem großen Umfange des zu sichtenden Stoffes leicht erklärlich. Ich beziehe
dies beispielsweise auf John Cunningham Saunders und
W. Kramer.

Saunders ist nach meiner Auffassung unterschätzt, und
wichtige Tatsachen, die zuerst von ihm konstatiert sind, z. B.
die Epidermisierung der Paukenschleimhaut bei manchen Perforationen des Trommelfells, sind nicht berücksichtigt. Bei
Kramer hätte es die Gerechtigkeit des Historikers wohl erfordert, schärfer hervorzuheben, daß K. bei aller ihm schuldigen
Anerkennung seiner Tätigkeit in der ersten Hälfte seines Lebens
für seine Überpflanzung besserer Untersuchungsmethoden aus
Frankreich nach Deutschland und für seine Bekämpfung des
Pfuschertums und der Reklame, sich in der zweiten Hälfte
seiner Wirksamkeit durch konsequente Verachtung und Unter-
schätzung des Wertes patologisch-anatomischer Forschung und
durch die Maßlosigkeit seiner gehässigen Angriffe gegen die
ernsten Bestrebungen jüngerer Forscher, die seinen Lehren un-
bequem wurden, für längere Zeit in Deutschland ein Hindernis des wissenschaftlichen Fortschrittes gewesen

ist. K. wollte Autokrat sein und bleiben und betrachtete jeden Widerspruch gegen seine Lehren als ein strafbares Vermessen. Unzugänglich gegen jede Belehrung, schloß er sich ab gegen jeden kontrollierenden Einfluß seiner Tätigkeit und hat infolgedessen auch keinen Schüler oder Nachfolger hinterlassen, der in seinen Bahnen weiterhin zu wirken oder seine Lehren zu verteidigen unternommen hätte.

Von den deutschen Klinikern hätten Peter Krukenberg und Himly wohl eine gebührendere Berücksichtigung verdient; besonders Krukenberg[1]) wegen seiner heute noch als klassisch gültigen Darstellung der Otitis mit ihren für das Leben verderblichen Konsequenzen, die sich stützt auf eigene, sehr große Erfahrung, wie uns die heute noch erhaltenen genauen Krankengeschichten und Sektionsberichte beweisen.

Trotz der damals unvollkommenen Hilfsmittel der Untersuchung bemühte sich P. Krukenberg mit Erfolg um die objektive Untersuchung des Trommelfells am Lebenden, soweit dies durch Anziehen der Ohrmuschel und mit direktem Sonnenlichte möglich war, und unterwies seine Schüler in dieser Untersuchungsmethode.[2])

Von großem Interesse für die Fachgenossen sind die dem Buche auf 31 Tafeln beigegebenen Bildnisse von berühmten, um die Anatomie und Physiologie des Ohres besonders verdienten Forschern von Vesal bis Ernst Heinrich Weber.

Der Verlagshandlung Ferdinand Enke in Stuttgart schulden wir für die mustergültige Ausstattung des Werkes dankbare Anerkennung, um so mehr, als schwerlich zu erwarten ist, daß bei dem hohen Preise des Buches und dem vor-

---

1) Auf S. 463 nur im klein gedruckten Literaturverzeichnis als „Kruckenberg" nach einem in Lincke's Sammlung abgedruckten Aufsatz zitiert.

2) Als ich nach meiner Habilitation als Privatdozent im Jahre 1863 dem bereits emeritierten Greise, der an Zungenkrebs litt, meinen Antrittsbesuch machte, zeigte er sich sichtlich erfreut über mein damals fast unerhörtes Unterfangen, mich ganz der Ohrenheilkunde widmen zu wollen und fragte mich sofort: „Haben Sie schon einmal ein entzündetes Trommelfell am Lebenden gesehen?" Als ich dies natürlich bejahte, fing er an in epischer Breite zu erzählen, wie er dies bereits auch gesehen habe, wie er dies ermöglicht habe, und daß er es seinen Schülern demonstriert habe. Krukenberg war vollständig vertraut mit der aetiologischen Bedeutung und der Beziehung der Otitis zu schweren Allgemeinerkrankungen durch Sinusphlebitis, Meningitis und Hirnabszeß.

aussichtlich auf die speziellen Fachgenossen und die medizinischen Literarhistoriker beschränkten Abnehmerkreise sich die hohen Kosten des Unternehmens bezahlt machen werden. Ich will hoffen, daß ich mich in dieser Beziehung täusche, und gebe dem lebhaften Wunsche Ausdruck, daß es dem Verfasser vergönnt sein möge, Kraft und Zeit zu behalten, um den in Aussicht gestellten 2. Band des Werkes bald nachfolgen lassen zu können.

Nachtrag zur Besprechung

von: *Heine*, Operationen am Ohr (Bd. LXX dieses Archivs, S. 157 ff)

Zu dem auf Seite 158, Absatz 5 wörtlich zitierten Passus sind hinter den Worten „des senkrechten Gehörgangschnittes" die Worte „in der oben angegebenen Linie" noch hinzuzufügen. Verfasser wollte mit den letzt erwähnten Worten zum Ausdruck geben, daß nicht der senkrechte Gehörgangschnitt der Plastik, sondern nur die Linie, in die er fallen muß, um eine genügende Erweiterung des Gehörgangseinganges zu erzielen, neu ist. Diese Linie des senkrechten Schnittes wird nach Angabe des Verfassers (Seite 96 seines Werkes) in folgender Weise gefunden: Zieht man die Ohrmuschel vom Kopfe ab, so sieht man deutlich die Grenze des Ohrmuschelknorpels gegen den Gehörgang in Gestalt einer seichten Furche oder eines schmalen Schattens, je nach dem Einfall des Lichtes, bogenförmig von oben nach unten verlaufen. In dieser Linie muß der Schnitt fallen.   Isemer.

VII.

Wissenschaftliche Rundschau.

1.

Gesellschaft sächsisch-thüringischer Kehlkopf- und Ohrenärzte zu Leipzig,
Sitzung am 8. Dezember 1906.

1. Herr Karrer demonstrirt: 1) 12jähriges Mädchen mit fast symmetrisch angeordneten Teleangiektasien des Vestibulum narium, welche zu häufigem Nasenbluten Veranlassung geben.

2) 73jähr., wegen Epithelioms der rechten Ohrmuschel mit Drüsenmetastasen operierten Mann, dem vor ³/₄ Jahren bereits ein Epithelion der Lippe entfernt worden war. Beide gleichzeitig entstanden. Ursprungsort am Ohr: Hinterfläche der Concha.

3) Dr. Lauffs zeigt das wegen Sinusvereiterung operierte und schon in der letzten Sitzung der Gesellschaft vorgeführte Mädchen als seit 14 Tagen vollständig geheilt, außerdem einen vor 4 Wochen operierten Fall von Sinusverjauchung bei einem 11jährigen Knaben.

Symptome: Ohreiterung links (seit frühester Kindheit) hohes Fieber (39,8) Schiefhals nach der kranken Seite und Druckschmerz auf dem m. sternocleidomastoideus.

Es wurden Totalaufmeißelung und Jugularisunterbindung vorgenommen. Symptome einer rechtsseitigen Lungenembolie und Pleuritis.

Patient befindet sich augenblicklich beschwerdefrei, hat keine Temperatursteigerung mehr und erholt sich zusehends.

Prof. A. Barth - Leipzig: Über musikalisches Falschhören. (Diplacusis). B. hatte bisher Doppelthören nur beobachtet bei Schalleitungserkrankungen und konnte dann immer, soweit die Kranken der Untersuchung genügend zugängig waren, nachweisen, daß eine Diplacusis disharmonica nicht bestand. Er teilt jetzt einen Fall in welchem sich der Pat., ein Musiker, ebenfalls inbezug auf das Hören falscher Töne irrte, bei welchem aber eine Erkrankung des inneren Ohres bestand, mit. Weiter einen Fall bei einem ganz unmusikalischen Manne; bei welchem mit einiger Wahrscheinlichkeit eine Diplacusis disharmonica bei der Untersuchung erwiesen wurde, obwohl P. selbst nichts von ihrem Vorhandensein wußte. Die bisher in der Literatur veröffentlichten Fälle von Diplacusis hält B. nicht für genügend untersucht inbezug auf das, was sie wirklich gehört haben, sodaß subjektiven Täuschungen ein zu großer Spielraum bleibt. (Wird in der Deutschen med. Wochenschrift veröffentlicht).

Sitzung am 9. Februar 1907.

1) Dr. Bischoff. Kehlkopffraktur durch Hufschlag.

Fahrer Z. (Artillerie-Regt. 68) erlitt am 16. 5. 06 einen Hufschlag gegen das Kinn und die linke Halsseite. Er verlor das Bewußtsein nicht, hustete Blut, die Stimme war sofort tonlos. Nach 2 Stunden stärker Atembeschwerden, Emphysem der linken Halsseite bis herab zum Schlüsselbein. Dann Zunahme der Atemnot. Luftröhrenschnitt. Am 3. Tage geringe Temperatursteigerung. Bronchitis. 23. 5. Entfernung der Kanüle. 31. 5. Starke Schwellung der Taschenbänder und Kehlkopfdeckel-Gießkannenknorpelfalten, so daß die Stimmlippen selbst nicht erkennbar sind. 6. 6. Das linke Stimmband bleibt beim Atmen und Anlauten unbeweglich. Bis heute mehrfache

9*

Inzisionen wegen Osteomylitis des Schlüsselbeins und der 1. Rippe notwendig. Abstoßung mehrerer Sequester.

Jetziger Befund: Tracheotomienarbe reaktionslos. Die linke Stimm-
lippe steht in der Mitte zwischen Phonations- und Respirationsstellung.
Die vordere Kehlkopfwand ist nach innen vorgewölbt und bildet mit der
Hinterwand einen schmalen Spalt. Bei der Phonation legt sich das rechte
Stimmband an das linke an, und zwar kommt die rechte Arygegend hinter
die linke zu liegen, so daß das linke Stimmband verschmälert und verkürzt
erscheint. Die Stimme ist auffallend tief, aber nicht heiser. Z. hat früher
II. Tenor und I. Baß gesungen; er singt jetzt von c bis C, trifft aber die
Töne schlecht; Atemnot besteht nicht. Der Hufschlag hat den Ringknorpel
betroffen, wahrscheinlich auch zu einer Zerreißung des linken Aryknorpels
bezw. zu einer Luxation geführt.

2) Dr. Trautmann stellt einen Knaben mit beiderseitigem Herpes-
auriculae vor.

3) Prof. Barth stellt einen 11jährigen Knaben mit Papillom des
Kehlkopfes vor, welcher mit Radiumbestrahlung behandelt und später wieder
gezeigt werden soll.

4) Dr. Lauffs demonstriert einen Fall von Schneckennekrose bei
einem 25jährigem Arbeiter, bei welchem wegen chronischer linksseitiger
Mittelohreiterung, Schwindel und Nystagmus im August 1906 die Totalauf-
meißelung vorgenommen wurde. Es bestanden zwei Fisteln im lateralen
Bogengang, aus dem kein Eiter austrat. Die Heilung wurde verzögert
durch leicht eintretende Dermatitis, starke Eitersekretion und Granulations-
bildung in der Paukenhöhle. Nach 6 Wochen trat bei Entfernung eines
Granulationswulstes Facialisparese ein, die sich aber rasch besserte.
Anfang Januar erfolgte die Exfoliation der Schnecke. Hierauf sofortige
Besserung. Augenblicklich ist nur noch geringe Schleimhautschwellung an
Stelle der Ausstoßung vorhanden: die Höhle sonst überhäutet.

Geheimrat Schwartze: Bei Sequestration des inneren Ohres ist eine
Beteiligung des Facialis die Regel. Einer der seltenen Fälle, wo die
Schnecke ausgestoßen wurde und keine Facialislähmung eintrat, wurde in
diesem Winter in der Halleschen Universitätsklinik beobachtet. Wo eine
Facialislähmung eintritt, pflegt sie meist mit der weiteren Heilung zurück-
zugehen.

Prof. Barth: Der vorgestellte Fall gab zu Täuschung bei der Hörprüfung Veranlassung. Auch das sogenannte gesunde Ohr (Residuen abgelaufener Mittelohreiterung) hörte nur annähernd bei offenem und geschlosse-
nem Ohre gleich. Die Hörfähigkeit des schneckenlosen Ohres war somit
fast die gleiche. Durch weitere Prüfung kam man aber zu der Überzeugung, daß es vollständig taub sei. Nach meiner Ansicht ist das nach Ausstoßung der Schnecke immer der Fall. Alle Arten subjektiver Hörempfin-
dungen können als Reizerscheinungen der tieferen Teile nach völligem Verlust des inneren Ohres auftreten.

5) Dr. Trautmann zeigt ein stereoskopisches Bild und mikroskopisches Präparat eines Nasentumors, von einem zwölfjährigen Knaben
stammend. Der Tumor, welcher von frühester Jugend bestanden haben,
aber erst in der letzten Zeit auffallend gewachsen sein soll, saß nahe am
rechten Naseneingang an der äußeren Wand, fast im Winkel zwischen
Septum und Nasenflügel breitgestielt auf. Er war von eiförmiger Gestalt
und machte makroskopisch den Eindruck eines derben Fibroms mit papillo-
matöser Oberfläche. Dem entsprach auch das mikroskopische Bild.

6) Prof. Barth legt einen sogenannten Akustik-Apparat (telephonischer
Apparat mit Mikrophon) vor. Nach seinen Versuchen an Schwerhörigen
nützt er diesen kaum mehr, als die bisher bekannten Prothesen.

7) Prof. Barth zeigt ein Präparat, welches das Resultat eines gut
verheilten Kehlkopfes darstellt nach Totalextirpation wegen Carcinom vor
2½ Jahren. Tod an Drüsenmetastasen.

8) Dr. Lauffs: Mitteilung eines Falles hochgradiger zottenartiger
Pachydermie des rechten Stimmbandes. Die erkrankten Stellen mit Doppel-
küvette entfernt.   Barth.

2.

L. Lewin, Experimentelle Untersuchungen über die Sphäre und Art der Wirkung ins Mittelohr eingeführter Flüssigkeiten, die als Eingiessungen und Auspritzungen durch den Gehörgang, als Katheterspülungen durch die Tuba Eustachii appliziert werden. Jeshemesjatschnik uschnych, gorlowych i nossowych bolesnej N 1 und 2 1906. St. Petersburg.

Nach der Behauptung Lewins ist diesem Gegenstand bisher ein äußerst geringes Interesse gewidmet worden, die einzige ihm bekannte Arbeit stammt von Gruber; sie erschien im Jahre 1864 in der Zeitsch. für praktische Heilkunde. In derselben wird behauptet, daß nur bei erschwertem Abfluß durch die Tuba Eustachii ein Eindringen von Flüssigkeiten aus dem Gehörgang in die Mastoidgegend möglich sei. Lewin macht sich im Speziellen bei verschiedenen patholog. Prozessen, wie chron. Eiterungen und adhäsiven Entzündungen zur Aufgabe festzustellen, ob die eingeführte Flüssigkeit überhaupt und wie weit sie über die Grenze der Pauke hinaus vordringt, ferner welchen Einfluß die Lage, Grösse und Form der Trommelfellperforation einerseits und die Haltung des Kopfes andrerseits dabei haben. Die Versuche an den Leichen werden in der Weise angestellt, daß nach gründlicher Reinigung des Gehörgangs, künstliche Trommelfellperforationen gemacht und bei wechselnder Kopfstellung Solutio Kali ferrocyanici in den Gehörgang gegossen und unter periodischer Traguspresse 5—10 Min. in demselben belassen wurde. Hierauf Austrocknen des Gehörganges und Herausnahme des Schläfenbeins. Das tegmen tympani et antri wird sodann eröffnet und ein mit liquor ferri sesquichlorati angefeuchteter Watteträger mit den verschiedenen Partien des Mittelohres und der adnexa in Berührung gebracht, wobei als Folge der Verbindung genannter beider Chemikalien an den von beiden berührten Punkten Berliner Blau entsteht. Um zu jeden versteckteren Teilen des Schläfenbeins wie z. B. den entfernten Zellen des Warzenfortsatzes und des Bodens der Paukenhöhle zu gelangen, wurde nach dem Knochen zersägt, und hierauf das Auftreten der chemischen Reaktion gesucht. Was die Kopfhaltung anlangt, so kommt Lewin zu folgendem Schluß: Bei der üblichen Art des Eingiessens von Medikamenten ruht der Kopf auf der dem kranken Ohr abgewandten Wange. Hierbei fließt das Meiste durch die Tube ab, nur ein geringer Teil gelangt erst nach einiger Zeit mit Anstrengung ins Antrum. Sobald der Kopf mehr auf den Nacken übergelegt wurde und somit die Tubenöffnung über dem Niveau der Paukenhöhle gelegen war, gelangte die Flüssigkeit leicht ins Antrum. Um diesen Versuch durch einen Kontrollversuch noch beweiskräftiger zu gestalten, kittete Lewin in das eröffnete Tegnen ein Glasfenster ein und kam beim Beobachten einer einfliessenden Hämatoxylin-Lösung zu ähnlichem Schluß. Die Form der Perforation spielt eine geringe Rolle, um eine so wichtigere die Größe derselben. Erst eine Grösse von 2—3 mm genügt, damit die Flüssigkeit im Verlauf von 5—10 Minut. in den Warzenfortsatz gelangt, kleiner als 1,5 bis 2 mm durfte die Perforation aber nicht sein. Die Lage der Perforation ist von keiner ausschlaggebenden Bedeutung; am leichtesten drang die Flüssigkeit ins Antrum bei Perforationen des hinteren unteren Quadranten, am schwersten bei denen der Membrana Shrapnelli. Im Ganzen wurden hierzu 35 Präparate von normalen Schläfenbeinen benutzt. Zu den folgenden Versuchen wurden Fälle verschiedener pathologischer Mittelohrveränderungen verwandt, zu allererst solche mit undurchgängiger Tuba Eustachii. Ähnlich wie Gruber fand auch Lewin, daß bei fester Tube nichts in den Warzenfortsatz eindringt, da die keinen Ausweg findende, aus dem Mittelohr ins Antrum verdrängte Luft, ein Eindringen verhindert. Umgehen konnte man dieses Hindernis durch tropfenweises, ganz langsames Einfließenlassen. Kleine Eitermengen hindern das Eindringen nicht, bei grösseren und besonders zähen Ansammlungen erscheint erst nach ausgiebiger Reinigung spez. durch Catheterspülung die Flüssigkeit in sämtlichen Mittelohrräumen. Adhäsionen, selbst wenn sie nur fadenförmig sind, verhindern das Eindringen. Die zweite Hälfte seiner Versuche hat zur Aufgabe das Eindringen der

Flüssigkeit ins Ohr beim Spritzen durch den Gehörgang, also beim Einführen größerer Quantitäten zu verfolgen. Es wurden an der Leiche die
Verhältnisse so wie sie beim Spritzen am Kranken liegen nach Möglichkeit
copirt. Perforirt hat er normale Trommelfelle in 9 Fällen. Bei 5 von diesen,
in denen die Perforation größer als 1,5—2,0 mm war, drang die Flüssigkeit
unabhängig von der Form und der Lage der Perforation in alle Abteilungen
des Mittelohrs. Bei pathol. verändertem Mittelohr interessirten zunächst die
Fälle mit Tubenverschluß, der durch Einführung eines entsprechend dicken
Bougies erzielt wurde. In keinem dieser Fälle drang die Flüssigkeit weiter
als bis zum Eingang in die regio mastoidea. Weiter werde dann konstatiert
daß bei Eiterungen in den Fällen, wo große Eitermengen die Paukenhöhle
erfüllten, das Spritzwasser bei Spritzen durch den Gehörgang selbst bei genügend weiter Perforation und einiger Gewaltanwendung und bei häufigem
Spritzen nichts mehr als eine Reinigung des Gehörgangs erzielen konnte,
höchstens wurden noch die allernächsten Teile der Pauke bespült. Das
gibt ihm die Veranlassung die Catheterspülung mit den durch Schwartze
empfohlenen Indikationen und Einschränkungen aufs Wärmste zu empfehlen.
Was Schwartze vor vielen Jahren als feststehend konstatierte, wurde hier
durch ein neues Experiment wiederum schlagend bestätigt. Die einzige
gründliche Reinigung ist die per tubam, nach derselben konnte konstatiert
werden, daß bei günstigen anatomischen Verhältnissen die Spritzflüssigkeit
sogar bis in die Terminalzellen des processus mast. gelangt, was, da für
diese Behandlung doch nur chron. Fälle mit großen Perforationen in Betracht kommen, in denen der Eiter selbst längst die Grenze der Paukenhöhle überschritten hat und die Mikroorganismen einen Teil ihrer Virulenz
bereits eingebüßt haben, gar keine Gefahr, daß Keime ins Antrum getrieben
werden involviert, dagegen aber sehr davor schützt, daß die Saprophyten
des Gehörgangs künstlich ins Mittelohr importiert werden. Anders liegen
die Verhältnisse bei geringen Eitermengen. Hierbei ist einmaliges Spritzen
des Gehörganges vollkommen ausreichend, um die Pauke zu reinigen; in
diesen Fällen drang das Wasser leicht sogar in den processus. Beim Spülen
durch ein Röhrchen muß darauf geachtet werden, daß die Perforationen so
groß siud, daß der rückläufige Strom an der Canüle wieder vorbei heraus-
fließen kann. — In der an diesem in Petersburger oto-laryngologischen
Verein gehaltenen Vortrag anschließenden Diskussion behauptete Höhlein,
daß er sich persönlich an dem großen ambulatorischen Material der Hallenser Universitäts-Ohrenklinik, während eines 2 monatlichen Aufenthaltes daselbst, von der völligen Nutzlosigkeit der Catheterspülungen bei cariösen
Prozessen überzeugt habe. Hierauf erwidert der Vortragende, (Lewin) daß
die Nachrichten des Dr. Höhlein aus der Hallenser Ohrenklinik nicht nur
den in Halle gemachten Erfahrungen des Vortragenden selbst widersprechen
sondern auch in krassem Gegensatz zu den oft getanen Aussprüchen von
Schwartze und Grunert stehen.   de Forestier.

<hr />

3.

J. Löwensohn, Versuche einer Anwendung des Thiosinamins bei
    der progressiven Schwerhörigkeit. Jeshemesjatschnik uschnych,
    gorlowych i nossowych bolesnej N. 2 1906. St. Petersburg.

Ein Fall aus seiner früheren, landärztlichen Tätigkeit, in welchem
ein Keloid auf der Vorderfläche der Hüfte nach 3 Thiosinamin Injektionen
deutliche Resorption zeigte, veranlaßte ihn weitere Untersuchungen mit dem
Mittel und zwar an Schwerhörigen vorzunehmen. Deutlich sichtbar war
bei dem damaligen Fall eine Art von Auflösung oder quasi Verflüssigung
der Narbensubstanz. Es erfolgte vollständige Heilung. Er nahm sich nun
zu Objekten hauptsächlich Fälle von chronisch entzündlichen Prozessen des
Mittelohres, die mit deutlichen Veränderungen des Trommelfells etc. einher-
gingen oder Fälle mit Residuen abgelaufener Mittelohr-Eiterungen darstellten.
Die Sclerose hielt er von vornherein für ungeeignet, hat jedoch 2 Fälle
experimenti causa gespritzt. Im Ganzen behandelte L. 8 Patienten, nämlich
2 Sklerosen, 5 Fälle mit unbeweglichen Narben des Trommelfells und einen

chronisch hypertrophischen Kartarrh. Die Betreffenden, 6 Frauen, 2 Männer standen im Alter zwischen 19 und 37 Jahren. In 6 Fällen kam die 15 Proz. Hebra'sche Lösung zur Verwendung, jedoch mit der Änderung, daß an Stelle des absoluten Alkohols 70 Proz. genommen wurde, was die Schmerzhaftigkeit wesentlich mehr herabsetzte, als ein nach Cassels Vorschlag gemachter, 10 Proz. Anästhesin-Zusatz. Mit Fibrolysin hat er bisher nicht experimentiert nimmt jedoch im Augenblick derartige Versuche vor. Bei der Sklerose, wo er nicht mehr als 10 Injektionen machen konnte, konstatierte er als einzigen Effekt ein ca. 5 Minuten dauerndes subjektives Wohlgefühl, das sich besonders im Verschwinden der Ohrgeräusche dokumentierte. Die gebrauchte Lösung war stets steril und filtriert. Kein Mal sah L. Infiltrationen oder gar Vereiterungen. Bei Einzelnen dauerten die dumpfen Schmerzen an den Injektionsstellen noch 8—12 Stunden nach. Injiciert wurde stets in der Interscapulargegend. Als wichtiges Ergebnis der Versuche folgt, entgegen anderen Autoren, daß die Thiosinamin Behandlung keineswegs indifferent ist. Eine Kranke bekam zweimal Gesichtsoedem mit einem unangenehmen Hitze- und Spannungsgefühl, die Harnmenge war zu gleicher Zeit vermindert. Bei einer anderen Patientin exacerbierte ein abgelaufener Prozeß derart, daß die Eiterung, die bereits 3 Jahre sistiert hatte, profus einsetzte und 6 Wochen zur Heilung bedurfte. Sugar gegenüber macht L. darauf aufmerksam, daß es falsch sei in jedem Fall von einer vollkommenen Unschädlichkeit des Mittels zu sprechen, wenn, wie er — Sugar — selbst konstatiert, der Stoffwechsel durch dasselbe ganz besonders gesteigert wird und die Harnmenge sich bedeutend erhöht. Besondere Vorsicht ist somit bei Nierenkranken erforderlich, wie der Fall mit Oedem zu bedenken gibt. Die Resultate waren in allen Fällen mit Ausnahme der Sklerosen gute, es trat augenfällige Hörbesserung ein, Verkürzung der vorher verlängerten Knochenleitung. Eine Umwandlung des — R in einen + R ist ihm, wie Hirschland, nicht geglückt. L. empfiehlt die Thiosinamin — Anwendung bei abgelaufenen acuten Otitiden, die die Tendenz zu Adhäsionen und unbeweglichen Narben zeigen. Hier würde es zusammen mit Luftdouche durch den Catheter gewiß gelingen Verwachsungen zu verhüten. Das gilt aber mit der Einschränkung, daß wir bei einem abgelaufenen Eiterungsprozeß mit leidlichem Gehör lieber auf Thiosinamin verzichten, da Exacerbation nicht ausgeschlossen ist.

de Forestier.

4.

M. Eljesson, Das Hämatom der Nasenscheidewand. Jeshemesjatschnik uschnych, gorlowych i nosowych bolesnej. N 4, 1906. St. Petersburg.

Bemerkenswert an dem beschriebenen Falle ist, daß das Hämatom, das sich im Anschluß an Erysipel entwickelte, nicht vereiterte. Nach der Incision entleerte sich nur Blut. Heilung mit Einsenkung des Nasenrückens; die Heilung ist nicht ganz vollständig, insofern als auf der der Incision entgegengesetzten Seite ein kleiner Sack zurückgeblieben ist. Der Verlauf ist somit ein chronischer.

de Forestier.

5.

P. Hellat, Eine eigentümliche, mit Blutungen verlaufende Erkrankung der Schleimhaut des Rachens und des Nasenrachens Ibidem.

Patientin, 17 Jahre alt, ist gut gebaut, sieht blühend aus, blutet seit 3 Monaten aus dem Halse und der Nase. Die Blutung tritt hauptsächlich. Morgens auf. In der Kindheit Masern, Windpocken; jetzt oft Anginen, zeitweilig Kopfweh. Sonst alles normal. Hereditas nulla. Lokaler Befund: Die gesamte Schleimhaut auf den Mandeln, der Rachenhinterwand und im ganzen Nasenrachen ist mit roten, stecknadelkopfgroßen Flecken von unregelmässiger Form wie gesprenkelt, sie blutet bei der geringsten Berührung. Die Blutungen sind nur selten länger dauernd, meist ist in einigen Minuten alles vorüber. Im Übrigen ist die Schleimhaut nicht entzündet, auch nicht

verdickt. Nach Pinselung mit Chromsäure langandauernde Besserung.
Einige Monate nach den Petechien der Schleimhaut traten ohne irgend ein
Trauma Suggillationen an den Extremitäten auf. Die dunkelen Flecke sind
von verschiedener Größe. Am meisten Ähnlichkeit hat die Erkrankung nach
Hellat's Ansicht mit dem Morbus maculosus Werlhofii.
                                                        de Forestier.

6.

M. Erbstein, Auf chirurgischem Wege erzielte Heilung einer langwierigen Entzündung der äußeren Gehörgänge. Ibidem.

Der Fall ist entschieden eine Seltenheit. 34 jährige Dame leidet an
otitis externa diffusa. Gehörgangswände stark geschwollen, rot, bei Berührung
äußerst empfindlich, stellenweis mit kleinen Abszessen bedeckt. Gehör normal.
Trommelfell intakt. Urin normal. 1½ Jahre lang werden alle möglichen
Behandlungsmethoden vergeblich versucht. Die Gehörgangshaut ist stellenweise maceriert und nekrotisch. Der Zustand ist der Patientin unerträglich.
In Narkose vorgenommene, energische Auskratzungen bringen Heilung. Die
Nachbehandlung bestand in Tamponade mit Xeroform-Marly, dauerte jedesmal ca. 2 Wochen. Gehörgänge sind vollkommen glatt, nirgends verengt,
lassen keine Narben erkennen. Nach ca. 2 Jahren im rechten Ohr schwächeres
Recidiv, wieder ausgekratzt. Seit der Zeit sind die Ohren gesund (für das
linke Ohr 2½ Jahr, für das rechte mehr als 1 Jahr) Die mikroskopische und
bakteriologische Untersuchung der ausgekratzten Stückchen, besonders die
erstere, waren nicht sehr erschöpfend. Keine Diphterebazillen, jedoch
einige Fibringerinnsel. Detritus. Epithelzellen. Weiße und rote Blutkörperchen.
                                                        de Forestier.

7.

N. Bjelogolowy (Riga), Die Anwendung der Eihaut zum Zuheilen
von Trommelfellperforationen. Jeshemesjatschnik uschnych, gorlorwych i nosowych bolesnej N 5. 1906. St. Petersburg.

Ruhestellung des erkrankten Organs ist die unbedingte Forderung bei
der Behandlung sämtlicher Entzündungen. Dieselbe ist ebenso bei den
Ohrenkrankheiten indiziert und im speziellen bei der Vernarbung von
Perforationen wünschenswert. Schluckbewegungen, Schnauben, Niesen rufen,
wenn auch geringe Lageveränderungen des perforierten Trommelfells hervor
und hindern so die Vernarbung. Daher soll sich, indem man sich eines
chirurgischen Prinzips bedient, an das Trommelfell eine Art Schiene legen,
die mit einem immobilisierenden Verband befestigt wird. Selbstverständlich
müssen alle acut-entzündlichen Erscheinungen vorher beseitigt sein, eine
tägliche Weiterbehandlung ist hierbei auch durchaus möglich. Die Schiene legt
B. nun in folgender Weise an: zuerst reinigt er peinlich sorgfältig den Gehörgang und die Reste des Trommelfells, touchiert darauf dasselbe mit sol.
arg. nitr, 1%, führt dann ein kleines Stückchen hygroskopischer Watte bis
zum Trommelfell ein, wo er es in dünner Schicht über die ganze Perforation
ausbreitet. Über diese Watteschiene legt er eine Reihe von Wattekügelchen,
die die Rolle des immobilisierenden Verbandes spielen. Wenn die Eiterung
versiegt ist, ist es nicht mehr nötig, diesen Verband täglich zu wechseln.
Bei dieser Behandlungsmethode vergeht oft kaum eine Woche bis zur Wiederherstellung des Trommelfells. Die Watteschiene bietet den mit dem Bindegewebe sich neu bildenden Gefäßen bei dem Gegeneinanderwachsen eine
Stütze. Bei einer 60 jährigen Dame mit rechtsseitiger chron. Eiterung hatte
B. einn besonders eklatanten Erfolg, als er an Stelle der hygroskop. Watte
ein Eihäutchen nahm. Die nicht wandständige Perforation, die den ganzen
hinteren unteren Quadranten ausfüllte, heilte in ca. 3 Wochen vollständig
unter dem stützenden Eihäutchen, nachdem sich vorher die verschiedensten
Behandlungsmethoden als vollständig aussichtslos ergeben hatten. Hiermit
kehrte in diesem Falle auch das Gehör wieder. Die Patientin hatte vorher nur laut Gesprochenes am Ohr gehört. Von der Technik sei nur erwähnt, daß aus dem einem eben frisch aufgeschlagenen Ei zu entnehmenden

Häutchen ein kreisförmiges Stück, 1½ mal größer als die Perforation sein muß, ausgeschnitten wird. Das Blättchen wird vorsichtig auf einer Lampe getrocknet und mit der dem Eiweis zugewandt gewesenen Seite auf die mit 1% arg. befeuchteten Perforationsränder gedrückt, nachher Borsäurepulver draufgestreut und eine lockere Watteflocke aufgelegt. In dem beschriebenen Fall wurde das Häutchen nur 2 mal gewechselt, das 1 mal nach 10 Tagen und das andre mal nach 15 Tagen.   de Forestier.

8.

M. Bjalik (Kursk): **2 Fälle von Trommelfell Verbrennung.** Ibidem.

1. Junges Mädchen 19 a. n. hat sich gegen lästiges Ohrensausen ol. Cajeputi ins Ohr gegossen. Hierauf sehr starke Schmerzen. Trommelfell intensiv gerötet.

II. Frau Z. wäscht sich den Kopf mit Benzin + ol. Bergamottae, wovon etwas ins Ohr gedrungen ist. Starke Schmerzen, leichter Ohnmachtsanfall. Trommelfell blaurot mit grauem Anflug. In beiden Fällen eklatanter Erfolg durch Eingießen von Sol. Natr. bicarbonic. Vorher waren 10% Cocainlösung und Ausspritzen ohne Erfolg.   de Forestier.

9.

A. Archipow, **Zur Frage der Thrombophlebitis des sinus transversus und der vena jugularis interna und der Unterbindung der letzteren.** Jesbemesjatschnik uschnuch, gorlorwych i nossowych bolesnej N 6. 1906. St. Petersburg.

Während des russ.-japan. Krieges war die Ohrenabteilung des Moskauer Militärhospitals, aus der diese Arbeit stammt, derart überfüllt, daß monatlich 200 Kranke mit acuten und chron. Otitiden verpflegt wurden. 1905 wurden 90 Trepanationen ausgeführt. Archipow bringt in vorliegender Arbeit 7 Fälle, von denen 4 mit letalem Ausgang, und epikritische Bemerkungen zu denselben. Leider muß gesagt werden, daß man in dieser Publikation über schwere Folgezustände nach eitrigen Otitiden immer wieder einer mangelhaften Vorbehandlung in dem Sinne begegnet, als nichts oder äußerst wenig zur Vermeidung einer Eiterretention im Mittelohr geschah. So wird z. B. in keinem der angeführten 7 Fälle, trotz dringender Veranlassung (nach Ansicht des Referenten) eine Paracentese bezw. eine ausgiebige Erweiterung der vorhandenen Trommelfellperforation gemacht. Granulationen die den Eiterabfluß hemmen und die Perforation verlegen, werden belassen. Ferner wird auf die Stenose des Gehörgangs durch die Vorwölbung der hinteren oberen Gehörgangswand kein Gewicht gelegt. Dieses Unterlassen und Nichtbeachten macht durchaus den Eindruck einer ungenügenden otiatrischen Vorbildung des Kollegen. Als Beispiel für das Obengesagte mag ein Auszug aus dem Bericht über Fall I dienen. Nikolski 17 a. n. wird wegen Knie- und Fußgelenkrheumatismus aufgenommen, erkrankt nach 9 tägigem Hospitalaufenthalt am 1. April unter hohem Fieber, linkerseits mit Ohrschmerzen, Hyperämie, Vorwölbung des Trommelfells, Infiltration und Schmerz des Warzenfortsatzes.

3. April 1905 39,1—39,9 Eis, 10% Carbolglycerin
4. „   „   39,9—39,6
5. „   „   39,5—39,4
6. „   „   38,5—38,8. Infiltration hinter dem Ohr geringer, Gehörgangswände hyperämisch. Im vorderen unteren Quadranten des 4r. kleine Perforation, aus welcher Eiter abgesondert wird. Außer der bisherigen Behandlung werden Ausspritzungen mit Borsäure verordnet,
7. April 1905 38,4—38,7
8. „   „   38,6—38,6
9. „   „   37,6—38,8
10. „   „   37,8—37,7. Morgens Schweiß und Frost. Kein Schmerz und keine Schwellung des Warzenfortsatzes. Die Gehörgangswände sind derart verschwollen, daß Trommelfellbesichtigung unmöglich·

11. April 37,0—37,0 Schmerzen in den Beinen unbedeutend. Links Halsdrüsen geschwollen.

12. April 36,8—38,8 Gehörgangslumen weiter. Keine Schmerzen im Warzenfortsatz.

13. April 37,4—37,8 Geringe Gelenkschwellung.

14. April 37,0—37,5

15. April 37,3—38,3 Ohr trocken. Perforation nicht sichtbar. Gehörgangswände geschwollen.

16. April 38,3—38,3 Morgens Frost. Wieder etwas Eiter im Ohr. Keine Schmerzen im Warzenfortsatz.

17. April 39,8—40,0 Wieder Schwellung über proc. mast. Kopfweh. Erbrechen. Herz und Lungen gesund. Keine Gelenkschmerzen.

18. April 39,1—39,9 Nach natr. salicyl., das Pat. die ganze Zeit über (2,0 pro die) bekommen hat — Erbrechen. 2 Tage keinen Stuhl.

19. April 39,1—39,8 Nachts Schüttelfrost — Erbrechen. Schmerz hinter dem Warzenfortsatz, keine Schwellung desselben. Im Ohr etw. Eiter.

20. April 39,1—40,0 — wie gestern. Puls 140. Athmung 56. Husten. Lungen gesund. Schmerz in Herzgegend. Außer verstärkter Aktion dort nichts nachweisbar. Zunge feucht, rein Stuhl auf Laxans. Ist bei Bewußtsein, Schüttelfrost, Schweiß.

21. April 37,5—38,0 Schmerz längs der Jugularis, an der Spitze und am Hinterrand des processus m. Schmerz. Pupillen gleich weit, nicht erweitert.

Endlich wird er nun operiert und schließlich auch gesund. Die Krankengeschichte ist ohne Zusätze und mit nur unwesentlichen Auslassungen genau dem Text entsprechend. Wenn der Leser hiernach seine Verwunderung darüber ausspricht, wie eine so fehlerhafte Behandlung in einem Fachblatt in aller Breite abgedruckt werden durfte, so ist eine solche Kritik nach Meinung des Referenten ganz berechtigt. Die bewährte Redaktion ist dieser Arbeit gegenüber entschieden zu nachsichtig gewesen. Hiergegen muß im Namen der russischen Ohrenärzte protestiert werden, das Ausland dürfte sonst zu leicht an dem Können und der tatsächlich bereits zahlreich vorhandenen gediegenen Schulung russischer Ohrenärzte zweifeln. Als ob es überhaupt keine Paracentesen zur Indikationen zur einfachen Aufmeißelung des proc. gäbe! 17 Tage wird alles gewissenhaft notiert, um nicht begriffen zu werden! Da war es denn natürlich kein Wunder, daß der Operationsbefund schließlich große Zerstörungen aufwies und die Unterbindung der jugularis. und facialis nötig wurden. Ähnliche Ausstellungen lassen sich auch bezüglich der anderen Krankengeschichten machen.

de Forestier.

10.

M. Shirmunski, Zur Kasuistik der acuten Entzündung der Kiefer- und Stirnhöhlen. Ibidem.

Aus den exakten, an 11 Fällen gewonnenen Beobachtungen Shirmunskis seien bezüglich der Therapie unter anderem angeführt, daß er bei starken Schmerzen gute Erfolge von der Erwärmung der erkrankten Höhlen durch eine 50 kerzige, mit Reflektor armierte Lampe gesehen hat. Innerlich gibt er chin. bromat 0,3 1—2 mal täglich. Im Allgemeinen brauchen die nicht zur Operation kommenden Fälle acuter Eiterungen bei seiner Therapie ca. 14—20 Tage bis zur vollkommenen Heilung.   de Forestier.

11.

A. Iwanow, Ectogan bei chron. Ohreiterungen. Ibidem.

In der Chirurgie und Dermatologie empfohlen, wurde Ectogan von Laurens zur Wundheilung nach Mastoidoperationer angewandt. Iwanow ist mit dem Mittel. das er seit 2 Jahren zur Einblasung bei chron. Eiterung anwendet sehr zufrieden. Er steht auf dem Standpunkt, daß Einblasungen den Einträufelungen vorzuziehen sind, weil letztere wegen der kurzen Applikationsdauer unwirksam bleiben. Ectogan bildet mit den Absonderungen der Paukenhöhle keine Krusten, sondern verwandelt sich in eine weiche, grützartige Schmiere, die leicht entfernt werden kann. Cariöse Prozesse mit Granulationsbildung, foetor etc. eignen sich für diese konservative Therapie natürlich nicht. Bedingung für erfolgreiche Behandlung ist eine recht große Trommelfelperforation. Damit, daß das Mittel dem Patienten aber zum Selbstgebrauch in die Hand gegeben wird, wie Iwanow befürwortet, kann sich der Referent nicht einverstanden erklären. de Forestier.

12.

P. Broschniowski, Übersicht über seine im Laufe eines Jahres ausgeführten Trepanationen des Warzenfortsatzes. Russki Wratsch N 30, 1901. St. Petersburg.

Die Arbeit stammt aus der Abteilung für Ohrkranke des St. Petersburger Nicolai Militärhospitals. Dieses Hospital ist, abgesehen von der Klinik für Ohr-, Nasen und Halskr. der militärmedizinischen Akademie, das einzige des ganzen, großen Petersburger Militärbezirks, das eine Abteilung für Ohrenkranke besitzt. Im vorigen Jahr befanden sich in derselben 2177 stationäre Fälle, 1788 (82,1%) mit Mittelohreiterungen, 369 (17,9%) mit Mittelohrkatarrhen, Otitis ext. und verschiedenen Hals- und Nasenleiden. Von den 1788 wurden 98 (5,5%) aufgemeißelt, hiervon starben 16 (16,3%). Eine Totalaufmeißelung wurde nur 1 mal gemacht. Das erklärt sich daraus, daß die im chronischen Otitiden Behafteten vom Militärdienst befreit zu werden pflegen, also nur in den seltensten Fällen in der Ohrenabteilung zur Behandlung kommen. Von den Befunden am Knochen sei erwähnt, daß derselbe einmal ganz gesund war, da die Mastoidoperation wegen unerträglichen neuralgischer Schmerzen vorgenommen wurde. Der Erfolg war gut, da die Schmerzen nach der Operation vollständig verschwanden. Perisinuöser Abszeß bestand in 10 Fällen (11,1%), 3 mal (3,3%) ein extraduraler Abszeß, 3 mal trat post operationem Facialis-Paralyse der ohrkranken Seite auf, ein Mal eine solche der entgegengesetzten Seite, die, wie die Sektion ergab, durch eine eitrige Basalmeningitis hervorgerufen war. Pyämie bestand in 13 Fällen (14,4%) von welchen 6 nach Unterbindung der Jugularis und 1 mal auch der Vena subclavia geheilt wurden. Die Dauer der Nachbehandlung aller Aufgemeißelten schwankte zwischen 4 und 25 Wochen. Von den 11 Todesfällen war bei 3 eine eitrige Entzündung der Gehirnhäute, in einem eine erysipelatöse Entzündung, die auf die Gehirnhäute überging, die Ursache, die übrigen 7 wurden durch Entzündung und Thrombose der Gehirnsinus bedingt. de Forestier.

13.

Gabriel Chiodi. Über einige Fälle von Myiasis beim Menschen und ihre Komplikationen. Argentina Médica, 22. April 1905.

Chiodi schildert in diesem Aufsatze eine Reihe von Fällen, bei welchen durch Fliegenlarven in der Nase mehr oder minder heftige Krankheitserscheinungen hervorgerufen wurden. Sämtliche sieben Fälle waren während der Jahre 1904 und 1905 im italienischen Hospital in Buenos-Aires behandelt worden. Die anfänglichen Symptome bestanden bei allen Patienten in Nasenjucken, häufigem Niesen, Nasenbluten, Undurchgängigkeit der befallenen Nasenhälfte, Kopfschmerzen und leichter Temperatursteigerung. In 4 Fällen blieb es bei diesen leichteren Störungen und die Kranken konnten nach 4—5 wöchentlicher Behandlung entlassen werden, in 3 Fällen dagegen kam es zu schweren Komplikationen, die in einem Fall sogar den Tod herbeiführten. Zur Vorgeschichte muß bemerkt werden, daß sämtliche Patienten schon seit langer Zeit an Rhinitis atrophica foetida litten.

Der Verlauf der leichteren Fälle ist durch die oben genannten Anfangssymptome genügend skizziert; besondere Besprechung verdienen nur die 3

mit Komplikationen einhergehenden Fälle. Bei dem ersten trat am 5. Tage
nach der Erkrankung eine akute Mittelohreiterung derselben Seite ein,
welche durch eine auf dem Tubenwege ins Mittelohr gelangte Larve veranlaßt war. Die Eiterung cessierte nach vierwöchentlicher Behandlung. Bei
dem zweiten der komplizierten Fälle kam es schon am vierten Tage zu
einer akuten Stirnhöhleneiterung, welche die Eröffnung des sinus frontalis
erforderte. Die Heilung nahm 3 Monate in Anspruch. Die schwersten
Komplikationen stellten sich bei dem dritten Falle ein. Der Patient trat
mit starkgeschwollener, dunkelblauroter Nase ins Krankenhaus ein; auf dem
Nasenrücken war eine gelbliche, fluktuierende Stelle. Aus der Nasenhöhle
wurden 75 sehr große Larven entfernt. In den nächsten Tagen gingen mit
der Spülflüssigkeit kleine Knochensequester ab. Nach fast einmonat-
licher Behandlung trat unter Temperatursteigerung eine akute Mittelohreiterung ein, in deren Gefolge eine Mastoiditis entstand, welche die Aufmeißelung des process. mastoideus nötig machte. Nach 6 Monaten verlangt
der Patient seine Entlassung. Sein Zustand war folgender: das operierte
Ohr eiterte noch. Auf dem Nasenrücken bestand ein Loch von 1½ cm
Durchmesser. Die rhinoskopische Untersuchung ergab eine einzige große
Höhle, die mit gelblich grünen Krusten ausgekleidet war. Scheidewand
und Muscheln existierten nicht mehr. Der Patient verweilte ca. ½ Jahr
außerhalb des Krankenhauses, nach dieser Zeit trat er wegen der nämlichen
Erkrankung wieder ein. Aus der Nase wurden 250 Larven entfernt. Schon
bei der Aufnahme war der Gang unsicher, nach wenigen Tagen trat Oedem
und Parese des linken oberen Augenlides auf, sowie Schmerzen am linken
inneren Augenwinkel. In der Nase war überall rauher Knochen zu fühlen.
Das Allgemeinbefinden des Kranken war gut; nur schlief er viel und litt
an Verstopfung. In rascher Folge traten in den nächsten Tagen Ptosis,
Pupillenstarre und Schmerzhaftigkeit des bulbus links ein, die Ataxie
steigerte sich immer mehr, ebenso nahm die Trübung des Sensoriums zu,
bis der Patient, nachdem die Temperatur am letzten Tage noch bis 38,0⁰
in die Höhe gegangen war, starb. Die Sektion ergab einen Abszeß in den
vorderen unteren Rinden-Partien des linken Stirnlappens; die Abszeßhöhle
war 46 mm breit, 18 mm hoch und 21 mm lang. An einer Stelle der
vorderen Schädelgrube fand sich eine Knochennekrose; nach Entfernung
des nekrotischen Stückes zeigte sich eine Öffnung, welche sowohl in die
linke Orbita als auch in die Nasenhöhle führte. Der Sequester hatte dreieckige Gestalt; die Hypotenuse des Dreiecks maß 2 cm. In der Orbita
fand sich kein Eiter. —
    Die Fliegenlarven, welche in den beschriebenen Fällen als Krankheits-
erreger wirkten, zeigten sämtliche die gleichen zoologischen Merkmale; ein
Züchtungsversuch ergab, daß es sich um die Larven der Lucilia Corini vorax
handelte. Nur zwei von den 7 Patienten hatten den Moment wahrgenommen,
in welchem die Fliege ihre Eier in die Nase ablegt.
    Was die Behandlung betrifft, so hält Chlodi die Entfernung der Larven
mittels Pincetten für die schnellste und sicherste Methode Die Spülungen
mit Antisepticis wirkten nur auf eine beschränkte Anzahl der Larven; wenn
letztere in großer Anzahl vorhanden und sehr entwickelt seien, hinderten
sie geradezu mechanisch das Durchströmen der Flüssigkeit. In den beschriebenen Fällen wurden zur Spülung verwendet: 5⁰/₀₀ Chloroformwasser
und 1⁰/₀₀ Formol, ferner wurden einmal Einlagen mit gleichen Teilen Terpentin
und Chloroform gemacht, außerdem in einem Falle Insufflationen mit Kalomel-
pulver. Allen diesen Mitteln sei jedoch, wie schon erwähnt, das Arbeiten
mit der Pincette vorzuziehen.   Bachauer.

14.

Voss (Königsberg), Multiple Hirnabscesse bei gleichzeitig be-
    stehender Mittelohreiterung und eitriger Bronchitis. Ver-
    öffentlichungen aus dem Gebiete des Militär-Sanitätswesens. 35 Heft.

    Mitteilung folgenden Falles aus der Ohrenklinik der Charité in Berlin:
3¼ Jahre altes stets schwächliches Kind erkrankte ¾ Jahr vor seiner Auf-

nahme im Anschluß an eine Lungenentzündung an doppelseitiger Mittelohreiterung, die nach etwa 8 Wochen, während deren es noch eine Masern- und Scharlachinfektion überstand, geheilt sein soll. Im März 1902 erkrankte das Kind abermals an rechtsseitiger Ohreneiterung mit Klagen über rechtsseitige Ohrenschmerzen, wobei es häufig nach der rechten Kopfseite faßte. Am 11. April 02 einmaliges Erbrechen; am 13. April soll es einen Krampfanfall bekommen haben, der zunächst den linken Arm, später das linke Bein und schließlich die linke Gesichtshälfte betroffen habe; Bewußtsein angeblich erloschen. Gegen Ende des Anfalles angeblich Schreien des Kindes, völlige Steifheit desselben und Schaum vor dem Munde. Aufnahme in die Ohrenstation der Charité.

Der Aufnahmebefund war folgender: Tiefes Coma, Temp. 37,4, Puls 108, regelmäßig. Über beiden Lungen reichliches nicht näher zu bestimmendes Rasseln. Atmung von Cheyne-Stokes'schem Typus. An Brust- und Bauchorganen sonst keine wesentlichen Veränderungen. Betastung der Wirbelsäule schmerzhaft. Lumbalpunktion ergab unter geringem Druckstehenden wasserklaren Liquor; die mikroskopische Untersuchung des Liquorsatzes (spinngewebiges Gerinsel) zeigte Fibrinfasern und reichliche Eiterkörperchen ohne Bakterien (keine Tuberkelbacillen) Die Nacht nach der Aufnahme war ruhig, das Kind saß am Morgen auf und spielte. Druckschmerz des rechten Warzenfortsatzes, normaler Augonbefund; keine Lähmungen, Temperatur normal, Puls zeitweise unregelmäßig. Ohrbefund rechts: Im Gehörgang etwas grünlich gelbes Sekret, fötid. Trommelfel diffus gerötet, geringe Vorwölbung. Im hinteren unteren Quadranten längs ovale Perforation mit pulsierendem Lichtreflex. Totalaufmeißelung rechts am Tage nach der Aufnahme: der ganze Warzenfortsatz bis in die Spitze mit schmutzig-eitrigen Granulationen durchsetzt, aus der Spitze Eiter Im Mittelohr dickes Granulationspolster. Freilegung der mittleren Schädelgrube, Tegmen und Dura gesund, mehrfache Punktion des Schläfenlappens mit negativem Resultat. Am nächsten Tage erneuter klonischer Krampfanfall mit Beteiligung der ganzen linken Körperhälfte, ähnlich der echten Jaksonschen Rindenepilepsie, Verdacht eines Abszesses in der rechten motorischen Region, Trepanation daselbst; Dura teilweise etwas verdickt, sonst normal. Spaltung derselben, Punktion und Incision des Hirns, ohne auf einen Abszeß zu stoßen. Geringes Erbrechen nach der Operation nach 24 Std. abermaliger Krampfanfall, dem in der folgenden Nacht noch ein zweiter folgte, dem das Kind erlag.

Die Obduktion des Gehirns zeigte 9 etwa erbsenengroße Abszesse, zum größten Teil dicht gruppiert um das obere Ende der Centralfurche. Die Mehrzahl derselben lag in der Rinde, drei in der Marksubstanz. Umschriebene eitrige Leptomeningitis in der Umgebung der Abszesse. Im Eiter der Abszesse mikroskopisch keine Tuberkelbazillen oder sonstige Mikroorganismen. Kulturell dagegen Bact. coli in Reinkultur; auch im Eiter des Mittelohres keine Tuberkelbazillen, dagegen Staphylococcen und lange Streptococcenketten. Die mikroskopische Untersuchung von Hirnteilen der Abszeßgegend ergab ebenfalls keine tuberkulöse Erkrankung. Die Obduktion der Brust- und Bauchhöhle unterblieb aus äußeren Gründen.

Nach dem Obduktionsbefunde handelte es sich hier also um eine Abszeßbildung im Bereiche der rechten motorischen Region, die bei der Multiplizität der Abszesse und deren z. T. sehr versteckten Lage selbst bei der Eröffnung des einen oder anderen von ihnen den Tod des Kindes herbeiführen mußte. Als Quelle der Infektion der Hirnsubstanz kommen nach Ansicht des Verfassers zwei Möglichkeiten in Betracht: Die Lunge und das linke Mittelohr. — Leider konnte infolge Fehlens der Brustsektion über die Art der nur klinisch festgestellten eitrigen Bronchitis nichts Näheres festgestellt werden. Immerhin ist nach Ansicht des Referenten der tuberkulöse Charakter der Bronchitis und ebenso der Abszeßbildung trotz des negativen Resultates der mikroskopischen und kulturellen Untersuchung nicht auszuschließen. Es ist bekannt, daß beide erwähnten Untersuchungsmethoden bei Tuberkulose in einer nicht geringen Zahl von Fällen im Stich lassen und trotzdem eine tuberkulöse Erkrankung vorliegt. Zu bedauern ist daher, daß Verfasser nicht noch das Impfverfahren angewendet hat, das doch oft ein wertvolles — bisweilen das entscheidende Mittel — zum Nachweis der Tuberkulose ist. Auch die Abbildung der Abszesse, die Verfasser seiner Abhandlung beifügt, ist charakteristisch für eine tuberkulöse Erkrankung.

Für die Möglichkeit des pulmonären Ursprunges der Abszesse sprechen nach Ansicht des Verfassers vor allem außer der Multiplicität seiner Abszesse die Lokalisation derselben (Centralwindung), da infolge der besonderen Verteilung der eine eventuelle Embolie vermittelnden Gefäße im Gehirn die Centralwindung eine Prädilektionsstelle für derartige Abszesse ist. Andererseits führt Verf. auch verschiedene Momente an, die die Mittelohreiterung als ursächlichen Herd für die Entstehung der Abszesse erscheinen lassen. Besonders hervorgehoben wird die Fortleitung der Erreger auf dem Wege der Blutbahn oder auf dem der sie begleitenden Lymphbahnen, und verweist Verf. hier auf die diesbezüglichen Mitteilungen in der Literatur.

Nach diesen rein sachlichen Erörterungen über die Ätiologie der erwähnten multiplen Abszesse macht Verfasser nun ganz ex abrupto einen unerwarteten salto mortale zu von Bergmann. Die vergeblich versuchte Operation, die den Tod des Kindes nicht aufhalten konnte, läßt gerade nicht günstig erscheinen, diesen Fall zur Verherrlichung von Bergmanns Verdiensten um die Hirnchirurgie zu benutzen. Ganz unbegründet muß es aber erscheinen, wenn Verfasser zum Schluß seiner Arbeit schreibt: „Ein Gebot besonders gern geübter Dankes- und Ehrenpflicht gerade für die Ohrenärzte ist es daher, dem Altmeister der Chirurgie, dem die ohrenärztliche Diagnostik und Therapie soviel Befruchtung verdankt, an seinem heutigen Ehrentag zu huldigen."

Die ganze neuere Entwicklung der operativen Ohrenheilkunde ist, ebenso wie die Untersuchungsmethode und pathologische Anatomie des Ohres in der Hauptsache nur von Ohrenärzten geschaffen worden. Wir sind weit daran entfernt, von Bergmanns große Verdienste um die Hirn-Chirurgie schmälern zu wollen, sind jedoch verpflichtet, unbegründeten Lobeshymnen entgegenzutreten und die Verdienste für die Fortschritte auf dem Gebiete der „ohrenärztlichen Diagnostik und Therapie" denen zu überlassen, die sie vor allem in heißem Bemühen errungen haben, den Ohrenärzten.

Bei der Unvollständigkeit der Sektion (nur Kopfsektion gemacht) und dem negativen Befunde der bakteriologischen Untersuchung bei fehlendem Impfversuche hat die Mitteilung eines solchen unklar gebliebenen Falles für die strittige Frage der Multiplizität der otogenen Hirnabszesse überhaupt keinen Wert. Schon die Krampfanfälle hätten darauf hindeuten müssen, daß es sich wahrscheinlich nicht um einen otitischen Hirnabszeß handeln würde.   Schwartze.

<hr>

15.

G. *Kohn* (Königsberg), Über die Therapie der chronischen Kieferhöhlenempyeme. Therapeutische Monatshefte 1906, Februar.

Verfasser gibt mit Berücksichtigung der einschlägigen Literatur eine übersichtliche Mitteilung der Behandlung der chronischen Kieferhöhlenempyeme, wie sie mit bestem Erfolge in der Privatklinik von Prof. Gerber ausgeführt wird. Die Grundsätze der Behandlung sind folgende:

I. Für die konservative Therapie empfiehlt sich bei chronischen Empyemen der Kieferhöhle die Behandlung (Spülungen) vom mittleren Nasengange, in ungeeigneten Fällen von der Alveole.

II. Für die chirurgische Behandlung empfiehlt sich:

a) Bei Erkrankungen der Schleimhaut: breite Eröffnung der Fossa canina, Ausräumung der Kieferhöhle, Anlegung einer Gegenöffnung im mittleren Nasengang, primärer Verschluß der ovalen Öffnung (Gerbersche Methode).

b) Bei hochgradiger Nasenstenose, bei Knochenerkrankungen: Eröffnung der Fossa canina, Bildung eines Lappens mit der Basis nach unten, Ausräumung der Höhle, Hineinschlagen des Lappens auf den Boden der Höhle, Nachbehandlung vom Munde aus.

III. Obturatoren zum Verschluß der Höhle sind möglichst zu vermeiden.

Isemer.

16.

Derselbe, Klinische Beobachtungen im Jahre 1904. (Aus der Klinik und Poliklinik für Halskranke usw. des Prof. Dr. Gerber-Königsberg. Archiv für Laryngologie. XVIII. Bd. 1. Heft.

Von den verschiedenen Kapiteln soll hier nur kurz über das 4., die adenoiden Vegetationen und das 5., die Nebenhöhlenempyeme berichtet werden. Die adenoiden Vegetationen wurden bisher in der Gerberschen Klinik fast stets in Halbnarkose entfernt (seit Bestehen der Klinik ca. 3500 Fälle, davon 425 im letzten Jahr), und hebt Verfasser die großen Vorzüge der Narkose hervor, die, abgesehen von der humanen Behandlung der Patienten, eine ruhigere und gründlichere Herausnahme der Rachenmandel gestattet als ohne dieselbe. Operiert wird das Kind in sitzender Stellung, indem ein Gehilfe das Kind auf den Schoß nimmt, seine Beine über die des Kindes schlägt und mit seiner Rechten die Arme fixiert. Als Narkoticum wird Chloroform oder die Billrothsche Mischung angewendet, und zwar wird dasselbe bis gegen Ende des Excitationsstadium gegeben; das Instrumentarium besteht in der Hauptsache aus den Beckmannschen Messern, der Kürette, dem Konchotom, und ab und zu Zangen für den Nasen-Rachenraum. Um zu verhindern, daß Blut usw. in die großen Luftwege gelangt, wird der Kopf beim Entfernen des Messers aus dem Munde nach vorn und unten gebeugt und dauernd das Blut aus dem Pharynx getupft.

Die Empyeme der Stirnhöhle, die einer konservativen Behandlung nicht weichen, wurden nach Kuhnt und Killian operiert, und hebt Verfasser die kosmetischen und therapeutischen Erfolge besonders der letzteren Methode hervor.

Isemer.

17.

C. Serebrjakoff, Über die Involution der normalen und hyperplastischen Rachenmandel. (Aus dem klinischen Laboratorium von Dr. Schönemann-Bern.) Archiv für Laryngologie. XVIII. Bd. Heft 3.

Die eingehenden Untersuchungen führten zu folgendem Resultat:

I. Die statistischen Erhebungen zeigen, daß die Involution der normalen und der mäßig vergrößerten Rachenmandel ein mit ziemlicher Regelmäßigkeit sich vollziehender Vorgang ist, der mit den Pubertätsjahren einsetzt und mit dem 25. Altersjahr gewöhnlich vollendet ist.

II. Der histologische Vorgang bei diesem Involutionsprozeß ist ein derartiger, daß die epitheliale Bedeckung der adenoiden Rachenmandelhyperplasien den Charakter des Zylinderepithels verliert und denjenigen des Plattenepithels annimmt. Das adenoide Gewebe wird dabei rarefiziert durch Auftreten von zahlreichen Gefäßspalten (Lymph- und Blutgefäße). Die Follikel und deren Keimzentren leisten der Rarefikation länger Widerstand als das interfollikuläre Gewebe. Hand in Hand mit der Rückbildung des adenoiden Polsters geht eine ausgedehnte subepitheliale Cystenbildung.

Isemer.

18.

Schönemann, Über den Einfluß der Radikaloperation (am Gehörorgan) auf das Hörvermögen. Korrespodenzblatt für Schweizer Ärzte 1906. Nr. 14. (Nach einem im med. pharmaz. Bezirksverein Bern gehaltenen Vortrag.)

Verfasser teilt ausführlich die Hörprüfungsresultate zweier Fälle von Totalaufmeißelung mit. Bei der ersten Patientin war der schallperzipierende

Apparat bereits vor der Operation schwer geschädigt, und war das Resultat der Hörprüfung nach der Aufmeißelung unverändert; anders dagegen im 2. Fall, bei dem vor der Operation nur eine Schädigung der Schalleitung nachgewiesen werden konnte und durch die Operation eine nicht unerhebliche Besserung der Hörfunktion erzielt wurde. Diese beiden Fälle wie auch vor allem das Resultat einer größeren statistischen Zusammenstellung, die Verfasser an der Freiburger Ohrenklinik zu machen Gelegenheit hatte, bestimmten ihn zu der Ansicht, daß im Allgemeinen durch die Totalaufmeißelung eine Schädigung der vorhandenen Hörfähigkeit nicht zu erwarten ist, und daß eine relativ frühe Operation, die stets die Resultate möglichst genauer Hörprüfung zur Grundlage hat, nicht von vornherein als unberechtigt von der Hand zu weisen ist. Besonders hervorgehoben wird hier der Wert genauer Hörprüfung, da das Auftreten einer Labyrinthaffektion bei chronischen Mittelohreiterungen im Beginn oft durch nichts verraten wird, als durch den Ausfallsbefund in der ganzen Reihe der Hörprüfungsergebnisse.

Isemer.

19.

Imhofer (Prag), Die Ohrmuschel bei Schwachsinnigen. Zeitschrift für Heilkunde. XXVII. Bd. (Neue Folge VII. Bd.),' Jahrg. 1906, Heft 12. Wien und Leipzig, W. Braumüller, 1906.

Die Untersuchungen des Verfassers erstrecken sich auf 100 Idioten, und zwar 65 männliche, 35 weibliche, mithin 200 Ohren. Er kommt zu folgendem Resultat:

1. Eine für Idioten charakteristische Ohrform gibt es nicht.
2. Bei Idioten kommt eine Anzahl Abnormitäten, oder besser gesagt, Varietäten in größerer Anzahl vor als bei Normalen.
3. Die meisten dieser Varietäten sind als solche anzusehen, die in phylogenetischer, resp. otogenetischer Hinsicht eine mindere Fortentwicklung andeuten.

Isemer.

20.

A. Denker, Die Behandlung der Erkrankungen des äußeren Ohres. Klinischer Vortrag. Deutsche mediz. Wochenschr. Nr. 47, S. 1911 ff. und Nr. 48, S. 1955 ff. 1906.

Verfasser bringt in dem für den praktischen Arzt bestimmten Vortrag die wichtigsten Krankheiten des äußeren Ohres, deren Kenntnis für den Praktiker von besonderem Werte sein muß. In kurzer und übersichtlicher Form werden zunächst die Mißbildungen des äußeren Ohres und die Krankheiten der Ohrmuschel mitgeteilt, und geht Verfasser sodann zu den Erkrankungen des äußeren Gehörganges über. Eingehend wird die Behandlung der in den Gehörgang gelangten Fremdkörper besprochen, und weist Denker hier auf die großen Gefahren hin, die durch ungeschickte Extraktionsversuche herbeigeführt werden können und die in einer nicht geringen Zahl von Fällen den Tod der Kranken zur Folge hatten. Nicht oft genug könne betont werden, daß das Verweilen eines Fremdkörpers im Gehörgang an sich oft keine Gefahr für den Träger bedinge, und daß auch in solchen Fällen die Hörfähigkeit nur selten leide. Ausführlich wird die Entfernung der zahlreichen und mannigfaltigen lebenden und leblosen Fremdkörper erörtert und hierbei als ungefährliches und selten versagendes Mittel die Ausspülung empfohlen (die Statistik weist nach, daß in 100 Fällen 95 mal der Fremdkörper durch Ausspülung entfernt werden konnte). Dringend warnt Verfasser vor der Anwendung von Zangen und Pinzetten und fordert für die instrumentelle Entfernung der Fremdkörper in den meisten Fällen mit vollem Recht die Narkose; dann sei es meist leicht, mit flachen Löffeln oder verschieden geformten Häkchen die Extraktion auszuführen.

In einem weiteren Abschnitt wird die Verletzungen des Gehörganges mitgeteilt und auf die häufigen Folgezustände derselben, die Stenose und Atresie und ihre Beseitigung durch Vorklappen der Ohrmuschel und Erweiterung des knöchernen Gehörganges durch schalenförmige Abmeißelung von der knöchernen hinteren Gehörgangswand hingewiesen.

Für die Behandlung der direkten und indirekten Rupturen des Trommelfells ohne Eiterung stellt Denker die wohl allgemein anerkannte Forderung auf: Schutzverband und Vermeidung jeder Ausspülung und jeder sonstigen Berührung des Risses und seiner Umgebung.

Zum Schluß seines für jeden allgemein praktizierenden Arztes lehrreichen Vortrages bringt Verfasser noch einige Bemerkungen über die Neubildungen des äußeren Ohres und weist bei der Behandlung der bösartigen Geschwülste auf die günstigen Erfolge der radikalen chirurgischen Eingriffe (frühzeitige Exzision der erkrankten Teile, oft mit Amputation der ganzen Ohrmuschel und Exstirpation der infiltrierten Drüsen) hin, die in vielen Fällen dauernde Heilung gebracht hatten.   Isemer.

21.

Panse, Ein Fall von Kleinhirnabszeß. Monatsschrift für Ohrenheilkunde 1906, Nr. 8.

Mitteilung folgenden Falles: 17jähriger Mann mit Klagen über Schwindel bei chronischer linksseitiger Ohreiterung. Die Operation ergab Cholesteatom und einen Sequester auf dem Sinus, der ebenso wie die Dura nicht erkrankt war. Etwa 2 Monate nach der Operation sah Verfasser den Patienten zum ersten Mal und machte er damals einen etwas benommenen Eindruck: Puls 60, Temperatur normal, keine amnestische Aphasie, in der Wundhöhle keine Fistel. Am anderen Tage Erbrechen, später Hinterkopfschmerz. Beim Blick nach links Nystagmus mit schnellen Schlägen nach links, hartnäckige Verstopfung; Puls 56, Pupillengrenze rechts etwas verwaschen; Augapfel weicht nach rechts ab. Die Pulszahl ging in den nächsten Tagen langsam herunter, Klopfen auf den Hinterkopf schmerzlos, Stimmgabel C, vom Scheitel und den Zähnen nach links; langsame Antworten ohne amnestische Aphasie, beim Stehen Taumeln nach rechts hinten, besonders bei Augenschluß. Patellarreflex normal; abermaliges Erbrechen, zeitweise Wimmern.

Die zunehmende Benommenheit, die Veränderung des Augenhintergrundes und die Pulsverlangsamung veranlaßten Verfasser zur Annahme einer Raumbeschränkung im Schädelinnern, Erbrechen, Obstipation und Hinterkopfschmerz zur Annahme einer Erkrankung der Kleinhirngegend. Eitrige Meningitis und Sinusthrombose schloß er infolge Fieberlosigkeit aus. Als Ursache des Schwindels kamen in Betracht: das Labyrinth und das Kleinhirn. Gegen das Bestehen eines Labyrinthleidens führt Verfasser die geringe Stärke des Schwindels und die Hörprüfung an und hält durch das Abweichen der Augen nach rechts bei dem Blick nach dem kranken Ohr (ohne Abduzenslähmung), das Fehlen amnestischer Aphasie bei der linksseitigen Ohrerkrankung und vor allem durch die nach dem Kleinhirn sich erstreckende Knochenerkrankung eine Kleinhirnerkrankung (Abszeß) für sehr wahrscheinlich.

Operation: Punktion des Kleinhirns median des Sinus mit negativem Resultat; zweite Punktion 2 cm medial der ersten ergab gelb-grünliche Flüssigkeit (Eiterkörperchen und Kokken); Einschnitt und Erweiterung desselben, wobei aus etwa 1½ cm Tiefe etwa ein Eßlöffel dicker Eiter quoll. Drain etc. In den ersten Tagen nach der Operation reichlicher Liquorabfluß, weiterer Heilungsverlauf im wesentlichen normal. 5 Monate nach der Entleerung des Abszesses war Patient wieder zu schwerer Arbeit fähig.

In einem kurzen zusammenfassenden Rückblick hebt Verfasser die Heilung der gleichzeitig neben dem Abszeß bestandenen nicht sehr virulenten Meningitis hervor, die er infolge des reichlichen Liquorabflusses in den Tagen nach der Operation für eine diffuse hält, und tritt auch hier dafür ein, „daß wir die Prognose der Hirnhautentzündung besser stellen müssen als früher und uns höchstens durch Koma von operativen Eingriffen abhalten lassen sollen".

Zum Schluß macht Verfasser mit Bezug auf vorliegenden Fall kurze

Bemerkungen über den Schwindel, wobei er auf seine früheren Untersuchungen über den Schwindel zurückgreift. Dem Text beigefügt ist ein
einfaches übersichtliches Schema der Gleichgewichtsbahnen aus: R. Panse,
„Schwindel" (Wiesbaden 1902, Bergmann).   Isemer.

22.

A. Baurowicz (Krakau), Eine otogene Abduzenslähmung. Ibidem,
Heft 8. 1906.

Nach kurzer Erwähnung der für eine otogene Abduzenslähmung in
Betracht kommenden Ursachen teilt Verfasser folgenden Fall mit: 16jährige
Patientin erkrankte nach Erkältung an heftigen Schmerzen im linken Ohr.
Der Befund 2 Tage nach der Erkrankung war folgender: Starke Vorwölbung
und Rötung des linken Trommelfells, keine Perforation, Druckschmerz in
der Gegend des Antrum, Temperatur gegen 40° C. Behandlung: Tropfen
von essigsaurer Thonerdelösung in das erkrankte Ohr, hydropathischer Umschlag mit derselben Lösung, Phenacetin. Am nächsten Morgen war bereits
Spontanperforation eingetreten. Unter Eisblase und Reinigung des Ohres
allmählige Besserung des Leidens. Am 3. Tage nach der Perforation totale
Lähmung des linken N. Facialis, 2 Tage später ausgesprochene Abduzenslähmung (beim Blick nach links), normaler Augenhintergrund. 13 Tage nach
der Perforation war das Ohr trocken und die Abduzenslähmung geschwunden, wenige Tage später auch die des N. Facialis.

Verfasser nimmt nun an, daß die Facialisparese durch Übergreifen der
Entzündung, aller Wahrscheinlichkeit nach durch Dehiszenzen des Canal.
Faloppii auf den Nerv entstanden sei und daß für die Abduzensparese ein
reflektorischer Ursprung auf dem Wege des Nervus vestibularis in Betracht
komme.

Zu bedauern ist, daß Verfasser das Resultat der Funktionsprüfung
des erkrankten Ohres beim Auftreten der Paresen nicht mitteilt. Ferner
mußte bei einem derartigen Ohrbefund, wie oben erwähnt, unbedingt die
Paracentese gemacht werden, wodurch es aller Wahrscheinlichkeit nach
überhaupt nicht zu den erwähnten Paresen gekommen wäre.   Isemer.

23.

Alt (Wien), Über otogene Abduzenslähmung. Monatsschrift für
Ohrenheilkunde etc. 40. Jahrgang, 2. Heft 1906.

Verfasser teilt die verschiedenen Ansichten über die Entstehung der
otogenen Abduzenslähmungen kurz mit und gibt dem auf Grund eigener
Beobachtungen und der in der Literatur vorliegenden Berichte über die
otitische Abduzenslähmung eine übersichtliche Gruppierung der Fälle nach
dem ätiologischen Moment. Er beginnt mit der Lähmung, die reflektorisch
auf dem Wege des Nervus vestibularis entsteht und führt hier folgende
eigene Beobachtung an: 8jähriger Patient erkrankte im Anschluß an Influenza an einer linksseitigen akuten eitrigen Mittelohrentzündung; Paracentese. Am nächsten Tage profuse Eiterung, Trommelfell dunkelrot, geschwellt, vorn unten pulsierende Perforation; Spitze des Warzenfortsatzes
druckempfindlich. Temperatur 38,9, Puls 96, starker Kopfschmerz in der
Stirngegend. Nach 4 Tagen waren bei üblicher konservativer Behandlung
Schmerzen und Fieber geschwunden, nur reichliche Eiterabsonderung bestand fort. Nach 8 Tagen erneutes Einsetzen der Schmerzen im Ohr und
der Druckempfindlichkeit des ganzen Warzenfortsatzes, wozu auch bald
Ödem trat. Nach etwa 3 Wochen typische Aufmeißelung: Periostaler Abszeß,
in der Mitte des Warzenfortsatzes linsengroße Fistelöffnung, die Zellen des
vertikalen Teiles des proc. mastoid. waren eitrig eingeschmolzen; Resektion
der ganzen Spitze und breite Eröffnung des Antrum. Anfangs normaler
Wundverlauf, nach 14 Tagen jedoch starke Zunahme der Eiterabsonderung
aus der Antrumöffnung, 4 Wochen nach der Aufmeißelung plötzliches Eintreten einer linksseitigen Abduzensparalyse mit charakteristischen Doppel-

bildern und normalem Augenhintergrund. Wenige Tage später Totalaufmeißelung: Einschmelzung des Knochens und Granulationsbildung, bis tief
zwischen die Bogengänge reichend, im horizontalen Bogengang eine mohn-
korngroße, unregelmäßig zackige Fistelöffnung, in welcher Eiter sichtbar.
Erweiterung der Fistelöffnung mit feinem Meißel. Schon 9 Tage nach der
letzten Aufmeißelung normale Funktion des Musculus rectus externus;
weiterer Wundverlauf ohne Besonderheiten.

Dieser eigenen Beobachtung fügt Verfasser einige Fälle anderer
Autoren (Urbantschitsch, Pick) bei.

Als weitere Ursachen für die otogene Lähmung des Musculus rectus
externus werden erwähnt: Infektiöse Neuritis; Meningitis, die auf die Gegend
der Felsenbeinspitze lokalisiert ist; diffuse Formen otogener Meningitis, die
zum Teil durch Lumbalpunktion sicher diagnostiziert wurden. Für jede
dieser Gruppen führt Verfasser die charakteristischen Fälle aus der Literatur an und bringt zum Schluß seiner Arbeit eine kurze Würdigung der
verschiedenen Anschauungen. Isemer.

24.

M. Fiedler (Berlin), Zur Kasuistik des sogenannten blauen
Trommelfells. (Aus der Prof. B. Baginskyschen Privat-Poliklinik,
Berlin.) Ibidem.

Mitteilung von 2 Fällen von sogenanntem blauen Trommelfell, von
denen der eine eigene Beobachtung des Verfassers ist und der andere
schon früher in obengenanntem Institut zur Beobachtung gekommen war:

Fall I (frühere Beobachtung) ist ein 7 Jahre altes Kind, das 4 Wochen
vor Eintritt in die Behandlung Scharlach gehabt hatte und seither an
Schwerhörigkeit litt. Trommelfellbefund: zwei Narben und eine bleigraue,
mit Blau gemischte Farbe des Trommelfells; bei Anwendung des Politzerschen Verfahrens wölbt sich das Trommelfell vor, die blaue Farbe ist zum
Teil geschwunden, an anderen Stellen sehr intensiv aufgetreten; Exsudat in
der Paukenhöhle; wesentliche Besserung der Hörfähigkeit.

Fall II (eigene Beobachtung). 6½jähriges Kind, vor 2 Jahren Scharlach
mit Anschluß von beiderseitiger Mittelohreiterung. Seit 14 Tagen wieder
rechtsseitige Ohrschmerzen und herabgesetzte Hörfähigkeit. Befund: Starke
Hypertrophie der Tonsillen, adenoide Vegetationen. Narbe im hinteren
Teile des rechten Trommelfells und in der Shrapnell'schen Membran,
normale Neigung des Trommelfells, dessen Farbe an der ganzen hinteren
Partie „von satter dunkelblaugrüner Tönung" war. Nach Lufteinblasen in
die Paukenhöhle (Politzers Verfahren) wich an einigen Stellen die blaue
Farbe einer grauen, und wo vorher graue Färbung beobachtet wurde,
zeigten sich jetzt „intensiv blaugrüne reflektierende Farbentöne"; wesentliche Besserung der Hörfähigkeit. Im Anschluß an die nach der Aufnahme
vorgenommene Adenotomie und Tonsillotomie trat zu dem Ohrprozeß noch
eine Mittelohreiterung hinzu mit anfangs blutig-seröser Flüssigkeitsent-
leerung. Ohrspiegelbefund: hochgradige Rötung des Trommelfells, Vorwölbung mit kleiner pulsierender Perforation; Blaufärbung gänzlich geschwunden.
Auch nach Abklingen der entzündlichen Erscheinungen war an keiner
Stelle eine an die frühere Blaufärbung erinnernde Nüanzierung nachzuweisen.

Verfasser nimmt nun an, daß im letztgenannten Falle — nur dieser
wird zur epikritischen Betrachtung verwertet — im Anschluß an das durch
die Untersuchung festgestellte Exsudat eine Blaufärbung des Trommelfells
eingetreten sei und daß ferner durch die Untersuchung die von anderen
Autoren angeführten ätiologischen Momente einer Varixbildung des
Trommelfells und abnormen topographisch-anatomischen Verhaltens des
Bulbus jugularis ausgeschlossen werden können.

Leider ist der Nachweis eines Exsudats in der Pauke, der wesentlichste Stützpunkt der Ansicht des Verfassers für die Blaufärbung des
Trommelfells, durch die Untersuchung nach Ansicht des Referenten in
keiner Weise gebracht worden. Der otoskopische Befund bei der Auf-

nahme des Kindes bot nicht die geringsten Anhaltspunkte für das Vorhandensein eines Exsudats in der Pauke und auch die hervorgehobene
Hörverbesserung nach Anwendung des Politzerschen Verfahrens kann
doch nicht, wie Verfasser es annimmt, hierfür beweisend sein. Der Nachweis einer Flüssigkeitsansammlung in der Pauke konnte hier einzig und
allein durch die Auskultation des Ohres, am besten durch Katheterismus,
erbracht werden, und dies hat Verfasser, angeblich des jugendlichen Alters
der Patientin wegen, leider unterlassen.   Isemer.

25.

H. Seligmann (Frankfurt a. M.), Die progressive nervöse Schwerhörigkeit und Edingers Theorie von den Aufbrauchkrank-
heiten des Nervensystems. Ibidem, Seite 109 ff.

    S. geht kurz auf die Edingersche Aufbrauchtheorie ein und be-
richtet sodann im Zusammenhange hiermit über einige neuere Arbeiten
(Manasse, Brühl, Alexander), in denen Mitteilungen über anatomische
Untersuchungen einer größeren Anzahl von Fällen primärer Akustikus-
atrophie gemacht werden. Diese Ergebnisse (Atrophie des Akustikus) in
Verbindung mit klinischen Beobachtungen, die so oft die Heredität der
progressiven nervösen Schwerhörigkeit in mehreren Generationen zeigen,
berechtigen nach Ansicht des Verfassers zu der Annahme einer Aufbrauch-
krankheit für die primäre Nerventaubheit. Ist diese Annahme berechtigt,
so ist, wie Verfasser weiter schließt, auch die Therapie für die primäre
Nerventaubheit gegeben: Schonung (Abhalten von Gehörseindrücken, Ver-
stopfen mit Watte, Gebrauch von Antiphonen, Nichtgebrauch von Hörrohren, Vermeidung elektrischer Kuren etc.).
    Die zweite Gruppe: Nerventaubheit mit Knochenerkrankung (Otoscle-
rose mit Nerventaubheit) schließt Verfasser hier von seiner Betrachtung aus,
da seiner Ansicht nach bei der sogenannten Osteoporose der Labyrinthkapsel die Nerven sekundär durch Inaktivitätsatrophie schwinden und ihre
Erkrankung nicht primäre Veränderungen darstellen.   Isemer.

26.

Hammerschlag (Wien), Ein Fall von Neurofibromatose (Reck-
linghausensche Krankheit) mit Beteiligung des Gehörorgans.
Ibidem, Heft 5, Seite 309 ff.

    Sehr ausführliche Mitteilung der Krankengeschichte eines Falles von
multipler Neurofibromatose, besonders in der rechten Gesichtshälfte, aus
der hier nur folgendes erwähnt sei: Der 24jährige Patient, bei dem etwa
im 6. Lebensjahre die Bildung der Tumoren einsetzte, klagte seit etwa
10 Jahren über Schwerhörigkeit auf dem rechten Ohr. Bei der Untersuchung des genannten Ohres zeigte sich das innere Ohr (Labyrinth und
Nervus acusticus) intakt, dagegen erschienen das äußere und mittlere Ohr
erkrankt. Am äußeren Ohr bestand hochgradige Stenose des Gehörganges
und das Knorpelgerüst des Tragus und des knorplig-membranösen Gehörganges fehlte vollständig. Das Mittelohr zeigte Veränderungen, die Verfasser als chronischen Mittelohrkatarrh ansah.
    Das Fehlen des Gehörknorpels hält H. für kongenital trophische Stö-
rungen, die seiner Ansicht nach auch durch Veränderungen der knorplig-
membranösen Tube eine normale Ventilation der Trommelhöhle verhindert
und so den chronischen Mittelohrkatarrh bedingt haben.
    Verfasser geht in seiner Arbeit noch näher ein auf das Wesen der
multiplen Neurofibromatose mit Berücksichtigung der dabei wesentlich in
Betracht kommenden Literatur.   Isemer.

27.

Fleischmann (Budapest), Über die Behandlung eiteriger Mittelohr-erkrankungen mit Bierscher Stauungshyperämie. (Aus der k. k. Universitäts-Ohrenklinik in Wien.) Ibidem, Heft 5, S. 319 ff.

Fleischmann berichtet über 25 Erkrankungen von eiteriger Mittelohr-entzündung, bei denen die Stauungshyperämie nach Bier angewendet wurde. Recht wenig ermutigend sind seine Erfolge. Zunächst war die schmerzstillende Wirkung der Stauungshyperämie nicht so sicher eingetreten wie bei Keppler. Oft war auch ein Unterschied in der Druckempfindlichkeit des Warzenfortsatzes während der Stauung und der Pause nicht nachzuweisen, und die Schmerzen am Warzenfortsatz wurden durch die Stauung in den Fällen besser beeinflußt, in denen die Inzision für die Entleerung eines subperiostalen Abszesses notwendig war. Aus diesen Umständen läßt Fleischmann es zweifelhaft erscheinen, ob die Linderung überhaupt durch die Stauung bedingt war, oder ob nicht vielmehr die Inzision des Abszesses hier die Hauptrolle spielte.

Von den mit Stauungshyperämie behandelten 12 akuten Mastoiditiden heilten nur 5 ohne Operation; die übrigen 7 Fälle mußten operiert werden und zeigte der Operationsbefund bei mehreren dieser Fälle die ausgedehntesten Zerstörungen, welche durch das lange Zögern mit dem operativen Eingriff soweit fortgeschritten waren, daß der ganze Warzenfortsatz bis zur Dura und dem Sinus eingeschmolzen war. Seine Erfahrungen faßt Fleischmann in folgendem zusammen:

Die Stauungshyperämie nimmt die Akuität des Krankheitsbildes, macht aus der manifesten eine latente Form und verlockt uns zu einer Zögerung, die verhängnisvoll werden kann. Dies macht die neue Methode auf unserem Gebiete bedenklich; denn es liegt immer die Gefahr vor, daß der richtige Moment zum Eingriff versäumt wird. Isemer.

28.

S. Mac Cuen Smith (Philadelphia), An unusual growth of the mastoid process, fibro-chondro-osteoma of the mastoid antrum. Annals of otol., rhinol. und laryngol. Vol. XV. No. 2, June 1906.

Der kleine Tumor wurde gelegentlich der Totalaufmeißelung bei einem Falle von chronischer Eiterung vorgefunden, bei dem ausgedehnte Karies in der Pauke und im Antrum vorlag, Hammer und Amboß bereits ausgestoßen waren, ein großer fibröser Polyp den Gehörgang ausfüllte, und die hintere Gehörgangswand diffuse Periostitis zeigte. Letzterer benachbart, entsprang mit kurzem, dünnen Stiele der 1:0,6:0,3 cm messende graurote Tumor von der vorderen unteren Antrumwand. Seine Oberfläche war glatt, glänzend, leicht gekörnt, seine Konsistenz teils hart, teils elastisch weich. Bei der histologischen Untersuchung ergab sich eine Epidermisumhüllung, die jedoch stellenweise nur aus dem Stratum corneum und Malpighi bestand. Unter dieser Hautbedeckung lagen Herde locker angeordneter Bindegewebsfasern, die zahlreiche kleine Blutgefäße, hie und da mit dichter perivaskulärer Rundzelleninfiltration enthielten. Außerdem fanden sich in den Schnitten Trabekel von Faserknorpel, und stellenweise Herde von osteoidem Charakter. An der Grenze des Knorpelgewebes lagen zahlreiche vielkernige Zellen, ähnlich den Chondroblasten, in deren Nähe der Knorpel ausgenagt und degeneriert erschien. An die Stelle des zerstörten Knorpelgewebes war lockeres, faseriges, bezw. zellreiches Bindegewebe getreten. Zwischen den Knorpelbalken befanden sich zahlreiche teils leere, teils mit körnigen Massen erfüllte weite Lymphräume. Der Stiel bestand aus einem fibrösen Bindegewebsstrang. Fröse.

29.

T. Melville Hardie (Chicago), The indications for operative inter-
ference in mastoiditis associated with acute suppurative
otitis media. Ebenda.

Ein kurzer Aufsatz, in dem die Symptome der akuten Mastoiditis aufgezählt werden. Neues bringt er nicht. _____ Fröse.

30.

James T. Campbell (Chicago), A case of primary syphilitic infection
in the nose. Ebenda.

Bei dem Träger des seltenen Primäraffektes (?) in der Nase war acht
Wochen vor Feststellung des letzteren wegen harten Schankers am Präpu-
tium die Zirkumzision vorgenommen worden. Am Vorderrande der rechten
unteren Nasenmuschel zeigte die Schleimhaut eine oberflächliche Nekrose.
Nach Abziehen des bedeckenden fibrinösen Belags trat ein blutendes Ulcus
zutage. Für fibrinöse Rhinitis sprach sonst nichts. Ein etwa 80 Tage nach
dem vermutlichen Infektionstermine am Abdomen auftretendes makulöses
Syphilid führte zur Diagnose, eine Inunktionskur zu schneller Heilung. —
Der Fall liegt nicht klar. (Ref.[1]) _____ Fröse.

31.

John J. Kyle (Indianopolis), Report of a case of abscess of the tem-
poro-sphenoidal lobe of an otitic origin. Ebenda.

36jährige, nie ernstlich, insbesondere nicht an Lues erkrankte Frau
litt 9 Jahre zuvor an einer rechtsseitigen akuten Otitis media, die innerhalb
6 Wochen ablief. In den folgenden Jahren während der Wintermonate Anfälle von Kopfschmerz, die in den letzten 3 Jahren heftiger wurden. Zuerst
wurden sie im rechten Ohre, seit den letzten 6 Monaten oberhalb desselben
empfunden. Im April 1905 plötzlich unter Bewußtlosigkeit Lähmung des
rechten Arms und Beines, in denen auch die Sensibilität völlig erlosch.
Nach 2 Wochen vermochte die Kranke an einer Krücke wieder zu gehen,
während der Verlust der Sensibilität etwa 2 Monate anhielt. Seit länger als
einem Jahre hatte Schwindelgefühl und die Neigung, nach rechts zu fallen,
bestanden; zeitweise war auch Übelkeit und Erbrechen aufgetreten. 12 Tage
vor ihrer Aufnahme ins Hospital begann Patientin, zumal nach dem Erwachen aus dem Schlafe, zu delirieren. — Am 11. Nov. in das St. Vincent
Hospital aufgenommen, stöhnte und hustete die Kranke und sprach unzu-
sammenhängend und töricht. Temperatur etwa 36,5° C. Befund am Trommelfell und Warzenfortsatz normal. Rechts etwas Ptosis und Konvergenzstel-
lung des Augapfels mit Mydriasis. Augenhintergrund beiderseits regelrecht.
Unfähigkeit zu gehen; an den Extremitäten jedoch keine Gefühlsstörung.
Bei der Aufmeißelung erwies sich der Warzenfortsatz fast völlig sklerosiert;
nirgends Karies. Weite Freilegung der graublauen fibrösen Dura der mittleren Schädelgrube durch Fortnahme des Tegmen antri und des nach vorn
hin angrenzenden Schläfenbeinknochens. Durch Einschnitt mit der Schere
wurde eine hühnereigroße „Tasche" eröffnet, aus der sich dunkles Blut mit
Eiter und zerfallener Hirnsubstanz entleerte. Keine markierte Abszeßgrenze.
Mikroskopisch wurde im Eiter der Staphylococcus pyogenes aureus nachgewiesen. Abschabung der erweichten Hirnsubstanz (!), Berieselung der
Wunde mit physiologischer Kochsalzlösung, Verband mit Jodoformgaze. Bei
täglichem Verbandwechsel versiegte die anfänglich starke Eiterung allmählich, und nach 5 Wochen schloß sich die Durawunde. Auch die Kopfschmerzen in der rechten Schläfe, die zuerst mit Opiaten bekämpft werden
mußten, verloren sich. Ebenso gingen in 7 Wochen die Augensymptome zurück. Nach 8 Wochen aus dem Hospital entlassen. Beim Gehen bestand
noch leichte Unsicherheit mit Neigung, nach rechts abzuweichen. — Die
kurz dauernde Hemiplegie ist Kyle geneigt, auf eine sekundäre Ursache,
einen embolischen, thrombotischen oder hämorrhagischen Prozeß in der linken inneren Kapsel zu beziehen, wenn man nicht annehmen will, daß sie
infolge mangels einer Kreuzung der motorischen Leitungsbahnen in diesem
Falle vom Schläfenlappenabszeß induziert war. _____ Fröse.

32.

Bill Hastings (Los Angeles, Cal.), Section of temporal bone; temporal bone of child; metal cast of ear. Ebenda.

Ein kurzer Vortrag mit Demonstration zweier Schläfenbeindurchschnitte und eines Korrosionspräparates vom Ohr. Die Durchschnitte veranschaulichen einen Fall von Hyperostose im Aditus und Antrum, und die Lage des Antrums beim Neugeborenen.   Fröse.

33.

Hugo A. Kiefer (Los Angeles), Eustachian Catheterization through the mouth, with report of an illustrative case. Ebenda.

Die Überschrift enthält das Referat des Vortrages.   Fröse.

34.

Henry L. Wagner (San Francisco), Demonstration of sequester of the temporal bone obtained during a mastoid operation. Ebenda.

Ein völlig gesunder Mann erlitt durch Fall von einem Wagen auf die linke Seite des Hinterkopfes eine komplizierte Basisfraktur. In den ersten Wochen darauf, während einer expektativen Behandlung, trat „seröser Ausfluß" aus dem linken Mittelohr auf, der allmählich eitrig wurde. Nach zwei Monaten war, außer einer kopiösen Streptokokkeneiterung, vom Autor nichts Krankhaftes festzustellen, insbesondere der linke Warzenfortsatz nicht druckempfindlich. Bei der ausgedehnten Totalaufmeißelung wurde ein 2:1 cm großer Sequester extrahiert, dessen beide Enden bei der Lockerung abbrachen. Er saß in dem „Felsenbeinteile" (?) des Warzenfortsatzes. Die Eiterung versiegte nunmehr, und die Rekonvaleszenz verlief ohne Störung.
                                                        Fröse.

35.

D. B. Trowbridge (Fresno, Cal.), Nasal obstruction a cause of deafness. Ebenda.

T. erörtert in einem Vortrage die ätiologische Beziehung zwischen Obstruktion der Nase und Schwerhörigkeit und rühmt auf Grund zahlreicher Beobachtungen den Nutzen, welchen die operative Freilegung der Nasenhöhlen für das Hörvermögen haben kann. Wenn auch schonendes Vorgehen bei den erforderlichen intranasalen Eingriffen hinreichend empfohlen wird, so weist doch in der dem Vortrage folgenden Diskussion besonders Welty mit Recht darauf hin, daß auf sorgfältige Indikationsstellung der größte Wert gelegt werden muß.   Fröse.

36.

J. Guisez (Paris), De l'ostéomyélite des os plats du crâne consécutive aux otites et sinusites suppurées. Arch. internat. de laryng., d'otol. et de rhinol. Tome XXII, No. 1.

Das auf dem letzten Kongreß der französischen Gesellschaft für Laryngologie, Otologie und Rhinologie erstattete Sammelreferat entzieht sich wegen seiner Ausführlichkeit einer erschöpfenden Wiedergabe an dieser Stelle. Der Autor hat die über das Thema vorliegende Literatur sorgfältig benutzt und stützt sich insbesondere vielfach auf die Arbeit von Schilling (Zeitschr. f. Ohrenh., Bd. 48, Ergänzungsh.). Wir beschränken uns auf die Hervorhebung folgender Punkte. Ätiologisch kommen für die Entstehung der Osteomyelitis vor allem akute Exazerbationen chronischer Mittelohr- und Sinuseiterungen in Betracht, ferner operative Traumen. Sind mehrere Nebenhöhlen der Nase erkrankt, so kann bei der operativen Eröffnung nur einer derselben die Osteomyelitis von der anderen aus ihren Anfang nehmen (Stirnhöhle). Am Ohr verschulden unvollständige Totalaufmeißelung, Nicht-

entfernung isolierter, mit Eiter und Granulationen erfüllter Zellen die Erkrankung der benachbarten Diploë. Mit am häufigsten soll die Osteomyelitis der Schläfenbeinschuppe von dem spongiösen Bezirk der lateralen
Hälfte der hinteren Gehörgangswand ihren Ausgang nehmen, wo die Nachbarschaft des N. Facialis ein gründliches Ausräumen der Krankheitsherde
erschwert. Über die Art der Ausbreitung der Osteomyelitis gelangt G. zu
folgenden Ergebnissen:

1. Bei jungen Individuen, bis zum Alter von 8 oder 10 Jahren, scheint
wegen des Reichtums der Diploë an Knochenmark die Infektion in der
Kontinuität fortzuschreiten.

2. Bei Erwachsenen und besonders bei Greisen wird die Infektion
vorwiegend auf dem Blutwege vermittelt.

3. Die Entwicklung isolierter Knochenherde hängt mit metastatischer
Phlebitis zusammen, ähnlich wie die Entstehung isolierter meningitischer
Herde.

Wegen näherer Einzelheiten, zumal hinsichtlich der pathologisch anatomischen Befunde, des Verlaufs, der Komplikationen etc., muß auf das
Original verwiesen werden.

Sein allgemeines Urteil präzisiert G. folgendermaßen:

Die Osteomyelitis der platten Schädelknochen verdient, besonders in
ihrer diffusen Form, einen wichtigen Platz unter den Komplikationen der
Sinusempyeme und der Otitiden.

Sie vermittelt sehr oft die anderen intrakraniellen Komplikationen
(Thrombophlebitis, Meningitis, Hirnabszeß).

In gewissen Fällen primären Ursprungs, ist sie zuweilen unmittelbare
Folge eines operativen Eingriffs, und der Operateur hat gegen sie Vorsorge
zu treffen.

Denn so leicht ihre Entstehung zu verhindern, so schwer ist die aus-
gebrochene Krankheit zu heilen.

Den Schluß bildet die kurze Schilderung eines von G. erfolgreich operierten Falles von Osteomyelitis des Schläfenbeins, des Scheitelbeins und
des Hinterhauptbeins im Gefolge von Mastoiditis.   Fröse.

<hr>

37.

Royet (Lyon), Considérations à propos de nouvelles observa-
tions de vertige par symphyse salpingopharyngienne. Ebenda,
Tome XXII, No. 2.

Der Autor berichtet über 5 Fälle von Schwindel, die durch Beseitigung von Adhäsionen zwischen Tubenmündung und Pharynxwand geheilt
wurden. Zweimal bestand nur Schwindelgefühl, dreimal objektiv nachweisbarer Schwindel, teilweise hohen Grades und mit Übelkeit und Erbrechen
verbunden. Das Hörvermögen war bis auf einen Fall, bei dem einseitige
Taubheit vorlag, wenig oder gar nicht beeinträchtigt. Der otoskopische Befund war negativ; nur ein Fall zeigte leichte Einziehung des Trommelfells.
Die Mehrzahl der Patienten klagte über subjektive Geräusche. Über das
Resultat der Auskultation des Mittelohrs wird indes nichts mitgeteilt.
Nach digitaler Entfernung der Verwachsungsstränge war in allen Fällen
der Schwindel mit seinen Begleiterscheinungen verschwunden. Bei mehreren Patienten war eine längere spezialistische Behandlung mittelst Luftdusche voraufgegangen und vergeblich gewesen.   Fröse.

<hr>

38.

Dallmann, Ohrfeigenruptur des Trommelfells, Mittelohreiterung, Sinusthrombose, Pyämie. Heilung. (Ärztliche Sachverständigen Zeitung 1906. Nr. 28.)

Dallmann veröffentlicht einen interessanten Fall aus der Halleschen
Ohrenklinik. Die an sich harmlose Ohrfeigenruptur hat wohl nicht ohne
Schuld der ärztlichen Behandlung — es waren dreimal täglich warme Ölein-
träufelungen verordnet — zunächst zu einer Mittelohrentzündung und infolge

Hinzutretens einer Angina zu einer profusen Mittelohreiterung geführt; und zwar handelte es sich um eine Pneumokokkeninvasion. Dieselbe machte nach 10 Wochen die typische Aufmeißelung des Warzenfortsatzes notwendig. Hierbei zeigten sich bereits disseminierte Herde, die bis an die Wand des Sulcus sigmoideus reichten. Wenige Tage nach der Operation zeigten hohe Temperaturen, Pulsfrequenz, Druckschmerz im Genick, Unruhe usw. ohne krankhaften Befund im übrigen Körper an, daß der Entzündungsprozeß am Sinus nicht Halt gemacht hatte. Die Lumbalpunktion acht Tage nach der Operation ergab klaren Liquor cerebrospinalis; es wurde die Vena jugularis interna unterbunden und der Sinus in großer Ausdehnung freigelegt. Seine Eröffnung bewies, daß sich bereits wandständige Thromben gebildet hatten. Das Fieber ist noch einige Male hoch gestiegen bis 39,9°, im übrigen aber ist nach der letzten Operation ein allmählicher Übergang in Heilung erfolgt. Da der Fall ein gerichtliches Nachspiel hat, wird es von Interesse sein zu erfahren, inwieweit der Veranlasser der Ohrfeigenruptur bei der Mitveranlassung der Mittelohreiterung durch Öleingießung für die schweren Folgeerkrankungen verantwortlich gemacht wird.   Küstner.

39.

Isemer, Zwei Fälle von Ohrschwindel, durch Operation geheilt. (Münchener med. Wochenschr. Nr. 1. 1907.)

Zwei Fälle von intensivem Ohrschwindel aus der Halleschen Ohrenklinik, die durch Operation geheilt sind. Verfasser erwähnt, daß Heilung von Labyrinthschwindel durch Operation an sich für den Ohrenarzt kein Novum ist, daß aber beide Fälle insofern eine Besonderheit zeigten, daß der Schwindel bei den Patienten, die an chronischer Ohreneiterung litten, ganz plötzlich apoplexieartig auftrat.

Die Erklärung dafür wird darin gefunden, daß bei intakten Bogengängen, wie sich bei der Operation herausstellte, große Granulationen sich in der Paukenhöhle fanden, welche die Ossicula einbetteten und auf den Steigbügel einen Druck ausübten. Der intralabyrinthäre Druck ist durch Druck auf den Steigbügel sowieso schon erhöht gewesen, durch die Anstrengung bei der Arbeit oder beim Bücken aber ist derselbe derart gesteigert worden, daß er den plötzlich apoplexieartig einsetzenden Schwindel ausgelöst hat.

                     Küstner.

40.

G. Krebs (Hildesheim). Seltene Ausgänge der Otitis externa circumscripta. Therapeutische Monatshefte, 1907, Februar.

Mitteilung von 3 verschiedenen Komplikationen im Verlauf der Otitis externa circumscripta, die alle darin ihren Grund hatten, daß die Eiterung durch die Gehörgangswand durchgebrochen war und den Knochen mehr oder weniger sekundär in Mitleidenschaft gezogen hatte.

1. Durchbruch der Phlegmone an der hinteren Wand des medialen Teiles des Gehörgangschlauches und sekundäre Periostitis der angrenzenden knöchernen Gehörgangswand und im Gefolge davon zuweilen Ostitis, Empyem und Caries der vorderen Warzenfortsatzzellen. Das otoskopische Bild wird namentlich im Anfang der Komplikation dem der Mastoiditis bei akuter Mittelohreiterung ähnlich.

2. Durchbruch der Phlegmone im äußeren Teile des Gehörgangs und zwar an der hinter oberen oder unteren Wand mit folgendem Krankheitsbild: starke Empfindlichkeit der Ohrmuschel, Abstehen derselben vom Kopf, Verstrichensein ihrer Ansatzlinie, Rötung und Schwellung der angrenzenden Teile; zuweilen Bildung eines subperiostalen Abszeßes hinter dem Ohr.

3. Weiterentwickelung dieses subperiostalen Abszeßes über dem Planum und sekundäre oberflächliche Caries und später Vereiterung der unter der Corticalis des Planum gelegenen Warzenfortsatzzellen (ohne Erkrankung tieferer Zellen oder des Antrum).

Bei allen 3 mitgeteilten Komplikationen wird auf die eventuelle

Schwierigkeit, solche Fälle von Mastoiditis bei Otitis media zu unterscheiden, hingewiesen und die Mahnung daran geknüpft, den „Ohrfurunkel" stets einer sorgfältigen Behandlung zu unterziehen.   Isemer.

41

Georg Cohn. Altes und Neues zur Nasentuberkulose (Aus der Königl. Universitäts-Polikl. für Hals- und Nasenkranke zu Königsberg. Direktor Prof. Gerber). Archiv für Laryngologie. 19. Bd. 2. Heft.

Verfasser kommt zu folgendem Ergebnis seiner Arbeit:

1. Unter den tuberkulösen Affektionen der Nasenhöhle ist zu unterscheiden:

a) Lupus: mit oder ohne Lupus der äußeren Nase in der Form von Granulationen auftretend im vorderen Nasenteil, zumeist am Septum, aber auch an den Muscheln und am Nasenboden bei sonst gesunden, oft blühenden, meist jugendlichen Personen, häufig unter dem Bilde des Eczema vestibuli und der Rhinitis sicca anterior.

b) Tuberkulose: meist in Form von Ulcerationen event. mit Infiltrationen, Tumoren und Granulationen vergesellschaftet.

Fast immer sekundär bei hochgradig tuberkulösen dekrepiden Personen mit weit vorgeschrittener Tukerkulose der Lungen und des Kehlkopfs und oft auch des Rachens.

II. Der äußere Nasenlupus geht meist von dem vorderen Winkel des Nasenloches aus; dieser beginnende Lupus ist oft nur durch Rhinendoskopie festzustellen.

III. Der primäre Lupus der Nasenschleimhaut kann Monate und Jahre ganz isoliert, ohne eine sonstige tuberkulöse Erkrankung des Individuums bestehen.   Isemer.

42

Ernst Urbantschitsch (Wien). Der therapeutische Wert des Fibrolysins bei Mittelohrerkrankungen. Monatsschrift für Ohrenheilkunde. 1907, 2. Heft.

Fibrolysin ist ein Doppelsalz, bestehend aus Thiosinamin und Natrium salicylicum. Von seinen physikalischen Eigenschaften werden hervorgehoben: seine Löslichkeit in Wasser und die leichte Zersetzbarkeit durch Luft und Licht, weshalb es auch (von der Firma E. Merck [Darmstadt]) in sterilen, zugeschmolzenen, braunen Ampullen à 2,3 ccm in den Handel gebracht wird.

Verfasser hat mit diesem von F. Mendel hergestellten Präparat seit Anfang März 1906 bei einer großen Zahl von Ohrerkrankungen (anfangs alle Arten hochgradiger Schwerhörigkeit) Versuche angestellt und zwar in Form von subkutanen Injektionen, abwechselnd in den Oberarm, Rücken und Oberschenkel, mit 0,3 ccm anfangend, allmählich steigend bis zur vollen Dosis einer Ampulle (2,3 ccm). Die Zahl der Injektionen hing von der Schwere des Falles ab: in den meisten Fällen wurden 20—30 Injektionen gemacht, 2—3 mal wöchentlich je eine Injektion.

Als unangenehme Nebenerscheinung der Einspritzungen werden erwähnt: Brennen an der Injektionsstelle, gelblich-bläuliche Verfärbung der Hautzone um die Injektionsstelle, die wochenlang anhielt und Bildung von Knötchen am Ort der Einspritzung; besonders hervorgehoben werden die Störungen des Allgemeinbefindens, die zuweilen durch Fibrolysin hervorgerufen wurden: Kopfschmerzen, Kongestionen und Eingenommenheit des Kopfes und allgemeine Mattigkeit, vereinzelt auch Übelkeit. Als günstige Nebenwirkungen werden angegeben: freier Kopf, Erhöhung der Lebensenergie und Appetitsteigerung.

Neben der Fibrolysin-Kur, die ja nur die Erweichung und Erhöhung der Dehnbarkeit des Narbengewebes hervorrufen soll, empfiehlt U. eine entsprechende energische Lokalbehandlung des chronischen Mittelohrkatarrhs. Lufteinblasungen, Bougierung der Tube, Vibrations- und Friktionsmassage der Tube, Pneumomassage des Trommelfells, Lucaesche Drucksondenmassage der Gehörknöchelchen usw.

Mit dieser kombinierten Behandlungsweise will Verfasser bei vorgeschrittenem, trockenen Mittelohrkatarrh, bei Adhäsivprozessen in der Paukenhöhle und Sklerose in ihrem Anfangsstadium günstige Erfolge erzielt haben; kontraindiziert ist das Fibrolysin nach Ansicht des Verfassers bei Arteriosklerose älterer Leute wegen der durch das Fibrolysin hervorgerufenen Kongestionszuständen, ebenso bei Otorrhoe, da diese hierdurch verstärkt werden soll.

Zum Schluß seiner Arbeit bringt U. eine Zusammenstellung der von ihm mit Fibrolysin behandelten Fälle. In allen diesen Fällen ist der Fibrolysinkur eine lange oft mehrmonatliche lokale Behandlung ohne nennenswerte Erfolge vorausgegangen.   Isemer.

43.

M. Lannois et *A. Perretière* (Lyon), De la méningite otogène et de sa curabilité. Ebenda, Tome XXII, No. 3.

Die Verfasser geben im Anschluß an einen trotz Trepanation (mittlere Schädelgrube) letal verlaufenen Fall von otogenem Kleinhirnabszeß, der zunächst als Leptomeningitis imponierte (Lumbalpunktat serös-eitrig, leukozytenreich), einen kurzen Auszug aus der einschlägigen Literatur und versuchen, vom pathogenetischen, anatomischen und klinischen Gesichtspunkte die allgemeinen Indikationen zur operativen Therapie der Leptomeningitis festzustellen. Sie kommen zu dem Resultate, daß in fast allen Fällen der operative Eingriff (Ausrottung des Infektionsherdes am Ohr; Eröffnung der betr. Schädelgrube; Drainage des intrameningealen Raumes; nach Bedarf wiederholte Lumbalpunktion) sich aufdrängt.   Fröse.

44.

B. Massier (Nice), Considérations pratiques sur le traitement conservateur des suppurations de l'attique par le pansement sec. Ebenda.

Der Autor verwirft jede Ausspülung des Ohres bei chronischer Otorrhöe als unchirurgisch, es sei denn, daß ein weit offener Krankheitsherd besteht. Bei Attikeiterungen hält er die Irrigation für zwecklos und gefährlich. Gestützt auf 19 Fälle, empfiehlt er bei dem geeigneten Befunde Trockenbehandlung, Entfernung von Granulationen und kariösen Bezirken mittelst Kürettements, Aufpinselung von Jodtinktur und Tamponade mit Jodoformgaze.   Fröse.

45.

B. Lavrand (Lille), Otite moyenne suppurée et paralysie faciale à droite; à gauche paralysie de l'orbiculaire et du frontal d'origine traumatique. Ebenda.

Nach einem in seiner Ätiologie unklaren wird ein zweiter Fall traumatischer Facialislähmung mitgeteilt. Einem Bergarbeiter fiel ein größerer Stein (caillou) auf die rechte Ohrgegend, so daß der Mann mit der linken Kopfseite fest auf den Boden aufschlug. Vorübergehende Bewußtlosigkeit, nachher Taubheit, besonders rechts, und Störungen an den Gesichtsmuskeln. Bei der Untersuchung fand sich bald darauf rechts totale und links auf den Augenast beschränkte Lähmung des Facialis. Gehör links erheblich herabgesetzt, rechts erloschen. Mittelohreiterung mit großer Perforation des Trommelfells rechts. Bei dem plötzlichen Auftreten der Lähmung kann auch rechterseits nur das Trauma als deren Ursache angenommen werden. Außer der Labyrintherschütterung bestand möglicherweise auch eine — sonst nicht nachweisbare — Basisfraktur.   Fröse.

46.

F. Chavanne (Lyon), Zona bilatéral isolé de l'oreille. Ebenda.

Ein Fall von Herpezoster an beiden Ohrmuscheln, entsprechend dem
N. auriculo-temporalis und dem Ohraste des Plexus cervicalis superficialis.
Acht Tage lang links Ohrgeräusche und Herabsetzung des Hörvermögens.
Heilung.   Fröse.

47.

E. Amberg (Detroit), The advisability of eliminating the terms
Ménières disease and Ménière's symptoms from otologic
nomenclature. Repr. from the American Journ. of the med. sciences,
July 1906.

A. wendet sich in einer interessanten Studie, in der er den mannigfachen Ursachen für die Symptome Taubheit, Schwindel und Ohrensausen
nachgeht, gegen die oft mißbräuchliche Anwendung der Bezeichnungen
Ménièresche Krankheit und Ménièresche Symptome. Von den Schluß-
sätzen möge es genügen, den sechsten hier anzuführen.

Gibt man die Ausdrücke „Ménièresche Krankheit" und „Ménièresche Symptome" auf, so läßt sich eine bestimmte Nomenklatur einführen. Das ist nicht nur vom physiologischen und pathologischen, sondern
auch vom klinischen Standpunkte aus wichtig. Wählt man beispielsweise
die Bezeichnungen „Otitis interna syphilitica", oder „leucaemica" oder
„angioneurotica" oder „gastrica", so würden sich klarere Begriffe für gewisse Affektionen ergeben.   Fröse.

48.

E. B. Dench (New York), The treatment of the intracranial complications of middle-ear suppuration. Repr. from the journ. of
the Americ. medic. association, Oct. 20, 1906.

Der Vortrag bringt vorwiegend Statistik. Die im Anschluß an dieselbe besprochenen operativen Maßnahmen bei den verschiedenen intrakraniellen Komplikationen der Mittelohreiterung bieten nichts neues und entsprechen im allgemeinen dem Standpunkte des Autors, wie er aus seinen
in den letzten Jahren erfolgten und an dieser Stelle referierten Publikationen zu ersehen ist.

Die statistische Übersicht erwähnt 40 operierte Extraduralabszesse,
von denen 4 starben (2 mal an Meningitis, je 1 mal an Diabetes und an Pneumonie infolge von Sinusthrombose).

14 Hirnabszesse. Von den 10 Schläfenlappenabszessen genasen 4 und starben 6. Die 4 Kleinhirnabszesse endeten sämtlich
letal. Der Tod erfolgte in allen 10 Fällen infolge von Meningitis.

44 Fälle von Sinusthrombose; 34 Heilungen, 10 Todesfälle. Von
28 Thrombosen, die ohne Iugularisunterbindung operiert wurden, starben 4;
Todesursachen: Thrombose (?) der Lungenarterie, Diabetes, septische Pneumonie, 1 mal nicht ermittelt. Von den 16 mit Exzision der Iugularis Operierten starben 6, und zwar je einer an Hämorrhagie in den Spinalkanal,
an Pyämie (wegen Pneumonie zu spät operiert), infolge von gangränösem
Gewebszerfall am Halse, an Lungengangrän und zwei an doppelseitiger
Pneumonie. In den vier letzten Fällen bestanden die zum Tode führenden
Affektionen bereits vor der Operation.

Von 5 Meningititen wurde eine geheilt. Die übrigen starben.
Dench machte die Lumbalpunktion und drainierte den Subduralraum und,
wenn er bis zu einem Zoll Tiefe erreicht wurde, auch den Seitenventrikel.
                                                             Fröse.

49.

E. Amberg, Ear affections and mental disturbances. Repr. from
the journal of nerv. and mental diseases, Sept. 1906.

Amberg analysiert unter Mitteilung von 11 Fällen und gestützt auf die sorgfältig benutzte Literatur die Beziehungen zwischen Ohrkrankheiten und Geistesstörungen. Er resumiert schließlich folgendermaßen:

1. Das Ohr ist an der Erzeugung von Geistesstörungen direkt und indirekt beteiligt.

2. Da es ein Sinnesorgan ist, kann seine Funktionsstörung die normale Denktätigkeit beeinträchtigen.

3. Die Geistesstörung kann auf zweierlei Weise zustande kommen. Erstens infolge von Halluzinationen, bezw. Illusionen, deren Einfluß je nach der Prädisposition des Kranken in seiner Stärke schwankt.

4. Völlig verschieden von diesen sind jene Ursachen, bei denen im Ohr und in seiner Umgebung ursprünglich eine Toxämie gesetzt wurde oder ein Abszeß die Lebenskraft des Körpers in Anspruch nimmt.

5. Auf beiden klinisch und pathologisch ganz verschiedenen Wegen können Geistesstörungen hervorgerufen und ein vorhandener anormaler Geisteszustand verschlimmert werden.

6. Sehr wahrscheinlich kann auch ohne Prädisposition Geistesstörung auftreten, wenn beispielsweise die quälenden Ohrgeräusche zu einem Erschöpfungszustand, wie Neurasthenie, führen.

7. Diese Verhältnisse sind vom forensischen Gesichtspunkte sehr wichtig und bei Abgabe von Zeugnissen zu berücksichtigen.

8. Es entsteht die bedeutsame Frage, ob zu einer Operation die Zustimmung eines erwachsenen Patienten nötig ist, dessen Geistestätigkeit zurzeit gestört ist, und der kein Urteil über seinen Zustand besitzt, ferner, ob in solchem Falle die Einwilligung der Verwandten erforderlich ist.

9. Die Hörorgane der in Anstalten befindlichen Geisteskranken sollten untersucht werden.

10. Geisteskranke mit Symptomen von seiten des Ohres müßten nicht allein auf Krankheiten des Hörorgans, sondern auch auf solche anderer Organe, wie der Nieren, untersucht werden, da der krankhafte Zustand des Ohres, obgleich an sich ein neues (auslösendes, Ref.) Zentrum, doch auch lediglich eine reflektorische Störung sein kann.

11. Die Wohltat chirurgischer Eingriffe bei Ohraffektionen sollte, wo sie nötig ist, auch den Geisteskranken zugewandt werden.   Fröse.

50.

S. Yankauer (New York), Sounds for the Eustachian tube. Repr. from The Laryngoscope, St. Louis, May 1906.

Die wegen Fehlens eines Endknopfes „Sonden" genannten Tubenbugies bestehen aus Hartgummi, sind mit farbigen Marken graduiert und vertragen dank einem harzigen — nicht näher gekennzeichneten — Überzuge die Sterilisirung durch Auskochen.   Fröse.

51.

Derselbe, The technic of the submucous resection of the septum. Ebenda, April 1906.

Durch Zeichnungen und Abbildung der verwendeten Instrumente erläuterte Darstellung der submukösen Septumresektion, wie sie Yankauer ausführt und empfiehlt.   Fröse.

52.

Dr. K. Süpfle, Studien über die Bakteriologie der akuten Mittelohrentzündung. (Aus dem hygienischen Institute und der Ohrenklinik der Universität Heidelberg.) Zentralbl. f. Bakt., Parasitenk. u. Infektionskrankh. XLII. Bd. 1906.

Der Verfasser, Bakteriologe, hat unter dem Krankenmaterial der Heidelberger Ohrenklinik eine Anzahl gesunder äußerer Gehörgänge (30), Ceruminalpfröpfe (10), katarrhalisch erkrankter (6), bezw. leicht entzündeter (3) Paukenhöhlen und 43 Fälle von Otitis med. acuta bakteriologisch untersucht. Anhangsweise wird auch über die bakteriologischen Ohrbefunde bei 4 Tuberkulösen (5 Otitiden) berichtet. Im Ausstriche fanden sich 1 mal Tuberkelbazillen.

Aus den Gehörgängen wurde das Material durch Auswischen mit steriler Watte gewonnen; Ausstriche auf Glycerinagar. Von Ceruminalpfröpfen wurden mittelst Platinspatels Partikel abgelöst. Je sauberer der Gehörgang erschien, desto bakterienärmer war er, so daß in reinlichen Gehörgängen gewöhnlich nur 3—4 Arten in verschiedener Kombination und verschiedenen Mengenverhältnissen vorgefunden wurden. Cerumenreichtum koinzidierte mit Bakterienreichtum, und die Cerumenpfröpfe ergaben oft enorme Mengen bald mehr gleichartiger, bald der verschiedenartigsten Mikroorganismen. Niemals fand sich eine Reinkultur. In 70 Proz. der Fälle wurde der Microc. pyog. albus, fast ebenso oft weiße, nicht verflüssigende Mikrokokken angetroffen, die dem Microc. candicans entsprachen, bezw. nahe standen. Ein häufiger Befund waren ferner Sarcinen, von denen meist nur wenige Kolonien aufgingen, und fast in jedem Cerumenpfropf Pseudodiphtheriebazillen. Nicht selten wuchsen auch Schimmelpilze (Penic. glaucum, Aspergillus, Mucor), deren Herkunft aus dem Gehörgange indes nicht immer sicher war. Von den seltener wiederkehrenden Bakterien erwies sich ein Leptothrixähnliches Stäbchen als pathogen für weiße Mäuse. Der Micrococcus pyog. war niemals virulent, ebensowenig die Pseudodiphtheriebazillen. Streptokokken und Pneumokokken wurden im Gehörgang nicht angetroffen. Auf die Beschäftigungsart ihrer Träger wiesen die sporentragenden aus der Erde stammenden Bakterien, wie Subtilis, Mesentericus, Mycoides hin, die im Gehörgang von Landwirten, Stallarbeitern usw. gefunden wurden.

Das aus der Paukenhöhle bei Tubenkatarrh durch Paracentese gewonnene Sekret war in 4 Fällen steril. Die in 2 Fällen gewachsenen Sarcinen und Hefen wurden als Verunreinigungen aus dem äußeren Gehörgang betrachtet. — Ebenso war in 3 Fällen akuter Mittelohrentzündung das Sekret steril. So kommt Verfasser zu dem Schlusse, daß die normale Paukenhöhle in der Regel keimfrei ist.

Um bei akuten Mittelohrentzündungen das Sekret steril zu gewinnen, im Interesse einer möglichst sicheren Entscheidung, ob Keim- oder Mischkultur vorlag, sowie um das Mengenverhältnis verschiedener Bakterienarten genauer festzustellen und etwaige Verunreinigungen leicht zu erkennen, wurde nach einem Vorschlage von Prof. Kümmel das Mittelohrsekret aus der Paracentesenöffnung, bezw. einer Perforation mittelst feiner Glaskapillaren angesaugt, die 0,25 ccm faßten. Als Nährböden dienten Glycerinagar und in jedem Falle daneben Blutagarmischplatten (Schottmüller). Die Verteilung des Materials geschah, nach Ausblasen aus dem Glasröhrchen, mittelst abgebogenen Glasspatels. Zur Bestimmung der Virulenz wurde stets das Tierexperiment herangezogen.

Bei den 43 Otitiden wurden gefunden „Streptococcus pyogenes, Streptococcus mucosus, ein mir unbekannter, dem Streptococcus mucosus nahestehender, schwer züchtbarer Kapselstreptococcus, Streptococcus lanceolatus, Micrococcus pyogenes aureus, citreus und albus, Micrococcus candicans, Sarcina flava, Bacterium coli, Bacterium lactis aërogenes, Corynebacterium pseudodiphtheriticum, Hefe". Die jeweils als Hauptbefund nachgewiesenen Mikroorganismen ergaben folgendes Prozentverhältnis: Streptoc. pyogenes 58,14 Proz., Streptoc. lanceol. 18,61 Proz., Streptoc. mucosus 13,95 Proz., Microc. pyog. 9,30 Proz. Dabei enthielten 70 Proz. der Exsudate mikroskopisch und kulturell Reinkulturen, so 4mal von Staphylokokken.

Die weiteren Darlegungen des Verf., in denen die einschlägige Literatur entsprechende Berücksichtigung findet, insbesondere auch der biologische Teil der Arbeit, entziehen sich im Rahmen eines Referats genauerer Inhaltsangabe. Die Schlußfolgerungen lauten:

„1. Das Hauptkontingent der Otitiden sind Streptokokkenotitiden. Gegenüber der herrschenden Anschauung von dem Überwiegen der Pneumokokkenotitiden ist dieses Ergebnis ganz besonders hervorzuheben.

2. Neben dem Streptococcus pyogenes, den ich in fast 60 Proz. sämtlicher überhaupt keimhaltiger Ergüsse fand, treten alle anderen Arten von

Mikroorganismen in den Hintergrund. Als solche wurden beobachtet Streptococcus lanceolatus, Streptococcus mucosus, Micrococcus pyogenes.

3. Die Organismen aus der Gruppe der Kettenkokken treten zumeist in Reinkultur auf; in manchen Fällen sind sie mit Staphylokokken vergesellschaftet, denen aber in dieser Art des Vorkommens nur eine Nebenbedeutung zuzukommen scheint.

4. Dagegen kann auch der Micrococcus pyogenes als alleiniger Erreger auftreten und tritt dann den Kettenkokken gleichwertig zur Seite; in dieser Eigenschaft tritt er aber nur sehr selten auf.

5. Je nach dem verschiedenen bakteriologischen Befund lassen sich analoge klinische Krankheitsbilder im allgemeinen nicht aufstellen.

6. Zu bindenden prognostischen Schlüssen berechtigt das bakteriologische Ergebnis im Einzelfalle nicht; man kann höchstens im allgemeinen die Wahrscheinlichkeit aussprechen, daß Otitiden mit zuverlässig sterilem Sekret in glatte Heilung übergehen, daß Staphylokokkenotitiden in der Regel nicht und Pneumokokkenotitiden nur selten zu Komplikationen führen, die nicht einer spontanen Rückbildung fähig sind; enthält das Sekret Streptokokkus pyogenes oder mucosus, so besteht ungefähr die gleiche Chance für eine Heilung ohne wie mit Operation.

7. Entstehung, Verlauf und Dauer der akuten Otitis media sind weniger von der Art und Virulenz des Erregers, als vielmehr von allgemeinen oder lokalen Krankheitsprozessen abhängig." Fröse.

53.

Vincenzo Cozzolino, Sulla necessità assoluta del reperto necroscopico delle cavità auricolari, nasali primarie e secondarie nei reperti endocranici con essudati acuti e cronici. Estratto dal Giornale „La Pratica oto-rino-laringoiatrica", Ottobre 1906.

Zwei vom klinisch-therapeutischen und gerichtsärztlichen Standpunkte gehaltene Vorlesungen über die dringende Notwendigkeit, bei der Autopsie die Hohlräume des Ohres und der Nase zu berücksichtigen, wenn in der Schädelhöhle ein Exsudat gefunden wird. Fröse.

Fach- und Personalnachrichten.

Dr. Uffenorde in Göttigen, approbiert als Arzt 1903, erhielt 1907 die Venia legendi als Privatdozent für Hals,- Nasen- und Ohrenkrankheiten.

Der außerordentliche Professor und Geheime Medizinalrat Dr. Karl Adolf Passow in Berlin, Direktor der Universitäts-Klinik für Ohrenkranke, approbiert als Arzt 1885, ist im März 1907 zum ordentlichen Professor der Medizin in Berlin ernannt worden.

Die 79. Versammlung deutscher Naturforscher und Ärzte ist in diesem Jahre in Dresden in der Zeit vom 15. bis 21. September, — Die diesjährige Versammlung der Deutschen otologischen Gesellschaft findet am 15. und 18. Mai in Bremen unter dem Vorsitz von Prof. Passow (Berlin) statt. Das Referat über die Bakteriologie der akuten Mittelohrentzündung hat Prof. Kümmel übernommen. Vorträge bittet man bei dem Schriftführer der Gesellschaft, Herrn Prof. Kümmel in Heidelberg, anzumelden.

Mit Schluß des Sommersemesters 1907 tritt Herr Hofrat Professor Dr. Adam Politzer nach Erreichung der durch die österreichischen Gesetze bestimmten Altersgrenze von der Leitung der k. k. Universitätsklinik für Ohrenkranke in Wien und nach 46jähriger ruhmreicher akademischer Tätigkeit vom Lehramte zurück.

Angesichts des weltumfassenden Rufes Politzers und der allgemeinen Verehrung, die er ganz besonders im Kreise seiner Schüler und engeren Fachgenossen genießt, ist es überflüssig, hier auf seine Bedeutung für die Ohrenheilkunde und die Gesamtmedizin hinzuweisen.

Die Gefertigten glauben daher, dem Wunsche der zahlreichen Schüler und Freunde Professor Politzers zu entsprechen, wenn sie den Zeitpunkt, an welchem der gefeierte Meister die Stätte seiner langjährigen Wirksamkeit verläßt, für geeignet erachten, den Gefühlen der Verehrung und Dankbarkeit ihm gegenüber Ausdruck zu verleihen.

In voller Übereinstimmung hatte das gefertigte Komitee ursprünglich für diesen Tag eine solenne Feier beschlossen, an welcher die in- und ausländischen Kollegen und Abordnungen der otologischen Gesellschaften zur Teilnahme eingeladen werden sollten. Professor Politzer, der davon Kenntnis erhalten, hat jedoch, mit Rücksicht auf mehrere, in der letzten Zeit in seiner engeren Familie vorgekommene Todesfälle dringend gebeten, von dieser geplanten Feier abzusehen.

Es wurde daher beschlossen, eine von Meister Telcs entworfene Plaquette prägen zu lassen, die das Porträt Politzers tragen und allen an dieser Kundgebung Teilnehmenden zur bleibenden Erinnerung an seine Person und an den denkwürdigen Tag dienen, dem Gefeierten selbst aber, in Gold ausgeführt, am Tage seines Abschieds vom Lokalkomitee überreicht werden soll.

Zugleich mit der Plaquette wird dem Meister eine Adresse überreicht werden, die die Namen aller derjenigen enthalten soll, welche sich an dieser Kundgebung beteiligen werden.

Wir laden demnach sämtliche Kollegen ein, insbesondere die gewesenen Schüler Politzers und Vertreter des otologischen Faches, ebenso aber auch alle, die dem berühmten Wiener Gelehrten Interesse entgegenbringen, ihre Anmeldungen zum Bezuge einer Plaquette an den Schatzmeister des gefertigten Komitees einzusenden. Gleichzeitig mit der Anmeldung, welche den deutlich geschriebenen Namen, die Titel und die genaue Adresse enthalten muß, wird gebeten, den Betrag von 24 Kronen (20 Mark, 24 Francs) für eine silberne, oder von 12 Kronen (10 Mark, 12 Francs) für eine Bronzeplaquette an den Schatzmeister Herrn

Dr. D. Kaufmann in Wien, VI., Mariahilferstraße 37

einzusenden.

Aus dem Überschuß der Beträge, der nach Deckung der Herstellungskosten verbleiben dürfte, soll ein Fonds gebildet werden, der Herrn Hofrat Politzer zur Errichtung einer Stiftung zur Verfügung gestellt werden soll.

Wir bitten, die Abmeldungen sobald als möglich, längstens aber bis zum 15. Mai 1907 einzusenden, und zwar nur an die angegebene Adresse.

Für das Komitee:

Prof. Dr. Josef Pollak (Wien)

Dozent Dr. Hugo Frey (Wien)   Dozent Dr. G. Alexander (Wien)

Dr. D. Kaufmann (Wien, VI., Mariahilferstraße 37).

Prof. Dr. Böke (Budapest)
Prof. Dr. Demetriadis (Athen)
Prof. Dr. Gradenigo (Turin)
Dr. C. Lagerlöf (Stockholm)
Geh.-R. Prof. Dr. A. Lucae (Berlin)
Prof. Dr. Urban Pritchard (London)
Prof. Dr. Schmiegelow (Kopenhagen)
Dr. Stanculeanu (Bukarest)
Dr. Segura (Buenos Ayres)

Prof. Dr. Delseaux (Brüssel)
Prof. R. Forns (Madrid)
Prof. Dr. H. Knapp (New-York)
Dr. M. Lermoyez (Paris)
Prof. Dr. Okada (Tokio)
Prof. Dr. Rohrer (Zürich)
Prim. Dr. Schraga (Belgrad)
Prof. Dr. Schwartze (Halle a. S.)
Prof. Dr. St. v. Stein (Moskau)
Prof. Dr. Zwaardemaker (Utrecht).

Berichtigungen zu

VIII.

Aus der Kgl. Universitäts-Ohrenklinik zu Halle a. S.
(Direktor: Geh. Med.-Rat Prof. Dr. H. Schwartze.)

Jahresbericht
über die Tätigkeit der Kgl. Universitäts-Ohrenklinik zu Halle a. S. vom 1. April 1906 bis 31. März 1907.

Von
Dr. E. Dallmann und Stabsarzt Dr. F. Isemer,
Assistenten der Klinik.

Im Berichtsjahr 1906/1907 wurden in der Kgl. Universitäts-Ohrenklinik zu Halle a. S. 3282 Patienten behandelt, gegen 2876 Patienten im Vorjahre, wobei die aus dem vorigen Berichtsjahre verbliebenen nicht eingeschlossen sind.

In der stationären Klinik wurden aus dem Vorjahre übernommen 19 männliche und 12 weibliche Kranke, neu aufgenommen wurden 287 Kranke (gegen 263 im Vorjahre), 169 männliche und 118 weibliche, sodaß im ganzen 318 verpflegt wurden, 188 männliche und 130 weibliche. Von diesen Kranken wurden 280 entlassen, 168 männliche und 112 weibliche; es verstarben 10, 8 männliche und 2 weibliche, sodaß am 31. März 1907 ein Krankenbestand von 28 Kranken und zwar 13 männlichen und 15 weiblichen verblieb. Auf die Gesamtzahl der 318 stationär behandelten Kranken kamen 10 626 Verpflegungstage, mithin durchschnittlich auf jeden Kranken 33,4 Tage. Der durchschnittliche tägliche Krankenbestand betrug 29,1 Kranke, überstieg also auch in diesem Berichtsjahre wieder die Zahl der etatsmäßig vorhandenen 25 Betten. Der höchste tägliche Krankenbestand war am 5. Mai 1906 36 Kranke (gegen 36 im Vorjahre), der niedrigste am 30. Dezember 1906 21 Kranke. Die durchschnittliche tägliche Aufnahme betrug 0,8 Kranke, die höchste Zahl der an einem Tage aufgenommenen Kranken betrug 6, und zwar am 11. März 1907.

Neben der stationären Klinik standen uns 3 in der Nähe der Klinik gelegene Filialen mit 32 Betten zur Verfügung, die aber auch nicht zu Zeiten stärkeren Krankenandranges den

Ansprüchen genügten. Wir waren deshalb auch in diesem Jahre wieder häufiger gezwungen, größere Operationen bei in Halle ansässigen Kranken ambulatorisch auszuführen. Dank dem liebenswürdigen Entgegenkommen der Herren Direktoren der inneren und der chirurgischen Klinik waren wir in der Lage, Ohrenkranke mit ansteckenden Krankheiten in die innere und chirurgische Klinik zu verlegen und dort zu behandeln.

Machten sich die unzureichenden Räumlichkeiten der stationären Klinik schon unangenehm bemerkbar, so trat dieser Mißstand in noch weit erheblicherem Maße in der Poliklinik zu Tage. Im letzten Vierteljahre des Berichtsjahres wurden fast 1000 neu hinzugekommene Kranke behandelt. Da von diesen Kranken die größere Mehrzahl Kinder waren, welche mit Begleitung die Poliklinik aufsuchten, so betrug an einzelnen Tagen die Zahl der die Hilfe der Klinik in Anspruch nehmenden Personen 200 und mehr. Für diese Menschenmenge steht als Warteraum nur der kleine Vorflur der Ohrenklinik zur Verfügung, da ein spezieller poliklinischer Warteraum überhaupt nicht vorhanden ist. Die Abfertigung muß innerhalb zwei Stunden in einem kleinen einfenstrigen Raum geschehen, der nicht einmal heizbar ist, ein Übelstand der besonders in dem letzten strengen Winter schwer ins Gewicht fiel.

Als Assistenten fungierten im Berichtsjahre Dr. E. Dallmann, der vom Kgl. Kriegsministerium zur Klinik kommandierte frühere Oberarzt im Mansfelder Feldart.-Reg. No. 75, Dr. F. Isemer, der im September zum Stabs- und Bataillonsarzt im Inf.-Reg. No. 155 befördert wurde, und Dr. A. Fröse. Letzterer verließ im Februar die Klinik und an seine Stelle trat der bisherige etatsmäßige Hilfsassistent Dr. F. Lassen. Vom Februar ab war als etatsmäßiger Hilfsassistent eingestellt Dr. W. Küstner, welcher bis dahin als Volontärassistent beschäftigt war.

Im Berichtsjahre sind folgende Arbeiten aus der Kgl. Universitäts-Ohrenklinik hervorgegangen:

1. Dallmann und Isemer, Jahresbericht über die Tätigkeit der Kgl. Universitäts-Ohrenklinik zu Halle a. S. vom 1. April 1905 bis 31. März 1906. Dieses Archiv Bd. LXIX, S. 44.

2. Isemer, Klinische Erfahrungen mit der Stauungshyperämie nach Bier bei der Behandlung der Otitis media. Dieses Archiv Bd. LXIX, S. 131.

3. Schönburg, Über Frakturen des Meatus acusticus externus und des Processus mastoideus durch direkte Gewalteinwirkung. Diss. inaug. Halle 1906.

4. Laval, Beiträge zur operativen Freilegung des Bulbus venae jugularis (Fortsetzung.) Dieses Archiv Bd. LXIX, S. 161.

5. Dallmann, Ohrfeigenruptur des Trommelfells, Mittelohreiterung, Sinusthrombose, Pyämie. Heilung. Ärztliche Sachverständigen-Zeitung 1906, No. 23.

6. Isemer, Zwei Fälle von Ohrschwindel, durch Operation geheilt. Münchener medizinische Wochenschrift 1907, No. 1.

7. Dallmann, Zur Kasuistik der Tumoren des äußeren Gehörgangs (Melanom). Dieses Archiv Bd. LXX, S. 97.

8. Schwartze. Unzulässige Benennungen in unserer Literatur. Eine historisch-kritische Erörterung. Dieses Archiv Bd. LXX, S. 100.

9. Schwartze, Tod durch Meningitis nach fehlerhaften Versuchen, einen Stein aus dem Ohre zu entfernen. Sektionsbefund. Dieses Archiv Bd. LXX, S. 110.

Die Verhältnisse des Alters, der Heimat der Patienten, der Erkrankungen und der ausgeführten Operationen ergeben sich aus folgenden Tabellen:

I. Alterstabelle.

Altersklassen Jahre	Männliche Kranke	Weibliche Kranke	Summa
0—2 Jahre	92	79	171
3—10 „	594	591	1185
11—20 „	394	376	770
21—30 „	285	196	481
31—40 „	159	115	274
41—50 „	135	66	201
51—60 „	70	53	123
61—70 „	28	28	56
71—80 „	8	2	10
Unbekannt	5	6	11
Summa	1770	1512	3252

II. Heimatstabelle.

Halle a. S.	1654
Provinz Sachsen	1265
„ Hannover	5
„ Westfalen	1
„ Hessen-Nassau	1
„ Posen	1
„ Schlesien	5
„ Brandenburg	26
„ Ostpreußen	1
Königreich Sachsen	16
Großherzogtum Sachsen	3
„ Baden	3
Herzogtum Anhalt	76
„ S.-Altenburg	3
„ S.-Meiningen	2
„ Braunschweig	1
Fürstentum Schwarzburg-Rudolstadt	4
„ Reuß ä. L.	1
„ Reuß j. L.	4
Freie und Hansastadt Hamburg	1
Österreich-Ungarn	1
Rußland	1
Unbekannt	7
Summa	3252

III. Krankheitstabelle.

Nomen morbi	Summa	Geheilt	Gebessert	Ungeheilt	Ohne Behandlung	Erfolg unbekannt	Der Behandlg. entzogen	gestorben
Ohrmuschel:								
Neubildungen	3	3	—	—	—	—	—	—
Ekzem	71	60	—	—	—	11	—	—
Congelatio	7	5	—	—	—	—	2	—
Mißbildung	6	—	—	—	—	—	—	—
Othämatom	5	5	—	—	—	—	—	—
Perichondritis	2	2	—	—	—	—	—	—
Verbrennung	2	2	—	—	—	—	—	—
Äußerer Gehörgang:								
Neubildungen	2	2	—	—	—	—	—	—
Strictur	3	3	—	—	—	—	—	—
Fremdkörper (durch Spritzen entfernt 35; operativ entfernt 4.)	39	38	—	—	—	—	—	1
Cerumen obt. (eins. 133, doppels. 48). . .	227	227	—	—	—	—	—	—
Ekzema acutum	65	65	—	—	—	—	—	—
„ chronicum	47	32	9	—	—	6	—	—
Furunkel (durch Incision geheilt 43) . . .	116	116	—	—	—	—	—	—
Exostosen	3	—	—	3	—	—	—	—
Otomykosis	3	2	1	—	—	—	—	—
Verletzungen	20	20	—	—	—	—	—	—
Trommelfell:								
Ruptur (durch Ohrfeige 4)	6	5	1	—	—	—	—	—
Exenthema syphil	1	—	—	1	—	—	—	—
Mittelohr:								
Akuter Katarrh (eins. 276, doppels. 83) . .	442	321	—	—	—	121	—	—
Subakuter Katarrh (eins. 43, doppels. 22) .	87	63	—	—	—	24	—	—
Chronischer Katarrh der Paukenhöhle (eins. 52, doppels. 82; mit Exsudat 96; mit Tubenstenose 42; mit Adhäsionen 26.) .	216	196	—	—	—	20	—	—
Otosklerose	108	—	—	—	—	—	—	—
Übertrag	1481	—	—	—	—	—	—	—

Fortsetzung der Tabelle III.

Nomen morbi	Summa	Geheilt	Gebessert	Ungeheilt	Ohne Behandlung	Erfolg unbekannt	Der Behandlg. entzogen	Gestorben
Übertrag	1481	—	—	—	—	—	—	—
Akute Mittelohreiterung (eins. 433, doppels. 69; mit Entzündung des Warzenfortsatzes 79)	571	395	72	—	—	96	5	3
Subakute Mittelohreiterung (eins. 76, doppels. 18)	112	83	—	—	—	29	—	—
Chronische Mittelohreiterung (eins. 460, doppels. 116; mit Karies 245; mit Polypen 85; mit Cholesteatombildung 113; mit Entzündung des Warzenfortsatzes 27.) . .	692	316	123	—	—	218	27	6
Residuen	247	—	—	—	—	—	—	—
Neuralgie plexus tympanici (Angina 21, Zahnkaries 62, Lues 1, Anaemie 4, unbekannter Ursache 22)	110	87	—	—	—	23	—	—
Inneres Ohr:								
Akute Nerventaubheit durch Labyrintherkrankung	8	—	—	—	—	—	—	—
Chronische Nerventaubheit durch Labyrinth-erkrankung	25	—	—	—	—	—	—	—
Ménière'sche Krankheit	2	—	—	—	—	—	—	—
Fractura ossis petrosi	2	—	—	—	—	—	—	—
Ohrensausen ohne Herabsetzung des Gehörs und ohne objektiven Befund im Ohre . .	7	—	—	—	—	—	—	—
Taubstummheit	5	—	—	—	—	—	—	—
Negativer Befund im Ohr[1]	116	—	—	—	—	—	—	—
Anderweitige Erkrankungen[2]	547	—	—	—	—	—	—	—
Keine Diagnose	47	—	—	—	—	—	—	—
Summa der Erkrankungsformen	3972	—	—	—	—	—	—	—

1) Betrifft meist Kranke, welche von anderen Kliniken zur Feststellung des Ohrbefundes zugesandt waren.

2) Betrifft vornehmlich Erkrankungen der Nase und ihrer Nebenhöhlen, sowie des Nasenrachenraumes.

IV. Operationstabelle.

Nomen operationis	Summa	Mit bleiben-dem Erfolg	Mit tempo-rärem Erfolg	Ohne Erfolg	Erfolg unbekannt	In Behandlung verblieben	Der Behandlg. entzogen	gestorben.
Inzision des Gehörgangs	36	36	—	—	—	—	—	—
Entfernung von Fremdkörpern (durch Spritze entfernt 35; mit dem Zaufal-schen Hebel 4)	39	38	—	—	—	—	—	1 [1])
Paracentese des Trommelfells	153	—	—	—	—	—	—	—
Polypenextraktion	42	—	—	—	—	—	—	—
Mastoidoperationen { Operative Er-öffnung des Antrum nach Schwartze .	63	43	3	—	—	12	1	3
{ Total-aufmeißlung .	109	63	6	—	—	34	—	7
Hammer-Amboßexzisionen vom Gehör-gang aus	10	8	—	1	—	1	—	—
Adenoide Vegetationen ca..	160	—	—	—	—	—	—	—
Tonsillotomien ca.	75	—	—	—	—	—	—	—

Bevor wir zur Schilderung der im Berichtsjahre beobach-teten Todesfälle übergehen, soll ein Fall von größerem Interesse vorausgeschickt werden.

Carl Becker, 5 Jahre alt, Bergmannssohn aus Mansfeld. Aufge-nommen am 21. Januar 1907.

Anamnese: Der Patient leidet schon seit frühester Kindheit an Aus-fluß aus dem rechten Ohre; genauere Angaben über Beginn und Ursache des Ohrenleidens vermögen die Eltern nicht zu machen.

Status praesens: Etwas blaßer Knabe von gracilem Knochenbau und mäßig entwickelter Muskulatur. Innere Organe gesund. Puls kräftig, regelmäßig, 78. Temperatur 37,1°. Pupillen sind gleichweit und reagieren prompt auf Lichteinfall; kein Nystagmus. Augenhintergrund o. B. Urin frei von Eiweiß und Zucker.

(Siehe Kurve 1a und 1b auf S. 168 u. 169.)

Umgebung des Ohres: Ohne pathologische Veränderung.

Gehörgang- und Trommelfellbefund: Rechts: Mäßiges sehr fötides Sekret im Gehörgange. Das Gehörgangslumen ist vollständig von einem gestielten Polypen ausgefüllt, der fast bis an die äußere Mündung des Gehörganges reicht. Links: Trübung und mäßige Einziehung des Trom-melfells.

Hörprüfung: Nicht ausgeführt, da das Kind trotz aller Bemühungen nicht zum Sprechen zu bewegen war.

Therapie und Krankheitsverlauf: 22. Jan. Patient erbricht am Abend einmal. Temperatur 40,7°. Entfernung des Polypen mit der Wilde'-schen Schlinge. Sofort nach der Extraktion heftiges Erbrechen. Der Ge-hörgang ist vollständig mit Cholesteatommassen ausgefüllt.

23. Jan. Patient hat in der Nacht sehr unruhig geschlafen und mehr-mals versucht das Bett zu verlassen. Klagen über Schmerzen im rechten Ohr. Halswirbelsäule leicht druckempfindlich. Reflexe normal.

---

1) Total aufgemeißelt.

Totalaufmeißlung rechts. Weichteile und Corticalis o. B. Hintere knöcherne Gehörgangswand fast völlig durch Cholesteatom zerstört. Bei Abmeißlung der ersten Knocheuschale Freilegung der Dura der hinteren Schädelgrube, die mit grauroten Granulationen bedeckt ist. In Antrum und Aditus zerfallenes Cholesteatom, welches das Tegmen zerstört hat und der Dura der mittleren Schädelgrube aufliegt. Von Ossiculis fehlt der Amboß; der Hammer liegt in Granulationen eingebettet am Boden der Paukenhöhle. Der horizontale Bogengang erscheint abgeflacht. Tamponade, Verband.

Patient fühlt sich gegen Abend wohler und nimmt Nahrung zu sich.

24 Jan. Patient hat in der Nacht ruhig geschlafen Die Druckempfindlichkeit der Halswirbelsäule ist geschwunden. Keine Milzvergrößerung, Lungen o. B. Höchste Temperatur 37,6°.

25. Jan. In der Nacht Temperaturanstieg auf 40,6° und Morgentemperatur 41°.

Jugularisunterbindung und Sinusoperation: Vena jugularis interna ist von normalem Aussehen. Breite Freilegung des Sinus sigmoideus. Seine Wand zeigt fibröse Auflagerungen. Sinus ist prall und füllt den Sulcus aus. Spaltung des Sinus, keine obturierende Thrombose, ziemlich starke Blutung. Tamponade, Verband.

27. Patient ist sehr ruhig. Außer über geringe Schmerzen im rechten Ohre hat er keine Klage. Er sitzt im Bett aufrecht und nimmt leidlich Nahrung zu sich.

29. Jan. Gegen Morgen Schüttelfrost von 5 Minuten Dauer. Temperaturanstieg auf 41,4°. Mittags 36,6°. Nahrungsaufnahme schlechter; Patient verlangt nicht nach Nahrung, sondern trinkt nur Milch wenn er dazu aufgefordert wird.

31. Jan. Gestern und heute wieder je ein Schüttelfrost. Kein Milztumor und keine Veränderungen an den Lungen nachweisbar.

1. Febr. Verbandwechsel: Vom Bulbus venae jugularis her quillt neben dem Sinus dünnflüssige, mißfarbene Jauche unter dem Gazestreifen vor.

Bulbusoperation nach Grunert: Dünnflüssiges stinkendes Sekret um den Sinus herum, Sinuswand mißfarben, erweicht. Die letzte Spange vom Foramen jugulare keilt sich ein und muß mit der Kornzange entfernt werden. Im Sinus bis zum Bulbus hin teils schwarzer, teils grau verfärbter schmieriger Thrombus. Keine Verbindung zwischen Sinus und Jugularis angelegt.

Nach der Operation tritt ein krampfhafter Husten auf, der nach einer Viertelstunde aufhört.

2. Febr. Nahrungsaufnahme ein Liter Milch. Subjektives Wohlbefinden. Puls kräftig. regelmäßig, 104.

3. Febr. Verbandwechsel: Wunde sieht sehr trocken aus. Im Bulbus venae jugularis, der gut zu übersehen ist, kein Sekret. Lösung des peripheren Sinustampons; keine Blutung. Der Tampon sieht sauber aus und ist nicht fötid.

Rechte Thoraxhälfte bleibt beim Atmen etwas zurück. Über dem rechten Unterlappen verkürzter Perkussionsschall. Atemgeräusch an dieser Stelle nicht abgeschwächt, leichtes Reibegeräusch. Über den höher gelegenen Lungenpartieen Tympanie. Respiration 22. Prießnitz um die Brust.

4. Febr. Patient sitzt aufrecht im Bett und fühlt sich anscheinend wohler wie am vorhergehenden Tage Puls 120, Respiration 30. Am nachmittag verlangt er spontan zu Essen und zu Trinken.

5. Febr. Puls 120, Respiration 18. Verbandwechsel. Im Bulbus kein Eiter, auf Druck gegen die seitliche Halsgegend einige Tropfen mißfarbenen, leicht fötiden Sekrets in ihm.

Die Erscheinungen auf der rechten Lunge sind etwas zurückgegangen, doch bleibt die rechte Seite beim Atmen noch etwas zurück. Patient hustet leicht.

Name des Kranken: Carl Becker.

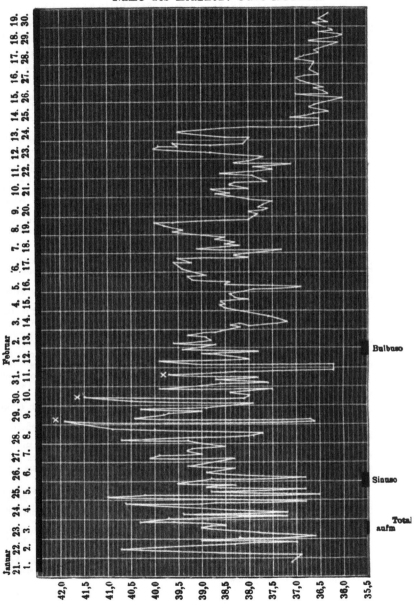

* Schüttelfrost.   Kurve 1a.

Name des Kranken: Carl Recker.

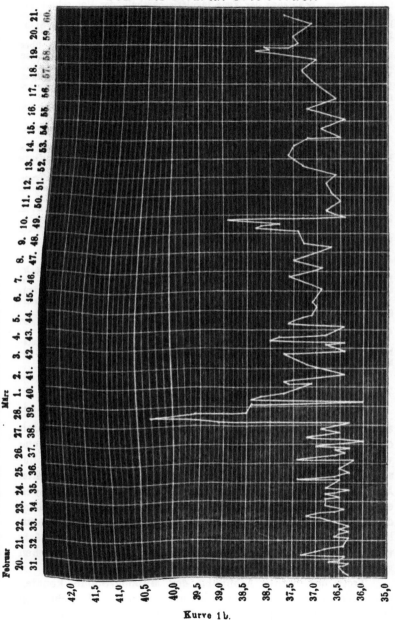

Kurve 1b.

6. Febr. Morgentemperatur 39,6°. Verbandwechsel: Im Bulbus etwas fötides Sekret. Schlitzung der Vena jugularis oberhalb der Unterbindungsstelle und vorsichtiger Versuch einer Durchspülung mit steriler Kochsalzlösung. Die Spülung ge ingt von beiden Seiten. Mit dem Strom der Spülflüssigkeit werden zerfallene Thrombenpartikel herausbefördert.

10. Febr. Der Husten hat zugenommen. Deutliche Dämpfung über dem rechten Unterlappen; Atmung abgeschwächt. Mehrere Probepunktionen an den verschiedensten Stellen des Thorax haben ein negatives Resultat. Während der Lungenuntersuchung bekommt Patient plötzlich einen heftigen Hustenanfall und wirft über einen Eßlöffel zähen, eitrigen mit Blut untermischten Sekrets aus. Puls 100, Respiration 64.

11. Febr. Patient war in der Nacht sehr unruhig und hat häufig gehustet. Auswurf eitrig, mit Blut vermischt.

15. Febr. Langsame Besserung des Allgemeinbefindens. Nahrungsaufnahme gut. Temperaturen normal.

20. Febr. Mitunter noch leichte Hustenanfälle. An den Lungen nichts Pathologisches mehr nachzuweisen. Erhebliche Gewichtszunahme. Gute Granulationsbildung an der Operationswunde.

28. Febr. Bis heute vollständiges Wohlbefinden; stets normale Temperaturen. Plötzlicher Anstieg der Abendtemperatur auf 40,3°. Leichte Dämpfung über dem rechten Unterlappen. Prießnitz um den Thorax.

4. März. Noch leichte Abendtemperaturen bis 39,0°. Ab und zu noch kleine Hustenanfälle mit schleimig eitrigem Auswurf. Heiserkeit läßt nach.

10. März Temperaturanstieg auf 38,9 in der Nacht. Patient schläft unruhig und hustet wieder etwas.

Nahrungsaufnahme vorzüglich.

Seitdem vollständig fieberfreier Verlauf.

21. März Facialisparese rechts. Mittelohrwunde sezerniert sehr stark. Bulbuswunde schon völlig mit gesunden Granulationen angefüllt; ebenso die Sinusgegend gut granulierend. Die Heiserkeit ist fast völlig geschwunden.

24. März. Beim Spülen der Totalaufmeißlungshöhle wird ein linsengroßer Knochensequester herausbefördert.

28. März. Facialisparese geht zurück. Wunde hinter dem Ohre gut epidermisiert.

18. April. Facialisparese wieder ganz gehoben. Totalaufmeißlungshöhle bis auf eine linsengroße leicht granulierende Stelle in der Paukenhöhle epidermisiert.

Der Temperaturverlauf wird durch beifolgende Temperaturkurve demonstriert.

Epikrise. Die am Abend nach der Aufnahme plötzlich auftretende Temperatursteigerung führten wir auf eine durch den obturierenden Polypen verursachte Eiterretention zurück, welche wir für den Augenblick durch die Extraktion des Polypen beseitigen zu können glaubten. Wir schlossen daran am nächsten Morgen die Totalaufmeißelung der Mittelohrräume und fanden ein ausgedehntes Cholesteatom, welches beide Schädelgruben, die hintere und die mittlere, deren Dura mit grauroten Granulationen bedeckt war, freigelegt hatte. Dieser Befund erklärte vollständig die auch nach der Polypenextraktion noch bestehen gebliebene Temperatursteigerung.

Trotz der breiten Eröffnung der Mittelohrräume konnten wir jedoch einen Temperaturabfall nicht erzielen, vielmehr stieg in der dem Operationstage folgenden Nacht die Temperatur auf

40,6°, um in wenigen Stunden auf 36,8° zu fallen und plötzlich wieder bis zu 41° zu steigen. Jetzt konnte natürlich für uns kein Zweifel mehr bestehen, daß wir es mit einer Sinusthrombose zu tun hatten. Bei der nun sofort vorgenommenen Sinusperation nach vorhergegangener Unterbindung der Vena jugularis interna konnten wir jedoch nur eine wandständige Thrombose feststellen. Die Temperatur fiel sogleich nach der Sinusoperation ab und hielt sich in den nächsten Tagen in mäßigen Grenzen. Nach einigen Tagen traten jedoch an drei aufeinander folgenden Tagen Schüttelfröste auf, welche uns bewiesen, daß es uns nicht gelungen war durch unsere therapeutischen Maßnahmen die Pyämie zu bekämpfen. Wir fanden beim Verbandwechsel viel schmierigen Eiter im Sulcus sigmoideus, welcher aus der Gegend des Bulbus venae jugularis stammte. — Daß es, trotzdem wir bei der Sinusoperation eine gute Blutung erreicht hatten, doch noch zu einer fortschreitenden Thrombose gekommen war, läßt sich unge- zwungen dadurch erklären, daß es uns nicht gelungen war, den wandständigen Thrombus vollständig zu entfernen, daß vielmehr im zentralen Sinusabschnitt ein Teil verblieben war, von dem aus die Weiterentwicklung der Thrombose stattgefunden hatte.

Die Freilegung des Bulbus venae jugularis führten wir nach Grunert aus, spalteteten aber nicht die Jugularis selbst, da kein Grund zu der Annahme vorlag, daß auch in dem Venenteil zwischen Bulbus und Unterbindungsstelle nennenswerte eitrige Thrombenmassen zu finden wären. Beim Entfernen der das Fora- men jugulare umrahmenden letzten Knochenspange mit dem Meißel keilte sich dieses Knochenstück fest ein und konnte nur mit der Kornzange unter ziemlicher Gewaltanwendung gelöst werden. Hierbei muß eine leichte Schädigung des Nervus vagus einge- treten sein, denn sofort im Anschluß an diese Entfernung trat ein krampfhafter Husten auf, welcher eine Viertelstunde anhielt. Auch die nach der Operation für einige Wochen auftretende Heiserkeit findet hierin ihre Erklärung. Wahrscheinlich sind bei der Entfernung des Knochenstückes Nervenfasern im Vagus gedrückt worden, welche zur Versorgung des Kehlkopfes gehörten.

Daß wir mit unserer Bulbusoperation unseren Zweck er- reicht hatten, beweist der weitere Krankheitsverlauf. Selbstver- ständlich konnte es nicht in unserer Hand liegen, die bereits im Körper kreisenden Infektionskeime zu beseitigen. Und daß solche im Körper kreisten ist ersichtlich aus der an den nächsten Tagen auftretenden Veränderungen an der rechten Lunge, die zuerst nur ganz gering waren, sich aber nach einiger Zeit so deutlich bemerkbar machten, daß wir mit einer durch Lungenabszesse verursachten eitrigen Pleuritis rechnen mußten. Die mehrmals an verschiedenen Stellen des Thorax vorgenommenen Probepunktionen bestätigten jedoch unsere Annahme eines eitrigen Exsudates nicht. Die zweifellos vorhandenen Lungenabszesse waren hier nicht wie gewöhnlich in den Pleurasack durchgebrochen, es trat vielmehr der günstige Fall ein, daß der Patient die Abszesse aushustete.

Es ist wohl kaum notwendig darauf hinzuweisen, daß die während der Nachbehandlung auftretende vorübergehende Facialisparese nicht auf Rechnung der Bulbusoperation zu setzen ist, sondern vielmehr durch eine Nekrosenbildung am Facialissporn zu erklären ist.

Im weiteren Verlaufe traten noch mehrmals Temperatursteigerungen leichten Grades auf, welche stets ihre Erklärung in neuen Bildungen kleiner Herde in der Lunge fanden.

Seit dem 21. März ist der Patient fieberfrei und wenn auch in der Paukenhöhle eine kleine granulierende Stelle noch vorhanden ist, so ist er doch als geheilt anzusehen.

Ein weiterer Fall von Sinusthrombose und Pyämie — Otto Röhr, 18 Jahre alt, Musikerlehrling aus Teuchern. Aufgenommen 11. Juli 1906, entlassen 10. November 1606 — ist bereits von Dallmann („Ohrfeigenruptur des Trommelfells, Mittelohreiterung, Sinusthrombose, Pyämie. Heilung") in der Ärztlichen Sachverständigen-Zeitung, 1906, Nr. 23 mitgeteilt worden.

Es folgen sodann zwei Fälle von otogenem Schläfenlappenabszeß, die an anderer Stelle ausführlicher mitgeteilt und über die hier nur einige Notizen gebracht werden sollen.

1. Otto Pätzold, 23 Jahre, Arbeiter aus Querfurt. Aufgenommen am 29. August 1906. Entlassen in ambulante Behandlung am 21. September 1906. Wiederaufgenommen am 4. Oktober 1906, geheilt entlassen am 18. Dezember 1906.

Aus der Anamnese ist zu erwähnen, daß der Patient seit 14 Tagen über Ausfluß und Schmerzen im linken Ohre und über heftigen Schwindel zu klagen hatte.

Bei der Aufnahme war der Gehörgang weit und trocken, das Trommelfell gerötet und vorgewölbt.

Trotzdem sogleich die Paracentese ausgeführt wurde und guter Eiterabfluß vorhanden war, ließen die Schmerzen nicht nach, es gesellten sich vielmehr noch starke Kopfschmerzen dazu, sodaß am dritten Tage nach der Aufnahme die typische Aufmeißlung ausgeführt werden mußte. Im Antrumeiter wurden ebenso wie in dem Sekret aus dem Gehörgange Pneumokokken gefunden. Am 21. September wurde der Patient mit trockenem Gehörgange und gut granulierender retroaurikulärer Wunde in die Filiale verlegt, mußte aber am 4. Oktober wieder aufgenommen werden, da er am Abend vorher einen Schüttelfrost gehabt hatte und über starke Kopfschmerzen klagte. Die Temperatur betrug 39,6°, die Gegend unter und hinter dem Warzenfortsatz war druckempfindlich. Es wurde sogleich die Freilegung des Sinus sigmoideus vorgenommen und dieser mit membranösen Auflagerungen bedeckt gefunden.

Die Temperaturen blieben noch einige Zeit bestehen und gingen erst nach 3 Wochen zurück. Das Allgemeinbefinden besserte sich und der Patient war vollständig beschwerdefrei. Am 5. November trat mehrmals Erbrechen auf. Keine Klage über Kopfschmerzen. Temperatur 36,6°, Puls 68—70. Gegen Abend stellte sich plötzlich amnestische Aphasie ein, auf Vorhalten eines Schlüssels sagte Patient: „Das ist zum Aufmachen", eines Messers: „Das ist zum Schneiden" usw.

Am nächsten Morgen klagte Patient über starke Kopfschmerzen in der linken Kopfhälfte, die Aphasie war unverändert. Abends trat Pulsverlangsamung auf 54 ein, die um 10 Uhr auf 45 herabging. Patient war soporös und zeigte auch Schwäche im rechten Facialis. Es wurde nun die Trepanation auf den linken Schläfenlappen ausgeführt und ein hühnereigroßer Hirnabszeß entleert.

Während der Nachbehandlung trat kein Hirnprolaps auf und der Abszeß zeigte gute Tendenz zur Heilung. Die aphasischen Störungen gingen innerhalb 8 Tagen zurück. Am 18. Dezember konnte der Patient mit vollständig vernarbter Trepanationswunde als völlig geheilt entlassen werden.

2. Minna Gräfe, 24 Jahre alt, Fabrikarbeiterin aus Jessnitz i. Anh. Aufgenommen am 19. März 1907, in der Rekonvalescenz. Das blasse, mäßig gut genährte Mädchen mußte in die Klinik getragen werden. Das Sensorium war vollständig benommen, sie reagierte überhaupt nicht auf Fragen und Anrufen, mitunter schrie sie auf und klagte über Kopfschmerzen; die Halswirbelsäule war druckempfindlich. Puls gespannt, unregelmäßig 72. Temperatur 39,2°.

Im Gehörgange war sehr fötides Sekret, am Eingange des

Gehörganges waren zahlreiche kleine Granulationen, dahinter schmierige Massen, welche aus einem Durchbruch in der hinteren knöchernen Gehörgangswand stammten.

Die Lumbalpunktion ergab unter erhöhtem Druck stehende, eitrig getrübte Cerebro-Spinalflüssigkeit. In derselben fanden sich im Ausstrichpräparat ebenso wie in den angelegten Kulturen Strepto- und Staphylokokken.

Am nächsten Morgen war die Patientin klarer und reagierte auf alle Fragen mit der ständigen Antwort „ja" oder „mein Kopf tut so weh"; im rechten Facialisgebiet war eine leichte Schwäche deutlich wahrnehmbar. Außerdem war die linke Schläfengegend stark klopfempfindlich und es zeigte sich ein Herpes labialis.

Bei der vorgenommenen Totalaufmeißlung fand sich ein großes Cholesteatom, welches der Dura der mittleren Schädelgrube auflag. Durch Trepanation auf dem linken Schlä-fenlappen wurde ein dicht unter der Hirnoberfläche liegender stinkender Abszeß entleert.

Die Temperatursteigerungen blieben noch eine ganze Woche bestehen, an zwei Tagen wurden Temperaturen bis über 40⁰ beobachtet. Die Kopfschmerzen und die Schmerzen im Nacken gingen allmählich zurück, die aphasischen Störungen verschwanden erst nach ungefähr 14 Tagen vollständig.

Während der ersten Zeit der Nachbehandlung trat ein mäßiger Hirnprolaps auf. Augenblicklich granuliert die Trepanationswunde gut und ist zum großen Teil schon mit frischer Epidermis bedeckt. Auch die Totalaufmeißlungshöhle epidermisiert sich gut.

Seit 3 Wochen ist die Patientin vollständig fieber- und beschwerdefrei, sodaß auch dieser Fall von Schläfenlappenabszeß wohl als geheilt zu betrachten ist.

Die im Berichtsjahre beobachteten Todesfälle sind die folgenden:

1. Franz Gießler, 23 Jahre alt, Gärtner aus Schönnewitz. Aufgenommen am 19. Februar, gestorben am 7. April 1906.

Anamnese: Seit dem 10. Lebensjahr litt Patient ohne bekannte Ursache an linksseitiger Ohreiterung, die seitdem mit kurzen Unterbrechungen anhielt und außer mäßiger Schwerhörigkeit keine besonderen Beschwerden bedingte. Seit einem Jahre sollen nun beim Bücken und Heben schwerer Lasten zeitweise leichte Schwindelanfälle auftreten, jedoch konnte Patient sonst ohne Beschwerden seine Arbeit verrichten; diese Schwindelanfälle haben angeblich seit 8 Tagen plötzlich zugenommen und heftige Kopfschmerzen in der linken Kopfseite sollen hinzugetreten sein. In den letzten Tagen hat Patient angeblich auch mehrmals erbrochen.

Status praesens: Blaß aussehender, mittelkräftiger Mann; er klagt über heftige bohrende Schmerzen in der linken Kopfseite und Schwindelgefühl. An den Brust- und Bauchorganen normaler Befund. Pupillen gleich weit, reagieren prompt auf Lichteinfall; kein Nystagmus. Augenhintergrund normal. Schwindel ist objektiv nicht nachweisbar. Haut- und Sehnenreflexe normal, keine Störungen der Sensibilität und Mobilität. Puls klein, etwas unregelmäßig, etwa 100 Schläge in der Minute. Temperatur 37,6. Urin normal.

Umgebung des Ohres: Am linken Ohr unterhalb und vor der Spitze geringe Infiltration; Druckempfindlichkeit an der Incisura mastoidea.

Gehörgang- und Trommelfellbefund: Linkes Ohr: Im Gehörgang viel fötider Eiter; die hintere Gehörgangswand ist halbkugelig vorgewölbt, fühlt sich an dieser Stelle weich und fluktuierend an. In der Tiefe viel festhaftende mazerierte Epidermis, so daß die Trommelfellgegend ganz verdeckt wird. In der äußeren Attikwand große Excavation. Im rechten Ohr außer geringer Einziehung und Trübung des Trommelfells keine Besonderheiten.

Hörprüfung: Leise Flüstersprache rechts ½ m, links 25 cm. Fis 4 beiderseits auf Fingeranstrich, C₁ wird vom Scheitel nach rechts lateralisiert. Rinne beiderseits —.

Therapie und Krankheitsverlauf: 20. Febr. Die Vortreibung der Gehörgangswand ist stärker geworden; Infiltration an der Spitze etwas vermehrt; Druckempfindlichkeit jetzt auch ziemlich heftig an der Hinterfläche der Spitze. Gegen 10 Uhr Vormittags leichter Schüttelfrost, hierauf Temperatur 40,3°.

Totalaufmeißelung links: Alte periostitische Verwachsungen über dem Planum; Durchbruch an der hinteren knöchernen Gehörgangswand, Knochen sklerotisch. Bei der trichterförmigen Erweiterung des Gehörganges wird schon nach den ersten flachen Meißelschlägen ein grau-weißes, matt glänzendes, etwas elastisches Gebilde freigelegt. Dasselbe wird zuerst für die Sinuswand gehalten. Bei weiterer Freilegung dieses Gebildes platzt dasselbe und aus dem Loch in der Membran entleert sich reichlich dünnflüssige, mißfarbene, stinkende Jauche unter deutlicher Pulsation. In sämtlichen Mittelohrräumen zerfallenes Cholesteatom. Amboß fehlt, Hammer gesund. — Bei Druck auf die etwas infiltrierte Muskulatur unterhalb der Spitze entleeren sich noch große Mengen übelriechender Flüssigkeit aus dem Loch in der eben erwähnten Membran. Zur weiteren Freilegung dieser Membran wird die Spitze freigelegt und es zeigt sich, daß das zuerst für den Sinus gehaltene Gebilde ein ungefähr kirschgroßer Cholesteatomtumor ist, welcher auf dem Sinus liegt. Der Tumor ist in seinem Innern jauchig zerfallen. Der Sinus selbst ist mit grau-schwarzen Granulationen bedeckt. Freilegung des Sinus nach beiden Seiten, bis er gesund aussieht. Die erkrankte Stelle am Sinus ist etwa bohnengroß. Bei dieser weiteren Freilegung des Sinus nach dem Bulbus zu wird ein Kanal an der unteren Gehörgangswand festgestellt, welcher eine Kommunikation zwischen der infiltrierten Muskulatur unterhalb der Spitze und der großen Cholesteatomhöhle am Sinus bildet. Das Lumen dieses Kanals entspricht ungefähr der Dicke einer mittelstarken Stricknadel. Erweiterung des Knochenkanals und Glättung der Aufmeißelungshöhle. Spaltung, Plastik etc. Nach der Operation Temperaturabfall, conf. Fiebertafel.

21. Febr. Patient hat in der Nacht gut geschlafen, keine besonderen Klagen über Schmerzen. Abendtemperatur wieder 39,3. Puls kräftig, voll, 110 Schläge in der Minute.

22. Febr. Gegen Morgen wieder ein leichter Schüttelfrost mit Temperaturanstieg auf 39,4°. Unterbindung der makroskopisch normal aussehenden Vena jugularis. Punktion des Sinus sigmoideus

zahlreiche kleine
welche aus einem
gswand stammte
ktion ergab unter
Cerebro-Spinalflüssigk
Präparat ebenso wie
phylokokken.
Morgen war die P
mit der ständigen
im rechten Fac
weh; wahrnehmbar.
eutlich klopfempfind
end stark
oialis.
der vorgenommenen Tot
Cholesteatom, welches d
es Durch Trepanati
uflag. wurde ein dicht u
ppen entleert.
inkender Abszeß
Die Temperatursteigerungen
hen, an zwei Tagen wurd
oachtet. Die Kopfschmerzen
gen allmählich zurück, d
wanden erst nach ungefähr
Während der ersten Zei
ßiger Hirnprolaps auf. A
ionswunde gut und ist
dermis bedeckt. Auch d
t sich gut.
Seit 3 Wochen ist
h Werdefrei, sodaß au
zeß wohl als geheilt
Die im Bericht
die folgenden:

Franz Gießler,
au 19. Februar,
namnese: Seit d
n linksseitiger Ol
und außer mäßi
e. Seit einem J
zeitweise leicht
ohne Beschwerde
angeblich seit
zen in der linl
hat Patient a

dem linken Oberlappen, hinten herab bis fast zum unteren Scapularwinkel; über dem Unterlappen vereinzelte trockene Reibegeräusche. Über dem rechten Unterlappen ebenfalls deutliche Dämpfung, jedoch ist daselbst auch das Atemgeräusch leicht abgeschwächt und ebenso der Pectoralfremitus. Über beiden Lungen außerdem diffuse bronchitische Geräusche. Auch heute sind die mehrfach im Bereich des rechten Unterlappens ausgeführten Punktionen ergebnislos.

30. März. Zustand und Lungenbefund unverändert, der mäßig reichliche Auswurf zeigt pneumonischen Charakter. Seit einigen Tagen besteht starke Schweißabsonderung.

3. April. Starke Schweißabsonderung und zunehmende Cyanose. Abendtemperaturen über 39°. Puls sehr gespannt, zeitweise unregelmäßig.

5. April. Anhaltende starke Schweißabsonderung, febris continua.

7. April. Temperatur dauernd über 39°. Starke Cyanose und Schweißabsonderung. Exitus.

Sektionsprotokoll.

Große männliche Leiche von kräftigem Knochenbau, mäßiger Ernährung. Hautdecken sehr blaß, ebenso die sichtbaren Schleimhäute.

Netz mäßig fettreich, eingerollt. Darmserosa blaß, feucht, spiegelnd. Im Abdomen circa 100 cbcm. klare Flüssigkeit. Zwerchfell rechts oberer Rand der 4., links 5. Rippe. Beide Lungen sinken nur wenig zurück. Links keine Verwachsung; in der Pleurahöhle circa 150 cbcm. mit Flocken vermischter Flüssigkeit. Rechte Lunge in ganzer Ausdehnung flächenhaft verwachsen; beim Lösen der Lunge reißt eine große Höhle ein, die 600 cbcm. einer braunen mit Eiterflocken vermischten Flüssigkeit enthält

Herzbeutel in über Handtellergröße frei, von spärlichem Fett überlagert, enthält ca. 250 cbcm. wasserhelle, leicht gelbliche Flüssigkeit. Innenfläche zeigt spärliche Ecchymosen. Herz entsprechend groß, mäßig kontrahiert; rechtes Ostium für 3, linkes für 2 Finger durchgängig. Im rechten Herzen reichlich Cruor und flüssiges Blut. Arterielle Klappen schließen, Epikard mäßig fettreich, zart. Klappenapparat intakt. Endokard zart, Intima gut elastisch. Aorta zeigt nur spärliche Verfettung, die Kranzgefäße zart.

Herzmuskel über dem linken Ventrikel 7 mm breit, auf der Schnittfläche blaß, sehr feucht, mit einzelnen gelblichen Flecken durchsetzt.

Linke Lunge: Stark erhöhtes Volumen und Gewicht, aus dem Bronchus ohne Druck reichlich Schaum, Pulmonalis frei, Pleura glatt, glänzend. Oberlappen: Spitze und Randteile lufthaltig, an den übrigen Stellen Luftgehalt völlig aufgehoben, Schnittfläche leicht gekörnt, von gelblichgrauer Farbe, Gewebe sehr konsistent und brüchig. Unterlappen fast in ganzer Ausdehnung luftleer, schlaffe Konsistenz.

Rechte Lunge: Gewicht stark erhöht, Volumen reduziert, aus Bronchus auf Druck nur spärlich Schaum, Schleimhaut und Pulmonalis wie links. In dem Unterlappen zwischen Pleura costalis und pulmonalis findet sich eine große Höhle, die einzelnen Lungenlappen sind miteinander fest verwachsen, zwischen Unter- und Mittellappen ein für einen Finger durchgängiger Kanal in die erwähnte Höhle. Die Pleuren der übrigen Lungen sind fest miteinander verwachsen und sehr stark verdickt. Basis der Lunge fest mit dem Zwerchfell verwachsen. Oberlappen an seiner Spitze völlig luftleer, von schlaffer Konsistenz, die tieferen Partien sind etwas lufthaltig, blaß. Saftgehalt erhöht. Mittellappen zeigt in den oberen Teilen etwas Luftgehalt, Unterlappen in größerer Ausdehnung völlig luftleer.

Schädeldach entsprechend dick, Diploë vorhanden, mäßig blutreich, Dura mit Schädeldach nicht verwachsen, Innenfläche zart. Im Sinus longitudinalis spärlich flüssiges Blut. Gefäße der Hirnbasis zart, kollabieren, Seitenventrikel nicht erweitert, Inhalt klar, zart. Konsistenz des Gehirns zart. Weiße Substanz des Gehirns auf der Schnittfläche nur wenige Blutpunkte. Hirnrinde von blasser Farbe. Kleinhirn ebenso. Stammganglien gut gezeichnet. Die Dura der Schädelbasis überall intakt. Der

linke Sinus sigmoideus völlig leer, sein Lumen fast obliteriert; rechterseits ist der Sinus sigmoid. und das Torcular stark dilatiert und mit Blut
gefüllt. Der Sinus petrosus superior und inferior enthalten keine eitrigen
Massen. Nach dem Abziehen der Dura zeigt sich links vorn zwischen Atlas
und Occiput eine kleine mit einem Eiterpfropf bedeckte Stelle, durch diese
gelangt die Sonde in einen Kanal, der nach der Operationswunde am Schädel
führt. Nach Durchschneidung der Membrana atlanto-occipitalis zeigt sich
außerhalb von hier etwas verfärbtes Granulationsgewebe.

Diagnosis post mortem: Abgesacktes Pleuraempyem rechts,
Hydrothorax sinister, Hydropericard, Pneumonie der linken
Lunge, Atelektase und pneumoniale Herde der rechten Lunge,
Milztumor, Anämie des Gehirns.

Sektion des Schläfenbeins.

Bulbus venae jugularis breit eröffnet, enthält frisch rot
aussehendes dünnes Granulationspolster. Sinus longitudinalis obliteriert. Der Stumpf der Vena jugularis unterhalb
der Unterbindung zeigt derben fibrösen Thrombus; im Sinus
petrosus superior und inferior gesunder Thrombus. Im Sinus
cavernosus teils flüssiges Blut, teils gut aussehendes Cruor-
gerinsel. Inneres Ohr intakt.

Epikrise: Der vorliegende Fall lehrt uns wieder einmal,
wie ein seit vielen Jahren — oft seit der Kindheit — ohne jede
Beschwerden bestehendes, latent gebliebenes Cholesteatom der
Mittelohrräume plötzlich ohne besondere Veranlassung in ein
akutes Stadium treten und die schwersten Krankheitssymptome
hervorrufen kann. Erfahrungsgemäß treten diese akuten Erscheinungen meist bei jungen Leuten im blühenden Alter von 18 bis
30 Jahren auf.

Wie aus der Krankengeschichte ersichtlich, hatte der 23 Jahre
alte Patient schon seit dem 10. Lebensjahre seine linksseitige
Ohreiterung, die ihn bis kurz vor seinem Tode — abgesehen
von den leichten Schwindelanfällen nur in der letzten Zeit — in
seiner oft schweren Arbeit in keiner Weise behinderte. Erst
8 Tage vor seiner Aufnahme in die Klinik setzten plötzlich
heftige Schwindelanfälle und halbseitige Kopfschmerzen ein, und
später auch noch Erbrechen.

Die kurz nach der Aufnahme ausgeführte Totalaufmeißelung
zeigte die schwersten Zerstörungen des Schläfenbeins. Wie so
oft bei Cholesteatom, so war auch hier die knöcherne Außen-
wand des Antrum sklerosiert, und das Cholesteatom konnte daher nur, da es durch die sklerosierte Knochenschicht am Durchbruch nach außen verhindert wurde, nach der Schädelhöhle zu
sein Zerstörungswerk fortsetzen. Es hatte, wie die Sinusoperation und später auch die Eröffnung des Bulbus venae jugularis
zeigten, zu einer eitrig-jauchigen Thrombose des Sinus sigmoideus bis hinab zum Bulbus geführt.

Etwa 12 Tage nach der Bulbusoperation wurde noch ein Senkungsabszeß gespalten, der vom Bulbus aus an der Schädelbasis entlang sich bis zum Foramen magnum gebildet hatte und nur durch die Membrana atlanto-occipitale von dem genannten Foramen getrennt wurde. Die Bildung eines derartigen Senkungsabszesses, der unter Umständen zum Durchbruch durch die Membrana atlanto-occipitale führen kann, scheint trotz breiter Freilegung und Eröffnung von Sinus, Bulbus und oberer Jugularisvene zu einer weiten übersichtlichen Halbrinne nicht ganz selten zu sein. Auch in neuster Zeit ist uns ein zweiter derartiger Senkungsabszeß begegnet, der bisher zu weiteren Komplikationen nicht geführt hat.

Nach der Eröffnung des Sinus und Bulbus waren wir infolge der starken Blutung aus dem Sinus transversus und der normalen Beschaffenheit der Vena jugularis unterhalb des Bulbus zur Annahme berechtigt, daß alle Thrombenmassen aus diesen Teilen entfernt waren und daß höchstens auf dem Wege der Sinus petrosi ein Weiterschreiten der eitrigen Thrombose möglich war. Für letzte Möglichkeit waren jedoch im weiteren Verlaufe der Krankheit keine Anhaltspunkte und auch die Sektion bestätigte ja später, daß wir hierin recht hatten. Trotzdem trat nach Ausräumung der Thromben kein wesentlicher Temperaturabfall ein, und wir mußten daher mit der Möglichkeit rechnen, daß bereits schon vor der Operation eine Aussaat der infektiösen Keime von dem jauchig erkrankten Sinus sigmoideus aus stattgefunden hatte. Trotz genauester Untersuchung namentlich der Lungen, konnte lange Zeit hindurch keine Erkrankung derselben nachgewiesen werden. Wir entschlossen uns daher gegen die eventuell bereits vorhandene Septico-Pyämie zur Anwendung von intravenösen Collargoleinspritzungen, die aber keinen Einfluß auf die Temperatur hatten.

Erst am 9. März, also fast 3 Wochen nach der Aufnahme des Patienten, konnten die ersten pathologischen Veränderungen der Lungen, ausgedehnte Bronchitis, nachgewiesen werden, und erst nach weiteren 10 Tagen eine Infiltration von Lungengewebe und geringe trockene Pleuritis. Diese Veränderungen der Lungen wurden allmählich ausgesprochener, es entwickelte sich eine linksseitige Oberlappenpneumonie und außerdem war begründeter Verdacht eines rechtsseitigen Empyems. Trotz aller Bemühungen (zahlreiche Probepunktionen) gelang es nicht, den anatomischen Beweis der Eiteransammlung im Pleuraraum zu

12*

bringen; obwohl die Punktion mit Nadeln von weitem Lumen ausgeführt wurde, konnte doch niemals auch nur ein Tropfen Eiter zu Tage gefördert werden. Als Ursache für diesen Miß- erfolg müssen wir die auffallend starke Schwartenbildung an der Pleura costalis ansehen, die aller Wahrscheinlichkeit nach vor der Nadelspitze stets auswich und so ein Durchdringen der Nadel in die Eiterhöhle verhinderte.

Wir kommen nun zu der Frage, ist die Erkrankung der Lungen und namentlich das Pleuraempyem — nur diese kommen hier im wesentlichen in Betracht — in unserem Falle selbstän- dige primäre Erkrankungen oder sind sie metastatisch entstan- den durch die Aussaat von infektiösen Keimen aus dem jauchig erkrankten Sinus.

Die Sektion hat uns für die letzte Möglichkeit keine An- haltspunkte gegeben. Namentlich das Lungengewebe zeigte, wie auch die übrigen Organe der Brust- und Bauchhöhle keine meta- statischen Herde, sondern die Veränderungen daselbst sprachen für eine reine genuine Pneumonie mit verschiedenen anderen nicht pyämischen Erkrankungen. Ob das Pleuraempyem meta- statischer Natur war, darüber ließe sich streiten; für einen Zu- sammenhang desselben mit der Sinuserkrankung kämen in Be- tracht der lange Bestand des Empyems (dicke Schwartenbildung) und die anhaltenden Temperaturen nach der Sinusoperation, die vielleicht das einzige Zeichen einer schon damals beginnenden Entzündung der Pleura gewesen sein können. Beweisend jedoch sind diese beide Momente nicht.

2. Fritz Kraushols, 5 Jahr alt, Arbeiterkind aus Unseburg, auf- genommen am 6. März, gestorben am 14. März 1907.

Anamnese: Vor etwa 6 Monaten ohne bekannte Ursache Ohreiterung links die etwa 3 Monate lang angehalten haben soll, danach soll zeitweise immer wieder etwas Eiter im Ohr sichtbar gewesen sein; seit 8 Tagen starke Schmerzen im linken Ohr, Fieber, besonders Nachts große Unruhe; einige Tage später eitriger Ausfluß aus dem linken Ohr und Schwellung hinter der Ohrmuschel. Diese Schwellung hat angeblich in den letzten Tagen wesentlich zugenommen.

Status praesens: Blasses, schlecht genährtes Kind. An Brust- und Bauchorganen keine Besonderheiten. Puls klein, frequent, regelmäßig, Tem- peratur 40°. Pupillen mittelweit, gute Reaktion. Der Kopf wird nach der linken Seite hin gehalten; keine Druckempfindlichkeit der Halswirbelsäule, Bewegungen des Kopfes nicht wesentlich schmerzhaft.

Umgebung des Ohres: Die linke Ohrmuschel steht etwas ab, hinter der Ohrmuschel Rötung und Schwellung, Fluktuationsgefühl. Der processus mastoideus ist besonders am hinteren Rande und in der Sinusgegend stark druckempfindlich.

Gehörgang und Trommelfellbefund: Links: Gehörgang voll stinkenden Eiters, der bei Druck auf die Schwellung hinter der Ohrmuschel reichlich nachfließt; schlitzförmige Stenose des Gehörganges, in der hinteren oberen Gehörgangswand Durchbruch.

Rechts: In der Tiefe stinkender Eiter; große nierenförmige Perforation mit granulärer Paukenschleimhaut.

Hörprüfung ergab keine zuverlässigen Resultate.

Therapie und Krankheitsverlauf: 7. März. Typische Aufmeißlung links: Spaltung eines großen subperiostalen Abszesses; Planum bis zur Gegend der Spina nekrotisch, Durchbruch mit Granulationen im hinteren Teile des Planum, aus
diesem Durchbruch quillt Eiter hervor. Eröffnung des Antrum
und Freilegung eines extraduralen Abszesses durch Fortnehmen des Tegmen antri. Im Antrum stinkender Eiter; auch
die hintere Antrumwand kariös und wird der Sinus sigmoid. in
etwa 2 cm Länge freigelegt; die Sinuswand ist mit dickem,
schwärzlich verfärbtem Granulationspolster bedeckt. Drain etc.

8. März. Sehr unruhige Nacht, Temperatur am Morgen 40°.
Im Laufe des Vormittags ein Schüttelfrost. Temperaturen: 39,6° bis
39, 6°—40,1°.

9. März. Zustand unverändert, kein Schüttelfrost wieder aufgetreten.
Über den Lungen keine Krankheitserscheinungen. Temperatur zwischen
39,5° und 39,7°.

10. März. Nacht sehr unruhig, kein Schüttelfrost; über den Lungen
sind krankhafte Veränderungen nicht nachzuweisen. Morgentemperatur 39,6°.
Jugularisunterbindung, Sinuseröffnung: Die Vena Jugularis
wie auch das umgebende Gewebe von anscheinend normaler
Beschaffenheit. Fortnahme der Spitze des Warzenfortsatzes
und weitere Freilegung des sinus sigmoideus bis seine Wandung gesund erscheint. Spaltung der Sinuswand, die durch
das Granulationspolster sehr verdickt, starke Blutung aus
beiden Enden des Sinus. Tamponade, Verband.

11. März. Große Unruhe hält an, kein wesentlicher Temperaturabfall; über beiden Unterlappen Dämpfung und pleuritisches Reiben. Große
Schwäche des Kindes. Temperaturen: 38,7° — 39,1° — 39,2° — 39,9°.

12. März. Die Dämpfung über beiden Lungen hat zugenommen, an
einzelnen Stellen lautes pleuritisches Reibegeräusch. Über allen Teilen der
Lunge bronchitische Geräusche. Große Unruhe des Kindes, wiederholtes
Aufschreien; es läßt Urin unter sich. Naselflügelatmung. Temperaturen
zwischen 39,6° und 40,2°.

14. März. Im Zustand keine Änderung; Exitus in der Nacht vom
13. zum 14. März.

Sektionsprotokoll.

Kindliche männliche Leiche von zartem Knochenbau, schlechtem Ernährungszustand, Totenflecke, Totenstarre. Hautdecken blaß; hinter dem
linken Ohr eine tamponierte und durch Knopfnähte zusammengehaltene
Operationswunde.

Am vorderen Rande des Musc. sternocleidomastoideus eine 4½ cm
lange klaffende, tamponierte Operationswunde.

Schädeldach dünn, Diploe vorhanden, Innenfläche ohne Besonderheiten, mit der ziemlich gespannten, blutreichen Dura leicht verwachsen,
im Sinus longitudinalis Cruor und Fibrin, Innenfläche der Dura ohne Besonderheit. Die weichen Häute zart, subarachnoideale Flüssigkeit nicht
vermehrt, Gefäßfüllung der Pia über der rechten Hemisphäre reichlich. Die
Ventrikel nicht erweitert, enthalten einige Tropfen klaren Serums. Ependym
zart, Hirnsubstanz von sehr weicher Consistenz, sehr reichlichem Saft-, etwas
erhöhtem Blutgehalt, sonst keine bemerkenswerten Veränderungen am Gehirn.
Im linken Sinus transversus bis zum Übergang in den Sinus sigmoideus
Fibrin gerinsel, welches einem von Außen her durch die Operationswunde eingeführten Tampon fest anhaftet, im Sinus sigmoideus ein schwärzlich grünlicher zerfallener Thrombus. Rechterseits sind die Sinus unverändert.

Die linke Vena jugularis wird frei präpariert, in der Mitte ist ein
kleines Stück reseziert, die Stümpfe sind unterbunden, im zentralen Abschnitt
ist das Blut flüssig, im peripheren Abschnitt ist ein der Wand leicht adhä-

renter grauroter Thrombus, welcher an der Stelle, wo er im Bulbus lag,
leicht schmierig verfärbt ist.

Fettpolster der Brust- und Bauchdecken entsprechend entwickelt, ebenso
die Muskulatur. Das Netz ist fettarm, etwas herabgeschlagen. Darmserosa
glatt und glänzend. Zwerchfellstand beiderseits oberer Rand der fünften
Rippe. Nach Herausnahme des Brustbeines sinken die L u n g e n etwas zurück.
Im rechten Pleuraraum 200 cbcm einer aashaft stinkenden, gelblich grünlichen, mit Fibrinflocken untermischten Flüssigkeit, im linken Pleuraraum
130 cbcm derselben Flüssigkeit; es bestehen leichte Verklebungen und Verwachsungen der Lungen mit der Brustwand.

H e r z b e u t e l wenig fettreich, liegt in klein Daumenballengröße vor.
Innenfläche spiegelnd, enthält ca. 20 cbcm einer ganz leicht getrübten, gelblichen Flüssigkeit. Herzmuskel blau, von diffusen grauen Fleckchen durchsetzt, Endo- und Epicard ohne Besonderheiten

L i n k e L u n g e : Volumen und Gewicht erhöht, aus dem Bronchus,
dessen Schleimhaut geschwellt und injiciert, dringt auf Druck eitrig
schaumige Flüssigkeit, Pulmonalis frei, Pleura zeigt dicke gelbliche Fibrin-
beläge. Oberer Lappen noch teilweise nachgebend und knisternd, man fühlt
auf Druck meist unter der Pleura gelegene bis kleinwallnußgroße derbere
Knoten, über denen die Pleura schmierig grünlich verfärbt ist. Auf dem
Durchschnitt zeigen sich diese derben Partien als keilförmige Infarkte von
schmierigem, schwärzlich grünlichen Aussehen, die teilweise bereits gangränös zerfallen sind. Im Übrigen ist das Lungengewebe blut- und saftreich.
Luftgehalt reduziert, nicht aufgehoben.

Der Unterlappen gleicht im wesentlichen dem Oberlappen.

R e c h t e L u n g e entspricht bezüglich Bronchus, Pulmonalis und Pleura
der linken Lunge, auch die Beschaffenheit des Lungenparenchyms gleicht
im Wesentlichen dem der linken Lunge, nur in der Spitze ist ein ganz
frischer, hämorrhagischer Infarkt, außerdem sind die hinteren unteren
Partien des Unterlappens bronchopneumonisch infiltriert.

H a l s - und R a c h e n o r g a n e ohne Besonderheiten.

M i l z 11 : 5 : 3 cm , Kapsel spiegelnd blaugrau, Parenchym von mäßiger
Consistenz, geringem Blutgehalt, grauroter Farbe, undeutlicher Zeichnung.

L e b e r 17 : 14 : 6 cm., Kapsel spiegelnd, blaurot bis grünlich schwärzlich, Parenchym blutreich, von leidlich guter Consistenz, gleichmäßig trüb-
grauroter Beschaffenheit, ohne deutliche Läppchenzeichnung.

M a g e n : Pankreas, Duodenum, Mesenterium ohne Besonderheiten.

L i n k e N i e r e : Fettkapsel entsprechend vorhanden, fibröse zart, leicht
löslich, $7^1/_2 : 3^1/_2 : 3$ cm , Oberfläche glatt, blaugraurötlich, Parenchym blau
etwas undeutlich gezeichnet, sonst ohne Besonderheiten.

R e c h t e N i e r e gleicht der linken. N e b e n n i e r e ohne Besonderheiten.
G r o ß e G e f ä ß e ohne Besonderheiten.

D i a g n o s i s p o s t m o r t e m : Infectiöse Thrombose des linken
Sinus sigmoideus. Hyperämie und Ödem des Gehirns. Trübe
Schwellung des Herzmuskels. Jauchige Pleuritis beiderseits.
Septische, teilweise gangränöse Infarkte in beiden Lungen.
Geringer Milztumor. Parenchymatöse Degeneration der Leber.
Trübe Schwellung der Hirnrinde.

Sektion des Schläfenbeins.

Der untere Teil des sinus sigmoideus ist mit grau-grünen,
schmierigen Thrombenmassen ausgefüllt, ebenso der Bulbus
venae jugularis, und der Sinus petrosus inferior. Sinus petrosus superior, und sinus cavernosus gesund Das Trommelfell
des linken Ohres fehlt zum größten Teil, Hammerkopf kariös,
vom Amboß nur noch der Körper vorhanden. Inneres Ohr gesund.

E p i k r i s e : Nach der Anamnese soll das Kind bereits schon
etwa 6 Monate vor seiner Aufnahme in die Klinik an linksseiti-
tiger Ohreiterung erkrankt sein, ohne daß diese Erkrankung be-

sondere Symptome zeigte. Das akute Stadium der Erkrankung war scheinbar schon nach kurzer Zeit in ein chronisches übergegangen und die Eiterabsonderung auf ein Minimum reduziert, so daß von den Eltern ärztliche Hilfe überhaupt nicht in Anspruch genommen wurde. Da setzte plötzlich ohne besondere Ursache ein neues akutes Stadium wieder ein, zunächst mit heftigen Schmerzen im Ohr, großer Unruhe und Temperatursteigerung. Einige Tage später trat vermehrte Eiterabsonderung hinzu und gleichzeitig Schwellung hinter dem Ohr, die in kurzer Zeit sehr hochgradig wurde. Auch die Gegend des Sinus sigmoideus wurde sehr druckempfindlich, so daß man außer der Erkrankung des Antrum mit einer Sinuserkrankung rechnen konnte. Die Operation (typische Aufmeißelung) bestätigte unsere Annahme.

Im Antrum wurde ausgedehnte Knochenerkrankung nachgewiesen, die zur Bildung eines extraduralen Abszesses über dem Antrumdach geführt und auch den Sinus sigmoideus bereits mitergriffen hatte; die Sinuswand war mit dickem, schwärzlich verfärbtem Granulationspolster bedeckt. Jetzt sofort eine Eröffnung des Sinus anzuschließen, schien nicht geboten, da das Fieber auch durch den übrigen Krankheitsbefund erklärt werden konnte und die Anamnese, die allerdings nicht ganz einwandsfrei war, keine sonstigen Anhaltspunkte für eine beginnende Pyämie gab.

Am nächten Tage jedoch blieb das Fieber unverändert hoch und ein einmaliger Schüttelfrost trat auf. Dies waren Zeichen genug, die Sinusoperation sofort vorzunehmen. Wie in der hiesigen Klinik üblich, wurde zunächst die Vena jugularis unterbunden und darauf der Sinus sigmoideus gespalten; aus beiden Enden des Sinus kam starke Blutung, so daß also nur ein wandständiger Thrombus in Betracht kam; auch beim Eingehen mit dem gebogenen Löffel in das untere Sinuslumen konnten Thrombenmassen nicht entfernt werden.

Die Temperatur blieb auch nach dieser Operation weiter hoch und bald wurden auch metastatische Erkrankungen der Lunge nachgewiesen. Der Schwächezustand des Kindes war schon vor der Sinusoperation ein so hochgradiger, daß man schon damals fürchten mußte, das Kind auf dem Operationstisch zu verlieren. Es hätte jetzt einen nochmaligen operativen Eingriff zur Entleerung des Pleuraempyems nicht mehr überstanden. Nach wenigen Tagen ging es an Herzschwäche ein.

Die Sektion ergab eine eitrige Thrombose des unteren Teiles des Sinus sigmoideus und ebenso des Bulbus venae jugularis und des Sinus petrosus inferior. Wie in dem Operationsbericht erwähnt, hatte die Knochenerkrankung im Antrum auch die Sulcuswand mitergriffen und dort eine scheinbar wandständige Thrombose hervorgerufen; von hier aus war dann die Aussaat der weiter in die Blutbahn gelangten Keime erfolgt.

Die Sektion ergab weiter, wie zu erwarten, ausgedehnte septisch-pyämische Erkrankungen der meisten Organe. Namentlich zeigten die Lungen zahlreiche alte gangränöse, metastatische Prozesse, deren Anfangsstadien nicht diagnostiziert werden konnten. Aus diesen alten zum Teil gangränösen Infarkten der Lunge ist wohl anzunehmen, daß die Anfänge der metastatischen Herde schon vor der Aufnahme des Kindes bestanden hatten, und daß infolgedessen unser operativer Eingriff zu spät kam. Bekanntermaßen gehört es zu den größten Schwierigkeiten, ja es ist oft unmöglich, die bei der otogenen Pyämie auftretenden Lungenmetastasen, so z. B. kleine Lungenabszesse durch die physikalischen Untersuchungsmethoden der Lunge in exakter Weise zu diagnostizieren. So ist es auch hier der Fall gewesen; erst als die Metastasen größer wurden, war ein Nachweis derselben möglich.

3. Minna Helbig, $1^3/_4$ Jahr alt, Dachdeckertochter aus Landsberg, aufgenommen am 24. April, gestorben am 30. April 1906.

Anamnese: Das Kind soll stets schwächlich gewesen sein und seit Januar dieses Jahres an Ohreiterung beiderseits leiden; eine Ursache für das Ohrenleiden ist nicht zu ermitteln. Es besteht erbliche tuberkulöse Belastung, da der Vater seit vielen Jahren lungenleidend und sehr abgemagert sein soll. Vor etwa 14 Tagen soll Anschwellung hinter dem rechten Ohr aufgetreten sein und seit etwa 10 Tagen aus einer Öffnung (Fistel) daselbst sich etwas Eiter entleert haben; der damals behandelnde Arzt soll durch Einschnitt die Öffnung hinter dem Ohr etwas erweitert haben; seit einigen Tagen große Unruhe des Kindes.

Status praesens: Sehr abgemagertes, blaß aussehendes Kind; das Sensorium ist klar; es nimmt nur träge an äußeren Eindrücken Anteil. Keine Nackensteifigkeit, keine Druckempfindlichkeit der Wirbelsäule. Augenbefund ohne Besonderheiten. Über beiden Lungen diffuse bronchitische Geräusche. Temperatur 37,8°, Puls 96, regelmäßig, jedoch von schwacher Welle.

Umgebung des Ohres: Rechtes Ohr: Geringe Weichteilinfiltration hinter der Ohrmuschel, hinten oben über dem Gehörgang kleine Eiter absondernde Fistel. Umgebung des linken Ohres ohne Besonderheiten.

Gehörgang- und Trommelfellbefund: Rechts: Gehörgang voll Eiter, hintere-obere Gehörgangswand gesenkt, in der Tiefe Granulationen, die den Einblick auf die Paukenhöhle verdecken. Links: Weiter Gehörgang, voll Eiter, großer Trommelfelldefekt im vorderen Teil; Paukenschleimhaut geschwellt.

Hörprüfung nicht ausführbar.

Therapie und Krankheitsverlauf: 25. April. Typische Aufmeißelung rechts: Hautschnitt durch linsengroße Fistelöffnung hinten oben über dem Gehörgange. Der ins Antrum führenden Knochenfistel entsprechend ist die Corticalis der Schuppe und darunter in Markstückgröße kariös und grau-grün verfärbt. Antrum nach hinten lateral und nach vorn kariös erweitert; medialer Teil der hinteren Gehörgangswand zerstört, ebenso der Knochen der Sulcuswand und die knöcherne Bedeckung der Kleinhirndura medial vom Sinus sigmoideus. Sinus und angrenzende Kleinhirndura von dickem grauen Granulationspolster bedeckt. Antrum und der durch den Gehörgangsdefekt sichtbare Teil der Pauke mit mißfarbenen Granulationen erfüllt. Dicht unter der Corticalis ein in der hinteren Gehörgangs- und lateralen Antrum-Wand angehörender über erbsengroßer, zum Teil gelockerter Sequester. Drain, Verband.

26. April. Das Kind liegt ziemlich teilnahmlos da, nimmt nur etwas Milch zu sich; viel Hustenreiz. Temperaturen: 37,7°—36° — 38,2°—37,9°.

27. April. Mehrfaches Aufschreien des Kindes, wenig Nahrungsaufnahme, mehrfach dünne Stuhlentleerungen. Starker Druckschmerz in der Nackengegend. Über beiden Lungen diffuse bronchitische Geräusche, über dem rechten Unterlappen leichte Schallverkürzung. Verbandwechsel: Wunde schmierig belegt, geringe Eiteransammlung im Antrum und dem Gehörgang. In verschiedenen bei der Operation entfernten Granulationen ausgesprochene tuberkulöse Veränderungen (Tuberkel und ausgedehnte Verkäsungen). Temperaturen: 38,3°—38,7° — 37,9°—38,5°.

29. April. Zunehmende Schwäche des Kindes, wiederholtes Aufschreien, andauerndes Hüsteln. Temperaturen: 38,1°—38,7° — 38,4°—39,1°. Pulswelle ist sehr schwach, schlägt etwa 100—110 mal in der Minute, zeitweise aussetzend.

30. April. Unter zunehmender Herzschwäche tritt gegen Mittag der Exitus ein.

Sektionsprotokoll.

Kindliche weibliche Leiche, Totenflecke, Totenstarre vorhanden; in rechter Warzenfortsatzgegend Aufmeißelungshöhle. Dura mit dem Schädeldach rechts verwachsen und muß mit diesem abgenommen werden. Im Sinus longitudinalis reichlich Cruor und Speckgerinnsel und dunkles flüssiges Blut. Innenfläche der Dura ohne Besonderheiten. Subarachnoideale Flüssigkeit vermehrt ohne Trübung, Pialgefäße injiziert. Nach Herausnahme des Gehirns sammelt sich leicht sanguinolente seröse Flüssigkeit in den hinteren Schädelgruben. Weiche Hirnhäute sind an der Basis sulzig verdickt, zumal in der fossa interpeduncularis und der fossa Sylvii; das sulzige Gewebe enthält, zumal längst der Gefäße submiliare weiße Knötchen in reicher Zahl. Die Ventrikel sind erweitert, Ependym glatt und glänzend, enthalten vermehrte Mengen klaren Serums, auch in der Subarachnoidea und den Plexus zahlreiche weiße Knötchen. Gehirn sehr feucht, von schlechter Konsistenz; Rinde von blaßgrauer Farbe, Blutpunkte in der Marksubstanz nicht vermehrt. Großhirnganglien, Kleinhirn, Pons, Medulla ebenfalls sehr blaß, sonst ohne Besonderheiten.

Im rechten Sinus sigmoideus sitzt ein gut aussehendes Cruorgerinnsel, das sich bis zum Sinus transversus hin fortsetzt; in letzterem und im Sinus der linken Seite reichlich dunkles Blut.

Fettarmes Netz, herabgeschlagen, deckt die stark kontrahierten Därme, deren Serosa ebenso wie das Peritoneum parietale auffallend trocken ist. Serosa der Därme stellenweise injiziert, im übrigen ohne Befund, kein fremder Inhalt im Abdomen.

Zwerchfellstand beiderseits im 4. Interkostalraum. Nach Herausnahme des Brustbeins retrahieren sich die Lungen, die nirgends mit der Brustwand verwachsen sind. Der fettarme Herzbeutel liegt in Markstückgröße frei, Innenfläche glatt und glänzend, enthält einige Kubikzentimeter klaren Serums; Herz etwas größer als die Faust der Leiche, gut kontrahiert. Im rechten Herzen Cruor und Fibrin, im linken etwas dunkles flüssiges Blut und wenig Cruor, rechtes Ostium für gut einen, linkes knapp für einen Finger durchgängig. Arterielle und venöse Klappen intakt. Herzmuskel von blasser Farbe, mit gelblichen diffusen Flecken durchsetzt.

Linke Lunge: Volumen und Gewicht vermehrt; aus dem Bronchus, dessen Schleimbeit injiziert ist, fließt auf Druck eitriger Schleim. Pulmonalis frei, Pleura glatt und glänzend, von scharlachroter Farbe. Oberlappen: Schnittfläche von hellroter Farbe, Blut- und Saftgehalt vermehrt, Luftgehalt allenthalben vorhanden; über die ganze Schnittfläche zerstreut finden sich zahlreiche miliare und größere weißliche leicht durchscheinende Knötchen. Unterlappen entspricht dem Oberlappen, nur ist dort der Blutgehalt noch reichlicher. Drüsen am Hilus sind in großer Zahl verkäst.

Rechte Lunge: Volumen und Gewicht, Bronchus, Pulmonalis, Pleura und Bronchialdrüsen wie links. Ober- und Mittellappen entsprechen dem linken Oberlappen, Unterlappen gleich dem linken, jedoch ist stellenweise das Gewebe bereits eitrig eingeschmolzen, so daß die Schnittfläche einige erbsengroße Cavernen zeigt.

Hals- und Rachenorgane: Zunge ist mit reichlichen weißlichen Belägen (Soor) bedeckt, Kehlkopf und Rachen ohne Befund, Tonsillen sind hypertrophisch, ohne Entzündungserscheinungen. Rachenmandel vergrößert (die spätere Untersuchung ergab ausgesprochene tuberkulöse Veränderungen, Tuberkel, Nekrosen).

Darm: Die Schleimhaut enthält im oberen Jejunum 2 quergestellte Geschwüre mit erhabenen gezackten Rändern, deren Grund eitrig belegt und injiziert ist. Eins derselben ist erbsengroß, das andere etwas kleiner. Schleimhaut sonst ohne Veränderungen, nur sind die Follikel in der Gegend der Klappe stark geschwellt.

Milz 5:3:1½ cm., Kapsel blaurot violett gefärbt, nicht gerunzelt, glänzend; unterhalb derselben mehrere submiliare gelblichweiße Knötchen. Parenchym mäßig blutreich, von braunroter Farbe, guter Konsistenz, undeutlicher Zeichnung; über die Schnittfläche prominieren mehrere Knötchen von gleicher Beschaffenheit wie die unter der Kapsel.

Linke Niere 6:3:2 cm.; Fettkapsel entsprechend, fibröse zart, läßt sich leicht und ohne Substanzverlust ablösen. Oberfläche blaßrot, mit deutlicher Zeichnung. Organ sehr blutreich, Rinde leicht überquellend, etwas trüb, rot gestrichelt. Becken leer, Schleimhaut ohne Besonderheiten. Rechte Niere wie links.

Leber 14:10:4 cm.; Kapsel glatt und glänzend, von blauvioletter und gelblich marmorierter Farbe. Parenchym blutreich, wenig deutlich gezeichnet, von der gleichen Farbe wie die Oberfläche. Über die Schnittfläche prominieren einige ikterisch gefärbte miliare Knötchen. In der Gallenblase etwas dunkelgrüne Galle, Schleimhaut ohne Veränderungen.

Magen kontrahiert, ohne Inhalt, Schleimhaut reichlich gefaltet, Höhe der Falten iu der kleinen Curvatur injiciert und mit Ecchymosen.

Pancreas ohne Besonderheiten. Die Drüsen des Mesenteriums zeigen eine stark entzündliche Schwellung mit zentraler Verkäsung; auch die Mediastinal-Lymphdrüsen verkäst.

Blase außer leichter Injektion der Schleimhaut keine Veränderungen, ebenso die Genitalien.

Diagnosis post mortem: Hydrocephalus externus und internus, Basilarmeningitis (tuberkulöse), Anaemie und Ödem des Gehirns, Hypertrophie der Gaumen- und Rachenmandel, Miliartuberkulose und Hyperaemie und Ödem der Lungen, Cavernenbildung im rechten Unterlappen, Anaemie und Verfettung des Herzmuskels, Hyperaemie der Nieren, trübe Schwellung der Rinde, Miliartuberkulose der Milz und Leber, Verfettung der letzteren, Gastritis acuta. Tuberkulöse Darmgeschwüre, Verkäsung der mediastinalen, bronchialen, peribronchialen und mesenterialen Lymphdrüsen.

Sektion des rechten Schläfenbeins.

Im Antrum und der Paukenhöhle dicke Granulationspolster von teilweise opakem Aussehen; sie enthalten ausgedehnte tuberkulöse Veränderungen (Tuberkel und ganz vereinzelt auch Tuberkelbazillen); im häutigen Teile der Tube mehrere tuberkulöse Ulcerationen. Labyrinthfenster intakt, Steigbügel

ohne Veränderungen; langer Amboßschenkel und ein kleiner
Teil des Körpers kariös, Hammergriff fehlt zum Teil. Labyrinth
intakt. Sinus frei.

Epikrise: Schon bei der Aufnahme des sehr heruntergekommenen Kindes in die Klinik bestand die hohe Wahrscheinlichkeit, daß es sich hier um eine allgemeine tuberkulöse Erkrankung handele. Der Operationsbefund und die mikroskopische Untersuchung verschiedener Gewebsteile aus dem rechten Ohr bestätigten die Diagnose. Die bei der Aufnahme nur undeutlich wahrzunehmenden Hirnsymptome wurden bald nach der Operation manifest, und wenige Tage später trat mit rapid zunehmender Schwäche der Tod ein.

Die Sektion ergab eine ausgedehnte Miliartuberkulose, die aller Wahrscheinlichkeit nach von den verkästen bronchialen und peribronchialen Lymphdrüsen ausgegangen war und auf dem Wege der Lymph- und Blutbahn im ganzen Körper Verbreitung gefunden hatte.

Von Interesse ist der Weg, den die Tuberkelbazillen in das rechte Ohr genommen hatten. Die mikroskopische Untersuchung hatte außer der tuberkulösen Erkrankung des Ohres ausgedehnte tuberkulöse Veränderungen der Rachenmandel und auch der Tubenschleimhaut ergeben. Von der Rachenmandel aus waren also wohl die Keime durch die im kindlichen Alter sehr weite Tube in die Paukenhöhle gelangt und hatten dort schleichend und ohne besondere Schmerzsymptome die so ausgedehnten Zerstörungen hervorgerufen.

Leider konnte der Charakter der linksseitigen Mittelohreiterung nicht festgestellt werden. Die Untersuchung von Gewebsteilen aus diesem Ohr mußte äußerer Gründe wegen unterbleiben, und die Untersuchung des Eiters ergab ein negatives Resultat.

4. Friedrich Liedloff, 13 Jahre alt, Bergmannssohn aus Schwenda; aufgenommen am 19. Juli, gestorben am 16. August 1906.

Anamnese: In frühester Jugend soll das Kind Scharlach und vor 3 Jahren Masern gehabt haben. Im Anschluß an die Scharlacherkrankung soll eitriger Ausfluß aus dem linken Ohr aufgetreten sein und mit kurzen Unterbrechungen bis zum Mai 1906 angehalten und seitdem dauernd bestanden haben. Auf ärztlichen Rat hin wurden angeblich seit 3 Jahren mehrfach Ohrausspritzungen gemacht. Infolge der starken Eiterung und der zeitweise auftretenden linksseitigen Kopfschmerzen wurde das Kind am 19. Juli der hiesigen Ohrenklinik überwiesen.

Status praesens: Mittelkräftiger, gesund aussehender Knabe; er klagt über Stechen im linken Ohr und zeitweise auftretende linkseite Kopfschmerzen An Brust- und Bauchorganen normaler Befund; an den Augen keine krankhaften Veränderungen bis auf geringen horizontalen Nystagmus beim Blick nach rechts; kein Schwanken oder Schwindelgefühl. Haut- und Sehnenreflexe normal; Urin ohne krankhafte Bestandteile. Abendtemperatur 37,5°.

Umgebung beider Ohren ohne Besonderheiten; nur unterhalb beider Warzenfortsatzspitzen je zwei vergrößerte unempfindliche Drüsen.

Gehörgang und Trommelfellbefund: Gehörgang des linken Ohres entzündlich aufgequollen, aus halblinsengroßem kariösem Durchbruch der Hinterwand ist eine erbsengroße graurote, teilweise mit Epidermis bekleidete Granulation hervorgewachsen. Trommelfell fehlt zum größten Teil, mediale Paukenwand epidermisiert. Aus dem Attikus und Aditus werden mit der Sonde stinkender braungelber Brei und Epidermislamellen entfernt. Aus dem Attik ragt eine kleine derbe Granulation herab. Der rechte Gehörgang ist blaß, das Trommelfell trüb, weißgrau, eingezogen.

Hörprüfung: Flüstersprache wird links in 2 m, rechts in über 6 m Entfernung gehört; Der Ton der Stimmgabel Fis$_4$ wird rechts auf Fingeranstrich, links auf Fingerkuppenanschlag gehört; der Ton der auf den Scheitel aufgesetzten Stimmgabel C$_1$ wird nach links stärker als nach rechts lateralisiert. Rinne links —, rechts +.

Therapie und Krankheitsverlauf: Entfernen der Granulationen und Ausspülungen mit dem Antrum-Röhrchen; hierbei werden Epidermislamellen und stinkende Cholesteatommassen entfernt.

23. Juli. Totalaufmeißelung links: Weichteile und Corticalis ohne Besonderheiten; in der Tiefe der hinteren knöchernen Gehörgangswand über erbsengroßer Durchbruch mit Granulationen. In der Paukenhöhle, dem Aditus und Antrum großes Cholesteatom in Tumorform, zum Teil zerfallen. Antrum sehr erweitert, wie ausgedreschelt. Sinus sigmoideus mit dünnem fibrösen Belag, hat volle Rundung, leicht eindrückbar; horizontaler Bogengang stark abgeflacht, der häutige Bogengang scheint durch. Von den Ossiculis ist nur der Hammergriff mit dem Proc. brevis vorhanden, in Granulationen eingebettet. Ein Fortsatz des Cholesteatom geht nach dem Steigbügel zu. Facialiskanal liegt unterhalb des horizontalen Bogenganges in kleiner Ausdehnung frei. Dura der mittleren Schädelgrube liegt ebenfalls in geringer Ausdehnung frei. Plastik usw.

24. Juli. Leidlich ruhige Nacht, gestern einmaliges Erbrechen; keine Schmerzen. Kein Fieber, conf. Fiebertafel.

27. Juli. Gutes Allgemeinbefinden. Verbandwechsel: Gute, frisch-rot aussehende Granulationen. Kein Fieber.

30. Juli. Bisher stets ruhige Nächte; seit heute Vormittag Klagen über Schmerzen in der Stirn und dem Hinterkopf. Verbandwechsel: Bei vorsichtigem Tupfen in der Steigbügelgegend leichtes Schwindelgefühl. Geringer Nystagmus beim Blick nach links; kein Schwanken. Abendtemperatur 38,5°. Geringe Angina. (Siehe nachstehende Kurve)

1. August. Verbandwechsel: Gutes Aussehen der Wunde, geringe Sekretion; keine Beschwerden.

2. August. Morgentemperatur 39,3°; Kopfschmerzen (Stirngegend). Verbandwechsel: Verband etwas mit fötidem Eiter durchtränkt; am Nachmittag besseres Allgemeinbefinden, keine Kopfschmerzen; kein Frösteln. Nystagmus besonders beim Blick nach rechts, geringe Brechneigung. Puls gespannt, 128 Schläge in der Minute, regelmäßig. Lungen und Abdomen ohne pathologischen Befund. Die Rachenorgane diffus gerötet, Tonsillen ohne Belag. Eisblase auf den Kopf, Lavement.

3. August. Seit gestern klagt Patient über stechende Schmerzen in rechter Brustseite beim tiefem Atemholen, Hustenreiz, wobei wenig schleimig-eitriger, geballter Auswurf ausgehustet wird. Über der ganzen rechten Lunge vereinzelte mittelgroßblasige Rasselgeräusche, über dem rechten Unterlappen leichte Schallverkürzung; Stimmfremitus normal. Temperaturschwankungen werden geringer, Temperatur meist zwischen 38,5 und 39,0° Puls kräftig, regelmäßig, beschleunigt. Starke Schweißabsonderung. Hydropathischer Brustumschlag. Exspectorans.

Name des Kranken: Friedrich Liedloff.

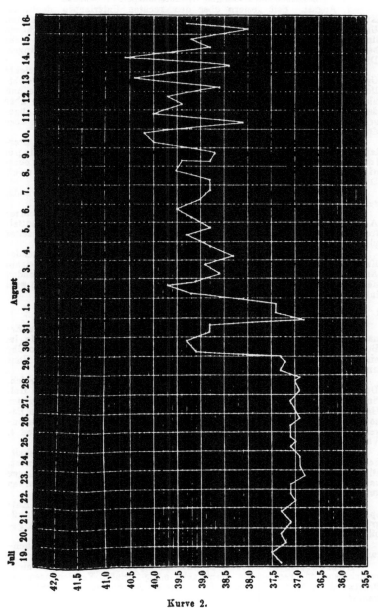

Kurve 2.

5. August. Im Zustand keine wesentliche Anderung. Die Operationshöhle am Ohr sieht frisch rot aus, geringe Sekretion; die freigelegte Sinuswand mit gut aussehendem dünnen Granulationspolster bedeckt.

7. August. Seit gestern über dem rechten Unterlappen deutliches
Knisterrasseln, vereinzeltes pleuritisches Reiben. Dämpfung über dem rechten
Unterlappen stärker, Stimmfremitus daselbst erhöht; auch über der ganzen
linken Lunge vereinzelte Rasselgeräusche. Schüttelfrost ist bisher nicht
bemerkt worden. Der Auswurf ist gering, zeigt pneumonische Beimengungen.
Die Entzündung der Rachenorgane fast ganz zurückgegangen.

9. August. Patient klagt über etwas erschwerte Atmung, leichte
Cyanose des Gesichts; bei tiefer Atmung bleibt die rechte Brusthälfte sichtlich zurück. Ausgesprochene Dämpfung über dem rechten Unterlappen und
hinauf bis über den unteren Schulterblattwinkel. Stimmfremitus heute über
den untersten Teilen der Dämpfung im Vergleich zur linken Seite abgeschwächt; deutliches Knisterrasseln und vereinzelt pleuritisches Reiben über
der Dämpfung.

10. August. Zustand unverändert. Punktion über dem rechten Unterlappen, Pleuraempyem, nicht besonders fötid. Rippenresektion (8. Rippe)
im Bereich der rechten Scapularlinie: Entfernung von ca. 160 cbcm
eitriger leicht fötider Flüssigkeit mit dickem eitrigen Gerinsel.
Drain, Verband.

12. August. Fast täglicher Verbandwechsel der Rippenresektionswunde,
reichliche Sekretion. Im Befund keine wesentliche Änderung.

14. August. Zunehmende Cyanose, vermehrter Hustenreiz, vermehrter
Auswurf, schleimig-eitrig, mehrfach rostfarbig; kein Frösteln oder Schüttelfrost; über der linken Lunge vereinzelte bronchitische Geräusche, vereinzeltes
pleuritisches Reiben, kein pleuritisches Exsudat.

15. August. Atmung sehr beschleunigt, oberflächlich; zunehmender
Kräfteverfall. Am Nachmittag wird über dem Corpus sterni eine leichte
Anschwellung bemerkt, ohne daß Patient daselbst Schmerzen empfunden
hat. Auf Inzision entleert sich etwas Eiter. Verband. Sinusoperation wird
infolge der großen Schwäche des Patienten nicht mehr ausgeführt.

16. August. Unter zunehmender Atemnot Exitus.

Sektionsprotokoll.

Kindliche Leiche von ziemlich kräftigem Knochenbau in mäßigem Ernährungszustande, auf der rechten Rückenseite in der Skapularlinie im
Bereich der 8. Rippe eine Rippenresectionswunde. Hinter dem rechten Ohr
eine Operationswunde, über dem Corpus Sterni eine Inzisionswunde. Haut
und sichtbaren Schleimhäute blau.

Schädeldach dünn, löst sich leicht von der Dura, mäßig blutreich,
Dura etwas gespannt, von leicht erhöhtem Blutgehalt, ihre Innenfläche frei.
Subdurale Flüssigkeit leicht vermehrt, die weichen Häute im Verlauf der
Gefäße etwas getrübt. Pia ziemlich blutreich. Gefäße der Basis ohne Be-
sonderheiten, im Sinus longitudinalis und centralis flüssiges Blut. Seiten-
ventrikel nicht erweitert, Inhalt klar, Ependym zart, ebenso 3. und 4.
Ventrikel.

Kleinhirn von etwas herabgesetzter Konsistenz, mäßigem Blutgehalt,
Schnittfläche feucht. Hirnganglien deutlich gezeichnet, ebenfalls feucht,
Blutgehalt nicht erhöht, ebenso Pons und Medulla, das weiße Marklager
zeigt mäßig reichliche Blutpunkte, Schnittfläche feucht, Hirnwände etwas
gerötet.

Fettpolster, Muskulatur der Brust- und Bauchdecken spärlich. Entsprechend der Inzisionswunde am Sternum findet sich eine etwa wallnuß-
große Abszesshöhle der Weichteile, deren Grund von rauhem Knochen gebildet wird.

Netz fettarm, Därme leicht gebläht, Serosa blaß, spiegelnd, im Bauch-
raum kein fremder Inhalt.

Zwerchfellstand rechts 4., links 5. Rippe. Beide Lungen nicht
zurückgesunken, rechterseits durch zähe eitrig-fibrinöse Verklebungen der
Brustwand adhärent, linkerseits fest, durch alte fibröse Schwarten verwachsen. Pleurahöhlen leer.

Herzbeutel in Handtellergröße vorliegend, von spärlichem Fett überlagert, enthält ca. 30 cbcm klarer Flüssigkeit, Innenfläche spiegelnd. Herz entsprechend groß, mäßig kontrahiert. Rechte Ostien gut für 2, linke knapp für 2 Finger durchgängig. Arterielle Klappen schliessen gut.

Epikard zart fettarm, Kranzgefäße nicht geschlängelt, Herzklappen zart, intakt; ebenso das übrige Endokard. Herzmuskel von blaß-graugelber Farbe, mäßig guter Konsistenz, auf dem Durchnitt etwas trüb.

Linke Lunge von leicht erhöhtem Volumen und Gewicht, aus dem Bronchus entleert sich auf Druck blutig gefärbte, schaumige Flüssigkeit, Schleimhaut etwas verschwollen, injiziert. Pulmonalis frei, Pleura in ganzer Ausdehnung schwielig verdickt. Oberlappen überall lufthaltig, Schnittfläche glatt, hell, kirschrot, feucht. Unterlappen ebenfalls überall lufthaltig, etwas blut- und saftreicher, sonst wie Oberlappen.

Rechte Lunge, Bronchus und Pulmonalis wie links. Pleura fast in ganzer Ausdehnung besonders im Bereiche des Unterlappens mit dicken gelblichen Belägen bedeckt, die sich nicht abziehen lassen, und unter denen die etwas verdickte rauhe Pleura zu Tage tritt. Oberlappen überall lufthaltig, Schnittfläche glatt, von hell-kirschroter Farbe, Saftgehalt deutlich erhöht, Unterlappen von etwas reduziertem Luftgehalt, ist dunkler verfärbt. Saftgehalt wie im Oberlappen. An den Randpartien dicht unter der Pleura dunkelblaurot verfärbte, etwas eingesunkene, luftleere Bezirke.

Milz vergrößert, Kapsel zart, Organ von ziemlich fester Konsistenz, auf der Schnittfläche hellgraurot gefärbt. Trabekel spärlich, Follikel deutlich sichtbar, etwas geschwollen.

Linke Niere: Fettkapsel spärlich, fibröse zart, abziehbar. Oberfläche glatt, von dunkler rotvioletter Farbe, Rinde nicht verbreitert, von derselben Farbe wie die Oberfläche. Markstrahlenzeichnung deutlich, Grenze gegen die blau violettgefärbten Pyramiden scharf. Nierenbecken leer, nicht erweitert. Schleimhaut blaß.

Rechte Niere wie links.

Leber entsprechend groß, Kapsel zart durchscheinend, Oberfläche glatt, dicht über der Kapsel mehrere, dreimarkstückgroße hellgelb verfärbte Bezirke, Organ sonst wie auf dem Durchschnitt von braungelblicher Farbe, mäßigem Blutgehalt. Schnittfläche etwas feucht. Läppchenzeichnung undeutlich.

Gallenblase klein, enthält nur sehr spärliche Menge dünner, goldgelber Flüssigkeit.

Magen leer, Schleimhaut gefaltet, im Fundusteil mit reichlichen bis linsengroßen Hämorrhagien durchsetzt, im übrigen blaßgrau verfärbt.

Darmschleimhaut enthält im oberen Jejunum einzelne mit Haemorrhagien durchsetzte ca. Dreimarkstück große Bezirke, im übrigen ist sie blaß und ohne Besonderheiten.

Mesenterium fettarm, seine Lymphdrüsen nicht geschwollen.

Pancreas sehr blutreich, von guter Konsistenz.

Nebennieren, Aortenstamm ohne Besonderheiten, ebenso Blase.

Diagnosis post mortem: Operationswunde hinter dem Ohr, Rippenresektionswunde, Operationswunde über dem Sternum (praesternaler Abszess), Leptomeningitis chronica, Ödem der Hirnhäute und des Hirns, leichte Hyperaemie der Hirnrinde, Pleuritis adhaesiva chronica sinistra, Pleuritis purulenta dextra, Atelektase im rechten Unterlappen, Milztumor, Druckanämie der Leber.

Sektion des Schläfenbeins.

Im Bulbus venae jugularis ein teils fester, teils eitrig zerfallener Thrombus; derselbe setzt sich nach oben in den Sinus sigmoideus hin fort, wird dort wandständig, fest, von braungelblicher Farbe und reicht bis zu dem von der Operationshöhle des Ohres aus freigelegten Teile des Sinus hinauf, wo er nur ein dünnes wandständiges, leicht abziehbares Gerinsel bildet. Die übrigen Sinus und die Vena jugularis nicht erkrankt; Steigbügel in normaler Lage fest eingefügt in das foramen ovale, geringe Granulationsbildung daselbst; foramen rotundum von normaler Beschaffenheit; horizontaler Bogengang stark abgeflacht, kein Defekt in demselben. Das Labyrinth ist intakt.

Epikrise: Nach der im vorliegenden Falle ausgeführten Totalaufmeißelung erfolgte anfangs ein ganz normaler Krankheitsverlauf. Fieber bestand weder bei der Aufnahme des Kindes, noch einige Zeit nach der Operation, und auch im übrigen waren keine Symptome vorhanden, die den Verdacht einer Sinuserkrankung begründen konnten. Das Kind fühlte sich wohl und hatte keine Klagen. Erst am 30. Juli, am 7. Tage nach der Operation, trat plötzlich eine Temperatursteigerung auf 39,3° ein, und gleichzeitig klagte das Kind über Schmerzen in der Stirn- und Hinterkopfgegend. Außer einer leichten Angina waren keine neuen Krankheitserscheinungen nachzuweisen. Am 1. August war bereits die Temperatur wieder normal und das Kind ohne Beschwerden. Am 2. August, dem 10. Tage nach der Operation, stieg wieder die Temperatur auf über 39° und hielt sich in den nächsten Tagen mit nur etwa 1° Tagesschwankung auf fast gleicher Höhe. Gleichzeitig hatte die Entzündung der Rachenorgane zugenommen. Am nächsten Tage konnten die ersten Zeichen einer pneumonischen Erkrankung des rechten Unterlappens nachgewiesen werden, die allmählich ausgesprochener und durch eine anfangs trockene, später eitrige Pleuritis kompliziert wurden. Erst kurz vor dem Tode des Kindes trat dann noch der metastatische Abszeß über dem Corpus sterni hinzu.

Dieser ganze Krankheitsverlauf bis zum Auftreten der letzt erwähnten Metastase berechtigte uns zu der Annahme, daß die pneumonische Erkrankung der Lungen wie auch das operierte Pleuraempyem unabhängig von dem Ohrenleiden aufgetreten waren; dazu kam noch der geringe Befund am freigelegten Sinus und das Fehlen von Temperatursteigerung vor und lange Zeit nach der Aufmeißelung. Erst das Auftreten der Metastase am Brustbein zeigte uns den wahren Charakter der Erkrankung, leider jedoch zu spät.

Die Schläfenbeinsektion ergab als Ursache der Pyämie einen zum Teil zerfallenen obturierenden Thrombus in Bulbus venae jugularis, der im Zusammenhang stand mit einem dünnen wandständigen, ebenfalls infektiösen Thrombus im unteren Teile des Sinus sigmoideus.

Es ist bei dem oben geschilderten Krankheitsverlauf wohl anzunehmen, daß die Anfänge der Thrombusbildung schon vor der Totalaufmeißelung und Freilegung des Sinus bestanden hatten, und daß die Aussaat der Keime und das Manifestwerden der Metastasen erst nach der Operation entstanden, möglicherweise auch durch dieselbe begünstigt wurden. Schon damals, im Anschluß an die Aufmeißelung, den Sinus sigmoideus zu eröffnen, dafür lag — zumal auch keine Temperatursteigerung bestand — nicht der geringste Anhaltspunkt vor. Die geringe fibröse Auflagerung auf der Sinuswand finden wir öfters bei Knochenzerstörungen, die bis zum Sinus heranreichen, ohne daß eine Thrombosenbildung dadurch bedingt wird. Vielleicht hätte bei dem Auftreten der ersten Lungenerscheinungen die Sinusoperation noch das Leben des Kindes gerettet, aber wie schon oben erwähnt, war der ganze Verlauf der sekundären Lungenerkrankung so bestechend für die Annahme einer genuinen Pneumonie mit sekundärem Empyem, daß von der sofortigen Eröffnung des Sinus abgesehen wurde.

5. Martin Kyronski, 34 Jahre alt, Schachtmeister aus Sandersdorf; aufgenommen am 14. November, gestorben am 24. November 1906.

Anamnese: Seit 9 Jahren litt Patient ohne wesentliche Beschwerden an rechtsseitiger Ohreiterung. Vor etwa 3 Wochen traten heftige bohrende Schmerzen im rechten Ohr auf, die sich auf die ganze rechte Schädelhälfte erstreckten und in den Nacken ausstrahlten; die Schmerzen waren so heftig, daß er keine Nacht schlafen konnte. Seit 8 Tagen trat zunehmender Schwindel hinzu, der in den letzten Tagen so heftig wurde, daß Patient nicht ohne Stock gehen konnte. Erbrechen ist angeblich nie aufgetreten. Seit 14 Tagen klagt Patient über Hitzegefühl und zeitweise auftretende Schüttelfröste, meist am Nachmittag; erst in den letzten Tagen ist er in ärztliche Behandlung gegangen, und wurde er bald darauf von dem behandelnden Arzt der hiesigen Ohrenklinik überwiesen.

Status praesens: Kräftig gebauter Mann in schlechtem Ernährungszustand, ikterische Hautfärbung; trockene Lippen, borkig belegte Zunge, starkes Durstgefühl. Der gewöhnliche Gang ist unsicher und tritt hierbei deutliches Schwanken nach rechts auf; beim Stehen mit geschlossenen Augen steigert sich die Unsicherheit, und nach mehrfachen Drehbewegungen oder Beugungen tritt Taumeln bis zum Hinfallen auf. Die Pupillen sind beiderseits gleich weit, reagieren prompt auf Lichteinfall; kein Nystagmus. Augenhintergrund normal. Über der linken Lunge hinten von der 6. Rippe abwärts Dämpfung und sehr abgeschwächtes Atemgeräusch und fast aufgehobener Stimmfremitus; rechterseits nur geringe Schallverkürzung. Über beiden Lungen diffuse Rasselgeräusche. Herzdämpfung verbreitert, Herztöne rein aber unregelmäßig. Geringe Kieferklemme, bei Kaubewegungen heftige Schmerzen im rechten Kiefergelenk. Haut- und Sehnenreflexe normal. Urin von dunkelbrauner Farbe, enthält geringe Mengen Albumen. Temperatur 40,1°.

Umgebung des Ohres: Rechts: Keine Schwellung in der Umgebung des Ohres, starke Druckempfindlichkeit der Spitze des Warzenfortsatzes, besonders des hinteren Teiles der Sinusgegend. Auch die rechte Nackengegend druckempfindlich, und hat Patient daselbst Schmerzen bei Drehbewegungen des Kopfes. Im Verlauf der Vena jugularis geringe Infiltration. Am linken Ohr ist normaler Befund.

Gehörgang- und Trommelfellbefund: Im rechten Gehörgang rahmiger stinkender Eiter; das Lumen des Gehörganges ist durch einen Polypen
ausgefüllt. Links normaler Befund.

Hörprüfung: Flüstersprache wird rechts dicht an der Ohrmuschel
gehört, hohe Stimmgabeltöne (Fis₄) rechts auf Fingernagelanschlag, der Ton
der Stimmgabel C, wird vom Scheitel nach rechts stärker als nach links
wahrgenommen. Rinne rechts negativ. Links normale Verhältnisse.

Therapie und Krankheitsverlauf: 15. November. Totalaufmeißelung rechts, Unterbindung der Vena jugularis und Sinusoperation: Weichteile ohne Besonderheiten; die hintere knöcherne Gehörgangswand und ein Teil des Planum mastoideum
zerstört, im Defekt Cholesteatommassen sichtbar. Breite Eröffnung aller Mittelohrräume, die von einem großen, sehr stinkenden Cholesteatom in Tumorform ausgefüllt sind. Das Tegmen des Antrum, Aditus und zum Teil auch der Paukenhöhle
zerstört, vorliegende Dura mit Granulationen bedeckt; auch
der Sinus sigmoideus liegt frei in Bohnengröße, mit schmierigen
Granulationen bedeckt; perisinuöser Abszeß. Weitere Freilegung des Sinus, seine Wand in weiter Ausdehnung mit schlecht
aussehenden Granulationen bedeckt; nach der Entfernung des
Cholesteatoms quillt durch die Erschütterung infolge der
Meißelschläge dicker rahmiger Eiter aus der Paukenkeller-
gegend hervor; überall im Paukenkeller rauher Knochen zu
fühlen.

Name des Kranken: Martin Kironsky.
November 1906
14. 15. 16. 17. 18. 19. 20. 21. 22. 23. 24.

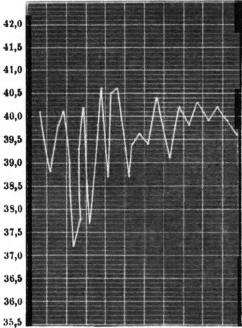

Kurve 3.

Jugularisunterbin-
dung, weite Spaltung
des freigelegten Sinus
sigmoideus, starke
Blutung aus beiden
Enden, Eingehen mit
dem Löffel in das Si-
nuslumen und Entfer-
nung kleiner wand-
ständiger, verfärbter
Thrombenteilchen,
Tamponade, Verband.
Punktion des linken
Thoraxraumes im 8.
Interkostalraum, wo-
bei man stinkende eit-
rige Flüssigkeit er-
hält. Resektion eines
3 cm langen Stückes
der 8. Rippe, Entlee-
rung von ca. 160 ccm
stinkender, mit dicken
Eiterflocken durch-
setzten eitrigen
Flüssigkeit, Drain,
Verband.

Temperatur am Nach-
mittag 41°, starke Schweißabsonderung, Puls 116 bis
120 in der Minute, kräftig,
zeitweise, unregelmäßig gespannt.

16. Nov. Ziemlich ruhige
Nacht, am Morgen heftige
Hustenanfälle; klares Be-
wußtsein. Puls 88 — 100,

zeitweise unregelmäßig. Bewegung des Unterkiefers freier. Temperatur siehe Fieberkurve. Dionin 0,3/15,0. Verbandwechsel der Thoraxwunde.

17. November. Einmaliger, einige Minuten anhaltender Schüttelfrost mit nachfolgendem starken Schweißausbruch. Starke Hinterkopfschmerzen, Sensorium klar. Täglicher Verbandwechsel der Thoraxwunde.

18. November. Abermaliger Schüttelfrost und starke Schweißabsonderung. Verbandwechsel auch der Operationswunde am Ohr. Wunde wenig granulierend, zum großen Teil mit schmierigem Belag; aus der Gegend des Paukenkellers geringe Eiterentleerung. Die Gegend der Vena jugularis hart und druckempfindlich. Zunge und Lippen trocken. Sensorium nicht ganz frei. Patient stöhnt viel und klagt über ziehende Hinterkopf- und Nackenschmerzen. Puls kräftiger, unregelmäßig, etwa 120 Schläge in der Minute. Normaler Augenbefund. Collargoleinspritzungen 5 proz., intravenös.

20. November. Die Trübung des Sensoriums ist stärker geworden, Patient läßt Urin unter sich. Geringer Meteorismus. Verbandwechsel, schlechtes Aussehen der Wunde, schmierig belegt.

21. November. Nachts starke Delirien, Morgentemperatur 39,8°, völlige Benommenheit. Die Lumbalpunktion ergibt trüben, bakterienhaltigen (Staphylokokken und Diplokokken) Liquor. Augenhintergrund normal. Ödem in der Gegend des rechten Ohres.

22. November. Große Unruhe des Patienten, zunehmende Herzschwäche. Geringes Ödem auch der Augenlider, geringe Chemosis.

24. November. Zustand unverändert, Exitus an Herzschwäche.

Sektionsprotokoll.

Sehr abgemagerte Leiche, ikterische Hautfarbe, rechterseits eine längs verlaufende ca. 8 cm lange Wunde an der seitlichen Halsgegend, tamponiert; Grund der Wunde trocken, eine weitere Wunde hinter dem rechten Ohr, 9 cm lang, bogenförmig, leicht granulierend.

Schädeldach läßt sich leicht abheben, 5 mm dick, außerordentlich blaß, Dura prall, blaß; große Gefäße mäßig gefüllt, Sinus longitudinalis enthält sehr wenig flüssiges Blut, einige Cruorgerinnsel. Bei Eröffnung der Dura entleert sich ziemlich viel klares Serum. Auf der Innenfläche der Dura jederseits einige zarte membranartige Extravasate, entfernter von diesen ist die Dura mit ganz lose aufliegenden, leicht entfernbaren Fibrinauflagerungen bedeckt. Dura sonst glatt und glänzend. Am Längsspalt einige Pacchionische Granulationen, ikterisch gefärbt. Arachnoidea zart, glänzend. Rechts Gyri etwas abgeflacht; Pia der rechten Hemisphäre von größerer Injektion der Gefäße. Auf der Dura, Sella und mittleren Schädelgrube rechts kleine punktförmige Blutextravasate. Dura in der rechten mittleren Schläfengrube, besonders im Bereich der Felsenbeinpyramide von schmutzig grauer Farbe. Spitze des rechten Sylvischen Lappens mißfarben, gangränös. Subarachnoideale Flüssigkeit über Chiasma, Brücke und Medulla eitrig getrübt. Dura über der rechten Felsenbeinpyramide löst sich leicht; unterer Teil des Felsenbeins mißfarben. Nach Ablösung der Dura trifft man auf einen etwa 2 cm langen, 1 cm breiten Defekt in der Decke der Paukenhöhle, in dessen Umgebung die Innenfläche der Dura mit reichlichen Mengen schmutzigen Eiters bedeckt ist. Im linken Seitenventrikel etwas blutiges Serum; rechts ebenso. Ependym glatt und glänzend. Der gleiche Befund im 3. und 4. Ventrikel.

Hirn von schlechter Konsistenz, sehr feucht; die weiße Substanz von sehr ungleicher Injektion, blasse Stellen wechseln mit mehr rosa injizierten ab. Rinde blaß rosa; Zentralganglien ebenso. Sonst keine weiteren Veränderungen. Schnitte durch die vorher erwähnte verfärbte Partie des Sylvischen Lappens ergeben außer großer Blässe nichts Bemerkenswertes.

Rechterseits etwas trübes Ödem des Zellgewebes zwischen M. sternocleidomastoid. und Rhomboideus. Die cervikalen Lymphdrüsen mißfarbig. Vena jugularis zweimal unterbunden. Die über der oberen Ligatur gelegene Partie der Jugularis etwas mißfarben. In viel höherem Grade jedoch erscheint die genannte Vene mißfarben, schwarz-grün in dem unterhalb der unteren Ligatur gelegenen Abschnitt, während das zwischen beiden Ligaturen gelegene Stück, abgesehen von blutiger Imbibition, unverändert erscheint.

13*

Das obere Stück der Jugularis ist bis zur Ligaturstelle mit schmutzigem dicken Eiter gefüllt, das zwischen beiden Ligaturen gelegene Stück enthält flüssiges Blut. Das unterhalb der unteren Ligatur gelegene Stück der Jugularis enthält einen schwarz-roten, fast adhärenten, nach oben verfärbten, weichen Thrombus, der nach unten in eine schmutzige, zerfallene Thrombusmasse übergeht. Dieser schmutzig zerfallene Thrombus erstreckt sich nach unten etwa bis zur Claviculargrenze; an ihn schließt sich dann ein verhältnismäßig gut aussehender, lose aufsitzender, nicht völlig verschließender Thrombus fast bis zur Einmündung der Vena cava in das Herz.

Im Bulbus der Vena jugularis ein adhärenter, mehr grau-roter, aber ziemlich gut aussehender Thrombus. Die Wand des Gefäßes mißfarben.

Lungen zurückgesunken. Linke Lunge leicht verklebt, vielleicht drei Eßlöffel blutig-seröser Flüssigkeit in der Pleurahöhle. Rechts gleichfalls Verklebungen, im Pleuraraum blutig-seröse, mit Eiterflocken durchsetzte trübe Flüssigkeit (etwa 200 ccm).

Im Herzbeutel 200 ccm der gleichen Flüssigkeit.

Herz von entsprechender Größe, schlecht kontrahiert, rechtes Ostium für drei, links für zwei Finger durchgängig. Links mehr Cruor, rechts flüssiges Blut enthaltend.

Pleura der rechten Lunge mit einem etwas trockenen dünnen Fibrinüberzug bedeckt, durch den zum Teil scharf umschriebene grau-grüne bis 1 cm im Durchmesser betragende, teilweise gelbe Herde durchschimmern, außerdem etwa erbsengroße brandige Herde mit grau-braunen Zerfallsmassen gefüllt und kleine Abszesse, die der Perforation sehr nahe sind.

Atelektase der unteren Partien in der rechten Lunge mit lobulären pneumonischen Herden und zentralen Abszessen. Oberlappen blaß, Saftgehalt etwas erhöht. Aus dem Bronchus entleert sich sehr viel eitrig-schmutziges Sekret, Schleimhaut stark injiziert. Lungenarterie und ihre Hauptstämme sind frei.

In der linken Lunge der gleiche Befund wie rechts.

Leber voluminös, Kapsel spiegelnd, gelblich-bräunlich gefärbt. Parenchym blutreich, trüb, gelb-braun, ohne jede Zeichnung, sehr brüchig.

Nieren groß und weich, Fettkapsel entsprechend, fibröse zart. Oberfläche der Nieren glatt, grau-gelblich. Parenchym feucht, mäßig blutreich. Rinde ohne Zeichnung, trüb, grau-gelblich, überquellend, gegen die verwaschen aussehend, grau-rötlichen Pyramiden nicht scharf abgesetzt.

Diagnosis post mortem: Phlebitis und Endophlebitis der Vena jugularis rechts, Thrombose der rechten Vena jugularis und der Vena cava superior. Meningitis, Sinusthrombose, Ödem und Anämie des Gehirns, Pleuritis purulenta (Empyemoperation rechts), Pericarditis purulenta, fettige Degeneration der Leber, akute parenchymatöse Nephritis.

Sektion des Schläfenbeins:

Sinus sigmoideus und Sinus petrosus inferior mit eitrig zerfallenen Thrombenmassen angefüllt. Im rechten Sinus cavernosus und im medialen Drittel des Sinus petrosus superior konsistenter mißfarbener Thrombus. Paukenkeller und vordere untere Gehörgangswand arrodiert, so daß das Kiefergelenk eröffnet ist; Gelenkkopf an der entsprechenden Stelle rauh; knöcherne Tube zum Teil zerstört, seitliche rechte Rachenwand eitrig infiltriert. Die eitrige Infiltration setzt sich bis in die rechte Kieferhöhle fort, deren nasale Wand zum Teil zerstört ist.

Der Steigbügel durch Cholesteatom zerstört, ovales Fenster mit Cholesteatom ausgefüllt. Der hintere Teil des horizontalen Bogenganges ebenfalls durch einen Fortläufer des Cholesteatoms zerstört, so daß das Cholesteatom einen Teil in den horizontalen Bogengang hineinreicht. Rundes Fenster intakt. Labyrinthwasser klar.

Epikrise: Auch hier haben wir es wieder mit einem jener traurigen Fälle zu tun, bei denen seit der Kindheit ohne Beschwerden Ohreiterung bestand — meist wie auch hier Cholesteatom — und bei denen dann plötzlich mit großer Heftigkeit die schweren Komplikationen, Sinusthrombose mit Sepsis, Meningitis und oft auch Hirnabszeß einsetzen und in kurzer Zeit zum Tode führen. Die Sorglosigkeit, mit der solche Patienten ihr Ohrenleiden behandeln, ist oft erstaunlich, nicht selten suchen sie erst dann ärztliche Hilfe auf, wenn bereits die oben erwähnten Komplikationen längst eingetreten sind und durch operative Eingriffe das Ende nicht mehr aufzuhalten ist.

Auch im vorliegenden Falle hatte der Patient schon seit seinem 9. Lebensjahre sein Ohrenleiden ohne besondere Beschwerden; da setzten plötzlich 3 Wochen vor seiner Aufnahme heftige bohrende Schmerzen im kranken Ohr und der ganzen rechten Kopfseite, ausstrahlend in den Nacken ein; bald traten Fieber und Schüttelfrost dazu, und erst der hochgradige Schwindel bewog den Patienten die Klinik aufzusuchen.

Die Diagnose bei der Aufnahme des Patienten war klar: Sinusthrombose, Septico-Pyämie, metastatische Erkrankung besonders der linken Lunge. Vermutet wurde ferner eine bereits eingetretene Meningitis, die jedoch durch die ergebnislose Lumbalpunktion nicht sicher gestellt werden konnte.

Trotzdem ziemlich sichere Zeichen für eine bereits eingetretene Meningitis vorhanden waren, entschlossen wir uns doch noch zur Operation, und wurde hierbei ein großes Cholesteatom, das alle Mittelohrräume ergriffen und zur Einschmelzung der Knochendecke des Antrum und Aditus und der Sulcuswand geführt hatte, freigelegt; Sinuswand wie auch die freiliegende Dura waren mit schmierigen Granulationen bedeckt. Es war anzunehmen, daß von dem erkrankten Sinus aus die Septico-Pyämie entstanden war; durch die Sinusoperation wurden auch wandständige, teilweise nekrotisch zerfallene Thrombenmassen entfernt. Die anschließende Rippenresektion führte ferner zur Entleerung eines stinkenden, metastatisch entstandenen Empyems.

Trotz dieser sofort ausgeführten operativen Eingriffe war bei der bereits weit fortgeschrittenen Septico-Pyämie (Icterus, Metastasen usw.) wenig Hoffnung auf Erfolg. Der im allgemeinen kräftige Körper des Patienten war nicht mehr imstande, die Infektion zu überstehen, und erlag 10 Tage nach der Operation der Sepsis und der inzwischen manifest gewordenen Meningitis.

Entstanden war die Meningitis per continuitatem von dem extraduralen Abszeß aus am Dach des Antrum; hier sah — wie aus
dem Sektionsprotokoll ersichtlich — die Dura grau-grün verfärbt
aus und war auch die Gegend des rechten Schläfenlappens besonders stark erkrankt. Aus dem Sektionsbefunde, namentlich
den alten gangränösen Zerstörungen an der Spitze des rechten
Sylviischen Lappens ist anzunehmen, daß die Erkrankung des
Endocraniums schon vor der Aufnahme des Patienten bestanden
hatte.

Von besonderem Interesse ist der Sektionsbefund der Gegend
der rechten Vena jugularis. Während noch im Bulbus ein scheinbar gut aussehender Thrombus gefunden wurde, sah das oberhalb der Ligatur gelegene Venenstück, wie auch die ganze Umgebung desselben und stärker noch das untere Stück bis zur
Claviculargrenze mißfarben, zum Teil schwarz-grün aus; das
zwischen beiden Ligaturen gelegene Stück dagegen war, abgesehen von geringer blutiger Imbibition, unverändert. Dementsprechend war auch der Inhalt der Venenstücke beschaffen: im
oberen Venenstück schmutzig dicker Eiter, im unteren teilweise
citrig zerfallener Thrombus, im mittleren nicht infiziertes flüssiges Blut.

Wie oben erwähnt, wurde schon bei der Operation ausgedehnte kariöse Erkrankung des Paukenhöhlenbodens nachgewiesen, und quoll damals bei Druck auf die Gegend unterhalb des
rechten Kiefergelenkes aus einem Durchbruch im Paukenkeller
etwas Eiter hervor. Es ist wohl anzunehmen, daß nach der Operation eine weitere allmähliche Senkung des Eiters in der Umgebung der Vena jugularis eingetreten ist, die dann von außen
sekundär die Venenwand und später auch den nach der Unterbindung der Vene geschaffenen, anfangs gutartigen Venenthrom-
bus infiziert hatte. Daß das Mittelstück der Vene nicht infiziert
wurde, hatte seinen Grund darin, daß es stets durch Gazestreifen von seiner Umgebung isoliert war.

Erwähnt sei noch die weitgehende Ausbreitung des Cholesteatoms nach dem Labyrinth zu; hier hatte es den Steigbügel
mit der Membran des ovalen Fensters und auch den horizontalen
Bogengang zerstört, und war bereits in das ovale Fenster und
den Bogengang hineingewachsen, ohne bisher das Labyrinthwasser zu infizieren.

6. Richard Romeicke, 37 Jahre alt, Schauspieler aus
Halle. Aufgenommen am 30. April, gestorben am 8. Mai 1906.

Diagnose: Chronische Eiterung rechts, Cholesteatom, Senkungs-abszeß unter den Processus mastoideus. Meningitis. Dieser Fall wird an anderer Stelle ausführlich mitgeteilt.

7. Franz Böttcher, 5 Jahre alt, Schäferkind aus Obhausen. Aufgenommen am 21. Juni, gestorben am 11. Juli 1906. Diagnose: Fremdkörper (Kieselstein) im linken Gehörgang, akute Mittelohreiterung, Tod an Meningitis. Dieser Fall ist bereits im Band LXX dieses Archivs, S. 110 ff. ausführlich mitgeteilt.

8. Gottfried Dümchen, 68 Jahre alt, Arbeiter aus Leyda. Aufgenommen am 14. November, gestorben am 18. November 1906. Diagnose: Empyem sämtlicher Nebenhöhlen der linken Nasenseite. Tod an Meningitis, die schon vor der Aufnahme des Patienten von der völlig zerstörten Lamina cribrosa aus entstanden war.

9. Emma Rönnicke, 11 Jahre alt, Landwirtstochter aus Schornwitz bei Gräfenhainchen. Aufgenommen am 21. November, gestorben am 24. November 1906. Diagnose: Chronische Mittelohreiterung rechts mit ausgedehnter Karies. Tod an Meningitis, entstanden auf dem Wege: Labyrinth, Porus acusticus internus.

10. Otto Seydlitz, 12 Jahre alt, Drehersohn aus Halle a. S. Aufgenommen am 25. April, gestorben am 28. April 1906. Chronische Mittelohreiterung mit diffuser Karies links. Dura der mittleren Schädelgrube gelb verfärbt. Probatorische Trepanation auf den linken Schläfenlappen und negative Exploration desselben. Tod an tuberkulöser Meningitis. Dieser Fall wird noch an anderer Stelle ausführlich mitgeteilt werden.

(In den mit T bezeichneten Fällen ist die Totalaufmeißelung gemacht worden.)

Nummer	Name	Alter in Jahren	Diagnose, resp. Befund	Dauer der Behandlung in der Klinik	überhaupt	Resultat[1]	Bemerkungen
1	Wilm Frentzel T	51	Chron. Eiterung links mit Cholesteatom	3 Wochen	3 Monat	Alt	Extraduralabsceß, Stauungspapille.
2	...ber T	7	Chron. Eiterung rechts mit Cholesteatom	2 Monat	3½ Monat	Alt	
3	Heinrich ...ller	46	Akute Eiterung mit Empyem	2 Wochen	5 Wochen	Alt	
4	Wilm ...ler T	42	Chron. Eiterung links mit ...	6 Wochen	4 Monat	Geheilt	
5	Wilhelm Hause T of. 15	37	...hn Eiterung rechts mit Caries	2 Monat	4½ Monat	Alt	
6	Ana Zimmermann	14	Akte Eiterung rechts mit Empyem	3 Wochen	5 Wochen	Geheilt	Poliklinisch operiert.
7	Klara ...ann	7	Akte Eiterung rechts mit Empyem	—	5 Wochen	Geheilt	
8	...nd T	39	Chron. Eiterung r ...ts mit Cholesteatom	3 Monat	4 Monat	Geheilt	Tuberkulose.
9	Mina Helbig	1	Akte Eiterung links mit Empyem	6 Tage	—	Gestorben	
10	Ludwig Ernst T	18	...hön. Eiterung rechts mit ...	1 Monat	3 Monat	Geheilt	Tuberkulöse Meningitis.
11	Otto Seidlitz T	12	Chron. Eiterung links mit Caries	3 Tage	—	...	Großer Senkungsabsceß.
12	Richard Romeicke T	37	Chron. Eiterung rechts mit Caries	1 Woche	—	Gestorben	In der Med. Klin. an Pneumonie.
13	Bert ...hne T	36	...hön. Eiterung links mit ...	11 Tage	—	Gestorben	
14	Karl Steder T	30	...hön. Eiterung links mit ...eatom	2½ Woche	4 Monat	Alt	
15	Wilhelm ...se T of. 5	37	Chon. Eiterung links mit ...	2 Monat	3 Monat	Geheilt	
16	Ella Kühne T	5	Chön. Eiterung rechts mit Caries	5 Wochen	6 Monat	Alt	
17	Selma Jahn	10	Akute Eiterung links mit ...	10 Wochen	—	Geheilt	
18	Max ...ller T of. 25	13	Chön. Eiterung links mit ...	3 Monat	3 Monat	Alt	Extraduralabsceß.
19	Wilhelm Frenzel	13	Akte Eiterung rechts mit Empyem	3 Wochen	5 Wochen	Geheilt	In der Filiale gelegen.
20	Franz Krieger T	9	...hön. Eiterung rechts mit Caries	—	2½ Monat	Geheilt	In der Filiale gelegen.
21	Elsa ...ger T	35	Chön. Eiterung rechts mit Cholesteatom	—	3½ Monat	Geheilt	
22	August Lange	32	Akte Eiterung rechts mit ...	3 Wochen	3 Monat	Gel eilt	
23	Julius Pietsch	30	Akute Eiterung rechts mit Empyem	7 Wochen	—	Geheilt	
24	Karl Warnecke T	46	...hön. Eiterung rechts mit Caries	—	—	Noch in Behdl.	In der Filiale gelegen.
25	...a Mer T of. 18	27	Chron. Eiterung links mit ...	3 Monat	4 Monat	Geheilt	
26	Max ...hn T	13	...hön. Eiterung links mit Cl	2½ Monat	4 Monat	Geheilt	
27	M...tha Hoffmann T	21	...hön. Eiterung rechts mit ...	2½ Monat	4 Monat	Geheilt	
28	Mathilde ...hmidt T	17	...hön. Eiterung rechts mit ...	1 Monat	3 Monat	Geheilt	
29	August Matthey	52	Akute Eiterung links mit Empyem	6 Wochen	—	...llt	
30	...wig ...meling T	46	Chron. Eiterung rechts mit ...	2 Monat	3½ Monat	Heilt	Perisinuöser Absceß.
31	Emil Höfer	21	Akte Eiterung links mit Empyem	4 Wochen	7 Wochen	Geheilt	
32	...to ...schall	5, 16	Akte Eiterung links mit Mastoiditis	7 Wochen	—	Alt	

1) Am 31. März 1907.

Die folgende Tabelle ist im Original um 90° gedreht gedruckt und stark abgerieben; viele Felder sind nur teilweise lesbar.

Nr.	Name		Diagnose (Fremdkörper in der l... rechts mit Empyem / links mit Cholesteatom)	Dauer	Ergebnis	Bemerkungen
34	Franz Bös ...ther T	4	Auto... ...ig rechts mit ...		Geheilt	Tuberkulose.
35	...ie Apel	12	Kön. Eiterung links mit Cholesteatom	1 — 3 Monat	Geheilt	
36	Gu Brockmeyer T	16	Kön. ...ng rechts mit ...	1 Tag — 4 Wn	Geheilt	
37	...en ...Mr T	12	Kön. ...t rechts mit ...	2 Monat	Geheilt	Parotisabszeß.
38	Therese Troitzsch	43	...kte Eiterung links mit Empyem	—	Gebessert	Der Behandlg. entzogen
39	Otto ...bät	1	Kön. ...t links mit ...	1 Mat	Geheilt	
40	Gu Westfeld T	4	Kön. ...ng links mit Cholesteatom	3 Mat	Gebessert	Noch in Behdl.
41	Gu Böf T	13	Kön. Eiterung links mit Cholesteatom	5 Mat	Geheilt	Noch in Behdl.
42	Paul Pfund T of. 56	22	Kön. Eiterung links mit ...	— 5 Mn	Geheilt	
43	...ie ...Wag T	11	Kön. Eiterung links mit ...	3 Wchn	Geheilt	Periohondritis.
44	Frieda ...en T	16	...te Eiterung links mit ...	4 Wchn	Geheilt	
45	Ernst Walter	5	Chn. ...ng links mit	9 Mn	Geheilt	
46	...ie Fröhlich	7	...dd ...ng rechts mit ...	3 Mat	Geheilt	} Mod. Klin., Scharlach-
47	...en ...berg T	26	r...ön. Eiterung links mit Caries	4 Mat	Geheilt	station.
48	Mol Zaab T	19	...ön. ...ng links mit ...	—	Geheilt	In der Filiale gelegen.
49	...thar Müller T	19	...ön. ...ng links mit ...	6 Wochen — 5 Mat	Geheilt	
51	...ns ...dig T	5	h...ön. ...ng links mit ...	3	Wrt	
52	...Mn ...ther	11	Kön. Eiterung links mit Cholesteatom	2½ Monat	Geheilt	In der Filiale gelegen.
53	Paul ...Wer T	7	Akte ...ng links mit Empyem	3 Mat	Wrt	
54	...ie Tuta T of. 63	14	Kön. ...ng links mit	2	Geheilt	
55	...ie Zilling	22	Kön. Eiterung links mit	3 Mn	Wrt	
56	Paul Pfund T of. 43	46	Kön. ...ng rechts mit	2 Mat	Geheilt	
57	Krl Groß T of. 65	14	Gbn. ...ng links mit ...	3½ Mat — 3 Mat	Geheilt	
58	...uas Bie T	19	Kön. ...ng links mit ...	4½ Monat	Geheilt	
59	Rhl ...Wer T	13	Gbn. Eiterung ...g links mit	3 Monat	Geheilt	
60	Mtz ...llis T	10	Kön. Eiterung ...g links mit	— 2	Geheilt	
61	Frieda ...Höh	31	Late Eiterung ...g links mit Emp Fm	2 — Wchn	Geheilt	Med. Klin., Scharlachstat.
62	Max ...brf	7	Chron. ...ng links mit Chol	3 Mat	Geheilt	
63	Hlene Tuta T of. 54	14	Kön. ...rung links mit	3 Mat — 3 Monat	Gebessert	
64	...na J ...ph T	22	...ön. ...ng rechts mit	2 Wchn	Wrt	
65	Krl ...iß T of. 57	47	...dd ...ng links mit Cholesteatom	5 Wchn	Wrt	
66	Friedrich Frick T	17	Kön. ...ng links mit	6 Wochen — 2½ Monat	Wrt	
67	Gu Bhr	23	...te ...rung links mit	3 Mat	Geheilt	Sinusoperation. Schläfenlappenabszeß.
68	Gu ...dd T	2½	A ...te ...ng links mit	2½ Whe	Geheilt	
69	...Mnn Bhne	13	Kön. ...ng links mit	4 Mat	Geheilt	Noch in Bhdl.
70	Martha Bergmann	25	Kön. Eiterung ...g links mit	2 Mat	Wrt	Tuberkulose. Poliklin.
71	...ie ...Gann T	1	...ble ...ng rechts mit	2 Wochen	Wrt	
72	Richard ...Mnn	18	Kön. ...ng links mit	6 Mat	Geheilt	

Nummer	Name		Diagnose, resp. Befund	Dauer der Behandlung in der Klinik	Dauer der Behandlung überhaupt	Resultat	Bemerkungen
74	Grete Nndorf	7	Akte Eirung links mit Empyem	3 Wochen	Wochen	Heilt	
75	Nnbe	7	akte Eiterung rechts mit Empyem	3 Wochen	7 Wochen	Geheilt	} Schwangerschaft.
76	Mie Schünfeld T	35	Chron. Eiterung rechts mit Cholesteatom	6 Monat	—	Geheilt	
77	Nnbe T	35	Chn. Eig links mit	3 Monat	—	Heilt	In der Filiale gelegen.
78	Alma Sarf T	10	Eit rung links mit	—	2½ Mnt	Heilt	
79	Paul I nit T	19	Chron. Eiterung rechts mit Cholesteatom	—	—	Geheilt	
80	ellha oMan T	36	Kürung links mit Cholesteatom	1 Woche	4 Monat	Heilt	
81	Karl Geißler T	13	Kön. Eiterung rechts mit Cholesteatom	2 Monat	5 Monat	Heilt	
82	Friela Vogler T	3	Akute Eiterung rechts mit Empyem	1 Monat	—	Heilt	
83	Arno Storll T	19	Chron. Eiterung rechts mit	7 Wochen	—	Gebessert	Wegen Verstoßes gegen die Hausordn. entlass.
84	Fritz Reuter	6	Akute Eirung rechts mit Empyem	—	2 Monat	Gt eilt	Med. Klin., Scharlachstat.
85	Krn Iahn T	18	Kön. Eiterung links mit	2 Monat	3½ Monat	Nooh in Behdl	
86	Anna Reichelt T	16	Kön. Eiterung links mit	2 Monat	Gt eilt	Gt eilt	Periohondritis.
87	Helene Wh T	33	Kön. Eiterung links mit Cholesteatom	1 Monat	2 Monat	Geheilt	Med. Klin., Scharlachstat.
88	Kurt Zander	7	Akute Eiterung links mit Empyem	—	2 Monat	Geheilt	
89	na i Mke T	11	rön. Eiterung links mit	2 Monat	4 Monat	Gilt	
90	Reinhold Remmert T	35	Kön. Eiterung t bes mit Caries	1 Monat	5 Monat	Geheilt	
91	Helmut Schunter T	13	Chron. Kürung links mit	2 Monat	2 Monat	Geheilt	
92	Martha Steudel	1	Akute Eiterung rechts mit Empyem	—	4 Wochen	Gilt	
93	I Emt Garbisoh T of. 111	25	Chron. Eing links mit Cholesteatom	2½ Monat	—	Gin Behdl.	
94	Oskar Lehmann T	31	Kön. Eiterung rechts mit Caries	—	—	Gh in Behandlung	}
95	Derselbe T	31	Kön. Eiterung links mit	—	—		
96	I i bald Horzog	2	Akte Eig links mit Empyem	—	—	Gel eilt	In der Filiale gelegen.
97	I Gr Wagner T	44	Kön. Eiterung rechts mit	9 Wochen	—	Gheilt	
98	Gertrud Heinrich T	11	Kön. Eig rechts mit Caries	2 Monat	2 Monat	Nooh in Behdl.	
99	tha Zander T	44	Kön. Eiterung rechts mit Chol testom	5 Wochen	—	Gt	Auf eigenen Wunsch entl.
100	Alfred Böhme T	10	Kön. Eiterung links mit Cholesteatom	2½ Monat	—	Gth in Behdl.	
101	Rosa Elste	14	Akte Eiterung ehts mit Empyem	5 Wochen	2 Monat	Gilt	
102	Mna Kopki T	34	rön. Eiterung rechts mit	1 Woche	—	Gn ben	Sinusoperat. Rippenres.
103	Mna Klinkmann T	21	Kön. Eiterung rechts mit alfes	3 Wochen	—	Gh in Behdl.	Schwangerschaft.
104	Otto Wüner T	9	Chn. Eig links mit Cholesteatom	1½ Monat	—	Der Beh. entz.	
105	Franz Stadter T	45	Chron. Eing links mit Cholesteatom	2 Monat	3 Monat	Gilt	
106	Hugo Wüld T	13	Kön. Ei tng rechts mit Chol testom	2 Monat	—	Nooh inBhdl.	

Nr.	Name	Alter	Diagnose				Ergebnis	Bemerkungen
107	Anna Schäfer T	24	Chron. Eiterung ... mit Cholesteatom	3 Mnat	—	.	Geheilt	Chirurgische Klinik, Diphtherieation.
108	Wilhelm Bohme T	7	Chron. Eiterung links mit Cholesteatom	3 Monat	—		Noch in Behdl.	
109	Minna Hohmann T	19	Chron. Eiterung rechts mit ...	2 Woohen	3 Monat		Geheilt	
110	Dieselbe T	19	Chbn. Eiterung links mit Cholesteatom	2½ Monat	3 Mnat		Geheilt	
111	Ernst Garbisch T of. 93	25	Chron. Eiterung rechts mit Cholesteatom	6 Monat	—		... in Behdl.	
112	Ana ... T	19	Akte Eiterung links mit Empyem	4 Woohen	—		...	
113	... Feld	1	Akte Eiterung rechts mit Empyem	3 Wn	9 Whn		...	
114	Emmi Himburg	4	Akte Eiterung rechts mit Empyem	3 Wn	8 Wn		...	
115	Bas Zetzsche	5	Akute Eiterung rechts mit Empyem	1 Mnt	7 Woohen		Git	
116	Fritz ...ler	8	Akute Eiterung rechts mit Empyem	2 Mnt	2 Mnt		...	
117	Ha ... T	24	Chron. Eiterung rechts mit ... Meatom	2 Omat	2 Mnt		...	
118	Paul Jahn	5	Akte Eiterung rechts mit Empyem	—	2 Mnt		...	Med. Klin., Scharlachstat.
119	a...tha Segel	2	Akute Eiterung links mit Empyem	1 Whe	6 Woohen		Git alt	
120	Wm ... über T	20	Kön. Eiterung links mit Cleatom	1 Mnt	2 Mnt		Git	
121	Ida ...fer T	25	Kön. Eiterung links mit Caries	2½ Whe	3 Mnat		Get alt	
122	...ld Brückenauer	1	Uke Eiterung rechts mit Empyem	—	—		... in Behandlung	
123	Derselbe		Kate Eiterung links mit Caries.	1 Monat	3 Mnat		...	
124	Hermann ...rt T	36	Kön. Eiterung rechts mit ...	6 Woohen	3 Mnat		... in Behdl.	Extraduralabszeß.
125	Willi Horst T	10	Kön. Eiterung rechts mit Caries	1 Mnt	—		... in Behdl.	
126	Gertrud Damm T	11	Chron. Eiterung rechts mit Cholesteatom	3 Woohen	—		Geheilt	
127	Hermann ...er T	25	Chron. Eiterung rechts mit ...	2 Monat	—			
128	Paul I ...dt T	5	Kate Eiterung rechts mit Mitis	2 Umat	3 Mnat		Geheilt	
129	Mie Lange ...lz of. 147	31	Aute Eiterung ... mit Empyem	1 Monat	2½ Omat		... in 1 ...	
130	Ottilie ...	16	Kön. Eiterung rechts mit ...	3 Wn	—		... in Behdl.	Sinus-Bulbusoperation.
131	W...er ... T	11	Gbn. Eiterung links mit Cholesteatom	3 Woohen	5 Wn		... in Behdl.	
132	...ike ... T	37	Aute Eiterung links mit Empyem	3 Wn	—		... in Behdl.	
133	Mie Eggert T	13	Chron. Eiterung rechts mit ...	1 Whe	—		...	
134	Franz ... Wke	1	Kön. Eiterung rechts mit Empyem	6 Wn	8 Wn		Geheilt	
135	Karl Becker T	6	rön. Eiterung links mit ...	3 Woohen	5 Wn		... in 1 ...	
136	Else Meyer	9	Uke Eiterung rechts mit Empyem	3 Woohen	3 Woohen		Geheilt	Med. Klinik, Scharlachstation, Pneumonie.
137	Ida ...rt T	21	Kön. Eiterung rechts mit Caries	6 Wn	6 Wn		... in Behdl.	
138	...o Spenger	4	Akte Eiterung links mit ... Cleatom	4 Wn	4 Mnt		Geheilt	
139	Frieda Gelloneck T	11	Akute Eiterung links mit Empyem	6 Woohen	6 Woohen		... in Behdl.	
140	Helene I ...ah	3	Chron. Eiterung links mit ...	1 Monat	1 Monat		... in Behdl.	
141	a...tha Voigt	6	Kön. Eiterung ... mit ...les	2 Wn	2 Mat		... in f ...	
142	... Wh Sandau T	43	Kön. Eiterung links mit ...					
143	Bruno Koch	10						
144	...cnie Ostmann	13						
145	...hard Ott T	15						
146	Ha ...ld T	26						
147	Ha ... 1 ...lz of. 130	16						

Fortsetzung.

Nummer	Name	Alter in Jahren	Diagnose, resp. Befund	Dauer der Behandlung in der Klinik	Dauer der Behandlung überhaupt	Resultat	Bemerkungen
148	Otto Hartmann	17	Akute Eiterung links mit Empyem	3 Wochen	6 Wochen	Geheilt	
149	Wilhelm Schmidt T	16	Chron. Eiterung links mit Cholesteatom	1 Monat	—	Noch in Behdl.	Lumbalpunktion.
150	Margarete Stiegli T	8	Chron. Eiterung rechts mit Cholesteatom	—	—	Noch in Behdl.	
151	cf. 156	2	Chron. Eiterung links mit Caries	5 Wochen	—	Noch in Behdl	
152	Otto	20	Chron. Eiterung links mit Cholesteatom	3 Wochen	—	Noch in Behdl	
153	Fritz	33	Akute Eiterung links mit Empyem	3 Wochen	—	Noch in Behdl	
154	Ana	10	Akute Eiterung links mit Empyem	3 Wochen	2 Wochen	Gestorben	Med. Klinik, Scharlach-station, Pneumonie. Sinuoperat. Pleuraemp.
155	Fritz Kraushols	5	Akute Eiterung links mit Empyem	1 Woche	—	Gestorben	
156	Hedwig Bernhard cf. 151	2	Chron. Eiterung rechts mit Caries	4 Wochen	—	Noch in Behdl.	
157	... Tschau T	27	Chron. Eiterung rechts mit Caries	—	—	Noch in Behdl.	
158	Lina Hillig	4	Akute Eiterung links mit Empyem	3 Wochen	—	Noch in Behdl.	
159	Frieda Fuchs	1	Akute Eiterung links mit Empyem	3 Wochen	—	Gebessert	Der Behandlg. entzogen.
160	Hermann Werner T	27	Chron. Eiterung links mit Empyem	—	—	Noch in Behdl.	Großer Senkungsabszß unter dem Jochbogen. Kleinhirnabsz. Sinuoper.
161	Ernst ...th T	40	Chron. Eiterung rechts mit Cholesteatom	4 Wochen	—	Gestorben	
162	...tav Donath	32	Akute Eiterung links mit Empyem	4 Wochen	6 Wochen	Geheilt	Schläfenlappenabszeß.
163	Minna Gräfe T	24	Chron. Eiterung links mit Cholesteatom	—	—	Noch in Behdl.	
164	Max Zink T	22	Chron. Eiterung links mit Cholesteatom	—	—	Noch in Behdl.	
165	Carl Böhle mn T	16	Chron. Eiterung rechts mit Caries,	—	—	Noch in Behdl.	
166	Fritz Wohlfahrt	8	Akute Eiterung links mit Empyem	2 Monat	—	Geheilt	
167	Margarete I Immer T	8	Chron. Eiterung links mit Cholesteatom	3 Wochen	—	Noch in Behdl	
168	Marie Fricke T	16	Chron. Eiterung rechts mit abcs	3 Wochen	—	Noch in Behdl	
169	Frieda Körber T	1½	Akute Eiterung rechts mit Empyem	1 Woche	—	Noch in Behdl.	
170	Anna Sarze T	23	Chron. Eiterung links mit Caries	—	—	Noch in Behdl.	Trepanation auf dem linken Schläfenlappen.
171	Gerhard Heyer	6	Akute Eiterung links mit Empyem	2 Wochen	—	Noch in Behdl.	
172	Melanie Stubenrauch T	2¾	Chron. Eiterung rechts mit Caries	—	—	Noch in Behdl.	

Gesamtresultat: 106 Geheilt
9 Gebessert
10 Gestorben
46 In Behandlung verblieben
1 Der Behandlung entzogen

Über die Einwirkung des berufsmässigen Telephonierens auf den Organismus mit besonderer Rücksicht auf das Gehörorgan.

Von

Dr. N. Rh. Blegvad,

ehem. Assistent an der Ohren- und Halsklinik des Kopenhagener Kommunehospitals.

(Fortsetzung.)

Wernicke[1]) meint, daß die weitaus größte Anzahl von Telephonistinnen schon aus dem Grunde nervös sind, weil sie weiblichen Geschlechts und dennoch mit geistiger Arbeit beschäftigt sind. Er schreibt: „Zu den sichergestellten Ursachen der Hysterie gehört beim weiblichen Geschlecht angestrengte geistige, namentlich berufliche Arbeit. Eine Lehrerin, die nicht hysterisch ist, gehört zu den Seltenheiten, und ich darf annehmen, daß die Postvertrauensärzte diesen Satz auch für die Telephonistinnen nach mehrjähriger Tätigkeit bestätigen werden."

Kurella[2]) teilt zwei Fälle mit, wo infolge des Telephonierens schwere Leiden entstanden waren. Bei einer jungen Telephonistin entwickelte sich im ersten Halbjahr ihrer Dienstzeit starke psychische Depression mit Menschenscheu, Neigung zum Weinen und Verlust des Appetites. Der Zustand besserte sich zwar etwas in den Ferien, als aber die Patientin ihren Dienst wieder aufnahm, entwickelte sich wieder ziemlich akut eine melancholische Depression, und sie wurde erst gesund,

---

1) Monatsschr. f. Psychiatrie u. Neurologie. Bd. 17. 1905. Ergänzungsheft. S. 1 ff.

2) Elektrische Gesundheits-Schädigungen am Telephon. Leipzig 1905. S. 33 ff.

als sie ihren Abschied nahm. Obgleich die Patientin einer sehr
stark neuropatisch veranlagten Familie angehört, meint Kurella
doch, daß man dem Telephonieren ätiologische Bedeutung zuschreiben muß. — Bei einem 52jährigen Kaufmann, der früher
an Zwangsvorstellungen gelitten hatte, stellten diese sich wieder
ein, als er eine zeitlang täglich mehrere Stunden hintereinander
telephonieren mußte, und zu gleicher Zeit entwickelte sich ein
Tic convulsif in der linken Gesichtshälfte (der Patient hatte den
Hörer vor dem linken Ohr). — Aus diesen Fällen, nebst der
oben zitierten Literatur, kommt Kurella [1]) zu dem Schluß, daß
„neuropatische Individuen durch berufsmäßiges Telephonieren in
ihrem Nervenleben stark gefährdet werden", und außerdem [2])
„berufsmäßiges Telephonieren kann, falls es übertrieben wird,
eine allgemeine Nervosität mit verschiedenen Symptomen, auch
seitens des Gehörorgans, hervorrufen (Tic, Hysterie, Depressions-
zustände)". Über Telephonistinnen sagt er, [3]) daß sie „bekanntlich" in der Regel nach kurzer Dienstzeit nervös werden.
Die Ursachen zur schädlichen Wirkung des Telephons, meint
Kurella [4]), seien folgende:

  1. Der Druck des auf dem Kopfe angebrachten Telephons.
  2. Die häufigen starken Schalle im Telephon (z. B. das
„Läuten"), und
  3. Überanstrengung der Aufmerksamkeit.

  Bernhardt [5]) meint, daß die stundenlange Anspannung der
Aufmerksamkeit, die mannigfachen Nebengeräusche, die fast
ununterbrochen auf das Ohr einwirken, wenn auch nicht durch
ihre Stärke, so eben doch durch ihre Permanenz das Ohr ermüden, daß der Aufenthalt in einem mehr oder weniger gut venti-
lierten Raum, das dauernde Angedrücktsein des Hörers an ein Ohr
selbst robuste Naturen müde, empfindlich, nervös machen kann.

  Die obenerwähnten Folgen des Telephonierens sollten wesentlich nur Resultate des gewöhnlichen täglichen Telephonierens
gewesen sein, bei dem also die andauernde Anspannung der Aufmerksamkeit und des Gehörs das wichtigste schädliche Moment
sein sollte. Aber außer den Mitteilungen über die Folgen dieses
mehr permanent wirkenden Einflusses trifft man in der Literatur
— wie oben erwähnt — Mitteilungen über Läsionen infolge von
Phänomenen, die plötzlicher und heftiger wirken, nämlich wenn

---

1) l. c. S. 35.   2) l. c. S. 44.   3) l. c. S. 46.   4) l. c. S. 32.
5) Die Betriebsunfälle der Telephonistinnen. Berlin 1906. S. 19.

ein Strom von höherer Spannung und Stärke als der, welcher
gewöhnlich zum Telephonieren benutzt wird, sich in die Telephonleitung entladet. Die Verfasser, welche sich mit dieser Frage
beschäftigen, fassen indessen alle diese Fälle zusammen und
behandeln sie vom selben Gesichtspunkt aus, wie „elektrische
Schädigungen" oder „Betriebsunfälle", sei es, daß es sich um
Starkstrom oder um Schwachstrom handelt, ein Verfahren, das
mir — wie unten gezeigt werden soll — unerlaubt erscheint.
Man muß, meiner Meinung nach, die Wirkungen von Schwachstrom — wie sie beim „Läuten" und „Prüfen"[1]) vorkommen —
von den Wirkungen unterscheiden, die entstehen, wenn ein Blitz
sich in die Telephonleitung entladet, oder wenn ein Leitungs-
draht einer Starkstromleitung (elektrische Bahn etc.) auf eine
Telephonleitung trifft. Unten soll eine Darstellung von den Verhältnissen gegeben werden, die sich bei einem derartigen Auftreten von Starkstrom in einer Telephonleitung geltend machen,
nebst eine Übersicht über die Literaturmitteilungen.

„Läuten" und „Prüfen".   Wenn ein Teilnehmer zur
Zentrale anläutet, geschieht es dadurch, daß er eine kleine
Kurbel herumdreht.   Dadurch wird ein Induktionsstrom ab-
gesendet, der eine kleine Klappe auf der Zentrale zum Fallen
(oder eine kleine Glühlampe zum Aufleuchten) bringt.   Unter
normalen Verhältnissen merkt die Telephonistin nichts von
diesem Strom; aber unter gewissen Umständen geht der Strom
in ihr Telephon über.   Es geschieht z. B., daß ein Teilnehmer
anläutet; die Telephonistin ist aber im Augenblicke beschäftigt
und kann nicht sofort expedieren; der ungeduldige Teilnehmer
läutet noch einmal, diesmal vielleicht stärker als vorher.   In
demselben Augenblick hat die Beamtin die Verbindung zwischen
sich und dem Teilnehmer hergestellt und der Induktionsstrom
geht in ihr Telephon über, wobei ein knatterndes, etwas me-
tallisches Geräusch sich vernehmen läßt, dem Knacken ähnlich,
das entsteht, wenn ein elektrischer Hammer an eine Glocke
schlägt, deren Klang vollständig mit der Hand gedämpft wird.

Das „Prüfen" ist ein Vorgang, wobei die Beamtin die
Leitung auf besetzt oder nicht besetzt hin untersucht.   Wenn
ein Teilnehmer mit einem anderen Teilnehmer in Verbindung
gesetzt zu werden wünscht, faßt die betreffende Beamtin den
zum ersten Teilnehmer gehörigen Prüfstöpsel und „prüft", indem

1) „Prüfen" bedeutet hier und in der Folge „Prüfen auf Besetztsein
der Leitung".

sie diesen in das Loch, das der gewünschten Nummer auf dem
Klinkenfeld [1]) entspricht, steckt. Ist diese Leitung besetzt, hört
die Telephonistin einen kurzen, scharfen Knall.

Während ich in der Literatur kein Beispiel habe finden
können, daß das „Prüfen" schädlich gewirkt habe, finden sich
einige Mitteilungen über den schädlichen Einfluß des An- oder
Abläutens (Teilnehmerstrom, Induktorstrom, Kurbelstrom), das
die Beamtin ins Ohr getroffen hat. Braunstein [2]) teilt 4 Fälle
mit, Wallbaum [3]) 5, Böhmig [4]) 4 und Bernhardt [5]) eine
größere Anzahl, ungewiß wieviele. Bei den 4 Telephonistinnen,
die Braunstein erwähnt, traten unangenehme Symptome (in
3 Fällen Ohrenschmerzen, in 1 Fall Kopfschmerzen) nur nach
wiederholtem „Läuten" auf; bei den von den anderen Verfassern
erwähnten Patientinnen entstand dagegen im Anschluß an ein-
oder mehrmaliges starkes Läuten ein Krankheitsbild, das von
allen als traumatische Neurose gedeutet wird, und das
in mehreren Fällen die Betreffende nötigte, den Dienst aufzugeben, und stets eine schlechte Prognose quoad sanationem
completam hatte.

Als Beispiel will ich kurz die Krankheitsgeschichte einer
Patientin Wallbaums anführen: 31jährige Telephonistin, früher
gesund, keine erbliche Belastung. Juli 1903 zum ersten Male
„Starkstrom" („Läuten") in das linke Ohr. Gleich das Gefühl
eines Schlages auf den Kopf; arbeitete 20 Minuten lang, darauf
Schlaffheit, konnte kein Glied rühren, Kopfschmerzen, Stechen
und Schmerzen in der Herzgegend, das linke obere Augenlid
gelähmt, Schwäche im linken Arm. Am folgenden Morgen
Lähmung des linken Beines. Im Laufe von 6 Wochen besserte
sich der Zustand, namentlich trat die Lähmung zurück. 5 Tage
Dienst, dann wieder Kopfschmerzen und Herzsymptome. Von
neuem einige Zeit ausgesetzt. Dann wieder Dienst. Oktober
1903 zum zweitenmale „Läuten". Alle früheren Symptome
traten von neuem verstärkt wieder auf, zugleich Stottern, Schlaflosigkeit, Schmerzen an verschiedenen Stellen, Abmagerung.
Objektive Untersuchung (Dezember): Schlaffe Lähmung beider

1) Dies betreffend siehe unten S. 222.
2) Archiv f. Ohrenheilk., Bd. 59, 1903, S. 308.
3) Deutsche med. Wochenschr., 31. Jahrg., 1905, S. 709 ff.
4) Münchener med. Wochenschr. 1905, S. 760 ff.
5) Die Betriebsunfälle der Telephonistinnen.

Beine, Tachycardie, leichte Rigidität der Arteria radialis, Störungen der Sensibilität an der linken Hälfte des Kopfes.

Die Symptome, die gleich nach der Schädigung auftreten, sind nach Wallbaum: Kopfschmerzen, Schwindelgefühl, Erbrechen, klonische Zuckungen in den Extremitäten, Ohnmacht, Weinkrampf, Zittern im ganzen Körper, Stechen und Schmerzen in der Herzgegend, Anschwellen der Extremitäten, Lähmungen und Schmerzen in den Extremitäten nebst Gehörverlust. Im Anschluß hieran entwickelt sich nun ein oft buntes Krankheitsbild, das nach den verschiedenen Verfassern ein oder mehrere von folgenden Symptomen aufweist: Herabgesetztes Hörvermögen, Ohrenschmerzen, Ohrensausen, Nasenbluten, Verlust des Geruchs- und Geschmacksinnes, Stottern, Kopfschmerzen, Abnahme des Gedächtnisses, Schlaflosigkeit, Schwindelgefühl, Mattigkeit, Abmagerung, Herzklopfen, Tachycardie, unregelmäßiger Pulsschlag, harter Puls, Seitenstechen, Dyspnoe, schlechte Verdauung, Schweiß, Hyperästhesie oder -algesie, tonische und klonische Krämpfe, ambulante Schmerzen im Körper, Lähmungen der Extremitäten, des Gesichts oder der Stimmlippen, lebhafte Schmerzreflexe, vasomotorische Störungen (Cyanose, ödematöse Schwellungen der Haut, Blutaustretungen). Die hervorherrschendsten Symptome sind Herzsymptome, Schwindelgefühl, Übelkeit, Schmerzen, Schlaflosigkeit und Sensibilitätsstörungen. Nur bei zweien von Wallbaums Patientinnen wird nervöse Disposition erwähnt.

Fragt man nun, was beim „Läuten" diese verschiedenartigen Störungen bewirkt, lauten die Antworten verschieden. Böhmig betrachtet das Ganze als eine direkte Einwirkung der Elektrizität, ebenso Wallbaum, welcher sagt, daß der Induktorstrom gewöhnlich eine Spannung von 5—10 Volt besitzt, bisweilen aber sehr stark werden kann, vielleicht durch die Berührung einer Starkstromleitung. Im Gegensatz hierzu behauptet Bernhardt[1] bestimmt, daß es sich in der Regel nur um Schallwirkungen handelt; nur in den Fällen, wo die Beamtin (gegen die Vorschrift) den metallischen, nicht isolierten Teil der Leitung berührt, kann der Induktorstrom auf sie übergehen; dieser Strom trifft aber in diesem Falle weder Ohr noch Kopf direkt und ist nur wie ein schwacher Strom eines Induktionsapparates, und die dadurch hervorgerufene Sensation ist sehr

---

1) Die Betriebsunfälle der Telephonistinnen, S. 9 ff., S. 43 u. 44.

gering, wovon Bernhardt sich nach eigenen, an seinem Körper
ausgeführten Versuchen überzeugt hat. Doch meint er nicht
leugnen zu können, daß ein solcher Strom, wenn er ein Individuum trifft, das für elektrische Einwirkungen sehr empfänglich und noch dazu unvorbereitet ist, pathologische Symptome
(traumatische Neurose) hervorrufen kann.

Blitzschlag und Starkstrom. Während also nach
Bernhardts Anschauung (der ich mich anschließe) beim
„Läuten" und „Prüfen" ein elektrischer Strom nie das Ohr trifft,
unterscheiden sich die Verhältnisse bei Blitzschlag und dem
Übergang des Starkstroms in die Telephonleitung dadurch, daß
bei diesen wenigstens eine Möglichkeit vorhanden ist, daß
der Starkstrom die Isolation im Telephon zerstört, und das Individuum dadurch einer direkten elektrischen Einwirkung ausgesetzt werden kann.

Wenn der Blitz sich in einer Telephonleitung entladet[1] und
durch diese bis zur Zentrale (oder zum Teilnehmer) fortgeleitet
wird, trifft er hier (auch beim Teilnehmer) einen Kohlenblitz-
ableiter, welcher die Überspannung (von ca. 400 Volt) nach
der Erde abzuleiten vermag. Der bayerische Ingenieur, der
Postassessor Steidle[2], macht geltend, daß „diese Kohlen-
blitzableiter befriedigend fungieren, als die unter Umständen
möglichen unmittelbaren elektrischen Einwirkungen auf das
Nervensystem der Betreffenden wenigstens innerhalb ernste Bedenken ausschließender Grenze eingedämmt erscheinen", indem
sie also jedenfalls den größten Teil der Elektrizität von über
400 Volt Spannung ableiten. Aber selbst wenn ein solcher
Blitzableiter genügend fungiert, kann es nicht vermieden werden,
daß die Elektrizität im Spannungsgebiet von 0—400 Volt (also
z. B. der Teil des Blitzes, der nicht zur Erde abgeleitet wird)
unter allen Umständen eine mittelbare Einwirkung auf das Gehörorgan ausüben wird durch starke Momentanerregung der
Telephonmembran, wodurch ein starker Schall hervorgerufen
wird. Nach Steidle[3] spielen bei diesen Gehörserschütte-
rungen, welche nur selten Trommelfellrupturen oder andere objektiv feststellbare Beschädigungen des Gehörorgans zur Folge
haben, sehr häufig Begleiterscheinungen nervöser Natur die
Hauptrolle. Der psychische Zustand des Individuums spielt

1) Die Verhältnisse bei Übergang von Starkstrom sind analog.
2) Elektrotechnische Zeitschrift, 1904, S. 937 ff.
3) l. c. S. 935.

natürlich eine große Rolle bei deren Entstehen, namentlich die Furcht vor solchen Ereignissen. Steidle hat experimentell festgestellt, daß die durch momentanen Stromschluß auf das Gehör hervorgerufene Impulse, namentlich bei Einwirkung auf ein durch anhaltendes Telephonieren in Anspruch genommenes Gehörorgan, schon bei etwa 20 Volt schmerzlich werden können und im Wiederholungsfalle zu Kongestionen gegen den Kopf Veranlassung geben.

In der Literatur liegen Mitteilungen vor, daß atmosphärische Entladung in die Telephonleitung objektiv nachweisliche Veränderungen des Gehörorgans mit sich führen kann. So teilt Braunstein[1]) einen Fall mit, den er selbst beobachtet hat, wo eine Beamtin in München einen heftigen Schmerz im linken Ohre spürte infolge davon, daß eine atmosphärische Entladung in der Umgegend von Frankfurt a. M. in die Leitung überging. Die Schmerzen hielten sich zwei Tage lang, wonach die Patientin Dr. Braunstein konsultierte; er konstatierte eine Myringitis acuta sinistra mit bedeutender Herabsetzung des Gehörs auf der linken Seite. Durch Ruhe schwand die Entzündung, und das Gehör besserte sich durch Katheterisation der Tuba, so daß die Patientin normales Gehör erhielt, aber eine Retraktion des Hammers blieb bestehen. P. Bernhardt[2]) erwähnt eine Patientin, die während eines Gewitters einen Blitzschlag durch das Telephon erhielt; das Trommelfell wurde dadurch „stark destruiert“, und das Gehör aufgehoben. Die Perforation schloß sich schnell, und zwei Monate später besserte sich das Gehör plötzlich ohne Behandlung. Heermann[3]) teilt einen Fall mit, wo infolge eines Blitzschlages bei einem plötzlich aufziehenden Gewitter der Ménièresche Symptomenkomplex entstand. Die betreffende Telephonistin sah den Blitz und hörte einen „fürchterlichen Knall“ und bemerkte danach, daß ihr Ohr völlig taub war. Den ganzen Tag hatte sie Schmerzen in der linken Seite des Kopfes. Einige Tage später besserte das Gehör sich wieder, aber fortwährend war eine große Empfindlichkeit Geräusch gegenüber vorhanden, nebst ab und zu Schmerzen im Ohre; doch blieb die Patientin im Dienst. Erst 5 Wochen nach dem Blitzschlag trat eines Tages abermals Schwerhörigkeit und

---

1) Archiv f. Ohrenheilk., Bd. 59, 1903, S. 241 ff.
2) Die Verletzungen des Gehörorganes. Berlin 1903.
3) Über den Ménièreschen Symptomenkomplex. Halle 1903. S. 4, 25 und 29.

Läuten in dem Ohre auf, und am selben Tage entstand ein
apoplektiformer Ménièrescher Anfall. Das Leiden beschränkte
sich auf diesen einen Anfall, und unter Pilocarpinbehandlung
und Ruhe besserte sich das Gehör bedeutend, so daß Flüsterstimme in einem Abstand von 6—7 Metern gehört werden konnte.
Leider teilt Heermann nichts über die objektive Untersuchung
des Ohres mit, aber höchst wahrscheinlich haben organische
Veränderungen des Gehörorgans (des Labyrinths?) vorgelegen;
jedenfalls wird es zu den Ausnahmen gehören, daß der
Ménièresche Symptomenkomplex auf funktioneller Basis entsteht (vgl. Baginsky[1])). Bruns[2]) meint sogar, daß der
Ménièresche Symptomenkomplex nach Traumen nur bei
Fractura baseos cranii mit Nervenschädigung vorkommt. Im
Gegensatz hierzu behauptet Passow[3]), daß bei traumatischer
Neurose Gleichgewichtsstörungen und subjektive Geräusche wie
bei Commotio labyrinthi, d. h. auch die Ménièreschen Symptome, auftreten können; aber an anderer Stelle[4]) spricht er aus,
daß die pathologisch-anatomische Grundlage des Ménièreschen
Symptomenkomplexes im Labyrinth ihren Sitz hat. Zwar führt
J. Möller[5]) an, daß der Ménièresche Symptomenkomplex
durch vasomotorische Veränderungen im Labyrinth bewirkt
werde, und darum auf Basis einer funktionellen Neurose entstehen kann; aber sowohl bei Möllers Patient wie bei den
anderen in der Literatur erwähnten, bei denen typische
Ménièresche Anfälle stattgefunden haben, ist eine objektiv
nachweisbare Ohrenaffektion vorhanden gewesen. Aus diesen
Gründen ist es wohl berechtigt, den Schluß zu ziehen, daß
Heermanns Patientin ein organisch bedingtes Ohrenleiden
gehabt hat. — Endlich berichtet Kurella[6]) einen Fall, wo
sich bei einer Patientin, deren Telephonleitung mit einer
Leitung mit Starkstrom von 500 Volt in Berührung gekommen
war, einige Tage nach dem Unfall eine schmerzhafte Mittelohrentzündung im getroffenen, danach im anderen Ohre entwickelte. Dieselbe Patientin zeigte den Ménièreschen Symp-

---

1) Berl. klin. Wochenschr., 42. Jahrg., 1905, S. 1173.
2) Die traumatischen Neurosen. Wien 1901. S. 3.
3) Die Verletzungen des Gehörorgans. Wiesbaden 1905. S. 193.
4) l. c. S. 145.
5) Hospitals Tidende 1900. N. 40 u. 41.
6) Elektrische Gesundheitsschädigungen am Telephon. Leipzig 1905.
S. 13.

tomenkomplex; es ist also scheinbar eine organische Läsion des Ohres vorhanden gewesen, selbst wenn die erwähnten Mittelohrentzündungen nicht die direkten Folgen des Unfalles gewesen sind. Die anderen Fälle von herabgesetztem Gehör, durch Starkstrom hervorgerufen, die in der Literatur mitgeteilt werden, sind funktioneller Art. Es liegen zwei Fälle von einseitiger hysterischer Taubheit vor (Kron[1]), Wernicke[2])) und drei Fälle von vorübergehend geschwächtem Gehör (M. Bernhardt[3]), Kurella[4])).

Im ganzen habe ich in der mir zugänglichen Literatur mehr oder weniger vollständige Krankheitsgeschichten von 27 Patienten gefunden, die sich während des Telephonierens infolge von Übergang von atmosphärischen Entladungen oder von Starkstrom in die Telephonleitung Leiden zugezogen haben. Von diesen Krankheitsgeschichten teilt Braunstein[5]) 3 (Blitzschläge) mit, Heermann[6]) 1 (Blitzschlag), Jellinek[7]) 2 (Blitzschläge), Kron[8]) 1 (Blitzschlag), Schmalz[9]) 1 (Berührung von Telephon- und Straßenbahnleitung mit Starkstrom von 500 Volt Spannung), Ganser[10]) 1 (Blitzschlag), Eulenburg[11]) 3 (Blitzschläge), Böhmig[12]) 7 (bei einer erst „Induktorschlag“ (wahrscheinlich „Läuten“) in der Mittagspause Gewitter; als die Patientin den ersten Blitz sah, fanden sich die Symptome ein; die 6 anderen Blitzschläge), Raebiger[13]) 3 (die eine Blitzschlag, die zwei anderen „elektrischer Schlag“), Wernicke[14]) 1 (elektrischer Schlag), Kurella[15]) 4 (in zwei Fällen Blitzschläge, in zwei Fällen Berührung von Telephonleitung und eine 500 Volt Spannung führende Starkstromleitung der Straßenbahn); außerdem hat Bernhardt[16]) Auszüge von Krankheitsgeschichten von ca. 60 Telephonistinnen berichtet, die von Betriebsunfällen

---

1) Neurol. Centralblatt, 21. Jahrg., 1902, S. 584.
2) Monatsschr. f. Psychiatrie u. Neurologie, Bd. 17, 1905. Ergänzungsheft. S. 1 ff.
3) Die Betriebsunfälle der Telephonistinnen. Berlin 1906. S. 22.
4) l. c. S. 12 ff.   5) l. c. S. 241 u. 242.   6) l. c. S. 4, 25 u. 29.
7) Elektropathologie. Stuttgart 1903. S. 15 ff.   8) l. c. S. 584 ff.
9) Münchener mediz. Wochenschr. 1904. S. 1078 ff.
10) Ebenda S. 1079.
11) Berliner klin. Wochenschr., 42. Jahrg., 1905, S. 30 ff.
12) Münchener medizin. Wochenschr., 1905, S. 760 ff.
13) Deutsche medizin. Wochenschr., 31. Jahrg., 1905, S. 866 ff.
14) l. c. S. 1 ff.   15) l. c. S. 1 ff.   16) l. c. S. 21 ff.

getroffen sind, teils durch Blitzschlag, teils durch „Läuten".
Unten soll eine kurze Mitteilung dieser Fälle gegeben werden.

Das Krankheitsbild, das sich unmittelbar nach der Katastrophe entwickelte, ist natürlich je nach den Umständen sehr
verschieden. Eine Patientin sah den Blitz, eine andere sah
einen Funken über das System springen; im übrigen merkten
die meisten nur einen heftigen Schlag an das Ohr, der von
zwei von Kurellas Patientinnen als so stark empfunden wurde,
daß sie fast umfielen. Einige fühlten es als ein Flimmern vor
den Augen (Böhmig). Einige fielen sofort in Ohnmacht (eine
von Raebigers Patientinnen war eine Stunde lang bewußtlos),
andere fielen erst in Ohnmacht, nachdem sie das Lokal verlassen hatten, im übrigen hatte ein Teil einen kurzen Ohnmachtsanfall. Sehr häufig fand der Arzt die Patientin bei
seiner Ankunft liegend, oder bleich, schwitzend und zitternd
auf einem Stuhl sitzend (Böhmig, Raebiger, Kurella,
Bernhardt); einige weinten oder hatten Neigung zum Weinen,
ohne es zu können. Sehr häufig wurden über Schmerzen im
Ohre geklagt, über Ohrensausen, schlechtes Hörvermögen im
betreffenden Ohre, Schmerzen im Kopf, im Nacken, Rücken oder
in den Extremitäten. Einige klagten über Schwindel oder
Übelkeit, viele über Lähmung der Arme und Beine, über For-
mikation oder andere Parästhesien, die meisten hatten starkes
Herzklopfen, eine einzelne hatte auch Dyspnoe (Kurella). Eine
von Böhmigs Patientinnen konnte eine halbe Stunde lang
nicht reden. Die meisten fühlten sich nach dem Ereignis so
angegriffen, daß sie das Bett aufsuchen mußten, und wenn auch
einige am Tage darauf zum Arzt gehen konnten (Bernhardt
l. c. Pag. 33), so konnten nur ganz wenige kurze Zeit darauf
ungehindert ihren Dienst wieder aufnehmen (Böhmig); einige
versuchten nach Verlauf von einiger Zeit mit der Arbeit wieder
anzufangen, mußten sie aber wieder aufgeben, da sich Mattigkeit, Herzklopfen, Schlaflosigkeit usw. einstellte, und bei den
meisten entwickelte sich nach der Läsion eine langwierige
Krankheit, die natürlich bei den Verschiedenen verschiedene
Symptome darbot, aber die sich bei allen durch die starke Ver-
änderlichkeit des Bildes auszeichnete, so daß ein Symptom, das
sich an dem einen Tage vorfand, am folgenden oft durch ein
anderes ersetzt war. Die von den verschiedenen Verfassern
angeführten Symptome sind folgende:

Psychische Symptome. Das am häufigsten auftretende

psychische Symptom war Schlaflosigkeit. Fast konstant
für alle diese Patientinnen war ferner eine mehr oder weniger
ausgesprochene Depression, oft mit Neigung zum Weinen
vereint, mit ängstlichem Geisteszustand oder geradezu Angst-
anfällen. (Krons Patientin hatte nur Furcht, wenn ein Gewitter aufzog.) Bernhardt gibt an, daß die Depression oft
einen hypochondern Charakter annahm, Kurella konnte Hypochondrie bei einer seiner Patientinnen nachweisen. In einzelnen Fällen entwickelten sich sogar Zeichen von leichteren
Psychosen; so beobachtet Kurella Zwangsvorstellungen,
Raebiger Selbstmordgedanken und Bernhardt in drei Fällen
Verfolgungsideen; doch meint er, daß der Unfall nur die
schlummernde Psychose zum Ausbruch gebracht habe. Bei
einigen Patientinnen finden wir Gedächtnisverlust, sowie
Schwindel und Mattigkeit erwähnt.

Sensibilitätsstörungen nebst Symptomen seitens
der Sinnesorgane. Fast sämtliche Patientinnen zeigten
Sensibilitätsstörungen der einen oder der anderen Art, die gewöhnlich halbseitig und am häufigsten auf der Seite auftraten,
an der der Hörer im Schädigungsaugenblick gehalten wurde,
aber bei mehreren der Patientinnen traten doch die Symptome
ausschließlich oder am stärksten auf der entgegengesetzten Seite
auf. Am meisten handelt es sich um sensorische Hyperästhesie oder Hyperalgesie oder beides zugleich, aber es
gibt auch verschiedene Beispiele von sensorischer Hyp- oder
Anästhesie resp. -algesie, und Wernickes Patientin hatte
Hemianästhesie und -hyperalgesie. Die meisten der Patientinnen
klagten ferner über neuralgische Schmerzen an verschiedenen Stellen und über Kopfschmerzen. Bei ganz einzelnen
wurde eine vollständige Aufhebung des Geschmackes auf
der einen Seite der Zunge nachgewiesen, ebenso des Geruchs
und des Gesichts auf dem einen Auge. In einem Falle beobachtete Kurella Gesichtsstörungen (Lichtscheu und Doppelt-
sehen), während nur Raebiger Gesichtsfeldeinengung
vorgefunden hat, obgleich sowohl Bernhardt wie Böhmig
scheinbar alle ihre Patientinnen daraufhin untersucht haben.
Völlige Taubheit des einen Ohres wurde von Kron und
Wernicke nachgewiesen; im übrigen wurden, wie schon erwähnt, merkwürdigerweise Gehörstörungen nur von Kurella
(1 Fall) und Bernhardt (2 Fälle) erwähnt. Dagegen wurde
häufig über Schmerzen in dem getroffenen Ohre und um das-

selbe herum (zuweilen aber auch im anderen) geklagt; über
Ohrensausen klagten nur zwei Patientinnen.

Motilitätsstörungen. Über eigentliche Paralysen oder
Paresen der Extremitäten finden sich keine Mitteilungen in der
Literatur, nur erwähnt Bernhardt einen Fall mit „schweren
Motilitätsstörungen"; dagegen klagten die Patienten sehr häufig
über Schlaffheit und Müdigkeit in Armen und Beinen, über
. allgemeine Muskelschwäche oder schnell eintretende Müdigkeit. Nur in einem Falle werden Ernährungsstörungen der
Muskulatur erwähnt (Kurella), ebenso findet sich nur ein Fall
mit Parese der Stimmlippen (Bernhardt, l. c. S. 27). Bei
drei Patientinnen traten klonische Zuckungen in den Extremitäten auf, erhöhte Sehnenreflexe werden von mehreren
der Verfasser erwähnt. Sehr häufig wurde über Tremor der
Hände oder Zittern des Körpers geklagt. Eigentümlich ist, daß
sowohl Bernhardt (l. c. S. 27) als auch Kurella (l. c. S. 11)
choreoide Bewegungen der Arme beobachtet haben, die
gleich nach dem Unfall anfingen und sich längere Zeit hielten.
Bei Kurellas Patientin zeigte sich gleichzeitig eine eigentümliche Schriftanomalie.

Symptome der Zirkulations-, Respirations-, Ver-
dauungs- und Exkretionsorgane. Fast sämtliche Patientinnen zeigten Symptome seitens des Herzens, ob es sich nun
um Schmerzen in der Herzgegend (Herzkrampf), um Palpitatio-
nen, Tachykardie oder einen unregelmäßigen Puls handelte. Bei
zwei unter den Patientinnen (Bernhardt, Raebiger) entwickelte sich während des Verlaufes der Krankheit eine Erweiterung der Herzdämpfung als Ausdruck eines organischen Herzleidens. Vasomotorische Störungen (Anschwellen der Extremität, Cyanose, rote Flecken auf der Haut,
subkutane Blutungen) wurden häufig beobachtet, bei einer Patientin trat dieses Symptom nur vor einem Gewitter auf; Bernhardt fand bei ca. 60 Patientinnen nur zweimal vasomotorische
Störungen in ausgesprochenem Grade, dagegen häufig eine starke
Reaktion der Hautgefäße. Anschwellung der Glandula
thyreoidea fand Kurella bei zweien seiner Patientinnen; bei
einer war gleichzeitig ein abortiver Morbus Basedowii vorhanden, der nach dem Unfall stark exacerbierte und bei jeder Men-
struationsperiode typisch wurde. Zu den seltenen Symptomen
gehören Dyspnoe, einseitige anfallsweise Schweißsekretion
und unregelmäßige Menstruation. Bei einigen der Pa-

tientinnen nahm der Appetit stark ab, einige magerten sogar ab.

Krankheitsverlauf. Krons Patientin zeigte 8 Jahre
nach dem Unfall keine Besserung, indem namentlich Gesichts-
und Hörvermögen auf der getroffenen Seite völlig fehlten, Wernickes Patientin zeigte auch keine Besserung nach Verlauf von
7 Jahren. Raebigers Patientin war noch nach 2¹/₂ Jahren ungeheilt. Unter Böhmigs Patientinnen wurden zwei als unheil-
bar pensioniert, während vier völlig genasen, von Eulenburgs
Patientinnen war die eine, die nur leichtere Symptome aufge-
wiesen hatte, am Tage nach dem Unfall wieder hergestellt, während die zwei anderen Monate lang danach krank waren. Kurella hat das endliche Resultat des Krankheitsverlaufs bei
seiner Patientin nicht gesehen, aber er stellt die Prognose dubia,
und Bernhardt[1] spricht aus, daß die Behandlung Unfallkran-
ker mit die schwierigste Aufgabe des Nervenarztes sei. Alles
in allem muß man sagen, das der Verlauf dieser Leiden in vielen
Fällen schwer und der Ausgang ungewiß war; doch wird über
Todesfall nicht berichtet.

Diagnose und Ätiologie. Alle Verfasser stimmen darin
überein, daß es sich um eine traumatische Neurose handelt. Raebiger nennt es eine Mischform von Hysterie, Neurasthenie, Hypochondrie und einfacher Psychose, während Kron
und Wernicke meinen, daß es sich in ihren Fällen um reine
Hysterie handelt.

Sind die Verfasser solchermaßen über die Etikette des Krankheitsbildes einig, so ist die Einigkeit in Bezug auf dessen Grundlage nicht die gleiche. Während Böhmig und Raebiger bestimmt behaupten, daß es sich niemals um pathologisch-anatomische Veränderungen, sondern ausschließlich um funktionelle
Störungen handelt, und diese Behauptungen durch die oben erwähnten Variationen im Krankheitsbild zu stützen suchen, so
meinen Kurella[2] und Schmalz, daß es eine Mischform von
funktionellen und organischen Schädigungen sei, und Baginsky[3]
glaubt, daß die Gehörstörungen bei traumatischer Neurose in den
allermeisten Fällen von organischen Schädigungen herrühren.
Auch Hoche[4] meint, daß bei elektrischen Unfällen oft orga-

---

1) l. c. S. 64.   2) l. c. S. 14.
3) Berl. klin. Wochenschr., 42. Jahrg., 1905., S. 1173.
4) Neurol. Centralblatt, 20. Jahrg., 1901, S. 627 ff.

nische Veränderungen eintreten. Bernhardt[1]) steht mit seiner
Auffassung in der Mitte, indem er behauptet, daß es sich in der
Regel um schwere funktiouelle Störungen handelt, aber daß sich
in sehr seltenen Fällen anatomisch nachweisbare Veränderungen
des Nervensystems einfinden. Kurella[2]) meint, feststellen zu
können: „Hochspannungsentladungen, die in die Telephonleitung
gelangen, können schwere organische Läsionen des Nervensystems hervorrufen, wie progressive Paralyse und multiple Sklerose (Eulenburg), Muskelatrophien und M.
Basedow-ähnliche Zustände (Kurella), Blutungen und Fissuren (Jellinek)". Hierzu ist aber zu bemerken, daß weder
Eulenburgs[3]) noch Jellineks[4]) Beobachtungen das Geringste
mit Unfällen beim Telephonieren zu tun haben; sie zeigen nur,
daß progressive Paralyse und multiple Sklerose, Blutungen und
Fissuren unter dem Einfluß von Hochspannungsstrom, der direkt
in den Körper übergeht, entstehen können.

Noch uneiniger sind die Verfasser, wenn von ätiologischen
Verhältnissen die Rede ist, denn während Eulenburg und teilweise auch Bernhardt bestimmt behaupten, daß es sich um
eine starke Schalleinwirkung handelt, und Baginsky[5]) meint,
daß die Leiden entweder durch Einwirkung des Schalles oder
des Schreckens hervorgerufen seien, meinen Schmalz und Wernicke, und namentlich Kurella, daß sie vor allem eine Folge
der Einwirkung der Elektrizität seien. Der Letztere stellt sogar
sinnreiche Hypotesen auf, um deren Einwirkungsart unter den
verschiedenen Umständen zu erklären. Raebiger wagt nicht
zu entscheiden, ob sie durch elektrischen Strom oder durch psychischen Chok entstehen. Nur in einem Falle (Ganser[6])) scheint
es mir ganz zweifellos, daß direkte elektrische Einwirkung vorhanden gewesen ist, indem eine Verbrennung entstand. Dagegen
scheint mir Wernickes Beweis dafür, das eine Einwirkung der
Elektrizität auf das Nervensystem stattgefunden habe, nämlich
ein spärlicher Haarwuchs auf einem Teile des Kopfes nebst verschiedenen Motilitäts- und vasomotorischen Störungen, durchaus
nicht überzeugend, da man sich ebenso gut denken kann, daß
alle diese Symptome auf Basis einer funktionellen Neurose ent-

---

1) l. c. S. 59.   2) l. c. S. 44.
3) Neurol. Centralblatt, 20. Jahrg., 1901, S. 1057 ff.
4) Elektropathologie, S. 148 ff.
5) Berl. klin. Wochenschr., 42. Jahrg., 1905, S. 1170.
6) Münchener med. Wochenschr., 1904, S. 1079.

stehen können, durch z. B. dem Schrecken hervorgerufen. Weder Kurella noch Schmalz versuchen zu beweisen, daß wirklich die Elektrizität als solche auf den Organismus gewirkt habe. Dagegen behauptet Bernhardt[1]) mit überzeugender Kraft und auf eingehende Untersuchungen gestützt, daß die Fälle, in denen wirklich ein Stromübergang auf den Körper der Betroffenen nachzuweisen gewesen wäre, selten sind, und[2]) „daß die im Telephonbetrieb vorkommenden Schädigungen werden nur zum kleinen Teil durch Stromübergang in den Körper hervorgerufen, und unbestritten sind es nur Ausnahmen, wenn ein Strom von der Voltspannung, wie er in Starkstrombetrieben verwendet wird, auf den Organismus der Telephonistinnen eindringt."

Ohne näher auf diese Diskussion einzugehen, will ich nur einige Umstände anführen, die mir dafür zu sprechen scheinen, daß nur selten bei einer atmosphärischen Entladung in die Telephonleitung ein Übergang der Elektrizität auf die Telephonistin vorkommt.

1. Es sind noch nie (außer in Gansers unvollständig mitgeteiltem Falle) Spuren nach der Elektrizität auf der Haut der Patienten (Verbrennung) nachgewiesen worden.

2. Nur in ganz wenigen Fällen ist elektrische Beschädigung des Telephonapparates oder der Leitung nachgewiesen (vergl. Bernhardt[3])).

3. Es findet, wie es namentlich aus Böhmigs Fällen[4]) und obenerwähnten Krankengeschichten hervorgeht, eine völlige Übereinstimmung zwischen den Krankheitsfällen, die durch reine Schalleinwirkung („Läuten") entstanden und den durch Starkstrom verursachten statt.

4. Alle Symptome können ohne Zwang dahin erklärt werden, daß sie durch Schreck und einen intensiven und unvermuteten Schall (vgl. Bernhardt[5])) hervorgerufen sind (unmittelbare Klangeinwirkung, vgl. Passow[6])). Selbst die Fälle, in denen man gemeint hat, organische Veränderungen im Zentralnervensystem nachweisen zu können, werden dem nicht widersprechen. v. Leyden[7]) hat nämlich nachgewiesen, daß ein or-

1) Die Betriebsunfälle der Telephonistinnen, S. 43.
2) l. c. S. 41.   3) l. c. S. 6 ff.
4) Münchener med. Wochenschr., 1905, S. 760 ff.
5) l. c. S, 12 ff.
6) Die Verletzungen des Gehörorgans, S. 130.
7) Berl. klin. Wochenschr., 42. Jahrg., 1905, S. 193 ff.

ganisches Leiden im Rückenmark (Myelitis, disseminierte Sklerose)
sich sehr wohl im Anschluß an psychischen Insult entwickeln kann.

In Fällen wie bei Heermann, Braunstein und P. Bernhardt (s. S. 211 ff.) muß man also annehmen, daß die mechanische Schallwirkung die vorherrschende sei, während der Schreck,
die Emotion und der psychische Chok, die entstehen, wenn ein
plötzlich und unerwarteter Klang ein Individuum trifft, die größte
Rolle bei dem Entstehen der traumatischen Neurose spielen. Die
Wirkung hiervon wird nun äußerst verschieden, je nach dem
Zustand der Betroffenen im Schädigungsaugenblick sein, wie es
deutlich aus Kurellas Fall hervorgeht, wo dieselbe Einwirkung,
die zu gleicher Zeit zwei verschiedene Individuen trifft, ganz
verschiedenartige Krankheitsbilder hervorruft. Selbstverständlich
sind hysterisch und neuropathisch veranlagte Patientinnen (Böhmig) mehr ausgesetzt als andere. Krons und Wernickes
Patientinnen, die schwere Symptome. aufwiesen, hatten beide
früher hysterische Anfälle gehabt. Eulenburg[1] meint, daß es
es sich immer um anämische und nervöse Individuen handelt.

In bezug auf die Therapie sind alle Verfasser darüber
einig, daß Ruhe und psychische Einwirkung eine Hauptrolle
spielen; dagegen sind sie über die Anwendung von Elektrizität
uneinig, indem Kurella sehr vor Anwendung von Faradisation
warnt, während Bernhardt diese Behandlung empfiehlt, und
Böhmig hat Heilung einer Patientin gesehen, bei der dieses
Verfahren angewandt wurde.

In prophylaktischer Hinsicht betont Bernhardt[2]), daß es
darauf ankommt, anämische, schwächliche und nervöse Mädchen
überhaupt nicht zu dem anstrengenden Dienst einer Telephonistin zuzulassen und Vorkehrungen einzuführen, die den Stark-
stromübergang in das Telephon verhindern (Kurella[3]), Bernhardt[4])). Auch sollten Individuen mit Ohrenleiden nicht als
Telephonistinnen angestellt werden, da starke und unvermutete
Klänge, wie oben erwähnt, weit schädlicher auf ein krankes,
als auf ein gesundes Gehörorgan einwirken können. ·

Wie es aus den oben zitierten Literaturmitteilungen hervorgeht, ist es möglich, daß besonders zweierlei auf die Telephonistinnen einen schädlichen Einfluß ausüben können: 1. die anhaltend in Anspruch genommene Aufmerksamkeit und das An-

---

1) Berl. klin. Wochenschr., 42. Jahrg., S. 30ff.
2) l. c. S. 50.   3) l. c. S. 46.   4) l. c. S. 51.

spannen des Gehörs, und 2. Traumen (überwiegend akustische, vielleicht auch elektrische), die bisweilen das Ohr treffen können. Indessen findet sich, wie erwähnt, in der Literatur keine Arbeit, welche die Einwirkung des Telephonierens auf das Gehörorgan vollständig beleuchtet.

Das Material, das sich am besten dazu eignet, diese Frage nebst der Frage von der Einwirkung des Telephonierens auf den übrigen Organismus zu entscheiden, sind die Berufstelephonistinnen, die täglich stundenlang mit Telephonieren beschäftigt sind. Um wo möglich einen Beitrag zur Beleuchtung dieser Frage geben zu können, wandte ich mich im Herbst 1904 an den Direktor der Telephon-Aktiengesellschaft zu Kopenhagen, den Herrn Ingenieur Fr. Johannsen, der dem Gedanken mit Interesse entgegenkam und mir bereitwillig erlaubte, die bei der Gesellschaft angestellten Beamtinnen zu untersuchen, so daß die Untersuchung obligatorisch wurde. Die Kopenhagener Telephon-Aktiengesellschaft umfaßt alle Privattelephone auf Seeland und hat im ganzen (Dez. 1905) ca. 27,600 Abonnenten, davon ca. 21,500 in Kopenhagen; es werden 1,235 Funktionäre beschäftigt, von diesen sind 801 Telephonistinnen, die teils an der Hauptzentralstation in Kopenhagen arbeiten, teils an verschiedenen Orten auf Seeland und auf 45 kleine Zentralen in Kopenhagen und in nächster Umgegend. Von diesen 801 Telephonistinnen habe ich 450 untersucht, nämlich alle, die auf der Hauptzentralstation angestellt waren (im ganzen ca. 325), außerdem solche, die an den kleinen Zentralen angestellt waren, die nicht zu weit entfernt lagen.

Die Untersuchung bestand darin, daß 1. eine kurze Anamnese aufgenommen wurde, 2. daß eine objektive Untersuchung des Trommelfells, eventuell auch der Nase und des Rachens, und endlich 3. eine akustische Funktionsprüfung vorgenommen wurde.

Um sich ein Urteil davon bilden zu können, inwiefern das berufsmäßige Telephonieren möglicherweise Gefahren für das Gehör und den Gesundheitszustand mit sich führen könne, muß erst untersucht werden, unter welchen Verhältnissen die Beamtinnen arbeiten.

In Kopenhagen arbeiten die meisten Telephonistinnen 6 bis 8 Stunden täglich, gewöhnlich so, daß sie jeden zweiten Tag von 8—2 Uhr vormittags und jeden zweiten von 2—8 Uhr nachmittags beschäftigt sind. Der Nachtdienst von 8—8 Uhr wird fast ausschließlich von besonderen Beamtinnen, die keinen

Tagesdienst haben, besorgt. Der Vormittagsdient wird von
einer halben Stunde Frühstückspause unterbrochen, die soweit
möglich mitten in die Arbeitszeit verlegt wird. In einem großen
Saale auf der Hauptzentrale arbeiten ungefähr 130 Beamtinnen
auf einmal und in einem tiefer gelegenen Teil des Saales sitzen
ca. 15 Telephonistinnen, die das Fernamt besorgen. Der
Apparat, den die Beamtinnen benutzen, ist das sogenannte
Kopftelephon, ein kleines Telephon von ca. 150 Gramm
Gewicht, das mit Hilfe eines Metallbügels am Ohr festgehalten
wird; der Bügel wird um den Scheitel gelegt und durch eine
Pelotte festgehalten, welche an der entgegengesetzten Seite des
Kopfes ruht. Auf der Brust trägt sie auf einer Platte ein
Mikrophon (Gewicht: 325 Gramm), in das sie hineinspricht.
Es wird streng darauf gesehen, daß jede Beamtin ihr eigenes
Telephon (Hörer) und Mikrophon benutzt.

Jede Beamtin hat 80—120 Teilnehmer zu expedieren, und
die Arbeit geht folgendermaßen vor sich: Wenn ein Teilnehmer
anläutet, fällt eine kleine Klappe herab oder eine kleine elektrische Glühlampe entzündet sich bei der Nummer des Teil-
nehmers vor der Beamtin. Diese stellt die Verbindung zwischen
sich und dem Teilnehmer, der angibt, mit welcher Nummer er
sprechen will, her, indem sie einen Kontaktknopf niederdrückt,
worauf sie die gewünschte Verbindung herstellt, indem sie den
Kontaktstöpsel, der an einer Leitung angebracht ist, die zu dem
Abonnenten, der geläutet hat, führt, in ein Loch (Klinke) auf
der großen vor ihr befindlichen Tafel, das Klinkenfeld, setzt.
Auf diesem Klinkenfeld ist ein Loch für jeden Abonnenten vorhanden, der in direkter Verbindung mit der Zentrale steht, so
daß im ganzen 10 000 Löcher vor jeder Beamtin angebracht
sind. Für einen Unbeteiligten scheint es unbegreiflich, daß die
Telephonistin gleich das richtige von diesen vielen Löchern finden
kann. Jedoch erlangt man bald nach Verlauf von einiger Zeit
diese Fertigkeit, und nach kurzem wird dieser Teil der Arbeit
ganz mechanisch ausgeführt. Man hört auf diese Weise in dem
großen Raume kein Läuten oder irgend einen anderen starken
oder störenden Schall, nur das leise Gespräch der Beamtinnen mit
dem Teilnehmer wird vernommen, wenn sie die verlangte
Nummer wiederholen und „frei" oder „besetzt" antworten, und
ein kleiner Schall, wenn die Klappe herabfällt. Allerdings
kann die Arbeit der Telephonistin anstrengend genug sein.
Durchschnittlich stellt eine Telephonistin an einem gewöhn-

lichen „Multiplexschrank" ca. 125 Verbindungen her im Laufe
einer Stunde; aber zu Zeiten, wenn viel zu tun ist, kann die
Zahl bis 175 à 200 pr. Stunde steigen. Ihre Arbeit aber mit
der eines Maschinen- oder Kesselschmiedes (Gellé) zusammenzustellen, scheint im voraus etwas unberechtigt, wenn man nur
einmal den ohrenbetäubenden Lärm in einer Kesselschmiede
gehört hat, der so stark sein kann, daß er geradezu physischen
Schmerz verursacht. Bei den modernen Verfassern (Politzer,
Kurella, Bernhardt) ist es denn auch wesentlich die angespannte Aufmerksamkeit, der die Schuld des Entstehens der
krankhaften Veränderungen beigelegt wird. Namentlich hebt
Kurella[1] stark hervor, daß Telephonistinnen ihr Gehör und
Gehirn besonders stark anspannen müssen, weil man bei
Telephongesprächen das Gesagte nicht unmittelbar auffaßt,
sondern einen großen Teil davon erraten muß. Hierzu muß
aber gesagt werden, daß man auch im täglichen Gespräch
nicht mehr als einen Bruchteil von dem Gesagten hört, und das
übrige durch Devination suppliert, und namentlich muß daran
erinnert werden — was Kurella[2] selbst hervorhebt —, daß
das Devinationstalent der Telephonistinnen sich nur innerhalb
eines kleinen Umfanges zu bewegen hat, nämlich überwiegend
zwischen den Zahlen von 1 bis 100. Aber gerade diese Zahlen
sind nach Kurella[3] im Telephon sehr schwer zu verstehen;
dieses bewirkt nämlich eine bedeutende Schwächung der Vokale
e, i und u und der Konsonanten c, s, z und l, und es ist eben
e und i nebst den Zischlauten, die in den deutschen Zahlen
dominieren. Auch m, n, p und w werden vom Telephon
schlecht übertragen. Diese Angaben stimmen nicht ganz mit
den Resultaten einiger Untersuchungen, die Braunstein[4] bei
Siemens u. Halske unternahm, überein. Mit einem sorgfältig
untersuchten Telephon und Mikrophon wurden Versuche erst
auf einer kürzeren Leitung, danach auf einer längeren, die ungefähr der Linie Paris-Brüssel entspricht, angestellt. Dadurch
wurde nachgewiesen, daß Diphthonge und Vokale immer
deutlich verstanden werden (sicher weil die Vokale, wie Wolf[5]
nachgewiesen hat, eine sehr große Tonstärke besitzen, so daß
sie selbst bei schweren Ohrenleiden aufgefaßt werden können).

---

1) Elektrische Gesundheitsschädigungen am Telephon. S. 32 ff.
2) l. c. S. 33.   3) l. c. S. 32.
4) Archiv f. Ohrenheilk. Bd. 59, 1903. S. 240 ff.
5) Sprache u. Ohr. 1881.

In bezug auf die Konsonanten fand Braunstein folgendes
Verhältnis: Leicht verständlich waren bei kurzem Abstand f,
c, l und b, bei langem Abstand f, r, t, d, b; mittelmäßig verständlich waren p, n, m, w (bei langem Abstand); schwer verständlich waren s, h bei kurzem Abstand, s, sch, ch, h bei
langem Abstand. Verwechslungen fanden statt: t mit k und p,
samt s mit w bei kurzem Abstand, m mit n, sch mit c und h,
s mit w, f mit c bei langem Abstand. Man sieht hieraus, daß
ein Unterschied bei der Überführung der verschiedenen Konsonanten vorhanden ist, je nachdem es sich um langen oder
kurzen Abstand handelt. Der Grund zu diesem Verhältnis muß
in mehreren Umständen gesucht werden. Ein Teil der Schuld
fällt auf das Kohlenpulver-Mikrophon, das bei kurzen Leitungen
die Obertöne und die hohen Töne relativ mehr als die tiefen
verstärkt, weshalb der Ton auf kurzen Strecken schnurrend und
hohl wiedergegeben wird, während es umgekehrt bei langer
Leitung die hohen Töne bedeutend schwächt.[1] Doch kann
die Ursache nicht allein hierin liegen. Untersucht man nämlich
die Tonhöhe der obenerwähnten Konsonanten, so ergibt sich,
daß kein bestimmtes Verhältnis zwischen der Tonhöhe und der
Leichtigkeit, mit welcher der betreffende Konsonant überführt
wird, vorhanden ist; und zu diesem Resultate gelangt man, sei
es, daß man die von Wolf[2] oder die von Hermann[3] für
Konsonanten angegebene Tonhöhe anwendet. Allerdings wird
man sehen, daß s und sch, die sowohl nach Braunstein wie
nach Kurella am schwierigsten vom Telephon überführt
werden, hohe Schwingungszahlen haben (schon 1890 hat Wolf[4]
angegeben, daß sowohl der Phonograph wie die Telephonmembran die hohen Töne schwer wiedergeben); aber andererseits läßt sich f leichter als p überführen, obgleich f sowohl
nach Wolf wie nach Hermann eine höhere Schwingungszahl
hat als p. Der Grund muß darum auch darin gesucht werden,
daß die Tonstärke der verschiedenen Konsonanten eine große
Rolle spielt, und unerklärliche Variationen — namentlich in
bezug auf Verwechslungen — können dadurch entstehen, daß

1) Diese Mitteilungen verdanke ich dem Herrn Telephon - Ingenieur
Jensen.
2) Sprache und Ohr.
3) Pflügers Archiv. Bd. 53, 58, 61 und 63, ref. Renter, Zeitschr. f.
Ohrenheilk. Bd. 47, S. 91.
4) Zeitschr. f. Ohrenheilk. Bd. 20, 1890. S. 202.

die Konsonanten bei Braunsteins Versuch nicht rein ausgesprochen, sondern von einem stummen e gefolgt wurden.

Laut Angabe der Kopenhagener Telephongesellschaft sind
die Zahlwörter, die heim Telephonieren am häufigsten miteinander verwechselt werden, folgende: 4 (fire) und 9 (ni) —
1 (én) und 9 (ni) — 13 (tretten) und 18 (atten) — 3 (tre) und
60 (tres). Recht häufig werden folgende miteinander verwechselt:
1 (én) und 4 (fire) — 2 (to) und 7 (syv) — 7 (syv) und 9 (ni)
— 9 (ni) und 10 (ti) — 17 (sytten) und 19 (nitten) — 50 (halv-
tres) und 90 (halvfems).

9 (ni) wird sowohl mit 1 (én), als auch mit 4 (fire) verwechselt, und die beiden letzteren Zahlwörter werden auch
unter sich verwechselt. Überhaupt wird angegeben, daß die
Zahlwörter 1 (én), 4 (fire), 7 (syv) und 9 (ni) sämtlich unter
sich verwechselt werden.

Die meisten unter den obigen Zahlwörtern (speziell 1, 4
und 9) werden auch in gewöhnlicher Rede sehr leicht miteinander verwechselt, wovon ich mich bei der Untersuchung
mittelst der Flüsterstimme überzeugt habe.

Die Ursache, warum 13 (tretten) und 18 (atten) miteinander
verwechselt werden, ist darin zu suchen, daß das Wort 18 in
Kopenhagener Mundart mit ausgeprägtem å-Laut als „ätten“
gesprochen wird; in gleicher Weise ist der Grund, warum 2 (to)
und 7 (syv) veswechselt werden, darin zu suchen, daß in der
Kopenhagener Mundart das t mit einem s-Laut als „ts“ oder z
gesprochen wird. Daß die Zahlwörter 3 und 60, 17 und 19
miteinander verwechselt werden, beruht möglicherweise auf der
obenerwähnten Abschwächung der hohen Töne im Telephon.

Im großen ganzen deuten die Ergebnisse der erwähnten
Untersuchungen darauf hin, daß das Telephon eine Abschwächung
gewisser Töne — nach Braunsteins Versuch besonders der
hohen — bewirkt, so daß besonders die Zischlaute mit Schwierigkeit im Telephon aufgefaßt werden. Es läßt sich deshalb
nicht bestreiten, daß beim Telephonieren eine recht bedeutende
Anstrengung des Gehörs und der Aufmerksamkeit beansprucht
wird. Um das Bild von der Arbeit der Telephonistinnen
schließlich vollständig zu machen, muß man sich erinnern, daß
die Telephonistinnen unter Umständen den Wirkungen eines
akustischen, eventuell elektrischen Trauma („Läuten“, Blitzschlag, Starkstrom) ausgesetzt werden können.

Das Untersuchungsverfahren.

Die Untersuchung fand in einem Zimmer statt, welches die Telephongesellschaft mir freundlich zur Verfügung stellte. Dasselbe war etwa 6 Meter breit und 7 Meter lang, die Diagonale mithin ca. 9 Meter. Leider war es mir nicht möglich, ein völlig ruhiges Zimmer zu erhalten. Um den Straßenlärm möglichst abzuwehren, wurden zwei Teppiche vor dem Fenster angebracht, aber trotzdem drang fortwährend ein diffuser Lärm in das Zimmer, wodurch die Untersuchung nicht wenig erschwert wurde; besonders bei der Untersuchung der Hörweite für die Flüsterstimme war der Lärm sehr lästig.

Bevor die eigentliche Untersuchung stattfand, wurde eine kurze Anamnese aufgenommen. An sämtliche Telephonistinnen richtete ich die nämlichen Fragen, und zwar nach einem gedruckten Fragebogen, in welchen auch die Antworten eingetragen wurden. Der Fragebogen hatte folgende Einrichtung:

Nr.   Den   190
Name: Alter: Früherer Beruf:
Datum für die Anstellung bei der Gesellschaft:
Wie lange haben Sie das Kopftelephon benutzt?
Wie lange haben Sie steten Dienst beim Telephonieren versehen?
An welcher Zentralstation?
An welchem Ohr tragen { vor der Einführung des Kopftelephons?
     Sie den Hörer   { jetzt?
Hören Sie besser mit diesem Ohr? { am Telephon?
                                  { sonst?
Tägliche Dienststunden (Normal: Extra: Nachts:)
Wieviel Stunden haben Sie heute gearbeitet?
Ohrenleiden { bevor Sie in den Telephondienst traten:
            { nachdem Sie im Telephondienst stehen:
Die Art des Ohrenleidens:
Welcher Arzt hat Sie behandelt?   Wann?
Resultat:
Hat das Leiden sich während Ihrer Dienstzeit verschlimmert?
                              { Kinderkrankheiten:
Früherer Gesundheitszustand   { Nasen- und Rachenkatarrhe:
                              { Chlorose:
                              { Nervosität:
Heredität:

Belästigt Sie
$\begin{cases} \text{das „Prüfen“ (d. h. das Prüfen auf Besetztsein} \\ \quad \text{der Leitung)?} \\ \text{das Läuten (d. h. der Schall des Rufstroms)?} \end{cases}$

Blitzschlag:

Allgemeiner Gesundheitszustand:

Anämie:

Außerdem richtete ich an sämtliche zu untersuchende Telephonistinnen die Frage: Werden Sie von dem Kopftelephon belästigt? Als mir im Laufe der Untersuchung das Symptom „Jucken in den Ohren“ entgegentrat, ließ ich neue Fragebogen herstellen, die u. a. eine diesbezügliche Frage enthielten. Schließlich fragte ich sämtliche Telephonistinnen, ob sie an Kopfschmerzen litten, und insbesondere, ob der Hörer, das „Prüfen“ und das Läuten Kopfschmerzen bei ihnen hervorrief. Durch Betrachtung der Conjunctivae palpebrarum und der inneren Seite der Lippen suchte ich eine etwa vorhandene Anämie nachzuweisen. Eine Hämoglobinbestimmung fand in keinem Falle statt. In bezug auf die Rubrik: Allgemeiner Gesundheitszustand habe ich häufig nur Fragen gestellt wie: Ist Ihr Befinden übrigens gut? Leiden Sie sonst an etwas? u. dgl.; spezielle Fragen stellte ich nur dann, wenn besondere Umstände dazu Veranlassung gaben; jedoch habe ich, wie oben erwähnt, sämtliche Damen gefragt, ob sie an Kopfschmerzen litten.

Bei der objektiven Untersuchung wurde das elektrische Licht in Anwendung gebracht, und die Ergebnisse wurden auf der Kehrseite der oben beschriebenen Fragebogen aufgezeichnet; es fanden sich nämlich daselbst folgende Rubriken:

Aur. dext.: Manubr.:   Lichtreflex:

Aur. sin.: Manubr.:   Lichtreflex:

Cav. nasi:

Pharynx:

Flüsterstimme:————

Untere Grenze: ————   Obere Grenze: ————

Weber: a_1 — — — —   A — — — —

Luftleitung: a_1 ————   A ————

Knochenleitung: a_1 ————   A ————

Es wurden mithin bei jeder einzelnen unter den untersuchten Damen nicht nur die Verhältnisse des Trommelfells im allgemeinen beschrieben, sondern auch noch die Stellung (Retraktion) des Manubrium und das Aussehen des Lichtreflexes. Die

Beweglichkeit des Trommelfells prüfte ich nur dann, wenn
Kalkablagerungen, Narben, bedeutende Verdickungen u. dgl.
vorhanden waren. Der Sieglesche Trichter wurde benutzt.
Wenn sich im Gehörgange Cerumen fand, wurde dasselbe in
einigen Fällen beseitigt, und zwar in der Regel mittelst Ausspritzung. Bei einigen prüfte ich den Grad des Gehörs sowohl
vor als auch nach dem Ausspritzen. In einigen Fällen wurde
das Cerumen nicht beseitigt; eine Beseitigung fand z. B. nicht
statt, wenn nur der untere Teil des Trommelfells mit Cerumen
bedeckt war, während der sichtbare obere Teil sich gesund darstellte. Ich vermied es, diese Individuen dem Risiko auszu-
setzen, welches immerhin mit dem Ausspritzen verbunden ist.
Luftdouche und ähnliche Eingriffe in Anwendung zu bringen,
habe ich bei diesen Untersuchungen ebenfalls nicht für verantwortlich gehalten. Den Pharynx, den Larynx und das Cavum
nasi untersuchte ich nur dann, wenn in der Anamnese oder bei
der Untersuchung des Ohres Verhältnisse auftraten, die zu einer
Untersuchung aufforderten.

Nach der subjektiven Untersuchung kam die Reihe an die
eigentliche Funktionsprüfung; die Ergebnisse derselben wurden
ebenfalls in die Fragebogen eingetragen. Eine große und zeit-
ersparende Erleichterung war es mir, daß der administrierende
Direktor der Telephongesellschaft mir gefällig eine Beamtin zur
Verfügung stellte, welche nach meinem Diktate die Resultate
aufzeichnete.

Die untere Grenze. Bei der Bestimmung derselben bediente ich mich einer von Prof. Edelmann in München im
Jahre 1901 hergestellten Bezoldschen „kontinuierlichen Tonreihe".
Die tiefste Stimmgabel der Reihe war das C₂ (Subkontra-
Oktav-C) mit 16 V. d. Bei den verschiedenen „Tonreihen"
macht sich ein bedeutender Unterschied hinsichtlich der Stärke
der hervorgebrachten Töne geltend; glücklicherweise stand zu
meiner Verfügung eine Reihe, deren C₂-Gabel einen sehr deutlich wahrnehmbaren Schall (von einem „Tone" darf man wohl
kaum reden) hervorbrachte, und zwar ließ sich dieser Schall
sehr leicht von der durch die Stimmgabel hervorgerufenen
Vibration der Luft unterscheiden. Bevor die Prüfung anging,
stand der Kasten mit den Stimmgabeln einige Zeit offen, damit
die Gabeln die Temperatur der Stubenluft erhielten; auf diese
Weise wollte ich eine durch den Anschlag der kalten Luft
gegen das Ohr etwa eintretende Verwechselung vermeiden.

Die Untersuchung geht in folgender Weise vor sich: Der Anschlag der Stimmgabel findet an der vorderen Schenkelfläche statt, indem man die Gabel von angemessener Höhe auf dieselbe herabfallen läßt. Man erhält nach meiner Ansicht auf diese Weise einen weit sicheren und mehr egalen Anschlag, als wenn man die Gabel an der Handfläche anschlägt. Stets wird der Maximalanschlag angewandt, indem man so kräftig anschlägt, daß die verschiebbaren Gewichte einander berühren. Danach wird die Stimmgabel so vor das zu untersuchende Ohr gehalten, daß der Schwingungsplan der Gabel in der Achse des Gehörganges zu liegen kommt, während die verschiebbaren Gewichte (das U-förmige dem Ohre am nächsten) sich in gleicher Höhe mit dem Ohreingange befinden. Es ist nämlich die Schallstärke vor demjenigen Punkte der Stimmgabel am größten, wo die verschiebbaren Gewichte angebracht sind (Kieselbach[1]). Das nicht zu untersuchende Ohr zuzustopfen, ist nicht nötig; denn der Schall der tiefen Stimmgabeln kann von demselben durchaus nicht aufgefaßt werden.

Um die zu untersuchenden Telephonistinnen an die tiefen Töne zu gewöhnen, die von dem ungeübten Ohr keineswegs leicht aufgefaßt werden, habe ich immer, bevor ich die Stimmgabel C_2 in Anwendung brachte, mit der Gabel Nr. 2, mithin G_2 mit 24 V. d., eine Probe angestellt. In den meisten Fällen gaben die Damen sogleich an, daß sie das G_2, sowie auch C_2 zu hören imstande wären, und zwar haben sie den Ton der letzterwähnten Gabel als ein tiefes Brummen, ein Sausen u. dergl. bezeichnet. Wenn die Telephonistinnen das C_2 nicht auffassen konnten, stellte ich, indem ich die Gewichte verschob, mit F_2 und E_2 Versuche an und ging alsdann stufenweise abwärts, bis ich schließlich den tiefsten hörbaren Ton gefunden hatte. Um die gewonnenen Resultate völlig sicherzustellen, machte ich nach Saxtorph-Steins[2] Methode die Gegenprobe; nachdem die Telephonistin die Augen geschlossen hatte, wurde die angeschlagene Gabel abwechselnd ihrem Ohr genähert und von demselben entfernt, und die Dame mußte alsdann durch ein „Jetzt" zu erkennen geben, wann sie die Schwingungen auffassen konnte. Wenn bei dieser Prüfung die Antworten richtig erfolgten, so machte ich noch eine Schlußprobe: Ich schlug die Stimmgabel so an, daß die Telephonistin es be-

---

1) Monatsschr. f. Ohrenheilkunde. 25. Jahrg., 1591. S. 2.
2) Otologiske Functionsundersögelser, Pag. 58.

merken mußte; nachdem ich die Schwingungen mittelst der
Hand völlig gedämpft hatte, hielt ich ihr die Gabel vor das
Ohr, und wenn sie nun auf meine Frage die Antwort gab, daß
sie keinen Ton höre, so war ich überzeugt, daß ich die untere
Grenze richtig gefunden hatte. In vielen Fällen war es recht
schwierig, die Lage dieser Grenze zu bestimmen, und in einigen
Fällen gelang es mir trotz aller Mühe nicht, ein vollständig
zuverlässiges Resultat zu erzielen. Bei einigen Telephonistinnen
habe ich der Kontrolle wegen die Bestimmung der unteren
Grenze zweimal oder zu wiederholten Malen vorgenommen,
und zwar mit Zwischenräumen von ein paar Monaten.

Die obere Grenze. Bei der Bestimmung der oberen
Grenze bediente ich mich einer Galtonpfeife (Nr. 338) nach
Edelmann. Während ich das eine Ohr untersuchte, wurde
das andere mittelst des Fingers verstopft. Ein Antiphon in
Anwendung zu bringen, hielt ich nicht für notwendig, und habe
deshalb den Gebrauch desselben unterlassen, um Zeit zu ersparen. Um vollständig zuverlässige Resultate zu erhalten,
stelle ich anfänglich die Pfeife auf 0.0 ein, in welcher Stellung
sie nur einen schwachen Hauch hervorbringt; hiernach wird
die Pfeife auf 3.0 eingestellt, so daß ein sehr deutliches Pfeifen
hervorgebracht wird. Bei der Prüfung fordere ich die Telephonistin auf, mir zu erkennen zu geben, wann sie einen Hauch,
und wann sie einen Ton zu hören imstande ist. Ich gehe nunmehr von 0.2 aus, in welcher Stellung meine Galtonpfeife den
ersten deutlich wahrnehmbaren Ton hervorbringt; wenn dieser
Ton nicht aufgefaßt wird, gehe ich allmählich aufwärts. Die
Pfeife und der Ballon, mit dem dieselbe angeblasen wird,
werden mit der linken Hand gefaßt, so daß das Einstellen mit
der rechten Hand geschehen kann, und zwar so, daß die zu
untersuchende Dame nichts bemerkt. Durch dieses Verfahren
erreicht man im allgemeinen sehr zuverlässige Resultate,. aber
dennoch fanden sich Fälle, wo es nicht möglich war, bestimmte
Ergebnisse zu erzielen. Die Angaben über die obere und
untere Grenze wurden mittelst eines Bruchstriches aufgezeichnet,
so daß die Angaben über dem Striche das rechte, die Angaben
unter dem Striche das linke Ohr betreffen.

Webers Versuch. Bei diesem Versuche, sowie auch
bei den darauffolgenden Messungen der Luftleitung und der
Knochenleitung benutzte ich zwei Stimmgabeln: a_1 mit 435
V. d. und A mit 108 V. d. Die a_1-Gabel ist eine kleine

Stimmgabel nach Bezolds Modell, etwa 13 cm lang, wovon 4½ cm auf den Stiel gehen; die Zinken sind 9 mm breit. Die A-Stimmgabel nach Königs Modell · ist 18 cm lang, wovon 6 cm auf den Stiel kommen, die Zinken sind 5 mm breit. An den Zinken finden sich 2 verschiebbare Gewichte, und durch Verschiebung derselben lassen sich die Töne von A bis Gis herstellen. Unten ist die Gabel mit einem hörnernen Fuß versehen; derselbe ist unten leicht gewölbt und mit konzentrischen Rillen versehen, so daß die Gabel bequem auf das Kranium aufgesetzt werden kann. Die a_1-Gabel wurde gegen die Kante eines Mahagoniblockes angeschlagen, die A-Gabel dagegen gegen die linke Handfläche. Der Versuch gestaltet sich nunmehr wie folgt: Nachdem die a_1-Gabel angeschlagen worden ist, wird sie vor das zu untersuchende Ohr gehalten; es geschieht dies, damit die Dame den Ton kennen lernt, welcher aufgefaßt werden soll. Danach wird die Gabel so auf den Scheitel der Dame aufgesetzt, daß der Stiel senkrecht in der Mitte der perpendikulären Verbindungslinie zwischen den beiden Ohreingängen zu stehen kommt, während die Zinken im Sagittalplane schwingen. Ich lasse mir nun von der Dame angeben, in welchem Ohre sie den Ton am deutlichsten vernimmt. Danach lasse ich sie den Finger erst in den einen, dann in den andern Gehörgang fest hineinstecken, damit sie gewöhnt werde, eine Lateralisation aufzufassen. Nach diesen Vorübungen wird der Versuch erst mit der a_1-Gabel und dann mit der A-Gabel gemacht, und zwar wird die Gabel auf 4 verschiedene Stellen des Kraniums aufgesetzt, nämlich 1. auf den Mittelpunkt des Kinnes, 2. auf die Glabella, 3. auf den oben angegebenen Punkt am Scheitel und 4. auf die Protuberantia occipitalis externa. Bei dem Versuche habe ich mir große Mühe gegeben, die Gabel möglichst auf die Medianlinie des Kraniums aufzusetzen; denn durch Iwanoffs[1]) Versuche wurde nachgewiesen, daß nur dann eine gleiche Schallmenge nach beiden Ohren gelangt. Dagegen spielt es, wie aus den Versuchen des nämlichen Verfassers[2]) hervorgeht, eine geringere Rolle, ob die Gabel in senkrechter Stellung am Kranium gehalten wird oder nicht. Natürlich wird die Gabel unmittelbar auf die Haut aufgesetzt, weshalb das Haar beiseite geschoben wird. Im Fragebogen

1) Zeitschr. f. Psychol. u. Physiol. der Sinnesorgane. Bd. XXXI. 1903.

2) Medizinskoje Obosrenje N. 15. 1903, Moskau, ref. im Archiv für Ohrenheilk., Bd. 62, 1904, S. 171.

finden sich zur Aufzeichnung der Ergebnisse des Weberschen
Versuchs 4 Bruchstriche für jede Stimmgabel; der erste Strich
bezieht sich auf das Kinn, der zweite auf die Glabella usw.
Die Lateralisation nach rechts wird durch ein + über dem
Bruchstrich, die Lateralisation nach links durch ein + unter
dem Strich angedeutet; keine Lateralisation wird durch = bezeichnet. Schließlich erteilt man eine Art Prädikat über die
Sicherheit und Zuverlässigkeit, soweit die untersuchte Dame
die Ergebnisse anzugeben vermag; bei dieser Zensur bezeichnet
1 die geringste, 6 die größte Sicherheit; die Zahlen 2—5 gehen
die mittleren Grade an.

Die Luftleitung. Wie schon früher erwähnt, wird die
Luftleitung mittelst 2 Stimmgabeln, a_1 und A, geprüft. Die
a_1-Gabel mit ihren steifen Zinken kann auf freier Hand angeschlagen werden, z. B. gegen die Kante eines Mahagoniblockes.
Ich bin überzeugt, daß dieses Verfahren bei der in Rede
stehenden Stimmgabel hinlänglich genaue Resultate ergibt. Es
ist bei der Untersuchung der Telephonistinnen recht häufig vorgekommen, daß die bei verschiedenen, nacheinander angestellten
Messungen gefundenen Perzeptionszeiten nur um 1 bis 2 Sekunden von einander abwichen. Bei der A-Gabel wurde anfangs
der Maximalanschlag in Anwendung gebracht, d. h. die Gabel
wurde so fest angeschlagen, daß die an den Enden der Zinken
angebrachten verschiebbaren Gewichte einander eben berührten.
Auf diese Weise erhält man einen sehr egalen Anschlag, und
bei der Prüfung der Knochenleitung habe ich deshalb stets
diese Methode angewandt. Da es sich jedoch herausstellte, daß
beim Maximalanschlag die A-Stimmgabel per Luftleitung etwa
108 Sekunden perzipiert wurde, so daß auf diese Weise sehr
viel Zeit verloren ging, so ließ ich einen Pendelapparat[1]) an-
fertigen; mittelst desselben konnte die Gabel angeschlagen und
die Stärke des Anschlages gradiert werden, und auf diese
Weise gelang es mir, bei der Messung der Luftleitung die Perzeptionszeit um die Hälfte abzukürzen.

Es müssen stets 2 Bestimmungen der Perzeptionszeit per
Luftleitung stattfinden, und wenn die gefundenen Zeiten einen
Unterschied von 3 oder mehr Sekunden aufweisen, so ist noch
eine 3., eventuell eine 4. oder 5. Prüfung zu machen. Wie ich

---

1) Dieser Pendelapparat wurde im Archiv f. Ohrenheilk. Bd. 67, 1906,
S. 280 ff. beschrieben.

in einer früheren Arbeit [1]) schon hervorgehoben habe, wird man mit Erfolg schwerlich mehr als 4 unmittelbar aufeinander folgende Messungen vornehmen können, weil das Ohr inzwischen ermüdet.

Die bei der Messung der Luftleitung erzielten Resultate werden in die Fragebogen eingetragen,. und zwar so, daß die Angaben über das rechte Ohr über, die Angaben über das linke Ohr unter dem Bruchstrich Platz finden. Ich hatte schon etwa 200 Telephonistinnen untersucht, ehe ich in den Besitz des erwähnten Pendelapparates gelangte, und deswegen finden sich in der Rubrik: „Luftleitung A" zwei Arten von Zahlen, nämlich größere (variierend zwischen 90 und 130), die mittelst des Maximalanschlages gefunden wurden, und kleinere (zwischen 30 und 65), die bei Anwendung des Pendelapparates gewonnen wurden.

Die Knochenleitung. Auch bei der Prüfung der Knochenleitung wurden die beiden erwähnten Gabeln in Anwendung gebracht. Die a₁-Gabel wurde frei angeschlagen, bei der A-Gabel wurde der Maximalanschlag benutzt. Das Chronoskop wird erst in dem Augenblicke in Tätigkeit gesetzt, wenn die Gabel auf das Kranium aufgesetzt wird; die Zeit, welche zwischen dem Anschlage und der Anbringung der Gabel auf das Kranium verstreicht, wird nämlich nicht immer von gleicher Länge sein und darf deshalb bei der Bestimmung der Knochenleitung nicht mitgezählt werden. Ob dieser Zeitraum zwischen dem Anschlage und der Applikation auf das Kranium etwas länger oder kürzer ist, spielt für die Dauer der Knochenleitung schwerlich eine bedeutende Rolle, wenn man nur in dem Augenblicke zu messen anfängt, wenn die Gabel den Knochen berührt; denn der Energieverlust der Stimmgabel in der Luft ist nur unbedeutend und jedenfalls bei weitem nicht so groß als der Energieverlust der am Knochen ruhenden Stimmgabel. Die Gabel wird auf die Basis des Processus mastoideus in gleicher Höhe mit und etwas hinter der oberen Wand des Gehörganges aufgesetzt, d. h. sie ruht über dem Antrum mastoideum. Der Druck, mit dem die Stimmgabel am Kranium festgehalten wird, spielt eine wichtige Rolle; durch Übung bringt man es aber bald dahin, daß die Variationen hierbei geringfügig werden. Man prüft die Knochenleitung für jedes Ohr apart, obgleich

_____

1) Archiv f. Ohrenheilk. Bd. 67, 1906, S. 280 ff.

man sich diese Mühe sehr wohl ersparen kann, weil eine Isolation der beiden Ohren doch nicht möglich ist (Blegvad[1])).

Auch beim Messen der Knochenleitung werden bei jedem
Ohre zwei Prüfungen gemacht, und wenn die Abweichung
3 Sekunden oder mehr beträgt, so werden eine oder mehrere
Nachprüfungen angestellt. Die Ergebnisse werden wie bei der
Luftleitung mittelst eines Bruchstriches aufgezeichnet.

Den Rinneschen Versuch machte ich nicht in seiner
gewöhnlichen Form; denn meiner Ansicht nach hat Ostmann[2])
recht, wenn er behauptet, daß man den Rinneschen Versuch
in Verbindung mit dem Schwabachschen anstellen könne,
wenn man, wie bei der vorliegenden Untersuchung, eigens für
jedes Ohr die absoluten Werte der Luftleitung und der Knochenleitung durch einen egalen Anschlag (Maximalanschlag oder Anschlag mittelst des Pendelapparats) festgestellt habe. Dabei ist
jedoch zu beachten, daß eine längere Dauer der Luftleitung im
Vergleich mit der Knochenleitung nicht immer gleichbedeutend
ist mit einem positiven Ausfall des Rinneschen Versuches
(Blegvad[3])).

Gellés Versuch wurde nicht gemacht. Braunstein[4])
fand, daß der Versuch bei 9 Telephonistinnen einen anormalen
Ausfall hatte, aber trotzdem war er der Meinung, daß die betreffenden Damen im Vollbesitz des Gehörs waren. Politzer[5])
behauptet, daß der Versuch nicht den Wert besitze, den man
ihm ursprünglich beigemessen habe, und überhaupt lautet das
Urteil der meisten Untersucher über die Zuverlässigkeit des
Versuches nicht sehr günstig (Saxtorph-Stein[6])). Außerdem
ist der Versuch sehr schwierig zu machen und stellt große Anforderungen an das Beobachtungsvermögen und die Intelligenz
des zu untersuchenden Individuums; ich hielt es deshalb für
richtig, den Versuch nicht anzustellen.

Die Flüsterstimme. Mit Recht wird die Untersuchung
mittelst der Flüsterstimme als eine der wertvollsten unter den
Methoden zur Prüfung der Funktion des Gehörorgans angesehen. Leider waren die äußeren Verhältnisse, die mir bei der

---

1) Archiv f. Ohrenheilk. Bd. 67, 1906, S. 280.
2) Archiv f. Ohrenheilk. Bd. 58, 1903, S. 87.
3) Archiv f. Ohrenheilk. Bd. 67, 1906, S. 280.
4) Archiv f. Ohrenheilk. Bd. 59, 1903, S. 303.
5) Lehrb. der Ohrenheik., 1893, S. 126.
6) Otologiske Functionsundersögelser, Pag. 99 ff.

Untersuchung zu Gebote standen, so ungünstig, daß ich sichere Resultate nicht erzielen konnte. Wie schon früher erwähnt, drang in mein Arbeitszimmer ein recht starker diffuser Straßenlärm ein, so daß es einem normalhörigen Ohr kaum möglich war, die Flüsterstimme in einer Entfernung von mehr als 9 Meter aufzufassen, und diese 9 Meter waren, wie erwähnt, der größte Abstand, der mir zur Verfügung stand. Um sichere Resultate zu erzielen, hätte man mir ein vollständig ruhig belegenes und hinlänglich geräumiges Zimmer überlassen müssen. Die Entfernung, in welcher die Flüsterstimme gehört werden kann, wird von den verschiedenen Verfassern sehr verschieden angegeben. So findet man z. B. bei J a n k a u [1]) 15 Meter, bei W o l f [2]) 16—18 Meter und bei K ö r n e r [3]) sogar 58,6 Meter angegeben. Durchschnittlich darf man wohl eine Entfernung von 20 Meter als Norm feststellen, aber der Abstand hängt außerordentlich von der Lokalität ab. K ö r n e r macht z. B. seinen Versuch abends in einem großen stillen Garten. W o l f arbeitet in einem mehr als 40 Meter langen Saale; er glaubt, daß ein normalhöriges Ohr in einem großen und vollständig ruhigen Lokal die Flüsterstimme in einer Entfernung von 40 Meter auffassen kann; kann der Straßenlärm einer Großstadt nicht ausgeschlossen werden, so wird nach seiner Ansicht die Hörweite etwa 16—18 Meter betragen. Ferner ist die Hörweite für die Flüsterstimme von der Aussprache des Untersuchers abhängig (K ö r n e r s Aussprache ist sehr akzentuiert) und demnach unzweifelhaft auch von den verschiedenen Sprachen; z. B. wird die deutsche Sprache sicher in größerer Entfernung aufgefaßt werden als die weiche dänische (S c h m i e g e l o w [4])). Auf eine genaue Untersuchung mittelst der Flüsterstimme habe ich mithin verzichten müssen, aber in folgender Erwägung habe ich dafür den Trost gesucht: Nach W o l f [5]) und H e r m a n n [6]) liegen die Eigentöne der Konsonanten und Vokale zwischen 16 V. d. und ca. 4000 V. d., indem die meisten unter ihnen einen Grundton haben, welcher in der Nähe von 200—500 V. d. liegt. Wenn man deshalb mittelst Stimmgabeln mit bezw. 108 und 435 V. d.

1) Monatsschr. f. Ohrenheilk., 1897, S. 56.
2) Zeitschr. f. Ohrenheilk. 34. Bd. 1899, S. 289.
3) Münchener mediz. Wochenschr. No. 31, 1902.
4) Hospitals-Tidende 1886, Pag. 1060.
5) Sprache und Ohr. Ref. S a x t o r p h - S t e i n l. c. S. 26.
6) P f l ü g e r s Archiv. Bd. 53, 58, 61 u. 83. Ref. Zeitschr. f. Ohrenheilk. Bd. 47, S. 91 ff.

untersucht und gleichzeitig die obere und die untere Grenze
feststellt, so wird selbst eine kleinere Herabsetzung des Gehörs
der Aufmerksamkeit nicht entgehen können. Ferner ist es
nicht in erster Linie der Zweck der vorliegenden Untersuchung,
den absoluten Wert des Hörvermögens zu bestimmen, sondern
es handelt sich vielmehr darum, einen etwa vorhandenen Unterschied zwischen dem Hörvermögen der beiden Ohren zu konstatieren, und ein solcher Unterschied wird durch die angewandten Methoden sehr wohl nachgewiesen werden können.
In einigen Fällen habe ich dennoch mittelst der Flüsterstimme
untersucht, u. a. in sämtlichen Fällen, wo die Ergebnisse der
Untersuchung mittelst der Stimmgabel eine Herabsetzung des
Gehörs vermuten ließen; in vielen Fällen ist es mir auch gelungen,
mittelst der Flüsterstimme sogar kleinere Unterschiede zwischen
den Hörweiten der beiden Ohren nachzuweisen, indem ich nicht
nur auf die Genauigkeit, mit welcher die Telephonistin das geflüsterte Wort wiedergeben konnte, sondern auch auf die Schnelligkeit, womit dies geschah, Gewicht legte.

Das Verfahren hierbei war folgendes: Die zu untersuchende
Dame stellte sich an die Wand, so daß mein Mund in der Verlängerung der Achse ihres Gehörganges zu liegen kam; in den
Gehörgang des der Wand zugekehrten Ohres steckte die Dame
den Finger. Nach Bezolds Anleitung[1]) benutzt man die Re-
serveluft (wie man wohl besser statt Residualluft sagt) nach
einer nicht forzierten Exspiration zur Hervorbringung der Laute.
Wie Möller[2]) habe ich vorzugsweise folgende Zahlwörter in
Anwendung gebracht: 78 (otte og halvfjers), 28 (otte og tyve),
18 (atten) und 36 (seks og tredive); letzteres ist das eigentliche
Prüfungswort, welches wegen des s- und t-Lautes mit sehr hohen
Schwingungszahlen sehr leicht aufgefaßt wird. Wie bei den
früheren Untersuchungen werden auch hier die Resultate mittelst
des Bruchstriches aufgezeichnet. Ein nach der 9 angebrachtes
+ bedeutet, daß ich mich von der zu untersuchenden Dame nur
9 Meter entfernen konnte; es ist aber möglich, daß sie die Flüsterstimme in größerer Entfernung hätte hören können.

Die Tabellen mit den Versuchsresultaten sind weggelassen,
um Platz zu ersparen.

---

1) Zeitschr. f. Ohrenheilk. Bd. 14, 1885, S. 262.
2) Archiv f. Ohrenheilk. Bd. 47, 1899, S. 280.

(Fortsetzung folgt.)

X.

Mitteilungen aus der Ohren- und Kehlkopfabteilung des
Reichshospitals in Christiania.

Otitische Gehirnleiden.

Von
Professor V. Uchermann.

2. Die otogene Pyämie und infektiöse Sinusthrombose.

Sowohl theoretische wie praktische Gründe lassen es zweckmäßig erscheinen, zwischen der otogenen Pyämie s. g. und
der otogenen infektiösen Sinusthrombose als zwei
pathologisch-anatomisch und klinisch verschiedenen Leiden zu
unterscheiden. [1] Bei der otogenen Pyämie s. g. gibt es keine
Thrombenbildung und das Fieber wird nur durch Resorption
pyogener Mikroben und deren Toxinen [1] bewirkt; die Metastasen
sitzen fast immer in den Bindegewebehüllen und Schleimsäcken
oder in den Gelenkhöhlen, mitunter in der Pleurahöhle, nicht
in den Lungen. Bei der infektiösen Sinusthrombose findet sich
Entzündung in der Sinuswand mit partieller (parietal) oder vollständiger (obturierende) Thrombenbildung; das Fieber ist nicht
notwendigerweise pyämisch und erhält diesen Charakter erst
durch das Zerfallen (Ramollissement) der Thrombenmasse und
durch Metastasen losgerissener Teile zu den Nieren, Milz und
zu den Lungen.

Die otogene Pyämie rührt oft von akuten suppurativen
Prozessen in der Trommelhöhle und Mastoidalzellen her, mitunter im Labyrinth, die infektiöse Sinusthrombose meistens von
chronischen Prozessen daselbst. Die Prognose ist bei der ersteren
durch kunstgerechte Behandlung gut, bei der anderen nur gut

---

1) Schon hervorgehoben von dem Verfasser im Jahre 1894 in einer
Diskussion in der medizinischen Gesellschaft in Christiania in Veranlassung
eines von Schiötz operierten Falles und später im Jahre 1897 auf dem
Kongreß in Moskau.

iusofern die Operation vorgenommen wird, ehe die Lungen angegriffen sind.

Dieses sind die reinen typischen Fälle. In beiden Formen
kann das Bild variieren, je nachdem das Fieber mehr den
Charakter einer Vergiftung (Toxinämie) als einer Pyämie (Bak-
teriämie) hat. Solche Fälle nennt man dann meistens Septicämie, eventuell Septico-pyämie.

In den gemischten atypischen Fällen ist die Sinusthrombose nur parietal, meistens latent, insofern sie in Folge
ihres Sitzes (Bulbusthrombose) durch die allgemeine Untersuchung nicht nachgewiesen werden kann. Die Symptome sind
auch unbestimmter und die Diagnose in den einzelnen Fällen
oft unmöglich ohne direkte Exploration.

a. Statistik und Pathologie, Krankengeschichten.

Auf 6085 Sektionen auf dem Reichshospital in der Zeit vom
11. August 1865 bis zum 1. Oktober 1902 fielen 21 Fälle von
Sinusphlebitis und Thrombose = 0,35 proz. — Pitt hat bei 9000
Sektionen 44 Fälle = 0,49 proz. — Davon waren 18 otogene
= 88 proz. 1 Fall war verursacht durch „Pachymeningitis
luetica", 1 durch Lungenkrankheit, 1 durch schwächende Krankheit (einfache marantische Thrombose).

Die Sinusphlebitis-Fälle kamen also seltener vor, als Hirnabszesse (21 Fälle gegen 35 Fälle). Andere Statistiken zeigen
ein gleiches oder umgekehrtes Verhältnis. 6/7 der Phlebitis-
fälle sind durch Krankheiten im Ohr und Schläfenbein hervorgerufen. Pitt hat 2/3.

Seit der Errichtung der Ohrenklinik im Jahre 1891 sind
in den 13 Jahren vom 1. September 1891 bis 31. Dezember 1904
30 Fälle otogener Pyämie und infektiöser Thrombose vorgekommen, 9 bei Kindern, 21 bei Erwachsenen, also in einem
Verhältnis wie 429 zu 1000. Da das Verhältnis für die Altersklassen unter 15 Jahren zur gesamten Bevölkerung wie 344 zu
1000 ist (siehe V. Uchermann: Die Taubstummen in Norwegen, Seite 48) tritt also die Krankeit bei Kindern häufiger
auf, als man nach ihrer Anzahl erwarten sollte. 20 waren
männlichen und 10 weiblichen Geschlechts, also ein bedeutendes
Übergewicht auf der männlichen Seite.

Dieses stimmt auch mit den Erfahrungen der übrigen
Statistiker. Lebert[1]) hat nämlich in 17 Fällen von Sinus-

---

1) Virchows Archiv. Bd. 9.

krankheit 14 Männer. Hessler[1]) hat 266 Männer und 122 Frauen. (Über die diesbezüglichen Ursachen siehe V. Ucher- mann l. c., Seite 45—47 und Nord. med. Archiv 1896: Über die Geschlechtswahl der Krankheiten.)

10 waren rechtsseitig, 18 linksseitig, 2 doppelseitig. Ab- gerechnet 5 Fälle otogener Pyämie ohne Sinusthrombose (nicht nachgewiesen oder wahrscheinlich) waren 10 rechtsseitige, 14 linksseitige, 1 doppelseitig.

Dieses stimmt mit den übrigen Statistiken nicht überein. Hessler hat z. B. 192 rechtsseitige und 165 linksseitige. Wie bekannt sucht Körner[2]) die Ursache dazu in dem Umstande, daß Fossa sigmoidea dextra in der Regel tiefer in den Knochen hineindringt als Fossa sigm. sin. (Herberg) und folglich eine größere Berührungsfläche im Fall von Infektion darbietet. Spe- ziell wird dieses der Fall sein, wo der Mastoidalprozeß voll ent- wickelt is:.[3])

Die primäre Krankheit im Temporalbein war in 8 Fällen akut und in 22 Fällen chronisch. Hessler giebt von 130 Fällen 31 akute und 99 chronische an, oder ungefähr dasselbe Ver- hältnis.

In 18 der 25 Fälle, wo Sinusphlebitis mit Thrombenbildung nachgewiesen werden konnte, reichte der suppurative Mastoidit ganz bis zur Sinuswand hin, wo sich in 6 Fällen ein peri- sinuöser Abszeß fand, in 7 Fällen konnte keine makroskopisch wahrnehmbare Verbindung nachgewiesen werden. In allen 5 Fällen otogener Pyämie ohne nachweisbare Sinusthrombose war keine direkte Verbindung zwischen dem suppurativen Mastoidit und der betreffenden Sinuswand, in einem Falle rührte die Pyämie von einem komplizierenden suppurativen Labyrinthit her.

In 24 der 25 Fälle mit Thrombenbildung hat die Thrombe ihren Sitz im Sinus sigmoideus und hat sich von dort teils nach hinten im Sinus transversus, teils nach innen im Sinus petrosus

---

1) Die otogene Pyämie. Jena 1696. S. 220.

2) Die otitischen Erkrankungen des Hirns, der Hirnhäute und der Blutleiter. Dritte Ausgabe (1902). S. 16.

3) Vielleicht gilt der Satz deshalb, wenn er überhaupt richtig ist, nur für die erwachsenen Fälle. Zieht man übrigens in meinem Material die Kinder mit 6 linksseitigen und 3 rechtsseitigen Sinusthrombosen ab, so erhalte ich doch ein Übergewicht für die linksseitigen Fälle, nämlich 7 rechtsseitige, 9 linksseitige, 1 doppelseitiger. Der Satz scheint jedenfalls nicht für die otogenen Pyämien ohne Sinusthrombose zu gelten, die in dem gegen- wärtigen Material alle linksseitig sind.

inf. ausgebreitet (siehe V. Uchermann: Der otitische Hirnabszeß, Krankheitsgeschichte No. 7. Zeitschrift für Ohrenheilkunde Band XLVI, Seite 320) und nach unten bis zum Bulbus
sup. venae jugularis und der jugularis selbst. In dem 25. Falle
hat die Sinusthrombose ihren Sitz im Venenplexus um Foramen
magnum herum und weiter nach oben im Sinus occipitalis bis
zum Torkular, wo Abszeß, und über den Sinus marginalis hinaus bis zum Bulbus v. jug. Der Bulbus selbst wie auch der
Sinus sigmoideus ist frei und der Ausgangspunkt ist ein nach
Ohrenleiden (Eiter in der Spitze des Proc. mastoideus) entstandener subperiostealer, suboccipitaler Abszeß.

In einem der 24 Fälle erstreckt sich die Thrombenbildung
und das Ramollissement durch den Torkular Herophili nach dem
andern Sinus transversus hinüber, dessen hintere Hälfte mit Eiter
angefüllt erscheint, der Rest mit normalem Blutgerinnsel bis
zum Bulbus sup. venae jugularis dextrae, wo sich wiederum
ein Eiterklumpen findet (Fall N. 12).

Eine solche sprungweise Verbreitung der Thrombose nach
Stellen, wo der Blutstrom langsamer ist, oder einen Wirbel
bildet, wird auch von Körner[1] erwähnt. Analog hiermit kann
eine Sinusthrombose sich primär im Bulbus venae jugularis
durch Bakterien entwickeln, die die Sinuswand passiert haben
und in den Blutlauf weiter nach oben eingewandert sind, und
nicht, wie gewöhnlich direkt durch Affektion des am nächst-
liegenden Knochen, der Boden der Trommelhöhle (Leutert[2]),
Körner-Muck[3]).

In keinem der vorliegenden Fälle ist Sinus cavernosus
getroffen durch Affektion der Sinus petrosi (sup. und inf.) oder
des Venenplexus um die Carotis int. herum (Sinus caroticus). In einem der älteren Sektionsberichte (1871, No. 104
J. K. Med. Aht. A) kommt jedoch ein solches Leiden vor: Pyämia. Ramollierte, stinkende Thrombenmasse im Sinus transv.
sinist., in Sinus petrosi sup. und inf. sin., Sinus cavernos. sin.,
Venae ophthalmicae (sowie purulente Infiltration hinter dem
linken Bulbus oculi.) Phlebitis venae jugularis sin. Abszeß und
Eiterinfiltration am Halse (der Abszeß folgt den großen Ge-
fässen auf der linken Seite; die Wand der Venae jug. int. sin.

---

1) Körner l. c. S. 83.
2) Leutert: Archiv f. Ohrenheilk. Bd. 41. S. 222—223.
3) Zeitschrift f. Ohrenheilk. Bd. 37. S. 174, Fall 28.

läßt sich nur in der untersten Partie nachweisen). Purulente Pachymeningitis. Ein kleiner Abszeß in der linken Lunge. Milzgeschwulst. — In einem andern Sektionsbericht (1872, No. 94 H. T. Med. Abt. A) heißt es: Dura mater lose adhärent, hier und da beinahe gelöst über dem rechten os. tempor., ganz gelöst über Sulcus caroticus, wo eine ulzerierende Partie mit Beleg auf der dem Knochen zugewandten Fläche ist. Pyämia, caries oss. tempor. dext. Ramollierte Thromben in der Vena jugularis dext. und Sinus occipitalis. Gangränöse Foci in beiden Lungen. Hier ist also wahrscheinlich eine Bulbusthrombose und eine Thrombose des Sinus caroticus das Primäre (von der Trommelhöhle aus getroffen „abgelöste Gehörknochen und gangränierte Reste von dazu gehörenden kleinen Muskeln"), während der Sinus occipitalis durch den Sinus marginalis (retrograd? Blutstrom) sekundär infiziert sein muß.

Durch perisinuösen Abszeß (Pachymeningitis supp. ext.) und Phlebitis von Venae emissariae condyloideae ant. und post., von denen der letztere der am meisten konstante ist, kann es auch zur Abszeßbildung kommen auf der einen oder anderen Seite von Proc. condyloideus um den Foramen magnum herum. (Siehe Fall No. 18 cfr. No. 12[1]).

In einem Falle hat Phlebitis der Vena emissaria mastoidea eine beginnende (parietal) Thrombose des Sinus sigmoideus[2] veranlaßt. Jansen hat einen ähnlichen Fall[3].

In dem Falle, wo man keine direkte Verbindung zwischen Focus im Mastoidalprozeß und der kranken Sinuswand sieht, die im Gegenteil durch einen scheinbar intakten, oft elfenbeinharten Knochen getrennt gefunden werden, nimmt Körner übrigens an, daß auch hier als Mittelglied eine Osteophlebitis vorliegt, aber von den kleinen Venen der Diploë des Knochens bis zur Sinuswand, wie es auch ebenso von Grunert

---

1) Suboccipitale (und subperiosteale) Abszesse kommen übrigens auch ohne Sinusthrombose vor durch stark pneumatische Mastoidalprozesse, wo die Suppuration sich über die innersten (aberranten, Moure) Hohlräume verbreitet hat, innerhalb Fossa digastrica. Ich habe neulich einen solchen Fall operiert, wo die ganze Squama occipitalis mit Process. condyloidei bloß lag. Nach der Öffnung ungehinderte Heilung. Kein Sinusleiden.

2) V. Uchermann: Otitische Gehirnleiden. Zeitschrift f. Ohrenheilk. Bd. 46, S. 4, Fall No. 2. Nicht unter der Sektion (S. 311) ausgeführt, als in casu gleichgültig. (Temporallappenabszeß)

3) Archiv f. Ohrenheilk. Bd. 35, S. 283.

und Zeroni[1]) direkt beobachtet sein soll. Selbst habe ich einen solchen Fall nicht gesehen.

Es ist anzunehmen, daß die Verbindung durch alle die Wege geschehen kann, auf denen Flüssigkeiten durch einen Knochen passieren (Kanäle für Gefäße und Nerven).

Während die Sinuswand bei der reinen otogenen Pyämie normal, dünne, bläulich ist, ist sie bei der Sinusthrombose mehr oder weniger verdickt, oft uneben, gränlich oder gelblich von schmutziger Farbe. Oft findet man sie eingesunken, durch Eiter oder Granulationen komprimiert. Die Thrombe ist anfangs parietal und dann oft unmöglich zu fühlen. Wird sie später komplet, fühlt sich die Sinuswand in der Regel wie ein harter Strang an. Nicht selten findet man einen durch Druck hervorgerufenen teilweisen Zusammenwuchs der Wände. In anderen Fällen wird der Zusammenwuchs dadurch bewirkt, daß die Thrombe sich organisiert anstatt zu zerfallen. In vielen Fällen findet man die Sinuswand auf einer oder mehreren Stellen ulzeriert (siehe die Fälle No. 7, 11, 14, 16). Wenn die Thrombe an der Ulzeration (Ramollissement) teil nimmt, kann diese Veranlassung zur Blutung oder Luftaspiration geben, wenn die Thrombenbildung unvollständig ist oder nur nach einer Kante, z. B. nach oben geht (siehe Fall No. 16, 11). Das Ramollissement findet sich übrigens nicht immer auf der der Infektion am nächstgelegenen Stelle, z. B. im Sinus sigmoideus, sondern mehr peripherisch z. B. im Sinus transversus oder im Bulbus, ev. Vena jugularis (siehe Fall No. 25 und 15), im Falle einer Operation also nur durch methodische Untersuchung. Zuweilen kann die Fistel als Drainageöffnung für eine im Sinus-lumen vorgehende Eitersekretion (Granulationsbildung) dienen, die hierdurch Ablauf findet (cfr. Fall No. 14).

In 6 der vorliegenden 25 Fälle ist die Sinusthrombose mit Hirnabszeß verbunden, davon in 3 Fällen als erregende Ursache (2 Fälle von Kleinhirnabszeß, 1 Fall von Occipitalparietallappenabszeß, siehe V. Uchermann: Otitische Gehirnleiden l. c. Fall No. 1, 5 und 7). In den 3 übrigen Fällen (Otitische Gehirnleiden l. c. Fall No. 2, 4 und gegenwärtiges Material No. 25) muß der Abszeß (in dem Temporallappen) als eine zufällige Komplikation angesehen werden, die nur mit der Sinusthrombose eine gemeinschaftliche Ursache hat, das Leiden im Temporalbein.

---

1) Archiv f. Ohrenheilk. Bd. 49, S. 185, Fall No. 3.

Im Eiter und Thromben von infektiösen Sinusthrombosen sind Streptokokken, Staphylokokken und Diplokokken nachgewiesen (siehe die Fälle No. 6, 7, 8, 13, 16, 18, 19, 22, 25); in einem Fall Staphylococcus albus in Verbindung mit bacterium coli (Fall No. 23). Bei der reinen otogenen Pyämie sind nur Streptokokken gefunden worden (siehe Fall No. 1, 3 und 5).

Außer zu Hirnabszessen führt die Sinusthrombose nicht selten zu purulenter Meningitis (cfr. Fall No. 24). In 2 Fällen wird der Tod durch Lungenblutung hervorgerufen (Fall No. 13 und 25) in 1 Fall durch pyo-pneumothorax (Fall No. 18). Betreffs der Metastasen übrigens Näheres unter den Symptomen.

Rechnet man die 5 früher veröffentlichten, mit Hirnabszeß komplizierten Fälle ab, wo das Sinusleiden von keiner oder untergeordneten Bedeutung dem Hauptleiden gegenüber ist, sowie den Fall No. 24 (nicht operiert, Meningitis mit kompliziert) so sind von den übrig bleibenden 24 Fällen 13 geheilt worden = 54,2 proz.

Werden die 5 Fälle otogener Pyämie s. g. (3 akute, alle geheilt, 1 chronischer und 1 komplizierter (labyrinthitis suppurativa, beide gestorben) abgerechnet, so sind von 19 Fällen infektiöser Sinusthrombose 10 geheilt worden = 52,6 proz. Davon wieder sind die 5 akuten (s: auf Basis akuter Leiden im Temporalbein entstanden) alle geheilt worden, hiervon 2 mit Ramollissement, 3 ohne Ramollissement. In 2 der letzten (No. 9 und 10) wurde der Sinus nicht geöffnet. Von den 14 chronischen (davon 1 kompliziert mit Hirnabszeß) wurden 5 geheilt. Wird der eine komplizierte Fall sowie 4 andere (No. 12, 13, 17 und 19 (Sinus occipitalis) abgerechnet, wo der Sinus nicht geöffnet wurde, so sind von den übrig bleibenden 9 chronischen Fällen (s.: entstanden auf Basis chronischer Leiden im Temporalbein 5 geheilt worden = 55,5 proz. V. jugularis wurde unterbunden in 4 Fällen (No. 15, 16, 21 und 25) wovon einer (No. 15) geheilt wurde. In 1 Fall trug die Krankheit das Gepräge einer reinen Septicämie (No. 21) in 2 anderen Fällen (No. 20 und 4) hatte sie einen ausgeprägten septicopyämischen Charakter.

Die Krankheitsgeschichten [1]) sind folgende:

[1) Ausgearbeitet von dem früheren Kandidaten bei der Ohrenabteilung Cand. med. F. Leegaard.

I.

Otogene Pyämie s. g.

a. Nicht komplizierte Fälle.

α. Akute.

1. P. L., 42 Jahre alt, Landmann. Aufnahme den 2. Nov. 1894.

Krank ohne bekannte Ursache, seit 14 Tagen mit linksseitigen Ohrenschmerzen und Fieber. Der Arzt nahm eine Paracentese des Trommelfelles vor (galvanokaustisch), worauf ein Ausfluß stattfand, der auch später angedauert hat. Seit der Paracentese schmerzlos bis zur heutigen Nacht, als starke Schmerzen auftraten, die er nach der linken Kinnlade lokalisiert, und die ihn daran hindern, den Mund vollständig zu öffnen. — Er hat frontale Kopfschmerzen.

Status: Der linke Gehörgang ist voll Eiter. Der Gehörgang in der vordersten Partie etwas geschwollen. Proc. mast. zeigt nichts Abnormes. Linkes Trommelfell hat eine kleine runde Perforation nach unten und hinten.

Etwas Geschwulst und starke Empfindlichkeit in der Partie vor dem linken Ohr, des Kiefergelenks entsprechend, hier sieht man auch etwas Rubor. Klagt, daß ihn friert. Temperatur 39,2°. Schwitzt stark.

Bekam nachmittags zwei Blutegel auf die empfindliche Stelle, wonach etwas Linderung.

Appl. Kühler Umschlag. Abendtemperatur 38,4°.

3. November. Wenig geschlafen heute nacht. Fortgesetzt Fieber. Klagt über Schmerzen um das Kiefergelenkherum, so daß er den Mund schwer öffnen kann. Empfindlichkeit und etwas Anschwellung ist vorhanden. Keine deutliche Fluktuation. Die Anschwellung erstreckt sich über einen großen Teil der Parotis und der Außenseite des Ohrenknorpels, wo sich ödematöse Geschwulst findet.

5. November. Die Öffnung in dem Trommelfell wird erweitert. Klagt bei der Abendvisite über Schmerzen in der linken Leiste und hat es aus dem Grunde schwer, die linke Unterextremität zu bewegen. Die Schmerzen nehmen durch Druck und Stoß auf Caput fem. nach Acetabulum hin zu.

Appl. Umschlag von Aq. Burowi.

6. November. Die Schmerzen heute stärker. Heute nacht wenig geschlafen. Liegt und jammert.

Ord. Extension.

Appl. Eisbeutel in der Leiste.

Morphiumspritze à 1 gr.

Temperatur bei der Abendvisite 40,4°. Starke Schmerzen. — Bekommt 2 cgr Morphin subkutan.

7. November. Heute nacht gut geschlafen. Keine Schmerzen.

Die Extension wurde bei der Abendvisite entfernt. Die Geschwulst um das Ohr herum und des Ohrknorpels hat abgenommen. Keine Schmerzen bei Druck.

9. November. Seit gestern abend schläfrig. Der Harn geht ins Bett. Schlaf unruhig. Klagt nicht über Schmerzen. Puls 92. Über Proc. mastoideus und der am nächsten dahinter liegenden Partie ist etwas ödematöse Anschwellung, sowie etwas Empfindlichkeit, namentlich nach hinten zur Occipitalregion.

Operation: In der Chloroformnarkose Resektion des Proc. mast. nach Schwartze auf gewöhnliche Weise. Das Periost etwas verdickt. Corticalis von normalem Aussehen. Die Mastoidalzellen teilweise mit Granulationen gefüllt, der Knochen teilweise morsch, läßt sich mit scharfem Löffel entfernen. Auf diese Weise ist der ganze untere Teil des Proc. mast. destruiert. Im Antrum etwas Eiter und Granulationen. In den übrigen Teilen ist kein Eiter nachzuweisen. Sinus normales Aussehen.

10. November. Temperatur heute normal. Gut geschlafen. Keine Schmerzen oder Kopfweh.

15. November. In der letzten Zeit hat sich eine Kniegelenksaffektion auf der linken Seite entwickelt mit Tumor, Dolor, Temperatursteigerung und Fluktuation. Mit der Punktionsspritze wurde eine seropurulente Flüssigkeit entleert, die nach mikroskopischer Untersuchung zeigte, daß sie Massen weißer Blutkörper und Streptokokken enthielt.

16. November. Unter Chloroformnarkose wurde Arthrotomie vorgenommen.

Es wurde eine ca. 3 cm lange Inzision auf die Innenseite der Patella und Kontraöffnung auf der Außenseite sowie im Recessus sup. gemacht. Es wurden ca. 250 gr seropurulente Flüssigkeit entleert. Das Gelenk wurde mit ¹/₂ pro mille Sublimatauflösung ausgespritzt.

Appl. Karbolwasserumschlag.

Ein subkutaner Abszeß auf der Medialseite der Tibia ca. 10 cm unterhalb des Kniegelenks wurde geöffnet und ca. 2 Speiselöffel dicker gelber Eiter entleert.

25. November. Klagt über etwas Schmerzen im linken Ellbogengelenk bei Bewegung und Druck auf beiden Seiten von Olecranon. Beim Zusammenstoßen der Gelenkenden gegeneinander keine Schmerzen.

28. November. Das Ellbogengelenk geschwollen. Die Gruben ausgelöscht. Fluktuation. Starke Empfindlichkeit bei Druck sowohl auf der Vorder- wie auch Rückseite des Gelenkes, das in halber Extensionsstellung unbeweglich ist.

Operation: In Chloroformnarkose wurde ein Schnitt, ca. 2 cm lang, zwischen Condylus ext. und Olecranon gemacht. Es wurden ca. 2 Speiselöffel fahle, seröse Flüssigkeit, worin Eiterklümpchen, entleert. Das Gelenk wurde mit ¹/₂ pro mille Sublimatauflösung ausgespritzt. Verband.

29. November. Heute wieder ein Frostanfall, wobei die Temperatur bis auf 40° stieg und gleich darauf auf 38,5° sank.

3. Dezember. Die folgenden Tage die Temperatur verhältnismäßig niedrig, die Abendtemperatur einen einzelnen Tag doch 38,8°. Gestern und heute wieder hohe Abendtemperatur, ohne Schüttelfrost. Schwitzt viel.

Hat die letzten paar Tage besser gegessen, klagt aber heute wieder über Schmerzen in den Hüften. Es wurde deshalb heute Abend Arthrotomie vorgenommen, in dem ein 3 Zoll langer bogenförmiger Schnitt durch Haut und Glut. max. gemacht wurde. Glut. med. wurde teilweise von der Spitze der Trochanten gelöst, worauf die Kapsel mit einem Querschnitt bei der Kante des Acetabulums geöffnet wurde. Es war augenscheinlich keine Spannung da. Der Knorpel fühlte sich etwas rauh an. Bei Einspritzung mit 3 proz. Karbolwasser zeigten sich ein paar Flocken.

Appl. Jodoformgaze, Verband.

Über dem untersten Proc. spinosus sind ein paar oberflächliche Wunden vom Durchliegen von der Größe eines Zehnörestückes. Auf dem rechten Hüftbein in der Nähe von Sp. ilei post. sup. findet sich eine rote, etwas harte. gespannte Anschwellung, bei Inzision keine Flüssigkeit. — Das Bein wurde so viel wie möglich gestreckt und supiniert, worauf der Patient auf die Seite gelegt wurde.

6. Dezember. Appl. Extension 2 kg.

7. Dezember. Die Extension wurde auf 5 kg erhöht.

8. Dezember. Beim Verbandwechsel rinnt etwas Eiter aus der Inzision beim Hüftgelenk.

11. Januar 1895. Temperatur in der letzten Zeit normal. Ißt besser, befindet sich besser, ausgenommen, daß er ab und zu etwas reißende Schmerzen in der linken Leistenregion hat, wo auch etwas Empfindlichkeit bei Druck, dem Gelenk entsprechend ist In den letzten Tagen haben sich in der Wunde Spuren von Eiterflocken, die aus der Tiefe kommen, gezeigt. Die Öffnungen bei dem Knie sind zugeheilt. Der Decubitus auf dem Rücken reinigt sich langsam, ebenso eine Decubituswunde am Nacken, die beinahe zugeheilt ist, sowie Decubitus auf den rechten Trochanten. Die Wundhöhle im Proc. mast. zeigt wenig Tendenz, sich mit Granulationen zu

füllen; sie hat glatte Wände und ist trocken, keine Verbindung mit der Trommelhöhle.

Appl. Borwasserumschlag.

24. Januar. Temperatur in den letzten 8 Tagen etwas unregelmäßig. Normale Morgentemperatur, Abendtemperatur 38,0—37,8°. Hat in dieser Zeit über Schmerzen in der rechten Leistenregion geklagt, wo sich einige empfindliche Glandeln befinden. Die Schmerzen treten auf, wenn das Bein bewegt wird, sonst nicht. Kein Zeichen eines Hüftgelenkleidens. — Die Wunde an der linken Hüfte granuliert normal, kein Eiter. Decubitus füllt sich, wenn auch sehr langsam, mit gesundem Gewebe. — Der Appetit hat wieder abgenommen.

Det. Syrup. Fellow.
1 Teelöffel 3 mal täglich.
Braucht Cognacmixtur.

1. Februar. Temperatur die 4 letzten Tage normal. Der linke Fuß ist die letzten 14 Tage geschwollen, weshalb die Streckbandage vorgestern abgenommen wurde. Crus ist blaß geschwollen, Ödem auf der Vorderfläche der Tibia. Bei dem heutigen Verbandwechsel trat Eiter hervor durch die vor längerer Zeit gemachte und wieder zugewachsene Inzisionsöffnung am oberen Teil der Innenseite der Wade. Durch diese Öffnung und durch eine Öffnung an dem oberen Teil der Außenseite der Wade sowie durch Kontraöffnungen weiter abwärts an der inneren und äußeren Seite wurde ein guter ½ Liter dünner graugelber Eiter entleert. Die Wundhöhle wurde mit Borwasser ausgespritzt.

Drainrohr. Borwasserumschlag. Volkmanns Schiene.

6. März. Die Sekretion aus der Abszeßhöhle hat jetzt beinahe aufgehört. Das Drainrohr an der Außenseite wird heute entfernt. Der Decubitus auf dem Rücken zieht sich zusammen und hält sich rein. Aus der Wunde über dem Hüftgelenk kann ein Tropfen Eiter ausgepreßt werden. Wohlbefinden. Der Appetit besser.

4. Juni. Alle Wunden zugeheilt. Die Decubituswunde hat sich beinahe geschlossen, keine Sekretion.

Inst. Massage.

2. Juli. Linkes Ohr: Trommelfell glänzend, gräuliche Farbe, keine Perforation.

Funktion: Uhr . . . . 5 cm
Flüstern . . 1 m (schreiben).

Wurde auf eigenen Wunsch mit beschränkter Beweglichkeit des Hüftgelenks entlassen.

2. V. D., 25 Jahre alt, Diener. Aufnahme den 14. Oktober 1898. Die letzten 2 Jahre ab und zu linksseitige Otorrhoe. 2½ Tag vor der Aufnahme traten plötzlich ohne bekannte Ursache starke linksseitige Ohrenschmerzen auf, die später angedauert haben. Es war Ausfluß da. Ohrensausen. Ist schwindelig gewesen. Heute Fieber. Keine Kopfschmerzen oder Erbrechen. Schlechter Schlaf wegen der Schmerzen.

Status: Sieht sehr mager und mitgenommen aus

Rechtes Ohr: Das Trommelfell zeigt sich matt, kein Lichtkegel, gräuliche Farbe; es ist etwas Retraktion da, eine atrophische Partie von unebener runder Form vorn nach unten.

Linkes Ohr: Eine erbsengroße Bulla auf der Antehelix nach warmem Öl. Im Gehörgang stinkender Eiter. Proc. mast. bietet nichts Abnormes dar. Über der Spitze desselben eine reichlich erbsengroße Glandel. Das Trommelfell ist matt, kein Lichtkegel, der vordere Halbteil gräulich, der hintere Halbteil rötlich und nach vorn gebuchtet.

Funktionsproben	R. Ohr	L. Ohr
Uhr	½ m	ad concham
Flüstern . .	13 m	1 m
Rinne . . .		÷ 35
Schwabach . .	.	+ 20
Galton . . .		1—10
Weber lateralisiert links.		

Rhinitis atrophicans ant. Pharyngitis sicca. Der Harn zeigt deutlich den Albuminring.

Appl. Warmer Umschlag.

Det. Sol. Salicyl. natric. 10—300 c. maj. bihor.

16. Oktober. Temperatur 38,5—37,1°. Seit der Aufnahme starke Schmerzen. Gestern ausgesprochene Empfindlichkeit auf der Spitze des Proc. mastoid., sowie Geschwulst im Gehörgang. Verweigerte sowohl gestern wie heute, daß Paracentese gemacht werde.

17. Oktober. Temperatur 38,0—37,1°. Andauernd Schmerzen und etwas Empfindlichkeit auf der Spitze des Proc. mastoideus. Es wurde nach hinten Paracentese (Kreuzschnitt) gemacht, wobei reichlicher Mucopus entleert wurde.

Appl. Umschlag von Aq. Burowi.

18. Oktober. Temperatur 37,4—37,0°. Heute Nacht Schmerzen. Reichliche Sekretion aus dem Ohr. Eiterpulsation in der Paracentesenöffnung. Der innerste Teil des Gehörgangs sowohl nach oben wie nach unten ist geschwollen.

Vesp. Hatte heute vormittag nach der gewöhnlichen Austrocknung Schüttelfrost, und heute nachmittag 4 Uhr einen Frostanfall mit Temperatursteigerung bis 40,2°. Um 7 Uhr Temperatur 39,7°.

Operation: Es wurde daher heute Abend 8½ Uhr Aufmeißelung des Proc. mast. nach Schwartze gemacht. Das Periost war verdickt und fest adhärent am Knochen. Corticalis ganz und gar sklerotisch, nur in der Spitze des Proc. mast. eine erbsengroße Zelle, die Granulationen enthält. In einer Tiefe von ca. 2½ cm kommt man in das Antrum hinein; die Schleimhaut hier verdickt, blutüberfüllt. Kein Eiter. Der Sinus wird in 1 qcm Ausdehnung bloßgelegt, hat normales Aussehen, fühlt sich mit der Sonde weich an. Jodoformgazetampon. Verband, wobei der Gehörgang zur Austrocknung des Ohrs freigelassen wird, 2 mal täglich.

19. Oktober. Temperatur um 1 Uhr heute nacht 39,2°, heute 39,8°. Nicht geschlafen. Kein Erbrechen. Hat über nichts geklagt. Die Pupillen erweitert, reagieren. Puls 108, gespannt. Kein Stuhlgang seit mehreren Tagen.

Appl. Klystier.

Cont. Salicyl. natric. 1 g t. p. d.

20. Oktober. Temperatur gestern nachmittag 39,9°. Gestern abend 39,3, heute 39,2. Kein Schüttelfrost. Seit gestern ziemlich viel gehustet. Heute nacht nicht geschlafen. Fortgesetzt Schmerz im Ohr und Kopfweh, besonders um das linke Ohr herum und im Hinterkopf. Nach gestrigem Klystier reichliche Wirkung. Puls gestern abend 96, groß und weich, dikrot. Heute 92, regelmäßig, dikrot. Reichliche Sekretion aus dem Ohr.

Verbandwechsel. Die Mastoidalwunde sieht gut aus.

Cont. Salicyl. natric. 2 g t. p. d.

Appl. Eisbeutel.

21. Oktober: Temp. 40.0—39.7. Puls gestern abend 92, heute 108. Das Sensorium frei. Die Pupillen erweitert, reagieren. Heute nacht etwas gehustet. Schläft im ganzen 4 Stunden. Bei Untersuchung der Lungen ist nichts Abnormes zu finden. Um 12 Uhr: Puls 80. Resp. 24.

Det. Syr. pectoral. gall. c. min. t. p. d.

Salicyl. natric. 3 g t.p. d.

22. Oktober: Temp. 39.5—38.4. Schwitzte gestern im Laufe des Tages ziemlich stark, das Schwitzen hat später angedauert. Hat heute nacht viel geschlafen, weniger gehustet. Fühlt keinen besonderen Schmerz im Kopfe, wenn er still liegt, nur, wenn er sich im Bette bewegt und beim Husten. Hört heute weniger als früher. Klagt über Sausen im Kopf. Sieht heute sehr blaß aus. Die Pupillen weniger dilatiert, reagieren gut auf Licht. Puls 100, dikrot, etwas klein. Weniger Sekretion aus dem Ohr.

Det. Aether.

23. Oktober: Temp. gestern ungefähr um 2 Uhr 37.4. Gestern abend 37.2. Heute 38.1. Schwitzt etwas. Heute nacht unruhig geschlafen.

2 Erbrechungen heute nacht und 1 heute gleich nach der Salicylmixtur. Puls 100, nicht dikrot.

        Sep. Salicyl. natric.

    24. Oktober: Temp. 37.5—38.0. Den verlaufenen Tag viel weniger geschwitzt. Der Zustand übrigens wie früher. Puls 100, dikrot. Verbandwechsel. Die Mastoidalwunde sieht gut aus. Die Sekretion aus dem Ohr nimmt ab. Seit 4 Tagen kein Stuhl.

        Appl. Klystier.

    25. Oktober: Temp. 39.8—40.0 (um 1 Uhr) —38.9. Das Klystier hat gewirkt. Heute nacht unruhig, etwas gehustet. Über „Stiche" um die linke Pap. mammae herum geklagt, sowie über Schmerzen in den Armen und Beinen. Puls 92, dikrot. Resp. 32. Betreffs der Lungen normale Verhältnisse. Über das ganze Herz, am stärksten über Apex., systolisches Blasen. Keine nachweisbare Vergrößerung. — Das rechte Kniegelenk ist geschwollen, Ansammlung im Gelenk. Auf der Radialseite des rechten Oberarms, etwas aufwärts von epicond. ext., sieht man eine ca. eigroße, hellrötliche, empfindliche Dekoloration der Haut. Ein ähnlicher, aber kleinerer Fleck auf der Innenseite des linken Schenkels vom Kniegelenk aufwärts.

        Sep. Syr. pectoralis.
        Det. Salicyl. natric. 2 gr t. p. d.
        Cont. Aether.
        Appl. Bleiwasserumschlag.

    26. Oktober: Temp. 39.7—38.9. Puls 92. Resp. 32. Zustand unverändert. Verbandwechsel: Die Mastoidalwunde sieht gut aus.

    27. Oktober: Temp. 39.1—39.5. Puls 92.

    28. Oktober: Temp. 39.2—39.9 (12 Uhr nachts) —37.7. Die paar letzten Tage über Schmerzen in der linken Seite der Brust geklagt, dem Kostalbogen in der Mammillarlinie entsprechend. Hier ist in der Ausdehnung einer kleinen Kinderhand Empfindlichkeit bei Druck, keine deutliche Anschwellung. Die Geschwulst des rechten Kniegelenks hat etwas zugenommen. Bedeutende Anschwellung, Rubor, Empfindlichkeit, Fluktuation auf der Rückseite des rechten Oberarms vom Ellbogengelenk hinauf bis zum oberen Drittel des Oberarms. Puls 80. Verbandwechsel.

        Det. Diät III.

    29. Oktober: Temp. 39.4—39.7 (12 Uhr nachts 39.8).

    Operation: Nach Einspritzung von 1 cgr Kokain Inzision ca. 10 cm oberhalb des Ellbogengelenks auf der Rückseite des Oberarms. Unter der subkutanten Fascie, die von den unterliegenden Muskeln in großer Ausdehnung nach oben, nach unten und nach den Seiten abgelöst ist, befinden sich ca. 2 Speiselöffel geruchloser Eiter. Drainrohr und Umschlag. Das rechte Kniegelenk wurde im Recessus sup. punktiert. Es wurden 3—4 Speiselöffel anfangs ganz klare, zähe, synovieähnliche, schließlich etwas flockige Flüssigkeit entleert.

        Appl. Umschlag.

    30. Oktober: Temp. 38.1—38.4—37.7. Wieder Ansammlung im rechten Kniegelenk. Puls 88, etwas klein.

        Sep. Salicyl. natric.
        Det. Diät V. Wein und Bier.

    31. Oktober: Wechsel des Verbandes hinter dem Ohr. Das rechte Kniegelenk wurde auch heute punktiert und wurde zuerst mit 3 proz. Karbolwasser, darauf mit sterilem Wasser ausgespült. Das Exsudat im Kniegelenk ist heute etwas flockiger. Die geschwollene Partie oberhalb des linken Kostalbogens wurde punktiert, es wurde dort nichts aspiriert. Heute hört man über der Vorderfläche beider Lungen verteilte Sibili und Rhonchi. Keine Dämpfung. Die Herzlaute heute rein.

    2. November: Temp. 39.4—38.4. Puls 92, dikrot. Heute nachmittag geschlafen. Schmerzen im rechten Kniegelenk, das etwas weniger geschwollen ist; Patella „tanzt" nicht; Empfindlichkeit größer als früher. Benutzt komprimierende Bandage und Volkmanns Schiene.

Auf dem Os. sacrum beginnender Decubitus, obgleich der Patient die ganze Zeit auf Wasserkissen gelegen hat.
Inst. Waschung mit Kampherspiritus, Zinksalbe.
Die Zunge fortgesetzt trocken, borkig.
3. November: Temp. 39.6—37.4. Wechsel des Verbandes hinter dem Ohr.
Sep. Drainrohr in die Wunde am Oberarm.
Die Anschwellung des rechten Kniegelenks etwas zugenommen.
4. November: Temp. 37.8—39.1—39.1.
5. November: Temp. 39.2—39.1—37.5. Heute wurde Punktion des rechten Kniegelenks (recess. sup.) gemacht; das Exsudat mehr puriform als früher, aber nicht so reichlich. Ausspülung mit 3proz. Karbolwasser und sterilem Wasser. — Schwitzt fortgesetzt stark. Puls 80—100.
6. November: Temp. 38.7 (38.8 2 Uhr nachts) —37.0. Verbandwechsel.
7. November: Temp. 37.8—39.6—37.4.
8. November: Temp. 37.2—38.4—37.3. Puls 92. Zunge fortgesetzt etwas trocken. Minimale Sekretion aus dem Ohr.
9. November: Temp. 37.9—38.5—38.2. Klagte gestern etwas über Schmerzen in der rechten Parotisregion, besonders bei Bewegung im Unterkiefergelenk. Heute zeigt sich pastöse Anschwellung in der rechten Parotisregion, sowie über und hinter Angulus maxillae. Starke Empfindlichkeit bei Druck. Puls 104. Verbandwechsel.
10. November: Temp. 39.3—38.0—37.0. Puls 104.
11. November: Temp. 38.1—38.2—37.5. Puls 104.
12. November: Temp. 38.8—38.6—38.2. Puls 104. Verbandwechsel.
13. November: Temp. 38.5—38.5—38.0. Die Geschwulst an der rechten Backe hat stetig zugenommen. Fluktuation gerade über Angulus und vor dem Tragus. Es wurde eine ca. 3 cm lange Inzision über Angulus maxillae gemacht und etwas brockiger, nicht stinkender Eiter entleert, der nicht von Parotis zu stammen scheint. Bei Probepunktion ein paar cm vor dem Tragus auf der fluktuierenden Stelle kam kein Eiter.
Jodoformgazetampon. Verband.
In den paar letzten Tagen ist in dem Kniegelenk keine Ansammlung gewesen.
Cont. Komprimierender Verband.
14. November: Temp. 39.5—39.0—38.0.
15. November: Temp. 37.9—38.6—38.3. Nach Entfernung des Tampons von der Wunde über dem rechten Ang. maxillae kam durch Druck ca. 1 Speiselöffel dicker, gelber Eiter.
Drainrohr. Verband.
Die Sekretion aus dem linken Ohr ist minimal.
Wechsel der Bandage hinter dem Ohr.
16. November: Temp. 39.6—38.3. An der Außenseite des unteren Drittels des rechten und linken Schenkels ist eine fluktuierende Anschwellung. Auf beiden Stellen Inzision. Die Abszesse zergliedern sich nach oben und nach unten in großer Ausdehnung. Auf beiden Stellen dickes Drainrohr. Ausspülung mit 3proz. Karbolwasser. Verband.
Links von der Decubituswunde auf dem Os. sacrum eine rötliche fluktuierende Anschwellung von ca. 5 cm Länge und einige cm Breite. Inzision. Jodoformgaze.
Die Decubituswunde, deren ganze mittlere Partie weggangräniert und abgestoßen ist, zeigt die Muskelinsertion (die Sehne) entblößt.
17. November: Temp. 38.3—38.0. Verbandwechsel. Fortgesetzt starke pastöse Geschwulst der rechten Parotisregion. Nach unten links in der Glutäalregion ein hühnereigroßer, fluktuierender Abszeß, der inzidiert wird.
19. November: Temp. 38.5—37.3. Ein subkutaner Abszeß von der Größe einer Kinderhand über der 7., 8. und 9. Costa in der linken Mammillarlinie. Inzision.
Jodoformgazetampon. Verband.

20. November: Temp. 38.0—37.6. Die Anschwellung in der Parotis-region hat etwas zugenommen, Fluktuation in der Tiefe. Inzision, Eiter. — Verbandwechsel.

21. November: Temp. 38.0—36.6.
22. November: Temp. 38.4—39.4—39.1.
23. November: Temp. 37.9—37.2.

24. November: Temp. 39.8—38.1. Heute Eiter aus dem rechten Gehörgang. Bei Inspektion sieht man ungefähr 1 1/2 cm von der äußeren Öffnung an der Wand vorn und nach unten eine granulierende Prominenz, woraus bei Druck auf die Parotisregion Eiter kommt. Das Trommelfell scheint normal.

25. November: Temp. 38.6—37.4.
26. November: Temp. 38.2—37.3.
27. November: Temp. 38.6—36.0.
28. November: Temp. 37.3—37.0.
29. November: Temp. 37.4—36.7.
30. November—4. Dezember keine Temp. über 37.2.

5. Dezember: Temp. 37.3—36.0. Wohlbefinden. Ißt und schläft gut. Die Operationswunde auf dem linken Schenkel und auf der Brust ge-schlossen. Die Sekretion aus der Öffnung an dem rechten Schenkel hat aufgehört. Aus der Öffnung in der rechten Parotisregion noch Eiter. Die Mastoidalwunde auf der linken Seite füllt sich vom Grunde aus. Linkes Ohr trocken.

8. Dezember: Temp. 37.2—37.0.
9. Dezember: Temp. 37.7—37.1.

13. Dezember: Temp. normal. Am unteren Rande der linken m pectoralis maj. ein ca. hühnereigroßer fluktuierender Abszeß. Inzision. Eiter.

Jodoformgazetampon. Verband.

Die Öffnungen am rechten Schenkel und in der rechten Parotis-region haben sich geschlossen. Die Decubituswunde in der Sacralregion füllt sich mit Granulationen. Die Mastoidalwunde ist beinahe geschlossen. Einige überflüssige Granulationen nach oben wurden weggeschabt.

18. Dezember: Temp. 37.3—37.3. Seit gestern nachmittag etwas Schmerzen im rechten Ohr, woraus gestern abend eine Sekretion begann. Etwas Eiter im Gehörgang. Eine kleine Perforation vorn nach unten.

28. Dezember: Das rechte Ohr ist jetzt trocken. Die Perforation hat sich geschlossen. Alle Inzisionsöffnungen haben sich geschlossen. Die Decubituswunde kaum so groß wie ein 2 Kronenstück. Die Mastoidalwunde schließt sich schnell. Der Patient sieht gut aus, nimmt an Kräften und Wohlbeleibtheit zu.

2. Januar 1900: Sitzt täglich 1 Stunde auf.

8. Januar: Die Mastoidalwunde zugeheilt. Die Decubituswunde so groß wie ein 2 Örestück, ganz oberflächlich.

Das rechte Kniegelenk ist fortgesetzt etwas geschwollen, kann aktiv zu 90° flektiert werden. Täglich 3 Stunden auf; kann mit Hilfe der Pflegerin auf dem Fußboden herumgehen.

14. Januar: Etwas Ansammlung im rechten Kniegelenk, welches empfindlich ist.

Inst. Massage 1mal täglich.

18. Januar: Die Decubituswunde zugeheilt.

24. Januar: Der Harn hell, klar, sauer. Spez. Gewicht 1010, enthält kein Albumin oder Zucker.

3. Februar: Hat in der letzten Zeit rasche Fortschritte gemacht, geht mit Leichtigkeit ohne Stock. Das rechte Kniegelenk läßt sich gut bewegen, kann zu weniger als 90° flektiert werden. Die Kniegelenkkapsel fortgesetzt etwas verdickt.

Funktionsproben: R. Ohr   L. Ohr
     Uhr . . . . 1 m   1¹/₄ m
     Flüstern . . 13 m   13 m
     Rinne . . . + 25   ∓ 40
     Schwabach . . ÷ 5   ∓ 0
     Weber . . . lat. links.
Geheilt entlassen.

3. K. L., 18 Jahre alt. Eisenbahnarbeiter. Aufnahme den 19. September 1903.

Hat angeblich früher gut gehört.

Vorigen Sommer hatte er ein paar Tage unbedeutenden bräunlichen Ausfluß aus dem linken Ohr, kein Fieber, kein vermindertes Gehör. Wohlbefinden.

Vor 14 Tagen in der Nacht plötzlich Schmerzen im rechten Ohr. Im Laufe des nächsten Tages mußte er mit der Arbeit innehalten und sich zu Bett legen, hatte Fieber, fühlte sich warm, hatte aber keinen Schüttelfrost. Nach 1 oder 2 Tagen trat Ausfluß ein.

Vor 10 Tagen Schmerzen im linken Ohr mit nachfolgendem Ausfluß. Hat später meistens gelegen, ziemlich viel Fieber gehabt. Ist sehr schwindelig gewesen (drehend), so daß er schwer allein gehen konnte. Keine Kopfschmerzen oder subjektive Gehörwahrnehmungen. Das Gehör stark abgenommen. Er glaubt, die Krankheit bekommen zu haben, weil er stets mit nassen Füßen ging.

Status: Etwas mager. Sieht ziemlich mitgenommen aus.

Puls 88, regelmäßig. Resp. 28. Temp. 39.2.

Rechtes Ohr: Eiter im Gehörgang. Proc. mast. bietet nichts Abnormes dar. Das Trommelfell injiziert, eine feine Perforation ein Stück oberhalb und hinter der Spitze des Hammerschaftes.

Linkes Ohr: Eiter im Gehörgang. Proc. mast. zeigt normale Verhältnisse. Im Trommelfell eine Perforation an der Spitze des Hammerschaftes. Im unteren Teile der Perforation wird eine geschwollene Schleimhaut sichtbar.

Funktionsproben: R. Ohr   L. Ohr
     Uhr . . . . . . 2 cm   1 cm
     Flüstern . . . . wird nicht gehört 1 m
     Gewöhnl. Sprechen 2 m
     Rinne . . . . . ÷ 30   ÷ 10
     Schwabach . . . + 10   + 10
     Weber . . . . . indifferent.

Der Patient hat Rhinopharyngitis chron. sicca.

Die Brustorgane zeigen normale Verhältnisse.

Der Harn enthält Spuren von Albumin.

20. September: Temp. 39.3—37.3. Erweiterung der Perforation im rechten Trommelfell.

     Appl. Klysma.
     Det. Antipyrin 1.00.

21. September: Temp. 40.0—37.6. Hat Appetit und klagt nicht über Schmerzen, ist nur etwas schwindelig. Die Temperatur heute nachmittag 40.0. Es wurde deshalb

Operation

vorgenommen.

Doppelseitige Aufmeißelung nach Schwartze. Proc. mast. erweist sich von ziemlich kleiner Dimension, aber pneumatisch. An der äußeren Fläche nichts zu bemerken. Auf der rechten Seite kam man schon in einer Tiefe von 1¹/₂ cm in eine Höhle hinein, die ins Antrum führt und wo sich etwas grünlicher, schmutziger Eiter befindet, der doch unter keinem Druck steht. Der Knochen blutüberfüllt. Nach hinten wird der Sinus sigm. in einer Ausdehnung von 2 cm² entblößt, derselbe pulsiert und sieht normal aus. Nach oben wird die Dura über dem Tegmen mastoideum entblößt; auch dieses sieht normal aus. Vom Antrum werden einige Granulationen entfernt. Große und freie Passage in den Rezeß hinein. Auf der linken Seite ist Eiter in den äußeren Lagen der pneumatischen Zellen. Schon in einer Tiefe von 1 cm stößt man auf den Sinus sigmoideus, der tief in die Knochenmasse eindringt, so daß dort nur 1 cm zwischen der vorderen Partie des Sinus und dem Gehörgange ist.

Der Sinus ist von normalem Aussehen. Der Eingang in das Antrum ist eng, wird deshalb mit dem Meißel erweitert. Nach oben wird die Dura über Tegmen mast. und anstoßendem Teil des Tegmen tympani in ca. 2 cm² Ausdehnung bloßgelegt. Dieselbe ist gespannt, aber dünn, spiegelnd und pulsiert. Vom Antrum werden einige Granulationen entfernt. Der äußerste Teil der knochigen Gehörgangswand wurde entfernt, um besser Platz zu schaffen. Ausschabung. Jodoformgaze. 1 Suture nach oben und 1 nach unten. Verband.

22. September: Temp. 2 Stunden nach der Operation 37.7. Heute 36.4. Hat es heute nacht gut gehabt, viel geschlafen. Puls 88. Resp. 32.

Vesp.: Verbandwechsel.

Der Verband trocken, kein Gestank. Die Mastoidalwunde rein. In den Gehörgängen etwas Mucopus.

23. September: Die Temperatur am vergangenen Tage schwankt zwischen 39.2 (8½ Uhr gestern nachmittag) und 36.4 (9 Uhr heute vormittag). Weniger gut geschlafen heute nacht, sonst ruhig gewesen. Keine Schmerzen in den Ohren oder im Kopf, nicht steif oder empfindlich im Nacken. Keine Schiefheit im Gesicht. Die Bewegung der Augen normal. Die Pupillen von mittlerer Größe, reagieren gut. Klagt über Schmerzen in der linken Schulter und in der linken Wade. Kann den Arm beinahe nicht bewegen. Keine Anschwellung, aber starke Empfindlichkeit gerade über dem Schultergelenk. In der linken Wade fühlt man eine lange, wurstförmige, etwas empfindliche Infiltration in der Tiefe. Die Haut darüber normal. Puls 80. Resp. 28. Im Eiter des Proc. mastoidei fanden sich nur Streptokokken.

24. September: Temp. 39.4—38.4. Puls 112—96. Resp. 28—24. Der Zustand ungefähr wie gestern. Heute nacht ruhig, doch nicht viel geschlafen. Die Tampone in den Mastoidalwunden noch trocken. Etwas Feuchtigkeit im Gehörgang, wo sich ein paar kleine Furunkeln gebildet haben. Die Ohren werden deshalb zwecks Austrocknung außerhalb des Verbandes gelegt. Das Schultergelenk und die Wade ungefähr wie gestern. Antwortet korrekt auf Anrede, bringt jedoch ab und zu unzusammenhängende Sätze hervor, wenn er nicht angeredet wird.

Appl. Ungv. Credé.

25. September: Temp. 39.3—36.5. Puls 120—68. Resp. 32—38. 2 schleimige Stuhlgänge im Laufe der Nacht. Etwas geschlafen. Ruhig gewesen. Nicht weiter über die Schulter geklagt. Seit Beginn der Nacht nicht deliriert. Keinen Appetit. Keine spontanen Schmerzen in der Schulter, keine Geschwulst.

Cont. Ungv. Credé.

26. September: Temp. 39.0—38.1. Puls 100—100. Resp. 28—28. Temp. heute 11½ Uhr vormittags 40.0.

Det. Antifebrin 0.50 t. p. d.

27. September: Temp. 40.0—37.1. Puls 100. Resp. 24. 1½ Uhr nachmittags 36 3. Sehr unruhige Nacht, mit sich selbst gesprochen, nicht geschlafen. Seit gestern 4 sparsame Stuhlgänge. Das Schultergelenk unverändert. Die Geschwulst und die Empfindlichkeit in der linken Wade geringer.

28. September: Temp. 40 0 (11 Uhr nachmittags) —35.4. Puls 96. Resp. 20. Da die Anschwellung in der linken Wade unverändert ist, wurde heute unter Chloroformnarkose eine ca. 8 cm lange

Inzision

gerade hinter Fibula zwischen der Mitte und dem unteren Drittel der Wade gemacht. Es kam nicht eher Eiter, als bis man zwischen Gastrocnemius und der tieferliegenden Muskellage hineinkam. Es wurden ca. 400 gr entleert. Der Abszeß erstreckte sich teils intramuskulär, teils — auf der

Innenseite der Wade — subkutan von Malleol. int. bis zur Insertion des m. soleus hinauf. Es wurden Schnitte oben, unten und mitten in die Wade gemacht. Die Höhle wurde mit Borwasser ausgespült und Drainrohr zwischen die Öffnungen hineingelegt.

Sep. Ungv. Credé.

29. September: Temp. 35.5—39.3. Puls 112. Heute nacht sehr unruhig. Kaum geschlafen, mit sich selbst gesprochen. 4 lose Stuhlgänge. Beim Verbandwechsel zeigt es sich, daß in den Abszeßhöhlen unbedeutend Eiter ist.

Appl. Borwasserumschlag.

30. September: Temp. 37.8—38.5. Puls 100. In dem Eiter aus der Wade fanden sich Streptokokken.

Heute nacht ziemlich viel geschlafen. Es bilden sich kleine Furunkeln im Gehörgang. Ein größerer Furunkel auf der rechten Backe wurde inzidiert. Das Schultergelenk besser.

Det. Champagner.

1. Oktober: Temp. 38.0—39.5. Puls 100. Resp. 28. Ungefähr wie früher. Ein größerer Furunkel vor dem linken Tragus wurde inzidiert. Die Abszeßhöhle in der Wade wird mit Sublamin (1 pro Mille) ausgespült.

Sep. Antifebrin.

2. Oktober: Temp. 39.8 (11 Uhr abends) —37.0 (11 Uhr vormittags). Puls gestern abend 20. Resp. 126. Sehr unruhig heute nacht, deliriert. Nur 2 Stuhlgänge den letzten Tag.

3. Oktober: Temp. 40.3 (11 Uhr nachm.) —37.4 (11 Uhr vorm.). Puls 128—116. Resp. 28—28. Ist den letzten Tag etwas besser gewesen. 2 feste Stuhlgänge. Beinahe keine Sekretion aus der Wadenhöhle. Die Drainröhren werden entfernt.

Det. Sanatogen c. min. t. p. d.

4. Oktober: Temp. 38.4 (11 Uhr nachm.) —40.0 (2 Uhr vorm.) —39.1 (11 Uhr vorm.). Puls 108—109. Resp. 28—28. Heute ein fluktuierender Abszeß unter dem Kinn auf der rechten Seite der Kehle. Inzision unter Chloräthylanästhesie, ca. 1 Teelöffel Eiter.

5. Oktober: Temp. 38.0—39.6 (4 Uhr vorm.) —37.3 (11 Uhr vorm.). Puls 112—108. Resp. 28—32. Heute nacht ruhig, gut geschlafen.

Det. Brands Fleischsaft t. p. d.

6. Oktober: Temp. 36.3—39.9. Puls 100—132. Resp. 24—36. Sehr unruhig. Kein Schlaf, 2 kleine Abszesse unter der Spitze des Kinns. Inzision.

Det. Brom. kal. 1 gr.

7. Oktober: Temp. 39.4—36.5 (6 Uhr vorm.). Puls 104—124. Resp. 24—28. Seit gestern verhältnismäßig wohl. Die Ohren beinahe trocken.

8. Oktober: Temp. 40.3—36.0. Puls 116—96. Resp. 32—24. Es zeigt sich heute eine größere Anschwellung über die linke Nates, am meisten fluktuierend über den unteren Teil vom Os. sacrum. Die Haut unverändert. Inzision in die fluktuierende Partie und Kontraöffnung etwas hinter den Trochanten. Ca. 200 gr Eiter. Der Abszeß liegt teils unter der Haut, teils zwischen den Glutäalmuskeln. Drainrohr. Ausspülung mit Sublamin (1 pro Mille).

9. Oktober: Temp. 39.6—37.6. Puls 120—112. Resp. 32—28. Ein Abszeß unter und unterhalb dem äußeren Ende der linken Clavicula wurde inzidiert. Ca. 3 Speiselöffel Eiter. Die Sonde kann um die Vorderfläche des Schultergelenks herumgeführt werden; dasselbe scheint übrigens mit dem Abszeß nicht in Verbindung zu stehen. Drainrohr.

10. Oktober: Temp. 38.7 (11 Uhr nachm.) —37.2 (11 Uhr vorm.). Puls gestern abend 120. Resp. 28. Heute eine kleine fluktuierende Partie auf der rechten Seite des Proc. spinos. des 7. Halswirbels. Inzision. 2 Speiselöffel Eiter, der tief zwischen den Nackenmuskeln saß. Die Sonde konnte gegen den Os. occipitis und 5—6 cm zu den Seiten hinaus, am weitesten nach links, geführt werden.

11. Oktober: Temp. 39.4—37.6. Puls gestern abend 124. Resp. 32.

12. Oktober: Temp. 38.5—37.7 (5 Uhr vorm.). Puls gestern abend 108. Resp. 3².

13. Oktober: Temp. 39.4 (2 Uhr nachm.) — 37.0. Puls gestern abend 128. Resp. 28. Ein kleiner Abszeß unter der linken Spina scapulae wurde inzidiert. Ca. 1 Teelöffel Eiter. Außerdem ein größerer Abszeß gerade vor dem linken Schultergelenk unter der Haut und zwischen der Muskellage des m. deltoideus. In leichter Chloroformnarkose wurde von der früher geöffneten Abszeßhöhle unterhalb dem akromialen Ende der Clavicula eine Kontraöffnung nach der Axilla hinunter gemacht.

14. Oktober: Temp. 40.0—36.3. Gestern abend Puls 132. Resp. 28.

15. Oktober: Temp. 39.9—36.3. Gestern abend Puls 128. Resp. 28.

16. Oktober: Temp. 39.8—36.0 (11 Uhr vorm.). Gestern abend Puls 128. Resp. 2⁸.

17. Oktober: Temp. 39.6—37.3 (11 Uhr vorm.). Puls 128—104. Resp. 28—24.

18. Oktober: Temp. 38.5—38.0. Inzision eines Abszesses vorn am Hals. Die Abszeßhöhle erstreckt sich vom unteren Rande der Cart. thyreoidea und abwärts ins Jugulum. — Unter Äthylchloridanästhesie wurde eine Kontrainzision an der Außenseite des linken Oberarms gemacht. Drainrohr.

19. Oktober: Temp. 38.2—37.9. Gestern abend Puls 124. Resp. 28. Ein kleiner Abszeß auf der rechten Backe wurde inzidiert. Ca. 1 Teelöffel Eiter

20. Oktober: Temp. 39.0—36.5. Heute Inzision gerade vor dem rechten Tragus. Ca. 2 Speiselöffel Eiter. Die Abszeßhöhle erstreckt sich die ganze Backe abwärts. Drainrohr.

Der Harn enthält Albumin.

21. Oktober: Temp. 38.7—37.1. Ein kleiner Abszeß in der rechten Axilla wurde inzidiert. Ebenso einer an dem rechten Nates und einer in der rechten Leiste.

23. Oktober: Temp. 39.5—36.2. Gestern abend Puls 124. Resp. 28. Inzision ca. 1 cm oberhalb des linken hinteren oberen Ang. scapulae. Ca. 250 gr Eiter. Die Sonde kann einwärts gegen die Axillahöhle geführt werden und unter scapula. Drainrohr.

24. Oktober: Temp. 40.0—35.9 (11 Uhr vorm.). Puls 128—84. Resp. 28—24.

25. Oktober: Temp. 37.8—38.0. Gestern abend Puls 120. Resp. 20.

26. Oktober: Temp. 37.9—36.8. Gestern abend Puls 108. Resp. 24.

27. Oktober: Temp. 38.9 (12 Uhr nachts) —37.5 (6 Uhr vorm.). Puls 120—104. Resp. 28—28.

28. Oktober: Temp. 38.5 (3 Uhr nachm.) —37.6. Gestern abend Puls 124. Resp. 124. In den letzten Tagen ruhiger. Etwas gegessen, viel Milch getrunken. Die Drainierung beim linken Schultergelenk erweist sich als unvollkommen. Es hat sich ein subkutaner Abszeß gebildet auf der rechten Seite von C. thyroidea. Es wurde daher heute unter Narkose Inzision bis zu letztgenanntem Abszeß, der ungefähr den Umfang einer Wallnuß hat, gemacht. Ferner wird eine Kontrainzision im Jugulum auf der linken Seite gemacht zwecks Ablauf des früher genannten Abszesses auf derselben Seite. Ferner Kontrainzision nach unten und hinten auf der Schulter, dem unteren Ende und hinteren Rande des Deltoideus entsprechend. Dadurch wurde dort ca. 1 Speiselöffel dicker, grüngelber, nicht stinkender Eiter entleert. Ferner eine Inzision nach hinten und aufwärts des Deltoideus.

Der Harn gibt schwache Albuminreaktion, nicht Blutreaktion.

29. Oktober: Temp. 39.4 (1 Uhr nachm.) —37.2 (5 Uhr vorm.). Gestern abend Puls 108. Resp. 28. Inzision bei dem hinteren Rand der rechten Scapula in der Höhe mit Spina. Es wurden mehrere Speiselöffel Eiter entleert, der besonders aus der Fossa supraspinata kam.

30. Oktober: Temp. 39.4—35 8. Gestern abend Puls 120. Resp. 24. Inzision auf der Beugeseite des rechten Unterarms. Es wurde eine

ganze Menge Eiter entleert, der zum großen Teil aus der Tiefe zwischen-
den Flexoren kam. Drainrohr.

18. November: Temp. 38.7—36.8. Bis auf 2 Tage ist seit dem 31. Oktober die Temperatur abends zwischen 38.2 und 39.5 gewesen, morgens normale Temperatur. Appetit zufriedenstellend, befindet sich verhältnismäßig
wohl.

19. November: Temp. 39.2—37.2. Gestern abend Puls 124. Resp. 24.
Inzision eines Abszesses in der rechten Glutäalregion. Ca. 3 Speiselöffel
Eiter.

20. November: Ein Abszeß im Nacken wurde durch die Narbe einer
früheren Inzision inzidiert.

21. November: Temp. 38.2—37.0. Puls 80. Resp. 24. Zu unterst in
der rechten Leistenregion sieht man eine fluktuierende Anschwellung von
der Größe einer halben Wallnuß. Bei Inzision strömt Eiter in einem
dicken Strahl heraus. Es wurde ca. ¹/₂ Becken dünner, gelbgrüner Eiter
entleert.

4. Dezember: Temp. 38.2—37.6. Seit dem 22. November Abendtemperatur fortgesetzt zwischen 38 und 39, ein einzelnes Mal 39.9. Morgens
normal. Guter Appetit. Subjektives Wohlbefinden. Inzision eines
Abszesses nach hinten und unter dem rechten Ohr in der Nackenregion.
Ca. 1 Speiselöffel Eiter.

7. Dezember: Temp. 38.9—37.7. Puls 112—92. Resp. 28—24. Auch
die beiden vorhergehende Abende Fieber.

Die Anschwellung um den zuletzt inzidierten Abszeß herum ist nicht
zurückgegangen. In der Tiefe scheint Fluktuation zu sein. Mit stumpfem
Instrument (Péan) geht man durch die Inzisionsöffnung in die Tiefe ganz
zum Proc. transversus. Es kamen ein paar Teelöffel Eiter. — Drainrohr.

17. Dezember: Temp. 38.5—37 5. Gestern abend Puls 116. Resp. 28.
Wegen der fortdauernd hohen Abendtemperatur wurde in der Narkose die Öffnung auf der linken Seite des Halses erweitert, so daß man
leicht den Finger einführen konnte, worauf ein dickes Drainrohr eingelegt
wurde. Außerdem wurde die Wunde auf der Vorderseite der linken
Schulter erweitert. Man konnte mit der Sonde keine Verbindung bekommen
mit den früheren Öffnungen auf der Vorderseite des Gelenkes. Die Wunde
wurde mit Jodoformgaze tamponiert. Der Arm wurde in verschiedenen
Richtungen bewegt, konnte nach oben nicht weiter geführt werden als bis
zur Horizontalstellung.

29. Dezember: Temp. 38.6—37.2. Puls 96—80. Resp. 24—28.
30. Dezember: Temp. 38.7—37.5. Gestern abend Puls 90. Resp. 28.
Seit dem 19. Dezember die Abendtemperatur wieder zwischen 38.2 und 39.5.
Da fortdauernd ziemlich viel Eiter aus der Höhle vor dem linken
Schultergelenk tritt, wurde eine Kontrainzision nach unten gegen die
Axilla gemacht. Drainrohr. Ausspülung mit 1 pro Mille Sublamin.

3. Januar 1904: Temp. 39.0—37.0. Puls 100—90. Resp. 28—28. An
den vorhergehenden Tagen war die Abendtemperatur zwischen 39.7 und 38.
Eine Ansammlung im Nacken unter der Narbe der vorigen Inzision
wurde inzidiert. 3—4 Speiselöffel dicker, gelber Eiter.

4—5. Januar: Abendtemp. 37.8. 6. Januar Vesp. 39.7. 7. Januar
Vesp. 38.

8. Januar: Temp. 38.2—37.2. Puls 96—92. Resp. 28—24. Ein großer
subfaszialer Abszeß an der Hinter- und Außenseite des linken Schenkels
wurde inzidiert. Ca. ¹/₂ Becken Eiter. Drainrohr. Seit dem 9. Januar
die Abendtemp. zwischen 38 und 38.9.

15. Januar: Temp. 39.6—37.5. Puls 120-96. Resp. 36—28. In der
letzten Woche soll er etwas gehustet haben, doch keine Schmerzen. Heute
nacht ein Anfall von schneller Respiration (36). Bei heutiger Untersuchnng
findet sich Dämpfung von Supraspinata, matter Laut vom Angulus scapulae auf der rechten Seite. Auf der Vorderfläche Dämpfung vom
5. i. c. Raum. In dieser Partie geschwächter — aufgehobener Respirationslaut. Es wird deshalb heute abend 7 Uhr Probepunktion im 9. i. c.

Raum in der Scapularlinie gemacht, wobei zuerst etwas Serum, dann Eiter entfernt wurde.

In Chloroformnarkose wurde darauf

Resektion der 9. Costa

vom Angulus in ca. 1½ Zoll Länge gemacht. Bei Inzision kam keine Flüssigkeit. Bei Einführung des Fingers fühlt man eine ganze Menge Maschenräume, und indem man diese spaltet und den Finger vorwärts führt, stürzt eine ganze Menge dünner, grünlich gefärbter, teils serumgemischter Eiter hervor. Dasselbe ist der Fall, als man den Finger nach oben führt. Mitten zwischen der vordersten und der hintersten Ansammlung fühlt man die Lunge adhärent zur Costalwand. Es wurden im ganzen 2 Becken (ca 600 cm³) entleert. Die anwesenden Scheidewände wurden mit dem Finger gespalten, mit Ausnahme des innersten Teils der hinteren Adhärenz. Darauf wurden 2 ca. 5 cm lange Drainrohre von der Dicke eines kleinen Fingers eingelegt, eins zu der hinteren und eins zu der vorderen Höhle.

Appl. Verband.

Sein Befinden nach der Operation ist gut.

27. Januar. Seit dem 16. Januar Abendtemp. zwischen 37.6 und 38.4, ein einzelnes Mal 39.1.

Ein Abszeß zu unterst an der Außenseite des rechten Oberarms wurde inzidiert.

26. Februar: Temp. 37.4—36.7. Puls 80—72. Resp. 20—24.

Seit 28. Januar die Abendtemp. durchschnittlich niedriger, zwischen 36.5 und 38.7. 19 Tage unter 38. Abnehmende Sekretion aus der Empyem-öffnung. Das eine Drainrohr wird entfernt. Gewicht 45.6 kg.

29. Februar: Temp. 37.7—36.9. Puls 88—72. Resp. 20—24. Geringe Sekretion aus der Empyemöffnung. Das Drainrohr wird entfernt.

Appl. Borwasserumschlag.

3. März: Temp. 37.1—36.2. Puls 80—72. Resp. 24—20. Die Sekretion aus der Empyemöffnung so gut wie aufgehört. Die Öffnung hat sich geschlossen.

Appl. Trockene Pflasterbandage.

7. März: Temp. 36.9—36.4. Puls 72—68. Resp. 20—18.

15. März: Normale Temperatur. Alle Öffnungen haben sich geschlossen, mit Ausnahme der Öffnung am linken Schenkel auswärts, wo fortgesetzt ein kurzes Drainrohr liegt, und wo sich noch etwas Sekretion findet.

Die Sekretion aus dem Ohr hat aufgehört. Der Patient sieht gut aus, ißt ausgezeichnet und nimmt anhaltend zu.

Ist ein paar Wochen aufgewesen.

30. April: Andauernd normale Temp. Befindet sich wohl, nimmt an Gewicht zu. — Hat noch Drainrohr in der Öffnung am linken Schenkel.

21. Juni: Geheilt entlassen. Gewicht 61.2. Kann den linken Arm ebenso gut wie früher gebrauchen.

Epikrise ad 1—3. In allen Fällen ist die primäre Ursache ein akutes suppuratives Ohrenleiden, auf das Mittelohr und Mastoidalprozeß beschränkt. Es wird deshalb nur partielle Resektion gemacht, bei Nr. 3 doppelseitig. Bei Nr. 1 findet sich Eiter nur im Antrum, im übrigen Hyperämie und Granulationen. Bei Nr. 2 finden sich nur Granulationen in der Spitze, übrigens sklerotischer Knochen, im Antrum Hyperämie und verdickte Schleimhaut, aber kein Eiter. Bei beiden das Periost verdickt. Bei Nr. 3 ist Eiter im Antrum und den oberflächlichen pneumatischen Zellen, aber in geringer Menge, dünne, sparsame Granulationen. Die Mastoidalprozesse sind klein und der Sinus sigmoideus dringt tief in die Knochenmasse hinein. In allen Fällen wird die Sinuswand vollständig normal gefunden, dünn, glänzend, von normalen Knochen gedeckt. Es ist keine Veranlassung da, an eine parietale Thrombose zu denken, noch weniger an eine Bulbusthrombose, dem auch der weitere Verlauf widerspricht (siehe übrigens näher hierüber unter D i a g n o s e).

Die Metastasen sind bei Nr. 1 und 2 wesentlich artikulär, sowie muskulär, bei Nr. 3 muskulär, samt pleural. Die Lungen gehen frei, ausgenommen eine leichte Bronchitis bei Nr. 2. Das Herz wird gleichfalls ganz leicht angegriffen und vorübergehend bei Nr. 2 (Endocarditis, systolisches blasendes Geräusch). Bei Nr. 2 und 3 tritt vorübergehend Albuminurie auf. Die Dauer des Hospitalaufenthalts ist beziehungsweise 8 Monate (Nr. 1), 3½ Monat (Nr. 2) und 7½ Monat (Nr. 3) und das Resultat Heilung.

(Fortsetzung folgt.)

XI.

Studien über den sogenannten Schallleitungsapparat bei den Wirbeltieren und Betrachtungen über die Funktion des Schneckenfensters. [1])

Von

Dr. Hermann Beyer, Berlin.

(Mit 24 Abbildungen.

Die Frage nach den Funktionen des mittleren Abschnittes unseres Gehörorganes hat von jeher das Interesse der Praktiker wie Theoretiker in gleichem Maße gefesselt und rege erhalten. Ist es doch derjenige Teil des Ohres, welcher einerseits als der allein sichtbare und unserer äußeren Beobachtung zugängliche auch den Angriffspunkt unserer therapeutischen Maßnahmen bildet, und welcher andererseits in seinem Bewegungsmechanismus an physikalische Gesetze gebunden sein soll. Mannigfach sind daher die Erklärungs- und Deutungsversuche für seine physiologische Tätigkeit und eine einheitliche, alle Parteien gleichmäßig befriedigende Ansicht in betreff derselben hat sich noch nicht Geltung erwerben können.

Wohl ist es das naheliegendste, daß die hauptsächlichsten und ausführlichsten den Mittelohrapparat betreffenden physiologischen Untersuchungen an unserem menschlichen Gehörorgan angestellt sind, verfügen wir doch dabei über den schwerwiegenden Vorteil der persönlichen Wiedergabe des Hörens oder Nichthörens der Prüfungsmittel, aber ob wir auch berechtigt sind, in diesem unserem Gehörorgan ein an feiner Ausbildung demjenigen vieler Tiere gleichwertiges Organ zu sehen, ist nach den vielen Beobachtungen der weit überlegenen Sinnesschärfe der Tiere in

---

1) Die Untersuchungen wurden im physiologischen Institut auf der biologischen Abteilung bei Herrn Geheimrat F r i t s c h und auf der speziell-physiologischen Abteilung bei Herrn Professor d u B o i s - R e y m o n d ausgeführt.

den anderen Gebieten als mindestens nicht erwiesen zu betrachten.

Wenngleich daher schon mehrfach die vergleichende Anatomie für Erklärungen dieser oder jener Anschauung zur Aushilfe herangezogen worden ist, so sind doch die anatomischen Anlagen des Gehörapparates bei jenen Tierklassen, die noch in der Entwicklung desselben auf einer tieferen Stufe stehen, und somit einfachere Verhältnisse darbieten, nur hier und da und vielfach nicht in zutreffender Weise berücksichtigt worden. Vielleicht ist dafür das so völlig abweisende Urteil Hyrtl's entscheidend gewesen, der in seinen, einen Teil dieses Stoffes am eingehendsten und glänzendsten behandelnden Untersuchungen sich dahin ausspricht, daß seiner Überzeugung nach die vergleichende Anatomie uns für die funktionelle Bedeutung der einzelnen Bestandteile des Gehörorganes nur wenig Aufschluß geben könne. Allerdings gründet er diese Ansicht hauptsächlich auf die Erfahrung, daß uns das physiologische Experiment, die Hörprüfung der Tiere keinen einigermaßen sicheren Anhalt über die subjektiven Zustände des Gehörs derselben, die leichtere oder schwerere Affizierbarkeit durch hohe oder tiefe Töne oder Geräusche gäbe, ja daß sich viele solcher Prüfungen ganz ins Reich des Ungewissen verlören.

Zugegeben, daß dieser Skeptizismus bei der Frage der feinen Klanganalyse berechtigt ist und viel eher gelten muß, als eine zu leichte Auffassungsweise und ein zu weit gehender Optimismus in der Annahme der Perzeption verschiedenartiger Schallwellen von seiten des tierischen Gehörapparates, muß doch für einfachere Tonverhältnisse der Erfahrung im alltäglichen Leben, der durch lange Studien der Gewohnheiten der zu prüfenden Tiere geschärften Beobachtung von wissenschaftlichen Forschern, aber auch Wärter und Jägern usw. ein Anrecht zuerkannt werden. Denn selbst Brehm, der in der Hauptsache jene skeptische Auffassung über die Erkenntnis der Sinnesfunktionen der Tiere hegt, läßt allen einigermaßen einwandsfreien Beobachtungen dieser Art hinreichende Geltung widerfahren.

Nicht auf demselben Standpunkt steht aber Hyrtl Schlußfolgerungen über die Schärfe oder Schwäche des Gehörs der Tierwelt anatomischen Merkmalen im Bau des Gehörapparates gegenüber, vielmehr gibt er hierfür Anhaltspunkte, wie z. B. die Größe und Schwere der Gehörknöchelchen, Zahl der Windungen der Schnecke usw. Allerdings hat er hierbei nur die dem mensch-

17*

lichen Gehörorgan in Anordnung und Aufbau am nächsten
stehenden Gehörorgane der Säugetiere in Betracht gezogen, aber
es dürften diese anatomischen Merkmale auch Rückschlüsse auf
die Gehörorgane niederer Tiere gestatten, da sie in der Hauptsache diejenigen Abschnitte betreffen, deren Funktionen wir als
nicht zu zweifelhaft anzunehmen pflegen.

Immer schon, so lange die feinere Anatomie in ihren Grund-
zügen bekannt war, sind Trommelfell und Gehörknöchelchen
einerseits, und Paukenhöhle und knöchernes Labyrinth andererseits als Schallzuleitungswege betrachtet worden. Da ferner in
dem komplizierten Knochenhöhlenbau, welcher die empfindlichen
Bläschen mit ihren feinen Endorganen birgt, zwei Fenster sich
nach außen öffnen, so ist es nicht wunderbar, daß auch jedes
derselben als eine prädestinierte Eingangspforte für die Schallwellen angesehen worden ist. Aber während sich jetzt die Vertreter der verschiedenen Anschauungen der Schallfortpflanzung
direkt gegenüber stehen und immer neue Untersuchungen und
Erfahrungen betreffend das Für und Wider ins Feld führen,
ließen die früheren Forscher ihren Erklärungen fast durchweg
weiteren Spielraum und differenzierten vielfach nur in betreff der
Höhe und der Stärke der Töne.

So sagt Laurentius, und seiner Ansicht folgte eine große
Zahl späterer Beobachter, daß der Schall auf zweierlei Weise
den Gehörnerven erreiche, vermittels der Gehörknöchelchen durch
das Vorhoffenster, und mittels der Luft der Paukenhöhle durch
das Schneckenfenster. Dank dieses zweifachen Weges sollten,
wie dann Scarpa meinte, die Schalleindrücke voller und energischer einwirken können. Sobald aber dann durch die Beleuchtung des Trommelfells beim lebenden Menschen die klinische
Beobachtung auch ihren Anteil an der physiologischen Forschung
nachdrücklich betonen konnte, fanden sich auch Anschauungen,
welche die Zuleitung durch die Gehörknöchelchenkette als völlig
nebensächlich, den Weg durch die Membran des Schneckenfensters als den einzigen betrachteten.

Diese letztere Ansicht hat bekanntlich Secchi als erster
mit großer Energie wieder aufgenommen, und in Kleinschmidt
eine vielleicht unbeabsichtigte Unterstützung gefunden. Bei der
Zusammenstellung der verschiedenen Schalltheorien stellt Secchi
in seinem bekannten Werke vier zur Zeit hauptsächlich geltende
Anschauungen auf. Erstens die molekulare Übertragung durch
Trommelfell und Gehörknöchelchenkette, zweitens die mecha-

nische Überleitung mittels derselben, drittens die Leitung durch die Luft der Paukenhöhle und das Schneckenfenster ohne Aktion der Gehörknöchelchen, viertens die Leitung durch Luft und Kette, welch letztere Anschauung als eine Kombination der beiden ersten anzusehen ist.

Dieser vierten von Secchi erwähnten und hauptsächlich von Bezold vertretenen Theorie fügt sich die von Nuvoli, einem Gegner Secchis, aufgestellte Anschauung an. Ihr zufolge hat man zwei Arten der Übertragung von Tönen aus der Luft zu unterscheiden. Einmal die durch Molekularbewegungen, welche nur bei relativ intensiven Tönen stattfinden, und dann die durch Massenschwingungen, welche bei Tönen von beliebiger Intensität wirken sollen. Demnach fände die Übertragung entweder ausschließlich molekular (udicione per influenza) oder ausschließlich durch Massenschwingungen (Hören der schwächsten Töne) statt, oder die beiden Arten der Tonübertragung träten gleichzeitig auf.

Die direkte Leitung durch die Kopfknochen berücksichtigt Secchi, wie ersichtlich, fast gar nicht, trotzdem sie, wie zahlreiche Versuche, besonders der letzten Zeit, gezeigt haben, als nicht zu unterschätzender Faktor bei der Übertragung der Schallwellen betrachtet werden muß (Mader, Frey, Iwanoff, Leiser, Denker, Kretschmann u. a.).

Wunderbarerweise wird auch Weinland, der zeitlich wohl später wie Secchi, aber doch unabhängig von ihm den gleichen Gedankengang theoretisch eingehend entwickelt hat, nie erwähnt, obwohl seine Erörterungen mit pathologischen Befunden mehrfach begründet der Berücksichtigung hätten wert erscheinen müssen.

Zu allen diesen Theorien der Schallübertragung ist noch als letzte die von Zimmermann verfochtene hinzugekommen, welche als eine Modifikation der Kopfknochenleitung anzusehen ist, da dem Promontorium als dem geeignetsten Schallleiter die direkte Übertragung der Schallwellen zuerkannt wird.

Einen Ausgleich zwischen den verschiedenen Ansichten hat in neuester Zeit dann Kretschmann herbeizuführen gesucht. Er schließt nämlich seine Ausführungen damit, daß seiner Überzeugung nach Schallreize sowohl durch die äußere Ohröffnung wie durch die Erschütterungen des Knochens zum percipierenden Organ gelangen können. Die Binnenluft gerate in Schwingungen und die Übertragung der Schallwellen erfolge auf die Labyrinthflüssigkeit sowohl durch jedes der beiden Fenster, wie durch die knöcherne Labyrinthwand.

Sehr verschiedenartig, im Wesen der jedesmaligen Anschauung begründet ist die Funktion, welche dem Trommelfell und der Gehörknöchelchenkette zukommen soll. Die beiden ersten Theorien machen nur einen Unterschied in der Art der Fortpflanzung der Schallwellen vermittels derselben, die entweder molekular oder molar erfolgen soll, erteilen also dem ganzen Schalleitungsapparat, wie schon der Name besagt, die Hauptaktion bei der Übertragung derselben. Die beiden Binnenmuskeln sollen einerseits die geeignete Akkommodation des Trommelfells bewirken, andererseits eine Schutzfunktion gegen intensive Schalleinwirkung besitzen.

Bard, welcher im großen und ganzen auch auf dem Standpunkt der molaren Überleitungstheorie steht, erweitert die Akkommodationswirkung der beiden Muskeln in folgender Weise. Er macht einen funktionellen Unterschied zwischen beiden insofern, als seiner Ansicht nach der Tensor entsprechend den Irismuskeln beim Auge die Adaptation auf die Intensität, der Stapedius als Analogon des Ciliarmuskels, die Adaptation auf die Entfernung bewirken soll.

Die Vertreter derjenigen Theorie, welche die Übertragung der Schallwellen durch die Paukenhöhlenluft und das Schneckenfenster annehmen und daher jedwede Überleitung durch die Gehörknöchelchenkette negieren, sprechen derselben naturgemäß ganz andere Funktionen zu. Schellhammer, welcher wohl als erster die Übertragung der Schallwellen durch das runde Fenster angenommen hat, sieht in dem Trommelfell nur eine Schutzeinrichtung für die tieferliegenden Abteile. Ihm folgen in dieser Ansicht die späteren Forscher wie Vieussens, Treviranus u. a. Secchi's Meinung geht dahin, daß das Trommelfell einerseits als Abschluß für die in der Paukenhöhle eingeschlossene Luft, andererseits als Regulator des in derselben herrschenden Druckes diene. Die Kette der Gehörknöchelchen reguliere dabei unter der Aktion der beiden Muskeln diesen intratympanalen Druck heim bewußten und wecke die Aufmerksamkeit beim unbewußten Hörakt und schütze so das Organ gegen Detonationen oder bei andauerndem Getöse.

Anders Kleinschmidt, dessen Theorie in der Hauptsache sonst mit der Secchischen übereinstimmt. Nach ihm hat die Gehörknöchelchenkette eine andere Funktion, je nachdem sie vom Trommelfell oder durch die Binnenmuskeln in Bewegung gesetzt wird. Im ersteren Falle annulliere ihre Bewegung durch die In- und Exkursion der Stapesplatte die vom runden Fenster herkommenden stärkeren Stoßwellen des Labyrinthwassers. Im zweiten Falle wirke die Kette als Schutzvorrichtung, doch in anderer Art als Secchi es angenommen. Durch die Aktion des Tensors hemme der Hammer durch Einwärtsspannung des Trommelfells die Paukenluftsäule in ihrer Bewegungsfähigkeit, während der Stapes mit Hilfe des Stapedius das nämliche beim Labyrinthwasser bewirke.

Als unentbehrlichen Schutz- und Regulierungsapparat faßt auch Zimmermann das Trommelfell und die Gehörknöchelchenkette auf. Die Regulierungsfunktion' der 'ganzen Leitungskette bestehe darin, die Schwingungen der resonierenden Schneckenfasern einzuhalten, zu dämpfen oder abzutönen. Das letztere geschähe reflektorisch durch die Tätigkeit der beiden Muskeln, welche den intralabyrinthären Druck und damit die Schwingungsweite der Labyrinthfasern für die beste Schallperzeption akkommodierten. Das Trommelfell sei also nicht das akkommodierte, wie die anderen Anschauungen es deuten, sondern das akkommodierende. Als Schutzapparat erweise sich die Kette dadurch, daß bei Schallwellen von großer Amplitude und Wellenlänge, infolge der Einwärtsbewegung des Trommelfells der Stapes passiv in das Vorhoffenster gedrückt werde, wodurch die Grundbedingungen für das Zustandekommen stehender Schwingungen aufgehoben und die Gefahr einer Alteration der zarten labyrinthären Fasern beseitigt würde.

Davon ganz verschieden ist die Auffassung von Weinland, der zufolge das Trommelfeld zur Wahrnehmung der Schallrichtung diene. Infolge Brechung im äußeren Gehörgang sollen die Schallwellen je nach ihrer Richtung jedesmal eine andere Partie des schiefgestellten Trommelfells treffen. Dadurch resultiere dann wiederum stets eine andere Hammerstellung, die dann vermittels der veränderten Amboß- und Steigbügellage eine dementsprechende Strömung der Perilymphe herbeiführe, wodurch die inneren Haarzellen gereizt und die Empfindung der betreffenden Richtung des Schalles bewirkt werde.

Eine diesem Gedankengang ähnliche Auffassung hegt auch Bard vom Trommelfell; er nimmt aber an, daß dabei nicht das Erkennen der Schallrichtung, sondern der Tonform die Hauptsache sei. Die Form einer jeden Schallwelle bedinge eine be-

sondere Art der Luftbewegung, welche wiederum mannigfache
Spannungszustände des Trommelfells bewirke. Daher entständen beim Zufluß dieser Schallwellen bestimmte Hammer- und
Stapesstellungen, die sich in entsprechende Flüssigkeitsbewegun-
gen umsetzten. Das Cortische Organ besitze nunmehr die Fähigkeit, den Sinn dieser inneren Flüssigkeitswelle zu analysieren
und daraus die akustische Form der Schallquelle zu erkennen.

Kurz zusammengefaßt, werden also dem Trommelfell und
der Gehörknöchelchenkette folgende Funktionen zugeschrieben:

1. Molare oder molekulare Überleitung der Schallwellen,

2. Akkommodationsapparat mit Hilfe der Muskeln, sei es
für den intratympanalen oder den intralabyrinthären Druck, und
damit Schutzapparat gegen intensive Schalleinwirkung,

3. Apparat zur Wahrnehmung der Schallrichtung oder Schall-
form.

In betreff der Funktion des Schneckenfensters gehen die
Ansichten nicht so weit auseinander. Den beiden ersten der von
Secchi angegebenen Theorien nach wirke dasselbe nur als eine
Ausweichestelle für die im Labyrinth stattfindende Strömung der
Perilymphe. Die dritte, wozu auch die Auffassung von Wein-
land zu rechnen ist, sieht in ihm die günstigste Eintrittsstelle
für die von der Paukenhöhle herkommenden Schallwellen.
Zimmermann erteilt dann der Membran des Schneckenfensters
zweierlei Aufgaben. Einerseits besitze sie als Ausweichestelle
eine Art von Schutzwirkung bei großer Steigerung des intralabyrinthären Druckes, andererseits ermögliche sie infolge ihrer
Gestalt und Elastizität den geringsten Druckdifferenzen nachgebend, die subtilste Reaktion der Endfasern auch auf leisesten
Schall.

Das wären in kurzem wiedergegeben die hauptsächlichsten
physiologischen Funktionen, welche der Mittelohrapparat vornehmlich des menschlichen Ohres besitzen soll, über welche wir erst
ein allgemeines Bild gewinnen wollten, ehe wir uns den anatomischen Verhältnissen des Mittelohres der Wirbeltiere zu-
wenden.

Obwohl uns also beim Menschen die günstigen Bedingungen
der exakten Hörprüfung bei intaktem Mittelohr, aber auch bei
Verlust einzelner Teile desselben, sowie viele klinische Erfahrungen über Hörverbesserungen auf Grund therapeutischer Maßnahmen, vorübergehende experimentelle Ausschaltung einzelner

Teile des Mittelohres usw. zur Verfügung stehen, ist es doch nicht gelungen, eine Einigung zwischen diesen widerstreitenden Ansichten herbeizuführen. Daher schien es mir zweckmäßig, den Weg zu verfolgen, der in so vielen Gebieten der Naturforschung sich als geeigneter erwiesen hat, nämlich daher auszugehen, wo die anatomischen Verhältnisse einfacher und übersichtlicher liegen, und dann schrittweise zu den höher organisierten emporzusteigen.

Es ist zwar die vergleichende Anatomie von jeher zu Rate gezogen worden und in letzter Zeit vielleicht mehr denn früher, aber fast immer handelt es sich dann um Beschreibungen an Säugetierohren, während physiologische oder vergleichend-anatomische Untersuchungen bei den niederen Wirbeltieren, den Amphibien und Reptilien aber auch den Vögeln sich nur spärlich finden. Und doch bieten sich hier trotz der verhältnismäßig noch einfachen Anlagen so viele Modifikationen in dem Aufbau der einzelnen Ohrabschnitte, daß die Verwertung der daraus zugunsten der einen oder der anderen Auffassung zu ziehenden Schlüsse sich als erfolgreich für die Physiologie des Gehörorgans erweisen könnte.

Ich habe daher versucht, aus einer größeren Zahl verschiedener, besonders auch der am meisten interessierenden niederen Tierklassen hergestellten Ohrpräparate Erklärungen für die verschiedenen Ansichten der Schalleitung zu gewinnen, Varietäten, die bei einzelnen Tierspezies stets vorhanden, mit ähnlichen, auch pathologischen Erscheinungen beim Menschen zu vergleichen, und daraus, soweit als möglich einigermaßen Gesichertes abzuleiten.

Da in den speziellen Abhandlungen über die makroskopischen und mikroskopischen anatomischen Verhältnisse der verschiedenen Gehörteile der Tiere die Einzelheiten zu eingehend wiedergegeben sind, habe ich bei den von mir hergestellten Präparaten mein Hauptaugenmerk auf die hauptsächlich interessierenden Lageverhältnisse des Schalleitungsapparates gelegt, und diese dann auf kleinen Skizzen wiedergegeben. Photographische Aufnahmen habe ich deshalb für unzweckmäßig gehalten, weil es unvermeidlich ist, daß bei der künstlichen Beleuchtung einzelne Teile grell, andere dunkel gehalten werden, wodurch vielfach Unklarheiten in der Form entstehen können. Außerdem wären wegen der Kleinheit vieler Präparate Vergrößerungen nötig gewesen, welche die Klarheit des Bildes entschieden beeinträchtigt hätten. Zur Herstellung feiner, aber noch makroskopischer Präparate bediente ich mich der Leitz- oder Zeißschen stereoskopischen Lupen, die mir Bilder mit über 20-facher Vergrößerung lieferten. Der stereoskopische Effekt bei dieser Art von Lupen gibt sehr interessante Bilder, besonders von Knochenpräparaten, so daß diese Art der Vergrößerung für Demonstrationen durchaus zu empfehlen ist. Leider können Präparate auf diese Weise nur einzeln gezeigt werden. Behufs Fixation kleinerer Knochenpräparate legte ich dieselben in sogenannte Plastilinawachsmasse, wodurch ein sicheres Auspräparieren mit feinen Messerchen und Nadeln unter gleichzeitiger Betrachtung durch die Lupe wesentlich erleichtert wurde.

Es hat nicht in meiner Absicht gelegen, die schon vorhandenen, vielfach sehr eingehenden anatomischen Untersuchungen etwa durch die meinigen erweitern zu wollen, sondern ich habe nur den Zweck verfolgt, die Anlage des sogenannten Schallleitungsapparates bei den verschiedenen Tierklassen zu studieren und zuzusehen, inwieweit die für die Funktion des menschlichen Mittelohres geltenden Ansichten sich auch auf die anatomischen Verhältnisse desselben bei den Tieren anwenden lassen. Aus den allgemeinen sich ergebenden Befunden hoffte ich auch Rückschlüsse für das menschliche Gehörorgan und vielleicht auch für etwaige klinische Erscheinungen ziehen zu dürfen.

Inbetreff der Nomenclatur möchte ich bemerken, daß die noch oft üblichen Bezeichnungen „Foramen ovale" und „Foramen rotundum", da sie außer für das menschliche knöcherne Labyrinth bei den meisten Tieren durchaus nicht zutreffen, besser in Vorhof- und Schneckenfenster umzuändern sind. Bei den niederen Wirbeltieren würde sich dagegen, entsprechend der Ansicht von Gaupp und Versluys, über welche später eingehender berichtet werden soll, die Bezeichnung „Foramen perilymphaticum" für das Schneckenfenster empfehlen.

Gehen wir zunächst von denjenigen Wirbeltieren aus, bei denen sich die ersten anatomischen Merkmale für eine als Mittelohrapparat zu deutende Anlage finden.

(Selachier und Rochen.) Die erste Beobachtung einer Öffnung in der Schädelkapsel an dem das häutige Labyrinth bergenden Knochen stammt von Scarpa, welcher bei den Selachiern ein eirundes Fenster beschreibt, das mit einer gespannten Haut überzogen unter der äußeren Hautbedeckung am Hinterkopf liege. Cuvier, der das gleiche beobachtete, meinte, daß es der fenestra ovalis entspräche, und daß diese Membran die Stelle des Trommelfells verträte. Dieser Ansicht pflichtet in gewissem Sinne auch Howes bei, welcher eine ähnliche unter der Haut gelegene Labyrinthmembran in der Gegend der Parietalgrube auch bei den Rochen fand, und sie für ein, nicht morphologisch, aber vielleicht funktionell dem Trommelfell gleichartiges Gebilde hielt. Bei derselben Tierart fand Scarpa dann noch eine zweite Fensteröffnung, und Weber, der dieselbe eingehend beschreibt, hält sie für ein Analogon des Schneckenfensters der Säugetiere. Von ihr gehe ein Muskel aus, welcher sich an dem bei der ersten Öffnung befindlichen häutigen Sack, dem Sinus auditorius externus oder auch an der denselben bedeckenden Haut inseriere. Durch seine Kontraktionen solle der Sinus komprimiert und seine Flüssigkeit in das Vestibulum hineingepreßt werden. Die späteren Forscher bestätigen diese Angaben und liefern noch genauere Details derselben, und so dürfte diesem anatomischen Bilde der ersten Anlage nichts hinzuzufügen sein. Irgendwelche weitere Angaben, betreffend die Funktionen dieser Öffnungen der Labyrinthwand finden sich nicht, aber wohl schwerlich kann diese Anlage zur Fortleitung von Schallwellen zum Labyrinth dienen.

(Amphibien.) Bei der nächsten Klasse der Wirbeltiere, den Amphibien, denen noch vielfach die Zugehörigkeit zu ihren direkten Vorgängern, den Fischen, anhaftet, ist an dieser ersten Andeutung einer nachgiebigen Stelle in der Ohrkapselwand ein Fortschritt insofern zu bemerken, als dieselbe einen besonderen Verschluß durch eine angelagerte Knorpel- oder Knochenscheibe erfahren hat. So findet sich bei den Urodelen in der vom Prooticum und dem Occipitale laterale gebildeten Gehörkapsel zwischen den diese Knochen trennenden Knorpelfugen, an der lateralen Wand eingefügt, eine kleine knorplige Scheibe, das Operculum, welches seiner Lage nach der Deckplatte der Columella der übrigen Amphibien entsprechen müßte. Eine irgendwie ausgiebige Bewegung dieser Verschlußplatte, die wohl als knorpliger Ersatz für die obturierende Haut getreten zu sein scheint, ist kaum anzunehmen, da eine bindegewebige oder ligamentöse Verbindung nur teilweise besteht. Aber auch die zweite Öffnung, welche bei den Fischen konstatiert war, ist bei diesen Tieren vorhanden und funktionell weiter ausgebildet. An der medialen Wand zwischen mehreren anderen Löchern, welche Nerveneintrittspforten bilden, liegt meistens ein größeres rund-

liches Loch. Von seinem Rande geht eine röhrenförmiger Kanal
aus, welcher eine direkte Fortsetzung des perilymphatischen
Raumes ist, der sich so in die Schädelhöhle öffnet. Diese Röhre
stellt einen schon völlig entwickelten Ductus perilymphaticus
dar, welcher mit dem gleichen Apparat der übrigen Amphibien
übereinstimmt. Retzius bezeichnet die Apertura dieses Ductus
als Foramen rotundum.

Bei den Menopomiden ist die Anlage der Verschlußplatte
in der Entwicklung wiederum weiter fortgeschritten. Von der
nunmehr schon knöchern gebildeten ovalen Platte, die sehnig
im knorpligen Rande der Öffnung befestigt ist, steigt ein
knöcherner, stabförmiger Vorsprung nach außen und ein wenig
nach oben und nach vorn empor, der sich mittels einer ähnlich
gebildeten knorpligen Fortsetzung an der hinteren Fläche des
Os squamosum ansetzt. (Fig. 1.) Bei Siredon pisciformis besteht

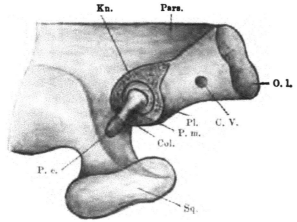

Fig. 1.

Gehörkapsel von Menopoma alleghanniense von unten außen. Nach Retzius.

Pars. — Parasphenoidale.
O. l. — Occipitale laterale.
C. V. — Canalis Vagi.
Sq. — Squamosum.
Kn. — Knorpelfuge zwischen Occipit.
    lat. und Prooticum.

Col. — Columella mit
P. e. — Pars externa [knorpelig].
P. m. — Pars media [knöchern].
Pl. — Platte.

diese kleine Columella aus drei gesonderten, wohl unterscheid-
baren Teilen, nämlich einem äußeren, der sich bandartig am
Palatoquadratknorpel befestigt, einem knöchernen, konischen
mittleren und einem knorpligen, scheibenförmigen inneren Teil,
der sich mit Bandmassen in den Rand der hier schon als fenestra

vestibuli bezeichneten Öffnung einfügt. Eine Paukenhöhle ist noch nicht ausgebildet. Die fenestra rotunda benannte Öffnung durch welche wiederum der Ductus perilymphaticus zur Schädelhöhle zieht, ist ebenso wie bei den Urodeln vorhanden. Ganz gleich liegen die anatomischen Verhältnisse bei Salamandern. Gaupp äußert sich im Anschluß an die Beschreibung dieser Anlage bei den letzteren Tieren, der Verbindung des gestielten Operculums mit dem Quadratbein, betreffend die physiologische Funktion des Apparates folgendermaßen:

„Hält man daneben die Tatsache, daß bei den Urodeln ein Cavum tympani nicht existiert, und daß somit die knorpeligbindegewebige Brücke zwischen Operculum und Quadratum von verschiedenen Weichteilen umgeben ist, so kann man die Frage aufwerfen, ob jene ganze Einrichtung wirklich schon „zum Hören" resp. ausschließlich zum Hören gebraucht wird, und ob sich nicht ev. noch andere Funktionen an sie knüpfen."

Eine Ausnahme in dem Bau der Anlage machen allein die Gymnophionen, die Blindwühler. Retzius fand nämlich keine Spur von zuführenden Nerven oder Nervenendstellen, an dem auch sonst mangelhaft ausgebildeten häutigen Labyrinth dieser Tiere, weswegen er ihnen das Gehör völlig abspricht. Da es sich hier um eine ganz besondere Rückbildung handelt, möchte ich auf die näheren anatomischen Verhältnisse nicht weiter eingehen.

Bei der dritten Ordnung der Amphibien, den Batrachiern, kann schon eher von einem Mittelohrapparat im Sinne der menschlichen Anlage gesprochen werden. Wie allen Amphibien, und zum großen Teil auch noch Reptilien, fehlt ihnen das äußere Ohr und der Gehörgang, aber die höhere Ausbildung ihres Mittelohres dokumentiert sich in dem Vorhandensein des Trommelfells und der Paukenhöhle.

Das von der Cutis bedeckte und mit ihr zusammenhängende Trommelfell besteht aus einer sehnigen Lamelle, entsprechend der Membrana propria des menschlichen Trommelfells, und ist auf der tympanalen Seite von der pigmentierten Schleimhaut überzogen. Da sich in der Substanz dieser Membrana propria glatte Muskelzellen finden, welche am Rande ringförmig angeordnet, dann radiär gegen den mittleren Teil ausstrahlen, so könnten vielleicht diese Muskelzellen auf die Spannung der Membran einwirken. Das rundliche Trommelfell ist nun ferner in einem knorpligen Rahmen, dem Annulus tympanicus befestigt, an welchem sich zwei Muskeln, der Masseter und der Musculus depressor mandibulae ansetzen. Durch die Kontraktion derselben könnte vielleicht auch ein geringer Einfluß auf die Spannung der Membran ausgeübt werden.

Die Columella besteht beim Frosch, wie Gaupp des näheren auseinandersetzt, aus zwei deutlich von einander gesonderten Teilen, welche er Plectrum und Operculum benennt (Fig 2.) Letzteres ist eine ovale Knorpelscheibe, die sich mit ihrer inneren konkaven Fläche an die Öffnung des Vorhoffensters anlegt. Das Plectrum ist ein dünnes, nur im mittleren Teile knöchernes Stäbchen mit stark verbreiterten, knorpligen Enden, der Pars externa und interna. Die Form der letzteren ist auch scheibenförmig, weswegen sie als Pseudoperculum bezeichnet wird.

Der Verschluß des Vorhoffensters durch Operculum und

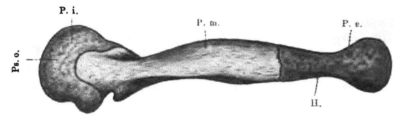

Fig. 2.

Columella [Plectrum] von Rana esculenta, von oben gesehen. Nach Retzius.

P. m. — Pars media [knöchern].   P. e. — Pars externa.
P. i. — Pars interna.   K. — Hals der Pars externa.
Ps. o. — Pseud operculum.

Pseudoperculum ist besonders bemerkenswert. Das Fenster liegt nur mit seinem hinteren Umfange an der Oberfläche der Ohrkapsel, da der Boden der letzteren nach außen vorspringt, und zwar besonders an dem vor dem Fenster gelegenen Teile, wodurch letzteres nach dem Grunde der dadurch entstehenden Einsenkung, der Fossa fenestrae vestibuli verschoben ist. Das von hinten medial nach vorne lateral gestellte Operculum verschließt nun hauptsächlich den hinteren Teil dieser Fossa und damit auch des Vorhoffensters selbst, über dessen caudalen Rand es hinüberragt. Während sonst das Operculum mit der Ohrkapsel nur bindegewebig in Verbindung steht, ist sein oberer Rand, lateral und oberhalb von dem oberen Rande des Vorhoffensters an demselben bei älteren Tieren stets knorplig fixiert. Der vordere Teil der Fossa wird nun wiederum durch das mediale Plectrumende, das Pseudoperculum, verschlossen, dessen hinterster Teil an der Innenfläche des vorderen Operculumendes bindegewebig befestigt ist. Auch das Pseudoperculum geht eine feste Verbindung mit der Ohrkapsel ein, da es mit dem unteren Rande der Fossa knorplig zusammenhängt.

Der laterale Teil des Plectrum, die Pars externa (Fig. 3) hat eine keulenartige Gestalt und legt sich mit dem zugespitzten äußeren Ende an die Substanz des Trommelfells an. Dieses schmale äußere Ende springt sehr deutlich schräg gerichtet her-vor, sobald man die Haut und das Trommelfell von außen ent-fernt. Von dem breiten medial gerichteten Ende, welches durch ein rechtwinklig abgebogenes dünnes Knorpelstück mit der Pars

Pr. asc. Pl.
Fig. 3.

Columella [Plectrum] von Rana esculenta, von hinten gesehen. Nach Retzius, benannt nach Gaupp.

P. m — Pars media [knöchern].   P. e. — Pars externa.
P, i. — Pars interna — Pseudoperculum   H. — Hals der Pars externa.
[Ps. O.].   Pr. asc. Pl. — Proc. ascendens Plectri.

media zusammenhängt, geht ein zweiter dünner Knorpelstreifen aus, welcher in die der vorderen Hälfte des Ohrkapseldaches vorgelagerte Knorpelplatte übergeht.

Das Cavum tympani (Fig. 4.), der der menschlichen Pauken-höhle entsprechende Raum, besteht aus zwei Abteilungen. Aus der vorderen flachen schalenförmigen, die zum großen Teil von dem knorpligen Abschnitt des Trommelfellrings gebildet wird, führt ein längs-ovaler Spalt in die zweite größere innere Ab-teilung. Am oberen Rande derselben zieht die in die Schleim-haut eingebettete Columella. Der innere Teil der Paukenhöhle wird oben vom Processus squamosus prootici, hinten von den nach dem Halse zuliegenden Muskeln und innen von dem knorpligen Teil zwischen Prooticum und Occipitale laterale be-grenzt. Vorne steht diese trichterförmige Paukenhöhle durch einen kurzen weiten Gang, die Tube, und eine entsprechende Öffnung mit dem Rachen in Verbindung. Von dieser aus kann man die Trommelhöhle von unten her überblicken.

Die beiden das häutige Labyrinth umschließenden Knochen
sind das Prooticum und Occipitale laterale, zwischen denen sich
hyaline Knorpelmassen einschieben. Unterhalb des etwas nach
außen in die Paukenhöhle einspringenden kleinen Wulstes des
horizontalen Bogenganges befindet sich das Vorhoffenster. In
betreff der Frage der Existenz des sogenannten Foramen rotundum beim Frosch waren die Ansichten sehr geteilt.

In seiner ersten großen Arbeit über das Gehörorgan des Frosches bemerkt Hasse, daß es ihm nicht gelungen sei, an der
knöchernen Ohrkapsel desselben außer dem Foramen ovale und
der Durchtrittsstelle des Nervus acusticus eine Öffnung, welche

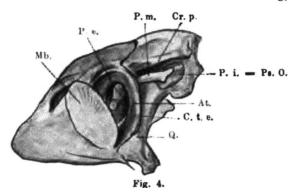

Fig. 4.

Cavum tympani von Rana esculenta, das Trommelfell abpräpiert
und lateralwärts geklappt.

P. m. — Pars media ⎫
P. i. — Pars interna ⎬ Plectri.
     (Pseudopero) ⎪
P. e. — Pars externa ⎭

Mb. — Membr. tymp.
At. — Annul. tymp.
Q. — Quadratum.
Cr. p. — Crista parotica.
C. t. e. — Cavum tymp. ext.

dem Foramen rotundum entspräche, zu finden. Einige Zeit danach beschreibt er dagegen bei seinen weiteren Untersuchungen
zwei nebeneinander gelagerte, nur durch eine dünne Knochenspange getrennte Öffnungen, die nach dem Foramen jugulare zu
ausmünden, von denen er die medial zur Schädelhöhle gelegene
als Foramen rotundum, und die lateral befindliche, als Analogon
des Schneckenaquädukts bezeichnet. Eine der Schneckenfenster-
haut entsprechende Membran konnte er nicht konstatieren, doch
kommt seiner Ansicht nach ein Verschluß der Öffnung dadurch
zustande, daß die Scheide der in der Nähe verlaufenden Nerven
und Gefäße sich an die Öffnung anlegt. Obgleich also Hasse
seine erste Ansicht, den Mangel des sogenannten Foramen rotun-

dum, vollkommen widerrufen hat, und trotzdem sich die späteren
Forscher seiner Meinung anschlossen, ist doch die zuerst von
ihm entwickelte Annahme als stehende Bemerkung in eine große
Zahl von Lehrbüchern übergegangen.

Die beiden beschriebenen Öffnungen stehen auch beim Frosch
mit den Abflußwegen der perilymphatischen Flüssigkeit in Zusammenhang. Nach H a s s e geht der Ductus perilymphaticus,
welcher als eine Fortsetzung der periostalen Wandung des perilymphatischen Raumes aufzufassen ist, als kurzer Gang durch
die von ihm als Apertura aquaeducti cochleae gedeutete Öffnung
nach hinten und innen in den Jugularkanal über, wo er sich zu
einem Sack erweitert, der mittels einer besonderen Ausstülpung
mit dem Subarachnoidealraum des Gehirn zusammenhängt. Die
Beschreibung, welche R e t z i u s von dieser Anlage liefert, schließt
sich in der Hauptsache der von H a s s e gegebenen an.

G a u p p und H a r r i s o n haben erst durch ihre eingehenden
Studien an Querschnitten die eigentümlichen Lageverhältnisse
des perilymphatischen Raumes und der damit in Zusammenhang
stehenden beiden Öffnungen klargelegt (Fig. 5). Auf Grund

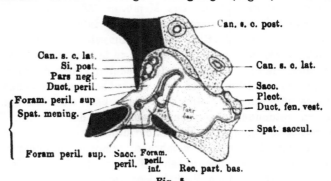

Fig. 5.

Schema der Anordnung des Cavum perilymphaticum (Rana esc.) aus
mehreren Schnitten kombiniert. Nach G a u p p.
Knochen (occipitale laterale) schwarz, Knorpel punktiert.

ihrer Befunde verwerfen sie die H a s s e - R e t z i u s schen Bezeichnungen und benennen die beiden Öffnungen mit Foramen perilymphaticum superius et inferius. Dabei würde das erstere der
von H a s s e als Apertura aquaeducti cochleae bezeichneten, das
letztere der „Foramen rotundum“ benannten Öffnung entsprechen.
Die von H a s s e beschriebene Art des Durchtritts des Ductus
perilymphaticus stimmt mit der von G a u p p gegebenen überein,

dagegen nicht das Verhalten des perilymphatischen Raumes innerhalb der Ohrkapsel. Während nämlich Hasse die an seinem Foramen rotundum angelagertem Teile des perilymphatischen Raumes als eine Fortsetzung des Saccus perilymphaticus auffaßt, bemerkt Gaupp, daß der letztere sich nicht nur im Bereich des Foramen jugulare ausdehne, sondern auch einen weiteren Fortsatz dorsalwärts durch das am Ohrkapselboden gelegene Foramen perilymphaticum inferius hindurch in die Ohrkapsel senden.

Ferner legt sich die ventrale Wand des Saccus perilymphaticus im Foramen jugulare gegen eine an den Rändern der letzteren befestigte derbe rundliche Membran, die vom M. levator scapulae inferior bedeckt wird. Gaupp benennt dieselbe „Membrana tympani secundaria", betont aber, daß sie ihrer Lage nach der bei den Säugetieren vorhandenen Membran gleichen Namens nicht entspräche und daß die Schleimhaut der Paukenhöhle sich nicht bis zu ihr ausdehne. Aus diesen Gründen ist die Bezeichnung wohl als verfehlt zu betrachten, da sie unwillkürlich zu Analogieschlüssen und dadurch zu irrigen Auffassungen verleiten kann. Die Membran läßt sich am Ohrgehäuse ziemlich leicht darstellen, da sie infolge ihrer reichen Pigmentierung sich deutlich von der Umgebung abhebt.

Ich beschränke mich hier darauf zu bemerken, daß bei den Amphibien, da die Anlagen bei den niederen Tieren dieser Klasse sich im wesentlichen nicht von den näher beschriebenen des Frosches unterscheiden, eine dem Sinne nach dem sogenannten Foramen rotundum oder Schneckenfenster der höheren Tiere entsprechende Öffnung in der Labyrinthkapsel nicht vorhanden ist. In betreff der als Membrana tympani secundaria bezeichneten Membran möchte ich auf die später bei den Sauriern näher zu beschreibenden Verhältnisse verweisen.

Es existiert außerdem noch beim Frosch eine ganz eigenartige, sonst nicht mehr beobachtete Anordnung des perilymphatischen Raumes. Retzius beschreibt nämlich noch einen zweiten Gang als Ausstülpung desselben. Die periostale Bekleidung weitet sich am Vorhoffenster zu einer Röhre aus, welche durch dieses hindurch in die früher erwähnte, zwischen dem knorpligen Teil der Columella und dem Operculum in der Gehörkapselwand befindliche Fossa austritt und sich dort sackartig ausdehnt. Diese letztere Erweiterung des perilympathischen Raumes bezeichnet er als Ductus fenestrae vestibuli. Das Operculum bedeckt von außen her diesen allseitig blind geschlossenen Gang in seinem Anfangsteil und das knorplige mediale Ende des Plectrums liegt seinem lateralen Umfange an. (Fig. 5.)

Über die Physiologie des Gehörorgans des Frosches, die Hörperception desselben, vermögen wir einiges, wenn auch nicht feststehendes auszusagen. Die einzige wissenschaftlich durchgeführte Untersuchung, die meines Wissens existiert, ist neueren Datums. Yerkes konnte feststellen, daß akustische bei gleichzeitiger Applikation von taktilen Reizen einen verstärkenden Einfluß auf die motorische Reaktion des Frosches (Kontraktion des Beines) auszuüben vermögen. So konnte er Reaktionen bei Tönen von 50 bis zu 10,000 Schwingungen erzielen, deren Perzeption von Seiten des Tieres er daher annimmt. Nach Durchschneidung des Acusticus blieben die Reaktionen aus, während sie nach Zerstörung des Trommelfells und der Columella fortbestanden.

Diese Beobachtungsweise wäre, wenn sie sich als konstant erweisen sollte, von ganz besonderer Bedeutung für die Erforschung der Physiologie des Gehörorgans der niederen Tiere, da sie uns einen objektiven Nachweis der Tonperzeption liefern würde. Bei der minimalen Anlage der Pars basilaris lagenae mit ihrer Haarzellenanordnung wäre aber die Annahme, welche Yerkes für die Gehörsperzeptionen einer solch weitgehenden Tonskala von Seiten des Frosches hegt, mit der Helmholtz'schen Hörtheorie nur schwer vereinbar.

Drei Forderungen sind es, welche Lang für den Nachweis des Hörens von Seiten der Tiere aufstellt, erstens die Reaktion auf Schallwellen, zweitens das Vorhandensein einer Stimme und drittens der Besitz eines Sinnesorganes, dessen Bau im wesentlichen mit demjenigen des menschlichen Gehörorgans übereinstimmt. Allen drei Forderungen wird der Frosch gerecht, und daher können wir auch mit ziemlicher Sicherheit ihn als hörend bezeichnen.

Was läßt sich nun aus dem anatomischen Bau des Mittelohrapparats der Amphibien und aus der physiologischen Prüfung desselben auf die Schallleitungstheorien schließen?

Das äußere Ohr und der Gehörgang fehlen allen Amphibien, Trommelfell, Paukenhöhle und Tube den Gymnophionen, aber auch den schon höher organisierten Urodelen. Proteus und Siredon besitzen ein Vorhoffenster und eine kleine Verschlußplatte

18 *

desselben, das Operculum. Alle diese Tiere können also, wie
auch die Fische, Schallimpulse nur vermittels ihrer Kopfknochen
empfangen. Als etwaige Eintrittsstelle von Schallwellen kann
das Operculum, das wohl als primitivste Anlage der sogenannten
Gehörknöchelchen anzusehen ist, unmöglich dienen, da es unter
der äußeren Körperhaut in Muskulatur eingebettet liegt, und
irgend welcher dazu erforderlichen Bewegung nicht fähig zu sein
scheint. Viel eher könnte dasselbe als eine, den intralabyrinthären Druck regulierende Ventilöffnung betrachtet werden, ähnlich der bei einzelnen Knochenfischen vorhandenen membranös
verschlossenen Öffnung der Labyrinthkapselwand.

Sehen wir weiter zu, wie eine Schallübertragung im Sinne
einer der erwähnten Theorien durch das allerdings weit höher
entwickelte Mittelohr des Frosches erfolgen könnte. Von vornherein auszuschließen infolge der anatomischen Anordnung ist
die Secchi-Kleinschmidt-Weinlandsche Luftkapseltheorie
mit der Zuleitung der Schallwellen durch das Schneckenfenster.
Denn abgesehen davon, daß das Cavum tympani infolge seiner
weiten Kommunikation mit der Außenluft durch die große
Tubenöffnung keinen abgeschlossenen lufthaltigen Raum wie
die menschliche Paukenhöhle darstellt, ist auch eine Leitung
der Schallwellen durch eine der erwähnten Öffnungen zum
inneren Labyrinth kaum denkbar. Das Foramen perilymphaticum superius ist durch den Ductus perilymphaticus verlegt, und
das Foramen perilymphaticum inferius, das doch nur annähernd
mit dem Schneckenfenster der Säugetiere sich vergleichen läßt,
wird durch die von Gaupp als Mb. tymp. sec. bezeichnete Haut
bedeckt, die von dem M. levat. scap. inf. völlig überlagert ist.

Auch die Theorie der molaren Schallübertragung kann
kaum für das Froschmittelohr Geltung haben. Wohl ist in der
Form des einzelnen geraden Gehörknöchelchens ein im Sinne
dieser Theorie durchaus wirksamer Leitungsstab geschaffen, aber
für die Übertragung der Schallwellen von außen her auf denselben und die Fortleitung durch ihn nach innen kann die Anlage nur als ungünstig bezeichnet werden.

Prüfen wir nämlich das Trommelfell seiner äußeren Form
nach auf die Fähigkeit hin, durch Schallwellen der Luft in
Schwingungen zu geraten, so sehen wir zunächst, daß dasselbe,
wie schon erwähnt, eine rundliche, bindegewebliche Lamelle
darstellt, welcher außer der nötigen Krümmung eine diesen
Nachteil etwa aufhebende feine Spannungsvorrichtung fehlt.

Außerdem ist es von der äußeren Körperbedeckung, der dicken Haut, überzogen. Von der geringen Bewegungsfähigkeit des Trommelfells kann man sich leicht überzeugen, wenn man die einzelnen Abschnitte desselben am lebenden Tier mittels einer Sonde berührt. Es wäre also nicht zu verstehen, wie Töne von so verschiedenartiger Schwingungsdauer, wie sie Yerkes bei seinen Versuchen anwandte, durch molare Schwingungen dieser derben Lamelle gleich gut auf die Columella hätten übertragen werden können.

Dazu kommt als zweites die Befestigungsart der Columella am Trommelfell und ihre Anlage am Vorhoffenster. Wie wir gesehen haben, setzt sich die Columella nicht mit ihrem knöchernen Ende, wie es für die molare Schallüberleitung günstig wäre, am Trommelfell an, sondern mittels des beschriebenen knorpligen, lang ausgezogenen lateralen Endstücks. (Fig. 3.) Von diesem liegt aber wiederum nur ein kleiner Teil direkt dem Trommelfell an, und der andere ist in die Schleimhaut eingebettet. Das knorplige Endstück geht dabei unter einem rechten, oder höchstens einem stumpfen Winkel von dem knöchernen Teile ab, sodaß ein dünnes Halsstück zwischen dem knöchernen und dem knorpligen Teil besteht. Durch den nach oben und medial aufsteigen Fortsatz ist aber ferner die knorplige Pars externa an derjenigen Knorpelplatte befestigt, welche der vorderen Hälfte des Ohrkapseldaches anliegt. (Fig. 4 Cr. p.) Auch die innere Knorpelplatte der Pars interna, das Pseudoperculum, zeigt, wie erwähnt, einen Fixationspunkt. Es ist am unteren Rande der Fossa fen. oval. knorplig angeheftet.

Das Vorhoffenster wird ferner nur teilweise durch das mediale Ende der Columella verschlossen, da der hintere Teil seiner Öffnung durch das anliegende Operculum bedeckt wird. Dieses ist gleichfalls in seiner Bewegungsfähigkeit gehemmt, da sein oberer Rand sich mit dem oberen Rande des Vorhoffensters auch knorplig verbindet. Infolge dieser doppelten Fixationspunkte, der Anheftung des Pseudoperculum am unteren Rande und der Befestigung des Operculum am oberen Rande des Vorhoffensters, könnte also eine Einwärts- oder Auswärts-Bewegung des innersten Columellaendes kaum erfolgen. Vielmehr würde es sich, wie auch Gaupp auseinandersetzt, dabei um eine Drehung handeln, welche beim Pseudoperculum um seinen unteren Rand erfolgen müßte. Pseudoperculum und Operculum liegen nun aber derartig aneinander, daß die laterale hintere

Fläche des ersteren sich bindegewegig an der medialen vorderen
Fläche des letzteren befestigt. Das Operculum könnte also der
Bewegung, d. h. der Drehung des Pseudoperculum folgen,
müßte aber infolge seiner Fixation am oberen Rande des Vorhoffensters auch wiederum eine Drehung um diesen festen Punkt
ausführen. Bei der Bewegung des Pseudoperculums nach der
inneren Labyrinthhöhle zu, die bei einem Einwärtsrücken des
knöchernen Columellastiels eintreten würde, wäre es gezwungen,
das Operculum mitzunehmen, würde also dabei einen Zug auf
dasselbe ausüben und so eine gewisse Arbeit leisten müssen.
Bei seiner Auswärtsbewegung dagegen könnte es durch seine
Knorpelmasse auf die mediale Fläche des Operculum wirken
und dasselbe einfach nach außen drücken. Letztere Bewegung
müßte also leichter von statten gehen als erstere.

Betrachten wir weiter die Bewegungsart des äußeren
knorpligen Columellaendes. Der in der Membr. prop. befestigte
kleine Knorpelstiel desselben würde bei einer Einwärtsbewegung
des Trommelfells diese Bewegung in gleicher Richtung ausführen.
Da nun wiederum das mediale Stück desselben durch den langen
aufsteigenden dünnen Knorpelstiel an der Ohrkapsel fixiert ist,
müßte eine Art Hebelbewegung um diesen Fixationspunkt die
Folge sein. Dabei würde dann, da Retzius von der Biegsam-
keit des dünnen Knorpelhalses spricht, der rechtwinklig von
dem knöchernen mittleren Columellastiel abgeht, eine leichte
Einknickung an dieser Stelle entstehen und so die Columella
in ihrem mittleren Teil etwas gehoben werden.

Eine direkte Einwärtsbewegung der Columella würde aber
nur bei einer relativ starken Einwärtstreibung des Trommelfells
zustande kommen, und in einem Federn des ganzen Apparates
bestehen, da der fixierte Knorpelstiel als Widerstand wirken
muß. Hierbei würde es sich dann nur um die Übertragung
intensiver Schallwellen handeln, jedenfalls nicht um periodische
zarte Bewegungen auf rhytmische Luferschütterungen. Bei
einem Druck von innen her würde dagegen der geringe Hebel-
mechanismus die Beweglichkeit des Columellastiels nach außen
erleichtern, und zwar brauchte das Trommelfell der Bewegung
kaum zu folgen, da der obere Teil des äußeren Knorpelendes
nur in Schleimhaut eingebettet liegt, und an die Membran des
Trommelfells nicht heranreicht. Somit können wir aller Wahrscheinlichkeit nach die molare Schallübertragung beim Froschmittelohr gleichfalls negieren.

Dem entgegen scheinen die Verhältnisse für eine molekulare Schallleitung sich günstiger zu gestalten. Da ja kreisförmig gespannte Membranen, wie z. B. die Telephonplatten, zur Wiedergabe mannigfaltiger Schwingungszustände geeignet sind, und da, wie Kretschmann neulich gezeigt, Knorpelmassen leichter wie Knochen auf Schallwellen ansprechen und in molekulare Schwingungen geraten, würde das Trommelfell des Frosches hierfür auch als günstiges Medium gelten können. Dagegen würde die minimale Anheftungsstelle der sonst großen knorpligen Pars externa am Trommelfell eine Erschwerung der Leitung des knöchernen Columellastiels zur Folge haben. Auch die Winkelbildung beim Übergang des knorpligen zum knöchernen Teile kann der weiteren Leitung molekularer Schwingungen, die sich doch vornehmlich in gerader Richtung fortpflanzen, nicht förderlich sein. Außerdem wäre ferner nicht ersichtlich, welchem Zwecke dann die komplizierte Befestigung zwischen Pseudoperculum und Operculum dienen sollte, da ja für die direkte Leitung die bei den niederen Amphibien vorhandene Knorpel- oder Knochenscheibe viel bessere Dienste leisten würde.

Immerhin wäre diese Übertragungsart der Luftschwingungen auch trotz der Eigenart der Anlage möglich. Dann wirft sich aber noch die Frage auf, wenn die molekulare Überleitung nur als eine eventuelle Möglichkeit aufgefaßt werden kann, die sogar wenig Wahrscheinlichkeit bietet, wozu dann überhaupt die ganze Mittelohranlage. Wie diese Frage sich vielleicht beantworten ließe, dafür scheint mir die erste primitivste Anlage einen Fingerzeig zu geben. Der häutige, später knorplige und knöcherne Verschluß der Schädelkapselöffnung spricht eher für ein Druckregulierungsventil, als wie für einen Schallzuleitungsapparat. So wäre es doch immerhin möglich, daß sich bei Tieren, die teils im Wasser, teils an der Luft leben, und somit verschiedenen äußeren Druckeinflüssen ausgesetzt sind, auch der Regulierungsapparat für den intra-labyrinthären Druck den doppelten Bedingungen so gut wie möglich angepaßt hat. Ja, die Anlage eines besonderen Ductus fenestrae ovalis beim Frosch, (Fig. 5) außer dem schon früher ausgebildeten Ductus perilymphaticus, bringt uns die Annahme näher, daß hier noch eine besondere Ausweichestelle angefügt ist, vermittels deren die in den Knochenhöhlen eingeschlossene Flüssigkeit in exakter

Weise nach zwei Seiten hin inneren Druckschwankungen nach
zugeben vermag.

Als der hauptsächlichste oder überwiegende Weg für die
Schallwellen bleibt daher für alle Amphibien als Erbteil ihrer
ganz an das flüssige Element gebundenen Vorfahren die Kopfknochenleitung übrig, die ihnen bei ihrem fakultativen Aufenthalt im Wasser entschieden bessere Dienste leisten muß, als
ihr seiner Ausbildung nach wenig geeigneter Mittelohrapparat.

Diese Knochenleitung könnte sogar noch im Sinne der
Zimmermann'schen Theorie erfolgen, denn das Os petrosum
ist mit seiner festen Knochenwand gerade dem Recessus tympani zugewandt. Es könnte so dieser Knochenteil, der noch
von leitenden Knorpelmassen rings umschlossen wird, die Schallwellen aufnehmen und fortleiten. Hier bietet sich aber dann
eine Schwierigkeit für die Annahme der Zimmermann'schen
Theorie. Die eindringenden Wellen träfen nämlich nicht, wie
es beim Menschen für diese Theorie zwingend ist, sofort das
perzipierende Organ, hier die Papilla basilaris und Macula
neglecta, sondern den stärker ausgebildeten Sacculus mit seinem
großen Hörfleck. Daß nun wiederum die in dieser Art fort-
geleiteten Wellen keine Wirkung auf den letzteren, die Macula
Sacculi haben sollten, ist doch kaum anzunehmen. Inwiefern
nun aber dieses Gebilde für die Hörfunktion in's Gewicht fällt,
ist leider noch eine der Lösung harrende Frage.

Wie gelangen denn nun überhaupt die Schallschwingungen
zu dem perzipierenden Organ des Frosches? Der Ansicht von
Harrison nach müßten die Wellenbewegungen in dem perilymphatischen Raume sich dorthin fortpflanzen, wo derselbe sich
an dünne Labyrinthwände anlegt, das wäre am Sacculus, der
Pars neglecta und Pars basilaris. Um nun aber zu den beiden
letzteren Stellen zu gelangen, müßten die Perilymphwellen, wie
aus den Querschnitten ersichtlich ist, auf einem großen Umweg
den ganzen Hohlraum durchlaufen, und dabei mehrere Winkel
des Ductus perilymphaticus überwinden. Dieser Weg wäre
also nicht nur ein komplizierter, sondern ein direkt erschwer-
ter. (Fig. 5.)

Gaupp, welcher auf dem Standpunkt der molaren Theorie
steht, faßt die Leitung anders auf. Am wahrscheinlichsten sei
es, daß die Bewegungen der Perilymphe des inneren Labyrinth-
raumes sich der Endolymphe des Sacculus mitteilen, und daß
die Endolymphwellen sich aus dem letzteren direkt in die Pars

basilaris und die Pars neglecta fortsetzen. Die verdünnten Wandpartien der beiden letztgenannten Abschnitte würden dann als nachgiebige schwingungsfähige Wandstrecken Bedeutung haben, aber nicht, wie es zuerst scheinen könnte, zur Übertragung der Perilymphwellen auf die Endolymphe dienen. Diese Auffassung von der Fortleitung der Wellen könnte aber in gleichem Maße auch für die molekularen Wellen gelten, würde sogar als direktester Weg denselben völlig entsprechen.

Wir müssen also wohl bei der Kopfknochenleitung als der geeignetsten Art der Zuleitung der Schallwellen bleiben, und zu deren Gunsten ließen sich auch einige klinische Erfahrungen anführen. Betrachten wir nämlich die ganze Anlage des mittleren Ohres von diesem Gesichtspunkte aus, so müßten wir es im Vergleich zum selben Apparat beim Menschen, als ein pathologisch verändertes ansehen. Das schwer bewegliche dicke Trommelfell ohne geeigneten Spannungsapparat, die geringe Exkursionsfähigkeit des Leitungsstabes mit seinen mehrfachen Fixationen, und schließlich die Einfügung desselben im Vorhoffenster, alles Erscheinungen, die im Sinne unserer klinischen Anschauung als Schallleitungshindernisse angenommen werden. Bei Prozessen derart pflegt aber stets, wie Schwabach zeigte die Knochenleitung im Vergleich zur Norm verlängert, oder was dasselbe, eine bessere zu sein, und so könnten wir vielleicht diese Erfahrung auch hier für die Mittelohranlage der Amphibien berücksichtigen und demnach schließen, daß bei denselben die Knochenleitung eine besonders gute sei.

(Reptilien.) Gehen wir nun einen Schritt weiter in der Tierreihe, zu den Reptilien, und folgen wir nicht der üblichen zoologischen Einteilung, sondern der Stufenfolge der Ausbildung des Gehörorgans, so müssen zwingenderweise zuerst die Ophidier betrachten, die sich in dieser Anlage unmittelbar den Menopomiden anschließen. Bei den letzteren bestand das Mittelohr, wie wir gesehen hatten, aus einer knöchernen Fußplatte, einem Operculum, von welchem sich ein kleiner stabförmiger Vorsprung abzweigte, der sich am Os squamosum knorplig befestigte. Auch bei den Ophidiern existiert nur diese Art der primitiven Anlage, daß man sie den niederen Klassen der Amphibien, den Urodelen für näher verwandt halten müßte als den Batrachiern.

(Ophidier.) Fassen wir die Ergebnisse der mannigfachen Erforschungen auf diesem Gebiete zusammen, so erhalten wir

ungefähr folgendes Bild des Gehörapparates derselben. Infolge
der mächtigen Entwicklung der Rachenmuskulatur bleibt weder
für die Ausbildung der Paukenhöhle, noch für eine Ausstülpung
der Schleimhaut, die Tube, ein genügender Raum übrig. Da
das dicke Muskelpolster den ganzen Kieferapparat überlagert,
wird auch das Gehörknöchelchen, die Columella, von der
äußeren Haut abgedrängt und die Bildung eines Trommelfells
unmöglich. Die Columella ist zum größten Teile, nämlich in
ihrem ganzen mittleren Abschnitt, knöchern und hat eine geschwungene Form. Das laterale Ende bleibt auch hier wieder
knorplig. Die Art der Fixation dieses letzteren knorpligen
Teils weist große Ähnlichkeit mit derjenigen der Columella der
Salamander auf. Auch bei den Ophidiern geht das kurze
laterale knorplige Stück schräg von oben innen nach außen
unten, um sich dann mittels eines Bandes an einem Höcker der
Hinterseite des Os quadratum zu befestigen. Der Verlauf
der Columella ist schräg parallel der Medianlinie. Sie geht von
außen hinten nach vorn innen und senkt sich unter einem
spitzen Winkel in die Öffnung des Prooticums. Während dieses
Verlaufs ist sie in der Muskulatur total eingebettet, und nur
eine feine, bindegewebige Scheibe begleitet sie nach ihrer
lateralen Anhaftungsstelle bis zum knöchernen Rande des Vorhoffensters. Hier endet das mediale Stück mit einer ziemlich beträchtlichen, innen ausgehöhlten ovalen Fußplatte, welche im
Vorhoffenster mit einer festen Membran angeheftet ist. Irgend
ein, die Culumella bewegender Muskel ist nicht vorhanden.
(Fig. 6.)

Die Anordnung dieser Art besteht aber nur bei den höher
organisierten Individuen der Familie, denn bei den niederen
Gattungen, den Wurm- und Wickelschlangen, wie Typhlops,
Rhinophis und Tortrix fehlt auch die Columella und der Verschluß des Vorhoffensters geschieht, wie bei den niedersten Urodelen, z. B. Proteus, allein durch ein knöchernes Plättchen.

In betreff der Beweglichkeit der Columella wird behauptet,
daß dieselbe hauptsächlich nach vorne zu am größten sein soll,
doch habe ich mich hiervon nicht überzeugen können. Da·sie
am Knochen fest eingefügt ist, dürfte nur ein langsames Hin-
und Hergehen derselben denkbar sein. Trotz dessen muß man
für die ganze Columella eine Bewegungsfähigkeit annehmen,
denn beim Schlingakt, wobei das Os quadratum sich beträchtlich vorwärts schiebt, müßte sonst die an diesem Knochen be-

festigte Columella tief nach dem Vorhoffenster zu gedrückt werden.   Allerdings würde dieses Vorschieben einerseits durch die
geschwungene Form des knöchernen Teils, andererseits durch
den schrägen Verlauf des dünnen knorpligen Außenteil der Columella abgeschwächt werden, muß aber trotzdem vorhanden
sein, da ich es bei meinen Spirituspräparaten noch bemerken
konnte. Wenn der Unterkiefer nach unten bewegt wird, richtet
sich die Columella in ihrem lateralen Teil ein wenig auf und
das mediale Stück dreht sich nach innen.

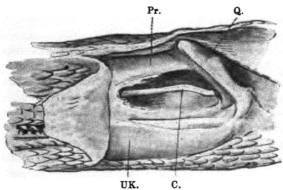

Pr.   Q.

UK.   C.

Fig. 6.

Columella von Python, dargestellt durch Abpräparieren der äußeren Haut und
Entfernung der Muskulatur.

C. — Columella.   Pr. — Prooticum.
Q. — Quadratum.   UK. — Unterkiefer.

Die knöcherne innere Ohrkapsel wird vom Pro-, Epi- und
Opistoticum gebildet. Die beiden ersten Knochen schließen das
Vestibulum mit dem Vorhoffenster sowie die Kanäle ein, und
letzterer beherbergt die Cochlea.   An der äußeren Wand der
Ohrkapsel springt eine Knochenleiste parallel der oberen Umrandung des Vorhoffensters scharf hervor, wodurch die Gestalt
desselben eher länglich und spaltförmig wird.   Aus der Anlage
der Abflußwege der perilymphatischen Flüssigkeit, welche derjenigen der Amphibien völlig analog gebildet erscheint, kann
man wohl schließen, daß die von Hasse und Retzius als For.
rot. bezeichnete Öffnung nichts anderes sein kann, als das von
Gaupp beim Frosch For. peril. sup. benannte Loch. Denn auch
hier bei den Schlangen geht durch diese Öffnung der Ductus
perilymphaticus nach hinten, um sich dann zu dem länglichen,
blind auslaufenden Sacc. peril. zu erweitern, von dessen inneren

unteren Ende eine röhrenförmige Verbindung mit den serösen
Räumen des Gehirns besteht. Irgend welche andere, durch eine
Membran verschlossene Öffnung, die als For. rot. zu deuten
wäre, ist nicht vorhanden. Haben wir nun aber bei den Amphibien auf Grund dieser anatomischen Verhältnisse die Existenz
einer der Funktion nach dem Schneckenfenster der Säugetiere
gleichwertigen Öffnung geleugnet, so müssen wir auch die gleiche
Annahme für das ebenso gebildete knöcherne Gehäuse der Schlangen hegen.

Die Frage, ob die Schlangen in unserem Sinne hören, außer
Geräuschen Klänge zu analysieren vermögen, ist von jeher
in positivem Sinne beantwortet worden. Schon von Alters her
wird angenommen, daß die Schlangen an Tönen Wohlbehagen
finden sollen, und die arabischen und indischen Schlangenbeschwörer üben seit Menschengedenken einen Nervenkitzel auf ihr
aufmerksames Publikum aus. Es ist bekannt, daß die Köpfe
der Cobra oder der Haie, der egyptischen Brillenschlange, sobald
die Klänge der Sumara, des Dudelsacks, der Beschwörer ertönen,
aus dem Weidenkörbchen auftauchen, sich hervorstrecken und
wiegende Bewegungen ausführen. Auch zum Herauslocken aus
dem Versteck beim Fang der Brillenschlangen sollen sich die
Inder einer kleinen Pfeife bedienen, wie Reyne berichtet.

Daß der Pfeifenton oder das Blasegeräusch auf die Schlangen einzuwirken vermag, habe ich selbst einmal zu beobachten
Gelegenheit gehabt. Auf dem Karawanenplatz von Tanger pro-
duzierte sich ein arabischer Schlangenbeschwörer. Ohne sein
Wissen entschlüpfte die Haie ihrem Weidenkörbchen und ringelte
in schnellstem Tempo dem einen Halbkreis bildenden Publikum
von Arabern und Negern zu. Eine allgemeine Flucht war die
Folge. Kaum aber ließ der Schlangenbeschwörer sein Instrument ertönen, so kehrte die eilig kriechende Schlange um und
schlüpfte unter seitwärts schlängelnden Bewegungen wieder in
ihr Weidenkörbchen.

Im Gegensatz zu solchen Beobachtungen steht Lenz auf dem
Standpunkt, daß der Gehörsinn der Schlangen im höchsten Grade
verkümmert sei. Seine Versuchstiere sollen sich an Töne gar
nicht oder nur äußerst wenig gekehrt haben, wenn dieselben
nicht den Boden oder die Luft stark erschütterten. Nach ihm
handelt es sich bei den Schlangen nur um große Leistungen des
aufs feinste ausgebildeten Tastsinns, der als der einzige Sinn für
alle verkümmerten eingetreten ist. Wie schwach ihr Gesichts-

sinn, gebe daraus hervor, daß sie z. B. in einen Schatten beißen, und auch der Geruchssinn scheine nur sehr gering ausgebildet zu sein, da der sie tötende Tabakssaft von ihnen nicht gerochen wird. Damit wäre nicht gesagt, daß sie überhaupt nicht riechen, es könnte nämlich ihre geringe Reaktion auf solche Riechstoffe darauf zurückzuführen sein, daß sie selten inspirieren.

Dieser Ansicht von L e n z, betreffend die Hörfähigkeit der Schlangen, stehen aber die vielfachen Erfahrungen gegenüber, und wenn wir die L a n g schen Forderungen für die Annahme der Hörfähigkeit auch hier auf die Schlangen anwenden, sehen wir dieselben bei diesen erfüllt. Ihre Reaktionen auf Schallwellen sind eine alte Beobachtung, ihre Stimme, bestehend in einem Fauchen und Zischen, das sie besonders in der Wut hören lassen, bekannt, ebenso auch die höher fortgeschrittene Ausbildung des wichtigsten Teils des Gehörorgans, der Cochlea, die schon Ähnlichkeit mit derjenigen der Vögel aufweist.

Wollen wir nun die Prüfung betreffs der verschiedenen Schallleitungstheorien an dem Gehörapparat der Schlangen vornehmen, so müssen wir in gleicher Weise wie bei den Amphibien, allein aus Rücksicht auf den anatomischen Bau, die Luftkapseltheorie völlig aufgeben. Eine Paukenhöhle existiert nicht und der Weg der Schallwellen durch ein Schneckenfenster zu den Nervenendstellen ist mangels desselben ausgeschlossen. Ebenso erledigt sich auch sofort die Frage der molaren Zuleitung, wie der Erweiterung derselben, da ja auch hierfür die Grundbedingungen durch das Fehlen des Trommelfells und der Paukenhöhle nicht vorhanden sind.

Diese so mangelhafte Ausbildung der Mittelohranlage der Schlangen bringt uns die Frage der Rückbildung des Gehörorgans näher. H e r t w i g äußert sich darüber folgendermassen: Da die Schallwellen aus dem Wasser leicht in die Gewebe des Körpers übertreten und daher unmittelbar zu den Endorganen der Hörnerven weiter geleitet werden können, bedürfen die Fische keiner besonderen Hülfsapparate, deren Aufgabe es ist, die Tonschwingungen dem Labyrinth zuzuführen. Der große Dichtigkeitsunterschied zwischen der Luft und den Wirbeltiergeweben bringt es aber mit sich, daß die Schallwellen nur in unbedeutendem Maße aus jener in diese fortgeleitet werden, und daher sehen wir von den Amphibien aufwärts Unterstützungsapparate hierfür auftreten. Diese betreffenden Einrichtungen sind aber nicht überall funktionsfähig (Cetaceen), sie können sogar ganz oder teilweise rückgebildet sein (Urodelen, Schlangen, Blindschleichen, Amphisbaenen). Immer handelt es sich dann um Wasserbewohner oder auf dem Boden kriechende, meist extremitätenlose Tiere, bei denen die besondere Lebensweise auch besondere Bedingungen der Schalleitung (Leitung durch Gewebe) verursacht.

Betrachten wir von diesem Gesichtspunkte aus das Mittelohr der Schlangen, so wäre es mit dem Standpunkt der Helmholtz'schen Theorie unvereinbar, daß bei Tieren, die eine bedeutend höhere Entwicklung des Klanganalyseapparates aufweisen, trotz dessen der exakte Hauptübertragungsmechanismus der Schallwellen eine Rückbildung erfahren haben sollte, vor allem, daß der Leitungsstab sich entwickelt, dagegen die die Schallwellen übertragende Membran völlig geschwunden wäre. Sollte dieses nur auf die Lebensweise der Tiere, ihre Haftung am Boden zurückzuführen sein, so würde ja hierbei die Knochenleitung oder die Fortleitung durch die Gewebe, wie sie Hertwig annimmt, genügen, dann wäre aber wieder die Columella bei den höher organisierten Individuen dieser Gattung überflüssig. Warum sollte dann aber die Rückwirkung nur das Trommelfell betroffen haben und dann stehen geblieben sein? Es wäre möglich, daß dieses nun zu Gunsten der molekularen Fortleitung der Schallwellen geschehen wäre, aber auch diese Annahme stößt auf Schwierigkeiten, wenn wir den sogenannten Leitungsapparat daraufhin näher betrachten.

Wie wir gesehen hatten (Fig. 6), ist das knorplige laterale Endstück der Columella an der hinteren Seite des Os quadratum befestigt und geht von dort unter einem Winkel zum Ende des knöchernen Columellastiels. Aus einer solchen Verbindung vermittels eines dünnen Knorpelfadens kann man doch wohl schließen, daß eine molekulare Überleitung der Schallwellen von den knöchernen Partien des Kopfes, besonders dem Os quadratum und maxillare nicht über diesen dünnsten Teil der Columella erfolgen wird. Auf diesem Wege, der zu gleicher Zeit nach Art der Anlage noch einen Umweg darstellen würde, müßten die Schallwellen in diesem winklig abgehenden dünnen knorpligen Verbindungssteg eine Schwächung erfahren. Die Leitung würde sich dadurch nicht günstiger sondern ungünstiger gestalten. Schallwellen, welche das dicke Muskelpolster durchsetzten, würden nur in den seltensten Fällen den Columellastiel in der besser leitenden Längsrichtung treffen. Daher ist wohl entsprechend der Hertwig'schen Annahme eher die Knochenleitung als hauptsächlichster Weg für die Schallwellen zu den Nervenendstellen der Lagena anzusehen. Auch hier stößt diese Leitungsart, wenn sie im Sinne der Zimmermann'schen Theorie wirken soll, auf Schwierigkeiten. Denn der die kleine Cochlea umschließende Knochen ist von so geringer Ausdehnung, daß er nur einen ganz kleinen Teil der Knochenkapsel ausmacht, während gerade der übrige vordere Abschnitt der knöchernen Hülle den geräumigen Sacculus mit seinem Otoliten birgt. Vibrationen der knöchernen Kapsel müßten also zunächst zu letzterem gelangen.

Somit ist wohl auch für den regressiv veränderten Leitungsapparat der Schlangen die Annahme nicht so unberechtigt, daß derselbe die Regulierung des intra-labyrinthären Druckes zu leisten habe. Die Ausbildung eines solchen Apparates, wäre aber nach Lage der Verhältnisse des innersten Ohres direkt erforderlich. Denn betrachten wir die Labyrinthhöhle nach Entfernung der medialen knöchernen Wand, so sehen wir fast die ganze Höhle durch den im Sacculus schwimmenden Otoliten ausgefüllt. Bei einer Größe des ganzen Felsenbeins von höchstens 1×1 cm (Python), weist der Otolit die stattliche Größe von $4,3 \times 4,5$ mm und eine Dicke von ungefähr 2 mm auf. Daß für Strömungen der Labyrinthflüssigkeit, hervorgebracht durch Erschütterung dieser, im Vergleich zu den anderen Dimensionen des Labyrinthes gewaltigen Masse noch eine besondere nachgibige Stelle der umhüllenden Kapsel in seiner Nähe geschaffen ist, erscheint nur zweckentsprechend. Denn sehen wir von schädigenden starken Schalleinwirkungen ab, so liegt es doch noch immer nahe, daß bei diesen kriechenden Tieren irgendwelche stärkere Erschütterungen ihrer festen Unterlage eine gleichartige Bewegung des ballotierenden Otoliten hervorrufen könnten, durch die bei nicht genügender und schnell funktionierender Ausweichemöglichkeit des umgebenden Mediums eine Gefahr für die zarten Nervenelemente entstehen müßte.

Auch die anatomische Anlage der Kommunikationsmöglichkeiten der häutigen Räume des Labyrinths zwischen Pars superior und inferior ließe sich zu Gunsten dieser Auffassung anführen. Es besteht nämlich nur eine feine Öffnung zwischen Utriculus und Sacculus und da der von letzterem abgehende Dct. endolymph. nur schmal und eng ist, müßten sich in solchen Fällen innere endolymphatische Drucksteigerungen und äußere Flüssigkeits-

strömungen summieren. Während für die Pars inferior zwei
nachgibige Stellen vorhanden sind, nämlich der Det. endolymph.
und der Det. perilymph., bestände für die Pars superior nichts
derartiges, wenn wir nicht die Columellaplatte als eine so
wirkende Ausweichestelle annehmen.

Ein Vergleich des Ophidier-Mittelohres mit pathologischen
Verhältnissen des menschlichen wäre nur in beschränktem Maße
durchzuführen. Man könnte vielleicht an Leute denken, welche
infolge chronischer eitriger Erkrankung des Mittelohres oder
durch therapeutische Maßnahmen (Hammer-Amboß Extraktion
oder Total-Aufmeißelung) ihren ganzen Mittelohrapparat mit Ausnahme des Stapes verloren haben. Bei diesen käme aber noch
als günstiges Moment das Vorhandensein des äußeren Gehörgangs und der Paukenhöhle hinzu, welche den Ophidiern fehlen.
Gewöhnlich ist allerdings auch nach Totalaufmeißelungen bei
gut ausgeheilten Fällen der Stapes so in die sklerosierte Epidermis eingehüllt, daß er in bezug auf seine Beweglichkeit oder
Leitungsfähigkeit sich wenig von der eingekapselten Columella
der Ophidier unterscheiden wird, und trotzdessen hören Leute
mit so deformiertem Mittelohr Umgangssprache, ja Flüsterworte
noch häufig auf mehrere Meter Entfernung. Die Beobachtung,
daß die Hörfähigkeit dieser Leute zuweilen um ein beträcht-
liches verbessert werden kann durch Einlegen eines Watte-
bäuschchens in den Gehörgang, könnte ev. dafür sprechen, daß
auch die die Columella überlagernde Muskelschicht bei den
Ophidiern schallverstärkend wirken könnte, oder daß durch
dieselbe die Leitung der Wellen zu der knöchernen Ohrkapsel
erleichtert wird.

Chelonier. Wir wollen uns jetzt zu den Cheloniern wenden
und wiederum zunächst einen kurzen Überblick über den anatomischen Bau des uns besonders interessierenden Teil des Mittelohrs derselben geben, wobei die klassischen Ausführungen von
Hasse und Retzius als Anhalt dienen sollen. (Fig. 7.)

Das mit der äußeren Haut durch straffes Zellgewebe zusammenhängende Trommelfell ist eine sehnige Membran, welche
ungefähr in der Mitte eine nach außen konvexe Knorpelscheibe
besitzt. Mit dieser steht die knöcherne feine Columella durch
eine dünne fadenförmige Knorpelepiphyse in Verbindung. Die
knöcherne Columella hat ihrer Gestalt nach durch den dünnen
langen Stiel und die ausgehöhlte Endplatte Ähnlichkeit mit einer
Trompete gleich der römischen Tuba. Die rundliche Basis

schließt das Vorhoffenster ab, ist jedoch von der knöchernen Umrandung durch ein ringförmiges feines Ligament getrennt. Der mittelste Teil der Columella zieht in einer vom Os quadratum ausgehenden bindegewebigen Umscheidung durch einen knöchernen Kanal, der einen Verbindungsgang zwischen den Räumen der geteilten Paukenhöhle bildet. Diese besteht nämlich aus zwei Abteilungen, einer vorderen trichterförmigen, tiefen und einer flachen hinteren, dem Antivestibulum Bojani. Beide werden durch eine feste Knochenbrücke getrennt, in welcher sich der erwähnte Kanal zur Aufnahme der Columella befindet. Von dem inneren Raum der Paukenhöhle geht die Tube aus, welche ziemlich kurz ist und im hinteren Rachen endet. Nur

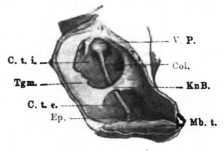

Fig. 7.
Mittelohr von Testudo.

Cu. — Cutis.
Mb. t. — Membr. tymp.
KnB. — Knochenbrücke.
Col. — Columella.

V. P. — Verschluß-Platte.
Ep. — Epiphyse (knorplig).
Tgm. — Tegmen des C. t. i. aufgebrochen.
C. t. i. — Cavum tymp. internum.

C. t. e. — Cavum tymp. externum.

die laterale Wand der das häutige Labyrinth umgebenden Hülle ist knöchern, der größte Teil der medialen besteht dagegen aus einer an verschiedenen Stellen ungleich dicken Knorpelmasse.

Das Vorhoffenster hat eine eirunde Gestalt mit nach unten gerichteter Spitze, und ist nach auswärts und etwas nach hinten zu gelagert. Inbetreff der Frage des sogenannten For. rot. müssen wir wiederum erst die Abflußwege der Perilymphe besprechen. Auch hier ist die Anlage der perilymphatischen Räume in gleicher Weise ausgebildet, wie wir sie bei den Amphibien und Ophidiern beschrieben haben. Der Dct. peril. verläuft zwischen Sacculus und Lagena in einer tiefen Furche der medialen Wand der letzteren, ein Homologon der Scala tymp. darstellend und geht durch eine von Hasse wieder als For. rot. bezeichnete Öffnung

nach außen, wo er sich zu dem Sacc. peril. erweitert. Letzterer
sendet durch den Canal. jugul. eine Röhre, welche sich in den
serösen Räumen zwischen den Gehirnhüllen öffnet. Es ist also
auch bei den Cheloniern derselbe Typus wiederzufinden, den
wir bisher beobachtet hatten, und demzufolge müssen wir auch
hier die dem Duct. peril. zum Durchtritt dienende Öffnung für
eine Analogiebildung des For. peril. sup. des Frosches ansehen
und annehmen, daß eine funktionell dem For. rot. entsprechende
Fensteröffnung in der Ohrkapsel nicht vorhanden ist. Hasse
beschreibt außerdem noch eine nach oben und außen von dieser
größeren Öffnung gelegene kleinere, die in einen schräg nach
innen und abwärts führenden Kanal geht, welche er für die
Apert. aquaeduct. cochl. hält. Es handelt sich wohl hier um
die zweite bekannte Öffnung, das For. peril. inf. des Frosches.

Im Innern der Labyrinthkapsel finden sich zwei Höhlen,
die miteinander durch eine ziemlich weite Öffnung in Zusammenhang stehen. Die größere, vordere, obere dient zur Aufnahme
der Pars. sup. und die kleinere hintere beherbergt die Pars.
inf. des Labyrinths. Am häutigen Labyrinth ist folgendes zu
berücksichtigen. Der Binnenraum des Sacculus ist von einer
rundlichen Otholitenmasse ausgefüllt. Wie bei den Ophidiern
kommunizieren Utriculus und Sacculus nur durch ein kleines
Loch, Sacculus und Cochlea dagegen durch eine kurze breite
Röhre. Gewissermassen bildet die Cochlea nur eine taschen-
förmige Ausbuchtung der hinteren Sacculuswand.

Über das Hörvermögen der Schildkröten fehlen uns ebenfalls exakte wissenschaftliche Untersuchungen, und so sind wir
darauf angewiesen, auch bei diesen Tieren nur gelegentliche
Beobachtungen anzuführen. Während Darwin meint, daß es
den Anschein habe, als ob die große Elefantenschildkröte taub
wäre, da sie einen Menschen, der ihr nachgehe, nicht eher be-
merke, als bis derselbe neben ihr stehe und sie ihn sehen könne,
ist Audubon anderer Ansicht. Seiner Erfahrung nach genüge
das geringste Geräusch, um die Seeschildkröte zu veranlassen,
sich sofort in die Tiefe des Meeres zu versenken. Kanonen-
schüsse sollen die Tiere so ängstigen, daß sie erst nach Wochen
wieder an der Oberfläche erscheinen. Da es nun nicht feststeht,
ob diese Fluchtbewegungen als Reaktionen auf Schallwellen
anzusehen sind, müssen wir zusehen, ob die beiden anderen
von Lang aufgestellten Forderungen für den Nachweis des
Hörvermögens der Tiere, nämlich das Vorhandensein einer

Stimme und die Existenz eines mit dem Bau unseres Gehörorganes im wesentlichen übereinstimmenden Sinnesorganes zutreffen. Da der letzte Punkt sich nach unseren Betrachtungen
von selbst erledigt, ist nur der erste zu berücksichtigen, der
auch in positivem Sinne zu beantworten wäre. Denn es steht
fest, daß Schildkröten einen blasenden oder pfeifenden Ton ertönen lassen, der vielfach als Lockmittel, aber auch zum Schreck
einflößen verwandt wird. So müssen wir uns also, da die
eigentlichen Haupterfordernisse erfüllt sind, uns zu der Annahme bekennen, daß den Schildkröten ein Hörvermögen zukommt.

Wollen wir nun aus den anatomischen Befunden auf die
Wege der Schallleitung zu schließen versuchen, so kommen wir
der nur wenig vom Bau des Mittelohrs der vorher beschriebenen
Tiere abweichenden Verhältnisse wegen auch hier zu den gleichen
Erwägungen. Wieder zeigt sich die Theorie der Schallzuleitung
durch das Schneckenfenster mangels eines solchen als unhaltbar,
obgleich hier eine Paukenhöhle vorhanden ist. Aber noch aus
einem anderen Grunde kann die Schallkapseltheorie auf das
Cheloniermittelohr keine Anwendung finden. Ist doch die Paukenhöhle geteilt und die dem äußeren Luftdruck zugekehrte vordere Höhle liegt abgesondert durch eine feste Knochenwand
von der für die Theorie wichtigen wirklichen Paukenhöhle.
Letztere steht allein durch die kurze Tube mit der Atmosphäre
in Verbindung und ein Vergleich mit der König'schen Kapsel
trifft daher hier überhaupt nicht zu. (Fig. 7).

Um das Prinzip der molaren Schallübertragung an der
anatomischen Konstruktion des Cheloniermittelohrs zu prüfen,
müssen wir wiederum vom Trommelfell ausgehen. Dieses ist,
wie beschrieben, eine ebene, sehnige Scheibe, die von der dicken
Körperhaut überzogen ist. Prüft man ihre Beweglichkeit, so
findet man, daß diese im oberen Sektor am größten, wenn auch
sehr geringfügig ist, daß aber die seitlichen und unteren Partien
einer Ein- oder Auswärtsbewegung kaum fähig sind. Durch
die Belastung mit der kleinen Knorpelscheibe, die als Ansatzstelle für die Columella dient, ist aber die Schwingungsfähig-
keit der an und für sich schon derben Membran noch mehr beeinträchtigt, abgesehen davon, daß die äußere Hautschicht, mit
der sie bindegewebig verbunden ist, eine eigene zweckentsprechende Vibration kaum zulassen kann. Dem fügt sich als
weiteres die Befestigungsart des äußeren Columellateils am

Trommelfell an. Ein dünner Knorpelfaden verbindet den von hinten medial nach vorn lateral verlaufenden knöchernen Columellastiel mit der Knorpelscheibe des Trommelfells. Außerdem verläuft die knöcherne Columella in dem engen Kanal der die beiden Paukenhöhlenabschnitte trennenden Knochenwand und dürfte dieserhalb einer feinen Einstellungsbewegung kaum fähig sein. Bei einer stärkeren Bewegung des dicken schweren Trommelfells könnte aber ferner an dem dünnen Halsstück des äußeren Columellaendes leicht eine Knickung eintreten, und dadurch jede für die Schallübertragung geeignete Bewegung der Verschlußplatte gehindert werden. Form und Zusammensetzung des Trommelfells und des äußeren Columellateils, sowie die Befestigungsart des letzteren lassen daher die molare Schalleitung bei dem Cheloniermittelohr nur wenig annehmbar erscheinen, bieten aber zunächst für die Molekularleitung geringe Vorteile dar.

Vorerst handelt es sich um die Frage, ist das Trommelfell und ist der Leitungsweg hierfür geeignet. Im großen ganzen ist der Bau des Trommelfells ziemlich ähnlich dem beim Frosch, nur könnte man ihm durch die eingelagerte Knorpelmasse eine leichtere Anspruchsfähigkeit, auf Luftschallwellen in molekulare Schwingungen zu geraten, zuerkennen. Durch den dünnen, teils bindegewebigen, teils knorpligen Stiel, mit welchem es mit der knöchernen Columella verbunden ist, müßte dagegen, wie schon bei den Amphibien und Schlangen betont wurde, die Kraft der molekularen Wellen eine Einbuße erfahren. Außerdem ist die Columella gebogen, und in ihrer Mitte in dem knöchernen Kanal in einer bindegewebigen Hülle fixiert. Daß hierdurch eine genügende Isolierung der dünnen knöchernen Columella von ihrer Umgebung stattfindet, ist nicht wahrscheinlich, und so wäre eine Übertragung der molekularen Schallwellen auf den angrenzenden Knochen zu erwarten, und hierdurch wiederum eine Ableitung derselben und keine Konzentrierung in dem Columellastiel.

(Fortsetzung folgt.)

Besprechungen.

4.

S. O. v. Stein, (Moskau), Eine neue Funktion des Labyrinthes (Licht-Labyrinth). (Ein Fall nicht eitriger Erkrankung des rechten Labyrinthes. Zerstörung des Endapparates.
Folgen.) St. Petersburg 1906, Jeshemjesjatschine uschnych, gorlowych i nossowych bolesnej. 1906. Nr. 8.

Besprochen von
Dr. A. de Forestier in Libau (Rußland).

Der nachstehende Fall soll darin der erste sein, als an ihm
sowohl die Reizsymptome des motorischen Apparates im Labyrinth, als auch nach erfolgter operativer Zerstörung die Ausfalls-
symptome desselben, so genau das heute überhaupt möglich ist,
untersucht worden sind. Hierbei wurde eine bisher nicht beobachtete Erscheinung — eine ungewöhnliche Steigerung der Atmungsfrequenz — entdeckt.

Elisabeth P., 14 Jahre alt, wird wegen rechtsseitiger chronischer Eiterung total aufgemeißelt. Eine Woche hiernach beginnen Gleichgewichtsstörungen, die sich allmählich sehr verstärken. Temperatur die ganze Zeit über normal. 7 Wochen
nach Totalaufmeißelung neue Untersuchung. Höhle bis auf Eiterung aus der Gegend des „äußeren halbzirkelförmigen Kanals"
überhäutet. Sondierung und Ausspülung rufen Schwindel mit
Verschiebung der sichtbaren Gegenstände nach rechts hervor.
Kopf und Rumpf fallen dann nach rechts.

Hört rechts: p. aera — von C_2 512 — 5 Teilstr. Galton,
p. os — von C_2 512 — C_3 1024.

Laute Sprache 0,1 Meter.

Aus der Untersuchung können noch folgende, besonders wichtige Aufzeichnungen erwähnt werden. Die Handschrift ist stark
verändert, aus einer geraden, festen — ist sie unregelmäßig,
schräg, schwankend geworden. Tafeln mit Schriftproben ver-

schiedener Zeiten im Anhang bestätigen das. Die Kraft der
Flexoren der Hand wird mit Steins Dynamometrograph geprüft und erweist sich als stark herabgesetzt. Auch hierzu im
Anhang Dynamogramme. Das größte Interesse erweckt das über
das Resultat des Centrifugierens Gesagte. Nach Stein muß
eine Centrifuge, um gute Resultate zu erzielen, mindestens 2 Met.
im Durchmesser haben, damit die gedrehte Person nirgends Stütz-
punkte hat oder in den eigenen Bewegungen gehindert wird.
Auf die Scheibe darf im Notfall eine Matratze oder ein Kissen
gelegt werden. Wenn die Umstände das gestatten, soll die Untersuchung geführt werden: in vertikaler Stellung — stehend und
sitzend und in horizontaler auf dem Rücken, mit dem Gesicht
nach unten und auf der Seite. Eine große Anzahl von Photo-
graphien belebt die Beschreibung der Centrifugierung der Patientin.

Es ist schade, daß das Referat dieselben und deren präg-
nante Erläuterungen entbehren muß. Beim Lesen hat man das
Gefühl Zeuge des Experimentes zu sein. Um hier einen Begriff
von der geringen Schnelligkeit, mit der die Patientin gedreht
wurde, zu geben, wird angeführt, daß bei einer ganzen Wendung
der 2 Meter Durchmesser aufweisenden Scheibe in 10 Sekunden
ein normaler Mensch noch keinen Schwindel hat. Bei der Patientin treten die schwersten Gleichgewichtsstörungen bereits
auf, wenn eine Umdrehung der Scheibe 5 Minuten dauert. Es
liegt mithin hier eine ganz besondere Empfindlickeit einiger La-
byrinthabschnitte vor. Es tritt beim Drehen und besonders beim
Drehen nach rechts hochgradige Schwäche mit leichter Trübung
des Bewußtseins, bei völligem Fehlen einer Muskelanspannung
auf. Wenn die Kranke in ihr Bett zurückgebracht wird, so
schlottern Kopf, Arme und Beine wie leblos. Im Laufe $^1/_2$ Stunde
verschwand gewöhnlich dieser Zustand. Schwindel besteht aber
fast beständig; derselbe ist bei offenen Augen stärker mit Verschiebung der Gegenstände nach rechts, sie hat das Gefühl, als
ob das Bett unter ihr weggeht, daß ihr Körper kein Gewicht
hat und sie nach rechts gleitet. Das verstärkt sich anfallsweise
zu folgendem Bild: Die Kranke liegt schlaff auf dem Rücken,
hebt plötzlich die Hände in die Höhe und bewegt sie von links
nach rechts, indem sie etwas zu ergreifen versucht. Nach einigen
Bewegungen sinken die Arme kraftlos hin. Nach Verlauf weniger Minuten erwacht sie aus einer Art Benommenheit und versucht sich krampfhaft festzuhalten, da sie „nach rechts fliegt".

Stein beschließt, in der Befürchtung intrakranieller Komplikationen, da das Labyrinth offenbar in Gefahr steht, durch die
drohende Eiterung noch nachhaltiger zu erkranken, einen operativen Eingriff in dasselbe. Nach Eröffnung des Canal. semi-
circular. ext. Desinfektion des Inneren mit Wasserstoffsuperoxyd.
Ein dünner, weicher, sterilisierter Draht von der Art, wie er zu
den Nadeln der Pravaz-Spritzen gehört, wird in den Kanal eingeführt, zuerst durch das vordere Knie in die Gegend des Vor-
hofes, und werden hier die weichen Teile durch Hin- und Her-
bewegen zerstört, hierauf Einführung in das hintere Knie. Ein
dünner, rauher Extractor für die Zahnpulpa wird mit Watte umwickelt, mit Wasserstoffsuperoxyd getränkt, in die Gegend des
Labyrinthes eingeführt, und während Gasblasen aufsteigen, hin-
und herbewegt, wobei die aufsteigenden Sauerstoffblasen die be-
gonnene Zerstörung der feinsten Teile, unter anderem der Otolithen, beendigen. Wiederholung der Manipulationen mehrmals,
dann Einlegen eines Jodoformfädchens. Diese Methode hat sich
Stein gut bewährt bei seinen Operationen an Meerschweinchen-
labyrinthen. Er verlor hierbei nicht ein einziges Tier.

Peinlich genau ist das tägliche Verhalten notiert, woraus jede
Zustandsänderung, besonders hinsichtlich der Gleichgewichtsstörungen, erkennbar ist. So schreitet langsam, dazwischen auf
und ab, der Zustand zum Besseren. Allmählich weichen die
stürmischen Schwindelerscheinungen im Liegen, dann im Sitzen.
Anfangs ruft das Manipulieren an der Labyrinthwunde noch
schwere Erstarrungszustände hervor, die noch nach dem Verbinden anhalten, später, mit dem Fortschreiten der Granulationsbildung, wird auch das besser. Am 9. Tage stellt sich das auffällige Symptom der gesteigerten Atmungsfrequenz ein.
5 weitere Tage später erreicht, nach Einführen von H_2O_2 in den
Vorhof, die Frequenz der Atmung bei normaler Temperatur 140
in der Minute. Puls schwach, gleichmäßig, — 84. Die Atmung
ist bald costal, bald abdominal. Patientin kann die Atmung, die
bis auf 160 in der Minute steigt, nicht anhalten. Wenn man
die Hand auf die Brust legt, fühlt man eine Art Dröhnen der
Brustwand. In diesen Tagen wird als sehr auffällig wahrgenommen, daß durch Druck auf die Supraclaviculargegend die
Atmung unterbrochen werden kann. Das erleichtert die Patientin
derart, daß sie selbst die Finger ins Jugulum drückt, oft schläft
sie sogar so ein. Ganz wurde die Atmung in der Befürchtung,
daß sie plötzlich ganz aufhören könnte, nur auf eine halbe Minute

unterbrochen. Wiederholt werden graphische Kurven von der Athemfrequenz aufgenommen. Es wird an der Kranken zu dieser Zeit eine bedeutende Steigerung der Hautreflexe beobachtet. Das subjektive Befinden ist öfters sehr gut. Das Gehen wird immer sicherer. Ichonogramme können bereits, da Patientin sogar ohne Unterstützung mit offenen Augen etwas gehen kann, aufgenommen werden.

Genau 1 Monat nach dem Eingriff am Labyrinth ergiebt die Centrifugierung eine große Widerstandskraft bezüglich desselben. Schwindel, das Gefühl des Fallens, Übelkeit, Erbrechen, Scheinbewegungen der Gegenstände können durch Rotieren, selbst bei schnellem Drehen, nicht hervorgerufen werden, während das Gefühl des Gegendrehens stärker als normal ist: Hyper-Antirotatio. — Prüfung vermittels des Dynamometrographs von Stein (Dynamometrie).

So verläßt Patientin die Klinik zu einem Frühlingsaufenthalt auf dem Lande. Die Atmung ist tagsüber noch sehr frequent, bis 200 in der Minute, nachts aber schon zeitweilig fast normal.

Nach dem Landaufenthalt wird Patientin aufs neue untersucht. Das Gehör rechts ist = 0. Weder Schwindel, noch das Gefühl des Fallens, noch die Scheinbewegung der sichtbaren Gegenstände sind mehr vorhanden. Patientin kann frei gehen usw. Atmung 25—38 in der Minute.

Auf Grund dieser reichen Symptomatologie versucht Stein einige „wahrscheinliche" Schlußfolgerungen zu ziehen.

I. Die sichtbare Verschiebung von Gegenständen nach rechts in der Horizontalen stellt er in Abhängigkeit von einer Affektion des äußeren, rechten Bogenganges, von einer Hyperaesthesia oristae ampullaris externae. (Stein hat einen analogen Fall im I. Bande der Leistungen der Basanovschen Klinik S. 613, 1903 veröffentlicht.)

II. Das Gefühl des Fallens längs einer schiefen Ebene nach rechts wird in Abhängigkeit von einer Hyperästhesie der Macula utriculi gebracht. Das Otolitenplättchen kann, während es, seinem Gewicht folgend, über den hyperästhetischen Endapparat gleitet, das Gefühl des Fallens hervorrufen. I wird bald, II sofort nach der Zerstörung vermißt, was Stein zum Beweis für die Annehmbarkeit seiner Vermutung über die topische Diagnose heranzieht. Er fährt fort, indem er

III. auf das Eigentümliche der folgenden Beobachtung aufmerksam macht. Während die Verschiebung von Gegenständen bei offenen Augen für gewöhnlich nach der Richtung des Nystagmus erfolgt, klagt die Kranke in diesem Falle bei v o l l - k o m m e n u n b e w e g l i c h e n Augen über eine Fortbewegung ruhender Gegenstände nach rechts, also nach der Richtung des kranken Ohres. Von Nystagmus nicht das allergeringste Anzeichen vorhanden. Er glaubt auf eine neue Funktion des Labyrinths und zwar auf das Bestehen noch eines Mechanismus zwecks Regulierung der Bewegungen und zur Erhaltung des Gleichgewichts gestoßen zu sein. Nach der Zerstörung des Labyrinths verschwand auch diese Erscheinung. Des öfteren begleitete die Kranke die Verschiebung der Gegenstände durch Bewegungen der erhobenen Hände, so bald diese Verschiebung an Schnelligkeit zunahm, trat Unbehagen, das in die beschriebene Erstarrung überging, ein. Der oben bereits angezogene zweite Fall Steins wies dieselben Erscheinungen, nur nach l i n k s auf, dort war, wie hier — der rechte äußere, horizontale, der äußere linke Kanal affiziert, und so läßt sich folgern, daß diese anormale Bewegung der Gegenstände durch Reizung der Elemente der äußeren Ampulle des äußeren halbzirkelförmigen Kanals hervorgerufen wird. Ob die beschriebenen „Lichtempfindungen" und die Regulirung der Muskelkontraktionen durch dieselben Elemente mit Hilfe der Strömungen der Endolymphe und der Otolithen-Plättchen besorgt werden, kann augenblicklich nicht sicher entschieden werden. Diese neue Funktion des Labyrinths proponiert er im Gegensatz zu der motorischen Funktion, die Funktion des „Licht-Labyrinths, (labyrinthe luminenx) zu benennen. Schon U r b a n t s c h i t s c h hat 1897 Hinweise hierauf gegeben, doch hat er den Beweis, daß diese Erscheinungen nach Zerstörung des Labyrinths verschwinden, nicht geliefert, das ist zuerst S t e i n geglückt. Auch glückte S t e i n an diesem Fall das umgekehrte Experiment, indem bei tatsächlicher Bewegung von Gegenständen bei der P. Gleichgewichtsstörungen eintraten. Wenn man vor der Kranken in 1 oder 2 Meter Entfernung, in gerader Linie oder am Boden ein brennendes Licht vorbeibewegt, so gelang es, die Patientin nach rechts umzuwerfen. Nach Zerstörung des Labyrinths hört die Patientin auf in dieser Weise zu reagieren. Hieraus ist ersichtlich, daß dem Kliniker eine neue Möglichkeit gegeben ist, Störungen des die Bewegungen koordinierenden Apparats mit Hilfe von Licht-Eindrücken festzustellen. Diesen Versuch proponiert S t e i n den Photo- oder

Eidokinetischen zu nennen. Der hierzu konstruierte Apparat ist der Eido-Kinemeter.

Wie der enge Zusammenhang zwischen Lichterscheinungen und Labyrinth schematisch zu denken ist, schildert Stein so: Ein vor den Augen in Bewegung befindlicher Gegenstand veranlaßt durch sein auf der Netzhaut sich entsprechend verschiebendes Abbild, unter Vermittelung des Sehzentrums, die Kontraktion einzelner Muskeln der einen Körperseite und auf der anderen Seite ein Nachlassen der gleichnamigen Muskeln. Als Resultat hiervon ergibt sich in pathologischen Fällen eine Störung der Koordination der Bewegungen. Das umgekehrte erfolgt bei Labyrinthleiden. Die von dem kranken Labyrinth ausgehenden anormalen Impulse erreichen die Sehzentren, bedingen dort ein Sich-Verschieben des durch die Augen erhaltenen Bildes, was in die Außenwelt zurück als Scheinbewegung produziert wird, zum Beispiel im vorliegenden Fall als solche nach rechts hin. Für das vermittelnde Amt zwischen den die Netzhaut treffenden Reizen einerseits und dem Labyrinth andererseits hält Stein eben das Sehzentrum selbst.

IV. Wie Högyes und Marikovsky für Tauben und Kaninchen, so stellt Stein für den Menschen ein Schema der Koordination unwillkürlicher Muskelbewegungen durch das Labyrinth auf. A. Jede Hand (Flexoren) erhält Impulse von beiden Labyrinthen. B. Jedes Bein erhält Impulse von beiden Labyrinthen und gleichzeitig im besonderen vom gleichseitigen Labyrinth. C. Jede Körperhälfte erhält in der Lumbalgegend Impulse von beiden Labyrinthen und gleichzeitig noch extra vom gleichseitigen. D. Die Halsmuskulatur erhält die Impulse von beiden Labyrinthen aber im besonderen von der gleichnamigen Seite. E. Von beiden Labyrinthen werden gleich starke Impulse zu beiden Augen gesandt. Die Beweisführung zu diesen Punkten muß im Original nachgelesen werden. Ein vollständiges Schema wird erst dann aufgestellt werden können, wenn in jedem Labyrinth Flexoren, Extensoren, Pronatoren und Supinatoren lokalisiert sein werden.

V. Zum erstenmale wird bei einer Zerstörung des Labyrinths eine ungewöhnliche Atmungsfrequenz beobachtet, und wäre damit ein Faktum von kapitalster Bedeutung gefunden, falls sich die Konstanz desselben feststellen lassen würde. Hierdurch würde sich die Existenz eines die Atmung hemmenden, verlangsamenden, peripheren Apparates im Labyrinth ergeben. Da im vorliegenden Fall jegliche meningeale Reizerscheinungen fehlen, kann die abnorme Häufigkeit der Atmung auch nicht von einer direkten Reizung des verlängerten Markes abhängig sein. Das Fehlen der hohen Atmungsfrequenz bei eitrigen Labyrinthitiden beruht wohl auf der sehr allmählich eintretenden Zerstörung der Elemente und der damit Schritt haltenden Anpassung der Atmungszentren. Die aufgenommene Atmungskurve hat mit keiner einzigen der bisher bekannten, registrierten Kurven Ähnlichkeit. Als auffällig war ferner zu bemerken, daß in der ersten Zeit nach der Operation die Kranke nicht imstande war auf Wunsch tief Atem zu holen, es war also zeitweilig nach Zerstörung des Labyrinths die Verbindung zwischen den Willenszentren und dem Diaphragma unterbrochen. Ganz unfreiwillig wechselte auch der abdominale mit dem kostalen Atemtypus. Ferner wurde ein interessantes, wie Stein glaubt, bisher auch nicht beschriebenes Symptom im Zusammenhang mit Obigem beobachtet und zwar, das Aufhören der Atmung bei unbedeutendem Druck, im Verlauf der beiden unteren nn. phrenici. Das Faktum, daß es ihm in vorliegendem Fall, sowohl durch Druck auf den linken, wie auf den rechten Nerv gleich leicht gelang die Atmung zu unterbrechen, veranlaßt Stein zu der Annahme, daß Reizungen von seiten eines Labyrinths bei den unteren nn. phrenici übermittelt werden und zwar in gleicher Stärke.

VI. Stein wendet sich gegen die Bezeichnung Schwindel, für die er als wissenschaftliche Benennungen drei andre Namen proponiert. Er gruppiert die verschiedenen anormalen, hierher gehörenden Empfindungen folgendermaßen: A. Der Mensch empfindet das Gefühl der Bewegung seiner Umgebung, welche sich tatsächlich, wie der Mensch selbst, im Zustande der Ruhe befindet. Hierfür wird die Bezeichnung „äußerliche Gesichtsscheinbewegung, pseudo-eidokinesis externa" gewählt.'

B. Der Mensch empfindet das Gefühl des Fallens seines Körpers und des Bodens, auf dem er ruht, „selbstempfindende Scheinbewegung, pseudo-autokinesis". Hierzu werden noch feinere Unterschiede und Unterabteilungen gegeben. Im allgemeinen erschöpfen die beiden großen Gruppen den Gegenstand. Wenn der Kranke eine Bewegung der Gruppe A oder B empfindet, dann ist sein Zustand noch erträglich. Eine Kombination von A und B macht sein Leiden zu einem schweren, ihn faßt hilflos, wenn sich jedoch die anormalen Bewegungen der Gruppen A und B in verschiedenen Richtungen, verschiedenen Formen und Schnelligkeiten kombinieren, dann ist seine Lage verzweifelt, er ist trotz des Fehlens irgend welcher Lähmungen vollkommen ans Bett geschmiedet. Und, fragen wir, wodurch wurde eine so unglückselige, folgenschwere Lage hervorgerufen. Dadurch, daß eine Störung im Auffassen und Empfinden einer gewissen „normalen Geschwindigkeit der Bewegung" eintrat. Ein pathologischer Zustand erhöhter Perzeption der Bewegung. Auf die Frage, welche Geschwindigkeit denn als normal zu bezeichnen und wo dieselbe zu suchen sei, antwortet Stein, daß das menschliche Labyrinth sich, wie alles Lebende, unter dem Einfluß der zentripetalen Anziehungskraft der Erde und einer durch die Drehung der Erde auftretenden zentrifugalen Kraft entwickelte. Im Labyrinth differenzierten sich Abteilungen zur Regulierung der Eigenbewegungen in Beziehung zu der gegebenen Schnelligkeit der Erdumdrehung und zwecks Empfinden der eigenen Schwere im Verhältniß zu der gegebenen Anziehungskraft der Erde. Die Störung in der Regelmäßigkeit des richtigen Gefühls (Kinästhetisches Gefühl nach Stein) der Anziehungskraft der Erde nennt Stein — Barytepathia labyrinthica, und die Störung des richtigen Empfindens für die Drehung der Erde — Kinepathia labyrinthica.

Bei der Kinepathie und Barytepathie fühlt der Mensch seinen anormalen Zustand und zwar so lange bis nicht die „Schnelligkeit des Schwindels" sein Sensorium trübt. Das Wort „Schwindel" soll die unangenehmen Empfindungen, die durch eine Reihe anormaler Bewegungen hervorgerufen werden, bei gleichzeitigem, bewußtem eigenen Verhalten zur Umgebung zusammenfassend bezeichnen, anders könnten die Kranken uns keine Rechenschaft über ihre subjektiven Zustände geben. Panse hat somit nach Stein Unrecht, wenn er, das Wort „Schwindel" definierend, sagt: Unter Schwindel, vielleicht besser Lageschwindel genannt, verstehen wir eine Täuschung über unser Verhältnis zum Raum."

Schlußfolgerungen.

Ein Labyrinth kann in keinem Falle die motorische Funktion des anderen ersetzen.

Die operative Zerstörung des Labyrinths ist bei nicht eitrigen Affektionen indiziert, wenn der Patient infolge seiner Gleichgewichtsstörung zu keiner produktiven Tätigkeit fähig ist und ans Bett gefesselt ist.

Gleicherweise ist die Zerstörung des Labyrinths bei Ohrgeräuschen mit Selbstmordideen indiziert.

Die Eröffnung des nicht infizierten Labyrinths ist ungefährlich. Das sollen Freitag's 9 Fälle beweisen, denen Stein's
Fall als zehnter hinzuzurechnen ist. —

5.

H. Oppenheim und R. Cassirer, Die Encephalitis. Zweite
umgearbeitete Auflage, mit 2 Tafeln in Farbendruck, 1 Kurven-
tafel und mit 6 Abbildungen im Text. Alfred Hölder, Wien 1907.

Besprochen von
Dr. F. Isemer, Halle a. S.

Aus dem überaus anregend geschriebenen Werke der beiden
bekannten Verfasser sollen hier nur die wenigen otologisch interessanten Punkte mitgeteilt werden.

Bei der Erörterung der Ätiologie der Encephalitis — Infektion
und Intoxikation nehmen hier den ersten Platz ein — weisen
Verfasser darauf hin, daß sich bei an Encephalitis erkrankten
Personen relativ häufig eine alte oder frische Otitis purulenta
fand. In den Fällen mit akuter Otitis halten Verfasser die Annahme für naheliegend, daß beide Prozesse demselben Infektionserreger ihre Entstehung verdanken, der jedoch im Gehirn nicht
als Eitererreger, sondern nur als Entzündungserreger wirke; für
die Fälle mit alter Otitis jedoch glauben sie anderweitige Momente, wie besondere Empfänglichkeit der an dieser Otitis Erkrankten für andere Infektionsstoffe als Ursache der Encephalitis nicht ausschließen zu dürfen.

In dem Kapitel: Symptomatologie finden wir die ausführliche Mitteilung eines von Kaiser beobachteten Falles von Poli-
encephalomyelitis acuta, bei dem durch die mikroskopische Untersuchung auch eine Miterkrankung der Acusticuswurzel nachgewiesen wurde. Ferner weisen Verfasser darauf hin, daß auch
mehrere klinische Beobachtungen von Beteiligung des Acusticus
an dem Prozesse vorliegen.

Erwähnt sei noch die Beziehung der Encephalitis zur Sinusthrombose. Die Erscheinungen der Sinusthrombose können denen
der Encephalitis bis in die kleinsten Züge gleichen. Es gilt
dies natürlich nicht für die phlebitische sekundäre Thrombose,
sondern nur für die autochthone und vor allem für die sich bei
chlorotischen Personen entwickelnde Form der Sinusthrombose.
„Die Gefahr, diese beiden Zustände zu verwechseln, ist eine um
so größere, als auch die Encephalitis häufig chlorotische Indivi-

duen betrifft. Selbst eine Kombination beider Prozesse wurde
gelegentlich beobachtet, ohne daß es immer zu entscheiden ist,
welcher von beiden als der primäre aufzufassen ist."

In einem Falle von Encephalitis, den Oppenheim später
sah, wurde unter der Diagnose: Empyem des Warzenfortsatzes
mit anschließender Thrombose des Sinus transversus eine Fehl-
operation gemacht, die den Tod des Patienten zur Folge hatte.
Die Sektion hatte ergeben, daß die Encephalitis, an der Patient
litt, inzwischen ausgeheilt war, und daß der Tod infolge einer
von der Operationswunde ausgegangenen Meningitis erfolgt war.

<hr>

6.

W. Kümmel. Die Verletzungen und chirurgischen
Erkrankungen des Ohres. Aus Handbuch der prakti-
schen Chirurgie von Prof. Dr. E. von Bergmann und Prof.
Dr. P. Bruns. Dritte Auflage 1907, I. Band, III. Abschnitt.
Besprochen von
Dr. F. Isemer, Halle a. S.

In dem vorliegenden III. Abschnitt des Handbuches der
praktischen Chirurgie bringt Verfasser in sachlicher Kritik die
verschiedenen Anschauungen der Behandlung der Ohrerkrankungen
und hebt hierbei das hervor, was seinen Erfahrungen nach besonders empfehlenswert erscheint.

Nach einleitenden Bemerkungen über die Anatomie des
Ohres werden in einzelnen Kapiteln die angeborenen Mißbildungen, die Verletzungen, die entzündlichen Erkrankungen,
die Neubildungen des Ohres und die operative Eröffnung der
Hohlräume des Warzenfortsatzes besprochen und ist jedem
einzelnen Kapitel einige Literaturangabe beigefügt. — Für den
operativ tätigen Ohrenarzt bringt das Buch nichts Neues, dem
Chirurgen dagegen hofft der Verf. damit einen wertvollen Weg-
weiser zu geben.

<hr>

7.

W. Kümmel, Ohrenkrankheiten. Aus „Chirurgie des
praktischen Arztes", zugleich Ergänzungsband zum Handbuch der praktischen Medizin, redigiert von Prof. W. Ebstein
und Prof. J. Schwalbe. 2. Auflage 1906.
Besprochen von
Dr. F. Isemer, Halle a. S.

Nach kurzen einleitenden Vorbemerkungen über die anatomischen Verhältnisse und die Untersuchung des Gehörorgans

weist K. in vorliegendem Werk in knapper und übersichtlicher Form auf die in der allgemeinen Praxis vorkommenden wichtigsten Erkrankungen des Ohres hin.

In einzelnen Kapiteln werden die Erkrankungen der Ohrmuschel und des Gehörganges, des Trommelfells, des Mittelohres, des Labyrinthes und des Nervus acusticus besprochen und hierbei namentlich die zur Erkennung und Behandlung dieser Erkrankungen besonders verwertbaren Hilfsmittel hervorgehoben. Zum Schluß weist Verfasser auf die Bedeutung des Zusammenhanges verschiedener Ohrerkrankungen mit den Allgemeinerkrankungen hin und bringt eine kurze Übersicht der Ohrerkrankungen, an welche bei einer inneren Erkrankung in erster Linie gedacht werden muß.

Es erübrigt sich, hier näher auf die einzelnen Kapitel einzugehen, für den allgemeine Praxis treibenden Arzt jedoch wird das Studium derselben Nutzen bringen.

8.

Manasse. Über chronische, progressive, labyrinthäre Taubheit. 75 S. mit 17 Abbildungen auf 7 Tafeln. Wiesbaden 1906. J. F. Bergmann.

Besprochen von
Dr. Louis Blau.

Die in ihren Ergebnissen höchst bedeutsame Arbeit ist der unveränderte Abdruck einer unter gleichem Titel in der Zeitschrift für Ohrenheilkunde Bd. LII. S. 1 erschienenen Veröffentlichung. Manasse schildert zunächst die von ihm an 31 Felsenbeinen, welche 18 mit „chronischer progressiver labyrinthärer Taubheit" behaftet gewesenen Kranken angehörten, erhobenen anatomischen Befunde und resümiert, daß diese übereinstimmend in Veränderungen am Ductus cochlearis, am Ganglion spirale, an den feinen Verzweigungen des Hörnerven in der Schnecke und am Stamm des Nerv. acusticus bestanden, die sich im wesentlichen als Zustände von Atrophie (bezw. Degeneration) der nervösen Elemente und Neubildung von Bindegewebe charakterisieren ließen. Die an den genannten Teilen beobachteten Veränderungen werden genau beschrieben. Nach ihren Intensitätsabstufungen kann mit großer Wahrscheinlichkeit geschlossen werden, daß die Erkrankung im Hörnervenstamm beginnt und von da peripherwärts weiter fortschreitet. Manasse erklärt die „chronische progressive labyrinthäre Taubheit"

für vielleicht die häufigste Form der chronischen progressiven
Schwerhörigkeit überhaupt. Sie wird meist bei älteren Individuen, vornehmlich Männern, und stets beiderseitig angetroffen
und ist ätiologisch von sonstigen krankhaften Zuständen des
Körpers (Arteriosklerose, Tuberkulose, Syphilis, chronische
Nephritis u. a., vermutlich auch Mittelohrentzündungen) abhängig.
Im klinischen Bilde wird übereinstimmend mit Wittmaack das
Hervortreten der typischen Zeichen der Labyrinthtaubheit gegenüber den mangelnden Gleichgewichtsstörungen hervorgehoben,
dagegen bestreitet Manasse die bei den nur mit Hörstörung
verbundenen Erkrankungsformen von Wittmaack angenommene
Beschränkung auf den Cochlearisstamm ohne Mitergriffensein
der Schnecke, ebenso wie er die von letzterem als anatomische
Ursache der kombinierten Erkrankung des Hör- und Gleichgewichts-
apparates vermuteten Herde und Exsudationen im Labyrinth
niemals hat nachweisen können.

Des weiteren macht Manasse, unter eingehender kritischer
Sichtung der zugehörigen Literatur, darauf aufmerksam, daß viele
der von den Autoren als kennzeichnend für angeborene Taubheit
betrachteten Labyrinthveränderungen von ihm in gleicher Weise
bei der unzweifelhaft erworbenen „chronischen progressiven
labyrinthären Taubheit" gesehen worden sind. Er selbst läßt
als sicher angeboren nur gewisse Einzelbefunde am Labyrinth
oder Zentralnervensystem gelten, wie Defekte der knöchernen
Schnecke, Defekt der Macula sacculi und des Nerv. saccularis,
eine kernhaltige Hülle der Cortischen Membran, Erweichungen
beider Großhirnhemisphären, ferner ist bei der angeborenen
Taubheit am Hörnervenstamm höchstens Atrophie vorhanden,
niemals aber finden sich Herde, Degenerationen oder Bindegewebswucherung. Manasse folgert hieraus, daß man im allgemeinen mit der Diagnose einer angeborenen Taubheit allein
aus den anatomischen Veränderungen sehr vorsichtig sein und
zum mindesten verlangen muß, daß damit auch die Anamnese
gut übereinstimmt. Außerdem ist es nach ihm falsch anzunehmen, daß die bei der Sektion nachgewiesenen Veränderungen
sämtlich schon bei der Geburt vorhanden gewesen sind, vielmehr
können sie sich zum Teil sehr wohl erst nach der Geburt entwickelt haben.

XIII.

Wissenschaftliche Rundschau.

54.

T. Gawrilow, Die Erkrankungen des Ohres, der Nase, des Rachens und Nasenrachens beim Sumpffieber. Jeshemesjatschnik uschnych gorlowych i nossowych bolesnej, St. Petersburg 1906. Nr. 7/8.

Samara, Stadt am linken, flachen Ufer der Wolga, 53° nördl. Breite und 68° östl. Länge, ist reich an Malaria. Die buntesten und schwersten Formen kommen zur Beobachtung. Häufig ist die Beteiligung des Ohres, in Form von unbeständigen und zum Teil periodisch auftretenden Stichen und länger andauernden Schmerzen. Daß beide Ohren gleichzeitig befallen werden, ist selten. Die Berührung der Ohrmuschel ist schmerzhaft. Selten ist das Trommelfell ein wenig gerötet, meistens bleibt es unbeteiligt. Das Gehör bleibt intakt. Die geschilderten Ohrschmerzen strahlen öfters auf die Nachbarorgane aus. Die Temperatur ist meist normal, die Milz nicht vergrößert und nur der Umstand, daß Chinin das einzige zuverlässige Heilmittel ist, kennzeichnet die Zustände als Malaria. Eine hierher gehörige Erkrankung des Acusticus hat Gawrilow nur zweimal beobachtet, das eine Mal an sich selbst. Er hat oft unter den mannigfaltigsten Formen des Fiebers zu leiden. Eine Form tritt bei ihm als starkes Sausen im rechten Ohr auf, nach 2—3 Chinindosen verschwindet sie. Im Juli 1899 erkrankte er wieder und zwar mit einem Klingen im rechten Ohr, aus dem oft ein aus 3 Tönen sich bildender Akkord und dann Bruchstücke verschiedener Melodien wurden. Keine anderen Krankheitserscheinungen. Das Gehör blieb intakt. Die andere Beobachtung betraf einen Offizier, der über eine ununterbrochene Musik im linken Ohr klagt. Sonst nirgends etwas Pathologisches. Phenacetin wirkungslos, nach Chinin sofortiges Verschwinden des Ohrgeräusches. Was die Beteiligung der Nase an der Erkrankung mit Malaria anlangt, so spielen auch hierbei Neuralgien eine Hauptrolle. Es sind das Neuralgien des I. und II. Trigeminusastes. (Rami ethmoidalis et nasociliaris). Ein Hilfssymptom zur Erkennung des Leidens ist, nach Ansicht Gawrilows, eine leicht gelbliche Färbung der Sklera, die er ausnahmslos bei diesen wenig präzisen Krankheitsformen, die sich eigentlich nur per exclusionem ex juvantibus als Malaria ausweisen, fand. Milzvergrößerungen und Temperatursteigerungen sind durchaus nicht immer vorhanden. Auffallend ist auch immer das Mißverhältnis zwischen dem Befund und den Klagen der Patienten, indem letztere oft äußerst lebhaft geäußert werden, während der Befund unwesentlich erscheint. Oft — nicht immer — läßt sich die Periodizität des Leidens nachweisen. Im Nasenrachen tritt der Zustand in Form einer entzündlichen Reizung der Schleimhaut mit heftiger Borkenbildung auf, letztere reizt zum Husten, der sich oft zu äußerst quälenden Paroxysmen steigert. Die Entzündung geht auf die Tuben über und ruft Tubenkatarrh mit consec. Schwerhörigkeit hervor.

de Forestier.

55.

A. Sacher, Ein Fall von Auffinden einer durchs Ohr ins Schläfenbein eingedrungenen Kugel vermittelst Röntgenstrahlen.
Ibidem Nr. 9, 1906.

Aus kleinkalibrigem Revolver schießt sich der 19jährige, ohrgesunde
Patient eine Kugel ins rechte Ohr und dann eine zweite in die rechte Schläfe.
Nur Anfangs starke Blutung. Schmerzen unwesentlich. In der Folge Eiterung, vordere ²/₃ des Trommelfells zerstört. Röntgenographie. Die eine
Kugel scheint im Recessus epitympanicus rechts zu sitzen, hinter dem canalis
pro nervo facialis, die andere außerhalb des Schädels unter dem Musculus
temporalis. Patient fühlt sich jetzt, 14 Monate nach der Verletzung sehr
wohl, geht auf Totalanmeißelung nicht ein.   de Forestier.

56.

E. Jürgens, Über die Behandlung der Nase bei Scarlatina. Ibidem.

Jürgens hat eine ganze Anzahl an Scarlatina verstorbener Kinder im
Warschauer St. Alexander-Hospital seziert. In allen Fällen ist ihm eine
reichliche Menge Eiter des Nasenrachens aufgefallen. Er empfiehlt unbedingt häufige Spülungen mit leicht antiseptisch wirkenden Lösungen. Die
Gefahr der Infektion durch die Tube erkennt er nicht an, da die Tubenschleimhaut in diesem Stadium so geschwollen ist, daß ein mechanisches
Einpressen bei dem in Anwendung kommenden geringen Druck ausgeschlosen
ist, außerdem bildet der über die Tubenöffnungen fließende Eiter für das
Ohr die größere Gefahr.   de Forestier.

57.

Th. Sassedateleff, Über die habituelle Rose der Nase und des Gesichts. Ibidem Nr. 10.

S. schließt sich der Ansicht Ziems und Lavrands an, daß es eine
Form von rezidivierendem Erysipel gibt, bei der nicht jedesmal eine Infektion
von außen erfolgt, sondern, daß die Keime aus einem Depot im Organismus
stammen, wo sie von der 1. Infektion her lagern. Bevorzugt scheint Drüsen-
gewebe zu sein. 2 angeführte Fälle sollen das beweisen. In dem einen verschwand der lästige Krankheitsprozeß erst als ein Drüsenhäufchen im mittleren Drittel des Septum, offenbar das sogenannte Jacobsonsche Organ
durch Kaustik zerstört wurde. Im anderen Falle waren es geringe Adenoide, die zu dem gleichen Zweck entfernt werden mußten. Aus diesen
Verstecken treten die Kokken auf dem Wege der Lymphbahnen aus. Ein
direkter Zusammenhang zwischen den Erysipel-Rezidiven und der Menstruation oder, wie auch angenommen wurde, nervösen Erschöpfungen und
dergleichen ist von der Hand zu weisen.   de Forestier

58.

A. Jochelsohn, Instrument zur Ausführung der Rhinoscopia
posterior. Ibidem Nr. 11. 1907.

Auf dem bekannten Fränkelschen Zungenspatel ist in einer Rinne
ein laryngoskopischer Spiegel angebracht, derselbe ist herausnehmbar und
wird durch eine rechts angebrachte Schraube fixiert. Der Spiegel selbst
bildet mit seinem Stiel einen Winkel, nicht, wie üblich, von 45° sondern von
30°, auf diese Weise ist der Übelstand, der durch seine Unbeweglichkeit bedingt ist, ausgeglichen, der Stiel braucht beim Spiegeln nicht angehoben zu
werden. Der Untersucher hat die rechte Hand zum Sondieren usw. frei.
                de Forestier.

59.

M. Dodin, Zur Frage der otogenen Pyämie. Ibidem Nr. 12.

Im Anschluß an eine akute Otitis Erscheinungen von Septicopyämie, wie Dodin glaubt, osteophlebitischen Ursprungs, ohne Erkrankung des Sinus. Keine pulmonale Metastasen. „Extrapulmonale" Form mit Dermato-Myositis der Waden, die sich ohne Vereiterung lediglich durch hochgradige Schmerzen und Schwellung manifestierte. de Forestier.

60.

W. Wojatschek, 30 Fälle von Deviationen des Septum narium, die nach verschiedenen Methoden submukös operiert werden. Iswestija imperatorskoj Z. med. Akad. Nr. 2. 1907. St. Petersburg.

Es sind in Anwendung gekommen: 1. bei 3 Fällen die Fensterresektion nach Krüg-Bönninghaus. 2. bei 15 Fällen die Zarnikosche Modifikation, 3 12 Fälle wurden nach Killian operiert. 17 Fälle hatten einen sehr guten Erfolg, 8 Fälle befriedigten nicht vollkommen, insofern als es nicht gelang, die ganze Deviation zu beseitigen oder trotz der Operation die Rhinitis nicht verschwand. 1 Fall ist als mißlungen zu bezeichnen, hier war die Verkrümmung unbeeinflußt geblieben. Über die Übrigen fehlen Daten. Von spezifischen, den submukösen Resektionen zur Last zu legenden Komplikationen hatte er 4 mal heftige Nachblutungen, 1 mal einen Abszeß zwischen den beiden Schleimhautblättern, 3 mal Perforationen. Daß die äußere Form der Nase durch die Operation etwas entstellt werden kann (Verflachung), hat er 2 mal, freilich nicht an eigenen Fällen beobachtet. de Forestier.

61.

Mouret (Montpellier): Sur une voie de communication directe entre l'antre mastoidien et la face postérieure du rocher. Revue hebdomadaire de laryngologie etc. 1905. No. 1.

M. lenkt die Aufmerksamkeit auf die kindliche Fossa subarcuata und den später aus ihr hervorgehenden „canal-pétro-mastoidien", der bei Eiterungen als Wegleitung zum Innern der Schädelhöhle dienen kann.
Eschweiler.

62.

Yearsley (London): La constance et les variétés de l'épine de Henle. Ibidem. No. 2.

Y. hat 1017 Schädel bezüglich der Ausbildung einer Spina supra meatum untersucht. Sie fehlte in 8 Proz., war wenig ausgeprägt in 12.51 Proz. Konstanter als die Spina supra meatum war eine Fossa supra m., welche sich immer fand. Eschweiler.

63.

Mouret (Montpellier): Thrombo-phlébite du sinus latéral consécutive à une otite moyenne aigue datant de six jours chez un enfant de neuf ans. Ouverture du sinus, ligature de la jugulaire drainage du sinus et du bout supérieur de la veine jugulaire. Guérison. Ibidem.

Der Titel gibt den Inhalt an. Eschweiler.

64.

Moure und *Brindel:* Cinq cents cas d'interventions sur l'apophyse mastoide. Ibidem. No. 3.

Die Arbeit enthält keine für die deutsche Otiatrie neuen Gesichtspunkte. Wegen der statistischen Details muß auf das Original verwiesen werden, resp. auf den Bericht des internationalen Kongresses in Bordeaux. Dieses Archiv Band 65 und 66. Eschweiler.

65.

Delie (Ypern): **Tabac et audition. Ibidem. No. 3.**

Durch sechs Krankengeschichten, welche keine Hörprüfungsresultate enthalten, illustriert D. den schädlichen Einfluß des gerauchten oder geschnupften Tabaks auf das Gehörorgan. Er glaubt, daß Ohrenkranke besonders vor Tabakmißbrauch zu warnen seien, zumal wenn sie erblich belastet sind (Sklerose).   Eschweiler.

66.

Jacques (Nancy): **Otorrhée compliquée fistulisée dans le sillon rétro-maxillaire. Ibidem.**

Eine unter dem Ohrläppchenansatz mündende Fistel führte zu einem Loch im Paukenhöhlenboden. Der Gehörgang erwies sich bei der Operation als knöchern verengt. Nur ein kleiner Spalt diente als Abflußweg für den Eiter, so daß J. die Fistel als einen Notausweg für die Mittelohr-Warzeneiterung betrachtet. Der Fall ist noch in Behandlung.
                                                       Eschweiler.

67.

Roosa (New-York): **Nouvelle méthode du Achcharumow pour la dilation de le trompe d'Eustache. Ibidem. No. 5.**

Der russische Arzt A. empfiehlt eine Lufteinblasung à la Politzer zur Behandlung der Tubenkatarrhe. Roosa bemüht sich vergeben, diese Methode als verschieden vom Politzerschen Verfahren hinzustellen.
                                                       Eschweiler.

68.

Lucae (Berlin): **Du diagnostic du cholestéatome de l'oreille moyenne. Ibidem. No. 6.**

Lucae legt, wie er schon in den Therapeutischen Monatsheften 1897 ausgeführt hat, großen diagnostischen Wert auf den ganz spezifischen Fötor der vereiternden Epidermismassen. Auch wenn keine Cholesteatommassen abgestoßen werden und nur minimale Sekretion aus einer Perforation besteht, kann die geübte Nase aus dem Geruch des aufgetupften Sekretes die Diagnose stellen. Dieser früher von L. als „aashaft" bezeichnete Geruch ist nicht genau zu beschreiben, sondern spezifisch.   Eschweiler.

69.

E. Gellé (Paris): **Examen subjectif de l'ouie par l'épreuve de la distinction des sons successifs. Ibidem. No. 7.**

G. erinnert daran, daß außer der Intensität auch die Präsentationszeit der Töne eine Rolle für die Perzeption spie t. Man muß demgemäß Rücksicht darauf nehmen, ob ein bei der Hörprüfung gebrauchtes Wort aus mehreren rasch oder langsamer aufeinanderfolgenden Komponenten besteht.
                                                       Eschweiler.

70.

Lermoyez und *Mahu:* **L'état actuel de l'aéro-thermothérapie en thérapeutique oto-rhinologique. Ibidem. No. 9.**

Die Verfasser beschreiben die Technik der Warmluftbehandlung und machen folgende Schlußfolgerungen: Die Behandlung ist sehr wirksam bei hydrorrhoea nasalis, wirksam bei periodischer Muschelschwellung, nur beschränkt wirksam bei einfacher chronischer Rhinitis und unwirksam bei Ozäna und Eiterungen.

Am Ohr wirkt die Heißluftbehandlung gut bei Tubenkatarrhen und -Schwellungen.   Eschweiler.

71.

Brunel: Otorrhé double. Thrombo-phlébite des deux Sinus latéraux. Mort. Autopsie. Ibidem. No. 13.

Der Titel zeigt den Inhalt an. Nichts Besonderes. Eschweiler.

72.

Politzer: Joseph Toynbee, esquisse historique-biographique. Ibidem. No. 14.

Der biographische Aufsatz eignet sich nicht zum Referat. P. wird nicht nur dem Ohrenarzt, sondern auch dem humanen Wirken Toynbees gerecht. Eschweiler.

73.

Luc: Contribution à l'étude des formes anormales de la mastoidite de Bezold et aux faits de mort rapidement consécutive à la ligature de la jugulaire. Ibidem. No. 15.

Der 50jährige Kranke kam mit akuter Mittelohreiterung, Perforation im hinteren oberen Quadranten in Behandlung. Trotz ausgiebiger Parazentese wurde nach vier Tagen, weil eine Infiltration der Weichteile unter dem M. Sterno cleido-mast. auftrat, operiert. Der Warzenfortsatz, eitrig infiltriert, wird in großer Ausdehnung abgetragen. Ein Eiterherd unter der Spitze findet sich nicht. Hierauf fünf Tage lang Wohlbefinden; dann beginnen wieder Klagen über Tortikollis, und nach weiteren acht Tagen wird beim Eingehen ein großer Abszeß unter dem Kopfnicker breitgespalten (17. IX.). Der Patient übersteht ein interkurrentes Erysipel gut und wird für rekonvaleszent gehalten, als am 28. IX. plötzlicher Temperaturanstieg erfolgt. Die Diagnose: Sinusphlebitis veranlaßt einen dritten Eingriff am 1. X. Die Vena jugularis wird unter der Vena facialis communis unterbunden. Patient stirbt ohne aufzuwachen nach einigen Stunden im Coma. Keine Sektion. Eschweiler.

74.

E. Urbantschitsch (Wien), Über Isoformintoxikationen. Wiener klinische Rundschau. 1907. Nr. 8.

Mitteilung von drei Fällen von Totalaufmeißelung des Mittelohres, bei denen zur Nachbehandlung Isoform (10 proz. Isoformgaze, in einem Fall 5 proz. Isoformemulsion) angewendet wurde. In allen drei Fällen handelte es sich um üppige Granulationsbildung in der Operationshöhle, und traten schon nach dem ersten Isoformgebrauch schwere Erscheinungen von seiten des Nervensystems (epileptiforme Krämpfe, plötzliche und kurze Zeit anhaltende Besinnungslosigkeit, Erbrechen, Schwindel) auf. In allen diesen Fällen schwanden diese Störungen nach Entfernung des Isoforms, und führt Verfasser das Zustandekommen der Intoxikation auf eine besondere Disposition der Patienten zurück, die erstens in einer günstigen Aufnahmebedingung des Isoforms durch das Blut, und zweitens in einer leichteren Erregbarkeit des Nervensystems besteht.

Urbantschitsch schließt seine kurze Abhandlung mit folgender Mahnung:

1. Isoform nicht bei Personen mit nervöser Veranlagung zu gebrauchen;
2. nicht bei Blutungen, selbst wenn diese noch so geringfügig sind;
3. nicht bei sehr großen Wundflächen, und
4. nur äußerlich, nie innerlich, da die hämolytische Wirkung vom Verdauungstrakt aus eine besonders ausgiebige zu sein scheint, indem nach Darreichung des Isoforms per os Nekrosen in der Leber, Milz, Niere usw. nachzuweisen sind (Takayama, Beiträge z. gerichtlichen Medizin. 1905. Enke).

Isemer.

75.

A. Barth (Leipzig), Über musikalisches Falschhören (Diplacusis).
Deutsche mediz. Wochenschrift 1907. Nr. 10.

Barth hatte bisher das Doppelhören nur bei Schallleitungserkrankungen des Ohres nachprüfen können und dabei stets gefunden, daß diese Patienten mit dem kranken Ohr in Wirklichkeit nicht einen anderen Ton in der Tonleiter, sondern den gleichen, nur mit veränderter Klangfarbe wahrnahmen. In letzter Zeit hatte er jedoch Gelegenheit, einen Fall zu beobachten, in welchem der Patient (Musiker), welcher an nervöser Schwerhörigkeit (Erkrankung des inneren Ohres) litt, mit großer Bestimmtheit behauptete, daß die Töne rechts und links in der Tonleiter verschieden hoch gehört würden. Durch die sehr genaue Prüfung ergab sich jedoch, daß ein Irrtum des Patienten vorlag, indem er die nur durch die ungleiche Klangfarbe veränderte Tonhöhe nur dadurch zum Ausdruck bringen konnte, daß, sobald ihm ein Vergleichen beider Töne mit oder kurz nacheinander möglich war, der eine Ton in der Tonleiter anders bewertet wurde als der andere.

Ein weiterer, vom Verfasser beobachteter Fall von Diplacusis betraf einen ganz unmusikalischen Mann, der zwar selbst nicht die Empfindung des Doppelhörens oder der Dissonanz hatte, von dem aber Verfasser trotzdem die Überzeugung gewonnen hatte, daß eine Diplacusis disharmonica vorlag.

Zum Schluß seiner interessanten Mitteilung stellt Barth folgende Leitsätze auf:

„Zur Beurteilung des musikalischen Falschhörens, also auch der Diplacusis, ist es unbedingt notwendig, die Wahrnehmung jedes Ohres für sich, d. h. mit sicherem Ausschluß des anderen, objektiv zu prüfen und unter wechselnden Bedingungen das Gehörte nachsingen zu lassen. Auch ein Musiker, der mit vorgefaßter Meinung zur Untersuchung kommt und die einzelnen Töne fest im Ohr hat, würde mir für eine dann nur scheinbare objektive Feststellung ungeeignet erscheinen.

Bei weitem in der Mehrzahl der Fälle besteht das Falschhören darin, daß das erkrankte Ohr nur mit veränderter Klangfarbe hört, was aber vom Kranken als Veränderung des Tones aufgefaßt zu werden pflegt. Dabei kann es sich sogar ereignen, daß die gleiche Veränderung in der Klangfarbe das eine Mal als Höher-, das andere Mal als Tieferwerden des Tones beurteilt wird.

Die erwähnte Täuschung findet sich vorwiegend bei Schallleitungserkrankungen und selten bei Erkrankungen im schallempfindenden Apparat. Sie läßt sich leicht erklären durch Zurücktreten von tiefen und dadurch relatives Hervortreten hoher Klangbeimischungen, oder umgekehrt. Seien diese nun bedingt durch pathologische Abweichungen in der Schallaufnahme und Leitung, oder durch eine solche in der Schallempfindung. Eine Diplacusis disharmonica ist zum mindesten sehr selten. Ich würde raten solche, aber unbestreitbare Fälle, möglichst genau beschrieben, noch zu sammeln und dann eine Erklärung dafür zu suchen. Für diesen Zweck sich eine „Verstimmung des Cortischen Organes" zu konstruieren, erscheint mir zu bequem. Über Doppelthören klagen gewöhnlich nur musikalische Menschen, und diese gewöhnen sich sogar an musikalisches Falschhören und können beim Musizieren ihre Aufmerksamkeit so davon ablenken, daß es schließlich nicht mehr stört, wenn es nicht wieder ganz verschwinden sollte. Ich kenne nur Fälle von Doppelthören mit akut einsetzenden Erkrankungen des Ohres, bei schleichend und progressiv verlaufenden habe ich es nie beobachtet. Da eine wirklich objektive Feststellung des Gehörten nie recht erfolgte, weil man sich über die so leicht eintretende subjektive Täuschung nicht klar war, sind die bisher über Diplacusis veröffentlichten Fälle in bezug auf den Hauptpunkt der Erscheinung mangelhaft beobachtet und darum zur Erklärung derselben wenig brauchbar."   Isemer.

76.

E. Urbantschitsch (Wien), Über die Beziehungen der Nasen-Rachen-erkrankungen zur Taubstummheit. Monatsschrift für Ohrenheilkunde. 1907. 3. Heft.

Nach kurzem Rückblick über die hier in Betracht kommende Literatur teilt Verfasser seine Nasen- und Rachenuntersuchungen an Taubstummen mit, zu denen er in den niederösterreichischen Landes-Taubstummenanstalten in Wien und Wiener-Neustadt reichlich Gelegenheit hatte.

In übersichtlichen Tabellen werden bei jedem der 215 untersuchten Fälle von Taubstummheit die anamnestischen Angaben über die Ätiologie der Taubstummheit, der Befund an Ohr, Nase und Rachen und Nasenrachenraum mitgeteilt. Das Ergebnis dieser eingehenden Untersuchungen ist in seinen Hauptpunkten folgendes:

1. Die meisten Taubstummen leiden neben einer mehr oder minderen heftigen chronischen Pharyngitis an chronisch-katarrhalischen Mittelohrprozessen.

2. Die Taubstummen haben fast durchweg Neigung zu Hyperplasien des lymphatischen Gewebes im Nasenrachenraum; trotzdem dürfte diesen kaum ein spezifischer Charakter zukommen, wie dies Wagner v. Jauregg (Wiener klin. Wochenschrift 1907, Nr. 2. S. 36) bezüglich der Idioten-Adenoiden annimmt. Nach Ansicht des Verfassers sind die adenoiden Vegetationen vielleicht nur der Ausdruck des degenerativen Charakters der Krankheit. Isemer.

77.

Derselbe (Wien), Die Behandlung des chronischen Mittelohrkatarrhs. Wiener klinisch-therapeutische Wochenschrift 1907. Nr. 6.

Nach kurzen Mitteilungen verschiedener Ursachen und Formen des chronischen Mittelohrkatarrhs geht Verfasser ausführlich auf folgende Behandlungsmethoden dieses Katarrhs: die Massage und Elektrizität ein. Eingehend wird die Massage des äußeren Ohres und dessen Umgebung, der Ohrtrompete, des Trommelfells und der Gehörknöchelchenkette erörtert und ebenso die elektrische Behandlung: Faradisation (Induktionsstrom), Galvanisation (konstanter Strom), Franklinisation (Reibungselektrizität). Zum Schluß bringt Urbantschitsch noch seine Erfahrungen mit der Fibrolysinbehandlung bei den durch chronisch-katarrhalische Prozesse hervorgerufenen pathologischen Veränderungen in der Paukenhöhle, die äußerst günstig lauten. Isemer.

78.

W. Kümmel, Über die vom Ohr ausgehenden septischen Allgemeininfektionen. Aus den „Mitteilungen aus den Grenzgebieten der Medizin und Chirurgie". III. Supplementband. Gedenkblatt für J. v. Mikulics. Fischer, Jena. 1907.

Kümmel berichtet über 12 Fälle von Ohreiterung mit Sinuserkrankung und anschließender septischer Allgemeininfektion, die in der Heidelberger Ohrenklinik seit 1902 zur Beobachtung kamen.

Die größte Zahl der Patienten stand in jungen Jahren (10—30 Jahre), nur je einer zwischen 30 und 40 und zwischen 40 und 50 Jahren, vorwiegend waren es rechtsseitige Phlebitiden (7 rechtsseitige gegen 5 linksseitige). Der Typus der ursächlichen Eiterung war sehr verschieden: 3 mal lagen akute Eiterungen vor, 3 Fälle betrafen Patienten, bei denen eine recidivierende Otitis bestand, und in den übrigen 6 Fällen wurden chronische Eiterungen (einfache chronische Eiterungen, echte Perlgeschwulst, desquamative Otitis mit Labyrinthitis, und ein Fall mit chronischer Eiterung aus einer Warzenfortsatzfistel bei traumatischer Atresie mit Carcinom des Gehörganges) nachgewiesen. Es starben von den 12 Patienten 4 (2 an Metastasen, 1 an Kleinhirnabszeß, 1 an Meningitis und Nephritis).

Bei der Erörterung der Symptomatologie der otitischen Phlebitis weist Kümmel auf einige besondere Punkte aus eigenen Beobachtungen hin. Als wertvolles diagnostisches Hilfsmittel für die Diagnose der Bulbusphlebitis werden Schmerzen beim Schlingen (ohne Veränderungen im Pharynx und Larynx) mitgeteilt; diese Beschwerden waren in 2 der mitgeteilten Fälle ausgesprochen vorhanden, und in beiden war auch der Bulbus erkrankt. „Besonders deutlich scheint dies Symptom dann zu werden, wenn sich Eiter um den Bulbus venae jugularis herum findet." Als Erklärung hierfür nimmt Kümmel eine Neuritis bezw. Perineuritis der durch das Foramen jugulare verlaufenden Nervenstämme, speziell des Glosso-pharyngeus an. — Weniger zuverlässig erscheint dem Verfasser der Druckschmerz im Verlauf der Vena jugularis, der in einzelnen Fällen durch Drüsenschwellung am Halse vorgetäuscht wurde, ohne daß eine Erkrankung der Jugularis bestand.

Als weiteres äußerst wertvolles diagnostisches Hilfsmittel wird das Verhalten der Körpertemperatur hervorgehoben, die für die Beurteilung der Vorgänge und für unser therapeutisches Verhalten, wie längst bekannt, oft von entscheidender Bedeutung ist. Um sichere Schlüsse über das Verhalten der Körpertemperatur bei den pyämischen Verlaufsformen der Otitis zu bekommen, empfiehlt Verfasser dringend eine häufigere, allgemeinere Verwertung der bakteriologischen Untersuchung derartiger Fälle, als es bisher gewöhnlich geschieht.

Für das therapeutische Vorgehen empfiehlt Verfasser sorgsamste Individualisierung aller operativen Eingriffe; er weist aus seinen mitgeteilten Fällen nach, wie vielgestaltig das Krankheitsbild der septischen Allgemeinerkrankung nach Mittelohrerkrankung sein kann, und daß infolgedessen ein Schema von therapeutischen Regeln auch hier nur verhängnisvoll wirken muß.

Ausführlich teilt Kümmel an der Hand der Fälle seine Erfahrungen bei der operativen Behandlung der Erkrankung von Sinus, Bulbus und Vena jugularis mit.   Isemer.

XIV.

Bericht über die 16. Versammlung der deutschen otologischen Gesellschaft zu Bremen am 17. u. 18. Mai 1907.

Von Dr. C. Thies in Leipzig.

Die diesjährige 16. Versammlung der Deutschen otologischen Gesellschaft tagte in der Zeit vom 17. bis 18. Mai zu Bremen.

Am 16. Mai abends fand zunächst eine Sitzung des Vorstandes statt und eine gegenseitige Begrüßung der bereits anwesenden Mitglieder der Gesellschaft im Essighause.

Den 17. Mai früh 9 Uhr offizielle Eröffnung der diesjährigen Versammlung im Kaisersaale des Kunstvereins, wobei einerseits der Vertreter des Senats der Stadt Bremen sowie andererseits der Vorsitzende des ärztlichen Vereins zu Bremen die deutsche otologische Gesellschaft mit warmen Worten willkommen hieß.

Dann begann die wissenschaftliche Sitzung. Dauer derselben bis 1 Uhr. Im Anschluß daran wurde einer Einladung des Senats zur Entgegennahme eines Frühstücks im Echosaale des Bremer Ratskellers Folge geleistet. Auf den Willkommensgruß des Senats wie der Vertretung der Bremer Ärzteschaft dankte Professor Passow in ebenso herzlicher wie launiger Weise.

Gegen 2½ Uhr Wiederaufnahme der wissenschaftlichen Sitzung. Dauer derselben bis gegen 6 Uhr.

Nach Schluß der wissenschaftlichen Sitzung fand abends 8 Uhr ein Festmahl im großen Saale des Museums statt, welches von ungefähr 120 Mitgliedern unter Anwesenheit der Damen eingenommen wurde.

Es sprach dabei der derzeitige Vorsitzende der Gesellschaft für die äußerst entgegenkommende Aufnahme und im besonderen noch für die liebenswürdigen Begrüßungworte der Vertretung des Senats wie der Bremer Ärzteschaft seinen herzlichen Dank aus. Des Lokalkomitees wurde dabei für seine aufopfernde Tätigkeit hinsichtlich des ganzen Arrangements des Kongresses in gebührender Weise gedacht. Am folgenden Tage früh Geschäftssitzung. Es wurden bei Beginn der Sitzung zunächst die im Laufe des Jahres verstorbenen 4 Mitglieder (Richter-Magdeburg, Zeroni-Karlsruhe, Beckmann-Berlin und Reinhard-Duisburg) durch Erheben von den Sitzen geehrt. Dann erfolgte der Kassenbericht, wobei an Stelle des verstorbenen Schatzmeisters, des Herrn Dr. Reinhard Herr Schwabach in zuvorkommender Weise den Kassenbericht interimistisch übernommen hatte. Der Kassenbericht ergab ein günstiges Resultat und konnte infolgedessen von einer Erhöhung der Mitgliederbeiträge abgesehen werden.

Die Bibliothek der Gesellschaft, deren Katalog von Herrn Schwabach mit großem Fleiß im Laufe des Jahres fertig gestellt wurde, erfuhr im vorigen Jahre einen Zuwachs von ungefähr 430, in diesem Jahre 250 Bänden. Weitere Zuwendungen möglichst erwünscht.

Hinsichtlich des v. Tröltsch-Denkmals wurde die Aufstellung einer Marmorbüste im provisorischen Unterkunftsraume der Würzburger Ohrenklinik beschlossen.

An Stelle des verstorbenen Schatzmeisters der Gesellschaft, des Herrn Dr. Reinhard zu Duisburg wurde Herr Hartmann-Berlin gewählt.

Als Versammlungsort für das Jahr 1908 wurde Heidelberg bestimmt, und zwar mit Rücksicht auf den von mehreren Seiten ausgesprochenen Wunsch, mit der süddeutschen laryngologischen Gesellschaft versuchsweise im nächsten Jahre zusammen zu tagen, seis direkt vor oder nach Pfingsten, worüber dem Vorstand die Entscheidung überlassen wurde. Die gleichzeitig vorliegende Einladung der Leipziger Kollegen, Leipzig als Versammlungsort für das Jahr 1908 zu wählen wurde mit Rücksicht auf die für Heidelberg geltend gemachten Wünsche auf das Jahr 1909 vorbemerkt.

Neuaufgenommen wurden als Mitglieder der Gesellschaft 35.

Herr Panse lud die Mitglieder zu der im September d. J. in Dresden tagenden „Gesellschaft der deutschen Naturforscher" ein.

Als Hauptreferat für die nächstjährige Versammlung wird das Thema: „Die konservative Behandlung der chronischen Mittelohreiterung" aufgestellt und dasselbe Herrn Prof. Körner übertragen.

Nach Schluß der Geschäftssitzung wurde die wissenschaftliche Sitzung wieder aufgenommen, welche bis 12 Uhr dauerte.

Nach Beendigung derselben wurde dem Vorsitzenden Herrn Prof. Dr. Passow für seine mustergültige Leitung der diesjährigen Versammlung die allgemeine Anerkennung ausgesprochen.

Nachmittags 1 Uhr vereinigte eine gemeinsame Eisenbahnfahrt mit Extrazug nach Bremerhaven und im Anschluß daran eine Fahrt in See bis zum Rotesand-Leuchtturme die Mitglieder der Gesellschaft. Für die Seefahrt hatte bei freier Bewirtung in dankenswerter Weise der Norddeutsche Lloyd einen Dampfer unentgeltlich zur Verfügung gestellt.

Die Fahrt verlief bei günstiger Witterung ungestört; es wurde gegen $7^1/_2$ Uhr abends von Bremerhaven aus die Rückfahrt nach Bremen wieder angetreten und fand damit die diesjährige Versammlung der Deutschen otologischen Gesellschaft seinen wohlgelungenen Abschluß.

XV.

Sitzungsbericht der Berliner otologischen Gesellschaft.

Sitzung vom Jahre 1906: 19. Juni, 13. November, 11. Dezember
von Dr. G. Ritter in Berlin.

1. Herr **Sturmann** demonstriert 2 Fälle von Rhinolalia clausa. An Deutlichkeit verlieren besonders die Konsonanten m, n, ng. m und n werden durch b und d ersetzt, die sich von den ersteren nur durch den Abschluß des Nasenrachenraums unterscheiden. Von R-Lauten wird nur das Gaumen-R gesprochen. Die Sprache ist zuweilen stockend infolge von Luftanhäufung in der Mundhöhle bei manchen Lautfolgen.

Die Ursache ist in dem einen Fall narbige Verwachsung des Gaumensegels mit der hinteren Rachenwand. Nach einer vor Jahren vorgenommenen Durchtrennung ist später eine Wiederverwachsung eingetreten.

In dem anderen Falle handelt es sich um eine rein funktionelle, hysterische Störung nach einer Angina.

2. Herr **Eckstein** (a. G.): Füllung retroaurikulärer Öffnungen mit Paraffin. (Krankenvorstellung.)

E. hat durch Einträufeln von Paraffin (Schmelzpunkt 50—52°) in die Höhle diese ausgefüllt. Das Paraffin ist durch Zusatz von Curcuma etwas gelblich gefärbt. Es wird seit 1½ Jahren reizlos getragen und könnte nötigenfalls leicht wieder herausgenommen werden. Um der Plombe den nötigen Halt zu geben, muß auch der Gehörgang mit Paraffin gefüllt werden. Während des Erstarrens muß das Paraffin leicht in die Höhle hineingedrückt werden.

Diskussion:

Herr **Passow** zieht den plastischen Verschluß solcher Öffnungen auch in kosmetischer Beziehung vor. Das Paraffin bleibe doch immer ein Fremdkörper.

Herr **Levy** regt an, in radikal operierten Fällen mit häufigen Rezidiven der Eiterung von der Tube aus ev. den Versuch zu machen, die Tube durch einen Paraffinpfropf zu verschließen.

Herr **Lucae** stellt sich auf den Standpunkt Passows.

Herr **Eckstein** glaubt nicht, daß der Vorschlag Levy's technisch durchführbar ist.

3. Herr **Haike**: Bericht über die oto-rhinologische Sektion des Internationalen Ärztekongresses in Lissabon.

a) **Sohier-Bryant**: Die psychische Bedeutung von Ohrenleiden. Bei gleichzeitigen Gehörshalluzinationen und Ohrerkrankungen werde durch deren Behandlung oft auch das psychische Leiden günstig beeinflußt.

b) **Spira**: Anwendung von Formalin bei Mittelohreiterungen. Durch Einspritzungen, Einträufelungen oder feuchte Tampons.

c) **West**: Aufhören epileptischer Anfälle nach Adenoidenoperation und nach Entfernung von Fremdkörpern aus dem äußeren Gehörgang.

d) **Haike**: Die Wege der tuberkulösen Infektion des Ohres bei Säuglingen werden durch die Tube gebildet. Hämatogene Entstehung (Henrici) scheine erst für das spätere Kindesalter zuzutreffen.

e) **Botey**: Paraffininjektion bei Ozaena soll am besten mit einem Paraffin von 45° Schmelzpunkt ausgeführt werden.

f) **Kuhn**: empfiehlt die perorale Intubation besonders für die Operation der Nasenrachentumoren.

4. Herr **Lange**: Präparat eines Falles von Basisfraktur mit Bruchlinie am rechten Schläfenbein durch den Warzenfortsatz und das Mittelohr. Letzteres war schwer verletzt, das Labyrinth makroskopisch und mikroskopisch intakt, der Hörnerv im Porus acusticus durchrissen.

Diskussion: Herr **Passow** betont die Wichtigkeit zahlreicher Untersuchungen von Schläfenbeinen Verunglückter.

Herr **Lucae** weist auf die leichtere Zerreißlichkeit des Acusticus gegenüber dem Facialis hin. Besonders interessant sei das Fehlen von Blutungen in der Schnecke bei den übrigen schweren Verletzungen der Umgebung.

Sitzung am 13. November 1906.

Herr **Herzfeld** demonstriert einen Patienten, bei dem es schon nach 10tägigem Bestehen einer Mittelohreiterung zur Sinusthrombose gekommen war. Stauungspapille war beiderseits vorhanden Der Sinus war bis an die hintere Gehörgangswand vorgelagert, defekt. Ausgedehnte Freilegung des Sinus, Abtragung der äußeren Wand, völlige Heilung nach ca. 6 Wochen. Die Stauungspapille war auffallenderweise auf der ohrkranken Seite erheblich geringer ausgebildet, sie war noch 5 Wochen nach der Operation nicht ganz verschwunden. Bemerkenswert war ferner eine starke Pulsverlangsamung, die Vortr. auf eine seröse Meningitis zurückführt. Der Sinuseiter enthielt Streptokokken in Reinkultur, der Ohreiter dagegen nur Staphylococcus pyogenes aureus.

2. Herr **Sessous**: Demonstration von chronischen Mittelohreiterungen mit fadenförmigen Borken, die von der Mitte des Trommelfells nach dem Rande zu und weiter auf die Gehörgangswand wandern. Zu erklären ist diese seltsame Erscheinung durch das radiäre Wachstum der Trommelfellepidermis, auf der das eingetrocknete Sekret mit fortgeschoben wird.

3. Herr **Wagener** demonstriert

a) einen großen **Tumor des linken Felsenbeins**, seit 35 Jahren bestehend, bei einem 65jähr. Manne, wahrscheinlich ein Endotheliom der Dura.

b) einen 13jähr. Knaben mit **pulsierendem Trommelfell**, seit 1½ Jahren hochgradig schwerhörig ohne sonstige Erscheinungen. Trommelfell normal, vor dem Lichtreflex eine zirkumskripte Stelle, die sich synchron mit dem Puls bewegt. Möglicherweise handelt es sich um die Entwicklung eines Tumors in der Paukenhöhle.

4. Herr **Herzfeld**: Vorstellung eines Patienten mit **Fraktur der vorderen knöchernen Gehörgangswand** nach Fall mit dem Kinn auf Steinpflaster. Danach Blutung aus dem rechten Ohr. 5 Tage später konstatierte H. im rechten Gehörgang Eiter, starke Schwellung der rechten Kiefergelenksgegend und der vorderen unteren Gehörgangswand. Innerhalb derselben bei Öffnung des Mundes, die sehr erschwert ist, eine Bewegung nach der Oberfläche zu, ausgehend von dem losgesprengten Knochenstück. Der Stoß muß den Unterkiefer von links getroffen haben. Die Behandlung bestand in einem Fixationsverband und passender Diät.

Diskussion:

Zu 1. Herr **Brühl** hat einen analogen Fall von Sinusthrombose nach 10 tägigem Bestehen einer akuten Mittelohrentzündung gesehen. Die Thrombose reichte vom Bulbus bis zum Torcular Herophili. Der Fall wurde geheilt. Auch hier war die Stauungspapille nach wochenlang erkennbar.

Zu 2. Herr **Brühl**: Wenn Borken auf dem Trommelfell wandern, so werden sie lediglich durch das radiäre Wachstum der Epidermis mitgeschoben. Außerdem darf in solchen Fällen das Sekret nur minimal sein, so daß es sofort eintrocknet, ohne vorher herabzufließen.

Herr S e s s o u s ist von vornherein derselben Ansicht gewesen wie Brühl.

Zu 3. Herr K a t z hat vor Jahren bei einem Falle von akuter Mittelohreiterung beobachtet, daß bei Druck auf die Vena jugularis der stark pulsierende Eiter aus der Perforation gleichsam herausstürzte; er hat damals eine Dehiszenz in der Fossa jugularis angenommen. An eine solche Möglichkeit ist auch in dem Falle von W a g e n e r zu denken; die Pulsation könnte von der benachbarten Carotis der Vene mitgeteilt sein.

Herr W a g e n e r hat durch seine Versuche an dem Patienten nichts darüber feststellen können.

Zu 4. Herr P a s s o w hat kürzlich noch einen Fall von Fraktur des äußeren Gehörgangs beobachtet infolge von Hufschlag gegen den Unterkiefer, der häufigsten Art der Entstehung. Zugleich war eine größere Zerstörung der Parotis vorhanden.

5. Herr P a s s o w: Zur Othämatomfrage. Krankenvorstellung und Demonstration mikroskopischer Präparate

Das Othämatom entsteht meistens, wenn nicht immer, durch traumatische Veranlassung. Die operierten Fälle sind ohne Entstellung geheilt. Auch ein Versuch mit der französischen Schnittführung parallel dem Helix hat ein gutes Resultat ergeben.

D i s k u s s i o n: Herr F l i e ß hat in der Heilanstalt des Herrn Herzfeld eine Schnittführung im unteren Drittel, ebenfalls mit gutem Erfolg, angewendet.

Herr K a t z empfiehlt die Exzision eines keilförmigen Stückes aus der Vorwölbung, mit der Basis nach unten.

Herr H e r z f e l d zieht die Längsinzision vor.

Herr P a s s o w: Die französische Methode bietet gegenüber den anderen keine Vorteile oder Nachteile. Der Vorschlag von Seligmann, den ganzen Sack in toto herauszupräparieren, ist umständlich und überflüssig, wie die vorgestellten, durch einfache Inzision geheilten Fälle beweisen.

Sitzung am 11. Dezember 1906.

Vorsitzender: Hr. P a s s o w.   Schriftführer: Hr. S c h w a b a c h.

1. Vor der Tagesordnung.

Herr A. B r u c k hatte früher einen Fall von blauem Trommelfell vorgestellt, bei dem er damals Varicenbildung angenommen hatte. Später hat er auch bei einem zweiten Falle ein zähes, braunes, kolloides Exsudat durch Parazentese entleert. Dasselbe enthielt spärliche Blutkörperchen (von der Parazentese) und kleinste Fettkügelchen. Die Blaufärbung ist lediglich eine optische Erscheinung und am deutlichsten bei Untersuchung mit Gasglühlicht. Die Exsudate haben große Neigung zu Rezidiven.

2. Herr M a x L e v y: Die Mortalität der Ohrerkrankungen und ihre Bedeutung für die Lebensversicherung.

L. hat eine Umfrage bei 37 Lebensversicherungsgesellschaften angestellt. Von diesen lehnen 20 jeden Fall von chronischer Mittelohreiterung prinzipiell ab, die übrigen bewilligen bei gutartigen Fällen die Aufnahme mit erhöhter Prämie. Dabei sind jedoch die Erfahrungen der Gesellschaften mit Ohrenkranken keineswegs ungünstig. Ebenso wie bei den Gesellschaften sind auch bei den Ohrenärzten die Ansichten geteilt.

Zur Erlangung einer Statistik hat L. die Sektionsprotokolle der Charité aus den letzten 25 Jahren durchgesehen. Danach beträgt die Mortalität an Ohreiterungen und ihren Komplikationen 0,6 Proz. der Gesamtmortalität. Dieses Resultat wird bestätigt durch die Statistik einer großen Versicherungsgesellschaft, bei der 0,12 Proz. der Sterbefälle Folgen einer akuten Mittelohreiterung, zu denen noch etwa die vierfache Anzahl von Sterbefällen infolge chronischer Eiterung hinzuzurechnen wäre.

An 900 aus der Literatur gesammelten Fällen von lebensgefährlichen Komplikationen der Ohreiterung hat L. den Anteil des Alters, des Geschlechts, des akuten oder chronischen Charakters der ursächlichen Ohreiterung studiert und ist dabei zu folgenden Resultaten gekommen:

1. Komplikationen sind nach chronischer Ohreiterung häufiger als nach akuter, ganz besonders im zweiten und dritten Jahrzehnt.

2. Die Mortalität nimmt bei der akuten Eiterung auch im höheren Alter kaum ab, obwohl die Disposition zur Erkrankung geringer ist. Bei der chronischen Mittelohreiterung ist sie im zweiten und dritten Jahrzehnt hoch, später gering.

3. Die Malignität der Komplikationen bei akuter Mittelohreiterung wächst mit steigendem Alter, besonders durch größere Häufigkeit der eitrigen Meningitis. Aus den Jahresberichten von Schwartze, Habermann und Kretschmann hat L. eine Mortalität von 0,58 Proz. für die akute und von von 1,58 Proz. für die chronische Eiterung berechnet. Unter Berücksichtigung der nach Lebensaltern verschiedenen Häufigkeit der Mittelohreiterungen läßt sich die Mortalität der Ohreiterungen prozentual berechnen, und zwar

a) steigt die Mortalität der akuten Mittelohreiterung mit vorrückendem Alter von 0,2 bis auf 2,0 Proz., also auf das Zehnfache an.

b) Bei der chronischen Eiterung ist sie im zweiten Jahrzehnt mit 2,6 Proz. am höchsten und schwankt von da ab zwischen 1,4 Proz. und 2 Proz.

Auf Grund dieser Ergebnisse stellt L. folgende Thesen auf:

1. Der prinzipiell ablehnende Standpunkt unserer deutschen Versicherungsgesellschaften Antragstellern mit chronischer Ohreiterung gegenüber ist nicht berechtigt.

2. Wenn die Ohreiterung nach klinischer Erfahrung als gutartig erscheint, kann Aufnahme mit erhöhter Prämie erfolgen.

3. Die Entscheidung kann nur ein Ohrenarzt treffen.

Nach einigen kurzen Bemerkungen von Passow, L. Feilchenfeld und Max Levy wird die Diskussion vertagt.

Fach- und Personalnachrichten.

Prof. Dr. Denker, Direktor der Universitätsklinik und Poliklinik für Ohrenkrankheiten etc. in Erlangen wurde am 11. März 1907 als Mitglied der Kaiserlich Leopoldinisch-Karolinischen Deutschen Akademie der Naturforscher aufgenommen.

Prof. Dr. Bezold in München wurde zum Ehrenmitgliede der St. Petersburger „Otologischen etc. Gesellschaft" gewählt.

Gestorben sind im April 1907: Dr. Wilhelm Zeroni in Karlsruhe (approbiert 1893), Dr. Hugo Beckmann in Berlin (approbiert 1884) und Dr. Ernst Richter in Magdeburg (approbiert 1893). An ersterem verliert das Archiv einen treuen Mitarbeiter. Alle drei waren im kräftigsten Mannesalter und alle drei Schüler der Halleschen Klinik. Nur der erste von ihnen hat als langjähriger klinischer Assistent mir näher gestanden und ist durch seine wissenschaftlichen Arbeiten rühmlich bekannt geworden. In dankbarer Erinnerung widme ich ihm nachfolgende Zeilen:

Wilhelm Zeroni
geboren 1869, gestorben 1907.

W. Zeroni, in Mannheim 1869 geboren als Sohn eines hochgestellten Staatsbeamten, studierte in Heidelberg und Göttingen, wurde 1893 als Arzt approbiert. Unter seinen Lehrern bewahrte er besonders Arnold (Heidelberg), Merkel und Orth (Göttingen) das dankbarste Andenken. Nach Absolvierung des Studiums war er ca. 1 Jahr lang Assistent bei Prof. Bürkner in Göttingen an der dortigen Poliklinik für Ohrenkranke und kam dann durch Bürkners Vermittlung als Assistent an die Universitäts-Ohrenklinik in Halle, wo er vom 1. Juli 1897 bis 1. Juli 1900 verblieb. Hier zeichnete er sich durch seinen Pflichteifer und großen Fleiß aus und erwarb sich durch die Liebenswürdigkeit seines Charakters die dauernde Freundschaft seiner Kollegen. Durch die hingebende und humane Art seines Verkehrs mit den klinischen Patienten erwarb er sich schnell deren Liebe und unbedingtes Vertrauen. Seine Erholung fand er in der Musik, die er leidenschaftlich liebte und mit Verständnis und technischem Geschick ausübte. In seiner Assistentenzeit beschäftigte er sich dabei viel mit der mikroskopischen Anatomie des Gehörorgans und fand dabei noch Zeit zur Publikation einiger vortrefflichen Aufsätze in diesem Archiv über die Heilungsvorgänge nach der operativen Freilegung der Mittelräume, über das Carcinom des Gehörorgans, über Carotisblutung infolge von Caries des Schläfenbeins (s. Bd. 45 S. 171; Bd. 48 S. 141; Bd. 51 S. 97). Das von Zeroni angegebene Instrument zur Extraktion des Amboß ist in weiteren Kreisen als vorzüglich brauchbar anerkannt worden (d. A. Bd. 48 S. 191). —

Nach Ablauf seiner klinischen Dienstzeit ließ er sich im Spätsommer 1900 als Ohrenarzt in Karlsruhe nieder, wo er einen ihn befriedigenden Wirkungskreis nicht fand. Besonders schmerzlich empfand er die Unmöglichkeit, sich dort anatomisches Material verschaffen zu können zur Fortsetzung seiner pathologisch-histologischen Arbeiten. Auch von hieraus setzte er indessen seine literarischen Publikationen fort. Es folgten die Aufsätze „Über Beteiligung des Schläfenbeins bei akuter Osteomyelitis" (Archiv Bd. 53 S. 315), „Über otogene Meningitis" (s. Ärztliche Mitteilungen aus und für Baden 1902 No. 10), „Beitrag zur Pathologie des inneren Ohres" (s. Archiv Bd. 63 S. 174) und „Die postoperative Meningitis" (s. Archiv Bd. 66 S. 199). Der

Inhalt dieser Aufsätze basierte noch zum Teil auf Beobachtungen, die in der Halle'schen Ohrenklinik gesammelt waren. —

Im Jahre 1906 wurde er durch Pyaemia ex otitide schwer krank, genas aber von derselben ohne operativen Eingriff. Es blieb jedoch eine tiefe psychische Depression zurück, die sich schnell so steigerte, daß er sein weiteres Leben für zwecklos hielt und freiwillig aus demselben schied. Auf der Fahrt von Neapel nach Alexandrien erschoß er sich in seiner Kabine und wurde in Alexandrien vom deutschen Konsul, der einen ehemaligen Korpsbruder in ihm erkannte, im Beisein des Kapitäns und zweier Schiffs- offiziere des Dampfers „Hohenzollern" vom Norddeutschen Lloyd, in Alexan- drien beerdigt. Ave amice infelicissime!

Das tragische Geschick, welches in schneller Folge eine ganze Reihe meiner früheren Assistenten im rüstigsten Mannesalter dahingerafft hat, ist für mich tief erschütternd. Die Hoffnungen, welche ich auf Wilhelm Zeroni für die Entwicklung unserer Disziplin gesetzt hatte, wegen seiner hohen Begabung und seines ernsten wissenschaftlichen Strebens, sind mit ihm begraben.   Schwartze.

Der XVI. internationale medizinische Kongreß wird am 29. August bis 4. September 1909 in Budapest stattfinden.

Auf der 75. Jahresversammlung der British medical Asso- ciation am 30. Juli bis 2. August 1907 in Exeter wird die Sektion für Otologie vereinigt sein mit der Laryngologie. Der Sektions-Vorsitzende is Dr. McKenzie Johnston in Edinburgh.

Bekanntmachung des K. akademischen Senats in München vom 25. Mai 1907:

Für das Jahr 1907 kommen aus der „Alice Brandeis-Stiftung" wieder zwei Stipendien von je 800 Mark für Studierende der Ohrenheilkunde zur Verleihung. Als Studierende der Ohrenheilkunde im Sinne der Stiftung gelten die an einer deutschen Universität immatrikulierten Kandi- daten oder Kandidatinnen der Medizin, die die Ohrenheilkunde als Spezial- fach erwählt haben, d. h. dem Studium der Ohrenheilkunde sich in ein- gehenderer Weise widmen, als es die allgemeine ärztliche Ausbildung erfordert.

Insbesondere sind aber solche approbierte Ärzte und Ärztinnen als „Studierende der Ohrenheilkunde" im Sinne der Stiftung anzusehen, welche vor Beginn der selbständigen ohrenärztlichen Spezial- praxis sich noch weiterhin mit dem Studium der Ohrenheilkunde an einer deutschen Universität beschäftigen wollen.

Voraussetzung für Verleihung des Stipendiums ist die deutsche Staatsangehörigkeit des Bewerbers, der durch amtliche Zeugnisse zu erbringende Nachweis seiner geistigen Befähigung, sowie sein ungetrübter Leumund.

Gesuche sind spätestens am 30. Juni 1907 dem akademischen Senate einzureichen.

Die Auszahlung der Stipendien erfolgt am 29. Juli.

München, 25. Mai 1907.

K. Akademischer Senat.

Der derzeitige Rektor: Dr. Birkmeyer.

Berichtigungen zu

Bd. 71 S. 155, Zeile 15 von oben lies statt „Ebenda", Arch. internat. de laryngologie, d'otologie et de rhinologie.
  „   S. 158, Zeile 29 von unten lies statt „Keim" Rein.

Druck von J. B. Hirschfeld in Leipzig.

ARCHIV
FÜR
OHRENHEILKUNDE

BEGRÜNDET 1864

VON

Dr. A. v. TRÖLTSCH
WEILAND PROF. IN WÜRZBURG.

Dr. ADAM POLITZER
IN WIEN

UND

Dr. HERMANN SCHWARTZE
IN HALLE A. S.

IM VEREIN MIT

PROF. C. HASSE IN BRESLAU, PROF. V. HENSEN IN KIEL, |PROF. A. LUCAE IN BERLIN, PROF. E. ZAUFAL IN PRAG, PROF. V. URBANTSCHITSCH IN WIEN, PROF. F. BEZOLD IN MÜNCHEN, PROF. K. BÜRKNER IN GÖTTINGEN, DR. E. MORPURGO IN TRIEST, S. R. DR. L. BLAU IN BERLIN, PROF. J. BÖKE IN BUDAPEST, G. S. R. DR. H. DENNERT IN BERLIN, PROF. G. GRADENIGO IN TURIN, PROF. J. ORNE GREEN IN BOSTON, PROF. J. HABERMANN IN GRAZ, PRIVATDOCENT UND PROFESSOR DR. H. HESSLER IN HALLE, PROF. G. J. WAGENHAUSER IN TÜBINGEN, PROF. H. WALB IN BONN, PRIVATDOZENT DR. A. JANSEN IN BERLIN, PRIVATDOCENT UND PROF. DR. L. KATZ IN BERLIN, PROF. P. OSTMANN IN MARBURG, DR. L. STACKE, PROF. IN ERFURT, DR. O. WOLF IN FRANKFURT A. M., PROF. A. BARTH IN LEIPZIG, PROF. V. COZZOLINO IN NEAPEL, PROF. L. HAUG IN MÜNCHEN, S. R. DR. F. KRETSCHMANN, PROF. IN MAGDEBURG, PROF. E. LEUTERT IN GIESSEN, PRIVATDOZENT DR. V. HAMMERSCHLAG IN WIEN, S. R. DR. F. LUDEWIG IN HAMBURG, DR. F. MATTE IN KÖLN, DR. HOLGER MYGIND. PROF. IN KOPENHAGEN, PRIVAT-DOZENT DR. G. ALEXANDER IN WIEN, PROF. E. BERTHOLD IN KÖNIGSBERG I. PR., DR. O. BRIEGER IN BRESLAU, PROF. A. DENKER IN ERLANGEN, PRIVATDOZENT UND PROFESSOR DR. R. ESCHWEILER IN BONN, DR. A. DE FORESTIER IN LIBAU RUSSL., DR. H. FREY IN WIEN, DR. H. HAIKE, PRIVATDOZENT IN BERLIN, S. R. DR. RUDOLF PANSE IN DRESDEN, PROF. K. A. PASSOW IN BERLIN, PROF. O. PIFFL IN PRAG, DR. WALTHER SCHULZE IN SCHNEIDEMÜHL, PROF. P. H. GERBER IN KÖNIGSBERG I. PR., PROF. B. HEINE IN KÖNIGSBERG I. PR., PRIVATDOCENT U. PROF. DR. P. STENGER IN KÖNIGSBERG I. PR., DR. S. SZENES IN BUDAPEST, DR. F. ISEMER IN HALLE, DR. A. R. SPIRA IN KRAKAU.

HERAUSGEGEBEN VON

PROF. ADAM POLITZER UND PROF. H. SCHWARTZE
IN WIEN   IN HALLE A. S.

UNTER VERANTWORTLICHER REDAKTION
VON H. SCHWARTZE SEIT 1873.

ZWEIUNDSIEBZIGSTER BAND.

Mit 21 Abbildungen im Text.

LEIPZIG,
VERLAG VON F. C. W. VOGEL
1907.

Inhalt des zweiundsiebzigsten Bandes.

Erstes und zweites (Doppel-) Heft

(ausgegeben am 26. September 1907).

Drittes und viertes (Doppel-) Heft

(ausgegeben am 24. November 1907).

I.

Aus der Kgl. Universitäts-Ohrenklinik zu Halle a. S.
(Direktor Geh.-Rat Prof. Dr. Schwartze.)

Über Tumoren des Acusticus und über die Möglichkeit ihrer Diagnose auf Grund der bisherigen Kasuistik.
(Sammelreferat.)

Von
Dr. W. Küstner, Assistenten der Klinik.

Wenn Adolf Ferber in seiner Schrift über Kleinhirntumoren[1] einleitend sagt, daß unter allen Symtomenbildern der verschiedenen Gehirnkrankheiten keins so schwer zu präcisieren ist, als dasjenige, welches die Tumoren darbieten, so dürfte er bei der jetzigen Ansicht der Neurologen wohl auf Widerspruch stoßen. Sicherlich sind manche Tumoren und nicht zuletzt die Kleinhirn- und Brückentumoren wenigstens auf ihren Sitz, weniger auf ihre Struktur hin, nicht allzuschwer aus den Symptomen bei genauer klinischer Beobachtung zu erkennen. Ob man so weit gehen kann, daß man selbst intradurale Tumoren einzelner Nerven — ich denke hier an Acusticustumoren — stets mit Bestimmtheit diagnostizieren kann, scheint mir noch zweifelhaft.

Von den Tumoren des Acusticusstammes oder dessen Ästen (Ramus cochleae und vestibuli) finden sich in der Literatur hauptsächlich Fibrome, Sarkome, Gummata und Neurome beschrieben.

Von den unter Neuromen beschriebenen Geschwülsten geht die größere Anzahl von der Neuroglia aus und ist deshalb mehr als Gliome zu bezeichnen. Reine Gummata des Nervus acusticus sind einwandfrei nicht beschrieben, wohl aber finden sich solche, der Hirn- oder Schädelbasis, die auf den Acusticusstamm über-

---

1) Ferber, Ad., Beiträge zur Symptomatologie und Diagnose der Kleinhirntumoren. Marburg 1875.

greifen, und in der Mehrzahl der Fälle scheinen sie den Acusticus so zu umgeben, daß sie Druckatrophie, Dehnung oder vollständige Zerstörung des Nervengewebes veranlassen, also einen wirklichen Acusticustumor nur vortäuschen. Derartige Tumoren, die von der Schädelbasis oder den Gehirn ausgehen und ebengenannte Läsionen der Hörnerven hervorgerufen haben, sind zur Genüge aufgezeichnet; und zwar auch von anderer als luetischer Entstehungsursache hervorgerufen. Hierunter müßte man ja außer wirklichen Tumoren dann auch andere intrakranielle Prozesse, wie z. B. Basilarmeningitis rechnen, sofern sie durch Druck des Exsudates den Acusticusstamm irritieren, ferner Kontraktur der entzündeten Arachnoidea, Aneurysma der Arteria basilaris, Hydrocephalus internus, Cysticercus usw.

Wenn man übrigens Sternberg[1]) folgt, sind die Tumoren des Hörnervenstammes durchweg Mischgeschwülste, wie Gliofibrome, Neurogliome und Fibrosarkome. Es muß aber hier gleich vorweg genommen werden, daß von all den Geschwülsten, die unter den Namen der Acusticustumoren beobachtet und beschrieben sind, die wenigsten echte Acusticusgeschwülste sind, d. h. solche Tumoren, die ein Aufgehen oder Auffasern des Acusticusnerv in den Tumor zeigen; die meisten sind vielmehr nur Tumoren der Nachbarschaft des Acusticus, welche in dem Recessus acustico-cerebellaris, also in dem Raume der Schädelbasis, der zwischen Pons und Kleinhirn in der nächsten Nähe des Acusticus liegen, sich entwickelt haben, und damit sozusagen Verdrängungserscheinungen des Nervus acusticus hervorgerufen haben. Sie haben also nicht die gemeinsame Eigenschaft, wie Fritz Hartmann[2]) (Graz) im Anfange seiner Zusammenstellung hervorhebt, daß sie durchweg mit den Nervus acusticus — seltener mit Nervus facialis oder beiden — in eine „organische Verbindung" treten, sondern in der Mehrzahl der Fälle werden die genannten Nerven nur durch die Geschwülste aus ihrer Lage verdrängt und verlaufen platt gedrückt um die Basalfläche des Tumors herum. Allerdings haben die Geschwülste die Eigenschaft gemeinsam, daß sie sich aus ihrem von den Nachbarorganen gebildeten Bette leicht ausschälen lassen, öfter „scheinen" sie nur, wie es dort wörtlich heißt — makroskopisch be-

1) K. Sternberg, Beitrag zur Kenntnis der sogenannten Geschwülste des N. acusticus. Zeitschrift f. Heilkunde 1900, Bd. XXI, S. 163.

2) Fritz Hartmann, Graz: Die Klinik der sog. Tumoren d. Nerv. acust. Zeitschrift f. Heilkunde, Bd. XXIII, 1902.

trachtet — mit dem Acusticus in Verbindung getreten zu sein; dies kann aber sehr wohl erst sekundär geschehen sein. Fritz Hartmanns Schrift hätte danach richtiger die Überschrift: „Die Klinik der Tumoren des Recessus acustico-cerebellaris" tragen sollen, er hätte besser den Ausdruck der Acusticustumoren vermieden. Der erstere Begriff war einmal umfassender, und dann findet man unter seinen 26 Fällen vier, wo einwandfrei die „organische Verbindung" von Nerv und Tumor feststeht. Auch in der Zusammenstellung Bernhardts[1]) zeigt uns die Tabelle der Hirntumoren nur zwei Fälle von Geschwulst des Nervus acusticus. Dagegen sind drei Fälle von Trigeminustumor und zahlreiche Fälle aufgezählt und beschrieben, in denen es sich zweifellos um Geschwülste handelt, die als Tumoren des Kleinhirns, Brücke und Schädelbasis aufgefaßt werden müssen. In der Zusammenstellung von Klebs[2]) findet sich unter 64 Fällen von Hirn- und Kleinhirntumoren nur ein echter Acusticustumor, ein Acusticusneurom.

Eine fast allen derartigen Tumoren gemeinsame Eigenschaft fällt allerdings auf, daß nämlich die meisten Geschwülste im Kleinhirnbrückenwinkel, so auch die in der F. Hartmannschen und Henneberg-Kochschen[3])Zusammenstellung, dem Acusticus in den Meatus auditorius internus zapfenförmig folgen, manchmal sogar Erweiterungen des letzteren verursacht haben. Es kann doch dieser Schlupfwinkel nicht der einzige Locus minoris resistentiae sein, den sie bei ihrem Wachstumsfortschritt zu benutzen haben; diese Eigentümlichkeit muß doch wohl noch einen anderen Grund haben! Allerdings nehmen auch Henneberg und Koch an, daß der Umstand, daß die erwähnten Tumoren fast immer in den Kleinhirnbrückenwinkel eingekeilt erscheinen, in mechanischen Verhältnissen seine Erklärung findet. Diese Geschwülste, meinen sie, entwickeln sich in der Richtung, die ihrem Wachstum am wenigsten Widerstand bietet. In der Hinsicht kommt natürlich der Meatus auditorius internus in Betracht. Hierbei erwähnen noch die genannten Autoren, daß das relativ häufige Vorkommen von Neurofibromen und Neurofibrosarkomen

---

1) Bernhardt, Beiträge zur Symptomatologie und Diagnostik der Hirngeschwülste. Berlin 1881.

2) Klebs: Beiträge zur Geschwulstlehre, Vierteljahrschrift für pr. Heilkunde 1871.

3) Henneberg und Koch, Archiv für Psychiatrie, Bd. 36, Heft 1.

im Kleinhirnbrückenwinkel aus dem Vorhandensein zahlreicher
Nervenwurzeln in der Umgebung dieses Recessus zu erklären sei.

Übrigens hat Virchow[1]) schon vor 44 Jahren in einer Vor-
lesung von derartigen Tumoren gesprochen. Es verlohnt sich,
die Worte des bahnbrechenden Gelehrten selbst zu hören. Es
heißt da: „Der unzweifelhaft häufigste Sitz von knotigen Geschwülsten ist unter den Hirnnerven der Acusticus. Freilich ist
es nicht immer zu unterscheiden, ob die Geschwulst gerade vom
Acusticus und nicht vom Facialis ausgeht, indes scheint das
erstere doch die Regel zu sein. Wenigstens ist in jedem Falle,
wo eine bestimmte Trennung der Nerven von der Geschwulst
möglich war, der Facialis der trennbare Nerv gewesen." . . . . .
„Manchmal sind die Geschwülste ziemlich hart und scheinbar
fibrös oder gar knorpelartig; andere Male dagegen weicher und
geradezu gallertig; zuweilen finden sich cystische und hämorrhagische Stellen. Auch meine eigenen Untersuchungen[2]) erhalten kein ganz sicheres Resultat, indes fand sich doch eine fasci-
kuläre, feinfaserige Anordnung, welche in manchen Beziehungen
an die Neuromstriktur erinnerte. Die Geschwülste sitzen bald
näher am Gehirn, bald näher am Knochen und bedingen dadurch gewisse Verschiedenheiten der Folgezustände. Taubheit
ist in der Regel vorhanden, seltener Facialislähmung. Da die
Knoten eine beträchtlichere Größe haben, so üben sie stets einen
erheblicheren Druck auf die Nachbarteile aus. Sitzen sie näher
am Gehirn, so bedingen sie grubige Eindrücke am Kleinhirn oder
am Pons; liegen sie näher am Knochen, so dringen sie leicht
in den Meatus auditorius internus ein. Bestehen sie lange, so
erweitert sich der innere Gehörgang, ja es können tiefe Löcher
im Os petrosum entstehen."

Daß die Tumoren bei dem Druck auf den Acusticus bei
seiner Verdrängung oder der Spannung über die Geschwulst, eine
auffällige, fortschreitende Gehörsverschlechterung, öfter bis zur
vollständigen Taubheit herbeiführen, hat nichts Auffallendes;
vielleicht ist aber diese Erscheinung die Veranlassung, mit gewesen, alle diese Tumoren in der Nachbarschaft des Gehörnerven, wo Gehörsbeschränkung als eins der markantesten Symptome in Erscheinung trat, zu den Acusticustumoren zu rechnen.
Merkwürdig bleibt es, daß bei der intimen Nachbarschaft des

---

1) Virchow: Die krankhaften Geschwülste. III. Band, 1. Hälfte,
S. 295 ff.

2) Virchow: Archiv 1858. Bd. 13, S. 264.

Nervus acusticus mit dem Facialis in Ursprung und Verlauf nur in einem Drittel der in der Literatur vorkommenden Fälle der Nervus facialis Störungen aufweist, obwohl beim Sektionsbefund des Öfteren zu lesen ist, daß der Facialis „stark gedehnt", „gezerrt", „abgeplattet" ist. Selbst in den Fällen von echten Acusticustumoren ist keine Facialisparese, mit Ausnahme des Falles, der von Anton[1]) beschrieben ist, und des 2. Falles bei Henneberg und Koch. Man muß sich wundern, wenn bei oft hühnereigroßen Tumoren, über welchen der Facialis basal gespannt ist, es in der Krankengeschichte nur heißt: „unterer rechter Facialis etwas paretisch".

Fritz Hartmann führt in seiner Zusammenstellung aus, daß die Träger solcher Tumoren im Alter von 30—35 Jahren mit einer jugendlichen Ausnahme gestanden haben, also das übliche Alter der Tumorenerkrankung hatten, ferner das männliche Geschlecht mehr als das weibliche daran erkrankt ist.

Bezüglich der Ätiologie muß man darauf aufmerksam werden, daß etwa zwölf Prozent der gesammelten Fälle auf ein Trauma zurückgeführt werden können, wenn auch der Beweis des kausalen Zusammenhanges von Erkrankung und Verletzung durchaus nicht als erbracht gelten kann. Immerhin hat vielleicht die Theorie (Cohnheim-Sternberg) der versprengten Keime als Ursache des Entstehens solcher Tumoren und die traumatische Erschütterung als Veranlassung eines schnelleren Wachstums dieser pathologischen Gebilde etwas für sich. Wenn man übrigens ein Paradigma aus anders lokalisierten Tumoren, speziell Fibromen, anziehen soll, so habe ich früher einmal zu erklären versucht[2]), daß Fibrome der Bauchdecken sehr wohl durch Trauma entstehen können. Blutungen ins Gewebe haben hier zum Teil den Wachstumsreiz, vielleicht überhaupt die Veranlassung zur Bindegewebsneubildung abgegeben.

Aber wie viel Menschen haben nicht in ihrem Leben einmal ein ernstliches Trauma des Kopfes erlitten!

Mehrfach werden aber auch hereditäre Einflüsse als ätiologisch bedeutungsvoll erwähnt.

Geht man die Fälle von wirklichen Acusticustumoren auf ihre Symptome durch, so findet man, daß in den meisten Fällen die sichere Erkenntnis, daß es sich um einen Acusticustumor

---

1) Anton, Wilh., Beitrag zur Kenntnis der Acusticustumoren. Archiv f. Ohrenheilk. 1896, S. 61.
2) Küstner: Über Bauchdeckenfibrome. Ing.-Diss. Halle 1891.

handelt, sehr lange Zeit der Beobachtung erforderte. Im Anfange ist in einigen Fällen nur eine langsam fortschreitende Abnahme der Hörfähigkeit, manchmal mit subjektiven Geräuschen
auf der erkrankten Seite, wie Sausen, Klingen, Läuten oder
Summen, vielleicht schon mit leichtem Kopfschmerz beobachtet,
dazu gesellte sich später geringer Schwindel. Man schiebt zunächst diese Anzeichen anderen unwichtigeren, katarrhalischen
Erkrankungen des Ohres zu. Übrigens haben die beiden klinisch
genau beschriebenen Fälle von echten Acusticustumoren, über
welche Henneberg und Koch berichten, merkwürdiger Weise
nicht mit Erscheinungen von Seiten des Acusticus begonnen.
Danach muß man wohl annehmen, daß die Geschwulstbildung
recht lange bestehen kann, ohne eine Leitungsunterbrechung des
betreffenden Nerven herbeizuführen. Auch spätere, schwerere
Erscheinungen, wie Übelkeit, Erbrechen und unsicherer Gang,
Sehstörung, Nystagmus können noch in Gehörserkrankungen ihre
Erklärung finden, obwohl es sich dann schon um eine Beteiligung des inneren Ohres handeln muß. Hier müßte allerdings
schon die Prüfung des Gehörnervenapparates und der ganze Befund des Ohres zur Aufklärung einsetzen und wertvolle Hand-
haben bieten. Leider lassen die meisten Krankengeschichten
eine genaue Hörprüfung vermissen. Man möchte fast argwöhnen,
daß an eine Mitbeteiligung des Nervus acusticus nicht gedacht
ist. Genaue Gehörprüfungen sind in den beiden genau beschriebenen Fällen von Henneberg und Koch gemacht, oder wie
schon erwähnt, sind dort im Anfange gar keine Acusticuserschei-
nungen zutage getreten.

Es mag zugegeben werden, daß die Gehörprüfung oft auf
die größten Schwierigkeiten von Seiten der Patienten stößt, abgesehen von der mühevollen, Geduld und Zeit erfordernden Vornahme an sich.

Gradenigo[1]) hat sich in der eingehendsten Weise mit der
Prüfung der Gehörfähigkeit am gesunden und kranken Ohr beschäftigt, und man kann wohl ihm folgen, wenn er sagt: „Bei
den Krankheiten des Nervus acusticus kann man wenigstens zuweilen a priori das Bestehen von funktionellen Eigentümlich-
keiten annehmen, welche von denjenigen der Krankheiten des
Schallleitungsapparates und des inneren Ohres verschieden sind;
nach meinen Beobachtungen ist bei denselben vorwiegend die

---

1) Gradenigo: Schwartze's Handbuch Kap. VI. Krankheiten des
Labyrinths und des Nervus acusticus.

Perception für die mittleren Töne vermindert, während die für die hohen relativ gut erhalten ist." Bei der Untersuchung über die Ermüdung des Nervus acusticus heißt es ebenda: Die funktionelle Erschöpfbarkeit sei bei Erkrankungen des Gehörnerven so beträchtlich vorhanden, daß dem Acusticus hierdurch ein besonderer Charakter verliehen wird. Die funktionelle Erschöpfbarkeit sei oft so bedeutend, daß die Resultate der Untersuchung bei den einzelnen Proben wesentlich modifiziert und ein sicherer Schluß auf den Grad der Hörkraft unmöglich werde. Eine beträchtliche funktionelle Erschöpfbarkeit ist nach Gradenigos Ansicht charakteristisch für die Erkrankungen des Nervus acusticus.

Erst wenn nun bei stärkeren Wachstum des Tumors durch Kompression des Kleinhirns und Aufwärtsdrängen des Tentoriums Platz geschafft werden muß und die Symptome des Hirndruckes eintreten, kann in der Regel die Diagnose eines Tumors in der hinteren Schädelgrube und bei Berücksichtigung einer vorhandenen Hörstörung genauer im Recessus acustico-cerebellaris gestellt werden. Zur Sicherung der Diagnose findet man jetzt die Stauungspapille, die sich oft auch auf die andere Seite miterstreckt, auch Sehstörungen bis zu schwerer Atrophie des Nervus opticus können nun einsetzen. Erbrechen wird durch oft tagelanges Anhalten äußerst quälend und bedrohlich; der dumpfe Kopfschmerz, meist ins Hinterhaupt doch auch in den Stirnteil verlegt, bringt die Patienten der Verzweiflung nahe. Neben diesen Allgemeinerscheinungen treten proportial der Wachstumsschnelligkeit weitere bestimmte Herderscheinungen auf: Mit dem Kopfschmerz geht Hand in Hand der Schwindel.

Während sonst bei Hirntumoren der Schwindel viel seltener als der Kopfschmerz gefunden wird, tritt bei Tumoren in der Nachbarschaft des Kleinhirns und der Brücke der Schwindel ganz regelmäßig auf und drängt sich in den Vordergrund der Erscheinungen. Man verlegt ja die Ursache des Schwindels überhaupt auf Läsionen des Vestibularnerven und seines Fußpunktes im Kleinhirn — nach Hitzig liegen auch Wurzeln im Stirnhirn —. Wenn nun das Schwindelgefühl bei unserer Erkrankung verhältnismäßig lange verborgen bleiben kann, so darf eine Erklärung vielleicht darin gefunden werden, daß bei der gewöhnlich langsamen Wachstumsentwicklung des Tumors für die einseitig nachlassende Gleichgewichtsfunktion die der anderen Seite vikariierend eintritt.

Die Hörstörung bleibt der Hauptpunkt der Herderscheinungen. Beginnende Schwerhörigkeit ist meist das Frühsymptom der Erkrankung. Hierbei muß aber nochmals erwähnt werden, daß keineswegs, wie man im Hinblick auf die anatomischen Erscheinungen erwarten sollte, die Initialsymptome selbst bei echten Acusticustumoren von Seiten des Acusticus ausgingen, wie die Autoren selbst hervorheben. Zum Teil mag diese Beobachtung damit zusammenhängen, daß die Patienten selten sich so genau zu beobachten verstehen, daß sie eine Verminderung der Hörschärfe auf einem Ohre bemerkten. Dies wird nicht weiter auffallen, wenn man bedenkt, daß oft Patienten nicht wissen, daß sie auf einem Ohre taub sind, ja daß sie auf einem Auge blind sind und es erst bei der Untersuchung erfahren müssen.

Gradenigo sagt in Schwartzes Handbuch, Bd. II, S. 533: „Die Alterationen des Nervus acusticus, welche durch intrakranielle Tumoren, die durch ihren Sitz einen Zug oder Druck auf ihn ausüben, verursacht werden, sind wohl bekannt in pathologisch-anatomischer Beziehung, sind aber in klinischer Richtung nur ungenügend untersucht worden." Also die gleiche Klage, wie schon vorerwähnt, daß die Krankengeschichten meist den Mangel einer genauen Gehörprüfung an sich haben.

Und später fährt derselbe Autor (S. 537) fort: „Daß die von ihm beobachteten Fälle von Gehörsstörungen infolge von Tumoren des Nervus acusticus die gleichen funktionellen Symptome aufweisen, wie man sie bei Läsionen des Nervus acusticus im allgemeinen anzutreffen pflegt, nämlich Herabsetzung der Hörschärfe vorwiegend für mittlere Töne, zurückführbar auf den Perceptionsapparat, excessive funktionelle Erschöpfbarkeit usw." Wenn nun bei Gehörsstörungen durch Acusticustumor verursacht die gleichen Anzeichen, wie bei Läsionen des Nervus acusticus überhaupt, vorhanden sind, so beweist dieser Umstand, wie wenig das Hauptmerkmal der Differentialdiagnose, nämlich die Gehörsstörung, für das Erkennen eines echten Acusticustumors, einer Kleinhirnbrückenwinkelgeschwulst oder einer sonstigen Läsion des Gehörnerven in die Wagschale fällt. Allerdings meint Gradenigo auch, daß bei der gesicherten Diagnose eines Gehirntumors das Vorhandensein von Läsionserscheinungen des Hörnerven die genauere Diagnose: „Acusticustumor" erleichtert werde.

Siebenmann[1]) meint nun, daß die Schwerhörigkeit mit

---

1) Siebenmann: Über die zentrale Hörbahn und ihre Beschädigung durch Geschwülste des Mittelhirns usw. Wiesbaden 1896.

anderen Hirnsymptomen bei unseren Tumoren deutlich zusammen-
fällt, seltener denselben vorangeht. Aber das Auffallende bei dieser
Hörverschlechterung ist der stetig fortschreitende Charakter. In
solcher Weise entstandene Schwerhörigkeit oder Taubheit muß einmal auf Zerstörung des Hörnervenapparates beruhen; bestehen nun
bereits allgemeine Kleinhirnsymptome, so wird sie auf die Diagnose
eines Tumors im Recessus acustico-cerebellaris hinweisen und die
eines Acusticustumors als nicht unwahrscheinlich gelten lassen.

Den Herdsymptomen stehen zur Sicherung der Diagnose die
Nachbarschaftssymptome zur Seite. Bei Druck auf die Brücke
entstehen Störungen in den Extremitäten, sensibler und motorischer Natur, und zwar durch die Kompression der Pyramiden-
bahn gekreuzte Paresen mit gesteigerten Reflexen. Der Gang
wird schwankend, breitspurig, oft sehr taumelnd, aneckend: das
Bild der cerebellaren Ataxie; daneben erscheinen Parästhesien
in den Extremitäten (Sensibilitätsdefekte) und Ausfallserscheinungen im Lagegefühl, Ortssinn und sicheren Bewegungrichtung.
Ferner Paresen einzelner Augenmuskeln, Nystagmus, Parese des
Abducens, des Oculomotorius, Störungen im Trigeminusgebiet,
desgleichen im Bereich des Facialis, wie schon vorher erwähnt
wurde. Gelegentlich sind auch Geschmacks- und Geruchstörungen
erwähnt. Läsionen im Gebiete des Nervus accessorius und Hypoglossus sind nur in terminalen Stadien beobachtet, ebenso erhöhte Frequenz des Pulses, Herzklopfen und Arythmie.

Um zusammenzufassen, wird sich die Diagnose: „Acusticustumor, oder besser Tumor im Recessus acustico-cerebellaris"
stützen müssen 1. auf Prodromalerscheinungen: langsam, aber stetig
fortschreitende Abnahme der Hörschärfe bei Ausschluß irgendwelcher sichtbaren Ohrerkrankungen, Kopfdruck, leichter Schwindel, Mattigkeit in den Extremitäten; 2. auf Allgemeinsymptome:
Hirndruckerscheinungen, Stauungspapille, quälendes Erbrechen,
dazu kann sich schon Läsion des Nervus opticus bis zur Atrophie gesellen, dumpfer, heftiger Hinterhauptskopfschmerz; 3. auf
die Herdsymptome: Läsion des Nervus acusticus a) Schwindel. —
Bruns berichtet von typischen Menièreschen Anfällen, vielleicht
kommen hierbei Blutungen in den Nervus acusticus in Betracht.
b) Hörstörung, Abnahme der Hörfähigkeit bis zur vollständigen
Nerventaubheit; und 4. auf die Nachbarschaftssymptome: a) Inner-
vationsstörungen der Extremitäten motorischer und sensibler Natur.
b) Störungen der Hirnnerven: Paresen der Augenmuskeln, Nystagmus, Abducens-, Oculomatosius-, Trigeminus- und Facialisparesen,

seltener Glossopharyngeus-, Vagus-, Recessus- und Hypoglossus-
störungen.

Es wird also in den Fällen ein abgerundetes, charakteristisches Bild geben, wo neben vollständiger nervöser Taubheit
allerhand Störungen der Nervenorgane der hinteren Schädelgrube in Erscheinung treten.

F. Hartmann drückt sich vorsichtig aus, wenn er sagt:
„Unser Krankheitsbild ist definiert durch das relative Verhältnis
der Hörschwäche zu den Hirnstörungen der hinteren Schädelgrube." Dabei versteht aber F. Hartmann, wie schon erwähnt, unter „unser Krankheitsbild" das der „sogenannten" nicht
der „ersten" Acusticustumoren.

Da ich aber differential-diagnostische Punkte zwischen den
Tumoren des Recessus acustico-cerebellaris und wirklichen
Acusticusgeschwülsten nicht gefunden habe, muß ich nach dem
bis jetzt vorliegenden Material annehmen, daß es nur in den
allerseltensten Fällen möglich ist, die Differentialdiagnose
zwischen Tumoren des Kleinhirnbrückenwinkels und Geschwülsten des Gehörnerven, die freilich auch dort ihren Sitz
haben, aber vom Nervus acusticus ausgegangen sind, zu stellen.

Bis jetzt ist jedenfalls diese Diagnose als erbracht nicht anzusehen.

Wenn Bruns [1]) behauptet, daß es sich bei einseitiger Acusticus-
störung dann um einen echten Acusticustumor handele, sobald ein
Tumor der genannten Kleinhirngegend sicher gestellt ist, und daß
dann der Acusticustumor erst sekundär zu Kleinhirnsymptomen geführt habe, so erscheint dies als zu weit gegangen. Warum soll
nicht neben einer Kleinhirnkrankheit eine periphere Erkrankung
des Gehörorgans derselben Seite bestehen können, die allein schon
die Funktionsstörung zur Genüge erklärt und doch nicht durch
einen Tumor im Nervengewebe des Acusticus veranlaßt ist?

Umgekehrt kann man aber wohl das als richtig annehmen,
daß ein Tumor des Kleinhirnbrückenwinkels niemals dann schon
hochgradige und progrediente Schwerhörigkeit hervorrufen kann,
wenn nicht bereits ausgesprochene Kleinhirnsymptome vorhanden
sind, mit der einen Ausnahme, daß es sich um einen echten
Acusticustumor handelt.

Die Prognose unserer Tumoren wird, mit Ausnahme der
luetischen, eine schlechte bleiben, so lange den Geschwülsten
nicht besser als bisher operativ beizukommen ist.

---

1) Bruns: Die Geschwülste des Nervensystems. Berlin 1897.

Frühere Medizinisch-chirurgische Klinik (Domplatz).

Jetzige Universitätsklinik für Augen- und Ohrenkranke.

II.

Historischer Rückblick auf die Entwicklung der Universitäts-Ohrenklinik in Halle a. S.

mit Statistik über die Krankenbewegung und die Frequenz der Studierenden in derselben vom 15. Oktober 1863 bis 1. April 1907.

Von

H. Schwartze.

———— - -

Statistik

der Krankenbewegung und der Frequenz der Studierenden in der Ohrenklinik zu Halle vom 15. Oktober 1863 bis 1. April 1907.

(Assistenten. Ferienkurse. Staatlicher Fortbildungskursus.)

————

Die am 15. Oktober 1863 eröffnete Poliklinik für unbemittelte Ohrenkranke entstand als Anhang der medizinischen Klinik unter Protektion und Subvention des damaligen Direktors der medizinischen Klinik Prof. Theodor Weber. Die Zahl der Kranken war in den ersten 5 Jahren ziemlich kümmerlich, stieg nur langsam von 145 im ersten Jahre auf 450 im fünften Jahre, gab aber immerhin die Möglichkeit, der Unterweisung der Studierenden in der Untersuchung Ohrenkranker sich nutzbar zu machen. Bei dem Interesse, welches der Direktor der medizinischen Klinik und Poliklinik der neuen Einrichtung andauernd darbrachte und bei seiner Einsicht der Notwendigkeit der Ausdehnung des klinischen Unterrichts auf die Erkrankungen des Gehörorgans, fehlte es auch nicht an Klinicisten und an der Möglichkeit, operative Fälle in der medizinischen Klinik unterzubringen. Durch meine Einberufung zum Militärdienst im Kriege 1870/71 und meine nachfolgende schwere Erkrankung, wurde eine längere Unterbrechung der Poliklinik erforderlich, so daß ich meine Tätigkeit an derselben erst Ende 1871 wieder auf-

nehmen konnte. Es bedurfte erneuter Bemühung, um die Krankenzahl wieder in die Höhe zu bringen, die bis zum Jahre 1879
allmählich auf 500 im Jahre sich hob.

Vom 1. April 1879 ab wurde die Poliklinik durch ministeriellen Erlaß mit einer jährlichen Beihilfe von 1000 Mark für
Beschaffung von Instrumenten, Arzneien und Verbandmitteln sub-
ventioniert.

Die Gesamtzahl der in der Poliklinik vom 15. Oktober 1863
bis 1. April 1907 behandelten unbemittelten Kranken betrug 52350.

Davon waren in den Jahren 1887—1907[1]) aus dem Stadt-
kreise Halle 26299, aus dem Herzogtum Anhalt 1060, der Rest
vorwiegend aus der preußischen Provinz Sachsen, dem König-
reiche Sachsen, dem Großherzogtum Sachsen-Weimar und den
anderen Thüringischen Herzogtümern und sächsischen Fürsten-
tümern.

Am 1. April 1884 wurde die stationäre Universitätsklinik für Ohrenkranke, verbunden mit der Poliklinik, eröffnet. Dieselbe wurde in einem Neubau untergebracht, gemeinschaftlich mit der Universitäts-Augenklinik. Die Zahl der Betten
war für die Ohrenklinik anfänglich nur auf 10 limitiert, wurde
aber bald dem wachsenden Bedürfnis entsprechend etatmäßig
auf 25 erhöht.

Da auch diese Bettenzahl bei der wachsenden Zahl der
Kliniciten für den Unterricht bald nicht mehr genügte, eine weitere Erhöhung der Bettenzahl trotz wiederholten Antrages jedoch
nicht zugestanden wurde, war ich gezwungen, im Laufe der
Jahre außerhalb der Klinik in drei sogenannten Filialen derselben noch 32 Betten verfügbar zu machen, in denen unbemittelte Kranke zu den in der Klinik festgesetzten Verpflegungs-
sätzen untergebracht werden konnten.

Die in der Klinik vorhandenen Räume bestanden aus vier
Krankenzimmern, einem Anrichteraum, einem Zimmer für den Direktor, einem Zimmer nebst Schlafzimmer für den 1. Assistenten, zwei
unzureichenden einfenstrigen Untersuchungszimmern, einem Opera-
tionssaal, einem Auditorium (gemeinschaftlich mit der Augenklinik),
einem unzureichenden Vorraum zum Warten der poliklinisch behandelten Patienten; im Souterrain waren die Wohnräume für das
Wart- und Bedienungspersonal (4 Personen), und einige kleine
unzureichende Räume zu anatomischen und mikroskopischen Ar-

---

1) Erst vom Jahre 1887 ab ist in den Krankenjournalen die Heimat
der Patienten regelmäßig notiert.

beiten, zur Unterbringung der Sammlung anatomischer Präparate und zur Aufstellung eines Sterilisationsapparates. —

Die Zahl der in der stationären Klinik aufgenommenen und verpflegten Kranken betrug vom 1. April 1884 bis 1. April 1907 im ganzen 4433. Davon sind gestorben 246 (ca. 6 Proz.). Die Zahl der in poliklinischer Behandlung verstorbenen Patienten ist nicht genau anzugeben, weil die Todesfälle gewöhnlich nicht gemeldet werden, um die Sektion zu verhindern. Von 1863 bis 1884 hatte infolge dessen die Zahl der ermöglichten Sektionen von den in poliklinischer Behandlung Verstorbenen nur 37 betragen.

In tabellarischer Übersicht ist nachstehend die Verteilung der Todesfälle auf die einzelnen Jahrgänge unter Hinzufügung der Zahl der stationär und poliklinisch behandelten Kranken zusammengestellt (1884—1907).

Jahr	Zahl der Todesfälle	Zahl der Stationskranken	Zahl der poliklinischen Kranken
1884	6	79	1 021
1885	4	121	1 015
1886	6	120	1 213
1/1. 87 — 1/.4 88	7	132	1 583
1/4. 88 — 1/4. 89	15	166	1 515
1889/90	7	165	1 623
1890/91	8	172	1 605
1891/92	6	167	1 662
1892/93	7	175	1 636
1893/94	12	147	1 813
1894/95	5	169	1 716
1895/96	9	183	1 875
1896/97	16	184	1 869
1897/98	13	191	2 053
1898/99	16	218	2 516
1899/1900	15	232	2 320
1900/01	13	211	2 425
1091/02	11	242	2 660
1902/03	8	244	2 790
1083/04	17	239	2 719
1904/05	19	292	2 937
1905/06	16	263	2 876
1006/07	10	318	3 282
	246	4 433	46 724

Die durch die Sektion erwiesenen Todesursachen bei den in der stationären Klinik vom 1. April 1884 bis 1. April 1907 verstorbenen Patienten waren:

Meningitis purulenta, unkompliziert 52
Sinusphlebitis mit Pyämie   ⸗ 43
Hirnabszeß (einfach und mehrfach) unkompliziert 14

Übertrag 109

Übertrag 109

Meningitis purulenta, kompliziert mit
   Hirnabszeß 25
   Sinusphlebitis 19
   Hirnabszeß und Sinusphlebitis 8
   Subduralem Abszeß am Kleinhirn 1
   Sinusphlebitis und tiefem subduralen Abszeß 2
Hirnabszeß, kompliziert mit
   subduralem Abszeß 1
   Sinusphlebitis 15
Meningitis tuberculosa, Hirntuberkel und Miliartuberkulose . . . 22
Meningitis purulenta, von den Nebenhöhlen der Nase ausgehend 1
Meningitis serosa (?) 2
Pneumonie 9
Carcinom des Schläfenbeins 5
Tuberculosis pulmonum 5
Osteosarkom der Schädelbasis 2
Hydrocephalus internus 2
Scharlach-Diphtherie 2
Uraemie 2
Apoplexia cerebri 1
Encephalitis traumatica 1
Tumor cerebelli 1
Diphtherie 1
Leukaemie 1
Anaemie 1
Lupus 1
Septicopyämie, nicht vom Ohr ausgehend 1
Multiple Abdominalsarkome 1
Unbekannt 2
Chloroformasphyxie 3

Summe 246

Von diesen 246 Todesfällen sind als durch otitische Hirnkrankheiten allein verursacht nur 191 anzusehen, bei welchen
der ursächliche Zusammenhang zwischen Otitis und Tod ganz
unzweifelhaft erwiesen ist. Bei den übrigen ist die Todesursache nur in direktem Zusammenhange mit dem Ohrleiden
oder in gar keinem. Die Altersstufen der Gestorbenen waren:

Bis 1 Jahr — 1
1—10 » — 60
11—20 » — 65
21—30 » — 30
31—40 » — 11
41—50 » — 14
51—60 » — 8
61—70 » — 2
über 70 » — 0

Summa 191

Hieraus ist ersichtlich, daß die große Mehrzahl der Todesfälle durch intrakranielle Komplikationen der Otitis in den
ersten drei Dezennien des Lebens erfolgt. Besonders
prädestiniert ist das zweite Dezennium. Im vierten Dezennium
nimmt die Zahl der Todesfälle stark ab und ist nach dem
60. Lebensjahr verschwindend klein.

Vom 1. April 1884 bis 1. April 1907 sind in der stationären Klinik 2314 [1]) operative Eröffnungen des Proc. mastoid. gemacht worden. In den Jahresberichten der Klinik ist erst vom Jahre 1887 ab unterschieden zwischen der Operation bei der akuten Form der Eiterung und bei der chronischen Form, so daß erst für die Zeit vom 1. April 1887 bis 1. April 1907 berechnet werden konnte, daß auf 647 Operationen bei akuter Otitis media 1581 bei chronischer Otitis media entfielen. Über das Zahlenverhältnis der typischen Aufmeißelung des Antrum mastoideum und der Total-aufmeißelung ist in den Jahresberichten der Klinik in den Operationstabellen erst seit dem Etatsjahr 1896 u. 97 regelmäßig Angabe gemacht, aus der sich für den Zeitraum der letzten 10 Jahre bis 1906 u. 07 ergibt, daß auf 481 einfache Aufmeißelungen 960 Totalaufmeißelungen kamen, also das Verhältnis zwischen beiden ziemlich genau wie 1 : 2 war.[2])

In den 10 Jahrgängen (1896/97 bis 1906/07) gestaltete sich das Verhältnis von partieller und totaler Aufmeißelung unter Berücksichtigung der akuten und chronischen Form der Eiterung in folgender Weise:

Aufmeißelung der Proc. mastoideus bei Otitis med. purul.

	Partielle	Totale	Akut	Chronisch	Jahres-Krankenzahl
1896/97:	20	89	15	94	1 869
1897/98:	31	93	28	96	2 053
1898/99:	36	99	31	104	2 516
1899/00:	56	98	54	100	2 320
1900/01:	35	94	32	97	2 425
1901/02:	43	82	39	86	2 660
1902/03:	43	98	37	104	2 790
1903/04:	43	93	43	93	2 719
1904/05:	77	86	76	87	2 937
1905/06:	54	108	50	112	2 876
1906/07:	63	109	61	111	3 282

1) Die Zahl der vorher von 1863 bis 1884 in der Poliklinik ausgeführten Mastoidoperationen (siehe Arch. f. O. Bd. VII. S. 183, und Kasuistik der chirurgischen Eröffnung des Warzenfortsatzes, ibidem Bd. X. S. 25 bis Bd. XIX. S. 244, und Jahresberichte) betrug 176, so daß die Gesamtzahl 2490 war.

2) Nach einer Mitteilung von Lucae auf dem otologischen Kongreß in London entfielen in der Berliner Universitäts-Ohrenklinik auf einen Zeitraum von ca. 18 Jahren (1. April 1881 bis 1. Aug. 1899) unter 1935 operativen Eröffnungen des Proc. mastoideus 852 auf die akute, 1083 auf die chronische Form der Eiterung. Da jedoch die Totalaufmeißelung bei der chronischen Form erst seit 1892 in allgemeinere Aufnahme kam, gestatten diese Zahlen keine Vergleichung.

Als Assistenten der Poliklinik und Klinik waren in Tätigkeit[1]):

1863 u. 64. Dr. Mordtmann (Arzt der deutschen Botschaft in Konstantinopel).

1864 u. 65. Dr. Steudener († 1880 als Professor ordinarius für Histologie in Halle).

1865 u. 66. Dr. Kohlhardt († als prakt. Arzt in Weißenfels).

1866 u. 67. Dr. Farwick († als Ohrenarzt in Münster).

1867 u. 68. Dr. Küpper († 1905 als prakt. Arzt in Elberfeld).

1868 u. 69. Dr. Bertuch († 1891 als prakt. Arzt in Pasewalk).

1869 u. 70. Dr. F. Trautmann († 1902 als Prof. extraordinarius und Direktor der Klinik für Ohrenkranke in der Charité in Berlin).

1871. Dr. Borberg († 1900 als praktischer Arzt in Hamm).

1872 u. 73. Dr. Adolf Eysell, Ohrenarzt in Kassel.

1874 u. 75. Dr. Karl Weitz, Badearzt in Pyrmont.

1876 u. 77. Dr. H. Schoetensack († 1904 als praktischer Arzt in Groß-Bodungen).

1878, 79, 80. Dr. Hugo Hessler (Privatdozent für Ohrenheilkunde und Prof. titul. in Halle).

1881 u. 82. Dr. Martin Christinneck (prakt. Arzt in Brandenburg a. H.).

1882, 83, 84. Dr. Ludwig Stacke (Ohrenarzt und Prof. titul. in Erfurt).

1884 u. 85. Dr. Friedrich Kretschmann (Ohrenarzt und Prof. titul. in Magdeburg).

1886 u. 87. Dr. Richard Rohden (Ohrenarzt in Halberstadt).

1887 u. 88. Dr. Carl Reinhard († 1907 als Ohrenarzt in Duisburg).

1888, 89, 90. Dr. C. J. F. Ludewig (Ohrenarzt in Hamburg).

1890 u. 91. Dr. Georg Wegener (Ohrenarzt in Hannover).

1890—92. Dr. Rudolf Panse (Ohrenarzt in Dresden).

1891—95. Dr. Carl Grunert († 1905 als Privatdozent und Prof. titul. in Halle).

1892—94. Dr. Edgar Meier (Ohrenarzt in Magdeburg).

---

1) Die lediglich als Hilfsassistenten oder Volontaire in der Klinik tätig gewesenen Ärzte sind nicht in das Verzeichnis der Assistenten aufgenommen. Die Mehrzahl der etatmäßigen Assistenten war vor dem Eintritt in die besoldeten Stellen schon längere Zeit vor ihrem Diensteintritt als Hilfsassistent im Vorbereitungsdienst in der Klinik beschäftigt.

1894—97. Dr. Ernst Leutert (Prof. ordinarius für Otologie in Gießen).

1897—1900. Dr. Wilhelm Zeroni (Ohrenarzt in Karlsruhe, † 1907 in Alexandrien).

1900—1903. Dr. Walter Schulze (Ohrenarzt in Mainz).

Seit 1903 (1. 1.) bis 1907. Dr. Erich Dallmann.

Seit 1904 (1. 5.) bis 1907. Dr. Fritz Isemer, Stabsarzt, kommandiert vom Kriegsministerium zur Klinik.

1905 (10. bis 15. 2.)—1907. Dr. Aderhold Fröse, Marinestabsarzt a. D.

1906 u. 07. Dr. Friedrich Lassen.

1907 (1. 4.). Dr. Wilhelm Küstner.

Die Zahl der Medizin-Studierenden, welche die Vorlesungen in der Ohrenklinik auf der Universitäts-Quästur belegt haben, hatte nach den offiziellen Quästurlisten bis 1. April 1901 betragen: 1527[1]), dazu kamen von 1901 bis 1. April 1907: 188, so daß in Summa 1715 Studenten unterrichtet wurden.

Zahl der Studierenden.

Tabellarische Übersicht der Studenten seit Eröffnung der stationären Klinik für Ohrenkranke (1. April 1884 bis 1. April 1907) und das Zahlenverhältnis derselben zu der Gesamtzahl der Mediziner in Halle überhaupt, nach dem Ausweis der Quästurlisten der Universität.

Semester	Zahl der Mediziner überh.	Zahl der Hörer in		Summe
		Klinik	Publikum	
Sommer-Semester 1884	282	20	18	38
Winter-Semester 1884/85	301	12	23	35
Sommer-Semester 1885	316	18	18	36
Winter-Semester 1885/86	280	25	12	37
Sommer-Semester 1886	328	37	39	76
Winter-Semester 1886/87	316	27	40	67
Sommer-Semester 1887	329	32	29	61
Winter-Semester 1887/88	295	22	27	49
Sommer-Semester 1888	301	30	32	62
Winter-Semester 1888/89	311	24	32	56
Sommer-Semester 1889	335	40	40	80
Winter-Semester 1889/90	269	28	32	60
Sommer-Semester 1890	301	46	47	93
Winter-Semester 1890/91	272	31	34	65
Sommer-Semester 1891	270	41	36	77
Winter-Semester 1891/92	282	22	17	39
Sommer-Semester 1892	283	34	36	70
Winter-Semester 1892/93	266	18	14	32

1) Vgl. den früheren Bericht im Arch. f. Ohrenheilk. Bd. LIV. S. 127.

Semester	Zahl der Mediziner überh.	Zahl der Hörer in Klinik	Zahl der Hörer in Publikum	Summa
Sommer-Semester 1893	263	35	29	64
Winter-Semester 1893/94	234	31	28	59
Sommer-Semester 1894	247	27	11	38
Winter-Semester 1894/95	249	20	19	39
Sommer-Semester 1895	242	20	11	31
Winter-Semester 1895/96	253	nicht gelesen wegen Krankheit		
Sommer-Semester 1896	217	14	8	22
Winter-Semester 1896/97	236	17	6 [1]	23
Sommer-Semester 1897	242	17	13	30
Winter-Semester 1897/98	265	nicht gelesen	6	6
Sommer-Semester 1898	245	weg. Krankh.	16	16
Winter-Semester 1898/99	242	9	11	20
Sommer-Semester 1899	231	9	13	22
Winter-Semest. 1899/1900	226	10	30	40
Sommer-Semester 1900	215	13	17	30
Winter-Semester 1900/01	203	10	25	35
Sommer-Semester 1901	192	9	10	19
Winter-Semester 1901/02	192	5	9	14
Sommer-Semester 1902	200	5	10	15
Winter-Semester 1902/03	189	6	8	14
Sommer-Semester 1903	181	nicht	11	11
Winter-Semester 1903/04	186	gelesen	16	16
Sommer-Semester 1904	177	wegen	13	13
Winter-Semester 1904/05	180	Krank-	17	17
Sommer-Semester 1905	157	heit	18 [2]	19
Winter-Semester 1905/06	171	5	— } mit der Klinik verbunden	5
Sommer-Semester 1906	175	15	— }	15
Winter-Semester 1906/07	200	31	— }	31

Außer diesen 1715 Studenten sind in der Klinik 192 Ärzte unterrichtet worden, die speziell zu diesem Zwecke längere Zeit in Halle ihren Aufenthalt genommen hatten.

Von diesen 170 Ärzten waren aus:

    I. Deutschland . . . . . . = 45
    II. Österreich-Ungarn . . . . = 11
    III. Übrige europäische Staaten:
        a) England . . . . . . = 14
        b) Rußland . . . . . . = 15
        c) Frankreich . . . . = 11
        d) Schweden . . . . . = 9
        e) Italien . . . . . . = 6
        f) Holland . . . . . . = 6
        g) Belgien . . . . . = 4
        h) Schweiz . . . . . = 4
        i) Dänemark . . . . . = 4
        k) Norwegen . . . . . = 2
        l) Spanien . . . . . = 1
        m) Türkei . . . . . = 1
        n) Griechenland . . . = 1
                        Übertrag 134

---

1) Von hier ab hielt Dr. Grunert das Publikum „Über die Untersuchungsmethoden des Ohres" im Auftrage des Direktors ab.

2) Dr. Grunert starb am 23. September 1905.

Übertrag 134

IV. Außereuropäische Länder:

    a) Nord-Amerika   . . .   = 47
    b) Japan   . . . . . .   = 6
    c) Süd-Amerika . . . .   = 4
    d) Australien . . . . . . = 1
                         Summe 192

Zu diesen Zahlen kommen ferner die Teilnehmer an den sogenannten „ärztlichen Ferienkursen"; solche wurden in Halle seit einer Reihe von Jahren eingeführt und für die Ohrenklinik regelmäßig vom 1. Assistenten der Klinik abgehalten. Dieselben wurden fleißig frequentiert; die Zahl der Teilnehmer ist wegen des Ablebens von Prof. Grunert nicht anzugeben.

Den staatlich eingerichteten unentgeltlichen ärztlichen Fortbildungskursus während des Semesters abzuhalten, war der Ohrenklinik in Halle auferlegt im Wintersemester 1902/03. Derselbe wurde von dem Direktor selbst mit Unterstützung des 1. Assistenten abgehalten. Zu demselben hatten sich 137 Ärzte inscribiert, zu deren Plazierung im Auditorium der Klinik kein ausreichender Platz war. Trotz dieses höchst ungünstigen Umstandes war die regelmäßige Beteiligung der Ärzte an diesem Kursus eine unerwartet ausdauernde.

Zum Schlusse wird beigefügt ein chronologisches Verzeichnis der aus der Klinik hervorgegangenen literarischen Publikationen.

2*

Chronologisches Verzeichnis der literarischen Publikationen

von

Prof. Hermann Schwartze

aus den Jahren 1859 bis 1907.

(Mit Ausschluß referierender und kritischer Besprechungen.)

————

1859. 1) Pathologisch-anatomisches Bild der Cholera infantum. Behrends Journal f. Kinderkrankheiten.

1859. 2) De remediorum purgantium effectu physiologico. Dissert. inaug. Berolini.

1861. 3) Über Erkrankungen des Gehörorgans im Typhus abdominalis. Deutsche Klinik No. 28, 30.

1862. 4) Beitrag zu den Erkrankungen des Mittelohres im kindlichen Alter. Behrends Journal für Kinderkrankheiten.

1862. 5) Rückblick auf die Leistungen im Gebiete der Otiatrik während des letzten Decenium. Schmidts Jahrbücher 1862, 1863, Band 116 Heft 2, 3; Band 118, Heft 3 etc.

1863. 6) Observationes quaedam de otologia practica. Habilitationsschrift als Privatdozent. Halis, 11. Dezember.

1864. 7) Praktische Beiträge zur Ohrenheilkunde. Würzburg, Stahel'sche Buch und Kunsthandlung.

1864. 8) Neuer Beitrag zu den Erkrankungen des Mittelohres im Kindsealter Behrends Journal für Kinderkrankheiten Heft 1 und 2.

1864. 9) Über die Erkrankungen des Ohres infolge von Masern und deren Behandlung. Ibidem Heft 3 und 4.

1864. 10) Die wissenschaftliche Entwicklung der Ohrenheilkunde im letzten Decenium. Archiv für Ohrenheilkunde Band 1.

1864. 11) Über die sogenannte „Elektro - Otiatrik" Brenners. Ibidem, Band 1, S. 44.

1864. 12) Kleinere Mitteilungen
1. Totaler Verlust des Perceptionsvermögens für hohe Töne nach heftigem Schalleindruck.
2. Respiratorische Bewegung des Trommelfells.
3. Pulsation an einem unverletzten Trommelfell.
4. Annähernd normale Hörschärfe bei hochgradiger Degeneration beider Trommelfelle.
5. Völlig schmerzlos entstandene Absceßbildung in der Paukenhöhle.
6. Halbseitige Lähmung durch Ohrpolypen. Ibidem, Band I.

1864. 13) Beiträge zur Pathologie und pathologischen Anatomie des Ohres. Ibidem, Band I, S. 195—221.

1864. 14) Statistischer Bericht über die vom Oktober 1863 bis Oktober 1864 in der medizinischen Poliklinik zu Halle vorgekommenen Ohrenkranken. Ibidem S. 221.

1866. 16) ber subjektive Gehörsempfindungen. Berliner klinische Wochenschrift No. 12 und 13.

1866. 17. Kleinere Mitteilungen.
1. Klonischer Krampf des M. tensor tympani.
2. Pilzwucherung (Aspergillus) im äußeren Gehörgang.
3. Bougies aus Laminaria digitata für die Tuba Eustachii.
4. Spontane Abstoßung eines Ohrpolypen. Archiv für Ohrenheilkunde Band II, S. 4—10.

1866. 18 Studien und Beobachtungen über die künstliche Perforation des Trommelfells.
I. Historisches.
II. Kritik der aufgestellten Indikationen.
III. Therapeutischer Wert der Operation. Ibidem Band II.
IV. Fälle. Operationsmethode Band III S. 281.

1866. 19) Fall von akuter Caries des Felsenbeins. Tod durch metastatische Abszesse in der rechten Lunge mit Durchbruch in den Pleurasack. Archiv für Ohrenheilkunde Band II S. 36.

1866. 20) Statistischer Bericht über die 1864/65 in der medizinischen Poliklinik zu Halle vorgekommenen Ohrenkranken. Ibidem S. 100.

1866. 21) Kleinere Mitteilungen.
I. Synechie des Trommelfells mit Promontorium und Steigbügel.
II. Bemerkenswerter Fall plötzlicher Gehörlosigkeit.
III. Spontanes Othaematom bei einem nicht Geisteskranken. Ibidem S. 279 bis 213.

1866. 22) Beiträge zur pathologischen Anatomie des Ohres. Ibidem S. 279—298.

1866. 23) Heilung einer völligen Taubheit durch Heurteloups Blutegel. Ibidem S. 298.

1867. 24) Die Paracentese des Trommelfells. Halle a. S., Verlag der Lippert'schen Buchhandlung. (Übersetzt ins Französische von Delstanche, Brüssel.)

1867. 25) Statistischer Bericht über die im Jahr 1865/66 in der Poliklinik zu Halle untersuchten und behandelten Ohrenkranken. Ibidem Bd. III.

1868. 26) Die kaustische Behandlung eitriger Ohrkatarrhe. Ibidem Band IV.

1868. 27) Notiz über Galvanokaustik im Ohre. Ibidem Band IV.

1868. 28) Ein Fall von Bluterguß in die Paukenhöhle bei Morbus Brightii. Ibidem Band IV.

1868. 29) Statistischer Bericht über die im Jahr 1866/67 in der Poliklinik zu Halle untersuchten und behandelten Ohrenkranken. Ibidem Band IV.

1869. 30) Beiträge zur Pathologie und pathologischen Anatomie des Ohres. Ibidem Band IV S. 235—272. (Fälle von Meningitis, Hirnabszeß. Steigbügelankylose, historische, anatomische und klinische Notizen über syphilitische Ohraffektionen.)

1869. 31) Gegenerklärung in betreff des ersten otologischen Kongresses während der 42. Versammlung deutscher Naturforscher und Ärzte zu Dresden. Deutsche Klinik. No. 30. 24. Juli.

1869. 32) Statistischer Bericht über die in der Poliklinik zu Halle 1867/69 untersuchten und behandelten Ohrenkranken. Archiv f. O. Band V S. 193.

1870. 33) Zur Pathologie der Synostose des Steigbügels. Ibidem V, S. 267 bis 272.

1870. 34) Beiträge zur Pathologie und pathologischen Anatomie des Ohres. Ibidem S. 292—298.

1871. 35) Weitere Erfahrungen und Bemerkungen über die Paracentese des Trommelfells. Ibidem S. 171.

1871. 36) Statistischer Bericht über die in der Poliklinik zu Halle im Wintersemester 1869/70 bis Sommersemester 1871 untersuchten und behandelten Ohrenkranken. Ibidem Band VI S. 200.

1872. 37) Fälle von Entzündung und Thrombose des Sinus transversus und Sinus petrosus inferior bei Otitis med. purul. Ibidem S. 228.

1873. 38) Historische und kritische Bemerkungen zur allgemeinen Therapie der Ohrkrankheiten. Ibidem Band VII S. 16. Band VIII 275. Band IX S. 148, 199.

1873. 39) Über die künstliche Eröffnung des Warzenfortsatzes. Ibidem S. 157. Band X S. 23, 179. Band XI S. 136. Band XII S. 113. Band XIII S. 89, 245. Band XIV S. 202.

1875. 40) Fall von primärem Epithelialkrebs des Mittelohres. Ibidem Band IX. S. 208.

1875. 41) Kasuistische Mitteilungen.
1. Membranöser Verschluß des Gehörganges bei Caries des Schläfenbeins. Operation. Völlige Herstellung des Lumens. Tod durch Marasmus. Sektionsbefund.
2. Drei Fälle von nekrotischer Ausstoßung der Schnecke. Ibidem.

1876. 42) Über die Stärke des bei der Luftdusche erforderlichen Luftdruckes. Ibidem Band X S. 240.

1876. 43) Nekrolog Wilhelm Kramer. Ibidem Band XI S. 24.

1876. 44) Zweite Notiz zur kaustischen Behandlung der chronischen Mittelohreiterung. Ibidem Band XI S. 121.

1876. 45) Zur Tenotomie des tensor tympani. Ibidem S. 124.

1877. 46) Fall von primärer akuter eitriger Entzündung des Labyrinthes mit Ausgang in eitrige Meningitis. Ibidem Band XIII, S. 107.

1868. 47) Pathologische Anatomie des Ohres (im Handbuch der pathologischen Anatomie von Klebs, II. Band). Berlin (Verlag von Hirschwald).

1878. 48) The pathological anatomy of the ear by Hermann Schwartze with the autors revisions and additions, and with the original illustrations, translated by J. Orne Green M. D. Boston 1878. Houghton, Osgord and Company.

1878. 49) Nekrolog Dr. C. E. E. Hoffmann, o. Professor der pathologischen Anatomie in Basel.
Nekrolog Prof. Dr. J. M. Köppe, Geheimer Sanitätsrat und Direktor der Provinzial-Irrenanstalt in Nietleben bei Halle a. S. Archiv für Ohrenheilkunde XIV S. 299.

1880. 50) Kasuistik zur chirurgischen Eröffnung des Warzenfortsatzes. Zweite Serie von 50 Fällen. Ibidem Band XVI S. 260; ibidem Band XVII S. 92, 267; ibidem Band XVIII S. 163, 273; ibidem Band XIX S. 217.

1880. 51) Nekrolog Prof. Dr. Steudener. Ibidem Band XVI S. 313.

1881. 52) Stichverletzung des Ohres mit Ausfluß von liquor cerebrospinalis. Schwere Hirnreizungssymptome durch Hirnhyperämie. Heilung. Ibidem Band XVII S. 117.

1884 u. 1885. 53) Die chirurgischen Krankheiten des Ohres. Verlag von Enke in Stuttgart. (Übersetzung ins Französische von Dr. J. A. Rattel, Paris 1897. Baillère.)

1889. 54) Nekrolog Dr. Arthur Böttcher, o. Professor der pathologischen Anatomie in Dorpat. A. f. O. Band 28. S. 310.

1890. 55) Statistische Nachrichten über die Krankenbewegung und die Frequenz der Studierenden in der Universitäts-Ohrenklinik in Halle während des Lustrum vom 1. April 1884 bis 1. April 1889. Ibidem Bd. 29. S. 295.

1890. 56) Nekrolog Prof. Rudolf Voltolini. Ibidem Band 29. S. 328.

1890. 57) Nekrolog Anton von Tröltsch. Ibidem Band XXXI S. 1—31.

1892. 58) Handbuch der Ohrenheilkunde. 2 Bände. Leipzig. Verlag von F. C. W. Vogel.

1894. 59) Nekrolog, Prof. Christian Lemcke in Rostock. Ibidem Bd. 37, S. 320.

1895. 60) Mitteilungen aus der Universitäts-Ohrenklinik zu Halle. Ibidem Band 38 S. 283.
1. Otogener Hirnabszeß im rechten Schläfenlappen. Heilung durch Operation.

2. Hirntumor, compliziert mit Otitis media purulenta und verwechselt mit Hirnabszeß.

1895.   61) Nekrolog. Prof. J. Gottstein in Breslau. Ibidem Band 38, S 336.
1895.   62) Nekrolog. Dr. Wilhelm Meyer in Kopenhagen. Ibid. Bd. 39, S. 231.
1896.   63) Über Caries der Ossicula auditus. A. f. O. Bd. XLI, S. 204.
1896.   64) Cholesteatoma verum squamae ossis temporum. Ibidem S. 207.
1896.   65) Otogener Cerebellarabszeß. Ibidem S. 209.
189?.   66) Über erworbene Atresie und Striktur des Gehör-
        ganges und deren Behandlung. Ibidem Band XLVII S 71,
        Band XLVIII S. 98, 261.
1901.   67) Statistische Nachrichten über die Krankenbewegung und die
        Frequenz der Studierenden in der Universitäts-Ohrenklinik zu Halle
        während der Zeit vom 1. April 1884 bis 1. April 1901. Ibidem Bd. 54,
        S. 127.
1901.   68) Historische Notiz über Cholesteatom des Schläfen-
        beins. Ibidem S 139.
1901.   69) Die diagnostische Bedeutung der Lumbalpunktion für die Otologie
        (Vortrag auf der 73. Vers. d. Naturf. in Hamburg vom 22.—28. Sept.
        1901). Ibidem S. 279.
1902.   70) Mein Protest gegen die Verbindung der Sektion für Ohrenheil-
        kunde mit der Laryngologie auf den Versammlungen deutscher Natur-
        forscher und Ärzte (am 22. September 1901 in Hamburg). Ibidem S. 265.
1902.   71) Nekrolog. Prof. Trautmann. Ibidem Band 55. S. 306.
1902.   72) Varietäten im Verlaufe des Facialis in ihrer Be-
        deutung für die Mastoidoperationen. Ibidem Band 57 S. 96.
1904.   73) Nekrolog Dr. A. Magnus in Königsberg i. Pr. Ibid. Band 62, S. 325.
1905.   74) In Memoriam Karl Grunert. Ibidem Band 66. S. 314.
1905.   75) Zur Einführung in die Aufgaben des praktischen Arztes bei der
        Behandlung Ohrenkranker. „Beiträge zur Ohrenheilkunde, Festschrift
        gewidmet August Lucae zur Feier seines 70. Geburtstages." Berlin, bei
        J. Springer. S. 7.
1905.   76) Grundriß der Otologie (mit Grunert). Leipzig. Verlag von
        F. C. W. Vogel.
1906.   77) Unzulässige Benennungen in unserer Literatur. Eine historisch-
        kritische Erörterung. A. f. O. Band 70 S. 100.
1906.   78) Tod durch Meningitis nach fehlerhaften Versuchen, einen Stein
        aus dem Ohre zu entfernen. Sektionsbefund. Ibidem S. 110.

Chronologisches Verzeichnis

der durch H. Schwartze

angeregten Inaugural-Dissertationen und anderweitigen literarischen Publikationen.

A. Inaugural-Dissertationen:

1864. Parreidt, De chondromalacia quae sit praecipua causa othaema-
       tomatis.
1867. Linstädt, Einfluß der cariösen Otitis interna auf den Gesamt-
       organismus.
1868. Bertuch, Rigidität und Synostose der Steigbügelvorhofverbindung.
1869. Hessel, Über Ohrpolypen.
1871. Borberg, Wölbungsanomalien des Trommelfells.
1872. Kroll, Über Schwindelzufälle bei Ohrenkrankheiten.
1872. Eysell, Über tödliche Ohrkrankheiten.
1873. Herz, Über traumatische Rupturen des Trommelfells.
1873. Schmitz, Über Fistula auris congenita und andere Mißbildungen
       des Ohres.

1874. **Weitz**, Kasuistik zur chirurgischen Eröffnung des Warzenfortsatzes.
1875. **Böters**, Über Nekrose des Gehörlabyrinthes.
1876. **Heydloff**, Über Ohrkrankheiten als Folge und Ursache von Allgemeinkrankheiten.
1876. **Dormagen**, Über Caries des Schläfenbeins.
1885. **Buss**, Zwei Fälle von primärem Epithelialkrebs des Mittelohres.
1887. **P. Wolff**, Ohraffektionen beim Abdominaltyphus.
1888. **Panse**, Über adenoide Vegetationen im Nasenrachenraum.
1888. **Rammelt**, Ein Beitrag zur Beurteilung der typischen Nasenrachenpolypen.
1889. **Pieper**, Pyaemia ex titide.
1889. **Beinert**, Über die während eines Lustrum in der Universitäts-Ohrenklinik zu Halle a. S. beobachteten Fälle von traumatischer Ruptur des Trommelfells.
1889. **Wetzel**, Die Exzision des Trommelfells und der äußeren Gehörknöchelchen als Heilmittel chronischer Otorrhoe.
1890. **Umpfenbach**, Tuberkulöse Erkrankung des Ohres.
1890. **Alberti**, Über Schwindel als Symptom von Ohrkrankheit.
1890. **Weise**, Erkrankungen des Ohres als Folge von Lues.
1890. **Miehle**, Zur Kasuistik der Cholesteatome des Schläfenbeins.
1890. **Braun**, Die Erfolge der Trepanation bei dem otitischen Hirnabszeß.
1890. **Müller**, Über einen Fall von Blutung aus der Vena jugularis bei Paracentese des Trommelfells.
1890. **Schülzke**, Über die Möglichkeit einige für die operatve Eröffnung des Warzenfortsatzes topographisch-anatomisch wichtige Verhältnisse am Schädel vor der Operation zu erkennen usw.
1891. **Schwidop**, Ein Fall von Sarkom der Schädelbasis.
1891. **Jurka**, Über einen Fall von Carcinom des äußeren Gehörganges mit tödlichem Ausgange.
1891. **Schmidt**, Erkrankungen des Ohres bei Influenza.
1891. **Sperber**, Über Fremdkörper im Ohre:
1891. **Schlomka**, Exostosen im äußeren Gehörgange.
1891. **Hertzog**, Einige Fälle letaler Folgeerkrankung bei Otitis media purulenta.
1892. **Barnick**, Augenspiegelbefunde bei Otitis media purulenta.
1893. **Dellwig**, Die Influenzaotitis.
1893. **Felgner**, Welchen Wert hat die mikroskopische und chemische Untersuchung des Eiters für die Diagnose der Caries des Schläfenbeins.
1893. **Köhler**, Über Nekrose des Ohrlabyrinthes.
1893. **Salomon**, Über otitische Hirnabzesse.
1893. **Mühr**, Über die Gefahren der Nasenirrigationen für das Ohr.
1893. **Pütz**, Über operative Entfernung von Fremdkörpern aus dem Ohre.
1894. **Straaten**, Über die Mobilisation und Extraktion des in der Fenestra ovalis fixierten Steigbügels und die Folgen für das Gehör.
1894. **Pohl**, Drei Fälle von Perichondritis auriculae.
1894. **Liebe**, Die auf der Universitäts-Ohrenklinik in Halle während des letzten Decennium beobachteten Fälle von Erysipelas.
1894. **Briese**, Über Facialisparalyse bei Ohraffektionen.
1895. **Eilers**, Tuberkulöse Meningitis im Anschluß an operativ geheilte Caries.
1896. **v. Gizycki**, Über traumatische Läsionen des Gehörorgans nach Beobachtungen aus der Universitäts-Ohrenklinik in Halle a. S.
1898. **Evers**, Kritischer Beitrag zur Steigbügelextraktion zum Zwecke der Hörverbesserung.
1904. **Kober**, Über unkomplizierte otogene Extraduralabszesse.
1904. **Quandt**, Über Frakturen des Gehörgangs durch Gewalteinwirkung auf den Unterkiefer.
1906. **Schönburg**, Über Frakturen des Gehörgangs und des Processus mastoideus.

B. Anderweitige literarische Publikationen.

1868. **Steudener**, Beiträge zur pathologischen Anatomie der Ohrpolypen. Archiv f. O. Bd. IV. S. 199.

1869. **Steudener**, Zwei neue Ohrpilze nebst Bemerkungen über die „Myringomycosis". Ibid. Bd. V. S. 163.

1873. **Borberg**, Polyp mit eingewachsenem Hammergriff. Ibid. Bd.VII. S. 55.

1873. **Eysell**, Kasuistische Mitteilungen aus der Poliklinik für Ohrenkranke zu Halle
  1. Caries des rechten Schläfenbeins, Thrombose des Sinus transversus. Phthisis pulmonum. Amploide Degeneration der Nieren. Tod.
  2. Fraktur der Schädelbasis. Ruptur des Trommelfells und Blutung aus dem linken Ohre. Linksseitige Facialisparalyse. Heilung.
  3. Phthisis pulmonum. Defekt des rechten Trommelfells. Partielle Nekrose der Gehörknöchelchen. Sektionsbefund.
  4. Zahlreiche Schleimpolypen im Antrum und den Cellulae mastoideae.
  5. Doppelseitiger akuter Mittelohrkatarrh. Rechts interlamelläre Abszesse im Trommelfell. Heilung. Arch. f. O. Bd. VII, S. 206.

1880. **Hessler**, Statistischer Bericht der Poliklinik vom 15. Okt. 1871 bis 15. Okt. 1879. Ibid. Bd. XVI. S. 68.

1881. **Hessler**, Statistischer Bericht der Poliklinik vom 15. Okt. 1879 bis 15. Okt. 1880. Ibid. Bd. XVII. S. 40.

1882. **Kiesselbach**, Zur Funktion der halbzirkelförmigen Kanäle. Arch. f. O. Bd. XVIII. S 152.

1882. **Christinneck**, Statist. Bericht der Poliklinik in Halle. Ibid. S. 284.

1883. **Christinneck**, Statistischer Bericht der Poliklinik in Halle. Ibid. Bd. XX. S. 24.

1884. **Stacke**, Statist. Bericht der Poliklinik in Halle. Ibid. Bd. XX. S. 267.

1885. **Kretschmann**, Zur Wirkung des Cocains. Ibid. Bd. XXII. S. 243.

1885. **Stacke und Kretschmann**, Bericht über die Kgl. Universitäts-Ohrenklinik in Halle im Jahre 1884. Ibid. Bd. XXII. S. 247.

1886. **Kretschmann**, Bericht über die Tätigkeit der Universitäts-Ohrenklinik in Halle im Jahre 1885. Ibid. Bd. XXIII. S. 217.

1887. **Kretschmann**, Über Carcinoma des Schläfenbeins. Ibid. Bd. XXIV. S. 231.

1887. **Kretschmann und Rohden**, Bericht über die Tätigkeit der Universitäts-Ohrenklinik in Halle im Jahre 1886. Ibid. Bd. XXV. S. 106.

1887. **Kretschmann**, Fistelöffnungen am oberen Pole des Trommelfells über dem Proc. brevis des Hammers, deren Pathogenese und Therapie (Habilitationsschrift pro Venia legendi). Ibid. S. 165.

1888. **Reinhard und Ludewig**, Bericht über die Tätigkeit der Universitäts-Ohrenklinik zu Halle vom 1. Januar 1887 bis 31. März 1888. Ibid. Bd. XXVII. S. 201.

1889. **Schimmelbusch**, Über die Ursachen der Ohrfurunkel. Ibidem. Bd. XXVII. S. 252.

1889. **Reinhard und Ludewig**, Bericht über die Tätigkeit der Universitäts-Ohrenklinik zu Halle (Fortsetzung). Ibid. Bd. XXVII S. 281.

1889. **Charles H. May** (New-York), A resumé of experience at the aural clinic of Prof. Hermann **Schwartze** in Halle. New-York med. journal 25. May.

1890. **E. Braun**, Die Erfolge der Trepanation bei dem otitischen Hirnabszeß Arch. f. O. Bd. XXIX. S 161—201.

1890. **Schülzke**, Über die Möglichkeit, einige für die operative Eröffnung des Warzenfortsatzes topographisch-anatomisch wichtigen Verhältnisse am Schädel vor der Operation zu erkennen und über den praktischen Wert einer solchen Erkenntnis. Ibid. S. 201—233.

1890. **Ludewig**, Kasuistische Mitteilungen aus der Universitäts-Ohrenklinik zu Halle.
  1. Lebensgefährliche Blutung bei Paracentese des Trommelfells durch Verletzung des Bulbus venae jugularis.
  2. Ruptur des Trommelfells durch Blitzschlag. Ibid. S. 234—240.

1890. Ludewig, Über Amboßcaries und Amboßextraktion, ein Beitrag zur Ätiologie und Therapie der chronischen Mittelohreiterung. Ibid. S. 241 bis 262.

1890. Ludewig, Bericht über die Tätigkeit der Universitäts-Ohrenklinik in Halle vom 1. April 1888 bis 31. März 1889. Ibid. S. 263—294.

1890. Ludewig, Influenza-Otitis. Ibid. Bd. XXX. S. 204.

1890. Schülzke, Zur operativen Eröffnung des Warzenfortsatzes. Eine Erwiderung an Herrn Dr. Körner. Ibid. S. 136.

1890. Ludewig, Bericht über die Tätigkeit der Universitäts-Ohrenklinik in Halle vom 1. April 1889 bis 31. März 1890. Ibid. Bd. XXXI. S. 1.

1891. Ludewig, Zur Amboßcaries und Amboßextraktion. Jahreskontrolle und Erweiterung der Kasuistik von 32 auf 75 Fälle. Ibid. Bd. XXX. S. 263. Bd. XXXI. S. 31.

1891. Jänicke, Über die Borsäuretherapie der chronischen Ohreiterungen nebst Mitteilungen über ein neues Borpräparat (Natrium boricum neutrale). Ibid. Bd. XXXII. S. 15.

1891. Panse, Bericht über die Tätigkeit der Universitäts-Ohrenklinik in Halle vom 1. April 1891 bis 31. März 1892. Ibid. Bd. XXXIII. S. 38.

1892. S. E. Allen, Die Mastoidoperation, ihre Geschichte, Anatomie und Pathologie. Cincinnati, Robert Clarke u. Co.

1892. Grunert, Weitere Mitteilungen über die Hammer-Amboßextraktion mit besonderer Rücksicht auf die Diagnose der Amboßcaris. A. f. O. Bd. XXXIII. S. 207.

1893. Panse, Stackes Operationsmethode zur Freilegung der Mittelohrräume während des ersten Jahres ihrer Anwendung in der Halleschen Ohrenklinik. Ibid. Bd. XXXIII. S. 248.

1893. Holmes — Die von Prof. H. Schwartze modifizierte Stackesche Operation. Zeitschrift für Ohrenheilkunde, Band XXV S. 269.

1893. Schwidop — Ein Fall von Sarkom der Schädelbasis mit sekundärer Affektion des Schläfenbeins. A. f. O. Band XXXV S. 39.

1893. Grunert — Verhalten der Körpertemperatur nach der Mastoidoperation. Ibidem S. 178.

1893. Grunert — Stackes Operationsmethode zur Freilegung der Mittelohrräume während des zweiten Jahres ihrer Anwendung in der Universitäts-Ohrenklinik zu Halle. Ibidem S. 199.

1893. Grunert und Panse — Jahresbericht über die Tätigkeit der Universitäts Ohrenklinik zu Halle vom 1. April 1891 bis 31. März 1892. Ibidem S. 231.

1893. Grunert — Das otitische Cholesteatom. Eine Ergänzung der Arbeit des Herrn Prof. Siebenmann in Basel über die „Radikaloperation des Cholesteatoms." Berliner klinische Wochenschr. 1893 No. 14.

1893. Grunert — Über das Wesen und Bedeutung der Eiterretention im Mittelohre. Münchener med. Wochenschrift No. 12.

1893. Grunert — Geheilter Fall von Pyaemia ex otitide; Unterbindung der Vena jugularis; Durchspülung ihres peripheren Endes und des Sinus transversus. Arch. f. O. Band XXXVI S. 71.

1894. Grunert — Jahresbericht über die Tätigkeit der Universitäts-Ohrenklinik zu Halle vom 1. April 1892 bis 31. Mai 1893. Ibidem S. 278.

1894. Grunert. — Die Extraktion der Columella bei Haustauben. Fortschritte der Medizin. No. 19.

1895. Grunert und Meier — Jahresbericht über die Tätigkeit der Universitäts-Ohrenklinik vom 1. April 1893 bis 1. April 1894. A. f. O. Band XXXVIII S. 205.

1895. Edgar Meier — Zur Fortleitung otitischer Eiterungen in die Schädelhöhle durch den Canalis caroticus. Ibidem S. 259.

1895. Leutert — Pathologisch-histologischer Beitrag zur Cholesteatomfrage. Ibidem Band XXXIX S. 233.

1895. Richards — Halle and the aural clinic of. Prof. Hermann Schwartze. Boston medical and surgical journal, March 21.

1896. Grunert — Beitrag zur operativen Freilegung der Mittelohrräume.

(Pathologisch-anatomische, klinische und experimentelle Arbeit.) A. f. O. Band XL S. 188.

1896. Schülzke — Zur topographischen Anatomie des Ohres in Rücksicht auf die Schädelform. Ibidem S. 253.

1896. Leutert — Über die otitische Pyaemie. Ibidem Band. 41 S. 217.

1896. Grunert — Was können wir von der operativen Entfernung des Steigbügels bei Steigbügel-Vorhofankylose zum Zwecke der Hörverbesserung erwarten? Ibidem S. 294.

1896. Grunert — Ein Beitrag zur operativen Behandlung des Hirnabszesses. Berliner klin. Wochenschr. No. 52.

1897. Donalies — Histologisches und Pathologisches vom Hammer und Amboß. Ibidem Band XLII S. 226.

1897. Grunert und Leutert — Jahresbericht über die Tätigkeit der Universitäts-Ohrenklinik zu Halle vom 1. April 1894 bis 1. April 1895. Ibidem S. 233.

1897. Leutert — Die Bedeutung der Lumbalpunktion für die Diagnose intracranieller Komplikationen der Otitis. Münchener med. Wochenschrift No. 8 und 9.

1897. Grunert — Über extradurale otogene Abszesse und Eiterungen. A. f. O. Band XLIII S. 81.

1897. Grunert — Ein neues operatives Verfahren zur Verhütung der Wiederverwachsung des Hammergriffes mit der Labyrinthwand nach ausgeführter Synechotomie u. Tenotomie des M. tensor tympani. Ibid. S. 135.

1897. Leutert — Über periaurikuläre Abszeße bei Furunkeln des äußeren Gehörganges. Ibidem S. 267.

1897. Grunert — Jahresberichte über die Tätigkeit der Universitäts-Ohrenklinik zu Halle vom 1. April 1895 bis 1. April 1896, vom 1. April 1896 bis 1. April 1897. Ibidem Band XLIV S. 1 und S. 26.

1897. Grunert — Anatomische und klinische Beiträge zur Lehre von den intracraniellen Komplikationen der Otitis. Münchener med. Wochenschrift No. 49, 50.

1898. Jordan — Kasuistischer Beitrag zur Lehre von den intracraniellen Komplikationen der Otitis. Ibidem S. 169.

1898. Grunert — Zur Entstehung der Fistula auris et auriculae congenita. Ibidem Band XLV S. 10.

1898. Grunert — Zur Kritik der tierexperimentellen Ergebnisse Kirchners bei seinen Vergiftungsversuchen mit Salicylsäure und Chinin. Ibidem S. 161.

1898. Zeroni — Beitrag zur Kenntnis der Heilungsvorgänge nach der operativen Freilegung der Mittelohrräume. Ibidem S. 171.

1899. Grunert — Eine neue Methode der Plastik nach der Totalaufmeißelung der Stirnhöhle wegen Empyems. Münchener med. Wochenschr. No. 48.

1899. Grunert und Zeroni — Jahresbericht über die Tätigkeit der Universitäts-Ohrenklinik zu Halle vom 1. April 1897 bis 1. April 1898. Ibidem Band XLVI S. 153.

1899. Leutert — Bakteriologisch-klinische Studien über Komplikationen akuter und chronischer Mittelohreiterungen. Ibidem S. 190 und Band XLVII S. 1.

1900. Zeroni — Über das Carcinom des Gehörorgans. Bd. XLVIII S. 141.

1900. Zeroni — Ein neues Instrument zur Amboßextraktion vom äußeren Gehörgange aus. Ibidem S. 191.

1900. Grunert — Historische Notiz über die Beziehung der Otologie zur Rhinologie. Ibidem Band 48 S. 281.

1900. Grunert und Zeroni — Jahresbericht über die Tätigkeit der Universitäts-Ohrenklinik zu Halle a. S. vom 1. April 1898 bis 1. April 1899 und vom 1. April 1899 bis 1. April 1900. A. f. O. Band XLXIX S. 97 und 177.

1901. Zeroni — Bemerkungen zur Arbeit des Herrn Dr. R. Hoffmann „Zur Technik der Amboßextraktion. Ibidem Band 50 S. 75.

1901. Zeroni — Ein Fall von Carotisblutung infolge von Caries des Schläfenbeins. Ibidem Band 51 S. 97.

1901. Hansen — Über das Verhalten des Augenhintergrundes bei den otitischen intracraniellen Erkrankungen auf Grund der in der Universitäts-Ohrenklinik zu Halle seit 1892 gemachten Beobachtungen. Ibidem Band 53. S. 196.

1901. Grunert — Beitrag zur operativen Behandlung der otogenen Sinusthrombose insbesondere zur operativen Freilegung des Bulbus venae jugularis. Ibidem S. 286.

1901. Walther Schulze — Über einige auf nicht operativem Wege geheilte Fälle otitischer Pyaemie. Ibidem S. 297.

1901. Zeroni — Über Beteiligung des Schläfenbeines bei akuter Osteomyelitis. Ibidem S. 315.

1901. Braunstein — Die Bedeutung der Lumbalpunktion für die Diagnose intracranieller Komplikationen der Otitis. Ibidem Band 54 S. 7.

1901. Grunert und Schulze — Jahresbericht über die Tätigkeit der Universitäts-Ohrenklinik zu Halle vom 1. April 1900 bis 1. April 1901. Ibidem Band 54 S. 63.

1901. Grunert — Zur Frage des Vorkommens von Glykosurie infolge von Otitis. A. f. O. Band 55. S. 156.

1902. Buhe — Über den Einfluß der Totalaufmeißelung auf das Gehör. Ibidem Band 56 S. 223.

1902. Braunstein und Buhe — Gibt es Anastomosen zwischen den Gefäßbezirken des Mittelohres und des Labyrinthes? Ibidem S. 261.

1902. Grunert — Weiterer Beitrag zur infektiösen Thrombose des Bulbus venae jugularis und zur Frage ihrer operativen Behandlung. Ibidem Band 57. S. 23.

1902. Walther Schulze — Zur Kenntnis des Empyems des Saccus endolympathicus. Ibidem S. 66.

1902. Buhe — Zwei seltene anatomische Befunde am Schläfenbein.
1. Fall von 35jähriger Facialislähmung.
2. Defekt des Bulbus venae jugularis und des sinus sigmoideus Ibidem S. 101.

1902. Walther Schulze und Buhe — Bericht über die Verhandlungen der otologischen Sektion auf der 74. Versammlung deutscher Naturforscher und Ärzte in Karlsbad 1902. Ibidem S. 104.

1902. Grunert — Über die neuen Angriffe gegen die Paracentese des Trommelfells bei der Therapie der akuten Otitiden. Münchener med. Wochenschr. No. 43.

1903. Grunert — Zur Aetiologie des primären interlamellären Trommelfellabszeßes. Ibidem S. 200.

1903. Grunert und Schulze — Jahresbericht über die Tätigkeit der Universitäts-Ohrenklinik zu Halle vom 1. April 1901 bis 1. April 1902. Ibidem S. 231.

1903. Walther Schulze — Beitrag zur Lehre von der otogenen Meningitis auf Grund von Beobachtungen in der Universitäts-Ohrenklinik zu Halle. Ibidem 281. Fortsetzung A. f. O. Band LVIII S. 1.

1903. Konietzko — Ein Fall von Chondrom im knöchernen Teil des äußern Gehörganges. A. f. O. Band 59 S. 7.

1903. Grunert — Zur Frage der Grenzen der Operationsmöglichkeit otogener Sinusthrombosen. Ibidem S. 70.

1903. Walther Schulze — Ohreiterung und Hirntuberkel. Ibidem S. 99

1903. Grunert — Zur Prognose der Schußverletzung des Ohres. Ibid S. 129.

1903. Grunert und Schulze — Jahresbericht über die Tätigkeit der Universitäts-Ohrenklinik zu Halle vom 1. April 1902 bis 1. April 1903. Ibidem S. 169.

1903. Konietzko — Ein anatomischer Befund von Mittelohrtuberkulose, beginnender Cholesteatombildung und Meningitis tuberkulosa. Ibidem S. 200.

1903. Walther Schulze — Über die Gefahren der Jugularisunterbindung und des Sinusverschlusses bei der otogenen Sinusthrombose. Ibidem S. 216.

1903. Grunert — Ein Fall rhinogener Pyaemie mit Ausgang in Heilung. Münchener med. Wochenschr. 14.

1903. Grunert — Über die Ergebnisse in der allgemein pathologischen und pathologisch-anatomischen Forschung des kranken Mittelohrs im letzten Jahrzehnt und der durch sie bedingte Wandel der Anschauungen in der therapeutischen Nutzbarmachung derselben. A. f. O. Band 60. S. 124, 161.

1904. Walther Schulze — Untersuchungen über die Karies der Gehörknöchelchen. Ibidem S. 252.

1904. Walther Schulze — Zur Kasuistik der diagnostischen Irrtümer in der Otochirurgie. Ibidem Band 61. S. 1.

1904. Walther Schulze — Eine seltene Form von otogenem Senkungsabszeß. Ibidem S. 256.

1904. Grunert und Dallmann — Jahresbericht über die Tätigkeit der Universitäts-Ohrenklinik zu Halle vom 1. April 1903 bis 1. April 1904. Ibidem Band 62 S. 74.

1904. Grunert — Erfahrungen auf dem Gebiete der Chirurgie der Nebenhöhlen der Nase, mit besonderer Berücksichtigung der postoperativen Augenmuskelstörungen. Zeitchr. f. Augenheilk. Bd. XIII. Heft 6.

1905. Konietzko und Isemer — Ein Fall von sekundärer Otitis media purulenta im Anschluß an Empyem der Highmorshöhle. Arch. f. O. Bd. LXIV. S. 92.

1905. Grunert — Zur Gefahr der Bulbusoperation, Bildung einer Encephalocele. Ibid. S. 67.

1905. Laval — Zur regionären Anästhesie des äußeren Gehörganges. Ibid. S. 142.

1905. Dallmann — Beitrag zur Kasuistik der Pneumokokkenotitis. Ibid. S. 147.

1905. Grunert u. Dallmann — Jahresbericht über die Tätigkeit der Universitäts-Ohrenklinik zu Halle vom 1. April 1904 bis 1. April 1905. A. f. O. Bd. LXV. S. 65.

1905. Grunert — Zur Arbeit von Stabsarzt Dr. Voss: Zur operativen Freilegung des Bulbus venae jugularis. Zeitschr. f. Ohrenheilk.

1905. Uffenorde — Beiträge zur Auskultation der Mittelohrräume. A. f. O. Bd LXVI. S. 1.

1905. Laval — Nasale Auskultation des Ohres bei Katheterismus tubae. Ibid. S. 120.

1905. Grunert — Die Bedeutung der Lumbalpunktion für die Ohrenheilkunde. Münchener med. Wochenschr. 25.

1906. Isemer — Zur Frage der primären tuberkulösen Erkrankung des Warzenfortsatzes im Kindesalter. A. f. O. Bd. LXVII. S. 97.

1906. Laval — Beiträge zur operativen Freilegung des Bulbus venae jugularis. Ibid. S. 241 und Bd. LXXIX. S. 161.

1906. Dallmann u. Isemer — Jahresbericht über die Tätigkeit der Universitäts-Ohrenklinik zu Halle vom 1. April 1905 bis 1. April 1906. Ibid. Bd. LXXIX. S. 44.

1906. Isemer — Klinische Erfahrungen mit der Stauungshyperämie nach Bier bei der Behandlung der Otitis media. Ibid. S. 131.

1906. Dallmann — Zur Kasuistik der Tumoren des äußeren Gehörganges. A. f. O. Bd. LXX. S. 97.

1906. Dallmann — Ohrfeigenruptur des Trommelfells, Mittelohreiterung, Sinusthrombose, Pyämie, Heilung. Ärztliche Sachverständigen Zeitg. Nr. 28.

1907. Isemer — Zwei Fälle von apoplektiformen Ohrschwindel, durch Operation geheilt. Münchener med. Wochenschr. Nr. 1.

1907. Fröse — Behandlung der Otitis mit Stauungshyperämie. Arch. f. O. Bd. LXXI. S 1.

1907. Dallmann u. Isemer — Jahresbericht über die Tätigkeit der Universitäts-Ohrenklinik in Halle a. S. vom 1. April 1906 bis 1. April 1907. A. f. O. Bd. LXXI. S. 1.

III.

Über die Einwirkung des berufsmässigen Telephonierens auf den Organismus mit besonderer Rücksicht auf das Gehörorgan.

Von

Dr. N. Rh. Blegvad,

ehem. Assistent an der Ohren- und Halsklinik des Kopenhagener
Kommunehospitals.

(Fortsetzung.)

Die Ergebnisse der Untersuchung.

Ich untersuchte im ganzen 450 Telephonistinnen. Bei 32 unter denselben fand sich im Gehörgange Cerumen, welches nicht beseitigt wurde. Obschon dieselben im Vollbesitz des Gehörs waren — das Cerumen war nicht obturierend —, so habe ich es doch für richtig gehalten, sie an dieser Stelle außer Betracht zu lassen, weil bei ihnen das Trommelfell nicht inspiziert werden konnte. Es bleiben mithin 418 Telephonistinnen übrig, und die Ergebnisse, die ich bei der Untersuchung derselben gewann, werden in der Folge besprochen werden.

Alter der Untersuchten.

Unter den 418 Telephonistinnen, deren Trommelfell inspiziert werden konnte, standen

34 oder 8,1 Proz. im Alter zwischen 17 und 20 Jahren,
290 „ 69,4 „ „ „ „ 21 „ 30 „
62 „ 14,8 „ „ „ „ 31 „ 40 „
25 „ 6,0 „ „ „ „ 41 „ 50 „
7 „ 1,7 „ „ „ „ 51 „ 60 „

Es waren 17 im Alter unter 45 Jahren, 8 im Alter zwischen 45 und 50 Jahren, 4 unter 55 Jahren und 3 im Alter von mehr als 55 Jahren.

Dienstzeit der Untersuchten.

Hierunter verstehen wir die Anzahl von Jahren, in welcher die Dame als Telephonistin tätig war. Nach der Dienstzeit stellten sich folgende Gruppen heraus:

$1/4$ — 1 Jahr im ganzen			82
$1\,1/2$— 3 Jahre „		„	50
$3\,1/2$— 5 „	„	„	123
$5\,1/2$— 7 „	„	„	61
$7\,1/2$— 9 „	„	„	23
$9\,1/2$—11 „	„	„	37
12 —15 „	„	„	16
16 —20 „	„	„	18
21 „	„	„	4
22 „	„	„	3
23 „	„	„	1

Die durchschnittliche Dienstzeit war 5,6 Jahre.

Zahl der Arbeitsstunden vor der Untersuchung.

Leider war es nicht möglich, die Untersuchten unter gleiche Verhältnisse zu bringen in bezug auf die Anzahl der Arbeitsstunden am Tage der Untersuchung. Es ist deshalb möglich, daß die bei der Funktionsprüfung gewonnenen Zahlen von einer größeren oder geringeren Ermüdung der untersuchten Telephonistinnen beeinflußt sein können; jedoch ist diese Beeinflussung sicher nicht bedeutend gewesen. Bei der Untersuchung stellte sich heraus, daß 94 oder 22,5 Proz. unter sämtlichen Untersuchten am Tage der Untersuchung gar keinen Dienst verrichtet hatten, 19 waren nicht beim Telephonieren, sondern bei der Aufsicht, im Kontor usw. tätig gewesen; 130 hatten vor der Untersuchung 4 Stunden und darüber gearbeitet, aber nur 21 oder 5,0 Proz. klagten über Ermüdung. Durchschnittlich hatten die untersuchten Telephonistinnen am Tage der Untersuchung 2,7 Stunden gearbeitet.

Welches Ohr wird beim Telephonieren gebraucht?

Wenn man zu entscheiden hat, ob eine gefundene Abweichung von der Norm durch das Telephonieren hervorgerufen sein könne, so muß man zuerst wissen, welches Ohr die Telephonistinnen beim Telephonieren gebrauchen.

Bis zur Einführung des Kopftelephons (an der Hauptzentralstation den 1. Januar 1904, an den kleineren Zentralstationen

etwa $1/4$—$1/2$ Jahr später) haben sämtliche Telephonistinnen das
Telephon (Handtelephon) am linken Ohr gehalten. Nach der
Einführung des Kopftelephons können beide Ohren abwechselnd
benutzt werden. Die Untersuchung wies jedoch nach, daß 258
oder 69,5 Proz. unter den Untersuchten fortwährend den Hörer
am linken Ohre tragen (44 oder 11,8 Proz. unter denselben tragen
ihn jedoch ausnahmsweise am rechten Ohre); 24 oder 6,5 Proz.
tragen dagegen den Hörer stets am rechten Ohre. 50 oder
13,5 Proz. tragen den Hörer abwechseln am rechten und linken
Ohre, 33 oder 8,9 Proz. wechseln ebenfalls, tragen aber doch
den Hörer vorzugsweise am linken Ohre, und 6 oder 1,6 Proz.
wechseln, aber tragen den Hörer überwiegend am rechten Ohre.

Die Ursache, warum ein so großer Prozentsatz fortwährend
den Hörer am linken Ohre trägt, ist darin zu suchen, daß das
Ohr durch das fortgesetzte Telephonieren sozusagen akkomodiert
wird, den Schall durch ein Telephon aufzufassen, wovon jeder,
der viel telephoniert, sich leicht überzeugen kann. Die Frage,
wie es sich anhöre, wenn der Hörer an das Ohr gehalten werde,
welches sonst nicht beim Telephonieren benutzt werde, haben
einige Telephonistinnen nicht beantworten können, weil sie es
nie versucht hatten, den Hörer am andern Ohr zu tragen; einzelne waren der Ansicht, daß der Schall dann schwächer, entfernter sei, die meisten aber behaupteten, daß der Schall viel
stärker sei. Die Bezeichnungen, deren sich die Telephonistinnen
bedienten, waren sehr verschieden; am häufigsten gaben sie an,
es schalle im andern Ohr „hohl", ferner, es „widerhalle" stark,
es „schalle wie aus einer Tonne heraus", es verursache „größern
Lärm" usw.

Nach der Einführung des Kopftelephons tragen mithin 24
(oder 6,5 Proz.) Damen den Hörer am rechten Ohre. Nur 14
unter denselben haben mir bestimmte Aufklärung über die Ursachen gegeben. 6 haben angegeben, daß das Kopftelephon sie
links belästige, das äußere Ohr drücke, Schmerz in der Wange,
in der Schläfe usw. erzeuge, rechts dagegen belästige sie das
Kopftelephon nicht. Bei 3 habe das Kopftelephon angeblich
beim fortgesetzten Telephonieren Schmerzen im linken Ohre
verursacht, während sie rechts keine Beschwerden verspüren;
eine unter diesen 3 Telephonistinnen führt die Schmerzen, welche
sie beim Tragen des Hörers am linken Ohre hin und wieder
verspürt, auf ein vor 4 Jahren stattgefundenes starkes Läuten
in das linke Ohr zurück. Eine Telephonistin klagt über Er-

müdung des linken Ohres, wenn sie den Hörer daselbst trägt; bei einer andern ruft das Tragen am linken Ohre Kopfschmerzen hervor; eine hat als Kind an linksseitigen Ohrenschmerzen gelitten; eine verspürt hin und wieder Sausen im linken Ohre und das Gefühl, als fiel eine Klappe vor das Ohr, und eine trägt den Hörer rechts, weil sie ihre eigene Rede nicht zu hören vermag, wenn sie denselben links trägt. Unter den übrigen 10 Telephonistinnen finden sich 2, die nicht anzugeben wissen, aus welchem Grunde sie den Hörer am rechten Ohre tragen; 3 fühlten sich anfangs vom Kopftelephon belästigt, jetzt aber nicht mehr, und 5 werden ebenfalls vom Kopftelephon belästigt, aber sie geben nicht an, daß dies links in höherem Grade der Fall sei als rechts. Die Ursache, warum diese Telephonistinnen den Hörer rechts tragen, ist häufig die, daß das Kopftelephon ihnen rechts „besser paßt" oder dergl.; eine gibt z. B. an, daß das Kopftelephon rechts „nicht festsitzen will". Unter den obenerwähnten 24 Telephonistinnen finden sich nur 5, die den Hörer stets rechts getragen haben; denn die übrigen 19 waren schon vor der Einführung des Kopftelephons angestellt und haben deshalb längere oder kürzere Zeit hindurch das linke Ohr beim Telephonieren benutzt.

In den meisten Fällen habe ich keinen speziellen Grund finden können, warum einige (133) Telephonistinnen den Hörer abwechselnd links und rechts tragen. 12 geben an, daß das Kopftelephon das äußere Ohr drücke, Kopfschmerzen erzeuge oder auf andere Weise belästige; wenn die Belästigung zu groß wird, wechseln sie, und das Telephon wird am andern Ohre angebracht. Eine Telephonistin verspürt hin und wieder Schmerzen im linken Ohr, eine zweite leidet seit einigen Monaten an linksseitiger Schwerhörigkeit, Klapperscheinungen und Schmerzen vor dem Fregus, eine dritte bietet Ménièresche Symptome dar, eine vierte leidet an Autophonie und glaubt, am linken Ohr schwerhörig zu sein, eine fünfte leidet an Jucken im Gehörgange, eine sechste leidet ebenfalls an Jucken, welches durch Otomykose hervorgerufen wird, und eine siebente leidet an Otalgia nervosa dextra, und wahrscheinlich kann man in den erwähnten Leiden die Ursache finden, warum die betreffenden Telephonistinnen den Hörer abwechselnd links und rechts tragen. Unter den 24 Telephonistinnen, die zwar wechseln, aber doch den Hörer vorwiegend am rechten Ohre tragen, findet sich eine, welche als Ursache angibt, daß das Kopftelephon das

linke Ohr drücke, nicht aber das rechte; die übrigen 23 werden
alle mehr oder weniger vom Kopftelephon belästigt, aber sie
geben nicht an, daß die Belästigung links mehr ausgesprochen
sei als rechts.

Unter den 133 Telephonistinnen, die mehr oder weniger
regelmäßig wechseln, finden sich demnach nur 20 (ca. 15 Proz.),
bei welchen man eine vermutliche Ursache dieses Verhältnisses
angeben kann. In bezug auf die übrigen Untersuchten ist die
Ursache entweder in einer von der Direktion erlassenen Aufforderung oder in andern Momenten zu suchen.

Es ergibt sich mithin, daß 291 Telephonistinnen beim Telephonieren ausschließlich oder doch überwiegend das linke Ohr benutzen, während 30 überwiegend das rechte Ohr gebrauchen, und
50 wechseln. Unter den letztgenannten 80 Damen finden sich, wie
erwähnt, jedoch nur 5, welche nach der Einführung des Kopftelephons Anstellung fanden; die übrigen 75 haben sämtlich
kürzere oder längere Zeit ausschließlich das linke Ohr benutzt.

I. *Objektive Veränderungen des Trommelfells, hervorgerufen durch das Telephonieren.*

Bei 47 unter den untersuchten Telephonistinnen fanden sich
an dem einen oder an beiden Trommelfellen ausgesprochene
pathologische Veränderungen; in diesen Fällen ist es mithin
nicht möglich zu entscheiden, welchen Anteil am Trommelfellbild das Telephonieren hat. Bei 105 wurden beide Trommelfelle normal vorgefunden, und in diesen Fällen läßt sich mithin
ein Einfluß des Telephonierens auf das Aussehen des Trommelfells nicht nachweisen. Bei den übrigen 266 untersuchten
Damen war das Trommelfell fast normal, und nur in diesen
Fällen wird man eventuell darauf schließen können, daß eine
nachgewiesene Abweichung von der Norm durch das Telephonieren hervorgerufen sein könne.

Natürlich ist es nicht immer leicht, zwischen einem „aus-
gesprochen pathologisch veränderten" und einem „fast nor-
malen" Trommelfell zu unterscheiden. Zu der erstgenannten
Gruppe habe ich nur die Trommelfelle gezählt, welche entweder
Eiterung oder unzweifelhafte Spuren einer solchen (Narben,
Perforation) oder auch subjektive und objektive Zeichen eines
Mittelohrkatarrhes aufwiesen; dagegen habe ich diejenigen
Trommelfelle als „fast normal" bezeichnet, welche geringere
pathologische Veränderungen, wie Retraktion, Verdickung,

kleine Kalkablagerungen oder kleine und zweifelhafte Narben aufzuweisen hatten.

Als normal wird ein Trommelfell bezeichnet, wenn dasselbe seine natürliche Gestalt und seinen natürlichen Glanz hat, und wenn das Manubrium wohlgestellt ist. Ein „normales" Trommelfell darf mithin nicht retrahiert, verdickt oder atrophiert sein, und darf keine Narben, keine Perforationen, keinen Kalk od. dgl. aufweisen. Auf das Aussehen des Lichtreflexes habe ich dagegen keine Rücksicht genommen.

Vielleicht könnte es erscheinen, als wäre es unberechtigt, wenn wir ein Trommelfell, dem der Lichtreflex fehlt, als normal bezeichnen. Trautmann[1]) hat nämlich die Behauptung aufgestellt, daß das Fehlen des Lichtreflexes sich mit einem normalen Gehör gar nicht vertragen könne, und früher hat ihm Bezold[2]) beigepflichtet. An der Oberfläche des Trommelfells tritt nämlich ein Lichtreflex an jedem Punkte auf, auf den die eingeworfenen Lichtstrahlen senkrecht fallen; wenn deshalb kein Lichtreflex am Trommelfelle sich findet, so muß das davon herrühren, daß das Trommelfell „trichterartig" oder „hutkopfartig" eingezogen ist (vergl. Bezold[3])), vorausgesetzt, daß die Oberfläche des Trommelfells normal, d. h. spiegelnd, ist. Bezold hat indessen diese Anschauung aufgegeben. Er fand nämlich[4]), daß der Lichtreflex bei 2,11 Proz. unter Schulkindern mit normalem Gehör (Hörweite mehr als 16 Meter) fehlte, und er sagt deshalb: „Wenn daher diese leichte Formveränderung des Trommelfells an sich ohne weitere gleichzeitige pathologische Veränderungen, vor allem ohne andauernden Tubenverschluß, überhaupt die Hörweite beeinflußt, so ist die Herabsetzung derselben eine so geringe, daß es außer dem Bereiche der Möglichkeit liegt, sie mit unseren üblichen Untersuchungsmethoden nachzuweisen."

In den meisten Fällen, wo der Lichtreflex fehlt, beruht dies auf Veränderungen im Epithel des Trommelfells; beruht das Fehlen auf Retraktion, so wird man vermutlich imstande sein, dieselbe auf andere Weise zu erkennen, und in solchen Fällen wird man das Trommelfell zu den anormalen zählen.

Die Retraktion des Trommelfells habe ich nach den

1) Archiv f. Ohrenheilk. Bd. 10, 1875, S. 91.
2) Zeitsch. f. Ohrenheilk. Bd. 15, 1886, S. 30.
3) Zeitschr. f. Ohrenheilk. Bd. 15, 1886, S. 6.
4) Zeitschr. f. Ohrenheilk. Bd. 15, 1886, S. 30.

Verhältnissen des Manubriums beurteilt, mithin nach der mehr
oder weniger horizontalen Stellung des Manubriums, nach dessen
perspektivischer Verkürzung und nach der Prominenz der hinteren
Hammerfalte. Bezold[1]) benutzt als Merkmal, an dem man
die Retraktion erkennt, ausschließlich die hintere Hammerfalte,
ferner giebt er folgende Kennzeichen an: „Hammergriff verbreitert oder kurzer Fortsatz vorspringend", „normaler Reflex
stark vom Umbo gegen die Peripherie gerückt", und „fleck-
förmiger Reflex über dem kurzen Fortsatz." Ich habe indeß in
mehreren Fällen ein sogar sehr starkes, schnabelförmiges Hervortreten des Processus brevis gefunden, ohne daß irgend eine
Spur von Retraktion des Trommelfells vorhanden war. Ähnliches hat Brunzlow[2]) gefunden; er sagt nämlich: „Das charakteristische schnabelförmige Hervortreten des kurzen Fortsatzes
ist garnicht immer von einer Lageveränderung des Hammers
bedingt." Ferner kann man in vielen Fällen an einem normalen
Trommelfell eine hintere Hammerfalte finden, die ausschließlich
durch einen physiologisch etwas stärker hervorspringenden Processus brevis hervorgerufen wird; Lichtreflex in der Membrana
flaccida kann auf Narben daselbst beruhen, und ein Lichtreflex
im vorderen - unteren Quadranten kann auf lokalen Unregel-
mäßigkeiten im Trommelfell daselbst beruhen. Es scheint mir,
daß mein Kriterium, nach dem obigen, wenigstens so zuverläßig
ist wie Bezolds.

Unter den Verdickungen des Trommelfells findet man
sowohl diffuse als auch circumscripte Verdickungen aufgeführt.

Bei der Bestimmung von Atrophie des ganzen Trommelfells oder einzelner Teile desselben habe ich mich des Umstandes
bedient, das ein atrophisches Trommelfell bezw. eine atrophische
Partie desselben mehr transparent ist, das Licht weniger zurück-
wirft und daher dunkler erscheint als das normale Trommelfell.
Natürlich ist man hierbei Irrungen ausgesetzt, Irrungen, die u. a.
auf Kontrastwirkungen an einem verdickten Teil des Trommelfells
beruhen können (Jacobson[3])); aber die Methode ist nach meiner
Ansicht mehr zuverlässig als die von Bezold[4]) angewandte, indem
B. die Diagnose Atrophie auf Grundlage des Lichtreflexes stellt.

---

1) Zeitschr. f. Ohrenheilk. Bd. 15, 1886, S. 39.
2) Zeitschr. f. Ohrenheilk. Bd. 46, 1904, S. 234.
3) Lehrb. der Ohrenheilk. S. 35.
4) Zeitschr. f. Ohrenheilk. Bd. 15, 1886, S. 41.

Man kann sich nämlich denken, daß solche Lichtreflexe durch
Verdickungen mit dazwischenliegenden Vertiefungen in der
Cutisschicht des Trommelfells hervorgerufen sein können, ohne
daß die Substantia propria atrophisch zu sein braucht. Die
Deutlichkeit, womit man die Articulatio incudo-stapedia, die
Chorda tympani oder die Labyrinthwand erblickt, kann bei der
Bestimmung von Atrophie keine Anwendung finden, weil man
mitunter bei einem normalen, ja sogar bei einem verdickten
Trommelfelle die erwähnten Teile erblicken kann.

Unter den untersuchten Telephonistinnen fanden sich mithin 371, deren Trommelfelle normal waren oder wenigstens
nur geringe pathologische Veränderungen wie Verdickung,
Retraktion, Atrophie, Kalkablagerungen, kleine oder zweifelhafte Narben darboten. Die Trommelfelle dieser 371 Telephonistinnen hatten folgendes Aussehen:

Das Aussehen des Trommelfelles bei 371 Telephonistinnen.

Aussehen des Trommelfelles	Zahl der Trommelfelle		
	rechts	links	im ganzen
Normal	186	146	332
Retraktion allein, b. h. sonst keine pathol. Veränderungen	54	103	157
Verdickung allein	100	70	170
Retraktion und Verdickung allein	26	47	73
Atrophie allein	1	—	1
Narben allein	2	3	5
Kalkablagerungen allein	2	2	4
Im ganzen	371	371	742

Bei einigen unter den oben erwähnten Trommelfellen, die
verdickt oder retrahiert oder beides zugleich waren, fanden sich
außerdem noch andere pathologische Veränderungen. In 13 Fällen
fanden sich rechterseits und in 8 Fällen links kleine oder
zweifelhafte Narben; rechts wurden in 8 Fällen und links in
10 Fällen Kalkablagerungen nachgewiesen. Außerdem fanden
sich 5 rechtsseitige und 1 linksseitiges Trommelfell, die teilweise
atrophisch waren.

Wie häufig die verschiedenen pathologischen Veränderungen
auftraten, geht aus folgender Tafel hervor:

**Pathologische Veränderungen des Trommelfells
bei 371 Telephonistinnen.**

	Zahl der Trommelfelle		
	rechts	links	im ganzen
Retraktion	80	150	230
Verdickung	126	117	243
Atrophie	6	1	7
Narben	15	11	26
Kalkablagerungen	10	12	22

Es fanden sich mithin im ganzen 332 normale Trommelfelle, aber nur bei 105 (25,1%) unter den untersuchten 418 Telephonistinnen waren die Trommelfelle an beiden Seiten normal.
(Unter den gesamten 836 untersuchten Trommelfellen waren
346 oder 41,39 % normal).

Aus dem obigen geht hervor, daß die Veränderungen der
Trommelfelle ungefähr gleich häufig am rechten und am linken
Ohr auftreten, jedoch mit Ausnahme der Retraktion und der
Atrophie. In Bezug auf die Atrophie ist indes die Anzahl der
Fälle so klein, daß man aus derselben keinen Schluß zu ziehen
berechtigt ist. Da die meisten Telephonistinnen den Hörer
überwiegend oder ausschließlich am linken Ohr tragen, so läßt
sich daraus schließen, daß die Verdickungen, Narben und Kalkablagerungen in keiner Verbindung mit dem Telephonieren
stehen können. In Bezug auf die Retraktion des Trommelfells
ergibt sich, daß bei 160 Telephonistinnen, deren Trommelfelle
einerseits oder beiderseits retrahiert waren, folgende Verhältnisse
obwalteten:

In 17 Fällen war die Retraktion stärker links als rechts.

„ 80 „ war das linke Trommelfell, nicht aber das
rechte, retrahiert; in 15 unter diesen Fällen
war der Unterschied sehr bedeutend.

„ 9 „ war die Retraktion stärker rechts als links.

„ 10 „ war das rechte Trommelfell, aber nicht das
linke Trommelfell retrahiert, und

„ 44 „ war die Retraktion gleich stark an beiden
Ohren.

Es findet sich mithin in 97 Fällen eine Retraktion des
linken Trommelfells, während gleichzeitig das rechte Trommelfell entweder garnicht oder nur im geringeren Grade retrahiert

ist, aber es finden sich nur 19 Fälle, wo das entgegengesetzte Verhältnis nachgewiesen wurde.

Um zu entscheiden, ob dieser Unterschied zwischen den beiden Trommelfellen durch das Telephonieren hervorgerufen sein könne, müssen wir zuerst untersuchen, an welchem Ohre der Hörer von diesen Telephonistinnen getragen wird. Eine diesbezügliche Untersuchung ergibt, daß unter den 19 Telephonistinnen, bei welchen die Retraktion ausschließlich oder hauptsächlich rechterseits auftrat, eine den Hörer am rechten Ohre trägt, während die übrigen beim Telephonieren das linke Ohr gebrauchen. Die 97 Damen, bei welchen die Retraktion ausschließlich oder überwiegend links gefunden wurde, gebrauchen sämtlich beim Telephonieren das linke Ohr, eine einzige ausgenommen, die zwar im allgemeinen den Hörer am rechten Ohre trägt, aber doch mitunter das linke Ohr benutzt und jedenfalls früher 8 1/2 Jahre hindurch dieses Ohr gebrauchte. Es finden sich mithin 98 Fälle, wo das Trommelfell ausschließlich oder am stärksten retrahiert war an dem Ohre, welches beim Telephonieren tätig war; in 18 Fällen war das Gegenteil der Fall. In 14 unter den letzteren Fällen fanden sich andere pathologische Veränderungen des Trommelfells wie Verdickung, Kalk usw., so daß die Retraktion möglicherweise durch abgelaufene Katarrhe oder Eiterungen hervorgerufen sein kann; ähnliches gilt in bezug auf 57 unter den 98 Fällen, wo das Trommelfell des beim Telephonieren angewandten Ohres ausschließlich oder am stärksten retrahiert war; bei 41 unter diesen 98 Damen sind indes die beiden Trommelfelle einander vollständig gleich, abgesehen von der Retraktion; am häufigsten waren sie übrigens normal oder höchstens etwas verdickt, und die Verdickung war alsdann an beiden Ohren gleich stark. Da die Retraktion bei 97 unter den untersuchten Telephonistinnen ausschließlich oder am stärksten am linken Ohre gefunden wurde, so könnte man geltend machen, daß das Manubrium mallei physiologisch (nach Steinbrügge[1])) links eine mehr horizontale Lage haben soll als rechts. Brunzlow[2]) hat indes umfassende Untersuchungen angestellt, durch welche Steinbrügges Auffassung widerlegt wird. Brunzlow untersuchte 186 linksseitige und 169 rechtsseitige vollständig normale Trommelfelle, darunter 149 zusammengehörige Paare. Bei 79 Proz. unter den linksseitigen und bei 78,2 Proz. unter den rechtsseitigen

1) Orth's Lehrb. d. spez. path. Anatomie. Berlin 1891. S. 42.
2) Zeitschr. f. Ohrenheilk. Bd. 42, 1903, S. 361 ff.

Trommelfellen betrug der Winkel zwischen dem Manubrium mallei und der Horizontalebene 40^0—50^0, so daß der Winkel links durchschnittlich 45^0, rechts aber $51,6^0$ maß. Bei den 149 zusammengehörigen Paaren war der Winkel 73mal an beiden Seiten derselbe, 24mal war der linke und 52mal der rechte Winkel größer. Mit andern Worten heißt das: In der Regel ist die Lage des Manubrium in den beiden Trommelfellen eines Menschen garnicht verschieden; ist aber ein Unterschied vorhanden, so ist er so klein, daß er zwar gemessen, aber nicht mit dem bloßen Auge wahrgenommen werden kann.

Es unterliegt daher kaum einem Zweifel, daß der deutliche Unterschied, welcher bei den Telephonistinnen in 106 Fällen in bezug auf die Lage des Manubrium nachgewiesen wurde, kein physiologischer ist. Da nun bei 98 (26,4 Proz.) unter den untersuchten 371 Telephonistinnen die Retraktion ausschließlich oder doch im höheren Grade an dem beim Telephonieren tätigen Ohre gefunden wurde, so liegt der Gedanke nicht fern, daß das Telephon einige Schuld an der Retraktion habe. Über das Vorhandensein eines Katarrhes habe ich zwar in den meisten Fällen keine anamnestische Aufklärung erhalten können; aber trotzdem liegt doch der Gedanke nahe, daß der andauernde Verschluß des Ohres bei gewissen Individuen Katarrhe oder andere pathologische Veränderungen herbeiführen kann, ohne daß das Gehör nachweisbar herabgesetzt wird; vielleicht ist auch der Druck des Telephons imstande, unmittelbar zur Entstehung der Retraktion beizutragen. Von einer Wirkung der hohen Töne im Telephon ist sicher keine Rede.

Braunstein[1]) fand im Ganzen nur 63 (19,7 Proz.) normale Trommelfelle, und nur bei 19 (5,9 Proz.) unter den untersuchten Individuen fand er das Trommelfell an beiden Ohren normal. Diese Zahlen sind beträchtlich kleiner als die von mir gefundenen (bezw. 41,4 Proz. und 25,1 Proz.); es beruht dies unzweifelhaft u. a. darauf, daß B. ein Trommelfell als anormal bezeichnet, sobald der Lichtreflex verändert ist; bei der vorliegenden Untersuchung ist diese Rücksicht aber nicht genommen worden.

B. fand, daß das beim Telephonieren angewandte Ohr häufiger normal war als das andere. Bei den von mir untersuchten Telephonistinnen war das Gegenteil der Fall, und dies beruht, wie aus den Tafeln hervorgeht, sicher darauf, daß das Trommelfell des beim Telephonieren tätigen Ohres häufiger retrahiert gefunden wurde.

1) Archiv f. Ohrenheilk. Bd. 57, 1903, S. 297.

II. *Veränderungen des Gehörs, die bei Gehörorganen mit normalen oder fast normalen Trommelfellen infolge von Telephonieren entstanden sind.* (371 Telephonistinnen.)

1. Die Verhältnisse der unteren Tongrenze.

In 17 Fällen wurde die untere Grenze entweder garnicht oder doch nur mangelhaft bestimmt. Unter den übrigen 354 Telephonistinnen sind 276 imstande, den Ton C_2 (Subcontra-Octav-C mit 16 V. d.) mit beiden Ohren zu hören; 52 andere können ebenfalls den Ton C_2 auffassen, geben aber an, daß die tiefen Töne im einen Ohr stärker erschallen als im andern; 44 unter diesen 52 Telephonistinnen hören den Ton am stärksten rechts, 8 dagegen links. Die meisten unter diesen 44 Damen behaupten mit großer Stärke, daß sie den Ton rechts am stärksten hören, und dieser Behauptung müssen wir eine um so größere Bedeutung beilegen, als die Telephonistinnen im allgemeinen davon überzeugt waren, daß das Gehör durch das fortgesetzte Telephonieren gestärkt werde, und demzufolge hatten sie von vornherein die Auffassung, daß sie alles besser mit dem linken Ohre hören mußten; mehrere unter ihnen, besonders aber die mehr intelligenten Damen, waren deshalb auch sehr überrascht, als sie das Resultat erfuhren. Dasselbe wurde aber durch mehrere sorgfältige Prüfungen als völlig zuverlässig bestätigt. Die Prüfung wird in folgender Weise unternommen: Nachdem die Gabel maximal angeschlagen worden ist (d. h. die Zinken berühren einander beim Anschlage), hält man sie successiv vor das rechte und das linke Ohr der zu Untersuchenden, so daß die Intensität der Schalleindrücke verglichen werden kann; bei der Prüfung fängt man abwechselnd mit dem rechten und dem linken Ohre an.

18 Telephonistinnen hören mit dem rechten Ohre das C_2, mit dem linken vermögen sie dagegen nur einen höheren Ton aufzufassen. 11 unter diesen Damen hören das D_2, 3 das Dis_2, 2 das E_2, 1 das Fis_2, 1 das A_1; ferner finden sich unter diesen Telephonistinnen 5, welche außerdem angeben, daß sie die tiefen Töne rechts weit stärker hören als links; bei einer Dame machte ich Versuche mit mehreren Stimmgabeln und konstatierte dabei, daß das Dis_2, das G_2 und das D_1, dagegen schwerlich das A_1, rechts stärker gehört wurden als links.

Bei 2 Telephonistinnen war die untere Grenze an beiden Ohren etwas erhöht, jedoch am stärksten am linken Ohre; die eine Dame hört $\frac{Cis_2}{E_2}$ (?), die andere $\frac{D_2}{E_2}$; bei letzterer erklingen zugleich die tiefen Töne stärker im rechten Ohre.

3 Telephonistinnen hören links das C_2, rechts dagegen nur einen höheren Ton; die eine hört Cis_2, die andere D_2, und die die dritte F_2 (?).

Schließlich finden sich 3 Telephonistinnen, bei welchen eie untere Grenze an beiden Seiten gleichmäßig erhöht ist. 2 unter ihnen hören beiderseits das D_2, aber bei verstärktem Anschlag der Stimmgabel vermögen sie das C_2 zu hören; die dritte giebt sehr bestimmt an, daß sie beiderseits nur das Cis_2 auffassen könne.

Die Verhältnisse der unteren Grenze gehen aus den untenstehenden Tafeln hervor:

Die untere Grenze bei 742 Gehörorganen mit normalen oder fast normalen Trommelfellen.

Untere Grenze	rechts	links	im ganzen
Nicht bestimmt . . .	17	17	34
C_2	346	331	677
Cis_2	3	1	4
D_2	4	13	17
Dis_2	—	3	3
E_2	—	4	4
F_2	1	—	1
Fis_2	—	1	1
A_1	—	1	1
Summa	371	371	742

Untere Grenze bei 354 Telephonistinnen.

Untere Grenze normal (C_2) an beiden Ohren		276
Untere Grenze erhöht oder Perception der tiefen Töne geschwächt links, rechts dagegen keine oder nur geringere Schwächung oder Erhöhung	Untere Grenze an beiden Ohren normal, aber die tiefen Töne erschallen rechts stärker.	44
	Untere Grenze rechts normal, links erhöht	18
	Untere Grenze beiderseits erhöht, links am meisten	2
Untere Grenze erhöht oder Perception der tiefen Töne geschwächt rechts, links dagegen keine oder geringere Schwächung oder Erhöhung	Untere Grenze normal an beiden Ohren, aber die tiefen Töne erschallen links stärker.	8
	Untere Grenze links normal, rechts erhöht	3
Untere Grenze an beiden Seiten gleichmäßig erhöht		3
	Summa	354

Wollen wir nun die Ursache dieser einseitigen Schwächung der Perzeption der tiefen Töne, die in 75 Fällen nachgewiesen wurde (in 64 Fällen links, in 11 Fällen rechts), ausfindig machen, so müssen wir zuerst untersuchen, an welchem Ohre die betreffenden Telephonistinnen den Hörer tragen. Es stellt sich dabei heraus, daß sämtliche Telephonistinnen, welche links eine Herabsetzung der Perception der tiefen Töne aufweisen, den Hörer ausschließlich oder überwiegend am linken Ohre tragen. Unter den 11 Telephonistinnen, bei welchen die Herabsetzung rechts gefunden wurde, finden sich 2, die den Hörer am rechten Ohr tragen, und unter den 3 Telephonistinnen, bei denen die Herabsetzung an beiden Ohren die gleiche war, findet sich eine, die den Hörer abwechselnd an beiden Ohren trägt, während eine andere in einem Jahre das rechte, in 3 Jahren aber das linke Ohr beim Telephonieren angewandt hat.

Es ergibt sich mithin, daß die Herabsetzung des Perceptionsvermögens in 66 Fällen an dem Ohre gefunden wurde, welches beim Telephonieren angewandt wird. Es liegt deshalb die Möglichkeit nicht ferne, daß das Telephonieren die Ursache der Herabsetzung sein könne.

Beruht nun diese Schwächung des Perceptionsvermögens auf einem durch das Telephon hervorgerufenen Leiden des schallleitenden Apparates? Schwerlich! Gegen diese Annahme spricht entschieden das bei den sonstigen Funktionsuntersuchungen gewonnene Resultat, und außerdem ist wohl die Schwächung zu klein, als daß man sie als Ausdruck eines Leidens des Schallleitungsapparates ansehen könnte; auch die Verhältnisse, die bei einigen unter den 32 Telephonistinnen gefunden wurden, deren Trommelfelle Residuen nach Otitis media suppurativa aufwiesen, widersprechen entschieden der obigen Annahme. Unter den erwähnten Telephonistinnen finden sich nämlich drei, welche das C_2 zwar mit beiden Ohren, mit dem rechten Ohr aber am stärksten hören. Bei der einen unter diesen Damen läßt sich dies daraus erklären, daß das linke Ohr den Sitz für eine nunmehr abgelaufene Entzündung abgegeben hat; bei den beiden andern wäre nun das Gegenteil zu erwarten, weil bei diesen das rechte Trommelfell narbenartige Veränderungen aufweist, während das linke normal ist; wenn diese Damen daher angeben, daß sie das C_2 im rechten Ohr am stärksten hören, so muß man annehmen, daß dies dem Telephon, welches sie seit längerer Zeit am linken Ohr tragen, zur Last gelegt werden muß; an ein Leiden des schallleitenden Apparates denkt man aber durchaus nichts.

Die ganze Erscheinung läßt sich meiner Ansicht nach unzweifelhaft als eine Angewöhnung erklären; dasjenige Ohr, welches normal damit beschäftigt ist, Töne (Sprachtöne) aufzufassen, deren Schwingungszahlen überwiegend zwischen 200 und 4000 V. d. oder noch höher liegen, ist weniger als das andere .Ohr imstande, sich den tiefen Tönen zu accomodieren.

Wie geht es aber zu, daß diese Schwächung nur bei 68, d. h. 19,2 Proz., unter unsern 354 Telephonistinnen mit normalen oder fast normalen Trommelfellen gefunden wurde?

Die Ursachen müssen wir sicher in mehreren Umständen suchen:

1. Erst nachdem ich mehrere Telephonistinnen untersucht hatte, bemerkte ich, daß mitunter ein Unterschied in der Perception der Schallintensität auftrat; ich habe deshalb nicht bei sämtlichen Telephonistinnen die Intensität der tiefen Töne in bezug auf die beiden Ohren verglichen.

2. Es ist außerordentlich schwierig zu entscheiden, ob ein so tiefer Ton etwas stärker oder schwächer klingt, und deshalb wird man nur bei Individuen mit sehr entwickeltem Beobachtungsvermögen erwarten können, diesbezügliche Angaben zu erhalten. Waren es doch auch die intelligentesten unter den untersuchten Damen, die mit der größten Bestimmtheit einen Intensitätsunterschied angaben!

Die Zeit, die mir für die Untersuchung jeder einzelnen Dame zu Gebote stand, erlaubte mir leider nicht, eine Untersuchung über die Perceptionszeit für die tiefen Stimmgabeln anzustellen; auch habe ich nur bei einer einzigen Telephonistin untersucht, wie weit hinauf in die Tonreihe der Unterschied sich erstreckt. (Siehe S. 41—42.)

3. Endlich ist es wohl nicht sicher, daß eine solche Angewöhnung bei allen Telephonistinnen eintritt; vielleicht ist eine gewisse Disposition oder dergl. erforderlich.

Wie schnell tritt diese Angewöhnung ein? Unzweifelhaft schon nach kurzer Zeit; denn ich fand sie sogar recht ausgesprochen bel mehreren Untersuchten, die erst ein Vierteljahr im Dienste der Telephongesellschaft standen. Bei der in Rede stehenden Untersuchung spielt es keine Rolle, ob die zu untersuchende Dame am Tage der Untersuchung am Telephon tätig gewesen ist oder nicht; es geht dies daraus hervor, daß einige Telephonistinnen unmittelbar vor der Untersuchung keinen Dienst gehabt hatten und dennoch die erwähnte Erscheinung darboten.

Wodurch wäre nun die Herabsetzung der Perceptionsfähigkeit für die tiefen Töne hervorgerufen bei den 9 Telephonistinnen, bei welchen die Erhöhung der unteren Grenze an dem Ohre gefunden wurde, welches beim Telephonieren nicht angewandt wird? 2 unter diesen Telephonistinnen sind nervöse Individuen und etwas unzuverlässig in ihren Angaben, weshalb die Ergebnisse dieser schwierigen Untersuchung bei ihnen etwas zweifelhaft erscheinen. Bei den übrigen ist es kaum möglich, eine sichere Erklärung der Herabsetzung zu finden. Doch kann man annehmen, daß die Angaben dieser Telephonistinnen durch ihre Überzeugung, mit dem telephonierenden Ohre besser als mit dem anderen zu hören, beeinflußt wurden.

Braunstein[1]) fand bei 17 Proz. unter den von ihm untersuchten Telephonistinnen die untere Grenze bei C_1. Diese bedeutende Erhöhung der unteren Grenze beruht sicher darauf, daß Braunstein bei seinen Untersuchungen nur die Stimmgabeln C_2 und C_1 benutzte; seine Angaben haben deshalb keinen großen Wert. Auch findet man bei B. nicht die untere Grenze für jedes Ohr apart angegeben, und deshalb liefert seine Untersuchung nur insofern einen Beitrag zur obigen Theorie, als aus derselben hervorgeht, daß sich auch in München Telephonistinnen finden, welche nicht imstande sind, die tiefsten Töne zu hören, ohne daß man eine andere Ursache als das Telephonieren anzugeben vermag.

2. Die Verhältnisse der oberen Tongrenze.

Bei 328 oder 88,4 Proz. unter den untersuchten 371 Telephonistinnen mit normalen Trommelfellen war die obere Grenze normal; denn die auf 0.2 eingestellte Galtonpfeife (50 000 V. d.) konnte von diesen gehört werden.

Die Fälle, wo die obere Grenze herabgesetzt war, verteilen sich, nach dem Alter der Telephonistinnen geordnet, wie folgt:

--- --- --- --- --- ---

1) Archiv f. Ohrenheilk. Bd. 59, 1903, S. 300.

**Die obere Grenze bei 371 Telephonistinnen mit normalen
oder fast normalen Trommelfellen.**

Obere Grenze	17—20 J.	20—30 J.	30—40 J.	40—50 J.	50—60 J.	im ganzen
$\frac{0.2}{0.2}$ (normal)	28	241	44	14	$\overset{1}{(50\ \text{J. alt})}$	328
$\frac{0.8}{0.2}$		12	4	3		19
$\frac{0.2}{0.3}$			2	2	$\overset{1}{(50\ \text{J. alt})}$	5
$\frac{0.8}{0.8}$		4	2	2	$\overset{1\ (?)}{(56\ \text{J. alt})}$	9
$\frac{0.4}{0.2}$		1				
$\frac{0.4}{0.4}$		1	1	2	$\overset{1\ (?)}{(53\ \text{J. alt})}$	5
$\frac{0.5}{0.2}$		1				
$\frac{0.5}{0.9}$					$\overset{1}{(60\ \text{J. alt})}$	1
$\frac{0.7}{0.7}$					$\overset{1}{(50\ \text{J. alt})}$	1
$\frac{0.9}{1.1}$					$\overset{1\ (?)}{(56\ \text{J. alt})}$	1
im ganzen	28	260	53	23	7	371

Laut dem Schema, welches der angewandten Galtonpfeife
beigelegt ist, sind die Schwingungszahlen:

Strich 0.2 = 50 000 V. d.
    „   0.3 = 46 000 „ „
    „   0.4 = 44 000 „ „
    „   0.5 = 42 000 „ „
    „   0.6 = 40 000 „ „
    „   0.7 = 38 000 „ „
    „   0.8 = 36 000 „ „
    „   0.9 = 34 000 „ „
    „   1.0 = 32 000 „ „
    „   1.1 = 30 000 „ „

Bei der Betrachtung der obenstehenden Tabelle bemerkt
man folgendes:

1) Sämtliche Telephonistinnen im Alter zwischen 17 und
20 Jahren (im ganzen 28) haben eine normale obere Grenze
aufzuweisen.

2) Unter den Telephonistinnen im Alter zwischen 20 und
30 Jahren (im ganzen 260) wurde nur bei 19 oder 7,3 Proz.
eine Herabsetzung der oberen Grenze nachgewiesen, und unter
denselben finden sich wieder nur 3, bei denen die Herabsetzung

einigermaßen bedeutend war (0.4 und 0.5). Die eine, bei der die Grenze auf 0.4 an beiden Ohren herabgesetzt ist, hat vielleicht einige Disposition für Otosklerose, und es ist mithin die Möglichkeit vorhanden, daß es sich um ein angehendes Ohrenleiden handelt, wenngleich das Gehör übrigens normal und die untere Grenze nicht verändert ist. Die Telephonistin, bei welcher die obere Grenze bei $\frac{0.5}{0.2}$ liegt, hat einen Blitzschlag erhalten; da derselbe aber ins linke Ohr ging, welches normal ist, so kann er die Herabsetzung nicht hervorgerufen haben. Die dritte Dame, bei der die obere Grenze bei $\frac{0.4}{0.2}$ liegt, hat rechts an einer Ohrenentzündung nach Scharlach gelitten; zwar ist an dem Ohr keine besondere Abnormität nachweisbar, aber dennoch liegt der Gedanke nahe, daß die Herabsetzung der oberen Grenze auf diesem Leiden beruhe; in derselben Richtung zeigt vielleicht auch der Umstand, daß die Luftleitung A rechts etwas kürzere Dauer hat als am linken Ohre.

3) Unter den Telephonistinnen im Alter zwischen 30 und 40 Jahren (im ganzen 53) wurde bei 9 oder 17,0 Proz. eine Herabsetzung der oberen Grenze nachgewiesen. Nur bei einer unter denselben war die Herabsetzung ziemlich hochgradig $\left(\frac{0.4}{0.4}\right)$; da die Untersuchung übrigens bei dieser Telephonistin keine Abnormität nachwies, so handelt es sich vielleicht um einen angeborenen Defekt der Perception der hohen Töne. Von einer Wirkung des Telephonierens kann jedenfalls kaum die Rede sein, da die Dame seit mehreren Jahren nicht telephoniert und früher ausschließlich den Hörer am linken Ohr trug.

4) Unter den Telephonistinnen im Alter zwischen 40 und 50 Jahren (im ganzen 23) finden sich 9 oder ca. 39 Proz., die eine Herabsetzung der oberen Grenze aufweisen. Aber auch hier ist die Herabsetzung nur bei 2 ziemlich bedeutend. Es handelt sich bei ihnen wahrscheinlich um eine senile Erscheinung.

5) Als seniles Phänomen ist vielleicht auch die Herabsetzung zu betrachten, die bei Telephonistinnen im Alter zwischen 50 und 60 Jahren (im ganzen 7) gefunden wurde. Unter denselben findet sich nämlich nur eine (50 Jahre alt) mit normaler oberer Grenze. Bei den übrigen ist die Grenze herabgesetzt, mitunter sogar recht bedeutend, und bei einigen ist die Herabsetzung an den beiden Ohren verschieden. Im letzteren Falle

ist die Herabsetzung aber nicht am größten an dem beim Telephonieren tätigen Ohr, auch ist sie nicht am bedeutendsten bei
den ältesten unter den Damen; denn die größte Herabsetzung
$\left(\frac{0.9}{1.1}\right)$ wurde bei einer 56jährigen Telephonistin gefunden, während
bei der ältesten (60jährigen) die Grenze bei $\frac{0.5}{0.9}$ und bei einer
andern im Alter von 56 Jahren bei $\frac{0.3}{0.3}$ liegt.

Betrachtet man genauer die Art und Weise, auf welche
die obere Grenze herabgesetzt worden ist, so bemerkt man, daß
unter den 33 Fällen, wo es sich nur um eine geringe Herabsetzung (bis auf 0.3) handelte, 19 Fälle (57 Proz.) sich finden,
wo die Herabsetzung ausschließlich rechts gefunden wurde, in
5 Fällen (ca. 15 Proz.) fand sie sich ausschließlich links, und in
9 Fällen (ca. 27 Proz.) wurde sie an beiden Seiten nachgewiesen. Es ist mithin das rechte Ohr etwa 4mal so häufig betroffen worden, obschon das linke Ohr beim Telephonieren überwiegend tätig ist. Daraus ergibt sich, daß der Defekt der
Perception der höheren Töne der Skala nicht auf einer schädlichen Wirkung des Telephonierens beruhen kann. Es ließe
sich denken, daß es sich hier ähnlich wie bei der unteren Grenze
um eine Angewöhnung handle, sodaß das beim Telephonieren
tätige Ohr im höheren Grade als das andere sich angewöhne,
die Töne mit hohen Schwingungszahlen aufzufassen. Bei der
näheren Betrachtung erscheint dies jedoch als unwahrscheinlich.
Erstens ist nämlich die Anzahl der Telephonistinnen, bei welchen
eine solche Herabsetzung der Perception der hohen Töne gefunden wurde, zu klein, und man kann hier nicht dasselbe
Raisonnement geltend machen wie bei der unteren Grenze, weil
die obere Grenze relativ leicht zu bestimmen ist; ferner kommen
Töne mit so hohen Schwingungszahlen schwerlich im Telephon
vor. Auch findet die obige Annahme keine Bestätigung, wenn
man die bei diesen Telephonistinnen gefundene untere Grenze
mit in Betracht zieht. Es ließe sich erwarten, daß gleichzeitig
eine Angewöhnung an die hohen und die tiefen Töne stattfände.
Es zeigt sich jedoch, daß unter den 19 Fällen, wo die obere
Grenze rechts herabgesetzt war, nur 3 sich finden, wo die tiefen
Töne rechts am stärksten schallen resp. die untere Grenze links
erhöht gefunden wurde. Bei 2 anderen Damen finden sich
Zeichen einer Angewöhnung in Bezug auf die untere Grenze,
bei der einen ist diese Angewöhnung sogar sehr ausgesprochen
$\left(\frac{C_2}{A_1}\right)$, aber gleichzeitig ist die Herabsetzung der oberen Grenze

links am größten. Bei 2 Telephonistinnen findet man Angewöhnung an die tiefen Töne, während die Herabsetzung der
oberen Grenze an beiden Seiten die gleiche ist, und endlich
deuten bei einer der Untersuchten sowohl die untere wie auch
die obere Grenze auf eine abgelaufene Ohrenentzündung hin.

Die erwähnte geringe Herabsetzung der oberen Grenze
muß daher als eine „zufällige" bezeichnet werden.

Es wurde mithin die obere Grenze nicht nachweisbar von
dem Telephonieren beeinflußt gefunden. Daraus ergibt sich
die Unhaltbarkeit der von Gellé[1]) aufgestellten Behauptung,
daß beim stetigen Telephonieren Ohrenkrankheiten entständen,
welche mit denjenigen identisch seien, die bei Kesselschmieden
vorkommen; charakteristisch für die Schwerhörigkeit dieser
Handwerker ist nämlich ein bedeutender Defekt der Perception
des oberen Teiles der Tonleiter (Habermann[2])).

Braunstein[3]) fand in 4 Fällen die obere Grenze verschieden an den beiden Ohren, und die Herabsetzung war an dem
Ohre am größten, welches beim Telephonieren angewandt wurde;
nur eine unter den Untersuchten hörte 0.0 deutlicher mit dem
beim Telephonieren tätigen Ohr.

3) Webers Versuch.

Durch den Weberschen Versuch wurde zwar in einigen
Fällen Lateralisation nachgewiesen, aber ein konstanter Zusammenhang zwischen der Lateralisation und dem Telephonieren
wurde nicht gefunden; da außerdem der Versuch bei der Beurteilung der Funktion des Ohres von geringer Bedeutung ist,
sehen wir an dieser Stelle von demselben hinweg. Die Resultate
betreffs des Weber'schen Versuches sind im Archiv f. Ohrenheilk.
Bd. 70, 1906, Pag. 51 ff. ausführlich besprochen.

---

1) Zeitschr. f. Ohrenheilk. Bd. 20, 1890, S. 150.
2) Archiv f. Ohrenheilk. Bd. 30, 1890, S. 2.
3) Archiv f. Ohrenheilk. Bd. 59, 1903, S. 299.

(Fortsetzung folgt.)

Bericht über die in den beiden Etatsjahren 1905 und 1906 in der Universitäts-Poliklinik für Ohren- und Nasenkrankheiten zu Göttingen beobachteten Krankheitsfälle.

Von

Prof. K. Bürkner und Dr. W. Uffenorde.

Die Poliklinik für Ohren- und Nasenkrankheiten ist am 7. Juli 1906 in den bis dahin von der Universitäts-Augenklinik benutzten Teil des ehemaligen Ernst-August-Hospitales übergesiedelt und verfügt nunmehr über große, helle Räume in genügender Zahl. Leider fehlt noch immer die stationäre Abteilung, die aber hoffentlich bald zu erreichen sein wird, da das Gebäude erweiterungsfähig ist. Einstweilen sind wir noch gezwungen, unsere klinischen Patienten in oft recht kümmerlicher Weise anderweitig unterzubringen.

Das Krankenmaterial ist noch immer im Steigen und die Zahl der poliklinischen Konsultationen oft so groß, daß die Hilfskräfte verdreifacht sein müßten. Bewegt sich die Patientenfrequenz doch gar nicht selten zwischen 90 und 100 an einem Tage, und wenn die Visiten bei den klinischen Kranken und die Stadtbesuche hinzugerechnet werden, sind mitunter etwa 125 Patienten abzufertigen.

Als Assistenzärzte waren in der Poliklinik tätig die Herren Dr. Uffenorde, Dr. Laval, Sandhoff, Dr. Zink.

In der Zeit vom 1. April 1905 bis 31. März 1907 sind an 4638 neu aufgenommene Patienten mit 7921 verschiedenen Krankheitsformen 34066 Konsultationen erteilt worden.

Von den zur Untersuchung gekommenen Kranken wurden 4592 in Behandlung genommen, während 45 teils wegen völliger Aussichtslosigkeit der Therapie oder aus anderen Gründen abgewiesen werden mußten, teils auch nur zum Zwecke einer einmaligen Statusaufnahme sich vorgestellt hatten.

Von den 7921 Krankheitsfällen wurden:

geheilt	4 438	=	56,03 Proz.
gebessert	1 620	=	20,45 "
nicht gebessert	311	=	3,92 "
ohne Behandlung entlassen	148	=	1,87 "
vor beendigter Kur blieben aus	912	=	11,51 "
in Behandlung verblieben	487	=	6,15 "
gestorben	5	=	0,07 "
	7 921	=	100,00 Proz.

Es war somit bei Berücksichtigung sämtlicher zur Beobachtung gekommener Krankheitsformen Heilung zu verzeichnen in 56,03 Proz., Besserung in 20,45 Proz.; von den in Behandlung genommenen 7773 Krankheitsfällen wurden hingegen, nach Abrechnung der noch in Behandlung verbliebenen 60,92 Proz. geheilt und 22,23 Proz. gebessert.

Von den 4638 Kranken waren wohnhaft:

in Göttingen	1 871
außerhalb Göttingen in der Provinz Hannover	1 870
mithin in der Provinz Hannover	3 741
Ferner in Provinz Brandenburg	3
" Pommern	1
" Schlesien	1
" Sachsen	333
" Westfalen	76
" Hessen-Nassau	267
Rheinprovinz	9
mithin im Königreich Preußen	4 431
Ferner im Königreich Bayern	2
" Sachsen	8
" Württemberg	1
Großherzogtum Sachsen	4
" Oldenburg	6
Herzogtum Braunschweig	138
" Anhalt	1
Fürstentum Schwarzburg-Rudolstadt	2
" " Sondershausen	13
" Waldeck	4
" Reuß j. L.	1
" Schaumburg-Lippe	4
" Lippe-Detmold	5
Freie Stadt Lübeck	1
" " Bremen	7
" " Hamburg	6
Elsaß-Lothringen	3
mithin in anderen Bundesstaaten	206
Im Deutschen Reiche	4 637
In-Österreich	1
	4 638

4*

Es wohnten somit in der Stadt Göttingen 40,35 Proz., in der Provinz Hannover außerhalb Göttingens 40,33 Proz., in der Provinz Hannover überhaupt 80,68 Proz., in anderen preußischen Provinzen 14,88 Proz., in Preußen überhaupt 95,56 Proz., in anderen Bundesstaaten 4,44 Proz. der Kranken.

Über Alter und Geschlecht der Patienten gibt folgende Zusammenstellung Aufschluß:

Alter	Summa	Männlich	Weiblich
—1 Jahr	138	79	59
1—2 Jahre	145	65	80
3—5 »	422	234	188
6—10 »	707	348	359
11—15 »	641	370	271
Kinder	2 053	1 096	957
16—20 Jahre	630	359	271
21—30 »	812	511	301
31—40 »	427	271	156
41—50 »	321	228	93
51—60 »	247	163	84
61—70 »	110	75	35
71—80 »	29	22	7
über 80 »	9	9	—
Erwachsene	2 585	1 638	947
Summa .	4 638	2 734	1 904

Im Kindesalter (einschließlich des 15. Lebensjahres) standen demnach 44,26 Proz. der Kranken, Erwachsene waren 55,74 Proz. Dem männlichen Geschlechte gehörten 58,95 Proz., dem weiblichen 41,05 Proz. an. Während bei den Erwachsenen 63,37 Proz. dem männlichen Geschlechte, 36,63 Proz. dem weiblichen Geschlechte angehörten, waren von den Kindern 53,38 Proz. Knaben und 46,62 Proz. Mädchen.

Die 7921 Erkrankungsformen verteilen sich in folgender Weise auf das Gehörorgan und seine einzelnen Abschnitte, bezw. auf die Nase, den Rachen und den Kehlkopf:

Tabelle I.

Rechts	Links	Beidern.	Summa	Krankheitsbezeichnung	Erwachs.	Kinder	Erwachs.	Kinder
				I. Ohrmuschel.				
2	5	—	7	Fistula auris congenita	2	1	1	3
5	3	—	8	Auricularanhänge	1	2	1	4
—	—	1	1	Mikrotie	—	1	—	—
1	—	—	1	Vulnus auriculae	1	—	—	—
51	51	27	129	Ekzema acutum	12	56	13	48
13	15	20	48	" chronicum	3	12	21	12
—	—	1	1	Congelatio	—	—	1	—
3	5	—	8	Phlegmone und Abszeß . . .	3	3	1	1
—	1	—	1	Tumor (Papilloma)	1	—	—	—
—	1	—	1	Othaematoma	1	—	—	—
75	81	49	205		42	75	38	68
				II. Gehörgang.				
1	—	—	1	Atresia congen.	—	—	—	1
5	2	—	7	Vulnus	2	2	3	—
129	153	261	543	Accumulatio ceruminis	323	65	97	58
42	47	22	111	Ekzema acutum	19	38	17	37
12	8	38	58	" chronicum	14	14	16	14
1	—	10	11	Seborrhoea	4	—	4	3
99	105	10	214	Otitis externa circumscripta . . .	83	34	64	33
4	3	1	8	" " ex infectione . .	3	1	3	1
1	2	—	3	" " haemorrhagica . .	2	1	—	—
6	9	8	23	" " desquamativa . .	7	5	4	7
1	4	1	6	" " parasitica . . .	2	1	3	—
2	3	—	5	Abszeß	1	3	1	—
2	1	—	3	Tumor (Atherom 2, Carcinom 1) . .	1	—	2	—
29	26	5	60	Corpus alienum	13	15	9	23
334	363	356	1053		474	179	223	177
				III. Trommelfell.				
5	1	—	6	Ecchymosen und Excoriationen . .	2	2	1	1
3	5	—	8	Ruptur	6	2	—	—
—	2	—	2	Myringitis acuta	—	1	1	—
1	1	—	2	Cholesteatom	1	—	—	1
9	9	—	18		9	5	2	2
				IV. Mittelohr.				
3	2	6	11	Salpingitis acuta	5	—	5	1
1	1	3	5	" chronica	2	—	3	—
69	113	363	545	Otitis media simplex acuta	142	171	76	156
83	101	79	263	" " exsudativa acuta . .	44	112	15	92
19	32	442	493	" " simplex chronica . . .	175	140	66	112
14	11	53	78	" " adhaesiva " . . .	41	6	24	7
4	7	14	25	" " exsudativa " . . .	14	6	4	1
—	3	65	68	" " sclerotica	38	1	28	1
169	178	61	408	" " purulenta acuta . .	61	172	35	140
3	8	—	11	" " " m. Abszeß a. Proc. mast.	1	2	3	5
150	149	112	411	" " " chronica . . .	139	115	75	82
2	5	—	7	" " " m. Abszeß a. Proc. mast.	—	3	—	4
517	610	1198	2325	Übertrag Übertrag	662	728	334	601

(Fortsetzung Tabelle I.)

Rechts.	Links	Beiders.	Summa	Krankheitsbezeichnung	Männer Erwachs.	Kinder	Weiber Erwachs.	Kinder
517	610	1198	2325	Übertrag　　　　　　　　Übertrag	662	728	334	601
49	38	17	104	Otitis media purulenta chronica m. Caries	44	23	25	12
16	24	2	42	⸗　　⸗　　⸗　　⸗ m. Polypen	15	9	11	7
18	18	6	42	⸗.　⸗　　⸗　　⸗ m. Cholest.	22	8	8	4
1	3	—	4	⸗　　⸗　　⸗　　⸗ m. Facial- lähmung	1	1	2	—
204	222	285	711	Residuen von Mittelohreiterungen . .	282	152	143	134
16	32	8	56	Neuralgie des Plexus tympanicus . .	7	5	33	11
821	947	1516	3284		1033	946	556	769
				V. Inneres Ohr.				
2	1	7	10	Akute Nerventaubheit	7	—	3	—
3	8	13	24	Chron. Nerventaubheit nach Trauma .	22	1	1	—
—	1	1	2	⸗　　　⸗　　nach Meningitis u. Hirntumor	1	—	1	—
—	—	4	4	⸗　　　⸗　　⸗ Scharlach und Diphtherie	1	2	1	—
—	—	4	4	⸗　　　⸗　　⸗ Influenza . .	2	—	2	—
—	—	1	1	⸗　　　⸗　　⸗ Parotitis epi- demica	—	1	—	—
2	1	7	10	⸗　　　⸗　　⸗ Syphilis . .	4	2	3	1
—	—	1	1	⸗　　　⸗　　⸗ Alkohol . .	1	—	—	—
—	1	—	1	⸗　　　⸗　　⸗ Salicylsäure .	1	—	—	—
—	2	—	2	⸗　　　⸗　　bei Neurasthenie.	2	—	—	—
—	—	3	3	⸗　　　⸗　　nach Puerperium .	—	—	3	—
—	—	22	22	⸗　　　⸗　　⸗ senil . . .	20	—	2	—
2	3	38	43	⸗　　　⸗　　⸗ ex professione	43	—	—	—
19	24	65	108	⸗　　　⸗　　⸗ ohne bekannte Ursache	82	3	12	11
—	3	9	12	Sausen ohne Befund	2	—	10	—
—	—	15	15	Taubstummheit (erworben 7) . . .	—	9	—	6
28	44	190	262		188	18	38	18
1267	1444	2111	4822	**Summa der Ohrenkrankheiten**	1728	1203	857	1034
				VI. Nase, Rachen, Kehlkopf.				
			5	Acne	2	1	1	1
			4	Tumor (Atherom 1, Angiom 2, Ver- ruca 1)	2	—	1	1
			3	Lupus nasi externi	—	—	2	1
			208	Ekzem	43	53	55	57
				Erysipel	—	—	1	—
			1	Trauma	—	—	1	—
			1	Furunkel	4	2	2	—
			65	Rhinitis acuta	21	19	16	9
			95	⸗ chronica simplex	36	15	18	27
			541	⸗　　⸗ hypertrophica (pa- pillomatosa 17)	179	106	154	102
			16	⸗　　⸗ sicca	8	1	7	—
			8	⸗　　⸗ blennorrhoica. . .	2	2	1	3
			947	Übertrag　　　　　　　　Übertrag	297	199	259	201

(Fortsetzung Tabelle I.)

Summa	Krankheitsbezeichnung	Männer		Weiber	
		Erwachs.	Kinder	Erwachs.	Kinder
947	Übertrag Übertrag	297	199	259	201
56	Rhinitis chronica atrophica	25	5	22	4
9	Empyema sin. frontalis	6	—	3	—
1	„ „ sphenoid.	—	—	1	—
25	„ „ maxillar.	12	—	13	—
117	„ „ cellul. ethmoid.	64	—	52	1
3	Tumor septi et ossis ethmoid.	1	—	2	—
1	Fractura septi	1	·	—	—
373	Deviatio, spina, crista septi	217	55	78	23
7	Lupus septi	1	—	6	—
2	Ulcus septi	—	—	2	—
11	Perforatio	6	1	4	—
1	Abscessus	—	1	—	—
34	Varicositas venarum septi	10	7	10	7
7	Synechien	4	—	3	—
1	Choanalatresie	—	—	1	—
34	Polypi nasi	17	4	13	—
16	Corpus alienum nasi.	—	7	—	9
173	Pharyngitis acuta (Angina lacunaris, fossul., haemorrh.)	44	42	27	60
315	„ chronica simplex	160	38	80	37
95	„ „ granulosa	18	30	17	30
142	„ „ lateralis	70	14	51	7
38	„ „ sicca	18	1	17	2
7	„ „ syphilica	3	1	2	1
3	Uvula bifida 2, Uranoschisis 1	—	1	1	1
4	Peritonsillarabsceß	1	—	2	1
5	Papilloma uvulae	4	—	1	—
5	Paresis palati mollis	1	—	2	2
2	Lupus faucium	—	—	2	—
191	Hypertrophia tonsill. palatin.. .	18	84	19	70
397	„ „ pharyng.	11	197	13	176
11	Laryngitis acuta	4	3	4	—
32	„ chronica	22	—	8	2
2	„ syphilitica	2	—	—	—
2	„ sicca	1	—	1	—
5	Pachydermia laryngis	4	—	1	—
4	Polypus laryngis	3	—	1	—
1	Trauma laryngis	—	—	—	1
8	Tuberculosis laryngis	3	—	5	—
1	Corpus alienum	—	—	1	—
2	Hysterische Stimmbandlähmung	—	—	2	—
3099		1048	690	726	635
7921	Summa aller Krankheitsfälle .	2776	1893	1583	1669

| Sitz der Krankheit | Summa | Männlich | | Weiblich | | Erkrankte Seite | | |
		Erwachs.	Kinder	Erwachs.	Kinder	Rechts	Links	Beiders.
Äußeres Ohr 26,09 %	1258	489	254	261	245	409	444	405
Mittelohr 68,48 %	3302	1042	931	558	771	830	956	1516
Inneres Ohr 5,43 %	262	188	18	38	18	28	44	190
Summa der Ohrenkrankheiten 60,88 %	4822	1728	1203	857	1034	1267	1444	2111
Nase 53,40 %	1654	661	279	469	245			
Rachen 44,43 %	1377	348	408	234	387			
Kehlkopf 2,17 %	68	39	3	23	3			
Summa der Nasen- und Halskrankheiten 39,12 %	3099	1048	690	726	635			
	7921	2776	1893	1583	1669			

Von den Ohrenkrankheiten waren mithin einseitig 56,22 Proz., beiderseitig 43,78 Proz., und die einseitigen Affektionen betrafen in 26,27 Proz. das rechte, in 29,95 Proz. das linke Ohr.

Die Erkrankungen des äußeren Ohres betrafen in 59,78 Proz. der Fälle das männliche, in 40,22 Proz. das weibliche Geschlecht, die Erkrankungen des Mittelohres das männliche in 59,75 Proz., das weibliche in 40,25 Proz. und die Erkrankungen des inneren Ohres das männliche in 78,63 Proz., das weibliche in 21,37 Proz. der Fälle. Bei den Erkrankungen des äußeren Ohres waren 60,34 Proz. Erwachsene, 39,66 Proz. Kinder, bei den Erkrankungen des Mittelohres 48,45 Proz. Erwachsene, 51,55 Proz. Kinder, bei den Erkrankungen des inneren Ohres 86,26 Proz. Erwachsene, 13,74 Proz. Kinder beteiligt.

Nasen- und Halsaffektionen wurden in 56,08 Proz. bei männlichen, in 43,92 Proz. bei weiblichen Kranken, in 57,24 Proz. bei Erwachsenen, in 42,76 Proz. bei Kindern beobachtet.

Die Verteilung der einzelnen Fälle auf die verschiedenen Erkrankungsformen nach Alter, Geschlecht und betroffener Seite ist aus Tabelle I, die der hauptsächlichen Operationen aus Tabelle II zu ersehen.

Tabelle II.

Operationstabelle.

I. Ohroperationen.

Plastik bei Mikrotie	1
Inzision von Furunkeln und Abszessen	58
Inzision bei Othaematom	1
Extraktion von Fremdkörpern	8
Paracentesen	527
Extraktion von Hammer und Amboß	34
Polypenextraktion	71
Wildescher Schnitt	8
Typische Mastoidoperation nach Schwartze	28
Totalaufmeißelung	63
Lumbalpunktion	9
	803

II. Operation in Nase, Rachen, Kehlkopf.

Submuköse Septumresektion	139
Conchotomie	180
Siebbein-Ausräumung	123
Keilbein-Ausräumung	4
Kieferhöhlen-Punktion	38
Kieferhöhlen-Totalaufmeißelung	16
Stirnhöhlen-Aufmeißelung	5
Synechotomie	3
Inzision von Septumabszessen	2
Lupus-Curettement	5
Fremdkörper-Extraktion (Nase)	8
Inzision von peritonsillären Abszessen	5
Tonsillotomie (beiderseitige doppelt gezählt)	198
Adenotomie (Rachenmandel)	316
Abtragung von Seitensträngen	7
Extraktion von Kehlkopfpolypen	2
Entfernung eines Fremdkörpers aus dem Layrnx . . .	1
Exzisionen im Larynx	3
	1055
Summa .	1858

Bericht über die Mastoidoperationen. — A. Totalaufmeißelungen.

Nr.	Name	Alter in Jahren	Diagnose	Dauer der Behandlung klinisch	überhaupt	Resultat	Gehör	Bemerkungen
1	Fahrenberg, Minna, Göttingen	20	Otit. med. supp. chron. (Cholesteatom) dextra	—	3 Mon.	Geheilt	19 cm Uhr, 7 m Flusterspr.	Extradurabaseß der mittleren Schädelgrube, Sinus u. Bulbusthrombose. Lungenmetastase, Pleuritisempyem (Punktion). Jugularisunterbindung.
2	Wiegmann, Albert, Göttingen	6	Otit. med. suppur. chron. sin.	1 Monat.	—	Mehrfach trocken gewesen, immer wieder Tubeneiterung	.	Transplantation nichtgelungen. Retroauriculäre Plastik (Passow-Trautmann).
3	Biemann, Otto, Niedergebra	9	Otit. med. suppur. chron. bil. (Cholesteatom)	3½ Mon.	3½ Mon.	Geheilt r.	.	Auf der linken Seite Ossiculaexzision.
4	Steinbrecher, Charlotte, Schönstedt	44	Otit. med. supp. chron. sin.	2½ Mon.	3 Mon.	Geheilt	.	
5	Krawinkel, Joseph, Herste	31	Otit. med. supp. chron. dextra	5 Wochen	5 Wochen	Geheilt	2 m Flusterspr.	
6	Funke, Christoph, Göttingen	57	Otit. med. supp. chron. dextra (Cholesteatom)	1 Mon.	6 Mon.	Trocken	22 cm für Uhr, 4 m Flusterspr.	Seit kurzem besteht wieder geringe Eiterung.
7	Jung, Martin, Frankenhausen	14	Otit. med. supp. chron. sin. (Cholesteatom)	7 Mon.	7½ Mon.	Geheilt		

No.	Name	Alter	Diagnose			Erfolg		Bemerkungen
8	Jung, Martin, Frankenhausen	14	Otit. med. supp. chron. dextra (Cholesteatom)	5 Mon.	6 Mon.	Geheilt	ada. für Uhr, 1 Fuß Flüsterspr.	Sinusthrombose, Kleinhirnabszeß, Stauungspapille, bds. Lähmung der unteren Extremitäten m. konsekutiver Atrophie. Jugularisunterbindung.
9	Deppe, Willy, Hannover	19	Otit. med. supp. acuta dextra	5 Mon.	5 Mon.	Geheilt	2 cm	Abszeß im unteren Wundwinkel.
10	Faust, Amalie, Göttingen	46	Otit. med. supp. chron. bil. (Cholesteatom)	1 Mon.	3 Mon.	Geheilt		
11	Sudhoff, Marie, Nörten	23	Otit. med. supp. chron. sin.	2 Mon.	2 Mon.	Geheilt	22 cm Uhr, 12 m Flüsterspr.	
12	Herwig, Theodor, Oedelsheim	12	Otit. med. supp. chron. dextra	2 Mon.	2 Mon.	Geheilt	ada. Uhr, ½ Fuß Flüsterspr.	
13	Schilling, Elise, Göttingen	34	Otit. med. supp. chron. dextra	4 Wochen	6 Mon.	Geheilt	10 cm Uhr, 4 m Flüsterspr.	
14	Warlich, Justus, Göttingen	43	Otit. med. supp. chron. sin. (Cholesteatom)	3 Wochen	3 Mon.	Trocken		
15	Körber, Lina, Göttingen	13	Otit. med. supp. chron. dextra	2 Mon.	10 Mon.	Trocken		Mehrere Wochen vor der Aufnahme entstandene Facialisparese ging post operationem allmählich zurück. Transplantation nach Thiersch in die Wundhöhle, z. T. wachsen die Lappen auf.

Nr.	Name	Alter in Jahren	Diagnose	Dauer der Behandlung		Resultat	Gehör	Bemerkungen
				klinisch	überhaupt			
16	Schütte, Heinrich, Holzminden	15	Otit. med. supp. chron. sin.	5 Tage	—	Exitus		Cavernosusthrombose mit starkem Ödem der beiderseitigen Augenlider und der linken Wange u. u.
17	Hantje, Anna, Ballenhausen	26	Otit. med. supp. chron. sin.	6 Wochen	4 Mon.	Trocken	3 m Flüsterspr.	Transplantiert nach Thiersch, z. T. wachsen die Lappen an.
18	Friedrichs, Karl, Bebra	4	Otit. med. supp. chron. sin.	2½ Mon.	3½ Mon.	Geheilt		Osteomyelitis: Die ganze Schläfenbeinschuppe wurde bei der Operation als Sequester entfernt.
19	Förster, Lina, Kassel	42	Otit. med. supp. chron. (Cholesteatom)	7 Wochen	7 Wochen	Geheilt	Verschärfte Fl'usterspr.	Es besteht noch sehr lange ein unsicheres Gefühl beim Gehen im Dunkeln.
20	Bötcher, Berthold, Göttingen	20	Otit. med. supp. chron. dextra (Cholesteatom)	11 Wochen	11 Wochen	Geheilt		Sinusthrombose. Papillitis links. April 1907 wieder etwas Eiter.
21	Lieberknecht, Anna, Eschwege	19	Otit. med. supp. chron. dextra	3 Mon.	5 Mon.	Geheilt	3 cm Uhr, 1½ m Flüsterspr.	Transplantat. nach Thiersch. Trotzdem alle Lappen aufwachsen, Verzögerung der vollkommenen Heilung.
22	Ulrich, Martha, Bockenem	13	Corpus alienum sin. (Erbse)	9 Wochen	9 Wochen	Geheilt		Die festeingekeilte Erbse kann erst nach Entfernung des lateralen Attikus entfernt werden.
23	Müller, Johann, Abtessingen	51	Otit. med. supp. chron. links (Cholesteatom)	5½ Wochen	5½ Wochen	Geheilt		
24	Ahlborn, Heinrich, Geismar	16	Otit. med. supp. chron. dextra	7 Mon.	7 Mon.	Geheilt		
25	Andreae, Max, Göttingen	22	Otit. med. supp. chron. sin.	—	—	Geheilt		Z. Zt. anderweitig im Lazarett weiter behandelt.

Nr.	Name	Alter	Diagnose			Resultat	Hörweite	Bemerkungen
26	Dingelthal, Alwin, Schönstedt	31	Otit. med. supp. chron.	2 Mon.	4 Mon.	Geheilt	1¼ m Flüsterspr.	Extraduralabsceß, Sinusthrombose (gutartige), Cerebellarabsceß, Stauungspapille.
27	Krüger, Wilhelm, Seesen	17	Otit. med. supp. chron. dextra (Cholesteatom)	3 Mon.	3 Mon.	Geheilt	4 m Höterspr.	
28	Meyenberg, Anna, Langenholtensen	18	Otit. med. supp. chron. sin.	1¾ Mon.	2 Mon.	Geheilt	11 cm, 5 m Flüsterspr.	
29	Brinkhoff, Heinrich, Blasheim b. Lübbecke	23	Ot. med. supp. chron. sin.	5½ Woche	5½ Woche	Geheilt		
30	Meyer, Friedrich, Hohenrode	52	Ot. med. supp. hm. extra	6 Mon.	6 Mon.	Trocken. Nicht geheilt		Stapes wurde nach 4 Monaten abgestoßen. — Facialparalyse. — Promontorium wurde nicht von Granulation bedeckt, es bereitet sich offenbar eine Sequestrierung vor. — Parotis beteiligt, Inzisionen. — Zwei Speichelfisteln heilten nach Abstoßung der eiternden Parotisteile. Bier'sche Stauung ohne Erfolg. — Erysipel 5 Tage in der 5. Woche. — Auf Wunsch entlassen.
30	Junkel, Adolf, Holtensen	6	Otit. med. supp. chron. bil. (Cholesteatom)	2 Mon.	9 Mon.	Kurze Zeit trocken, eitert noch. Geheilt	ad c. 1 Fuß Flüsterspr.	Tubeneiterung.
31	Döhne, Johannes, Breitenbach b. Kassel	43	Otit. med. supp. chron. sin. (Cholesteatom)	7 Wochen	3 Mon.	Geheilt		Die mehrere Monate vorher bestandene Facialisparese fast ganz post operationem allmählich geheilt.
32	Walther, Eduard, Mehrstedt	42	Otit. med. supp. chron. sin.	6 Wochen	8 Mon.	Geheilt	6 cm Uhr	

Nr.	Name	Alter in Jahren	Diagnose	Dauer der Behandlung		Resultat	Gehör	Bemerkungen
				klinisch	überhaupt			
34	Kistner, Paul, Langensalza	15	Otit. med. supp. chron. sin.	7 Wochen	7 Wochen	Geheilt	12 m Flusterspr.	
35	Heinemeyer, Luise, Markoldendorf	28	Otit. med. supp. chron. sin. (Cholesteatom)	5 Wochen	5 Wochen	Geheilt	1½ m Flusterspr.	
36	Heise, Theodor, Ischenrode	19	Otit. med. supp. chron. sin.	6 Mon.	7½ Mon.	Trocken	2 cm Uhr, 7 m Flusterspr.	
37	Krauer, Anna, Niedersachswerfen	15	Otit. med. supp. chron. sin.				1 cm Uhr, 2 Fuß Flusterspr.	Aus der Behandlung fortgeblieben.
38	Lieber, Alma, Lehrte	22	Otit. med. supp. chron. dextra (Cholesteatom)	7 Wochen	9 Wochen	Trocken		
39	Bollmann, Albert, Göttingen	17	Otit. med. supp. chron. sin. (Cholesteatom)	6 Wochen	6½ Mon.	Trocken	6 cm Uhr, 2½ m Flusterspr.	Purpura rheumatica während der Nachbehandl. acquiriert.
40	Grzozeziak, Aegidius, Göttingen	22	Otit. med. supp. chron. dextra	6 Wochen	6 Wochen	Geheilt	1 cm Uhr, Sprache 3 m	
41	Oppermann, Friedrich, Eiershausen	14	Otit. med. supp. chron. dextra	2½ Mon.	5 Mon.	Geheilt	3 cm Uhr, ½ m Flusterspr.	
42	Pinkepank, Auguste, Alfeld	56	Otit. med. supp. chron. sin. (Cholesteatom)	2½ Mon.	4 Mon.	Geheilt	1 m Flusterspr.	
43	Hennicke, Alma, Mühlhausen	28	Otit. med. supp. chron. sinistra			Unbekannt		Aus der Behandlung fortgeblieben.
44	Stephan, Sophie, Haste	18	Otit. med. supp. chron. sinistra			Geheilt	ad e. Uhr, ½ Fuß Flusterspr.	

Nr.	Name	Alter	Diagnose	Dauer	Dauer	Erfolg		Bemerkungen
45	Rabe, Luise, Breitenworbis	27	Otit. med. supp. chron. bil. (Cholesteatom)	2 Mon.	2 Mon.	Geheilt		Ausgedehnte Caries. Kiefergelenk durch Caries der vorderen Gehörgangswand weit offen. Am Tubenostium ausgedehnte Caries. Für Tuberkulose histologisch kein Anhaltspunkt gefunden. — Trotz wiederholter Transplantation keine Epidermisierung erreicht.
46	Orban, Minna, Holzminden	23	Otit. med. supp. chron. dextra	3½ Mon.	3½ Mon.	Trocken		
47	Orban, Minna, Holzminden	23	Otit. med. supp. chron. sinistra	5 Mon.	5 Mon.	Nicht geheilt		
48	Steinwachs, Fritz, Escherhausen	29	Otit. med. supp. chron. bil. (Colesteatom)	6 Wochen	6 Wochen	Trocken		
49	Cattmann, Wilhelm, Einbeck	21	Otit. med. supp. chron. dextra	9 Wochen	9 Wochen	Geheilt	ad o. Uhr	
50	Grube, Dorette, Göttingen	37	Otit. med. supp. chron. dextra	2 Mon.	2 Mon.	Geheilt	1 Fuß Pflasterspr.	
51	Wille, Adolf, Einbeck	3	Otit. med. supp. chron.	7 Wochen	7 Wochen	Trocken		Tumor cerebelli rechts beiders. Stauungspapille. Wegen konstanter Druckempfindlichkeit über Emissarium mastoideum wurde trotz anzunehmender Schleimhauteiterung die Operation gemacht. — Lumbalpunktion ergibt klaren Liquor cerebrospinalis.
52	Diedrich, Auguste, Feldbergen	19	Otit. med. supp. chron.	5 Wochen	5 Wochen	Geheilt	2 cm Uhr, 2 m Pflasterspr.	Erysipel in der 4. Woche, Abszeß am Hinterkopf.
53	Binnewies, Erna, Delligsen	7	Nach Angabe des Arztes sollte das Ohr nach Masern gelaufen haben.	4 Tage	4 Tage	Exitus		Meningitis tuberculosa acuta. Lumbalpunktion ergibt keine Bacillen, viel polynucleäre Leukocyten. Schwach getrübt.

Nr.	Name	Alter in Jahren	Diagnose	Dauer der Behandlung		Resultat	Gehör	Bemerkungen
				klinisch	überhaupt			
54	Ritterling, Karl, Obernjesa	20	Otit. med. supp. chron. sin. (Cholesteatom)	4 Wochen	1½ Mon.	Noch in Behandlung		Patient hatte mehrere Wochen vor der Operation einen fieberhaften Zustand mit zum Teil vollständiger Bewußtlosigkeit. Es bestanden noch schwere Labyrintherscheinungen.
55	Johannig, Karl, Adelebsen	24	Otit. med. supp. chron. dextra	1¾ Mon.	1¾ Mon.	Geheilt	Laute Sprache ins Ohr	
56	Erdmann, August, Ölraßen	18	Otit. med. supp. chron. sinistra	1½ Mon.	1½ Mon.	Noch in Behandlung		
57	Sohlegel, Auguste, Gerstungen	48	Otit. med. supp. chron. dextra	2 Mon.	2 Mon.	Noch in Behandlung		
58	Möhlmann, Wilhelm, Kl.-Schneen	22	Otit. med. supp. chron. dextra (Cholesteatom)	3 Wochen	5 Wochen	Geheilt	Flüsterspr. 1 Fuß	Die Excisio ossiculorum war erfolglos.
59	Woroh, Otto, Höxter	18	Otit. med. supp. chron.	8 Wochen	8 Wochen	Trocken	1½ m Uhr sde.	Außerhalb war eine Wildesche Inzision gemacht, die vernarbt war, darunter neue Eiteransammlung, subperiostal.
60	Dietrich, Adolf, Ebergötsen	14	Otit. med. supp. chron. sinistra			Geheilt	ad c. Uhr ½ m Flüsterspr.	
61	Christian, Willy, Göttingen	8	Otit. med. supp. chron. sinistra	3 Wochen	5 Mon.	Trocken		
62	Köpper, Karl, Schoningen	23	Otit. med. supp. chron. sinistra	3 Mon.	4 Mon.	Geheilt	Laute Sprache ins Ohr	
63	Jacoby, Christian, Döringsdorf	23	Otit. med. supp. chron. sinistra	5 Wochen	5 Wochen	Noch in Behandlung		

B. Typische Aufmeißelungen nach Schwartze.

Nr.	Name	Alter	Diagnose			Erfolg	Maß	Bemerkungen
1	Biel M., Görg, ...gen	11	Otit. med. subacuta.	14 Tage	4 Wochen	Geheilt		Periuinöser Abzeß. In der 4. Whe Erysipel.
2	Schumann, Hulda, Marolterode	26	Otit. med. supp. subacuta sin.	5 Wochen	5 Wochen	Geheilt		Die Erung ist nach Ti aus durch wig an. Regeneration des Trommelfells.
3	Calwer, A, Opperhausen	27	Otit. med. supp. subacuta sin.	10 Wochen	10 Wochen	Geheilt	ad o. Uhr	Periuinöser Abzeß.
4	Baake, Mimm, Grone	19	Otit. med. supp. acuta.	4 Wochen	5 Wochen	Geheilt	19 cm Uhr	Periuinöser Abzeß. Pneumo-mörung.
5	Deppe, Willy, Hannover	19	Otit. med. supp. acuta dextra.	acuta	—	—		Später Totalaufmeißelung.
6	Appel, Philippine, Göttingen	33	Otit. med. supp acuta fm.	14 Tage	3 Wochen	Geheilt		Pneumokokkeneiterung.
7	Kopmann, Fritz, Bisj rode	19	Otit. med. supp. acuta dextra.	5 Wchen	5 Wochen	Geheilt	40 cm	Wandständige Sinusthrombose. — Stauung nach Bier ohne Erfolg.
8	Krull, Meta, ehe	6	Otit. med. supp. acuta sinistra.	4 Wochen	4 Wochen	Geheilt		
9	Meyer, Erna, Göttingen	13	Otit. med. supp acuta.	Wochen	6 Wochen	Geheilt	100 cm Uhr	Sekundäre Osteomyelitis dabei. Durch eine Plastik wird die freiliegende Dura gedeckt.
10	Held, Ludwig, Göttingen	15	Otit. med. supp. acuta tuberculosa sinistra.	10 Mon.	10 Mon.	Trocken.	2 cm Uhr	Tuberoulininjektion.
11	Prinsler, Frieda, Göttingen	47	Otit. med. supp. acuta sinistra.	1 Woche	8 Wochen	Geheilt	150 cm Uhr	In der 4. Woche Erysipel. Abszeß im unteren Augenlid.
12	Hampe, Agnes, Göttingen		Otit. med. supp. acuta sinistra.	4 Wochen	6 Wochen	Geheilt		Periuinöser Abzeß. Septico-pyämie. Sehr hohe Continua. Metastase im Fußgelenk. (Kein Schüttelfrost.)
13	Ohs, Frieda, Sudheim	30	Otit. med. supp. acuta dextra.	8 Wochen	8 Wochen	Geheilt	55 cm Uhr	In der 4. Woche Erysipel.

Nr.	Name	Alter in Jahren	Diagnose	Dauer der Behandlung		Resultat	Gehör	Bemerkungen
				klinisch	überhaupt			
14	Martin, Emma, Göttingen	37	Otit. med. supp. acuta dextra.	14 Tage	3 Wochen	Geheilt	9 cm für Uhr	Stauung nach Bier ohne Erfolg.
15	Oppermann, Frieda, Göttingen	13 Mon.	Otit. med. supp. acuta sinistra.	14 Tage	3 Mon.	Geheilt		
16	Sebode, Martin, Geismar	2	Otit. med. supp. acuta sinistra.	10 Tage	5 Mon.	Geheilt		Subperiostaler Abszeß. Wegleitung durch die Sutura petrosquamosa. Stauung nach Bier ohne Erfolg.
17	Johannes, August, Gr. Freden	30	Otit. med. supp. acuta sinistra.	2 Mon.	2 Mon.	Geheilt	50 cm Uhr	Stauung ohne jeden Erfolg. — Sehr große Terminalzelle. 4½:16. 4 cm in der größten Ausdehnung.
18	Ahrens, Helena, Benterode	5 Mon.	Otit. med. supp. acuta sinistra.	2 Wochen	4 Wochen	Geheilt		
19	Cattmann, Wilhelm, Einbeck	21	Otit. med. supp. acuta sinistra.	4 Wochen	4 Wochen	Geheilt	2 cm Uhr	Stauung nach Bier ohne Erfolg.
20	Ilse, Alma, Albeshausen	5 Mon.	Otit. med. supp. acuta dextra.	1½ Mon.	2 Mon.	Geheilt		Osteomyelitis des Os zygomaticum. — Parotitis abscodens. Inzisionen.
21	Knuppel, Heinrich, Göttingen	2½	Otit. med. supp. acuta sinistra.	3 Wochen	4 Wochen	Geheilt		Scharlach.
22	Laubach, Elise, Schwebda	7	Otit. med. supp. acuta sinistra.	3 Wochen	4 Wochen		5 cm Flüsterspr.	Dabei Drüsenabszeß.
23	Hensel, Helena, Göttingen	7	Otit. med. supp. subacuta dextra.					Noch in Behandlung wegen Eiterung aus dem Mittelohr, retroaurikulär geheilt.

Die Mastoidoperationen wurden stets in Narkose ausgeführt. In geeigneten Fällen, d. h. wo keine Komplikation bestand, keine akute Infektion zu der chronischen hinzugetreten oder keine stärkere Eiterung andauerte und die Übersichtlichkeit nicht in Frage stand, wurde bei der Totalaufmeißelung die primäre Naht der retroaurikulären Wundränder mit Michelschen Klammern ausgeführt. Konnte bei Verzicht auf die primäre oder sekundäre Naht ein Verschluß der retroaurikulären Öffnung nicht erreicht werden, so wurde eine Plastik angewandt.

Bei akuten Prozessen wurde wiederholt die Stauung nach Bier längere Zeit in Anwendung gezogen, ehe die Aufmeißelung nach Schwartze ausgeführt wurde. Trotzdem es öfter zeitweise schien, als ob der Einfluß ein günstiger sei, mußte stets schließlich doch die Operation angeschlossen werden, und wir können daher nur die Erfahrung bestätigen, daß das Zuwarten und die Stauung eine Gefahr in sich bergen kann.

Bei der Hammer-Amboßexzision haben wir zuletzt fast immer die Anästhesie nach Neumann angewandt, die bei Erwachsenen ausgezeichnet ist. Der kleine Einstich mit der Nadel in den Gehörgang wird ohne nennenswerte Beschwerden vertragen, die Analgesie und auch Ischämie ist meist vollkommen. Wir haben zur Anästhesierung Braunsche Tabletten in Aqua destillata gelöst und von der Lösung etwa $^{1}/_{10}$ ccm injiziert. Bei Kindern wird man natürlich die Narkose beibehalten. Wir haben die Anästhesie nach Neumann mit gutem Erfolge auch bei Polypenextraktionen angewandt, und zwar wenn es sich um sehr empfindliche Patienten handelte. Die Patienten haben während der Anästhesie zum Teil von den Eneheiresen, z. B. der Umschneidung des Hammergriffes, kaum eine Empfindung.

Für die Analgesierung der Nasenschleimhaut und auch der übrigen Schleimhäute haben wir mit gutem Erfolge eine 5 proz. Alypinlösung in Paranephrin 1 : 1000 verwandt. Sowohl die Analgesie wie auch die Ischämie war fast ausnahmslos befriedigend. Auch bei der totalen submukösen Septumresektion nach Killian ist in der Poliklinik nur diese Anästhesieform mit gutem Erfolge benutzt worden. Nur beim Larynx benutzten wir eine 20 bis 25 proz. Cocainlösung.

Bei älteren Kindern haben wir die Killiansche Septumoperation, wenn sie aus besonderen Gründen angezeigt war, bisweilen in Narkose und gleichzeitiger lokaler Anästhesierung und Ischämisierung gemacht. Bei den endonasalen Eingriffen

5*

unterlassen wir meistens jede Tamponade. Von der zeitweiligen Benutzung von Stypticinwatte sind wir ganz abgekommen, nachdem die Firma E. Merck die von uns hervorgehobenen Mängel des Präparates nicht beseitigt hat (siehe Uffenorde, Arch. f. Laryng. 18. Bd. 2. Heft). Bei stärkerer Blutung schieben wir jetzt einen Gazebeutel ein und tamponieren Stypticinwatte hinein, bis die Blutung steht.

Von den behandelten Fällen von Mittelohreiterung sind mehrere wegen ihrer Komplikationen bereits an anderer Stelle veröffentlicht worden.

(Fall Deppe, Arch. f. Ohrenheilk. 67. Fall Fahrenberg, Deutsche med. Wochenschr. 36.)

Einige weitere Fälle mögen hier noch kurz angeführt sein.

Ilse, Alma, 5 Monate alt, Albeshausen, Schuhmacherskind. Aufgenommen am 7. Febr. Anamnese. Das Kind wird seit mehreren Wochen behandelt. Der Arzt hat h. o. in der Insertionslinie der Auricula insidiert, es besteht noch immer Schwellung über und auch vor der Ohrmuschel, auch die Parotis ist beteiligt.

Status praesens: Blasses, aber gut entwickeltes Kind. Die inneren Organe der Brust und Bauchhöhle ohne Bes. Die Reflexe sind erhalten. Linkes Ohr ohne Bes.

Rechts besteht eine Fistel h. o. in der Insertionslinie der Auricula, hinter, über und auch vor der Auricula Schwellung ohne Fluktuation. Die in die Fistel eingeführte Sonde läßt einen Kanal nicht deutlich erkennen. Bei Druck auf die Schwellung entleert sich Eiter aus der Fistel.

Im Gehörgange zeigt sich Schwellung, Sekret. Das Trommelfellbild ist nicht deutlich.

Am 8. Febr. wird in Chloroformnarkose die typische Operation ausgeführt. Dabei wird ein Fistelgang aufgedeckt, der von Granulationen verlegt ist. Das eröffnete Antrum zeigt Schleimhautschwellung. Scharfer Löffel. Nach vorn läßt sich keine Verbindung durch Sonde nachweisen. Jodoformgazetamponade. Verband.

19. Febr. Temperatur 39°. Stärkere Schwellung vor der Ohrmuschel. Es entleert sich noch immer Eiter aus der retroaurikulären Wunde bei Druck auf die Schwellung. Kein Fluktuationsgefühl. Bei dem erneuten Versuche mit der Sonde von der Operationswunde aus nach vorn vorzudringen, gelangte man plötzlich bis zum äußeren Orbitalrande.

Operation in Narkose.

20. Febr. Spaltung der Weichteile über der eingeführten Hohlsonde, ansetzend am oberen Schnittwinkel der früheren Operationswunde bis zum lateralen Orbitalrande rechts, entsprechend dem Jochbogensitze. In der Tiefe findet man schmierig verändertes Granulationsgewebe, welches an Stelle des Jochbeins und in die Flügelgaumengrube hinein sich erstreckt. Der Hohlraum mit dem veränderten Gewebe hat mehrere tiefe Nischen. Das Jochbein fehlt ganz. Der Ansatz des m. temporalis acc. seu proc. coronoideus mandibulae ist isoliert, aber intakt. Auschabung der Granulationsmassen mit dem scharfen Löffel. Jodoformgazetamponade. — Verband.

2. März. Noch Schwellung in Parotisgegend. 38°.

10. März. Schwellung der Parotis sehr weich. Eine kleine Probeinzision ergibt keinen Eiter. 1 Naht.

27. März. Unterhalb üder Parotis umschriebene Vorwölbung. Insision ergibt reichlich Eiter.

10. April. Geheilt entlassen. Das Kind hat sich erholt, besonders da der Appetit stets gut geblieben. Die obere Narbe ist etwas eingezogen.

Epikritische Bemerkungen: Bei dem 5 Monate alten Kinde hat es sich offenbar um eine akute Osteomyelitis des Os zygomaticum gehandelt mit stärkerer Schwellung der Weichteile. Der behandelnde Arzt hat die Phlegmone für otogener Natur gehalten und inzidiert. Die ausgeführte typische Operation nach Schwartze hat dann den hinteren Jochbogenansatz mit freigelegt, und nun konnte der Eiter nach hinten ausgedrückt werden. Der bei geeigneter Sondenbiegung aufgefundene Kanal indizierte die Nekrotomie. Die andauernde Schwellung der Parotis wurde von einem tiefsitzenden Herde unterhalten, der sich endlich unten unter der Parotis hindurch vorwölbte. Die Erkennung des eigentlichen Prozesses war hier durch die außerhalb ausgeführten Maßnahmen sehr erschwert. Wie weit das Mittelohr und seine Adnexe von vornherein beteiligt waren, ist schwer zu entscheiden, die Mittelohreiterung scheint jedenfalls erst später aufgetreten zu sein.

2. Kopmann, Fritz, 21 Jahr, Bisperode, Dachdecker. Bei dem Patienten war wegen bestehender Mastoiditis nach akuter Mittelohreiterung mit Temperatursteigerung bis 38.5°, Kopfschmerzen uud sehr reichlicher eitriger Sekretion die typische Aufmeißelung gemacht. Die Stauung nach Bier hatte keinerlei Einfluß gehabt. Im übrigen Befunde boten sich keine Besonderheiten: Patient leidet seit langer Zeit an Magendarmkatarrhen.

Operationsbericht: 5. April 06. In Chloroformnarkose. Typische Aufmeißelung.

Weichteile speckig infiltriert. Corticalis zeigt viele Blutpunkte.

Die Schleimhant der Zellen geschwollen, blutreich. Sehr spongiöser Warzenfortsatz. Zwei große Terminalzellen freigelegt. Wenig freier Eiter. Der Sinus wird in geringer Ausdehnung aufgedeckt. Jodoformgazetamponade. Verband.

10. April. Wieder Temperaturanstieg. Kopfschmerzen.

11. April. 40,8°. Viel Eiterung aus der Wundhöhle. Appetit schlecht.

12. April. Morgens 38,4°. Vor der Vorbereitung zur weiteren Freilegung des Sinus lateralis wird die freiliegende gelbschmutzig verfärbte Sinuswand sauber getupft. Dabei hebt sich die nekrotische Sinuswand ab, plötzlich Blutung aus dem Sinus. Die Sonde dringt ohne weiteres in das Sinuslumen vor. Jodoformgazetamponade, ohne den Sinus zu komprimieren. Die verfärbte Stelle war linsengroß; die erweichte Stelle ist so groß, daß grade eine Meyersche Sonde eindringen kann.

13. April. Temperatur ist sofort abgefallen.

15. Mai. Geheilt entlassen.

Epikritische Bemerkungen: Der Fall zeigt einmal die Möglichkeit der Infektion der freigelegten Sinuswand (Panse, Zeroni, Grunert u. a.). Wie weit dabei die lange Zeit bestandenen Magendarmerkrankungen disponierend mitgewirkt

haben, ist schwer zu sagen. Besonders interessant ist aber die
Beeinflußung der Temperatur und der übrigen Beschwerden
nach Entfernung der veränderten Partie der Sinuswand, die geradezu den Wert eines Experimentes beanspruchen konnte. —
Die Temperatur fiel nach der Entfernung der wandständigen
Thrombose prompt ab. — Wir haben sonst niemals eine Entzündung der freigelegten Dura mater gesehen.

3. Wilhelm Krüger, 17. J. Malermeistersohn, Seesen, kam am
9. April 06 in unsere Ohrenklinik mit starkem Kopfschmerz, starkem Schwindelgefühl und taumelndem Gang.

Seit 8 Jahren bestand rechts eine Mittelohreiterung. Damals schon
war eine Anschwellung hinter dem rechten Ohre entstanden, die auch den
Kiefermuskel ausgefüllt hatte. Nach mehreren Inzisionen war die Anschwellung beseitigt, die Mittelohreiterung hatte fortbestanden. Seit 10 Tagen
klagt Patient über leichte Ermüdung, Reizbarkeit, Kopfschmerzen. Seit
8 Tagen hat die Eiterung sistiert, es sind stärkere Kopfschmerzen, taumelnder Gang, Klopfgefühl und starkes Brausen, starke Druckempfindlichkeit
hinter dem Ohre aufgetreten.

Der Ohrbefund war folgender.

Gehörgang stark stenosiert, Epidermisschollen darin, die sehr fötid
sind. Trommelfell nicht sichtbar zu machen. Retroaurikulär bestand geringe Schwellung, aber starke Druckempfindlichkeit. 2 Inzisionsnarben auf
dem Processus mastoideus sichtbar.

Funktionsprüfung ergab:

Rechts Knochenleitung negativ. Perzeptionsdauer 11 Sek. Weber wird
vor der Concha nicht gehört. Weber ist kontralateralisiert. Rinne negativ.
Links ohne Bef. normal. Ohr + 100 cm, Knochenleitung erhalten. Perzeptionsdauer 14 Sek., Rinne +. Weber +.

Objektiv ist kein Schwindel mit einfachen Versuchen auslösbar. Der
Gang ist sehr unsicher, vor allem mit geschlossenen Augen abweichend nach
rechts. Temperatur 39,5°. Schüttelfrost hat nicht bestanden.

Diagnose: Otit. med. suppur. chron. dextra mit Cholesteatom. Kleinhirnabszeß (?).

Status praesens: Sensorium frei. Patellar-Cremaster-Bauchdecken-
reflexe erhalten. Pupillen gleich weit. Nystagmus unregelmäßig. Am Cor
systolisches Geräusch, an der Spitze keine Vorbreiterung. II. Pulmonal-
ton nicht verstärkt. Lunge ohne Besonderheit, ebenso zeigt das Abdomen
keine Veränderungen. — Urin ist ohne nachweisbare Beimengungen. Es
besteht starker Foetor ex ore. Rechts besteht Stauungspapille. Papillen-
grenze vollkommen verwischt, über der Lamina cribrosa ist ein Exsudat
nachweisbar.

10. April. Operation in Chloroformnarkose:

Weichteile wenig verändert. Cortikalis mittelstark, sehr höckerige
Oberfläche (offenbar von dem alten Prozesse herrührend), besonders in der
hinteren oberen Circumferenz des Porus acusticus externus. Spina supra
meatum stark entwickelt. Beim Eröffnen des Antrum dringt plötzlich unter
kräftigen Pulsationen eine große Menge sehr fötiden Eiters hervor, ca. 2 Eßlöffel voll. Der Eiterstrom wird zuweilen durch Aufdrücken von Gazekom-
pressen unterbrochen, um eine zu plötzliche Ausdehnung des Cerebrum zu
vermeiden. Pauke, Atticus und Antrum sind fast total in Cholesteatommasse
und Granulationsgewebe erfüllt. Auricula stark kariös. Dura mater der mittleren Schädelgrube erweist sich als frei von Veränderungen. Die Dura mater
der hinteren Schädelgrube wird in der Ausdehnung der Hohlhand eines
kleinen Kindes freigelegt. Sie wölbt sich im ganzen stark vor, besonders aber
eine mit eitrig infiltrierten Granulationen bedeckte mittlere Partie. Es ist
nicht möglich, die Sinuswand von der übrigen Dura zu differenzieren, trotzdem die Dura bis zu der mittleren Schädelgrube über den Tentoriumansatz

hinaus freigelegt wird. An der vermutlichen Sinuswand wird eine Inzision gemacht, die oben nur gelbverfärbtes Granulationsgewebe erkennen läßt. Um die Dura mater genügend freilegen zu können, werden zwei Entlastungsschnitte durch die äußeren Weichteile nötig. Auf der gelbdurchscheinenden umschriebenen Vorwölbung werden mit einem schmalen Skalpell 3 Punktionen ins Cerebellum gemacht, die mit Peance erweitert werden, kein Eiter. Nach Resektion des lateralen Teiles der hinteren Felsenbeinwand läßt sich die Dura mater abheben und bis zum Saccus endolymphaticus übersehen; sie ist gelblich verfärbt. Nach vorn ist die Pars mastoidea über den Digastricusansatz hinaus, bis nahe an den Bulbus der vena jugularis fortgenommen, die Sinuswand ist auch hier grüngelblich verfärbt. Am Emissarium mastoideum, welches nicht blutet, ist die Corticalis rauh, oberflächlich kariös. Die Granulationen sind hier grauschwarz verfärbt, ebenso die äußeren Weichteile. Pansesche Plastik. 2 Klammernähte an dem unteren Schnittwinkel. Jodoformgazetamponade. Verband.

12. April. Papillargrenzen klarer, noch leicht verwaschen.

15. April. 5 Nähte an den Schnittwinkeln angebracht. Dura mater pulsiert.

28. April. Wieder 5 Nähte angebracht, teils nur um die Weichteile einander zu nähern, was aber mißlingt, da die Nähte einschneiden. Die Epidermisierung ist gut fortgeschritten, auch in der Pauke. Die Dura mater hat sich vollkommen gereinigt und ist mit gesunden, dünnen Granulationspolster bedeckt.

1. Mai. Plastik nach Lyssenkow in Chloroformnarkose:

Operationsbericht: Nach sehr gründlicher Vorbereitung des Operationsgebietes wird die bereits auf die Wundfläche übergewanderte Epidermis mit einer Pinzette leicht abgezogen. Die zu deckende Wundfläche hat eine dreiseitige Gestalt. Auf die hintere Seite dieses Dreiecks wird ein etwa 6 cm langer Hautschnitt gesetzt, der nach dem Tuber parietale hinläuft. Er geht in die Tiefe bis auf die Galea. Nachdem von hier aus die oberflächlichen Weichteile zurückpräpariert sind, wird darunter ein dreiseitiger Periostlappen umschnitten, der dem zu deckenden Defekte entspricht. Mit einem Flachmeißel wird dann die Tabula externa von dem Periostschnitte aus von allen Seiten abgemeißelt bis auf einen schmalen Streifen längs der hinteren Seite der zu deckenden Fläche. Der gebildete Periostknochenlappen wird dann umgeklappt, so daß das Periost auf die Wundfläche zu liegen kommt und die Diploefläche nach außen. Die zurückpräparierten äußeren Weichteile werden dann mit Michelschen Klammernähten über der Tabula interna vereinigt.

Nach sorgfältiger Blutstillung wird auf die freiliegende Knochenfläche nach Thiersch vom Arme transplantiert. Silk, Verband.

21. Mai. Die Epidermisierung der retroaurikulären Wundfläche ist noch nicht vollständig.

Seit zwei Tagen leichte Kopfschmerzen. Plötzlich nachmittags Übelkeit, beim Aufrichten des Körpers Sausen im Ohr, Erbrechen, starkes Schwindelgefühl, welches rasch vorübergeht.

Der Augenhintergrund ist normal. Objektiv kein Schwindel nachweisbar. Puls 80. Leichte Unsicherheit beim Gehen. Reflexe leicht gesteigert.

25. Mai. Patient hat wiederholt Schwindelanfälle bekommen, ist auch beim Aufstehen, nach der kranken Seite, hingefallen. Erbrechen. Die Erscheinungen kommen ohne Vorboten und anfallsweise. Temperatur zwischen 35,7—37,6°. Puls 60—68. Anorexie, Magenbeschwerden. Kein Stuhlgang. Augenhintergrund normal. Babinski bds. positiv. Kein Fußklonus. Starker Nystagmus nach der kranken Seite, im schwächeren Grade auch nach der gesunden. Kopfschmerz über Occiput. Beim Erbrechen hat Patient die Empfindung, als ob alles auf dem Kopfe stände, er sieht die Schwester auf dem Kopfe stehen usw. Auch beim ruhigen Liegen im Bette treten die Erscheinungen auf, er sucht sich festzuhalten.

24. Mai. Sensorium und Besinnlichkeit frei. Puls 60—68. Keine Kopfschmerzen. Temperatur 35,5—37,5°. Gegen abend plötzlich Schwindel,

wiederholtes Erbrechen. **Mattigkeit.** Schweißausbruch. Bisweilen Leichen-
blässe, und kühl. Temperatur 35,1,°. Puls cephalisch, 64.

Abends 9 Uhr Operation in Chloroformnarkose: Entfernung des Knochens
von dem aufgelegten Plastiklappen. Punktion mit Skalpell nach hinten und
etwas nach unten, nach Dilatation mit Kornzange kommen dicke geballte Eitermengen hervor. Spaltung der Dura, soweit es die Knochenlücke gestattet.
Mit Hilfe eines mittellangen K i l l i a n schen Nasenspeculum kann man die
Abszeßhöhle abzuleuchten, es handelt sich um eine ziemlich geräumige Abszeßhöhle, die nach hinten und unten einen Rezessus hat. Es besteht offenbar
schon eine Abszeßkapsel. Einführung eines Glasdrains, der mit Jodoformgaze umwickelt wird. Verband.

20. Juni. Drain aus der Hirnwunde fortgelassen, diese noch nicht
überhäutet. Es hat kein Abfluß von Liquor cerebrospinalis bestanden. B i e r-
sche Stauung angewandt.

8. Juli. Geheilt entlassen. Die Gehirnwunde hat sich geschlossen,
die Periostschicht auf der Dura (Plastik) ist gut epidermisiert. Ebenso ist
die Totalaufmeißelungshöhle gut überhäutet. Perzeptionsdauer rechts 13 Sek.
Knochenleitung fehlt. Weber lateralisiert. Flüstersprache rechts 4 m. Kein
Schwindel. Kein Sausen. Es besteht noch rotatorischer Nystagmus nach
der kranken Seite, der nach der gesunden Seite ist zurückgegangen (N e u -
m a n n), B a b i n s k i noch positiv. Reflexe noch gesteigert. Wohlbefinden.

Epikritische Bemerkungen: Die schweren Erscheinungen, besonders die Enfzündung der Sehnervenscheide, die starken Schwindelerscheinungen, taumelnder Gang usw. ließen an
eine Beteiligung des Kleinhirns denken, zumal das Labyrinth der
erkrankten Seite bei der hohen Perzeptionsdauer nicht stärker
beteiligt zu sein schien. Die umschriebene gelbdurchscheinende
vorgetriebene Partie der veränderten Kleinhirndura ließ an einen
Abszeß denken. Es hat sich aber offenbar nur um einen großen
Extraduralabszeß mit starker Druckwirkung auf das Cerebellum
gehandelt. Durch die Inzision ist dann wohl der 6 Wochen
später sich manifestierende Kleinhirnabszeß induziert. Die Symptome sind sehr typisch.

Die Plastik, die den übrigen angewandten Methoden (K a -
r e w s k i, G e r b e r u. a.) wohl vorzuziehen ist und von v. B e r g-
m a n n in seinen Chirurgischen Gehirnkrankheiten für die
Deckung von nasoethmoidalen Encephalocelenpforten zitiert ist,
wurde zwecks Aufdeckung des cerebellaren Abszesses wohl beeinträchtigt, aber der zurückbleibende Periostlappen gab der ge-
fährdeten Stelle eine gute Stütze und wird eine Knochenlamelle
regenerieren. Wir haben die Plastik mit ausgezeichnetem Erfolge
noch in einem anderen Falle benutzt. Wenn eine Gefahr besteht, daß die Dura, die in größerer Ausdehnung freigelegt werden mußte, nur ein geringes Granulationspolster bekommt, und
die womöglich infolge starker Veränderung ihre Knochenbil-
dungsfähigkeit eingebüßt hat, nicht genügend geschützt ist, und
infolge des Hirndruckes auch prolabieren, nekrotisch werden

kann, so wird die Plastik sehr zweckmäßig sein. Solche Fälle werden immerhin seltener sein.

4. **Hesse, Berta**, Dienstmädchen, Erbsen. Nach Extraktion von zwei Zähnen sind starke Schmerzen in der linken Gesichtshälfte aufgetreten. Es konnten damals in der Nase keinerlei Anhaltspunkte für eine Kieferhöhlenaffektion gefunden werden. Dann vom Augenarzte geschickt, es ist Exophthalmus und Doppelsehen aufgetreten.

Status praesens: Der übrige Körperbefund ergibt keine Besonderheiten. Das Auge ist nach der linken Seite und etwas nach oben vorgetreten. Am inneren unteren Orbitalrande fühlt man eine derbe Verdichtung, die empfindlich ist. Der Bulbus zeigt keine Veränderungen. In der Nase ist jetzt links wenig eitriges Sekret sichtbar. Die Punktion der Kieferhöhle vom unteren Nasengange aus ergibt fötiden Eiter.

8. September Kieferhöhlentotalaufmeißelung nach Luc-Caldwell in Chloroformnarkose.

Die Schleimhaut der Kieferhöhle ist stark geschwollen, schwammig. Nach gründlicher Säuberung der orbitalen Wand der Höhle sieht man ziemlich von hinten medial aus der Orbita Eiter hervorkommen, der sehr fötid ist. Eine kleine stecknadelkopfgroße Fistel soudierbar. Resektion des Orbitabodens mit Schonung des Canalis infraorbitaeis. Man sieht hier Granulationsgewebe, welches mit Eiter bedeckt ist. Plastik des unteren Nasenganges Resektion der knöchernen Wand, Einschlagen des Lappens. Die untere Muschel wird intakt gelassen. Austupfen mit physiologischer Kochsalzlösung. Beuteltamponade. Xeroformgaze.

28. November. Entlassen. Der Bulbus hat sich ganz zurückgebildet, keine Doppelbilder mehr. Die Sekretion ist sistiert. Die ovale Öffnung geschlossen.

Epikritische Bemerkung: Es handelte sich hier um eine orbitale Komplikation einer Kieferhöhleneiterung, die ganz latent verlaufen ist. Erst das Auftreten der Prominentia bulbi und das Doppelsehen führte auf die Kieferhöhle.

Wir schließen noch einen kurzen Bericht über die drei vorgekommenen Todesfälle an.

Bei dem ersten handelt es sich um eine Stirnhöhlenoperation nach Killian. Der 65 Jahre alte Patient, bei dem der starke Fötor und die bedrohlichen Veränderungen der unteren Luftwege, Ozaena der Trachea, die Operation indizierten, ging 4 Tage post operationen an Herzschwäche zugrunde. Die nekroskopische Besichtigung der Wundverhältnisse ergab ganz negativen Befund.

2. **Binnewies, Erna**, 7. J., Landwirtstochter, Delligsen. Anamnese. Das Kind ist seit 5 Wochen krank, hat Masern gehabt, soll nach Angabe des Arztes Eiterung rechts gehabt haben. Seit einigen Tagen bestehen cerebrale Erscheinungen. Erbrechen, Kopfschmerzen, Lähmung der Gesichtsnerven. des linken Armes, der Zunge. Leichte Temperaturerhöhung. Wird mit der Diagnose rechtsseitiger Temporalabszeß überwiesen.

Status praesens: 4. Februar 07. Das Kind ist mager, verhältnismäßig groß, von blasser Hautfarbe. Herz und Lunge frei. Pupillen weit, reagieren träge. Patellarreflexe gesteigert. Abdomen zeigt keine Besonderheiten. Urin frei. Augenhintergrund ist wegen Unruhe der Patientin nicht sicher zu explorieren. Linke obere und untere Extremität schlaff gelähmt. Ebenso N. facialis und N. hypoglossi. Patientin ist wechselnd stärker lethargisch.

Ohr, linkes ohne Besonderheit In der Umgebung des rechten Ohres keine Schwellung. Gehörgang frei. Am Trommelfell hinten unten Sugillation mit rötlicher Trübung. Trommelfell getrübt, wenig maceriert, nicht glänzend. Die Funktionsprüfung ist ganz unsicher.

3. Februar, Lumbalpunktion. Ergibt leicht getrübten Liquor cerebrospinalis. Er enthält keine Bakterien, viel polynucleäre Leukocyten, wenig Lymphocyten. Puls 80. Temperatur 35,2° abends. Pupillen mittelweit, reagieren.

4. Februar, Linke untere Extremität ist wieder frei. Die obere bleibt gelähmt. Pupillen wieder weit, reagieren träge. Etwas benommen. Heftige Jaktationen. Starkes Durstgefühl. Puls klein, 160. Campher.

4. Februar. Operation in Chloroformnarkose.

Totalaufmeißelung. Weichteile ohne Bes. Cortikalis, wie Zellen, Antrum und Pauke mit Ossicula normal. Die freigelegte Dura mater ohne Bes. Nach v. Bergmann Freilegung des Schläfenlappens, mehrere Punktionen mit dem Preysingschen Messer ohne Bes. Dura mater ohne bes. Resistenz. Naht-Verband.

6. Februar. Atmung stark beschleunigt. Lufthunger. Puls jagend. 150. 37.2°. Babinski bds. +. Reflex erhalten.

Lumbalpunktion ergibt wenig getrübten Liquor.

Campher 2stündl. ½ Spritze. Abends Exitus letalis.

Kopfsektion ergab: (Dr. Beitzke, Patholog. Institut).

Diagnose. Tuberkulöse Meningitis in der rechten Zentralfurche und der Parieto-Temporalfurche. Radikaloperationswunde im r. Schläfenbein. Zwei Punktionsöffnungen in der Dura mater und im r. Schläfenlappen.

Pia im allgemeinen zart und durchsichtig und an der Grenze zwischen r. Scheitel- und Schläfenlappen grün-gelbe Trübungen, die den Gefäßen entlang laufen und sich fast bis zur Konvexität erstrecken, hauptsächlich im Gebiet der Zentralfurche. Im r. Schläfenlappen finden sich zwei kleine Öffnungen von 3—4 mm Durchmesser. Die Pia ist an dieser Stelle leicht blutig imbibiert.

Auf Frontalschnitten durch das Gehirn zeigen sich nirgends Veränderungen in der Hirnsubstanz. Die beiden Punktionsöffnungen im Schläfenlappen sind im Schnitt nicht getroffen, im übrigen finden sich nur kleine, nicht abwaschbare Blutflecken unter dem Ependym des l. Hinterhorns. In der Dura der r. mittleren Schädelgrube gewahrt man zwei kleine Löcher, entsprechend den beschriebenen Punktionsöffnungen im Schläfenlappen. Nach Abziehen der Dura an dieser Stelle gewahrt man einen markstückgroßen Defekt in der Schläfenbeinschuppe und einen kleinen von 1 cm Länge und ½ cm Breite im Tegmen tympani. Sonst keinerlei Veränderungen an der Basis. Hirnsinus enthalten dunkles flüssiges Blut und Blutgerinnsel. Bei Anlegung von Kulturen von den grüngelben Trübungen fällt deren feste Konsistenz auf. Hier und da haben die grüngelben Massen deutlich Knötchenform. Im Ausstrichpräparat Tuberkelbazillen.

Epikritische Bemerkungen: Es hat also eine akute tuberkulöse Meningitis mit eigenartiger Lokalisation vorgelegen. Da die Aussaat der Tuberkelbazillen gerade auf die Partien um die Zentralfurche stattfand, so kam die Hemiplegie zustande. Die Lähmungen waren dem Alter der Affektion entsprechend schlaff. Das Wechseln der Symptome ist wohl der jeweiligen Beeinflussung des kollateralen Ödem durch die Lumbalpunktion zuzuschreiben, wodurch die motorischen Zentren betroffen wurden. Trotzdem wir nicht der Überzeugung waren, daß die cerebrale Affektion otogener Natur war, ja die auswärts angenommene Mittelohreiterung überhaupt bezweifelten, gaben wir dem betreffenden Kollegen, der bestimmt den Nachweis der Eiterung geliefert haben wollte und zur Operation drängte, mit

Rücksicht auf die schweren Allgemeinerscheinungen nach und operierten. War doch auch die Möglichkeit einer Pneumokokkeninfektion nicht gänzlich von der Hand zu weisen. Die Aufdeckung des Schläfenlappens nach v. Bergmann und die Punktion geschahen auf die Begrenztheit der Symptome hin. Der primäre Herd, von dem aus die Tuberkelbazillenaussaat stattfand, konnte leider nicht aufgedeckt werden, da nur die Kopfsektion gestattet war.

3. Schütte, Heinrich. Lackiererlehrling. Holzminden. 14 Jahre, kam am 11. X. 1905 in unsere Poliklinik mit sehr starken Kopfschmerzen, hohem Fieber. Seit seinem 1. Lebensjahre hat Patient Eiterung l. gehabt. Die Eiterung hat inzwischen auch einmal sistiert. Als kleines Kind hat Patient schon neunmal starke Verschlimmerung der Eiterung mit hohem Fieber durchgemacht. Es trat an mehreren Körperstellen Eiterung auf. Von da ab besteht auch eine Verkürzung des r. Beines. Seit 14 Tagen sind die starken Kopfschmerzen, sehr fötide Eiterung und Temperatur bis 40° aufgetreten. Vor 3 Tagen Fieber abgefallen Seit gestern Schwellung des oberen Augenlides. Er ist nicht bewußtlos gewesen. Seit heute schläfrig.

Status praesens: Etwas blasser, anämischer Junge, in mäßigem Ernährungszustande. Herz und Lunge ohne Besonderheiten. ebenso die Organe der Abdomen ohne nachweisbare Veränderungen. Patellar-Pupillar-Cremasterreflexe erhalten. Sensorium leicht benommen, Patient gibt aber noch bestimmte Antworten. Große Unruhe wechselt ab mit ruhigem Daliegen. Im Schlafe Delirien. Temperatur 40°. Puls 80. Kein Schüttelfrost. Urin ohne nachweisbare Beimenguugen.

Am Körper sind mehrere Narben sichtbar, am r. Oberschenkelgelenk, auf r. Schulter unterhalb der Scapula Spina, Verkürzung des r. Beines um mehrere Zentimeter. Subluxationsstellung der r. Hand (Metastasen der früheren komplizierten Ohraffektion). Protusio bulbi r., die sehr empfindlich ist, mäßige Rötung. Der Augenhintergrund zeigt keinen wesentlichen Befund, keinerlei Stauungspapille. Die temporale Papillenseite ist wohl nicht ganz so scharf begrenzt wie die nasale, aber nicht ausgeprägte Veränderungen (Prof. Schieck).

Die Umgebung des Ohres: Retroaurikulär besteht ganz geringe Schwellung, die etwas stärker unterhalb des Processus mastoideus ist. Der Processus ist stärker druckempfindlich.

Gehörgang frei. In der Tiefe Granulationen und Eiter.

Die Funktionsprüfung ergibt ganz unsichere Resultate (Patient hat große Angst vor der Operation, gibt falsche Antworten).

Diagnose: Otit. med. suppur. chron. mit beginnender Cavernosusthrombose.

Die Lumbalpunktion ergibt klaren Liquor cerebrospinalis, unter gewöhnlichem Drucke entleert, bakteriologisch ohne Besonderheit (Königl. Hygienisches Institut).

11. Oktober: Operation. Totalaufmeißelung in Chloroformnarkose.

Weichteile wenig verdickt, blutreich. Cortikalis besonders nach der Spitze hin bläulich schwarz verfärbt. ohne Fistel. Knochen morsch. Die Schleimhaut zeigt eigentümlich derbe Schwellung. Lateraler Bogengangwulst intakt, Ossicula wenig kariös. Aditus weit. Im Attikus dicke Granulationen. Keine Fistel nach der mittleren Schädelgrube nachweisbar. An der Dura mater der mittleren Schädelgrube. die in größerer Ausdehnung freigelegt wird, finden sich wenig schwielige Auflagerungen, aber Oberfläche glänzend Der freigelegte Sinus lateralis zeigt keinerlei Veränderungen, die Vasa vasorum sind deutlich sichtbar; Oberfläche glänzend, Resistenzgefühl normal. Tubenostium kürettiert. Pansesche Plastik. 2 Nähte. Verband.

12. Oktober: Keine Remission der Temperatur. Puls klein, rasch. Mehr Unruhe. Noch Besinnlichkeit. Er kennt noch Verwandte. Somnolenz nimmt zu. Protusio bulbi stärker. Starke Chemosis beider Lider und der Wange l, r. auch Unterlid chemotisch.

13. Oktober: Bds. beide Augenlider stark chemotisch und stark geschwollen. Flockenlesen. Sopor. 170—150. Spontane Defäkation.

Nachts Exitus letalis.

Sektion des Schädels ergibt folgenden Befund im Cranium: Knochen ohne Besonderheit. Viel Pacchionische Granulationen. Dura mater läßt sich schwer vom Os trennen. Auf der linken Hemisphäre des Großhirns über Seiten- und Stirnlappen dickes, gelbes, trübes Exsudat in der Pia mater. Ebenso an der Hirnbasis, besonders um den Sinus cavernosus jauchige Eitermengen, auch extradural, zu sehen. Der Sinus lateralis, longitudinalis, Sinus petrosus superior etc. enthalten nur lockere Blutgerinnsel. Im Sinus petrosus inferior sind eitrige Thrombenmassen enthalten. Die Dura mater zeigt an der bei der Totalaufmeißelung freigelegten Stelle Gefäßinjektion.

Die Gehirnsubstanz zeigt viel Blutpunkte, blutreich, etwas ödematös. Nirgends eine Herderkrankung sichtbar. Die Ventrikel enthalten wenig nicht nachweisbar getrübten Liquor cerebrospinalis.

Die Sektion des übrigen Körpers konnte besonderer Verhältnisse wegen nicht ausgeführt werden.

Das Felsenbein haben wir zur mikroskopischen Untersuchung herausgenommen; leider konnten aus Mangel an Zeit die Untersuchungen noch nicht zu Ende geführt werden. Schon makroskopisch war die Beteiligung des Labyrinths in ausgedehnter Weise bis zur Spitze der Felsenbeinpyramide nachweisbar.

Epikritische Bemerkungen: Die Totalaufmeißelung deckte nicht den Zusammenhang zwischen der nach unserer Annahme sich ausbildenden Cavernosusthrombose mit dem Prozesse im Mittelohr auf, der Sinus lateralis war frei, wie auch die Sektion bestätigte. Die Thrombophlebitis des Cavernosus war durch den Sinus petrosus inf. vermittelt, der von der Spongiosa der Spitze der Felsenbeinpyramide aus infiziert war. Am Sinus cavernosus war die Dura mater zum Teil eingeschmolzen und von hier die Leptomeningitis eingetreten. 48 Stunden ante exitum war der Liquor noch normal gewesen.

Ganz besonders erwähnenswert ist das Freibleiben des Augenhintergrundes zu einer Zeit, als die Thrombophlebitis des Sinus cavernosus zweifellos schon ein paar Tage bestand, worauf wir schon bei anderer Gelegenheit hingewiesen haben (Fall Deppe, Arch. f. Ohrenheilk. Bd. 67).

V.

Aus der deutschen oto-rhinologischen Klinik Prof. Dr. Zaufals in Prag.

Ein Fremdkörper in der rechten Tuba Eustachii. — Abszeſs an der Schädelbasis. — Eitrige Erkrankung der Atlanto-occipital-Gelenke. — Aneurysma der linken Arteria vertebralis. — Tod durch Ruptur desselben.

Von
Prof. Dr. Otto Piffl, Prag.

Der Fall, dessen Besprechung ich mir in Folgendem zur Aufgabe gestellt habe, bildete während des Lebens des Patienten ein unlösbares Problem und bot selbst nach stattgehabter Sektion einer einwandfreien Deutung die größten Schwierigkeiten. Er dürfte, was die Eigentümlichkeit seines Verlaufes und die schweren Komplikationen anbelangt, kaum ein Gegenstück in der otiatrischen Literatur finden. Die Krankengeschichte ist folgende:

Ein 52 Jahre alter Maurer H. J. aus T. kam am 10. November 1905 an obige Klinik. Aus seinen Angaben ging hervor, daß er bis auf einen gut überstandenen Typhus früher gesund gewesen war. Vor elf Wochen erkrankte er im Anschlusse an eine Erkältung mit Fieber und Schüttelfrost, ferner Schwerhörigkeit, Schmerzen und Ausfluß am rechten Ohre. Der Ausfluß hörte nach drei Tagen auf, während die Schmerzen im Ohre sich nach und nach über die ganze rechte Kopfhälfte ausbreiteten und ihm den Schlaf raubten. Vier Wochen vor der Aufnahme entstand eine Auftreibung und Druckempfindlichkeit der Gegend des rechten Warzenfortsatzes, eine Woche später stellten sich auch Schluckbeschwerden ein. Eine Mitteilung des behandelnden Arztes besagte ferner, daß einige Wochen vorher ein Abszeß im Rachen durchgebrochen war, und daß eine Lähmung des rechten weichen Gaumens bestanden habe.

Wir fanden einen mittelgroßen Mann von kräftigem Knochenbau, doch stark abgemagert und von leidendem Gesichtsausdruck. Der Kopf wurde ziemlich steif und etwas nach der rechten Seite geneigt gehalten, doch waren Bewegungen desselben nach vorne und rückwärts, sowie nach den Seiten ziemlich gut ausführbar. Die vom Facialis versorgte Gesichtsmuskulatur zeigte normale Beweglichkeit. Der Augenhintergrund war nicht verändert, auch der Visus normal (Klinik Prof. Czermak). Der rechte Warzenfortsatz war aufgetrieben, an der Spitze druckempfindlich, das rechte Trommelfell stark gerötet, verdickt, mit mazeriertem Epithel bedeckt, die Hammerteile nicht erkennbar. Ein kleines Grübchen vorn unten wurde für die Stelle der früheren Perforation gehalten. Das linke Trommelfell bot normale Verhältnisse dar. Die Hörprüfung ergab nach rechts lateriertem Weber, rechts negativen verkürzten Rinne, Flüsterstimme auf 1 m, doch keinen Hördefekt bei der Stimmgabelprüfung, weder an der unteren noch an der oberen Tongrenze. Links war das Gehör annähernd normal.

Die Nasenatmung war nicht behindert. Die Untersuchung der Nase ergab bis auf eine Hyperplasie des hinteren Endes der linken unteren Nasenmuschel keine Besonderheiten. Im Nasenrachenraum lag vornehmlich am Rachendach und in der Gegend des rechten Tubenostiums eine Menge eitrigen Sekretes. Entfernte man dasselbe, so erschien es nach wenigen Sekunden wieder, so daß man nie ein genaueres postrhinoskopisches Bild aufnehmen konnte. Sicher zu erkennen war nur, daß die rechte Hälfte der hinteren Rachenwand und das Rachendach etwas vorgewölbt waren. Das Gaumensegel wich bei der Phonation etwas nach der linken Seite ab.

Die interne Untersuchung ergab normale Verhältnisse. Temperatur 36.9, Puls 88.

Unsere Diagnose lautete auf rechtsseitige akute Mittelohrentzündung mit Mastoiditis, ferner wahrscheinlichen Senkungsabszeß in der tiefen Halsmuskulatur mit Durchbruch in den Nasenrachenraum.

11. Nov. 05. Einfache Aufmeißelung des Warzenfortsatzes (Dr. Bauer). Wir fanden in den Zellen des Warzenfortsatzes mäßig verdickte Schleimhaut, im Antrum etwas fadenziehendes Sekret, um das Antrum herum war der Knochen weich, stark porös, leicht brüchig, wie kariös. Die Eröffnung der hinteren und mittleren Schädelgrube ergab keinen abnormen Inhalt des Extraduralraumes und auch keine Veränderung an der freigelegten Dura. Naht der Wunde bis auf den unteren Wundwinkel, in den ein Jodoformgazestreifen eingelegt wurde.

Nach der Operation auffallendes Nachlassen der Schmerzen. Der Wundverlauf war günstig, die Hörfähigkeit besserte sich schon nach den ersten Tagen um ein Bedeutendes.

22. Nov. Wiederauftreten der früheren heftigen Schmerzen am Hinterhaupt, Schlaflosigkeit. Der Befund im Nasenrachenraum vollständig unverändert. Biersche Stauung täglich durch 22 Stunden.

29. Nov. Die Wirkung der Stauung ist günstig, der Kranke hat weniger Schmerzen, fühlt sich wohler, schläft auch wiederum mehr. Die Temperaturen sind normal. Die retroaurikuläre Wunde ist bereits geschlossen, das Trommelfell zeigt normalen Befund, die Hörfähigkeit für Flüsterstimme beträgt 6 m. Fortsetzung der Stauung.

3. Dez Plötzlich 38.1. Hals- und Kopfschmerzen. Aussetzen der Stauung.

4. Dez. 39.5—39.8. Halsschmerzen andauernd, rechte Gaumenmandel entzündet, mit Belag bedeckt, der rechte weiche Gaumen infiltriert.

5. Dez. Besserung, höchste Temperatur 37.6.

7. Dez. Schmerzen im Halse haben aufgehört. Temperatur wiederum normal. Es wird neuerdings mit der Stauung begonnen.

14. Dez. Die Schmerzen im Hinterhaupt treten immer wieder zeitweise auf, ebenso besteht die eitrige Sekretion im Nasenrachenraume fort. Doch läßt sich ein Abszeß weder mit der Rhinoscopia posterior noch digital nachweisen.

15. Dez. Die Temperatur steigt wieder an, 37.7. Daher wird die Biersche Stauung weggelassen. Außerdem sind starke Schluckbeschwerden aufgetreten Die Schmerzen beim Bewegen des Kopfes haben zugenommen. Lokal keine Veränderung nachweisbar. Bei wiederholter digitaler Untersuchung des Nasenrachenraumes wohl Schwellung der Weichteile, doch kein fluktuierender Abszeß zu konstatieren.

16. Dez. Status idem. Temperatur 38.6.

17. Dez. Nach sehr schlechter Nacht Anstieg der Temperatur auf 39.2, abends 39.6. Die Schluckbeschwerden haben sich zur Unerträglich-

keit gesteigert, die Sprache ist kloßig, der Kopf wird vollständig steif gehalten. Nickbewegungen und Seitwärtsbewegungen des Kopfes sind nur in
sehr geringem Grade und unter starken Schmerzen ausführbar. Der Puls
ist kräftig, rhytmisch zwischen 100 und 120. Augenhintergrund normal
(Klinik Prof. Czermak). Probepunktionen der hinteren Rachenwand und
der rechten Seite des weichen Gaumens bleiben resultatlos. Bei wiederholten Untersuchungen seitens des Doz. Dr. Lieblein (Chirurgische Klinik
Wölfler) wird wegen der Steifheit der Halswirbelsäule und Druckschmerz-
haftigkeit des 2. und 3. Halswirbels die Vermutung ausgesprochen, es
handle sich um eine Caries der Halswirbelsäule. Der Versuch die Schmerzen des Pat. durch Ruhigstellung des Kopfes mittels einer Glissonschen
Schwebe zu lindern, verstärkt nur die Beschwerden. Eine Halskravatte
erzielt günstigeren Erfolg. Bei der internen Untersuchung wird keinerlei
Symptom einer Erkrankung der Lungen gefunden, auch besteht nicht der
geringste Anhaltspunkt für das Bestehen einer beginnenden Meningitis.

In diesem Zustande verblieb der Pat. bei gleichbleibend erhöher Temperatur, starken Kopfschmerzen und Schluckbeschwerden durch 6 Tage, bis
am 23. Dez. plötzlich früh ein schwerer Kollaps mit subnormaler Temperatur und Bewußtlosigkeit auftrat, worauf nachmittags Lungenödem und exitus
letalis erfolgte.

Am 24. Dez. wurde in Chiaris pathol.-anatom. Institut die Sektion
vorgenommen und ergab einen vielfach interessanten und überraschenden
Befund, den ich hier nur, soweit er uns näher angeht, wörtlich wiedergebe:
„Am linken Rande des Foramen occipitale erscheint die Dura stark, am
rechten Rande weniger verdickt. Die inneren Meningen über der Konvexität des Großhirns etwas ödematös, ganz leicht getrübt, während sie an der
Basis, und zwar am Chiasma nervorum opticorum, sowie im untersten Teile
beider Fossae Sylvii mit einem dicken, gelben, sulzigen Exsudate, am pons,
an den unmittelbar an diesen angrenzenden Partien des Kleinhirns und
an der Vorderfläche der medulla oblongata mit ziemlich frisch geronnenem
Blute infiltriert erscheint. Die basalen Hirnarterien etwas starrwandig, die
linke art. verteb. zeigt unmittelbar hinter dem Canalis Hypoglossi eine etwa
$1/4$ ccm große kugelige Ausbuchtung ihrer Wand; diese aneurysmatische
Erweiterung der Arterie liegt in einer seichten, rauhen Einsenkung am
linken Rande des For. occip. mag. und ist an der äußeren vorderen Oberfläche an einer kleinen Stelle arrodiert; in der Umgebung des Aneurysmas,
sowie zwischen der an dieser Stelle verdickten Dura und dem Knochen
Spuren von gelblichem Eiter. Das Gehirn, sowie die Gehirnnerven zeigen keine
Besonderheiten.“

„Das rechte Cavum tympani wurde nicht eröffnet, in dem linken findet
sich ganz spärliches, gelbes, schleimiges Contentum. An der unteren Fläche
der Schädelbasis, entsprechend dem Körper des Keilbeines und des Hinterhauptbeines, befindet sich eine unregelmäßig gestaltete, mit brüchigen,
schmierig belegten Wänden versehene Höhle, deren Inneres durch weißgelbe,
unregelmäßig gestaltete, lose liegende, kautschukartige Massen erfüllt erscheint. Von dieser Höhle gehen nach hinten und lateralwärts einzelne
ziemlich weite Gänge, von denen zwei in die beiden Atlanto-occipitalgelenke
führen. Die Gelenkflächen derselben sind linkerseits noch knorpelig und
nur an einzelnen umschriebenen Stellen rauh, rechterseits dagegen fehlt die
knorpelige Auskleidung vollständig und liegt der in seiner ganzen Ausdehnung raube Knochen bloß. Die Condylen des os occipitale und des Atlas,
sowie die angrenzenden Partien desselben und die beiden massae laterales
atlantis misfarben, etwas schwärzlich. Andere Fistelgänge führen aus
dieser Höhle in den Nasenrachenraum, wo sie in der rechten Rosenmüllerschen Grube und am Rachendach ausmünden.

Die von mir am 17. Januar 1906 ausgeführte Sektion des
rechten Schläfenbeins ergab folgendes: Warzenfortsatz
großenteils operativ entfernt, die Mulde daselbst ausgefüllt

von einer meist zähen, stellenweise weichen Narbenmasse. Im
äußeren Gehörgang die Auskleidung maceriert, ebenso die äußere
Fläche des Trommelfelles. Dasselbe ist etwas verdickt, zeigt
keine Perforation, kurzer Fortsatz ist sichtbar. In der Paukenhöhle eingedickter Eiter. Im Kuppelraum eine hirsekorngroße,
anscheinend freiliegende Granulation. Gehörknöchelchen in situ,
makroskopisch nicht verändert.

Nach Teilung des Schläfenbeins zeigen sich die noch erhaltenen pneumatischen Zellen in der Umgebung der Paukenhöhle
von einer gallertigen Masse erfüllt, einzelne Stücke des Knochens
sind hyperämisch. Die eröffnete Schnecke zeigt makroskopisch
normales Aussehen.

Die Tuba Eustachii in ihrem mittleren Drittel bedeutend ausgeweitet, die Schleimhaut daselbst exul-
ceriert. In dieser Ausbuchtung liegt ein ca. 12 mm
langer, an dem oberen gegen die Paukenhöhle zu gerichteten Ende mehrfach zerfaserter borsten- oder
grashalmartiger Fremdkörper von blaßgrünlicher
Farbe, der mit seinem unteren Ende in die hintere
Tubenwand eingebohrt ist. Die Einbohrungstelle des
Fremdkörpers liegt noch ca. 10 mm vom pharyngealen
Ostium der Tuba entfernt. In der Umgebung dieses
Teiles der Tuba erscheint das Gewebe mißfarbig,
leicht brüchig. Von hier aus geht die Erkrankung
per continuitatem in der oben beschriebenen Weise
auf das Hinterhauptbein, die Dura und die Atlanto-
occipitalgelenke über. —

Die pathologisch-anatomische Diagnose lautete: Otitis media catarrhalis
sin. Otitis media suppurativa dextra   Salpingitis ulcerosa dextra c corpore
alieno, abscessus ad basim cranii cum necrosi partis basilaris ossis occipitalis et massae lateralis sinistrae atlantis nec non arthritis suppurativa in
articulatione atlanto occipitali utraque   Meningitis suppurativa ad
basim cerebri. Aneurysma sacciforme arteriae vertebralis sinistrae ruptum
subsequente haemorrhagia intermeningeali ad pontem.

Epikrise. Als der Patient an unsere Klinik kam, da schien
es uns nach Anamnese und Befund nahezu zweifellos, daß das
ursächliche Leiden eine akute Mittelohrentzündung sei, welche
zu Komplikationen im Warzenfortsatz und dann in der weiteren
Umgebung des Cavum tympani geführt hatte. Das entzündete
Trommelfell, die stark herabgesetzte Hörfähigkeit, der aufgetrie-
bene, druckempfindliche Warzenfortsatz, waren Symptome genug,
um an der Sicherheit der Diagnose keine Zweifel aufkommen

zu lassen. Aus dem Warzenfortsatz konnte dann die Erkrankung auf verschiedenen Wegen in die tiefe Muskulatur des Halses und von da bis an die seitliche Rachenwand gelangt und schließlich in das Cavum pharyngonasale durchgebrochen sein.

Als erster Weg kam in Betracht der Durchbruch durch die mediale Wand des Warzenfortsatzes oder durch die Incisura mastoidea. Solche Beobachtungen wurden gemacht von Kießelbach[1]), Burnet[2]), Kien[3]) u. a. Bei allen diesen Fällen war der Zusammenhang des Rachenabszesses mit dem gleichzeitig vorhandenen Abszeß unter der Nackenmuskulatur nachweisbar. Kießelbach konnte Durchspülungen vom Ohre her in den Rachen vornehmen. In den Fällen, die Kien aus der Straßburger Ohrenklinik beschrieb, gelang es nach der Spaltung teils mit dem Finger, teils mit der Sonde in den Rachen zu kommen. — Andererseits war die Möglichkeit vorhanden, daß ein vom Warzenfortsatz aus entstandener extraduraler Abszeß in der mittleren oder hinteren Schädelgrube sich durch die Gefäß- und Nervenkanäle an der Schädelbasis in die Gebilde an der unteren Fläche derselben gesenkt haben konnte. Ein Fall dieser Art wurde vor Jahren in der Zaufalschen Klinik beobachtet. Kessel beschrieb bereits im Jahre 1866 in seiner Inaugural-Dissertation einen gleichen Fall und wies darauf hin, daß der Eiter durch das Foramen ovale, rotundum oder jugulare aus der Schädelhöhle austreten und sich dann vorne längs des Os basilare occipitis auf die Vorderseite der Wirbelsäule bis in den Rachen senken kann. De Rossi[4]) gibt in seinem Falle das Foramen lacerum posticum als die Bahn an, auf der der Abszeß aus der Schädelhöhle heraus gelangte.

Wir waren nicht in der Lage, uns für die eine oder die andere dieser Möglichkeiten zu entscheiden, hielten aber für jeden Fall die Aufmeißelung des Warzenfortsatzes für indiziert. Wir hofften dabei auch, daß die Operation den nötigen Aufschluß bringen werde. In dieser Hoffnung sahen wir uns leider ge-

---

1) Kießelbach, Vorstellung eines Falles von Durchbruch eines Senkungsabszesses des proc. mast. in den Rachen. (Bericht über die 10. Versammlung befreundeter süddeutscher und schweiz. Ohrenärzte zu Nürnberg. Z. f. O. 1891, Bd. 21.)

2) Burnet, The philadelphia policlinic 23. Nov. 1895, Z. f. O. 1896, Bd. 28.

3) Kien, Georg, Straßburg, Über Retropharyngealabszeß nach eitriger Mittelohrentzündung. Z. f. O. 1901, Bd. 39 (3 Fälle).

4) Refer. im A. f. O. 28. Bd., S. 109.

täuscht. Die geringen Veränderungen im Warzenfortsatz, die wir
bei der Aufmeißelung vorfanden, entsprachen dem Befund eines
bereits im Ablaufe begriffenen akuten Prozesses im Mittelohr und
im Warzenfortsatz. Wohl hatten wir die Genugtuung, in der
nächsten Zeit nach dem Eingriffe die Beschwerden des Patienten
bedeutend vermindert zu sehen, während die Operationswunde
gute Heiltendenz zeigte und die Veränderungen in der Paukenhöhle mit Wiederherstellung des Hörvermögens zurückgingen.
Wir besaßen nun auch volle Sicherheit darüber, daß kein Durchbruch an der medialen Wand oder unter der Spitze des Warzenfortsatzes bestand und daß ein Herd in der Schädelhöhle in unmittelbarer Nähe des Prozessus mastoides ebenfalls nicht vorhanden sein konnte. Wir waren also bezüglich der Abkunft
der Halsaffektion nach wie vor wiederum aufs Vermuten angewiesen.

Aus der Literatur sind Fälle bekannt, bei denen das Vordringen des Eiters aus der Paukenhöhle durch den Canalis caroticus (Grunert), durch die Scheide des Musculus tensor tympani (Stillmann[1])), durch den Semicanalis tensoris tympani
(Knapp[2]), Haug[3]), Cholewa[4])) erfolgt oder wenigstens von
dem betreffenden Autor angenommen wurde. Auch an das Labyrinth und Aquaeductus vestibuli mußte gedacht werden. Gegen
alle diese Möglichkeiten sprach das prompte Verschwinden der
Entzündungserscheinungen in der Paukenhöhle nach der Warzen-
fortsatzaufmeißelung. Körner[5]) erwähnt das Vorkommen des
Durchbruches an der Schädelbasis in der Nähe der Eminentia
intercondyloidea des Hinterhauptbeins, wenn sich pneumatische
Hohlräume bis in diese Gegend erstrecken oder die Spongiosa mit
erkrankt ist. Die hierbei auftretenden Eitersenkungen können
den Verdacht einer Halswirbelerkrankung erregen, wenn man
das Ohr nicht untersucht. Einer solchen Annahme stand die im
Warzenfortsatz vorgefundene geringe Pneumaticität des Knochens

---

1) Stillmann, Frank, L., Bericht über einen Fall von akuter eitriger
Mittelohrentzündung, kompliziert mit Retropharyngealabszeß. (New-York.
med. Journ. 6. Feber 1879.)

2) Knapp, H., New-York. Geschichte und Autopsie zweier tödlich
verlaufener otitischer Hirnkrankheiten. Z. f. O. 1895, Bd. 27.

3) Haug, München: Abszeß unterhalb der pars mastoidea und retro-
pharyngealer Abszeß infolge akuter eitriger Media. A. f. O. 1897, Bd. 43.

4) Cholewa, Über den Eiterdurchbruch bei Erkrankungen des Warzenfortsatzes an außergewöhnlichen Stellen. Deutsche med. Wochschr. 1888.

5) Körner, Die eitrigen Erkrankungen des Schläfenbeins, S. 40.

sowie die geringen pathologischen Veränderungen im Knochen überhaupt entgegen. Am meisten Wahrscheinlichkeit hatte noch die Annahme, daß schon mit oder bald nach Beginn der Mittelohraffektion ein mit dieser in Zusammenhang stehender tiefer Abszeß entstanden sei, der dann seinen Zusammenhang mit dem Mittelohr verlor und sich seinerseits in den Nasenrachenraum senkte. Dafür kennen wir Analogien genug in den zahlreichen Fällen von akuter eitriger Mittelohrentzündung, bei denen in der Umgebung des Mittelohrs, in den Weichteilen, im Warzenfortsatz und in der Schädelhöhle als extraduraler, subduraler oder Hirnabszeß eitrige Einschmelzungsprozesse bestehen, deren Zusammenhang mit dem Mittelohr sich bei der Operation oder postmortalen Autopsie absolut nicht mehr nachweisen läßt.

Diese unsichere Situation gestaltete sich um so unangenehmer, als 10 Tage nach der Operation die früheren heftigen Schmerzen im Hinterhaupte wieder begannen und der Befund im Nasenrachenraum sich durchaus nicht ändern wollte. Die beständig aus dem Nasenrachenraum herabfließenden Eitermassen sagten uns, daß der Abszeß an der unteren Fläche der Schädelbasis mit dem Nasenrachenraum in freier Kommunikation stehe, und da wir gleichzeitig zur Erkenntnis kamen, daß der Eiterherd nach seiner Lokalisation dem Messer des Chirurgen nahezu unzugänglich sei, so nahmen wir zu einem Verfahren unsere Zuflucht, über dessen günstige Erfolge bei akuter und chronischer Mittelohrentzündung und ihren Komplikationen, ja selbst bei Cholesteatom Keppler[1]) berichtet hat, und das damals gerade in unserer Klinik an zahlreichen Fällen versucht wurde: Zur Bierschen Stauung. Dieselbe wurde genau nach Vorschrift[2]) durch 22 Stunden täglich ausgeführt und hatte bezüglich der Verminderung der Schmerzen einen günstigen Erfolg. Eine trotz der Stauung am 11. Tage dieser Behandlung auftretende Angina mit hohem Fieber zwang uns, durch einige Tage die Behandlung zu sistieren. Als wir nach Ablauf der Angina die Binde wieder anlegten, hatte sie nicht mehr die frühere schmerzstillende Wirkung. Die Eiterabsonderung im Rachen blieb sich vollständig gleich, ja es stellte sich nach neuerlicher siebentägiger Stauung wiederum ein Anstieg der Temperatur ein, der allmählich in kontinuierliches hohes Fieber überging. —

1) Keppler, Die Behandlung eitriger Mittelohrerkrankungen mit Stauungshyperämie. Z. f. O. Bd. 50.

2) Bier, Hyperämie als Heilmittel.

Es wäre jedenfalls verlockend, diese Verschlimmerung und
den späteren Exitus letalis, dieser von uns angewendeten Therapie in die Schuhe zu schieben, zumal die Resultate, die wir
bei unseren mit Warzenfortsatzkomplikationen einhergehenden
akuten Otitiden bei der Anwendung der Bierschen Stauung
sahen, im allgemeinen keine günstigen waren. Die Mehrzahl
dieser Fälle mußte trotz langer Zeit angewendeter Stauung
schließlich doch operiert werden und die Zerstörungen, die wir
bei der Operation vorfanden, waren recht ausgebreitete. Ebenso
hatte schon vorher Heine[1]) nach seinen in der Lucaeschen
Klinik ausgeführten Versuchen das Verfahren nicht empfohlen,
auch aus der Politzerschen und Schwartzeschen Klinik lau-
teten die Berichte nicht günstig (Fleischmann[2]), Isemer[3])).
Die Temperatursteigerung und bedeutende Verschlimmerung, die
immer nach längerer Anwendung der Stauung in unserem Falle
auftrat und die auch von Heine in einem Falle beobachtet
wurde, würden es verständlich machen, wenn wir geschlossen
hätten: post hoc ergo propter hoc. Der bald darauf eingetretene
plötzliche Tod und der bei der Sektion des Schläfenbeins gemachte Befund lenkten unsere Aufmerksamkeit jedoch in eine
ganz andere Richtung.

Jetzt erst überblickten wir die ganze Ausdehnung des Prozesses, der sich hier abgespielt hatte. Wir sahen eine große,
mit nekrotischen Gewebsmassen teilweise ausgefüllte Abszeßhöhle, die oben bis nahe an die obere Fläche der Schädelbasis
heranreichte und unten in den rechten oberen Winkel des Nasenrachenraumes durchgebrochen war, daselbst die Schleimhaut der
hinteren und rechten seitlichen Rachenwand vorwölbend, die
rückwärts an die Wirbelsäule grenzte, während sie nach vorne
in die Nähe der rechten Tube reichte und lateralwärts durch
die tiefe Halsmuskulatur gedeckt wurde. Wir sahen die Erkrankung der in der Umgebung dieses Abszesses gelegenen Gebilde,
der beiden Atlantooccipitalgelenke und des Knochens des Atlas
und des Hinterhauptbeines, schließlich der Dura am Clivus und
der Arteria vertebralis sin. mit dem geplatzten Aneurysma. Über
die Ätiologie des ganzen Prozesses aber erfuhren wir nichts.

1) Heine, Verhandlungen der deutschen otolog. Gesellschaft 1905.
2) Fleischmann, Über die Behandlung eitriger Mittelohrerkrankungen
mit Bierscher Stauungshyperämie. M. f. O., Bd. 40, S. 5.
3) Isemer, Klinische Erfahrungen mit der Stauungshyperämie nach
Bier. A. f. O. Bd. 69.

Aktinomykose, deren Merkmale und mikroskopischer Nachweis uns noch seit der Zaufalschen Publikation[1]) gegenwärtig waren, hielten wir für ausgeschlossen, da die charakteristischen Körner fehlten und die Sekretuntersuchungen, die während des Lebens und bei der Sektion vorgenommen wurden, negativ ausfielen. Gegen Tuberkulose sprach das makroskopische Aussehen der Knochen- und Gelenkserkrankung. Da schien endlich die spezielle Sektion des rechten Schläfenbeines Licht in das Dunkel zu bringen: **Es fand sich ein Fremdkörper in der rechten Tube, anscheinend pflanzlicher Natur, der sich mit seinem unteren Ende tief in das Gewebe der hinteren unteren Wand der Ohrtrompete eingebohrt hatte, während das obere freie Ende in einer durch Exulzeration entstandenen Höhle, einer Erweiterung des Tubenlumens lag.**

Die nähere Bestimmung des Fremdkörpers, die Prof. Dr. Hans Molisch vorzunehmen so liebenswürdig war, ergab, daß derselbe **ein Stück einer Längshälfte eines Grashalmes** darstellte. „Die Epidermis des Grashalmes ist sehr deutlich erhalten, und an den wellig konturierten Oberhautzellen, an den Zwergzellen und an den Haaren leicht zu erkennen." —

Die weitere Untersuchung mußte nun vornehmlich nach zwei Richtungen geführt werden:

1. **In welcher Weise ist der Fremdkörper in das Lumen der rechten Tuba Eustachii gelangt und wie ist seine merkwürdige Lagerung im Gewebe zu erklären?** und

2. **War es der Fremdkörper, der die seltsame Abszeßbildung und in weiterer Folge den Tod des Patienten veranlaßt hat?**

Suchen wir zunächst mit Rücksicht auf die erste Frage Analoga in der Literatur, so finden wir wohl spärliche Fälle von Fremdkörpern der Ohrtrompete, doch keinen, der einen ähnlichen Verlauf genommen hätte wie der unserige. Aus früherer Zeit berichtet Albers[2]) von einer ins Ohr geratenen Nadel, die durch die Tube in den Rachen kam und dann durch einen Brechakt ausgeworfen wurde, wobei sich zeigte, daß die früher gerade Nadel nun gekrümmt war.

---

1) Zaufal, Aktinomykosis des Mittelohres. Aktinomykotische Abszesse in der Umgebung des Warzenfortsatzes. Prager med. Woch. 1894.

2) Dr. Albers, London, 8. März 1797, Linkes Sammlung II, S. 183.

Fleischmann[1] sah bei einem Manne, der bei Lebzeiten über- beständige Ohrgeräusche geklagt hatte, bei der Sektion zufällig eine Gerstengranne, die aus der Tubenöffnung herausragte und bis zum knöchernen Teile der Tube reichte.

Projektile, die das Lumen der Ohrtrompete verstopften, sind wiederholt beschrieben worden. Über abgebrochene Laminariabougies, die in der Tube stecken geblieben waren, berichtet Wendt[2]. Dieselben wurden jedesmal durch Würgbewegungen aus der Tube herausbefördert. — Andere sahen Spulwürmer in die Tube hineingelangen (Winslow[3], Blumeau[4], Andry und Reynolds[5]). Letzterer sowie Herz und Urbantschitsch[6] konnten beobachten, daß ein Spulwurm durch die Tube und das Mittelohr hindurch wanderte und im Gehörgang zum Vorschein kam.

Äußerst interessant ist ein Fall, den Urbantschitsch[7] beschrieben hat und der schon deshalb besondere Erwähnung verdient, weil er mit unserem manches gemeinsam hat. Eine 52 Jahre alte Frau hatte einen Rispenast geschluckt und erkrankte in den darauf folgenden Wochen äußerst schwer an starken Schmerzen, zunächst in der Nähe des Zungengrundes, dann im oberen Rachenraum und im rechten Ohre. Neben vollständiger Appetitlosigkeit und Unmöglichkeit in liegender Stellung zu schlafen, kam es dann zu abendlichen Temperatursteigerungen und Delirien. In der 4. Woche stellte sich eine starke Anschwellung und Schmerzhaftigkeit des rechten Tragus und der rechten unteren Gehörgangswand ein, in der 5. Woche brach der Eiter durch das rechte Trommelfell durch und wurde bei der Untersuchung ein Abszeß an der unteren Gehörgangswand konstatiert und eröffnet, ohne daß der von der Patientin deutlich im Ohre gefühlte Fremd-

1) Hufelands und Osanns Sammlung der praktischen Heilkunde. St. VI. Juni 1835. Linkes Sammlung II, S. 183.
2) Wendt, A. f. O. Bd. 4, S. 149.
3) Winslow zit. von Herz, Sitzung der Ges. d. Ärzte in Wien am 6. Nov. 1885.
4) Blumeau, ebenda.
5) Andry und Reynolds, The Lancet, 23. Okt. 1880.
6) Herz und Urbantschitsch, Sitzung der Ges. d. Ärzte in Wien am 6. Nov. 1885.
7) V. Urbantschitsch, Wien: Wanderung eines von der Mundhöhle in den Pharynx gelangten Haferrispenastes durch die Ohrtrompete, die Paukenhöhle und durch das Trommelfell in den äußeren Gehörgang. Berl. klin. Wochenschr. 1878, Nr. 40.

körper zu erkennen gewesen wäre. In der 9. Woche endlich ihres schweren Leidens spürte die Patientin mit Sicherheit den Fremdkörper im rechten äußeren Gehörgang, von wo er auch von der Tochter der Patientin mit Hilfe einer Haarnadel extrahiert wurde. Darauf hin trat rasch von selbst vollständige Heilung ein. — Über eine ähnliche Beobachtung Wagenhäusers berichtet Camerer[1]). Bei einem Kinde wurde aus der Paukenhöhle ein Strohhalm extrahiert, den sich dasselbe $3/4$ Jahre vorher durch den Mund in den Hals gestoßen hatte.

Den umgekehrten Weg nahm in einem von Haug[2]) beschriebenen Falle ein Wattepfropf bei einem früher radikal operierten Patienten. Der von dem Kranken selbst eingeführte und vergessene Wattepfropf gelangte aus dem Recessus hypotympanicus, welcher wegen dort zurückgebliebener Eiterung energisch ausgekratzt worden war, neben der Tuba Eustachii unter die seitliche Rachenwand, wo er hart neben der Tonsille zur Abszeßbildung Anlaß gab, und am 7. Krankheitstage nach Spaltung des Abszesses extrahiert wurde. G. Trautmann[3]) konnte einen ins Tubenostium eingedrungenen Kirschkern, der zu eitriger Mittelohrentzündung geführt hatte, durch eine von der Paukenhöhle aus vorgenommene Ausspülung in den Rachen befördern. Tansley[4]) gelang es, das Stück einer Sondenelektrode, das von einem anderen Arzte in die Tube eingeführt worden und dort abgebrochen war, rhinoskopisch als Fremdkörper nachzuweisen und mit einer Pincette zu extrahieren. Auch Trautmann konnte in seinem Falle wohl nicht den Fremdkörper selbst, aber eine starke Schwellung des Tubenwulstes und nach Entfernung des Fremdkörpers ein weit klaffendes Tubenostium erkennen.

Bei unserem Patienten ist der halbe Grashalm wie bei dem von Urbantschitsch beschriebenen der Rispenast durch die Mundhöhle in den Rachen gekommen und hat von dort die weitere Wanderung angetreten. Es schien mir von vornherein zweifellos, daß dabei die Haare des Grashalmes die Hauptrolle gespielt haben, indem sie als förmliche Widerhaken wirkend trotz

1) Camerer, Über Fremdkörper der Tube. Inaugural-Dissertation. Tübingen 1897.

2) Haug, München: Fremdkörper in der Tubengegend nach früherer Radikaloperation. Peritonsillärer Abszeß. A. f. O. 1903, Bd. 79.

3) G. Trautmann, München: Über einen Fall von Fremdkörper in der Tuba Eustachii; Münch. med. Wochenschr. No. 47, 1898.

4) Tansley, J. O. Ein Stück von einer elektrischen Sonde in der Tuba Eustachii. Laryngoskope Januar 1903.

der entgegengesetzten Bewegung der Zungen- und der Rachenmuskulatur das Vordringen des Fremdkörpers durch den Rachen
in die Tube ermöglichten. Erst als er mit seiner Spitze gegen
das Ost. tymp. der Tube vorgedrungen war, scheint sich ihm
ein Widerstand entgegengestellt zu haben, sonst wäre derselbe
wie der Rispenast im Falle Urbantschitschs und der Strohhalm im Falle Wagenhäusers in die Paukenhöhle und durch
das Trommelfell in den Gehörgang gedrängt worden. Welcher
Art der Widerstand war und wieso der Halm die Tubenwand
durchbohren und so tief in das die Tube umgebende Gewebe
eindringen konnte, das blieb zunächst ein Rätsel, dessen Lösung
ich von der genaueren Untersuchung des Halmes erhoffte. Unter
das Mikroskop gebracht, zeigte der Halm folgende Einzelheiten:
Das obere, frei in der Tube liegende Ende war mehrfach zer-
fasert, das untere Ende, das fest im Gewebe gesteckt hatte, war
konisch zulaufend. Die Härchen an der Oberfläche des Halmes
standen, so wie vermutet, mit ihren Spitzen nach unten und
außen gegen das pharyngeale Ostium zu gerichtet. Auffallend
war aber sofort, daß die Härchen an dem 12 mm langen in das
Gewebe eingebohrt gewesenen Teile des Halmes fast gänzlich
fehlten, und zwar wie deutlich zu erkennen war, durch äußere
Gewalt abgerissen, während die wenigen, die noch an diesem
Teile der Oberhaut hafteten, zerdrückt, beschädigt oder vollständig umgestülpt waren. An dem zweiten, in der Tube gelegenen Teile des Halmes waren die Härchen noch durchwegs
vollständig und in ihrer oben beschriebenen Stellung unverändert
erhalten. Genaue Messungen am Präparate ergaben, daß die
ganze Tube 38 mm lang war, wovon 13 mm auf den knöchernen,
25 mm auf den knorpeligen Teil entfielen. Die Stelle, an welcher sich der Grashalm in die Tubenwand eingebohrt hatte, war
27 mm vom Ostium tympanicum entfernt, der Fremdkörper selbst
maß in seiner ganzen Länge 26 mm, wovon, wie bereits erwähnt,
12 mm im Gewebe steckten.

Mit Berücksichtigung dieser Details und Maße läßt sich nun
ziemlich sicher folgender Mechanismus für die weitere Bewegung
des Fremdkörpers feststellen: Das Hindernis für das Eindringen
des Halmes durch das tympanale Tubenostium in die Paukenhöhle war wohl die Auffaserung des oberen Endes desselben, so
daß die einzelnen Fasern sich an der oberen Paukenhöhlenwand
oder an den an der Tubenmündung gelegenen Unebenheiten des
Knochens spreizten oder auch nicht imstande waren, den Wider-

stand, der um diese Zeit sicher schon vorhandenen starken Schwellung der Paukenhöhlenschleimhaut, die die Höhle wie ein Ausguß einer sulzigen Masse erfüllte, zu überwinden. Die Tube muß nun die größten Anstrengungen gemacht haben, den ungewohnten Gast aus ihrem Inneren wiederum durch das pharyngeale Ostium hinaus zu befördern. Daß die Tube solches imstande ist, beweisen die Fälle von steckengebliebenen, abgebrochenen Laminariabougies, die Wendt beschrieben hat. Durch diese „Wehen" der Tuba Eustachii wurde der Grashalm um weniges nach abwärts gedrängt, verfing sich jedoch mit seinem konischen unteren Ende in eine Schleimhautfalte an der hinteren unteren Wand des knorpeligen Teiles der Ohrtrompete und wurde nach und nach durch die Wand hindurch 12 mm tief in die Weichteile hinein getrieben. Die hierzu nötige Konsistenz muß der sonst biegsame und weiche Grashalm jedenfalls durch die eng sich anpassenden Tubenwände, die ihm ein Ausweichen nicht gestatteten, erhalten haben. Daß ihm dabei seine Härchen abgeschunden oder doch umgestülpt werden mußten in der Weise, wie sich bei der Untersuchung zeigte, ist ohne weiteres klar. Für diesen Mechanismus spricht auch der Umstand, daß die Einbohrungsstelle in das Gewebe 27 mm von der Paukenhöhlenmündung der Tube entfernt ist und der Grashalm selbst 26 mm mißt. —

Wir kommen nun zur Beantwortung der zweiten Frage, ob es der kleine Fremdkörper gewesen ist, der die lebensgefährlichen Komplikationen verschuldete, nachdem er durch die Selbstheilbestrebungen des Organismus in eine für den Organismus selbst so fatale Lage gebracht war, die keinen Ausweg frei ließ. Da der ziemlich große Abszeß sich keineswegs um den Fremdkörper herum gebildet hatte, sondern von der noch ziemlich gut erhaltenen Tube durch eine Schicht noch nicht zerfallenen, wenn auch stark entzündlich veränderten Gewebes getrennt war, so erscheint diese Frage durchaus nicht müßig, vielmehr werden wir dieselbe erst dann bejahend beantworten können, wenn es möglich ist, alles andere, was zu einer solchen Abszeßbildung Veranlassung geben konnte, auszuschließen.

Gewissermaßen als Grundlage der weiteren Betrachtung möge hier das Ergebnis der eingehenden histologischen Untersuchung von Gewebsteilen aus verschiedenen Regionen des erkrankten Komplexes Raum finden.

Untersucht wurde zunächst ein Teil der Tubenwand
aus dem durch die Fremdkörpereiterung erweiterten Abschnitte
der Tuba. Es zeigte sich das Epithel größtenteils fehlend, wo
es vorhanden war, der Flimmerhaare beraubt, die Zellengrenzen
undeutlich und von Entzündungszellen reichlich durchsetzt. Die
zellige Infiltration war besonders stark in der Submukosa, sie
pflanzte sich sichtbar durch die Drüsenschicht und selbst durch
den Knorpel hindurch auf das peritubare Gewebe fort.

Ein zweites Gewebstück wurde knapp neben dem eben besprochenen aus der Zwischenwand von Tube und Abszeß
entnommen. Es umfaßte auch nach oben einen Teil des Caroti-
schen Kanales. Die mikroskopische Untersuchung dieses Stück-
chens ergab an einigen Ausbuchtungen der Tube noch gut er-
haltenes Flimmerepithel, während es an anderen Stellen unter
der Entzündung schon stark gelitten hatte. Knapp neben diesen
Tubenfalten sah man die Erkrankung in Form eines
Stranges stark entzündeten Gewebes, dessen Grund-
struktur nicht mehr erkennbar und dessen Zentrum
nekrotisch geworden war, weiter schreiten und gleichsam einen Fistelkanal bilden, dessen Lumen freilich
größtenteils durch abgelöste Gewebsfetzen verlegt
war und der direkt zur nekrotischen Wand des Abszesses führte. In der nächsten Umgebung dieser stark veränderten Partie klang die zellige Infiltration allmählich ab, nur
an einzelnen Stellen fanden sich noch größere Infiltrate. Auch
die Knochenwand des Canalis caroticus erschien in den diploë-
tischen Räumen kleinzellig infiltriert.

Zweitens entnahm ich dem Präparate ein Stückchen der
verdickten Dura mater vom Clivus. Unter dem Mikroskop
sah man neben leichter diffuser Entzündung stellenweise zu unregelmäßigen Haufen verdichtete Infiltration. Die beiden Schichten der Dura waren gleichmäßig um ein Vielfaches verdickt, die
elastischen Fasern stark gequollen.

Schließlich wurde noch das geplatzte Aneurysma der
Art. vertebr. sin. in Serienschnitte zerlegt und histologisch
untersucht. Das Ergebnis war auch hier eine akute Entzündung
und bedeutende Verdickung der äußeren Schichten der Gefäßwand mit starker kleinzelliger Infiltration. Sklerose und Verkalkung der Intima waren nicht vorhanden. Es handelte sich
also um die Form von Aneurysmen, die man Arrosionsaneu-
rysmen nennt.

Bemerkt möge noch werden, daß von allen diesen Objekten auch wiederholt Schnitte auf Mikroorganismen untersucht wurden, daß jedoch in allen Schnitten nur Gram-beständige Kokken vorgefunden wurden, deren nähere Bestimmung im Gewebe natürlich nicht möglich war.

Überblicken wir nochmals das Ergebnis der histologischen Untersuchung, so können wir sagen:

1. Wir hatten es hier höchstwahrscheinlich mit einer durch Eiterkokken hervorgerufenen Entzündung zu tun, und

2. die ganze Erkrankung von der Tube bis zum Aneurysma bildete auch mikroskopisch ein Continuum und wies allenthalben dieselben Charaktere auf.

Durch die histologische Untersuchung wurde also vor allem die nach Auffindung des pflanzlichen Fremdkörpers sich immer wieder aufdrängende Vermutung gegenstandslos, daß unser Patient einer aktinomykotischen Infektion zum Opfer gefallen sei.

Doch möge hier Erwähnung finden, daß unser Fall durch die merkwürdige Ähnlichkeit des Endausganges sehr an die Beobachtung erinnerte, die vor 12 Jahren Zaufal bei einem klinischen Patienten gemacht und veröffentlicht hat.[1] Zaufal konnte damals den Nachweis erbringen, daß es sich um Aktinomykose im Mittelohr, im Warzenfortsatz und in den mit letzterem in Zusammenhang stehenden Halsabszessen handelte, und was besonders interessant war, daß die Aktinomykose primär im Mittelohr entstanden und die Infektion auf dem Wege der Tube erfolgt war. Die Erkrankung machte trotz wiederholter eingreifender Operationen beständig Fortschritte, ergriff auch die Atlantooccipitalgelenke und den Knochen des Hinterhauptbeines, gelangte dann in die Schädelhöhle und führte, ähnlich wie in unserem Falle, durch Ruptur der Arteria vertebr. sin. zum Tode. Der Sektionsbefund wurde einige Jahre später von Beck[2] aus Prof. Chiaris pathologisch-anatomischen Institute in Prag publiziert.

Gegen Tuberkulose als Ursache der ganzen Erkrankung sprach ebenfalls der makro- und mikroskopische Befund, ebenso

---

1) Siehe oben.
2) Beck, J. C., Chicago: Über den Sektionsbefund eines letal verlaufenen Falles von Aktinomykose des Mittelohres. Pr. med. Wochenschr. 1900, Nr. 13.

wie an Lues wegen des Fehlens stärkerer Bindegewebsneubildung,
Intimaverdickung usw. nicht ernsthaft gedacht werden konnte.
Anamnestisch war nichts zu eruieren gewesen, und von anderen
Anzeichen für Lues oder Tuberkulose wurde weder am Leben-
den, noch bei der Sektion etwas gefunden.

Die Frage, ob die Erkrankung nicht eine Komplikation
einer eitrigen Mittelohrentzündung war, ist schon eingangs ausführlich besprochen worden. Der Befund bei der Operation, der weitere Verlauf und vieles andere sprachen dagegen.
— Die zweite Möglichkeit: ob die Gelenkserkrankung
nicht das primäre gewesen sei, war jedenfalls ernster zu
erwägen, zumal die Symptome der Gelenkserkrankung, insbesondere in der letzten Zeit des Lebens stark im Vordergrund gestanden hatten. Dagegen ist zu bemerken, daß der Kopf des
Patienten in der ersten Zeit unserer Beobachtung immer gut beweglich war, wenn er auch wegen der Schmerzen und der Infiltration der Weichteile am Halse etwas steif gehalten wurde.
Die Bewegungsbeschränkung beim Drehen und Nicken des Kopfes
trat erst in der letzten Woche vor dem Tode ein. Ferner sind
die Gelenkserkrankungen, die hier idiopathisch auftreten, in
der Regel tuberkulösen Ursprunges, was durch die mikroskо-
pische Untersuchung ausgeschlossen werden konnte. — Ein
Trauma, das für die Entstehung der Gelenksentzündung oder
des Abszesses hätte verantwortlich gemacht werden können,
hatte nach der Anamnese nicht stattgefunden, und gegen die
Auffassung als metastatische Gelenkserkrankung sprach
der durch die Sektion nachgewiesene gänzliche Mangel irgend
einer anderen Erkrankung im Organismus. Hingegen deutete
der Umstand, daß beide Atlantooccipitalgelenke erkrankt waren,
darauf hin, daß es sich um eine sekundäre, vom Abszeß ausge-
gangene Infektion handle.

Wir können also mit ziemlicher Sicherheit annehmen, daß der Fremdkörper allein die schwere zum
Tode führende Erkrankung veranlaßt habe. Die ständige Reizwirkung des Corpus alienum einerseits, und andererseits die in der Eiterhöhle liegen gebliebenen großen kautschuk-
artigen nekrotischen Gewebsfetzen, die durch die engen Fistelöffnungen unmöglich ausgestoßen und so unschädlich gemacht
werden konnten, waren jedenfalls die Ursache, warum der Abszeß auch nach erfolgtem Durchbruch in den Nasenrachenraum
nicht zur Heilung gekommen ist, wie nach Analogie anderer

ähnlicher Fälle von tiefen Halsabszessen zu erwarten gewesen wäre.

Die Diagnose auf einen in der Tuba Eustachii gelegenen Fremdkörper in dem vorliegenden Falle zu machen, war schlechterdings unmöglich. Die Auskultation der Tube mittels Katheterismus hätte kein Ergebnis gehabt, auch wenn wir sie trotz der Gefahr, neuerdings Eiter aus dem Nasenrachenraum in das Mittelohr zu treiben, ausgeführt hätten. Auch die Bougierung hätte uns keinen Aufschluß gegeben. Da der Grashalm sich innerhalb der Tube, 10 mm vom Ostium pharyngeum entfernt, befand, so konnte naturgemäß weder mit der vorderen noch mit der hinteren Rhinoskopie etwas von demselben gesehen werden. Zaufal[1]) hat schon im Jahre 1880 mit Hilfe eines von Leiter nach Zaufals Angaben modifizierten elektrischen Endoskopes eine Untersuchungsmethode des Nasenrachenraumes angegeben, mittels welcher er „das Tubenostium (der entgegengesetzten Seite) en face und tief noch in den Tubenkanal hinein" gesehen hat. Vielleicht hätte dieses Instrument einiges Licht in die Sache gebracht, wenn es möglich gewesen wäre, die Tube und ihre Umgebung auch nur für wenige Sekunden von dem ständig abfließenden Abszeßeiter frei zu halten.[2])

Doch selbst gesetzt den Fall, es wäre gelungen, die Anwesenheit des Fremdkörpers bei Lebzeiten des Patienten zu erkennen oder nur zu vermuten, — für den Kranken hätte dies kaum einen greifbaren Nutzen gehabt. Die Beseitigung des Fremdkörpers, die Ausräumung des Abszesses und die Entfernung alles erkrankten Gewebes des Hinterhauptbeines und des Atlas wäre selbst für den kühnsten Chirurgen ein Wagnis ohne Aussicht auf Erfolg gewesen. —

---

1) Zaufal, Versuche mit dem Nitze-Leiterschen Endoskop zur Untersuchung des Ohres, der Nase und des Nasenrachenraumes. Prager med. Wochenschr. 1880, Nr. 6.

2) Das Zaufalsche Instrument ist, wie es scheint, in Vergessenheit geraten, dafür hat Valentin (die cystokopische Untersuchung des Nasenrachens oder Salpingoskopie, A. f. Lar. u. Rhin. 1903) ein von Reiniger, Gebbert und Schall konstruiertes, dem Zaufalschen sehr ähnliches „Salpingoskop" zu gleichen Zwecken benutzt.

VI.

Aus der k. k. Universitäts-Ohrenklinik zu Graz
(Vorstand Prof. J. Habermann).

Die Erkrankung des Gehörorgans bei allgemeiner progressiver Paralyse.

Von

Dr. Otto Mayer, I. Assistenten der Klinik.

(Mit Tafel I, II.)

Von Gehörstörungen bei progressiver Paralyse ist bisher wenig bekannt geworden. Ich finde z. B. bei v. Krafft-Ebing[1]) nur einen Fall von Magnan zitiert, wo Atrophie des Acusticus konstatiert wurde. Es ist dies umso auffälliger, als v. Krafft-Ebing angibt, daß sich in 4 Proz. der Fälle von Paralyse Opticusatrophie findet und daß auch in der Retina ohne gleichzeitig bestehende Opticusatrophie pathologische Veränderungen nachgewiesen wurden (Klein[2])).

Bei den vielfachen Analogien, die sich zwischen dem Verhalten des Opticus und des Acusticus bei den verschiedensten namentlich intrakraniellen Erkrankungen ergeben, wäre also auch bei der Paralyse eine stärkere Beteiligung des Gehörorgans am Erkrankungsprozeß anzunehmen.

Der Klärung dieses Umstandes sind die folgenden Untersuchungen gewidmet.

I. Pathologisch-anatomische Untersuchungen.

Untersucht wurden 9 Gehörorgane von 5 Paralytikern, in 2 Fällen wurde auch der Hirnstamm histologisch untersucht.

Die Gehörorgane wurden in die von Held angegebene und auch von Wittmaak benützte Mischung eingelegt, die aus

---

1) Krafft-Ebing: Die progress. allgem. Paralyse in Nothnagels spez. Pathologie u. Therapie, IX. Bd. Wien 1894.

2) Klein, Leidesdorf: Psychiatr. Studien 1877, S. 13.

einer 5 proz. Kaliumbichromatlösung mit 10 Proz. Formol und 3 Proz. Eisessigzusatz besteht.

Die Fixierung in erwähnter Mischung ist der in Formol weit überlegen. Außerdem gelingt namentlich die Gieson-Färbung nachher in vorzüglich differenzierter Weise. Vor allem aber gestattet sie die von Wittmaak angegebene Osmierung der Markscheiden, die ich allerdings nur als sekundäre im Schnitt anwandte, die mir aber auch hier gute Resultate gab. Aber es gelingt auch die Markscheidenfärbung nach Wolters sehr gut. Ich betrachte diese von Wittmaak angegebene Methodik als einen bedeutenden Fortschritt in der Technik der Histologie des Ohres. In bezug auf die näheren Details muß ich auf die betreffende Abhandlung dieses Autors verweisen.[1]

Die Medulla oblongata wurde in fortlaufenden Serien geschnitten, nachdem sie in Formol fixiert, in Weigerts Beize gebromt, in Alkohol entwässert und in Celloidin eingebettet worden war. Die Schnitte wurden auf Filterpapierblättchen aufgestapelt, jeder 10. Schnitt wurde mit Phenolgelatine-Formol auf dem Objektträger aufgeklebt und nach Kulschitzky-Wolters gefärbt.

Fall I. S. Georg, 39 Jahre alt, Schreiber.

Diagnose: Paralysis progressiva, Tabes incipiens.

Anamnestisch ist hervorzuheben, daß der Kranke während seiner Militärdienstzeit an Lues erkrankt war und spezifisch behandelt wurde. — Seit November 1905 höhergradige psychische Störungen. Wegen wiederholter Selbstmordversuche im Dezember 1905 an die psychiatrische Klinik abgegeben. Über Gehörstörungen ist nichts bekannt.

Aus dem Status somaticus der psychiatrischen Klinik erwähne ich folgendes: Die Lidspalten ungleich, rechts weiter als links, die rechte Pupille eine Spur enger als die linke. Beide Pupillen reagierend, die linke träger als die rechte. Facialis in allen Ästen symmetrisch. Kniesehnen- und Achillessehnenreflex beiderseits fehlend. Keine schwere Störung des Muskelsinnes und Sensibilität.

Obduktionsdiagnose (19. Sept. 1906 Dr. Haßmann): Atrophia corticis. Anaemia cerebri, Pneumonia lobularis; dilatatio et hypertrophia ventruculi sinistri. Amyloidosis hepatis. Infarctes multiplices haemorrhagicae renis sinistri. Colitis membranacea necroticans.

Linkes Ohr. Paukenhöhle, ebenso die zelligen Räume, welche die Labyrinthkapsel umschließen, Antrum und Cellulae mastoideae sind mit zellreichem fibrinösen Exsudat gefüllt. Auf der Paukenhöhlenschleimhaut bildet das Exsudat einen dicken Belag, der in den oberflächlichen Schichten aus nekrotischen Zellen besteht, die hier in Fibrinmassen eingelagert sind; in den unteren Schichten beginnt von der Schleimhaut aus bereits eine Organisation des Exsudates. Die Schleimhaut selbst ist dicht infiltriert, verdickt, stellenweise mit kubischem Epithel bedeckt, meist fehlt das Epithel und die Schleimhaut verschmilzt mit dem Exsudat. Die Schleimhautschicht des Trommelfells ist infiltriert, dieses jedoch nicht perforiert.

---

1) Wittmaak, Zur histo-patholog. Untersuchung des Gehörorgans etc. Z. f. O. 51. Bd., II. Heft.

Die Nische zum runden Fenster ist mit teils organisiertem Exsudat gefüllt, Membrana tympani secundaria nicht entzündet.

Die Dura des inneren Gehörganges ist auffallend zellreich und von Rundzellen durchsetzt, sie ist aufgelockert, von kleinen Spalten durchzogen, die mit Leukocyten gefüllt sind, ferner ist sie verhältnismäßig reich an Capillaren. Die oberste Schicht der Dura besteht aus einem zarten Fibrinbelag mit eingelagerten Leukocyten. Zwischen Dura und Arachnoidea befindet sich ein größeres Fibringerinnsel, in welches Leukocyten eingelagert sind. Arachnoidea ebenfalls mit Rundzellen durchsetzt.

Der Ramus cochlearis ist von ungefähr normaler Dicke. An den mit elektrischer Markscheidenfärbung nach Kulschitzky-Wolters gefärbten Präparaten sieht man die Markscheiden vollkommen zerfallen und im Verlauf der Fasern nur mehr in kleinen Segmenten erhalten, die dazwischenliegenden Stücke sind leer. Peripherwärts nimmt die Degeneration der Markscheiden noch weiter zu. Aus den mit Osmium-Pyrogallussäure behandelten Schnitten ergibt sich, daß im Verlauf des Nerven in der Schnecke selbst nur spärliche Myelinreste vorhanden sind; auffallend ist dieses Verhalten im Modiolus, wo die Fasern ganz ungefärbt sind.

Die Ganglienzellen im Spiralganglion sind an Zahl vermindert, man sieht einzelne Lücken; die noch vorhandenen Zellen sind hochgradig degeneriert. Das Protoplasma derselben ist geschrumpft und die Zellen haben hierdurch eckige Konturen. Besonders hochgradig sind diese Veränderungen an der Schneckenbasis.

Die Lymphe des peri- und des endolymphatischen Raumes ist überall gleichmäßig fädig geronnen und mit Gieson leicht braungefärbt (Fibrin), in dem Gerinnsel sind jedoch keine zelligen Elemente vorhanden.

Die Reissnersche Membran ist straff gespannt. Die Cortische Membran ist etwas geschrumpft und überdacht, in fast normaler Lage die Papilla basilaris. Die Cortischen Pfeiler sind in ihrer Form gut erhalten, in der basalen Windung etwas niedriger, Sinneszellen und Deitersche Zellen fehlen ganz, und von den Stützzellen sind nur mehr niedrige Haufen vorhanden. Besonders hochgradig sind diese Veränderungen in der basalen Windung.

Die Stria vascularis ist etwas verbreitert und sehr reich an Spalten, so daß das Gewebe wie ödematös aussieht, die oberflächliche Epithellage ist stellenweise desquamiert. Die Stria ist gefäßarm, die Capillaren zeigen Endothelwucherung.

Der Ramus vestibularis zeigt ebenfalls hochgradige Degenerationserscheinungen, die peripherwärts zunehmen; in den Verzweigungen in den Maculae und Cristae sind mit Wittmaaks Methode nur spärliche Myelinreste nachzuweisen. An Querschnitten der Nervenbündel sieht man fast ganz ungefärbte Bündel neben solchen, die einige Reste von Myelin enthalten. Im Verlauf des Ramus sup. nervi vestibularis befindet sich im Grunde der Fossula superior eine tumorartige Verdickung, welche sich weiter bis zur Macula cribrosa superior erstreckt. Es besteht diese Anschwellung aus sich durchflechtenden Bündeln von spindelförmigen Zellen, mit teils länglichen, teils großen rundlichen Kernen. An seiner oberen Peripherie liegen Nervenfasern und Ganglienzellen, welche dem Ganglion vestibulare superius angehören. Im Inneren des Tumors sind mit Markscheidenfärbung wenige Nervenfasern nachzuweisen.

Die Ganglienzellen des Ganglion Scarpae zeigen Vakuolisierung und Schrumpfung. Die Macula sacculi ist tangential geschnitten. Infolgedessen sind Degenerationserscheinungen nicht sicher nachzuweisen, doch sind die zum Epithel ziehenden Nervenfasern spärlich und die vorhandenen sind degeneriert. Das Epithel der Maculae utriculi zeigt außer den normalerweise sich vorfindenden Vakuolen der Stützsubstanz große Lücken, in welchen das Epithel fehlt und wo nur einige Kerne mit geringem Protoplasmasaum sich als Überreste finden. Das Epithel der Cristae ist ebenfalls hochgradig degeneriert; es ist der Raum zwischen Cupula und Basalmembran mit hyalinen Schollen, Kugeln und Kernresten erfüllt, teils sind große Lücken vorhanden, in denen sich feine fädige oder körnige Massen befinden; die an das Epithel herantretenden Nervenfasern sind spärlich und die vorhandenen sind hochgradig degeneriert. Doch ist die Substantia propria der Crista nicht atrophiert.

An den Blutgefäßen, namentlich denen im inneren Gehörgang kann man Endothelwucherung und Leukocytheninfiltrat in der Adventitia feststellen. Einige haben verkalkte Wände oder sind vollständig obliteriert.

Es fand sich hier also eine fibrinöseitrige Entzündung in sämtlichen Mittelohrräumen. Das innere Ohr war jedoch frei von akuten Entzündungserscheinungen. Es war zwar die Lymphe sowohl des endo- als auch des perilymphatischen Raumes geronnen, es kann dies aber nicht als der Ausdruck einer höhergradigen Entzündung gelten. Vor allem fehlte hierzu die Exsudation von Leukocyten. Der Nervus acusticus war in seinem Stamm hochgradig, in seinen peripheren Verzweigungen vollkommen degeneriert. Auch die Ganglienzellen und Nervenendorgane, namentlich das Cortische Organ zeigten Degenerationserscheinungen.

Der im Verlauf des Nervus vestibularis gefundene Tumor muß als zellreiches Fibrom angesehen werden. Er verdrängt die Nervenfasern, ohne jedoch eine vollständige Kompression des Nerven herbeizuführen. Die im weiteren Verlaufe des Astes gefundenen Degenerationserscheinungen sind nicht hochgradiger wie die im Bereiche des Ramus vestib. infer.

Rechtes Ohr. Paukenhöhle. Warzenfortsatz wie links. Dura des inneren Gehörganges zellreicher, ebenso Arachnoidea. Der Stamm des Acusticus atrophisch; an Schnitten, die nach Kulschitzky-Wolters gefärbt sind, sieht man nur mehr spärliche Markscheiden gefärbt; diese sind dünn und in einzelne Körner und Stücke zerfallen; diese degenerativen Erscheinungen nehmen peripherwärts zu und man sieht in der Lamina spiralis sowie im Rosenthalschen Kanal nur mehr ganz zarte vereinzelte Fäserchen.

Ebenso zeigen die Nervenzellen des Ganglion spirale degenerative Erscheinungen; in den unteren Partien ist ein ganz bedeutender Ausfall von Zellen zu konstatieren, der sich durch auffällige Lückenbildung kundgibt, die restlichen Zellen zeigen hochgradige Schrumpfung. (Tafel 1/2, Figur 5.)

Die Gebilde des Ductus cochlearis sind ebenso hochgradig verändert. In der basalen Windung ist der Ductus cochlearis auf einen schmalen Spalt verengt dadurch, daß die Membrana vestibularis vom Limbus laminae spiralis, an dessen Oberfläche sie angewachsen scheint, quer zur Prominentia spiralis hinüberzieht. (Tafel 1/2, Figur 1.)

Der Limbus selbst ist sehr niedrig; von dem nach unten gebogenen Labium vestibulare schlägt sich die geschrumpfte Cortische Membran auf einen niedrigen Epithelsaum, den Überrest der Papilla spiralis hinunter, denselben überdeckend.

In den mittleren Windungen ist die Membrana Reissneri gespannt, sie ist mit dem Limbus verklebt und zieht schräg hinauf zur normalen Insertionsstelle; die Papilla besteht nur mehr aus platten Zellen, die von der Cortischen Membran überkleidet werden; in der obersten Windung ist der Limbus laminae spiralis ganz abgeflacht und kaum zu erkennen. Die Papilla spiralis und die Cortische Membran sind daselbst geschwunden.

Die Lamina spiralis ist sehr dünn, die Knochenbälkchen sind atrophiert, namentlich in den oberen Windungen.

Die Stria vascularis ist sehr schmal, gefäßarm, das Ligam. spirale ist atrophisch, namentlich in den oberen Windungen, wo nur einzelne Bindegewebsfäserchen den lückenreichen Raum durchkreuzen.

Auch der Ramus vestibularis ist fast ebenso hochgradig degeneriert wie der Ramus cochlearis.

Das Ganglion vestibulare zeigt Zellausfall und degenerative Veränderung der Nervenzellen. Die Nervenendstellen in den Maculae und Cristae sind hochgradig verändert. Im Bindegewebe der Cristae sind zahlreiche weite Lücken, die Crista ist spitz und erhält dadurch ein atrophisches Aussehen. Das Epithel ist sehr verändert, gequollen, von breiten Lücken durchsetzt; ebenso ist das Epithel der Maculae kaum mehr zu erkennen. Die Nervenfasern zeigen bei elektiver Markscheidenfärbung nur mehr vereinzelte Reste von Myelin.

Sowohl an den Wänden des peri- als auch des endolymphatischen Raumes befinden sich hyaline Massen, offenbar Reste geronnener Lymphe.

Auch der Nervus facialis ist atrophisch.

Die pathologischen Veränderungen an diesem Gehörorgan sind also qualitativ gleich denen des Gehörorgans der linken Seite, nur quantitativ bedeutend hochgradiger. Neben vollkommener Atrophie des Nervus acusticus, sowohl seines Stammes als seiner peripheren Verzweigungen besteht Atrophie der Nervenendstellen und hochgradige Atrophie und Degenerationen der Ganglienzellen.

Von der Medulla spinalis stand nur das oberste Cervicalsegment zur Verfügung; hier war beiderseits im Gebiet der Hinterstränge ausgedehnte Degeneration nachweisbar. Auf Schnitten durch die Medulla oblongata in der Höhe des Acusticus konnte die Degeneration der Wurzeln des Acusticus mit Sicherheit festgestellt werden.

Fall II. F. Joachim, 50jähriger lediger Taglöhner.

Klinische Diagnose: Progressive Paralyse.

Der Kranke wurde von der Heimatsgemeinde der phychiatrischen Klinik übergeben am 4. Sept. 1906.

Auszug aus dem Status somaticus: Pupillen ungleich, linke weiter wie die rechte, reagiren träge. Kniereflexe beiderseits gesteigert, kein Fußklonus.

Vorstrecken der Hände gelingt, beim Nachahmen einfacher Bewegungen jedoch ataktisch ausfahrende Bewegungen.

Obduziert in Feldhof am 19. Sept. 1906.

Obduktions-Diagnose: Meningitis chronica, Oedema meningum, Atrophia cerebri, Hydrocephalus chron. int., Euteritis necroticans.

Im äußeren Gehörgang und am Trommelfell ist nichts Pathologisches zu finden.

In der hinteren Umrandung des Ligam. anulare staped. befindet sich eine die ganze Breite des Randes einnehmende Kalkeinlagerung. Es

zeigt sich im Hämatose-Eosin-Präparat das Ligament vollkommen durchsetzt von grobkörnigen, tief blau gefärbten Massen, die sich tinktoriell vom
Knorpelüberzug des Stapes und des Fensterrandes abheben. Die vordere
Partie des Stapes ist aus dem Fensterrahmen nach außen gehoben, wodurch das Ringband namentlich vorne stark gedehnt erscheint. Hinten ist
die Basis stapedis an normaler Stelle; es scheint also die Basis stapedis um
einen hinten gelegenen fixen Punkt, der an der verkalkten Stelle gelegen ist,
nach außen gehobelt zu sein. (Tafel 1/2, Figur 4.)

Die Schleimhaut der Paukenhöhle zeigt nirgends pathologische Veränderungen, sie ist dünn, zart, von einem platten, gegen die Tuba zu kubischen
Epithel bedeckt.

Die Nische zum runden Fenster ist nicht verändert, ebenso wenig zeigt
die runde Fenstermembran (Membrana tympani secundaria) etwas Besonderes.
Der Knochen der Labyrinthkapsel ist nirgends, namentlich nicht im Sinne
einer Otosklerose verändert.

An der Dura des inneren Gehörgangs fällt der bedeutende Zellreich-
tum auf. Stellenweise verdichten sich die Zellen so, daß es zur Bildung
kleiner Infiltrate kommt.

Die Arachnoidea zeigt Endothelwucherungen, ist von Leukocyten durchsetzt und stellenweise liegen auf ihrer Innenseite Fibrinausscheidungen, in
denen sich Leukocyten finden, namentlich aber ist der Nerv an seiner Peripherie von einem Zellmantel umgeben.

Der im inneren Gehörgang liegende Stamm des Nervus acust. ist im
ganzen nicht atrophisch. Im zentralen Ende sind große, fast die ganze Nerven-
dicke einnehmende Herde, die sich scharf gegen die Umgebung absetzen,
zu sehen. Am unregelmäßig gekerbten Rand dieser Herde, ist das Gewebs-
gefüge gelockert und weist Lücken auf. Die Herde sind mit Gieson hellgelb
gefärbt, nur einige rote Bindegewebsstränge durchziehen dieselben. Stellenweise kann man die Konturen der Nervenfasern noch unterscheiden, jedoch
erscheinen dieselben unregelmäßig konturiert. Kerne sind im ganzen Herd
zerstreut, sie gehören Lymphocyten an, größtenteils zeigen sie jedoch Schrumpfung und sind von keinem Protoplasmasaum umgeben. In der Umgebung
dieser Herde sind einzelne mit Hämalaun = van Gieson braungefärbte kugelige Gebilde (Corpora amylacea) zu finden. Verfolgen wir den Nerven etwas
weiter nach der Peripherie, so können wir auch hier einige kleine Herde
von Spindelform, die etwas dunkler braun tingiert sind, konstatieren, im
übrigen bestehen in diesen dieselben degenerativen Veränderungen. (Postmortale histologische Artefakte).

An den mit elect. Markscheidenfärbung behandelten Schnitten
(Kulschitzky-Wolters und Wittmaak) sieht man diese Herde sich
hell von der geschwärzten Umgebung abheben, nur im Zentrum befinden
sich einige schwarze Krümmelchen und Faserreste. Bei Gegenfärbung mit
Sauerfuchsin werden sie hellgelblich. Weiter peripheriewärts finden sich
keine solchen Herde. Betrachtet man die Schnitte mit Markscheidenfärbung,
so fällt schon bei schwacher Vergrößerung ein gekörntes Gefüge des Nerven
auf und bei starker Vergrößerung ergibt sich als Grund hierfür eine Veränderung der Markscheiden zu erkennen, die darin besteht, daß auf fadenförmige Verschmälerungen spindelförmige Erweiterungen
folgen. Diese Veränderung nimmt im Verlauf der Nervenfasern peripheriewärts an Intensität zu, insoferne als man die fadenförmigen Verbindungs-
stücke zwischen den verbreiterten oder normalbreiten Partien ganz vermißt, so daß die Markscheide dadurch in einzelne Segmente zerfällt. Diese
Segmentierung kann man durch die Kanäle des Modiolus und Tractus spiralis
foram. und auch in der Lamina spiralis genau verfolgen.

Die Ganglienzellen des Ganglion spirale scheinen an Zahl nicht
vermindert, doch zeigen sie degenerative Veränderungen; sie sind geschrumpft,
die Konturen sind nicht rund, sondern eckig. An einigen fehlt der Kern
vollständig und die endotheliale Scheide ist von einer krümmeligen, formlosen Masse teilweise erfüllt. Auch dieser Zellrest fehlt manchmal fast
vollkommen, so daß nur die leere Hülle sichtbar ist.

Die Gebilde des Ductus cochlearis sind sehr gut konserviert. Die

7 *

Membrana Reissneri ist überall straff gespannt, nur in der Basalwindung leicht gekrümmt. Die Papilla spiralis zeigt in allen Windungen Degeneration der Haarzellen und Deiterschen Zellen bei gut erhaltenen Pfeiler- und Stützzellen. Nur in der basalen Windung sind auch die Pfeiler niedriger, wie eingedrückt. Hier sind auch die Stützzellen degeneriert: gegen die Spitze zu nehmen alle degenerativen Veränderungen ab, so daß in der Spitzenwindung neben gut erhaltenen Pfeiler- und Stützzellen auch einzelne Haarzellen erhalten sind. An Stelle der fehlenden Sinuszellen liegen teils kugelige, teils krümmelige Massen. Die Cortische Membran ist etwas geschrumpft und von der Papilla abgehoben (Kunstprodukt).

Die Stria vacularis ist von normaler Höhe, der oberflächliche Epithelsaum meist gut erhalten, nur stellenweise mit hyalinen Kugeln besetzt. In den tieferen Schichten der Stria fällt eine Spalten- und Lückenbildung auf. Die Kapillargefäße zeigen Endothelwucherung. Das Ligament. spirale ist sehr zellarm und sehr lückenreich, namentlich in den oberen Windungen.

Der Nervus vestibularis zeigt ebensolche degenerative Veränderungen wie der Cochlearis nur im geringen Grade. Es ist noch keine Segmentierung zu erkennen, sondern bloß Verdünnung abwechselnd mit Verdickung, namentlich in den Endausbreitungen des Nerven sieht man sehr dünne Fasern, welche stellenweise knotige Verdickungen aufweisen.

Das Epithel der Macula utriculi und sacculi ist nicht höhergradig pathologisch verändert. An den Crista acusticae, namentlich an der des hinteren Bogenganges finden sich im Epithel Lücken. Dieselben befinden sich unmittelbar über der Basalmembran und reichen bis an die Haarzellen heran. Stützzellen fehlen im Bereich der Lücken. Alle Zellelemente sind jedoch unscharf begrenzt und nicht gut erhalten. Bei der großen Labilität dieser Epithelien ist ein sicherer Schluß, ob man die Veränderungen als pathologisch oder postmortal auffassen soll, schwer zu ziehen.

Die Ganglienzellen des Ramus vestibuli sind ebenfalls pathologisch verändert, jedoch in geringerem Grade wie die der Spiralganglien.

Der Nervus facialis zeigt an den mit elekt. Markscheidenfärbung behandelten Schnitten gestreckten Verlauf; seine Fasern sind gut geschwärzt, nur einige unregelmäßig konturiert. An Querschnitten finden sich neben sehr dünnen, auch dicke Fasern, an einigen Fasern fehlt die Markscheide.

Wir finden also außer einer umschriebenen Verkalkung des Ringbandes im Schallleitungsapparat nichts Pathologisches, hingegen degenerative Veränderungen im Ramus cochearis acustici und im Ganglion spirale, geringere im Ramus vestibularis und seinem Ganglion. Im Cortischen Organ Degeneration der Sinneszellen. Die Nervenendstellen an den Maculae und Cristae acusticae nicht deutlich pathologisch verändert, im inneren Gehörgang Pachy- und Leptomeningitis chronica.

Fall III. F. Anton, 50jähriger Bierführer.
Klinische Diagnose: Demeatia paralytica.
Übergeben der Landesirrenanstalt in Feldhof am 11. April 1906.
Anamnestisch ist ein bedeutendes Potatorium hervorzuheben.
Obduziert am 10. Okt. 1906 (Dr. Hassmann).
Obduktions-Diagnose: Pachymeningitis hämorrhagica, Encephalitis chronica. Atrophia cerebri, Hydrocephalus chron. internus.
Rechtes Ohr: Paukenhöhle, Trommelfell und Gehörknöchelchen sind normal.
Die Dura des inneren Gehörganges ist sehr zellreich, stellenweise befinden sich Anhäufungen von Lymphzellen in derselben, angelagert an die

Arachnoidea befinden sich Fibrinnetze mit eingelagerten Leukocyten, in der Umgebung des Nervenstammes Lymphocyten.

Der Nervus cochlearis ist nicht bedeutend pathologisch verändert; mit electiver Markscheidenfärbung läßt sich geringe Segmentierung konstatieren, namentlich in den Verzweigungen in den Rosenthalschen Kanälchen der Schnecke.

Die Nervenzellen im Ganglion cochleare bieten nur in der basalen Windung Verringerung ihrer Zahl und auch degenerative Veränderungen dar. in den oberen Windungen sind diese gering.

Im Cortischen Organe fehlen die Sinuszellen in der basalen Windung gänzlich, auch der Stützapparat ist defekt, doch sind die Cortischen Pfeiler deutlich zu erkennen und von normaler Höhe. In den oberen Windungen sind Degenerationen der Deiterschen Zellen, und Sinneszellen deutlich vorhanden, Cortische Pfeiler, Claudius und Hensensche Zellen gut erhalten.

Cortische Membran etwas geschrumpft und von der Papille abgehoben, Reissnersche Membran etwas in der Ductus cochlearis convex vorgebaucht.

Die Stria vascularis ist etwas breiter wie normal, in den tieferen Schichten wie ödematös, stellenweise ist die oberflächliche Epithellage abgehoben, viel gelbes, körniges Pigment befindet sich im Gewebe In der zweiten Windung befindet sich eine Cyste, welche nur mit einer aus platten Zellen bestehenden Epithelschicht bedeckt ist. Sie sitzt mit breiter Basis auf dem mittleren Drittel der Stria und hat die Form einer Halbkugel; sie ist mit strahligen Massen, die sich mit Hämalaun-Eosin schwach rötlich färben, gefüllt. Das Gewebe der Stria fehlt an der Stelle, so daß die Cyste eigentlich auf der verdickten Innenschicht des Ligament. spirale aufsitzt. (Tafel 1/2 Figur 3.)

Ligamentum spirale gut entwickelt. Der Nervus vestibularis scheint wenig verändert, indem die Segmentierung nicht so deutlich zu sehen ist. Auch in der Aufsplitterung an den Nervenendstellen zeigen die Fasern scharf parallele Konturen und gestreckten Verlauf.

Auch die Nervenzellen des Ganglion vestibulare sind normal.

Von den Nervenendapparaten sind die Maculae normal. An den Cristae ist das Epithel von der Basalmembran abgehoben und in seiner Struktur undeutlich.

Der Nervus facialis zeigt in seinem Querschnitt Faserschwund in einem seiner Bündel, die übrigen scheinen normal.

Die Blutgefäße im inneren Gehörgang sowie in der Schnecke sind durch Wucherung der Intima in ihrem Lumen verengt, namentlich in der Stria vascularis. Im meat. ac. int. sind einige kleine Gefäße verkalkt und mit ebensolchen Massen angefüllt.

Bei diesem Gehörorgan sind demnach nur geringe degenerative Veränderungen im Cochlearis und Cortischen Organ nachweisbar. Dagegen Pachymeningitis chronica und Arteriosklerose. Pigmentierung und Oedem der Stria mit Cystenbildung.

Linkes Ohr: Paukenhöhle, Trommelfell und Fenster normal.

Stamm des Acusticus fehlt (offenbar abgerissen), Dura des inneren Gehörganges zellreich, stellenweise Infiltrate. Fibrinmembranauflagerung sowohl auf der Dura als auch auf der Arachnoidea.

Die Verzweigungen des Nervus cochleae zeigen mit elect. Markscheidenfärbung sehr deutlich spindelförmige Verdickungen abwechselnd mit fadenförmigen Zwischenstücken, namentlich im Rosenthalschen Kanal.

Nervenzellen des Ganglion spirale nicht merkbar vermindert, jedoch geringgradig degeneriert. Die Gebilde des Ductus cochlearis sind pathologisch verändert. Am auffallendsten ist die Adhäsion der Cortischen Membran an der Oberfläche der Papille; der Sulcus spiralis internus, Tunell-

und Nuëlscher Raum sind stellenweise von einer stärker rötlich tingierten
Masse erfüllt, Cortische Pfeiler niedriger, wie eingedrückt. Haarzellen sowie Deitersche Zellen kaum zu erkennen, an ihrer Stelle granulierte Kugeln
und Zellen mit stark tingierten Kernen. Die Membrana vestibularis ist mit
der Membr. tectoria verklebt, so daß sie erst vom äußeren Ende der Papille
schräg nach oben zieht.

Stria und Ligament. spirale wie rechts, stellenweise Blutungen in den
Ductus cochlearis hinein. Die Verzweigungen des Nervus vestibularis sind
an den Endstellen in geringem Maße degeneriert, ebenso die Epithelien der
Membrae und Cristae.

Ganglion nervi vestibul. fehlt. Facialis nicht bedeutend verändert. Gefäßveränderungen wie rechts.

Hier finden sich also neben deutlichen degenerativen
Veränderungen im Ramus cochleae, solche geringen
Grades im Cortischen Organ. Ferner Pachymeningitis
chronica mit Hämorrhagien. Arteriosclerosis, Ödem
der Stria usw. wie rechts.

Fall IV. K., Franz, 45jähriger Bergarbeiter
Klinische Diagnose: Dementia paralytica.
Übergeben der psychiatrischen Klinik 10. Juli 1906. Keine anamnesti-
schen Daten.

Aus dem Status somaticus: Pupillen etwas enger, rechte träger
reagierend als die linke. Zunge zittert lebhaft, kann nicht vorgestreckt werden. Dabei lebhafte Unruhe, Mitbewegung in allen möglichen Muskel-
gebieten.

Patellarsehnenreflexe sehr lebhaft gesteigert. Achillessehnenreflexe nicht
zu prüfen. Andeutung von Rhomberg.

Obduziert am 19. Juli 1906 (Dr. Hassmann)
Obduktionsdiagnose: Pachymeningitis haemorrhagica diffusa chron.,
Meningitis, Hyperaemia cerebri, Oedema cerebri. Encephalomalacia circum-
scripta, Ependymitis granulosa. Pneumonia lobularis.

Rechtes Ohr: In den zelligen Räumen des Tegmen tymp. befindet
sich fibrinöses Exsudat mit Einlagerung von vielen Leukocyten. Dieses Exsudat ist einigen Zellen bereits organisiert. In der Paukenhöhle befindet
sich kein Exsudat. Die Schleimhaut ist dünn und mit glattem, einschichtigen
Epithel bedeckt. Der Boden der Paukenhöhle ist vom Bulbus venae
jugularis nur durch ein dünnes Knochenblättchen getrennt; zwischen der
Ampulle des hinteren Bogenganges und dem Bulbus venae jugularis fehlt die knöcherne Zwischenwand an einer Stelle
ganz, und berühren sich daselbst Periost der Ampulle und die Bulbus-
wand. Die Dura des inneren Gehörganges ist zellreicher, stellenweise infiltriert; Hämorrhagien befinden sich sowohl zwischen Dura und Arachnoidea,
als namentlich zwischen den Verzweigungen des Nerven beim Eintritt in die
Knochenkanälchen.

Der Stamm des Cochlearis ist im ganzen nicht verdünnt, in dem
interstitiellen Bindegewebe befinden sich reichliche Infiltrate. Bei Osmierung nach Wittmaak tritt geringe Segmentierung der Markscheiden hervor. — Diese Veränderung besteht namentlich im Rosenthalschen Kanal
und in der Lamina spiralis.

Die Nervenzellen des Ganglion cochleare sind an Zahl nicht bedeutend
verringert, sie zeigen jedoch Schrumpfung und Vacuolenbildung.

Die Papilla spiralis ist ein niedriger Zellhaufen, der mit der Membrana
tectoria fest verklebt ist. Die Reissnersche Membran meist nicht straff gespannt, sondern etwas konvex in den Ductus cochl. vorgebaucht. Stria vascularis schmal und lang, nicht besonders verändert.

Der Nervus vestibul. enthält neben schön erhaltenen Fasern auch degenerierte.

Im Ganglion vestibulare sind die Nervenzellen meist besser wie im

Ganglion cochleare erhalten. Sie zeigen runde Konturen und füllen die Scheide meist voll aus.

In den Aufsplitterungen an den Nervenendstellen sind aber deutliche Verdickungen wechselnd mit fadenförmiger Verdünnung zu sehen.

Das Epithel der Maculae und Cristae ist degeneriert. Die Blutgefäße zeigen hyaline Degeneration und manchmal Verkalkung.

Wir haben also hier Degeneration in der Aufsplitterung der Cochlearis, weniger in der des Vestibularis. Degeneration des Cortischen Organs mittleren Grades. Degeneration der Blutgefäße; Pachymeningitis chronica haemorrhagica.

Linkes Ohr: Paukenhöhle, Trommelfell, Fenster normal. Dura des inneren Gehörgangs und Arachnoidea wie rechts.

Ramus cochlearis zeigt einige degenerierte Fasern in seiner Verzweigung in der Schnecke, namentlich in der Lamina spiralis.

Die Nervenzellen im Ganglion cochleare sind an Zahl nicht, oder unbedeutend verringert, zeigen jedoch Degenerationserscheinungen.

Die Papilla spiralis ist etwas niedriger, die Pfeiler sind etwas eingedrückt und der Nuelsche Raum mit hyalinen Kugeln erfüllt. Sinneszellen kaum zu erkennen, Claudiussche Zellen niedriger, in der basalen Windung fehlt das Cortische Organ ganz, Cortische Membran meist abgehoben, Membrana vestibularis schlecht gespannt, unregelmäßig gekrümmt.

Der Ramus vestibularis und das Ganglion vestibulare ist nur in geringem Grade pathologisch. Die Nervenzellen füllen die Scheide vollkommen aus. Doch sind in den Endzweigen der Cristae und auch der Maculae Degenerationserscheinungen nachzuweisen, die Markscheiden werden sehr dünn, färben sich mit Osmium-Pyrogallussäure schlecht und zeigen zwischen fadendünnen Stellen spindelförmige Schwellungen.

Das Epithel der Nervenendstellen ist durch große Vacuolen auf schmale Reste verdrängt. Veränderungen der Meningen und der Gefäße wie rechts.

Zusammenfassung: Geringe Degeneration des Nervus acusticus und der Nervenendstellen, sonst wie rechts.

Die Untersuchung der Medulla oblongata ergibt folgendes:

Auf Durchschnitten in der Höhe der Pyramidenkreuzung läßt sich eine deutliche Degeneration des Hinterstranges der rechten Seite konstatieren. Schnitte in der Höhe des Acusticus zeigen Degeneration der medialen und lateralen Wurzeln desselben.

Fall V. R., Franz, 50jähriger verheirateter Kutscher.

Klinische Diagnose: Dementia paralytica.

Der Kranke wurde am 17. September 1906 der psychiatrischen Klinik übergeben. Keine anamnestischen Daten. Für Gehörstörung keine Anhaltspunkte.

Aus dem Status somaticus: Pupillen miotisch ungleich, lichtstarr, Zunge lebhaft ataktisch zitternd; vorgestreckte Hände zeigen mächtige Unruhe. Kniereflexe wegen ungehöriger Bewegungen des Patienten nicht auslösbar. Gang schwankend, Körperhaltung schlaff.

Obduziert am 11. Oktober 1906 (Dr. Hassmann).

Obduktionsdiagnose: Meningitis chronica, oedema corticis cerebri, Hydrocephalus chronicus internus.

Rechtes Ohr: Paukenhöhle, Trommelfell, Steigbügelverbindungen, Fensternischen normal.

Dura des inneren Gehörgangs etwas zellreicher; der Stamm des Acusticus ist in toto nicht verdünnt, in den Zwischenräumen zwischen den Bündeln desselben befinden sich Lymphocyten, ebenso im interstitiellen Bindegewebe des Nerven selbst Infiltrate.

Mit elektrischer Markscheidenfärbung erscheinen die Fasern des Ramus cochlearis segmentiert.

Auch im Ramus vestibularis sind dieselben Zerfallserscheinungen des Myelins, aber in etwas geringerem Grade vorhanden.

In der Schnecke sind die Markscheiden ebenfalls degeneriert. Die Ganglienzellen sind in der Basalwindung verringert, und neben gut erhaltenen befinden sich solche im Stadium des Zerfalls. Nisslfärbung gelingt nicht.

Die Papilla spiralis ist von normaler Höhe, in der basalen Windung fehlen die Sinneszellen und Deitersche Zellen. Claudius- und Hensensche Zellen sind gut erhalten, in den oberen Windungen sind auch Haarzellen deutlich zu erkennen.

Die Cortische Membran ist meist etwas abgehoben und geschrumpft. Die Reissnersche Membran nicht scharf gespannt, meist konvex, in der unteren Windung konkav; in der obersten Windung setzt sie sich nicht an typischer Stelle an, sondern sie zieht senkrecht zum Dach der Scala vestibuli empor.

Die Stria vascularis ist gut ausgebildet und sind die Epithelien deutlich und scharf begrenzt, nur in der basalen Windung zeigen sich zwischen den Zellen Lücken.

Das Ligamentum spirale ist sehr zellarm, lückenreich und in den obersten Windungen auf einen schmalen Streifen reduziert.

Der Ramus vestibuli zeigt geringe Degeneration der Markscheiden. Die Zellen des Ganglion vestibulare zeigen teils Nisslsche Granula, teils homogenisiertes Protoplasma.

Die Nervenendstellen des Ramus vestib. zeigen geringe Degenerationserscheinungen. Die häutige Ampulle des hinteren Bogenganges zeigt eine auffallende Anomalie, es stülpt sich von ihrer hinteren Wand eine Falte ein, welche in das Lumen der Ampulle frei hineinragt. Da sonst im häutigen Labyrinth keine Formanomalien zu finden sind, muß ich diese Einstülpung als angeborene Anomalie auffassen.

Der Nervus facialis ist nicht pathologisch verändert.

Es finden sich also auf dieser Seite geringer degenerative Erscheinungen im Acusticus und seinen Endorganen. Im übrigen sind die Veränderungen qualitativ gleich wie im folgenden linken.

Linkes Ohr: In der Paukenhöhle ist nichts Pathologisches zu finden.

Die Dura des inneren Gehörgangs ist sehr zellreich. Zwischen Dura und Arachnoidea befindet sich an der oberen Wand eine Hämorrhagie, welche die ganze obere Konkavität des Meatus audit. ausfüllt, den Nerv jedoch nicht komprimiert. In der Hämorrhagie sieht man feines fädiges Fibrin, dazwischen Massen oder Blutkörperchen. Leukocyten in geringer Menge an den Wänden der Blutung.

Auch an anderen Stellen sind kleine Hämorrhagien zwischen Dura und Arachnoidea; längs der Nervenfasern und in den Interstitien finden sich reichliche Leukocyten. Die Blutgefäße zeigen Wucherung der Intima; an zwei mittleren Gefäßen ist die Gefäßwand sowie das Lumen von einer Kalkkonkretion ersetzt.

Der Stamm des Nervus acusticus ist im ganzen nicht verdünnt, sein Ramus cochleae zeigt an Schnitten die mit elekt. Markscheidenfärbung nach Wittmaak behandelt, deutliche Zeichen von Degeneration, nämlich ausgesprochene Segmentierung der Fasern und bedeutende Vermehrung des interstitiellen Bindegewebes; letzteres kann man besonders an den mit Osmium und Pyrogallus geschwärzten Schnitten und Nachfärbung mit Säurefuchsin, welches das Bindegewebe leuchtend rot färbt, erkennen. Namentlich das zur basalen Windung ziehende Ästchen des Hörnerven ist sehr stark rotgefärbt und ist hier die Segmentbildung besonders ausgesprochen.

Im Modiolus, sowie in der Lamina spiralis läßt sich ein Faserausfall konstatieren und die einzelnen Fasern zeigen hochgradige Zerfallserscheinungen des Myelins.

Das Ganglion spirale zeigt ebenfalls höhergradige Veränderungen, namentlich in der basalen Windung, wo die Zahl der Ganglienzellen vermindert ist und zwischen normal aussehenden, solche in verschiedenen Stadien des Zerfalles sich finden. Außerdem ist daselbst eine auffallende Lückenbildung vorhanden. Gegen die Schneckenspitze zu, nehmen diese Veränderungen ab.

Die Gebilde des Ductus cochlearis sind hochgradig degeneriert. Die Reissnersche Membran ist in allen Windungen straff gespannt, nur in den untersten konkav und stellenweise eingerissen, sie ist mit der Oberfläche des Limbus verklebt, in einzelnen Windungen auch mit der Cortischen Membran, und zwar bis zur Mitte der restlichen Papilla spiralis, von wo sie schräg zur Seitenwand emporzieht, um entweder an normaler Stelle, oder tiefer an der Stria vascularis zu inserieren.

Das Cortische Organ ist zu einem niedrigen Zellhügel umgewandelt, in dem man die einzelnen Zellgruppen nicht mehr unterscheiden kann. Über diesen Zellhaufen hinweg zieht, fast mit ihr verklebt, die verdünnte Cortische Membran.

Die Stria vascularis erscheint niedriger wie normal. Auffallend hochgradig ist jedoch das Ligamentum spirale atrophiert.

Während es in der basalen Windung nur Zellarmut und Lückenbildung aufweist, wird es nach oben zu immer kleiner und fehlt in der Spitzenwindung fast vollständig, indem die Stria nur mit dünner Bindegewebslage am Periost befestigt ist. (Figur 6.)

In der Schnecke finden sich sehr viel verästelte große Pigmentzellen.

Das Ganglion vestibulare ist ebenfalls pathologisch verändert. Neben normal aussehenden Zellen liegen solche mit vakuolisierten, geschrumpften Protoplasma, häufig mit fehlendem Kern, oder es liegen Zellreste in den bindegewebigen Zellscheiden.

Die Fasern des Ramus vestibularis zeigen auch degenerative Struktur, wie taillenförmige Einschnürung und variköse Erweiterungen in der Aufsplitterung an den Nervenendstellen sind die degenerativen Veränderungen besonders hochgradig.

Die Nervenendstellen im Labyrinth, Maculae wie Cristae sind hochgradig degeneriert. Der Sacculus ist in toto verengt und im Epithel der Macula sind Haar- und Fadenzellen nicht mehr von einander zu unterscheiden.

Ebensolche Veränderungen finden sich am Epithel der Macula utriculi.

Die Cristae acusticae sind im ganzen atrophisch, sie sind nicht halbkugelförmig, sondern spitz konisch, im Gewebe derselben sind große Lücken vorhanden. Das kubische Epithel am Rand der Nervenendstelle ist deutlich zu erkennnen, es geht in einen niedrigen Zellhaufen über, der die Crista bedeckt und auf welchen keine typischen Zellen mehr herauszufinden sind.

Der Nervus facialis zeigt keine deutlichen Degenerationserscheinungen.

Es findet sich demnach bei normalem Schalleitungsapparat Degeneration des Nervus acusticus in seinem ganzen peripheren Verlauf, seinem Ganglienapparat und dem Sinusepithel. Die Dura zeigt Erscheinungen von chronisch hämorrhagischer Entzündung; die Blutgefäße sind sklerotisch verändert. Insbesondere besteht hochgradige Degeneration des Cortischen Organs, Atrophie der Stria und Schwund des Ligamentum spirale.

Übersicht der histologischen Befunde.

Gemeinsam allen untersuchten Gehörorganen sind pathologische Veränderungen im nervösen Apparat, welche quantitativ außerordentlich differieren und von beginnender Degeneration bis zu vollkommener Atrophie ansteigen. Ich fand Veränderungen im Stamm des Acusticus, seinen peripheren Verzweigungen, in seinen Ganglien und Perzeptionsorganen im häutigen Labyrinth. Dazu kamen noch konstante pathologische Veränderungen im inneren Gehörgang.

Im Stamm des Acusticus im Meatus audit. internus waren erstens herdförmige Degenerationen vorhanden, wie solche im Fall II genauer beschrieben sind. Wenn über die Frage, ob diese herdförmigen, im zentralsten Teile, nahe der Durchschneidungsstelle des Acusticus gelegenen Degenerationen als pathologische oder postmortale, artifizielle, aufzufassen wären, noch bis in die jüngste Zeit bei einigen Autoren Unklarheiten herrschten (Manasse [1]), so ist durch die experimentellen Untersuchungen Nagers [2] über diese Veränderungen der Stab endgültig gebrochen. Die von mir gefundenen Veränderungen stimmen mit denen, wie sie Nager schildert, vollkommen überein, so daß ich hierauf nicht weiter eingehen zu müssen glaube. Ich habe übrigens in den meisten Fällen das zentrale Ende des Acusticus nach erfolgter Fixation abgeschnitten, so daß ich diese Veränderungen selten fand. Jedenfalls müssen wir allen herdförmigen Degenerationserscheinungen im Hörnerven mit Mißtrauen begegnen, da Nager gezeigt hat, daß sich diese Herde peripherwärts von der Zertrümmerungszone noch fortsetzen können.

Zur Erkennung der degenerativen Veränderungen im Nerven leistete mir die Wittmaaksche Methode wie erwähnt, ausgezeichnete Dienste.

Mit Wittmaak betrachte ich das „Auftreten spindelförmiger Verbreiterungen abwechselnd mit taillenförmigen Verengerungen der Markröhre in den Nervenlängsschnitten" als charakteristisches Zeichen der Degeneration der Nervenfasern. Bei fortschreitender Veränderung zerfällt dann die Markscheide in einzelne Segmente, die wieder

---

1) Manasse: Über chronische, progressive, labyrinthäre Taubheit. Z. f. O. Bd. 52, 1. u. 2. Heft.

2) F. R. Nager: Über postmortale histologische Artefacte am Nervus acusticus und ihre Erklärung etc. Z. f. O. Bd. 51, Heft 3.

in Teilstücke zerfallen, so daß schließlich der Nerv bei Markscheidenfärbung wie bestäubt mit feinen schwarzen Körnchen erscheint, oder daß nur noch stellenweise einzelne zarte Fäserchen erhalten sind.

Alle diese Stadien der Degeneration waren zu beobachten bei Fall I; rechts war der Nerv ganz atrophisch und nur mehr Reste von Myelin zu finden. Links war die Entartung noch nicht so weit fortgeschritten und es war hier hochgradiger Markscheidenzerfall zu sehen.

In den übrigen Fällen waren die degenerativen Erscheinungen im Stamm des Nerven bedeutend geringer und es waren da Bilder zu sehen, wie sie Wittmaak in seiner Arbeit über experiment. degenerative Neuritis des Hörnerven (Z. f. O. 51. Bd. II. Heft, Taf. IV, Fig. 1 u. 2) als Typen aufgestellt hat.

In der peripheren Endausbreitung des Ramus cochlearis waren die Veränderungen der Nervenfasern stets bedeutend hochgradiger wie im Stamm. So fehlten die Fasern im Fall I. R. im Modiolus und der Lamina spiralis nahezu ganz, L. waren sie nur sehr spärlich. Dort, wo die Fasern des Stammes sehr geringgradig verändert waren, konnte man an der Peripherie doch schon deutliche Zerfallserscheinungen nachweisen. Der Ramus vestibuli war stets etwas geringer ergriffen wie der Ramus cochleae.

Neben diesen parenchymatösen neuritischen Prozessen sind stets in mehr oder weniger ausgesprochener Weise auch interstitielle zu beobachten gewesen. Diese bestanden in Leukocyteninfiltration im Bindegewebe des Nervus acusticus; eine Bindegewebswucherung konnte ich eigentlich nicht feststellen. Die Leukocytenfiltrate umgaben namentlich auch die feinen Nervenästchen, welche in die basale Windung eintreten. Ich möchte hier darauf hinweisen, daß die zu den basalen 1½ Windungen der Schnecke gehörigen Nervenfasern für interstitielle neuritische Prozesse besonders disponiert erscheinen, weil sie in fächerförmiger Ausbreitung dem Verlauf des Tractus spiralis foraminosus folgend in den Rosenthalschen Kanal eintreten, während die für die oberen Windungen bestimmten Fasern in kompaktem Stamme in den Canalis centralis modioli sich begeben. Jene Nervenfasern sind infolge dieses isolierten Verlaufes im Grunde des inneren Gehörorgangs dort einwirkenden Schädlichkeiten entschieden mehr ausgesetzt als diese. Es scheint mir nicht unwahrscheinlich, daß in manchen Fällen durch diese topographischen Verhältnissen die vorwiegende Beteiligung der Schneckenbasis bei Cochlearisaffektionen begründet ist.

Ein für diese Ansicht sprechender Fall wurde von Prof. Habermann[1]) letzthin in den Beiträgen zur Lehre von der professionellen Schwerhörigkeit publiziert (Fall III). Es bestand dort bedeutende Einengung des Hörfeldes der oberen und unteren Tongrenze, während letzteres Symptom histologisch durch Verwachsungen im Schalleitungsapparat seine Erklärung findet, nimmt Habermann als Grund für den Ausfall der hohen Töne die begleitende Meningitis und Neuritis acustica als Ursache an. Es fand sich nämlich „zwischen Scheide und dem Nervenstamm des Octavus reichlich eitriges Exsudat, das sich stellenweise auch zwischen den Nervenbündeln eingelagert findet. Besonders ist dies der Fall zwischen den zur Schneckenbasis führenden Nerven im Grunde des inneren Gehörgangs . . .".

Ebenso wie diese akute interstitielle Neuritis wird auch bei der chronischen die Schneckenbasis mehr betroffen werden.

Die Ganglienzellen in der Schnecke zeigten ebenfalls in allen Fällen pathologische Veränderungen. Sie hielten gleichen Schritt mit denen der Markscheiden. Dort, wo die Zellen höhergradig verändert waren, wie namentlich im Fall I, war auch der Nerv entsprechend degeneriert. — Als Degenerationserscheinungen der Ganglienzellen sind vor allem Schrumpfung, Vacuolenbildung zu betrachten; die Zellen werden zackig und das Protoplasma sieht ganz homogen aus, oder das Zellprotoplasma schwindet peripheriewärts so, daß die endotheliale Hülle nicht mehr ganz ausgefüllt wird und der Kern von einem schmäleren Saum von meist granuliertem Protoplasma umgeben ist. Besonders wertvoll ist die Konstatierung der Verringerung der Zellzahl und des Zellausfalles, der sich durch Auftreten von Lückenbildung kundgibt. (Tafel 1/2, Figur 5.)

Diese letzteren Zellveränderungen gleichen denen, die Manasse[2]) letzthin beschrieben und abgebildet hat. In den Fällen, wo die Veränderungen der Ganglienzellen geringgradig waren, versuchte ich die Nisslkörperchen darzustellen, was mir jedoch nicht so befriedigende Bilder gab, daß ich auf Grund dieser weitgehende Schlüsse zu ziehen mir erlauben würde; zumal bei Paralyse auch im Facialis typische Veränderungen auf-

---

1) Habermann, Archiv f. Ohrenheilkde. 69. Bd., S. 116.
2) Manasse, Zeitschrift für Ohrenblkde. 52. Bd., Taf. IV, Fig. 6.

treten, konnte ich die Zellen des Ganglion geniculi nicht zum Vergleich heranziehen, wie Wittmaak [1]) rät. Da übrigens aus den experimentellen Untersuchungen dieses Autors hervorgeht, daß sich die „Veränderungen der Nervenzellen in verhältnismäßig kurzer Zeit entwickeln können" und daß „sie recht häufig bei allen möglichen schweren Allgemeininfektionen und Intoxikationen gerade im Ganglion cochleare in den letzten Tagen bzw. Stunden vor dem Tode auftreten", so hat ihre Konstatierung nicht den Wert, daß aus ihrem Vorhandensein mit Sicherheit Schlüsse gezogen werden könnten. Auch über die Dauer der Erkrankung geben sie uns keinen Aufschluß, da sie sich nach Wittmaak in verhältnismäßig kurzer Zeit entwickeln können.

Doch könnte es sich hier wohl nur um Veränderungen geringen Grades handeln. Jedenfalls brauchen Veränderungen wie sie im Fall I zu sehen sind, längere Zeit zu ihrer Entwicklung. Bei langsam fortschreitenden Prozessen kommt es zu vereinzeltem Zellausfall. Wir müssen demnach die Ganglienzellen in solchen Fällen in verschiedenen Stadien der Rückbildung finden.

Ebenso wie bei Betrachtung der Nervenfasern und Ganglienzellen waren auch im Cortischen Organ alle Stadien der Entartung bis zur vollkommenen Atrophie zu konstatieren.

Wenn ich der durch Alexander [2]) und Wittmaak angegebenen Einteilung der pathologischen Veränderungen im Cortischen Organ in verschiedene Grade folgend, als Veränderungen geringsten Grades die Degeneration und den Ausfall einzelner Sinneszellen bei sonst gut erhaltenem Stützapparat ansehe, so kann ich mit Rücksicht auf den Einwand, daß es sich bei menschlichen Gehörorganen, die nicht lebenswarm, sondern 10—20 Stunden post mortem eingelegt wurden, wohl leicht um postmortale Veränderungen handeln könnte, hier auf den Wert von Vergleichen der verschiedenen Windungen hinweisen; ferner leisten hier Vergleiche mit dem gleichzeitig eingelegten, nach derselben Methode behandelten Gehörorganen der anderen Seite große Dienste. Ich konnte wiederholt bedeutende Differenzen im Verhalten der beiden Gehörorgane finden und dadurch pathologische Veränderungen mit Sicherheit erkennen.

---

1) Wittmaak: Weitere Beiträge zur Kenntnis etc. Z. f. O. 53. Bd. 1. Heft, S. 24.

2) Alexander: Zur pathologischen Histologie des Ohrlabyrinths. Archiv f. Ohrenheilk. 56. Bd.

Die höchstgradigen Veränderungen fand ich im Fall I rechts.
(Tafel 1/2, Fig. 1.) Auffallenderweise war gerade hier die Entartung
an der Basis geringer wie in der Spitze. Dort fehlte die Papilla
basilaris vollkommen und es war die Membrana basilaris nur von
einem platten Epithel bedeckt; in der basalen Windung konnte man
noch einen ganz niedrigen Zellhügel erkennen. Der Limbus lam.
spir. war in der Spitzenwindung vollkommen abgeflacht, nach
unten wurde er deutlicher erkennbar, ebenso fehlte oben die Membrana tectoria, unten bedeckte sie den Rest des Cortischen Organes. Hingegen war im Fall V links, wo ebenfalls Veränderungen
3. Grades vorhanden waren, also die Papilla basilaris einen flachen,
von der Cortischen Membran bedeckten Zellhaufen bildete, in
allen Windungen die Veränderungen ungefähr die gleichen.

Im Fall II waren Veränderungen mittleren Grades vorhanden,
die in der basalen Windung am stärksten ausgebildet waren;
dort fehlten Haarzellen und die Deiterschen Zellen, die Claudius'schen Zellen befanden sich in parenchymatöser Degeneration.

Schon bei Veränderungen geringen Grades fand ich die Membrana tectoria manchmal adhärent an der Papille. Wittmaak hat betont, daß diese Fixation ein sicheres Zeichen pathologischer Veränderungen im Cortischen Organe
darstelle. Bei den üblichen Präparationsmethoden der Gehörorgane ist die Cortische Membran normalerweise etwas von der
Papille abgehoben. Die Fixation der Membran ist daher als
pathologisch zu betrachten. Ich glaube dies bestätigen zu können, da ich bei verschiedenen Graden der Degeneration des
Cortischen Organes diese Adhäsion sah. Bei geringgradiger Degeneration des Cortischen Organs fand sie sich im Fall V links.
Dort war die Membrana tectoria fest verklebt mit der Oberfläche
der Papille und der hierdurch geschaffene Raum zwischen Sulcus
spiralis internus und den Pfeilern bis zu den äußeren Stützzellen
mit homogener, dunkler tingierter Masse erfüllt. Bei hochgradiger Degeneration, wo das Cortische Organ nur mehr einen
niedrigen Zellhaufen darstellt, wie in Fall V links, senkt sich
die Cortische Membran hinunter auf diesen Zellhügel und verschmilzt mit diesem zu einer formlosen Masse. Bei Atrophie
der Basis, wie im Fall I rechts, war in der obersten Windung
überhaupt von einer Cortischen Membran nichts mehr wahrzunehmen.

Aber ebenso wie Wittmaak, habe ich gefunden, daß diese
Fixation der Membrana tectoria kein konstantes Symptom der

Degeneration des Cortischen Organs ist; so war im Fall I links trotz deutlicher Degeneration die Cortische Membran abgehoben von der Papille, während rechts, wo die Degeneration allerdings viel weiter vorgeschritten war, Fixation der Membrana Corti bestand. Ob aus diesem Verhalten irgendwelche Schlüsse auf Alter oder Art der pathologischen Veränderungen im Cortischen Organ zu ziehen sein werden, müssen weitere Untersuchungen lehren.

Die Stria vasc. bot in mehreren Fällen auffallende Erscheinungen dar. So namentlich im Fall III rechts. (Tafel 1/2, Figur 3.) Dort war die Stria breiter als normal, und es fanden sich zwischen den Zellen Lücken teils an der Basis der Stria, meistens jedoch unter der oberflächlichen Epithellage. In der Mittelwindung ist an einer Stelle das Epithel halbkugelig vorgebaucht, wodurch eine Zyste gebildet wird. Der Inhalt derselben ist strahlig, stellenweise sind noch unscharf begrenzte runde, stärker tingierte Gebilde, scheinbar Kernreste zu sehen. An der Basis der Zyste befindet sich ebenfalls eine Anzahl von Kernen. Blutgefäße fehlen an dieser Stelle, die Stria ist überhaupt in diesem Falle sehr blutgefäßarm. Das Vas prominens scheint obliteriert. Auffallend ist ferner die Pigmentierung der Stria.

Nach allen diesen Veränderungen glaube ich annehmen zu können, daß es sich hier um eine durch die Gefäßerkrankung hervorgerufene Stauungserscheinung in dem Gewebe der Stria handeln dürfte.

Solche Veränderungen wurden schon von Habermann[1]) und Alexander[2]) beschrieben. Letzterer fand in einem Falle von kongenitaler Taubheit Atrophie, Blutgefäßarmut der Stria und Cysten derselben und nimmt an, daß es sich um hydropische oder hyaline Degeneration der Stria handelt. — Auch Habermann[3]) stellte eine ähnliche Degeneration in einem Fall von angeborener Taubstummheit fest, ferner bei 4 Fällen von professioneller Schwerhörigkeit. Bei zweien fand er „hochgradige Atrophie der Stria in den oberen Windungen und dazu noch cystenartige Abhebung des Epithels", welche Veränderungen er auf Arteriosklerose zurückführt. In den beiden anderen Fällen,

---

1) Habermann: Archiv f. Ohreilkde. 63. Bd., S. 201.
2) Alexander: Zur Pathologie und pathol. Anatomie der kongenit. Taubheit. Archiv f. Ohrenheilkde. 61. Bd., S. 215.
3) Habermann: Beiträge zur Lehre von der professionellen Schwerhörigkeit. Archiv f. Ohrenheilkde. 69. Bd., S. 129.

wo gleichzeitig Tabes bestand, wird die luetische Gefäßerkrankung als Ursache der Atrophie der Stria angenommen.

In den vorliegenden Fällen konnte auch ich höhergradige
arteriosklerotische Gefäßveränderungen finden. Vor
allem war die Stria auffallend gefäßarm. Es wäre demnach der
Vorgang so zu erklären, daß es infolge der Gefäßerkrankung zu
Stauungserscheinungen in der Stria kommt. Die Stria wird ödematös, stellenweise cystisch, später wenn die Gefäße obliteriert
sind, atrophiert die Stria namentlich in den tiefen Partien vollständig und es bleibt nur die oberflächliche Epithellage zurück.

Wenn wir als Funktion der Stria die Sekretion der Endolymphe ansehen, so ist zu erwarten, daß Störungen dieser Funktion auf die Gebilde des Ductus cochlearis, insbesondere auf die
Ernährung der Zellen der Papilla spiralis schädlich einwirken
werden. Die daraus entstehende Atrophie der Papilla spiralis
wäre demnach eine Folge der Gefäßveränderung.

Von pathologischen Veränderungen in den Bogengängen und den Säckchen sind vor allem die Degenerationserscheinungen an den Nervenendstellen aufgefallen; ein alleiniges
Befallensein der Schnecke habe ich nie sicher konstatieren können. Es waren immer auch im Gebiet des Nervus vestibularis
pathologische Veränderungen entweder deutlich vorhanden oder
wenigstens nicht mit voller Sicherheit auszuschließen. Die Epithelien der Cristae acusticae sind sehr leicht veränderlich. Durch
Quellung der Stützsubstanz werden Vacuolen erzeugt, welche
Degenerationen vortäuschen können. Höhergradige pathologische
Veränderungen sind dagegen zu erkennen an der Bildung von
größeren Lücken im Epithel und körnigem Zerfall desselben.
Sobald im Nerven Atrophie eingetreten ist, wie im Fall I rechts,
atrophiert auch das Bindegewebe der Crista. So war hier eine
auffallende Lückenbildung zu sehen. An dem Epithel der Maculae
waren dieselben Degenerationserscheinungen vorhanden.

Das Ligament. spirale ist ebenfalls in den meisten Fällen
pathologisch verändert. Es zeichnet sich meist durch große Zellarmut und Lückenbildung aus. Bei Fall V (Tafel 1/2, Figur 6)
links fehlt dasselbe in der obersten Windung ganz, in der tieferen ist es hochgradig atrophisch. Im Fall I bestand namentlich
rechts hochgradige Atrophie der Substanz des Ligamentes.

An der Dura im inneren Gehörgang konnte man dieselben
chronisch entzündlichen Veränderungen beobachten, wie sie für
Paralyse typisch sind: Infiltrate, Neomembranbildung und Blu-

tungen. Bei einem Fall füllte die Hämorrhagie die Hälfte des Meatus aus. Ebenso boten Arachnoidea und Pia die Erscheinungen von chronischer Entzündung.

Ehe ich an die Deutung der an diesen Gehörorganen gefundenen Veränderungen herantrete, halte ich es für unerläßlich, die bei Paralyse im Nervensystem auftretenden pathologischen Erscheinungen kurz zu skizzieren, wobei ich der von A. Cramer[1]), respektive Homen[2]) gegebenen Darstellung folge.

Es beginnt die Erkrankung augenscheinlich im Gehirn und ist daselbst „am schwersten und regelmäßigsten die Hirnrinde und das zentrale Höhlengrau" betroffen. Am meisten charakteristisch scheint hier der Schwund markhaltiger Nervenfasern zu sein; aber nicht nur in der Hirnrinde, sondern auch in den übrigen Teilen des Gehirns, so auch in den Kernen des Hirnstammes „lichtet sich das feine Fasernetz der Kerne".

An zweiter Stelle stehen die Gefäßveränderungen, wie Wucherung des Endothels, hyaline Entartung der Media und Intima, Auswanderung von Leukocyten in den adventitiellen Raum, eventuell Blutung in die perivaskulären Räume und als Folgezustand Ablagerung von Kalk und Pigment in diesen Gebieten.

Erst in dritter Linie nennt Cramer das Verhalten der Ganglienzellen, die keine, für Paralyse charakteristischen Veränderungen zeigen.

Ferner sind noch zu nennen Wucherungen der Glia sowie Veränderungen in den Hirnhäuten, die im Beginn der Erkrankung entzündlichen Charakter tragen, der jedoch häufig durch Hämorrhagien ein besonderes Gepräge erhält. Bindegewebsschwarten mit Pigmentanhäufungen bilden die Residuen dieser Veränderungen.

Aber nicht nur das Gehirn, sondern auch das Rückenmark ist am paralytischen Erkrankungsprozeß beteiligt. Zuerst wurde dies von Westphal gefunden, später von zahlreichen Forschern, zuletzt in gründlicher Weise von Sibellius durch systematische Untersuchung von 25 Fällen studiert. Er fand an den Hintersträngen, Seiten- und Vorderseitensträngen typische Veränderungen; die uns zunächst inter-

---

1) A. Cramer: Pathologische Anatomie der Psychosen. Handbuch der patholog. Anatomie des Nervensystems 1903.

2) E. A. Homen: Rückenmarkserkrankungen bei Dement. paral., ebenda.

essierenden Degenerationen der Hinterstränge sind
denen der echten Tabes ganz gleichzustellen, sie sind
nur quantitativ infolge des frühen Todes der Paralytikers geringer. In vorgeschrittenen Fällen besteht eine gewisse Propor-
tionalität zwischen den Veränderungen im Rückenmark einerseits, und denen in den Hinterwurzeln sowie auch in den
Spinalganglien andererseits; „die histologischen Veränderungen
der genannten Partien sind ganz derselben Natur wie bei Tabes"
(E. A. Homen).

Auch in den peripheren Nerven sind bei Paralyse
parenchymatöse Veränderungen nachgewiesen worden, die von
Pick als zusammenhängend mit dem paralytischen Prozeß, von
Fürstner als marantische Neuritis aufgefaßt worden sind.

Halte ich die Ergebnisse dieser Forschungen mit
meinen Befunden zusammen, so muß ich zum wenigsten
im Fall I und IV, in welchen die Degeneration des Acusticus
intramedullär verfolgt wurde, die tabische Natur der Degeneration feststellen, umsomehr als die geschilderten pathologischen Veränderungen im Fall I rechts denjenigen entsprechen,
die bei gemeiner Tabes gefunden wurden.

Seit Habermann als erster und in erschöpfender Weise
als Ursache der tabischen Schwerhörigkeit resp. Taubheit durch
genaue pathologisch histologische Untersuchung eines Falles die
Degeneration des Acusticus und zwar seiner peripheren Ausbreitung, seines Stammes sowie seiner intra- und extramedullären
Wurzeln, nachgewiesen hat, sind von anderen Autoren (Haug,
Brühl) weitere Fälle untersucht worden, welche diese Befunde
der Hauptsache nach bestätigen. Ob bei Tabes und ebenso bei
Paralyse die Erkrankung im Ganglion acustici, welches ja einem
Spinalganglion entspricht, beginnt, oder ob die Degeneration
der Nervenfasern auf „elektivsystematischem Wege (Schaffer)
vor sich geht, das wäre nur an einer Reihe von unkompli-
zierten Tabesfällen durch genaue Untersuchung des ganzen
Acusticus von seinen intramedullären Wurzeln bis zur peripheren
Verzweigung zu entscheiden.

Jedenfalls wird man aber bei einem Fall von Paralyse nur
dann die tabische Natur der Degeneration des Acusticus
mit Sicherheit ausschließen können, wenn die Untersuchung der
Medulla oblongata negatives Resultat ergibt. Wenn daher
Brühl[1]) bei einem Paralytiker Schmiedtaubheit konstatiert

1) Brühl: Zeitschr. f. O. 52. Bd., Heft 3, S. 243.

und die im Gehörorgan und dem Cochlearis sich findenden Ver-
änderungen auf diese Ursache zurückführt, so kann dies nur mit
Vorbehalt geschehen, da die Medulla oblongata nicht untersucht
wurde. Es ist dies umso auffallender, als Brühl in derselben
Abhandlung einen Fall von Taboparalyse mit tabischer
Acusticusatrophie beschreibt.

Da auch ich in den übrigen Fällen die Medulla oblongata
nicht untersuchte, kann ich nicht mit vollkommener Sicherheit
für die in diesen gefundenen Veränderungen die Tabes verantwortlich machen. Es könnte sich nähmlich in diesen Fällen
um neuritische Prozesse handeln, wie sie von Pick, Fürstner
und anderen gefunden wurden und zwar an periph. Nerven und
die von Fürstner auf die im Endstadium der Paralyse auftretenden febrilen Erkrankungen, Marasmus usw. bezogen werden.

Man könnte also auch die Veränderungen im Hörnerven als
sekundäre, mit dem eigentlichen zentralen paralytischen Prozeß
nicht in direktem Zusammenhang stehend auffassen.

Neuerdings hat Wittmaak ähnliche Degenerationen als
„senilkachektische Neuritis" und als „degenerative
Neuritis" im Anschluß an verschiedene Intoxikationen
und Infektionen genau beschrieben. Habermann hat bereits vor Jahren (Archiv f. O. Bd. XII S. 37) in seiner Arbeit
über Nervenatrophie der Schnecke derartige Veränderungen auf
senilen Marasmus usw. zurückgeführt.

Andere Veränderungen im inneren Ohre sind mit Sicherheit
auf Arteriosklerose zu beziehen, die ich in den meisten
Fällen mehr oder weniger ausgesprochen konstatieren konnte.
Gefäßveränderungen im Gehirn und seinen Häuten sind ja für
Paralyse typisch. Die Folgen dieser Gefäßerkrankung zeigten
sich unzweifelhaft an der Stria vascularis.

Wenn ich nun an die Zusammenfassung des Gefundenen
herantrete, kann ich folgendes feststellen:

1. Es gibt bei progressiver Paralyse degenerative
Veränderungen im Acusticus (Stamm, Ganglion, Aufsplitterung), die sich intramedullär verfolgen lassen und die
tabischer Natur sind. Dementsprechend kann umgekehrt für
eine Degeneration des Acusticus bei progressiver Paralyse eine
andere Ursache nur dann angenommen werden, — wenn sich
die intramedullären Wurzeln als normal erweisen.

2. Daß neben tabischer Atrophie auch marantische

8*

degenerative Neuritis des Hörnerven vorkommt, ist wahrscheinlich.

3. Es besteht in der Mehrzahl der Fälle höhergradige chronische Entzündung der Gehirnhäute von meist hämorrhagischem Charakter.

4. Auch im Nerven selbst sind interstitielle entzündliche Prozesse zu konstatieren.

5. Ferner finden sich bei progr. Paralyse Degenerationen im Bereiche des Zirkulationsapparates des inneren Ohres, die auf sklerotischen Veränderungen der Gefäße beruhen und die sekundär eine Atrophie des Cortischen Organs hervorrufen können.

II. Klinische Beobachtungen.

Im klinischen Symptomenbild der progressiven Paralyse nehmen Gehörstörungen einen geringen Raum ein. Im weitesten Sinne kann man auch Gehörshalluzinationen als solche auffassen, die aber mit einer Erkrankung des Gehörorgans nichts zu tun haben, sondern durch kortikale Reizung entstehen. Im Stadium conclamatum ist überhaupt schon wegen der vorhandenen Demenz eine Beobachtung feinerer Gehörstörungen ausgeschlossen. Im Stadium prodromorum wurde übergroße Empfindlichkeit gegen hohe Töne beobachtet (Haug[1]). Nach Sander[2] treten in Zwischenräumen von 3—4 Wochen Anfälle auf, die sich in nichts von gewöhnlicher Migräne unterscheiden und die mit Überempfindlichkeit allen Gehörseindrücken gegenüber verbunden sind.

Einen hierher gehörigen Fall kann ich als Beispiel für dieses Symptomenbild anführen.

K. Josef, 28jähriger Tischler. Klinische Diagnose: Dementia paralytica; klagt über Singen in den Ohren und im Kopf seit 1 Jahr. Sein Gehör soll gut sein. Das Klingen in den Ohren entspricht seiner Tonhöhe nach dem c⁴. Zeitweise leidet er an Schwindel.

Die Trommelfelle sind streifig getrübt, eingezogen, der Lichtreflex fehlt.

---

1) Haug: Krankheiten des Ohres in ihrer Beziehung zu den Allgemeinerkrankungen. 1893. S. 218.

2) Sander: Berl. klin. Wochenschr. 1876. S. 289.

$$W.[1]$$
$$R. - L.$$
$$1.0 \quad U \quad 1.0$$
$$+ \left(\dfrac{U_s}{U_w}\right) +$$
$$12.0 \quad \left(\dfrac{St}{Fl}\right) \quad 12.0$$
$$14'' \quad c_w \quad 15''$$
$$+ 24'' \quad R \quad + 25''$$
$$c$$
$$- 5'' \quad c^4 \quad 4''$$
$$C_2 - c^8 \quad H \quad C_2 - c^8$$

Die Hörprüfung mit der Uhr sowie mit der Stimme ergibt keine Herabsetzung der Hörschärfe. Bei der Stimmgabelprüfung fällt der stark positive Rinné auf. Die Stimmgabel wurde sowohl in Kopfknochenleitung als auch in Luftleitung in normaler Sekundenanzahl gehört. Auch ist keine Einschränkung des Gehörs für tiefe Töne vorhanden, so daß also ein Schallleitungshindernis ausgeschlossen ist.

Die Verkürzung der Hördauer bei c^4 um $5''$ ist zu gering, um daraus mit Sicherheit auf eine Labyrinthaffektion zu schließen, zumal die Knochenleitung für c am Warzenfortsatz normal war, und die obere Tongrenze keine Einschränkung zeigte.

Auffallend war eine große Überempfindlichkeit für hohe Töne, sowie subjektive Geräusche, von einer Tonhöhe die ungefähr c^4 entsprach. Es ist nun die Frage, wo man die Entstehung dieser Symptome lokalisieren soll, ob sie durch zentrale Reizerscheinungen oder periphere Veränderungen hervorgerufen sind. Bedenkt man, daß im Beginn der Paralyse auch sensible Reizerscheinungen häufig vorhanden sind, für die tabische oder auch pachymeningitische Prozesse verantwortlich gemacht werden, so könnte man in Analogie dies auch für die Reizerscheinungen in der Gehörsphäre annehmen und eventuell Veränderungen im Acusticusstamm oder seinen Verzweigungen vermuten.

Pathologisch-anatomische Veränderungen, welche derartige Symptome hervorrufen könnten, waren bei fast allen untersuchten Gebörorganen vorhanden. So könnten die chronischen Entzün-

---

1) W — Weberscher Versuch. U — Uhr in Luftleitung. U_s — Uhr an der Schläfe. U_w — Uhr am Warzenfortsatz. St — laute Stimme. Fl — Flüsterstimme. C_w — kleine Lucaesche Stimmgabel am Warzenfortsatz (normal $16''$). R — Rinne'scher Versuch (normal $36''$). C — dieselbe Stimmgabel angeschlagen und vor das Ohr gehalten (normale Hördauer $56''$). C^4 normal $42''$. H — Hörfeld für sämtliche Stimmgabeln in Luftleitung.

dungserscheinungen der Meningen einen derartigen Reiz auf die
Nervenfasern im inneren Gehörgang ausüben. Eine diesbezügliche Beobachtung liegt von Habermann [1]) vor, der bei
einem tabischen Kesselschmied, welcher über Scheinbewegungen
in der frontalen Ebene, Schwindel und Erbrechen klagte, eine
hochgradige Ansammlung von Leukocyten um den zur hinteren
Ampulle führenden Nervenzweig fand. Habermann ist der
Ansicht, daß der Reiz, den dieses Infiltrat auf den Nerv ausübte, erwähntes Symptomenbild ausgelöst habe. Zur Unterscheidung, ob der Schwindel zentralen oder peripheren Ursprungs
sei, wäre das Vorhandensein von Nystagmus während des Schwindels wichtig. Nach Krafft-Ebing [2]) ist bei Paralyse Nystagmus sehr selten, auch bei Tabes kommt gelegentlich Nystagmus
von undulierendem Charakter vor; während Uhtoff [3]) es dahin
gestellt sein läßt, ob dieser in Labyrintherkrankungen seinen
Grund habe betont Bárány [4]), daß ein rein undulierender Nystagmus bei Labyrintherkrankung niemals vorkommt. Dagegen ist
er der Ansicht, daß rythmischer Nystagmus auch bei Tabes auf
Erkrankung des inneren Ohres bezogen werden könne.

Bei oben beschriebenem Fall war ein Nystagmus nicht nachweisbar.

Immerhin ist die Zahl unserer Beobachtungen über Gehörstörungen bei Paralyse eine spärliche, wohl desbalb, weil außer
im ersten Anfangsstadium das Krankheitsgefühl überhaupt fehlt
und die zunehmende Demenz das Bild einer Gehöraffektion
unterdrückt. So war nicht einmal im Fall I, wo sich in beiden
Schläfebeinen so hochgradige Veränderungen boten, eine Gehörstörung aufgefallen. Man weiß eben nie, was auf schlechtes Gehör und was auf die Unaufmerksamkeit zu setzen ist.

Um jedoch ein ungefähres Bild zu haben von der Häufigkeit der Hörstörungen bei Paralyse, untersuchte ich eine Reihe
von Paralytikern in der Landesirrenanstalt Feldhof. Aus
dem reichen Material der Anstalt wurden nur solche Kranke aus-
gewählt, die noch genügend lucid waren und bei Vornahme der
Gehörprüfung mit Bestimmtheit Angaben machten.

1) Habermann: Beiträge zur Lehre von der professionellen Schwerhörigkeit. Dieses Archiv 69. Bd. (2. u. 3. Heft), S. 126.

2) Krafft-Ebing: „Die progressive Paralyse" in Nothnagels spezieller Pathologie und Therapie. S. 48.

3) Uhtoff: Handbuch Gräfe-Sämisch zitiert nach.

4) Bárány: Untersuchungen über den vom Vestibulapparat des Ohres
reflektorisch ausgelösten rythmischen Nystagmus. Berlin — Verlag Coblenz.

Von 10 untersuchten Fällen hatte nur einer subjektive Gehörsempfindungen und die übrigen behaupteten alle gut zu hören.

Bei der Untersuchung mit Uhr und Flüsterstimme, sowie mit den vorhandenen Stimmgabeln c₄, c, C(64) zeigte sich jedoch, daß nur 5 normal hörten. Die übrigen hörten die Uhr auf 10—20 cm, C(64) wurde gehört, Rinné war positiv, doch war die Knochenleitung verkürzt und die c⁴ Stimmgabel wurde um 10—15″ kürzer gehört wie normal. Bei einem Kranken war außerdem der Rinné auf einer Seite negativ, C(64) wurde daselbst nicht gehört, obwohl der Trommelfells Befund hierfür keine Erklärung bot. Bei der Stimmgabeluntersuchung wurde nur bei wiederholten übereinstimmenden Angaben Glauben geschenkt, bei widersprechenden Angaben wurde der betreffende Patient nicht weiter geprüft. Die Angaben obiger 10 Kranken sind deshalb insofern als zuverlässig zu betrachten. Wir könnten aus den Gehörprüfungsergebnisse eine Nervenaffektion, bei dem einem Patienten ein einseitiges Schallleitungshindernis, vielleicht Stapes-Ankylose annehmen.

Wie viel jedoch in diesen Fällen auf Rechnung der psychischen Schwäche des Paralytikers und was auf anatomische Veränderungen im Acusticusgebiet selbst zu setzen ist, ist natürlich nicht sicher zu entscheiden.

Diesen Gehörprüfungsergebnissen wären die Gesichtsfelduntersuchungen Kornfelds[1]) an die Seite zu stellen, die dieser bei einer großen Zahl von Paralytikern durchführte; er fand nach v. Krafft-Ebing oft sehr beträchtliche konzentrische Einschränkung für weiß, wie auch für Farben, in vorgeschrittenen Fällen bestand mitunter nur zentrales oder fast zentrales Sehen und häufig sektorenförmige Einschränkung. v. Krafft-Ebing ist der Ansicht, daß dieses Symptom für die Differenzialdiagnose gegen Cerebrasthenie nützlich sein kann.

Fälle von höhergradigen Hörstörungen bei Paralytikern finden sich in unserem klinischen Material. So der folgende:

St., Mathias, 55jähriger Farbenreiber: Paralysis progress. incip. — Seit 3 Jahren Singen und Sausen in den Ohren, links mehr als rechts, zunehmende und wechselnde Schwerhörigkeit beiderseits (gegen Abend hört Patient angeblich stets besser);

---

1) Kornfeld: Zitiert bei v. Krafft-Ebing in Notbnagels spez. Pathologie u. Therapie. IX. Bd. II. Teil, S. 87.

dabei öfter Kopfschmerzen, sonst keine Symptome, kein Schwindel, hatte nie Ohrenschmerzen, nie Ohrenfluß, war sonst stets gesund.

$$\begin{array}{c} W. \\ R. - L. \\ 0.20 \; U \; 0.05 \\ + \left(\dfrac{U_i}{U_w}\right) + \\ 12.2 \left(\dfrac{St}{Fl}\right) 12.0 \\ 11'' \; c_w \; 10'' \\ + 30'' \; R + 25'' \\ c \\ - 7'' \; c^4 - 10'' \\ C_2 - c^8 \; H \; C_2 - c^8 \end{array}$$

Rechts: Trommelfell mehr grauweißlich, weniger glänzend.

Links: Stärkere Einziehung des Trommelfells.

Nase: Schleimhaut stark rot, etwas geschwollen, auch die Rachenschleimhaut stärker rot.

Nach dieser Gehörprüfung müssen wir eine Cochlearisaffektion annehmen. Es war Rinne positiv bei starker Verkürzung der Knochenleitung für die Lucaesche Stimmgabel c (vom Warzenfortsatz aus geprüft), die Hördauer für c^4 in Luftleitung war ebenfalls bedeutend verkürzt, während tiefe Töne gut gehört wurden. Eine Einschränkung des Hörfeldes war weder nach unten, noch nach oben vorhanden.

Bei diesem Falle waren noch keine auffälligen, tabisch-spinalen Symptome vorhanden, wohl aber im folgenden.

Gs., Johann, 54jähriger Zimmermann. Paralys. progress. — Patient stand bereits vor 7 Jahren mit Symptomen einer beginnenden progressiven Paralyse in Behandlung.

Seit ca. 7 Jahren merkt er langsam zunehmende und angeblich wechselnde Schwerhörigkeit beiderseits mit fortwährendem Gefühl von Druck in den Ohren, besonders beim Sprechen, konstantes Rauschen, in der Nacht oft Klingen in den Ohren. Seit Beginn seiner Erkrankung vor 7 Jahren zeitweise leichter Schwindel, der seit 1 Jahre ebenfalls stärker und häufiger ist, ebenso die Abnahme der Sehschärfe. Vor 7 Jahren hatte Patient den ersten Schwindelanfall so heftig, daß er angeblich umgefallen ist.

Rhomberg positiv, reflektorische Pupillenstarre, Patellarreflexe fehlend.

$$\begin{array}{c} W. \\ R. - L. \\ 0.05 \; U \; 0.05 \\ \ominus \left(\dfrac{U_i}{U_w}\right) \ominus \\ 12.0 \; St \; 12.0 \\ 2.0 \; Fl \; 2.0 \\ 6'' \; c_w \; 6'' \\ + 21 \; R + 23'' \\ c \\ - 10'' \; c^4 - 10'' \\ C_2 - c^8 \; H \; C_2 - c^8 \end{array}$$

Rechts: Trommelfell grau, stärker eingezogen, Randknickung.

Links: Gleich rechts.

Nase: Schleimhaut etwas stärker rot, schleimig-eitriges Sekret in Nase und Rachen in mäßiger Menge.

Nach dieser Hörprüfung ist ein bedeutenderes Schallleitungshindernis auszuschließen, da keine Einschränkung des Gehörs für tiefe Töne vorhanden war und auch der Rinne beiderseits fast normal positiv ausfiel. Während nämlich die am Warzenfortsatz abgeklungene Lucaesche Stimmgabel c mit 128 Schwingungen in der Sekunde vor das Ohr gehalten, normalerweise 36″ lang gehört wird, wurde sie hier rechts 21″ und links 23″ lang gehört. Hingegen wurde c in Knochenleitung vom Warzenfortsatz aus nur 6″ gehört (normal 16″). Das Gehör für hohe Töne hatte ebenfalls gelitten, c⁴ wurde beiderseits um 10″ kürzer gehört wie normal. Es ist deshalb in diesem Falle das Bestehen einer Cochlearisaffection anzunehmen. Das gleichzeitige Bestehen von Schwindel könnte wohl auch hier für eine Erkrankung des Vestibularis sprechen.

Bei diesem Patienten waren neben der Gehörstörung deutliche tabische Symptome vorhanden, und wir haben es hier offenbar mit einer sogenannten ascendierenden tabischen Paralyse zu tun.

Wie oben erörtert, schließt sich auch an den cerebralen Prozeß typisch eine Erkrankung der Medulla oblongata und spinalis an; daß bei einer bereits entwickelten Dementia die Erkrankung des Gehörorgans keine auffälligen Symptome bieten kann, liegt auf der Hand. Es wird daher eine Gehörstörung nur dann mit Sicherheit zu beobachten sein, wenn der Prozeß in der Medulla oblongata bereits Veränderungen gezeitigt hat, bevor noch die cerebrale Erkrankung voll entwickelt ist.

Es wurde in unserer Klinik ein Fall beobachtet, wo im Anfang der Erkrankung von Seite der Psychiater der Verdacht auf einen Tumor baseos cranii oder pontis bestand, und wo auch eine hochgradige Acusticusaffektion nachweisbar war. Später klärte sich das Symptomenbild im Sinne einer Tabo-Paralyse.

Wenn ich nun zu einem vorläufigen Abschluß meiner Untersuchungen schreite und zur Deutung der klinischen Symptomenbilder die Ergebnisse der histologischen Untersuchung heranziehe, so kann ich folgende Schlüsse ziehen:

1. Die im Anfangsstadium der progressiven Paralyse auftretenden Reizerscheinungen in der Gehörssphäre können auf peripheren Veränderungen im Gehörorgane beruhen, es sind aber zentrale Ursachen nicht ausgeschlossen.

2. Die Schwerhörigkeit bei progressiver Paralyse ist in den meisten Fällen wohl auf eine Degeneration des Cochlearis zu beziehen, welche am häufigsten tabischer Natur ist; arteriosklerotische und senile (kachektische) Veränderungen werden in den späteren Stadien der Erkrankung sich ausbilden und im klinischen Symptomenbild nicht hervortreten.

Ich schließe meine Ausführungen, indem ich meinem verehrten Chef, Herrn Prof. Habermann, für die Förderung meiner Arbeit wärmstens danke.

Ganz besonders bin ich jedoch Herrn Dr. Heinrich Sterz, Direktor der Landesirrenanstalt in Feldhof, verpflichtet, weil ich seiner Liebenswürdigkeit das Material für diese Arbeit verdanke. Ebenso hatte mit Herr Dr. Hassmann, Ordinarius derselben Anstalt, bei der Auswahl des Materials seine Hilfe in der freundlichsten und zuvorkommendsten Weise zur Verfügung gestellt, wofür ich ihm meinen besten Dank sage.

Erklärung der Abbildungen auf Tafel I, II.

Figur 1. Atrophie der Schnecke.
- 2. Degeneration des Cortischen Organs.
- 3. Cystenbildung in der Stria vascularis.
- 4. Kalkeinlagerung in das lig. anulare stapedis (Stapesankylose).
- 5. Degeneration der Ganglienzellen des Spiralganglions mit Lückenbildung.
- 6. Degeneration des Cortischen Organs, Atrophie des lig. spirale der Spitzenwindung.

VII.

Bericht
über die Tätigkeit des rhino-otiatrischen Ambulatoriums des israelitischen Hospitals in Krakau für 1906.

Von

Dr. A. R. Spira, Leiter des Ambulatoriums.

I. *Statistischer Teil.*

Im Berichtsjahre wurden 1039 Kranke an 1240 Krankheiten in 6702 Ordinationen behandelt. Von den Erkrankungen entfallen 762 auf Ohrenkrankheiten (165 aufs äußere, 561 aufs mittlere und 36 aufs innere Ohr) und 478 auf Erkrankungen der oberen Luftwege (davon 171 auf Nase, 234 auf Pharynx und 73 auf Larynx). Ohne Behandlung abgewiesen oder an andere Abteilungen gewiesen wurden 18.

Dem Geschlechte nach waren 520 männliche Patienten mit 607 Krankheiten (377 Ohren-, 230 Nasen- und Halskrankheiten) und 519 weibliche Patienten mit 633 Krankheiten (385 Ohren-, 248 Nasen- und Halskrankheiten).

Dem Alter nach entfallen 422 auf kindliche Patienten im Alter unter 14 Jahren mit 495 Krankheiten (340 Ohren-, 155 Hals- und Nasenkrankheiten) und 617 Erwachsene mit 745 Krankheiten (422 Ohren-, 323 Nasenkrankheiten). Der jüngste Patient war 3 Wochen und litt an Ohrenfluß. Der älteste war 85 Jahre und stellte sich vor wegen Schwerhörigkeit infolge von Cerumen obturans.

Die genaueren Altersverhältnisse werden in der folgenden Tabelle dargestellt.

Alterstabelle.

Im Alter von	0—1	1—2	2—4	4—6	6—8	8—10	10—12	12—14 Jahren
Krankenzahl	48	41	65	48	40	61	59	60

Kinder bis 14 Jahre = 522.

(Fortsetzung der Alterstabelle.)

Im Alter von	14—20	20—30	30—40	40—50	50—60	60—70	70—80	über 80	Jahren
Kranken-zahl	172	171	100	89	44	28	12	1	

Zahl der erwachsenen Patienten über 14 Jahre — 617.

Dem Berufe nach teilt sich unser statistisches Material in folgender Weise:

Berufstabelle.

Handel- und Gewerbetreibende	371
Handwerker	336
Der intelligenten Klasse angehörig	101
Dienstboten	107
Arbeiter und Tagelöhner	102
Landleute	2
Ohne Beruf (Waisen, Krüppel, Bettler, Greise, Privatiere) .	20
Summa .	1039

Heimatstabelle.

Aus Krakau	814
,, Podgórze	58
,, der Umgebung	17
,, Galizien	76
,, Russisch-Polen	36
,, Rußland	35
,, Leipzig, Wien, Ungarn je 1 .	3
Summa .	1039

Krankheitstabelle.

Erkrankungen	Summa	Männer	Weiber	Kinder beiderlei Geschl.
a) des äußeren Ohres:				
Accumulatio ceruminis	73	30	43	8
Eczema auriculae, meatus	22	14	8	13
Otit. ext. circumscripta. Furunkel .	36	18	18	12
Otit. ext. diffusa acuta	1	—	1	1
Otit. ext. diffusa chronica	2	1	1	—
Otit. ext. diffusa haemorrhagica . .	1	—	1	—
Otomyocosis	2	1	1	—
Corpus alienum in meatu ext. . . .	11	6	5	4
Angeblicher Fremdkörper	2	1	1	—
Atheroma lobuli	1	1	—	—
Erysipelas	3	—	3	—
Vulnus meatus	2	1	1	—
Congelatio	1	1	—	1
Commedones auriculae	2	2	—	—
Bildungsfehler	2	1	1	1
Übertrag .	161	77	84	40

(Fortsetzung der Krankheitstabelle.)

Erkrankungen	Summa	Männer	Weiber	Kinder beiderlei Geschl.
Übertrag .	161	77	84	40
Dazu kommt				
Entzündung des Kiefergelenkes . .	1	1	—	—
Parotitis	1	—	1	1
Mumps	2	—	2	—
Summa sämtlicher Erkrankungen des äußeren Ohres	165	78	87	41
b) des Trommelfelles:				
Myringitis acuta	1	—	1	1
Myringitis chronica	1	1	—	—
Perforatio traumatica	1	—	1	1
Verletzung des Trommelfelles . . .	2	1	1	—
c) des Cavum tympani:				
Otitis media acuta (catarrhalis, phlegmonosa, exsudativa non perforativa)	· 51	25	26	28
Otit. media acuta purulenta perforativa (3 mal mit Caries, 1 mal mit Caries, abscessus perisinuosus und Abducenslähmung)	128	59	69	106
Otit. media purulenta chronica (15 mal mit Caries, 6 mal mit Granulationen, 11 mal mit Polypen, 2 mal mit Periostitis, 5 mal mit Cholesteatom)	186	108	78	118
Catarrhus siccus, adhaesivus . . .	59	25	34	1
Catarrhus chronicus serosus . . .	14	10	4	—
Sclerosis auris mediae	11	3	8	—
Residua (Synechiae, adhaesivae, perforationes siccae, cicatrices, postoperative Wunden	41	22	19	11
Otalgia (19 mal wegen Caries dentis, 2 mal im Wochenbette, 3 mal bei Anämie und Chlorose, 1 mal bei Rhinitis hypertrophica, 1 mal neben allgemeiner Nervosität)	26	7	19	9
d) der Tuba Eustachii:				
Salpingitis chronica	34	17	17	13
Salpingitis acuta	1	1	—	1
e) des Processus mastoideus:				
Periostitis und subperiostaler Abszeß	3	2	1	3
Mastoidalgie	2	—	2	—
Summa sämtlicher Erkrankungen des Mittelohres	561	281	280	292
f) des inneren Ohres:				
Affectio acustica (5 mal nach Trauma, 3 mal nach Meningitis, 2 mal nach Influenza)	27	12	15	2
Tinnitus aurium nervosus	3	3	—	—
Surdomutitas 1 mal angeboren, 3 mal acquiriert nach Meningitis). . .	4	1	3	4
Übertrag .	34	16	18	6

(Fortsetzung der Krankheitstabelle.

Erkrankungen	Summa	Männer	Weiber	Kinder beiderlei Geschl.
Übertrag .	34	16	18	7
Dazu kommt				
Hörstummheit	1	1	—	1
Aphasia amnestica (bei Apoplexie) .	1	1	—	—
Summa sämtlicher Erkrankungen des inneren Ohres	36	18	18	8
Summa sämtlicher Ohrenkrankheiten	762	377	385	340

II. Erkrankungen der oberen Luftwege.

a) der Nase:

Rhinitis chronica	14	6	8	5
Rhinitis acuta	5	3	2	2
Rhinitis hypertrophica	61	39	22	18
Rhinopharyngitis	7	4	3	2
Eczema introitus nasi	9	5	4	3
Rhagades ad nasum	4	2	2	2
Nasenfurunkel	5	3	2	2
Erysipelas nasi	2	1	1	1
Epistaxis	18	10	8	10
Ozaena	9	4	5	—
Nasenpolypen	6	5	1	—
Reflexhyperämie	1	—	1	—
Vulnus nasi	1	1	—	—
Excoriatio mucosae nasi	1	1	—	—
Atheroma nasi	1	—	1	—
Herpes nasalis	1	—	1	1
Verruca introitus nasi	1	—	1	1
Tumor naso-pharyngealis . . .	1	—	1	1
Congelatio nasi	2	1	1	—
Corpus alienum	1	1	—	1
Angeblicher Fremdkörper	1	—	1	1
Nebenhöhlenempyeme	9	5	4	2
Septumerkrankungen (4 mal Deviatio, 3 mal Crista, 1 mal Spina, 1 mal Perichondritisabszeß, 1 mal Perforatio, 1 mal Periostitis luetica) .	11	6	5	4
Summa sämtlicher Nasenkrankheiten	171	97	74	57

b) des Pharynx:

Pharyngitis chronica.	24	11	13	1
Pharyngitis acuta	28	14	14	4
Angina (catarrhalis, lacunaris, phlegmonosa, ulcerosa)	43	16	27	14
Pharyngolaryngitis	7	5	2	1
Diphtheritis faucium	2	—	2	1
Hypertrophia tonsillararum . . .	33	16	17	22
Vegetationes adenoidales . . .	46	21	25	33
Abscess. peritonsillaris	12	6	6	3
Abscessus retropharyngealis . . .	1	—	1	1
Abscess. tonsillae tertiae	1	1	—	—
Uvulitis	1	1	—	—
Tonsillitis praeepiglottica	1	—	1	—
Übertrag .	169	91	108	80

(Fortsetzung der Krankheitstabelle.)

Erkrankungen	Summa	Männer	Weiber	Kinder beiderlei Geschl.
Übertrag .	163	91	108	70
Corpus alienum	3	—	3	1
Angeblicher Fremdkörper	8	4	4	—
Vulnus pharyngis	1	1	—	1
Ulcus gummosum pharyngis . . .	1	—	1	—
Ozaena pharyngis	1	—	1	—
Combustio oris et pharyngis . . .	1	1	—	1
Neurosen	6	1	5	—
Dazu kommen Erkrankungen der Mundhöhle:				
Periostitis palati duri	1	1	—	—
Abscessus * *	1	—	1	—
Ulcus * *	2	1	1	—
Perforatio * *	2	1	1	1
Papilloma * *	1	1	—	—
Pemphigus palati	1	1	—	—
Gingivitis	2	—	2	1
Abscessus perialveolaris	1	—	1	1
Stomatitis	1	1	—	—
Excoriatio labii infer.	1	—	1	—
Abscessus labii	1	1	—	—
Summa sämtlicher Erkrankungen des Rachens und der Mundhöhle	234	105	129	86

Nachfolgend ein Verzeichnis der bei uns im Berichtsjahr ausgeführten Operationen. — Operationstabelle.

	Summa	Männer	Weiber	Kinder beiderlei Geschl.
Paracentesis membran. tymp. . . .	19	6	13	9
Extraktion von Ohrpolypen . . .	3	2	1	1
Excochleatio cavi tympani	2	—	2	2
Excochleatio meatus externi . . .	1	1	—	—
Incisio abscess. furunc. meatus externi	2	—	2	1
Operationen am Warzenfortsatze (4 mal Einschnitte mit nachfolgender Aspiration, 2 mal Abscessus subperiostalis, 2 mal Antroatticotomie, darunter 1 mal perisinuöser Abszeß, 1 mal mit Sinuseröffnung und Jugularisunterbindung)	8	3	5	4
Extraktion von Fremdkörpern (11 vom Ohre, 1 von d. Nase, 3 vom Pharynx)	15	7	8	6
Atheromaoperation	1	1	—	—
Conchotomie	18	15	3	4
Extraktion von Nasenpolypen . . .	1	—	1	1
Septumabszeß	1	1	—	1
Nasenfurunkel	1	1	—	1
Punktio antri Highmori	1	1	—	—
Eröffnung der Kieferhöhle vom unteren Nasengange aus	1	1	—	—
Peritonsillarabszesse	10	3	7	2
Retropharyngealabszeß	1	—	1	1
Tonsillotomien	10	6	4	8
Adenotomien	6	3	3	5
Abszeß am Gaumen	1	—	1	—
Abszeß an der Lippe	1	1	—	—
Summa sämtlicher Operationen	103	52	61	45

II. *Kasuistisch-wissenschaftlicher Teil.*

Fremdkörper.

Die aus dem Ohre entfernten 11 Fremdkörper betreffen 2 mal ein Stückchen Watte, je 1 mal eine Fliege, einen Küchenwurm, ein Stückchen Papier,
ein Stückchen Knobel, einen Johannisbrodkern, ein abgebrochenes und im
Gehörgang zurückgebliebenes Streichholzstückchen, 1 mal hatte sich die
Schraube eines Ohrringes im Stichkanal eingeklemmt und konnte nicht los-
geschraubt werden, ein vom Ohrgehänge losgelöstes Steinchen, das in den
äußeren Gehörgang hineingeraten war. Bei einer 47jährigen Frau, die angab, daß ihr etwas ins Ohr hineingefallen sei und sie seitdem schlecht höre,
fand sich etwa in der Mitte des Gehörganges ein dünnes Epidermishäutchen
derart senkrecht und quer gelagert, daß es das Lumen des äußeren Gehörganges vollkommen abschloß, wodurch das Gehör bedeutend beeinträchtigt
wurde. Bei einer flüchtigen Untersuchung könnte hier eine Pseudomembran,
Atresie des knöchernen Gehörganges, ein künstliches Trommelfell und dergleichen vorgetäuscht werden. Die Untersuchung mit der Sonde klärte jedoch den Sachverhalt bald auf. Wahrscheinlich war beim Bohren im Ohre
mit dem Finger oder sonst einem stumpfen Instrumente eine Epidermisschuppe
von der Wand des äußeren Gehörganges losgelöst und in diese Lage gebracht
worden. Nach Entfernung des Fremdkörpers erwies sich das Ohr sonst normal und alle Beschwerden waren verschwunden.

Ferner entfernte ich aus der Nase einen Metallknopf, den sich ein
Kind hineingelegt hatte; aus dem Pharynx 1 mal ein Stückchen Stroh und
2 mal eine Fischgräte, die in den Tonsillen stecken geblieben waren.

Artifizielle Stenose des Meatus auditorius externus.

Ein Beispiel dafür, wie weit Indolenz und Nachlässigkeit führen können,
liefert uns unser Prot. Nr. 107. Ein 23jähriger Arbeiter aus Rußland stellte
sich mit einem Ohrenfluß aus dem rechten Ohr vor, welcher angeblich vor
5 Monaten infolge eines Schlages auf das Ohr entstanden sei und seitdem
ununterbrochen andauere. Von dem Introitus ad Meatum war eine kleine
Öffnung zurückgeblieben, die kaum für eine dünne Sonde durchgängig war
und aus der sich dünnflüssiger, übelriechender Eiter entleerte. Der ganze
Gehörgang war stark verengt, mit leicht blutenden Granulationen ausgekleidet. In der Tiefe des Gehörgangs war bloßliegender Knochen durchzufühlen.
Es gelang durch Auskratzen des Gehörganges und Entfernung der Granulationen unter Anwendung von Anästhesien ein entsprechendes Lumen wiederherzustellen und durch entsprechende Behandlung die Eiterung einzuschränken. Das Trommelfell sowohl als auch die Gehörknöchelchen fehlten
und die Paukenhöhle war gleichfalls mit Granulationen ausgefüllt. Der
Patient reiste jedoch nach Amerika ab vor der vollständigen Heilung.

Im Gegensatze zu den Angaben des Patienten halten wir es
für wahrscheinlicher, daß wir es hier mit einem Artefacte zu
tun hatten, bewirkt durch Eingießen einer ätzenden Flüssigkeit
ins äußere Ohr. Dadurch würde sich die ausgedehnte Zerstörung
und die diffuse Ulceration des Meatus erklären. Für diese Erklärung spricht auch der Umstand, daß wir es mit einem russischen Auswanderer zu tun hatten, der im militärpflichtigen Alter
stand und bei solchen Personen künstliche Selbstverstümmelun-
gen durch solche Mittel behufs Herbeiführung einer Militärdienst-
untauglichkeit nicht selten angetroffen werden, und besonders
während des russisch-japanischen Krieges ziemlich oft beobachtet
werden konnten.

Reflex-Neuralgie.

Daß Cerumen obturans verschiedene nervöse Zustände auf reflektorischem Wege hervorzurufen imstande ist, dürfte als eine seit langem bekannte Tatsache nicht verwundern. Daß die begleitenden nervösen Reflexerscheinungen jedoch bei der Häufigkeit von Cerumenaccumulation im äußeren Ohr verhältnismäßig nur selten beobachtet werden, erklärt sich daraus, daß sie, wie es scheint, nur bei gewissen, besonders neuropathisch veranlagten, dazu inklinierten Personen aufzutreten pflegen.

Unter Prot. Nr. 742 haben wir einen Fall beobachtet, betreffend eine 40jährige Frau, welche seit längerer Zeit an heftigen Kopfschmerzen litt, wegen welcher sie vielfach, jedoch erfolglos behandelt worden war. Später gesellten sich Zahnschmerzen bei objektiv gesunden Zähnen und schließlich auch Ohrenschmerzen hinzu. Die Untersuchung ergab große Cerumenmassen im äußeren Gehörgange, nach deren Entfernung nicht nur die Ohren-, sondern auch die Zahn- und die Kopfschmerzen wie mit einem Schlage verschwanden, ohne wiederzukehren. Die Patientin fühlte sich wie erlöst.

Atresie und partielle Verdoppelung des äußeren Gehörganges.

Eine Mißbildung des äußeren Gehörganges, die wir im vergangenen Jahre beobachteten, dürfte, wie ich glaube, zu den äußersten Seltenheiten gehören.

Prot. Nr. 855 betrifft einen 30jährigen, über mittelgroßen, kräftig gebauten Mann, aus dessen Angaben zu entnehmen ist, daß er vor kurzem eine akute rechtsseitige Mittelohrentzündung durchgemacht hat, in deren Folge er anderwärts am Warzenfortsatz operiert worden war. Die Untersuchung ergab an Stelle des Introitus ad meatum finden sich zwei runde Öffnungen, die etwa 6 mm im Durchmesser besitzen und in der Richtung eines normalen Gehörganges in einer Tiefe von etwa 12 mm blind endigen. Die Kanäle sind von normaler Haut ausgekleidet, liegen senkrecht über einander und sind von einander getrennt durch ein horizontal von vorn, dem Tragus nach rückwärts zur Concha ziehendes häutiges Diaphragma, dessen äußerer Rand dicker ist und eine knorpelige Resistenz darbietet. Auch der blindsackförmige Abschluß beider Gänge besitzt eine häutigknorpelige Resistenz. Ebenso scheint auch das Diaphragma zwischen seinen häutigen Wänden Knorpeleinlagen zu besitzen. Die häutige Auskleidung beider Kanäle ist trocken, besitzt keine Haare, keine Spur einer Drüsensekretion. Ebensowenig ist die Spur einer Narbe oder sonst einer überstandenen Krankheit des äußeren Ohres zu finden. Nur an dem vor kurzem eröffneten Warzenfortsatz findet sich noch eine offene Operationswunde.

Außerdem findet sich vor der Muschel ein dünnes, senkrecht und dem Tragus parallel verlaufendes, ca. 1 cm langes Hautfältchen, welches nach unten mit einer warzenförmigen, hanfkerngroßen Verdickung endigt, in deren Tiefe eine knorpelige Resistenz durchzufühlen ist. Sonst ist die Ohrmuschel normal geformt. Weder am anderen Ohr, noch sonst am Körper war eine Bildungsanomalie aufzufinden. Das Gesicht symmetrisch. Facialisfunktion normal.

Das Gehör ist bedeutend herabgesetzt. Flüsterstimme und Stimmgabel per Luftleitung nicht perzipiert, akzentuierte Flüsterstimme wird zwar ad concham wahrgenommen, doch ergibt sich, daß diese Perzeption dem anderen gesunden Ohr zuzuschreiben ist. Weber wird nicht lateralisiert. Rinne negativ. Es ist also auf Grund der Hörprüfung die Annahme berechtigt, daß die Verbildung sich nur auf den Schallleitungsapparat erstreckt und das Labyrinth intakt ist. Die für eine bloße Atresie des Gehörganges allerdings

etwas zu hochgradige Hörstörung läßt sich zum Teil gewiß auf die vor
kurzem bestandene Mittelohrentzündung zurückführen. Patient gibt an,
daß er früher nie ohrenkrank war und daß er den Fehler am äußeren Ohr
seit der Geburt besitze. Diese Angabe wird von den Angehörigen des Patienten bestätigt. In der Verwandtschaft ist weder eine solche, noch eine
ähnliche Mißbildung zu erfragen.

Wir haben es hier also unzweifelhaft mit einer kongenitalen
Mißbildung zu tun, wofür außer der Anamnese das Vorhandensein von Aurikularanhängen, sowie das Fehlen von Narbenbildung spricht, und zwar handelt es sich hier um einen kombinierten Bildungsfehler, Verdoppelung des knorpeligen und
Atresie des knöchernen Gehörganges, die Verbindung
einer Exzeßbildung mit einer Hemmungsbildung. Eine solche
Kombination konnte ich in der Literatur nicht auffinden, und
dürfte dieser Fall ein Unicum darstellen.

Von älteren, weniger verläßlichen Beobachtungen, deren
Auffassung als angeborene Mißbildung schon wiederholt und mit
Recht angezweifelt worden ist, abgesehen, fanden wir in der
Literatur Fälle von Verdoppelung des äußeren Gehörganges mitgeteilt von Brieger (Klinische Beiträge zur Ohrenheilk. 1896),
Guranowski (Zeitschr. f. Ohrenh. Bd. 34. S. 246) und Habermann (Arch. f. Ohrenh. Bd. 50. S. 102). Im Falle von Guranowski waren die Gänge durch eine mehr schräge und senkrechte Scheidewand getrennt, und während der vordere blind
endigte, reichte der hintere bis zum Trommelfelle. In den Fällen
von Brieger und Habermann war der Gehörgang ähnlich
wie in dem meinigen, durch eine horizontale Scheidewand in
zwei Gänge getrennt, von denen jedoch immer der eine, der
obere, resp. der untere mit dem normalen Trommelfell abschloß.
In unserem Falle endigten jedoch beide Gänge blind. Hier lag
also eine Kombinationsmißbildung vor, einerseits ein Bildungs-
exzeß, die Verdoppelung des äußeren Gehörganges, andererseits
ein Bildungsdefekt. Atresia auris congenita, bei vollständig normaler Aurikula mit einem kleinen Aurikularanhang.

Es ist klar, daß wenn in einem Falle mit Atresie des Meatus
eine Mittelohrentzündung auftritt, diese Krankheit dann ein besonderes Interesse beansprucht. Die Unmöglichkeit einer otoskopischen Untersuchung wird jedenfalls in manchen Fällen die
rechtzeitige Erkennung der Krankheit, die sich nur auf subjektive Symptome stützen kann, erschweren. Die Unzugänglichkeit
des, wenn überhaupt vorhandenen, Trommelfelles für jeden therapeutischen Eingriff, die Unmöglichkeit der Entleerung etwa

vorhandenen Exsudates durch den äußeren Gehörgang nach operativem oder spontanem Durchbruch des Trommelfelles kann den Verlauf der Krankheit verhängnisvoll, gestalten. Leider war uns die Beobachtung des Kranken während dieser seiner Krankheit versagt, und konnten wir auf dieselbe nur aus anamnestischen Angaben schließen.

Otitis media vasomotorica intermittens.

Wenn auch Erscheinungen, die für einen Kausalnexus zwischen Ohren- und Zahnkrankheiten sprechen, nicht gerade selten sind, so möchte ich doch einen Fall von Otitis intermittens nicht unerwähnt lassen, in dem sich ein solcher Zusammenhang in bemerkenswerter Weise manifestierte.

Prot. Nr. 817. Die Mutter eines dreijährigen Kindes teilt uns mit, daß so oft der kleine Patient einen frischen Zahn bekommen soll, bei ihm Fiebererscheinungen, Unruhe usw. auftreten, die bald von einem Eiterfluß aus einem Ohre derselben Seite begleitet sind, daß alle diese Erscheinungen rasch verschwinden, um vor dem Durchbruche des nächsten Zahnes wieder zum Vorschein zu kommen. Dieser Fall würde für die Ansicht Burnetts sprechen, der die Zahnung als die häufigste Ursache der Ohreiterung bei Kindern auffaßt. Doch müssen wir uns eher der Ansicht anschließen, daß die akuten Exantheme, die Erkrankungen der Nase, des Rachens und besonders jene des lymphatischen Rachenringes die erste Stelle unter den Ursachen der Ohrenkrankheiten bei Kindern einnehmen.

Die Stauungs- und Saugbehandlung der akuten Mittelohrentzündungen nach der Methode von Bier.

Bei der Behandlung der Mittelohrentzündungen haben wir im Berichtsjahre die Biersche Stauung in großem Maßstabe in Anwendung gezogen. Ich habe nur einige wenige Fälle zu verzeichnen, in denen diese Behandlung nicht vertragen wurde, in denen sie Kopfschmerzen, Atembeschwerden oder Schwindel verursachte resp. steigerte. In bei weitem der Mehrzahl der Fälle (50) wurde über keine durch diese Behandlung verursachte Beschwerden geklagt. Leider ist mein Material als ein fast ausschließlich ambulatorisches, nicht durchwegs zur Beurteilung dieser Methode geeignet. Es geschah oft, daß die Stauungsbinde, die ich im Spitale selbst anzulegen pflegte, zu Hause gelockert wurde. Manche Mütter gestatteten entweder überhaupt nicht, ihren kranken Kindern die Binde anzulegen oder ließen sie nur eine kurze Zeit tragen, oder nahmen sie für die Nacht ab. Andere blieben mitten in der Behandlung oder vor Abschluß derselben von der Ordination aus. Nichtsdestoweniger habe ich einige Fälle von so markanter, unzweifelhaft günstiger Wirkung dieser Methode beobachtet, daß ich entschieden der

9*

Ansicht bin, daß sie in jedem Falle akuter Mittelohrentzündung
wenigstens versucht werden sollte. Speziell die Wirkung auf
Kopf- und Ohrenschmerzen, aber auch jene auf den Entzündungsprozeß selbst war in manchen Fällen geradezu frappant in
die Augen springend. Hierher gehört ein Fall, den ich schon
im vorjährigen Jahresberichte mitteilte, betreffend eine Frau, die
im Verlaufe einer akuten Mittelohrentzündung unter schlaflosen
Nächten so heftige Schmerzen im Ohre und in der Warzenfortsatzgegend litt, daß sie selbst auf die Operation drang und bei
der es, meiner Überzeugung nach, nur dieser Behandlung zuzuschreiben ist, daß die Heilung ohne Operation erfolgte.

Als merkwürdig muß ich bezeichnen, daß trotz der ganz
hervorragenden Wirkung dieser Methode in manchen Fällen, ich
in anderen nicht nur keine Wirkung sah, sondern sogar während des Tragens der Binde das Entstehen einer akuten Mittelohrentzündung auf der anderen, früher gesunden Seite beobachten konnte. Daß dies aber doch von der Anwendung dieses
Mittels nicht abschrecken darf, lehren viele andere Beobachtungen, von denen einige hier in kurzem skizziert werden mögen.

Prot. Nr. 454. Das sechsjährige Kind hatte bereits vor einem Jahre
eine akute rechtsseitige Mittelohreiterung überstanden, deren Heilung einge
Wochen in Anspruch genommen hatte. Am 16. Juni 1906 wurde es wieder
mit einer 2 Tage dauernden akuten schmerzhaften Mittelohreiterung derselben Seite vorgeführt. Stauungsbehandlung, nach 2 Tagen fand ich das
Ohr trocken, die Entzündung abgelaufen.

Prot. Nr. 567. Bei einem anderen sechsjährigen Kinde fand sich eine
doppelseitige akute Mittelohreiterung nach Masern, Schmerzhaftigkeit des
Warzenfortsatzes, Verengerung des äußeren Gehörganges, Unruhe, Temperatursteigerung. Hier wandte ich neben der Stauungsbinde auch Blutegel
und kalte Umschläge aufs Ohr an. Am folgenden Tage war das Kind ruhiger,
keine Schmerzensäußerung mehr; nach 4 Tagen hatte die Eiterung sistiert,
war das Ohr trocken.

Prot. Nr. 607. Ein neunjähriges Mädchen wird wegen doppelseitiger,
vor 12 Tagen nach Masern entstandener akuter Mittelohreiterung vorgestellt.
Ohrenschmerzen, Temperatursteigerung. Zwei Tage nach Applikation der
Stauungsbinde ist die kleine Patientin fieber- und schmerzfrei. Am 5. Tage
hatte die Eiterung auf beiden Ohren sistiert, und das Gehör war besser;
nach 10 Tagen Gehör normal, subjektiver und objektiver Zustand gut.

Prot. Nr. 686. Ein 3¹/₂jähriges Kind wird mit linksseitiger akuter Mittelohreiterung vorgeführt. Patient fiebert, hat die ganze letzte Nacht über Ohrenschmerzen geklagt und schlaflos zugebracht. Die Krankheit sei nach einem
Bade tags zuvor entstanden. Nach Anlegen der Halsbinde dauerte der
Schmerz noch über den ganzen Tag. Die Nacht jedoch verlief schon besser,
am nächsten Tage war das Kind schmerzfrei und auch der Ausfluß hatte
aufgehört.

Prot. Nr. 725. Am 2. September wird ein achtjähriger Knabe mit links-
seitiger akuter eitriger Mittelohrzündung präsentiert. Am 15. September
Schwellung, Rötung und Schmerzhaftigkeit hinter dem Ohr. Nun wird die
Stauungsbehandlung gestattet und begonnen. Am 20. September ist das Ohr
trocken. Die Schmerzen haben aufgehört, die Schwellung ist verschwunden,
Nur unter dem Ohr ist noch eine kleine Drüse durchzufühlen.

Prot. Nr. 731. Am 3. September erscheint ein 3¹/₂jähriges Kind mit linksseitiger akuter Mittelohrentzündung. Nach Anlegen der Binde hören die Schmerzen am folgenden Tage auf. Unterbrechung der Behandlung. Fünf Tage später spontaner Durchbruch des Trommelfelles. Erneuerung der Schmerzen, die unter der Stauungsbehandlung bald verschwinden. Rasche Heilung.

Prot. Nr. 872 Eine 17jährige Patientin stellt sich mit Otit med. acut. sinistra nach Nasenkatarrh vor. Membrana tympani diffus gerötet, abgeflacht. Hammer kaum angedeutet, in der Mitte Exsudat, gelblich durchschimmernd. In der vorausgegangenen Nacht heftige Schmerzen. Stauungsbehandlung. Am folgenden Tage: Die vordere Hälfte des Trommelfelle-mehr abgeflacht, der hintere Teil etwas vorgewölbt, trotzdem Patient schmerzfrei. Nach 10 Tagen Heilung ohne Durchbruch, ohne Paracentese

Prot. Nr. 891. Ein neunjähriger Knabe mit Otitis med. acuta dextra, Heftige Ohrenschmerzen die ganze letzte Nacht. Das Trommelfell stark diffus gerötet, abgeflacht. Hammergriff nicht auszunehmen. Stauungsbehandlung. Schon nachmittags desselben Tages hörten die Schmerzen auf, ohne wiederzukehren. Vier Tage später Heilung.

Ähnliche Fälle könnte ich in größerer Zahl anführen, aber es möge an diesen genügen. Oft konnte ich auch bemerken, daß Patienten, resp. Mütter kranker Kinder, die anfangs nur ungern und mit Widerwillen das Anlegen der Halsbinde gestatteten, später mit immer größerer Bereitwilligkeit und mit immer größerem Vertrauen sich in die Behandlung fügten. Am auffälligsten war zumeist die mehr oder weniger prompt auftretende schmerzstillende Wirkung derselben, was sowohl bei Erwachsenen als auch bei Kindern wiederholt konstatiert werden konnte. Ich legte anfangs die Binde nur auf 10 Stunden an mit der Empfehlung, sie zu Hause für 2 Stunden abzunehmen und nach dieser Unterbrechung wieder für weitere 10 Stunden anzulegen. Da sich aber die Applikation der Stauungsbinde im Hause des Patienten unverläßlich erwies, legte ich sie nur in der Ordinationsstunde an, mit der Empfehlung, sie 22 Stunden liegen zu lassen und erst dann, das ist 2 Stunden vor der nächsten Ordination, abzunehmen.

Aus meiner Privatpraxis möchte ich nur einen Fall kurz erwähnen.

Bei einem etwa 20jährigen Mädchen, das ich vor 2 Jahren an einer akuten Otitis media behandelt habe, mußte damals die Paracentese ausgeführt werden. Die Heilung erfolgte unter sonst normalem Verlaufe in der dritten Woche. Vor einigen Monaten wiederholte sich diese Erkrankung unter Erscheinungen von Influenza. Acuta Media, mit heftigen Kopf- und Ohrenschmerzen, allgemeiner Abgeschlagenheit, Schlaflosigkeit. Ich würde unter anderen Umständen wieder den Trommelfellschnitt ausführen. Diesmal wollte ich jedoch früher die Stauungsbehandlung versuchen. Nach 24 Stunden war eine auffallende subjektive Besserung erreicht, der in den folgenden Tagen allmählicher Rückgang der objektiven Entzündungserscheinungen folgte. Heilung ohne Eiterung in 8 Tagen.

Allerdings muß zugegeben werden, daß in manchen anderen Fällen die Stauungsbehandlung keine besondere Wirkung entfal-

tete und nicht imstande war, Paracentese und andere operative
Eingriffe entbehrlich zu machen. Doch konnte ich keine schädliche Wirkung derselben beobachten, und die vielen Fälle mit
günstigem Erfolge sprechen unbedingt zu Gunsten derselben.

Wichtig ist es jedoch, in allen Fällen bei dieser Behandlung
den Verlauf der Temperatur und eventuelle für eine Komplikation sprechende Erscheinungen strenge zu bewachen. Wo die Temperatur trotz dieser Behandlung sich längere Zeit gesteigert
zeigt, oder Erscheinungen einer Komplikation auftreten, darf
man sich auf diese Behandlung nicht beschränken und muß unbedingt zu energischeren Maßregeln greifen.

Nun habe ich in Fällen mit drohender Komplikation seitens
des Warzenfortsatzes die Stauungsbehandlung mit der Anwendung der Saughyperämie, der Aspirationsbehandlung kombiniert
und von diesem Verfahren ganz unerwartete, ja staunenerregende
Wirkung gesehen. In Fällen, in denen im Verlaufe einer akuten Mittelohrentzündung oder nach Ablauf derselben starke Empfindlichkeit, Schwellung, Infiltration über dem Proc. mastoid.
auftreten, pflege ich über denselben durch einige Tage den Saug-
ballon anzulegen. Treten darauf die Erscheinungen nicht zurück, steigern sie sich gar oder ist Fluktuation nachzuweisen,
dann mache ich in den Weichteilen über den Warzenfortsatz
einen kleinen Einschnitt, und lasse nach der Entleerung etwa
vorhandenen Eiters die Saugglocke auf die so gemachte Wunde
einwirken. Dieselbe bleibt 5 Minuten liegen, um nach einer
Unterbrechung von 5 Minuten auf weitere 5 Minuten angelegt zu
werden. Dieses wird eventuell ein drittes Mal wiederholt, darauf die Wunde ohne Drainage mit einem Jodoformgazestreifen
bedeckt und mit einem gewöhnlichen Verbande versehen. Dieselbe Prozedur wird in den folgenden Tagen wiederholt. Ist
die Wunde verklebt, so wird sie zuvor mit einer stumpfen Sonde
gelüftet.

Die Wirkung dieser Methode kann nicht besser illustriert
werden, als durch die Anführung einiger kurzen Auszüge aus
den Krankengeschichten, die ich hier folgen lasse.

Prot. Nr. 300. Am 5. Mai stellte sich der Handelsmann L. S. aus
Chrzanow mit der Angabe vor, seit 2 Monaten an Schmerzen, Rauschen und
Schwerhörigkeit im linken Ohre zu leiden. Die Untersuchung läßt auf eine
überstandene Otitis media acuta schließen. Das Trommelfell leicht injiziert,
verdickt, trübe. Der Gehörgang etwas verengt. Warzenfortsatz schmerzhaft,
die Haut darüber leicht verdickt. Eiterung war nicht vorausgegangen. In
den folgenden Tagen nahm die Schwellung in der Warzengegend zu.

Am 16. Mai findet man den Gehörgang stark verengt und einen fluktuierenden Tumor über Warzen-, Schläfe-Parotisgegend und unter dem Ohr. Eröffnung des Abszesses. Drainage.

17. Mai. Bei Druck auf die Anschwellung vor und hinter dem Ohre entleert sich aus der Abszeßöffnung übelriechender, mit schwarzen nekrotischen Fetzen untermischter Eiter. Mit der Sonde gelangt man durch die Wunde einige Centimeter tief über der Ohrmuschel nach vorne bis zum Jochbeine, überall bloßliegenden, aber nicht rauhen Knochen durchfühlend.

18. Mai. Große Menge aus der Wunde sich ergießenden Eiters. Durch die Operationsöffnung bloßliegender, reiner, glatter Knochen zu sehen. Bei Druck vor der Muschel entleert sich noch immer eine große Menge zerfallenen Eiters. Anlegung der Aspirationsglocke, dann Druckverband.

19. Mai. Schwellung der linken Gesichtshälfte größer, das linke Auge halb geschlossen, die linken Augenlider polsterförmig, ödematös. Das Ödem erstreckt sich auf Stirn und einen Teil der Nase. Ausspritzung der Abszeßhöhle mit Lysollösung, Aspiration. Auf die mit Blutgerinnsel verklebte Wundöffnung ein einfacher Verband.

21. Mai. Anschwellung bedeutend geringer. Patient hat noch Ohrenrauschen, fühlt sich aber sonst bedeutend besser, hat guten Appetit; Schlaf ungestört. Bei der Aspiration entleert sich nur noch wenig Eiter.

Bis zum 25. Mai nimmt die Schwellung um das Ohr successive ab. Bei der Ansaugung wird nur noch eine geringe Menge von mit Blut vermengtem Eiter exspiriert. Rauschen im Ohr und Schwerhörigkeit unverändert, sonst keine Beschwerden, keine Schmerzen, subjektives Wohlbefinden. Am 20. Mai hat die Schwellung an den Augenlidern wieder etwas zugenommen, und es läßt sich bei Druck vor dem Ohr wieder etwas Eiter aus der Wunde exprimieren. Aber schon am 24. Mai war eine solche Wandlung zum Besseren, und Patient fühlte sich so wohl, daß er nach Hause fährt, mit der Empfehlung an den Hausarzt, dieselbe Behandlung, tägliche Aspiration, fortzusetzen. Sekretion aus der Wunde und Schwellung vor dem Ohre nur noch sehr gering.

Am 1. Juni stellt sich Patient wieder vor. Die Schwellung im Gesichte und hinter dem Ohre fast ganz verschwunden, nur die Jochbeingegend noch etwas höher. Hinter dem Ohr eine kleine, mit Granulationen ausgekleidete Öffnung, durch die man mit der Sonde nur noch in geringe Tiefe eindringen kann. Patient verreiste und zeigte sich nicht mehr. Von seinen hiesigen Angehörigen erfuhr ich aber, daß kurze Zeit darauf die Wunde ganz verheilte.

Prot. Nr. 351. Am 10. Mai stellte sich eine 48jährige Patientin aus Rymanow mit der Angabe vor, vor 2 Monaten im Anschlusse an einen Nasenkatarrh heftige Kopf- und Ohrenschmerzen bekommen zu haben. Acht Tage später sei Eiterdurchbruch aus dem Ohre erfolgt, Schmerzen und Eiterung dauern bis jetzt fort. Die Untersuchung ergab: Das Trommelfell hinten vorgewölbt, vorne unten eine kleine, wenig sezernierende Perforation. Die Haut über dem Warzenfortsatze verdickt, auf Druck schmerzhaft. Therapie: Paracentese, Ungt. Credé und warme Umschläge auf den Warzenfortsatze, interne Aspirin.

11. Mai. Status idem, Schmerzen etwas nachgelassen, Temperatur 37,1°, Puls 93. Stauungsbinde. Einschnitt über dem Warzenfortsatz.

16. Mai. Patientin fühlt sich unter der Stauungsbinde besser, schläft aber noch schlecht. Kopfschmerzen dauern fort. Am Warzenfortsatz über dem Einschnitte eine fluktuierende Stelle, bei Druck auf derselben entleert sich Eiter aus dem Gehörgange. Das Trommelfell verdickt, aufgelockert. Es wird eine zweite Öffnung über den Abszeß gemacht und nach Entleerung des Eiters die Aspirationsglocke angelegt. Patientin fühlt sich dann etwas erleichtert.

17. Mai. Bei der Aspiration wird etwas Blut ohne Eiter angesogen. Patientin fühlt sich wohler, schläft besser.

18. Mai. Die verklebte Wunde wird mit einer stumpfen Sonde geöffnet, etwas Blut aspiriert. Patientin subjektiv besser.

21. Mai. Patientin hatte Tags zuvor starken Schwindel, der erst nachließ nach Abnahme der Stauungsbinde, schläft besser, keine Obren-, keine

Kopfschmerzen, Trommelfell unverändert. keine Eiterung aus dem Ohre. Aus
der Wunde wird bei der Aspiration nichts angezogen.

25. Mai Schwellung über dem Warzenfortsatz verschwunden. Po-
litzersches Verfahren wirkt günstig auf Schwindel und Ohrenrauschen.
Kopf frei.

Am 30. Mai fährt Patientin nach Hause mit trockenem geheilten Ohr
und Warzenfortsatz.

Prot Nr. 944. Am 21. November wird ein dreijähriges Kind mit doppelseitiger akuter Mittelohreiterung vorgeführt. Stauungsbehandlung.

2. Dezember. Rechts besser, links Schwellung vor und hinter dem Ohre.

10. Dezember. Rechtes Ohr trocken, links subperiostaler Abszeß am
Warzenfortsatz, Inzision und tägliche Aspiration nach der oben mitgeteilten
Weise. Bis zum 18. Dezember wird täglich eine große Menge Eiter aspiriert. Mit der Sonde fühlt man in der Tiefe rauhen, kariösen Knochen, der
an einer Stelle fistulös durchbrochen ist und eine rauhrandige Öffnung besitzt. Die Schwellung erstreckt sich auch vor dem Ohr.

19. Dezember. Schwellung bedeutend geringer. Aus Gehörgang und
Wunde hinter dem Ohr entleert sich nur noch wenig Eiter. Das Kind heiter,
lebhaft, wohlauf.

20. Dezember. Entleert sich nur noch sehr wenig blutiges Sekret in
die Aspirationsglocke. Schwellung vor und hinter dem Ohr noch gering.

27. Dezember. Wegen starker Fröste ist das Kind durch eine ganze
Woche aus der Behandlung ausgeblieben, und die Mutter gibt an, daß, als
sie am 21. Dezember zu Hause den Verband herunternahm, sie das Ohr und
die Wunde trocken fand und daß seit damals sich kein Eiter mehr zeigte.
In der That zeigte sich die Wunde hinter dem Ohr geschlossen, Schwellung
verschwunden, keine Schmerzhaftigkeit, das Ohr trocken, geheilt. Patient
befindet sich wohl, schläft und verrät gar keine Beschwerden.

Wirft sich da nicht die Frage auf: Wann und wo würde
man in jetziger Zeit eine solche Krankheit unoperiert lassen?
Müßte da nicht jeder moderne Ohrenarzt eine Heilung auf nicht
operativem Wege, wenn auch nicht für unmöglich, so doch für
unwahrscheinlich und die Unterlassung eines operativen Eingriffs für bedenklich und unverantwortlich halten? Und doch
gelang hier die Heilung auf konservativen Wegen, unserer Überzeugung nach, ausschließlich dank der Aspirationsbehandlung.
Übrigens steht dieser Fall nicht vereinzelt da.

Im Anschlusse möge ein nicht minder auffallender Fall aus
meiner Privatpraxis hier angeführt werden.

Am 7. November stellte sich mir die Frau P. S. aus Freistadt mit der
Angabe vor, daß sie vor 6 Wochen nach einer Erkältung an heftigen Kopfschmerzen und Fieber erkrankte, woran sich Halsschmerzen und Heiserkeit
anschlossen. Später traten Schmerzen im linken Ohre und Ohrknochen
Proc. mast.) und 8 Tage später Eiterausfluß aus dem Ohre hinzu. Doch
haben die Schmerzen die ganze Zeit nicht nachgelassen und hat sich eine
Schwellung der ganzen Ohrgegend hinzugesellt. Die Schmerzen im Kopfe
und hinter dem Ohre seien so heftig, daß die Patientin ganze Nächte schlaflos zubringe und den Appetit ganz verloren habe.

Die Untersuchung ergibt im äußeren Gehörgang ein wenig Eiter, eine
kleine Öffnung im Trommelfelle, die Weichteile über dem Warzenfortsatz
infiltriert und auf Druck sehr empfindlich In der ganzen Umgebung ein
ausgedehntes Oedem, welches sich über die ganze linke Gesichtshälfte erstreckte, das linke untere Augenlid polsterförmig aufgebläht. — Ich schlug
der Patientin die Aufmeißelung des Warzenfortsatzes vor und als die

Patientin sich nicht sofort dazu entschließen konnte, meinte ich, man könnte noch früher einen leichteren Eingriff versuchen, ohne den Knochen zu eröffnen, drückte jedoch meine Zweifel über die Zulänglichkeit der vorgeschlagenen Behandlung aus. Nach erlangter Zustimmung machte ich einen kleinen Einschnitt durch die infiltrierten Weichteile über den Warzenfortsatz und legte die Aspirationsglocke an. Es entleerte sich etwas Blut. Ich applizierte darauf die Stauungsbinde und entließ die Patientin auf den anderen Tag.

Nun denke man sich meine Verwunderung, als die Patientin am nächsten Tage in meiner Ordination erschien und mir mitteilte, die Schmerzen haben fast ganz aufgehört und sie habe seit langer Zeit die letzte Nacht zum erstenmal gut geschlafen und auch der Appetit habe sich gebessert. Tatsächlich fand ich die Schwellung um das Ohr bedeutend geringer. Ich wiederholte die Aspirationsbehandlung und da die Patientin dringend nach Hause zurückkehren mußte, entließ ich sie mit der Empfehlung, dieselbe Behandlung von ihrem Hausarzte fortsetzen zu lassen.

Am 19. November stellte sich die Patientin in bedeutend gebessertem Zustande wieder bei mir vor. Die Schwellung war fast ganz verschwunden und nur noch an der Schläfengegend und über dem Ohre etwas angedeutet. Das Ohr trocken, geheilt. In kurzer Zeit erfolgte darauf unter Fortsetzung dieser Behandlung vollständige Heilung.

Wenn auch zugegeben werden soll, daß auch sonst, wenngleich selten in ähnlichen Fällen Besserung und Heilung ohne Operation auf konservativem Wege beobachtet worden ist, so erscheint doch die prompte Besserung aller subjektiven und objektiven Erscheinungen und Beschwerden nach der angewandten Behandlungsmethode viel zu auffallend, um nicht eine besondere Aufmerksamkeit zu verdienen, oder nur als Zufall betrachtet zu werden. Ich bin daher entschieden der Ansicht, daß man in allen Fällen von akuten Mittelohrentzündungen, in denen Entzündungserscheinungen am Warzenfortsatze dazugetreten sind, sich nicht auf die bloße passive Stauungshyperämie hier beschränken darf, sondern neben derselben, die Aspirations-Hyperämie anwenden soll durch tägliches Aufsetzen der Saugglocke auf den Weichteilen über dem Warzenfortsatz, resp. nach einer in denselben angebrachten Schnittöffnung. Dieses Verfahren hat sich mir selbst in solchen Fällen ausreichend und erfolgreich erwiesen, in denen bereits Karies des Proc. mast. und selbst fistulöser Durchbruch der Corticalis vorhanden war, wobei der günstige Einfluß der Behandlung sich nicht bloß auf die Heilung des Warzenbeines beschränkt, sondern sich auch auf die der Mittelohreiterung erstreckt.

Daß man sich jedoch auch mit dieser Behandlung nicht immer begnügen darf, daß auch diese nicht immer zum Ziele führt und energischere Eingriffe überflüssig zu machen imstande ist, das beweist der folgende Fall, der als Gegenstück zu den vorigen hier kurz angeführt werden möge.

Prot. Nr. 428. Die 39jährige Patientin T. B. aus Krakau stellte sich am 10. Juni mit der Klage vor, daß sie seit 3 Tagen nach Nasenkatarrh an rechtsseitigen Ohrenschmerzen leide. Otitis med. acut. dextra. Stauungsbinde. Am folgenden Tag wegen heftiger Schmerzen Paracentese des Trommelfelles Patientin bleibt nun von der weiteren Behandlung aus und erscheint erst am 10. Juli wieder mit der Angabe, seit einigen Tagen an Schmerzen und Anschwellung hinter dem Ohre und an Fieber zu leiden. Die Gummibinde, gegen die sie eine besondere Abneigung zu haben scheint, habe sie in der Zwischenzeit nicht getragen. Ohreiterung. Infiltration über die Warzengegend erstreckt sich bis über die rechte Hinterhauptshälfte, große Schmerzhaftigkeit, Kopfschmerzen, Appetitlosigkeit, Puls 39.5° C .Aufnahme auf der Abteilung des Primararztes Coll. Dr. Kirschner.

12. Juli. Fluktuation hinter dem Ohr. Bei Druck daselbst entleert sich eine große Menge Eiter aus dem Ohre. Inzision bis auf den bloßliegenden Knochen: Aspiration. Am folgenden Tag subjektive Besserung, reichliche Eiterung aus Ohr und Wunde.

14. Juli. Temp. 37.2—38.5, reichliche Eiterung, kein Appetit, hartes schmerzhaftes Filtrat hinter dem Ohr bis zum Hinterhaupt.

15. Juli. Temp. 39.0—38.3—37.8. Puls 104. Pat. fühlt sich subjektiv besser. Dieselbe Behandlung.

In den folgenden Tagen nimmt Schwellung und Infiltration zusehends ab, ebenso die Eiterung aus Ohr und Wunde: dabei dauert das pyämische Fieber fort.

18. Juli. Temp. 38.3—39.6. Viel Schweiß, oft Kälte, viel Durst. Zunge leicht belegt, feucht. Puls 120, klein. Im Trommelfell eine kleine pulsierende Perforation. Operation angetragen, von der Patientin abgelehnt. Erweiterung der Perforationsöffnung.

In den folgenden Tagen ist die Schwellung hinter dem Ohr und um die Wunde ganz geschwunden, keine Kopfschmerzen, keine Ohrenschmerzen, keine Gehirnerscheinungen. Weder Nackensteifigkeit noch Übelkeiten und Erbrechen. Scheinbar also ein glänzender Erfolg der Aspirationsbehandlung. Allein die Fiebererscheinungen dauern fort, schwanken zwischen 38.5—39.8. Bei angeblich subjektivem Wohlbefinden zunehmende Schwäche. Patientin verläßt wegen Drängen auf Operation die Anstalt und will auch die Stauungsbinde nicht mehr tragen.

Am 21. Juli. Temp. 39.4. Konsilium mit Professor Bossowski. Die Wunde hinter dem Ohre wird erweitert, der bloßgelegte Knochen erweist sich von einer Fistel durchbrochen, die von Granulationen ausgekleidet ist und ins Antrum führt. Die Fistel wird ausgekratzt, erweitert, ein Drain eingeführt und mit Borsäure und Jodoformglyzerin durchgespritzt. Die Spülflüssigkeit kommt aus dem Gehörgang mit Schleim- und Eiterflocken vermengt zum Vorschein.

In den folgenden Tagen wurden wiederholt Durchspülungen mit Borsäurelösung, Formalinlösung, Jodoformglyzerin und Einlagern von in Jodoformglyzerin getauchtem Gazetampon vorgenommen. Der anfangs günstige Einfluß auf die Temperatur war bald verschwunden. Schwankungen zwischen 36.0—39° traten wieder täglich auf, dazu zeitweise Brechreiz und Schüttelfröste. Patientin lehnte weiter die vorgeschlagene Operation hartnäckig ab und als ihr der Ernst ihres Zustandes nahegelegt wurde, reiste sie am 23. Juli nach Wien. Nach einigen Wochen kam sie gebessert zurück. Doch konnte ich über den Verlauf der Krankheit während ihres Aufenthaltes an der Wiener Klinik leider keine genauere Auskunft erhalten. Die Patientin gab an, dort wiederholt operiert worden zu sein. Die noch eiternden Wunden am Halse und hinter dem Ohre wiesen auf vorausgegangene Sinusoperation und Jugularisunterbindung hin, die Eiterung aus dem Ohre hatte sistiert. Die Wunde am Halse heilte dann in kurzer Zeit aus, die Eiterung aus der Wunde hinter dem Ohre dauerte noch monatelang fort, zeitweise sehr profus, pulsierend, so daß eine Nachoperation unvermeidlich erschien. Patientin blieb von der Behandlung aus und ich erfuhr, daß sie sich in die Behandlung eines Chirurgen begab, der das Tragen der Stauungsbinde empfahl. Als lange Zeit auch diese Behandlung ohne Erfolg blieb, wurde wieder eine Operation vorgeschlagen. Schließlich soll es doch dank der ausdauernden Stauungsbehandlung ohne Operation zur Heilung gekommen sein.

Dieser Fall zeigt uns gewisse Grenzen der konservativen Behandlung. Unter der Anwendung der Stauungshyperämie und der Aspiration verschwanden auffallend rasch die subjektiven Beschwerden, die Schmerzen und auch Schwellung und Infiltrationen hinter den Ohren bildeten sich vollständig zurück. Trotzdem dauerten die Temperatursteigerungen fort und es entwickelte sich immer mehr das Bild der Sinuspyämie. Ein hartnäckiges Beharren bei dieser Behandlungsweise müßte bei der zunehmenden Schwäche der Patientin unfehlbar zur Katastrophe führen. Der Umstand, daß der Verlauf der Temperatur durch unsere Behandlung unbeeinflußt bleibt, veranlaßte uns, trotz der sonst eklatanten Wirkung auf anderweitige subjektive und objektive Krankheitserscheinungen, auf eine rechtzeitige Operation zu dringen.

In diesem Falle hat sich also unsere Methode als entschieden unzureichend bewiesen, vielleicht weil sich unsere Patientin zum zweitenmal zu spät meldete, vielleicht weil sie von Anfang an die Stauungsbinde nicht tragen wollte. Jedenfalls lernen wir daraus, daß bei fortdauernder Temperatursteigerung, zunehmender Schwäche oder bei sonstigen Erscheinungen einer tieferen Komplikation, nicht lange mit einem energischen Eingriffe gezögert werden darf. Selbst die auf Vorschlag des Prof. Bossowski im letzten Falle angewandte, der von Stenger angegebenen Methode analogen Behandlungsweise erwies sich trotz gelungener reichlicher Durchspülung vom Antrum und Paukenhöhle ganz ohne Einfluß auf den Fortschritt der Krankheit und den Verlauf der Temperatur.

Die von mir vorgeschlagene Behandlung wird also gewiß nicht in allen Fällen zum Ziele führen und das letzte Wort bleibt vorläufig noch immer dem Meißel und dem Hammer. Es steht jedoch für mich sicher, daß die Kombination der passiven Stauung mit der Aspirationsbehandlung, vorsichtig unter aufmerksamer Beobachtung der Temperaturkurve und strenger Kontrolle des Krankheitsverlaufes angewandt, in vielen anderen Fällen eine eingreifendere Operation überflüssig machen wird, die ohne diese Behandlung nicht umgegangen werden könnte.

Zum Schlusse möchte ich noch hinzufügen, daß ich die Stauungsbehandlung auch in einigen Fällen von Halsentzündungen

und Otitis ext. versuchte, ohne daß ich bis jetzt in der Lage
wäre, von positiven Resultaten zu berichten.

Fall von Cholesteatom im Cavum tympari und meatas externus.

Prot. Nr. 141 bietet uns einen merkwürdigen Fall von Indolenz dar.
Bei dem 68jährigen Manne findet man im rechten Ohr Cerumen obturans,
im linken ist der ganze äußere Gehörgang mit Cholesteatommassen ausgefüllt, die aus dem Introitus herausragen und sich als ein Abguß des Meatus
entfernen lassen. Das Trommelfell fehlt, ebenso die Gehörknöchelchen.
Die Paukenhöhle enthält eine Menge von Epidermismassen, nach deren
Entfernung der trockene glatte Knochen bloßliegt. Gehörgang und Paukenhöhle von größerer Geräumigkeit, linksseitige Facialislähmung. Hochgradige
Hörstörung. Patient gibt an, daß er niemals an Ohrenfluß gelitten habe,
daß er auf dem linken Ohre schon viele Jahre nicht höre, ohne je hier
Schmerzen gehabt zu haben, daß er erst seit einer Woche hier Beschwerden
empfinde, die sich darin äußern, daß er den Mund nicht gut aufmachen
könne und beim Essen im linken Ohre unangenehme Empfindungen habe.
Auf dem rechten Ohre habe er immer gut gehört, nur erst seit 8 Tagen
habe sich dieses Ohr so verlegt, daß das Gehör bedeutend verschlimmert
würde. Die Untersuchung mit der Stimmgabel ergab eine labyrinthäre
Schwerhörigkeit. Nach Reinigung der Ohren besserte sich das Gehör nur
wenig.

Der Anamnese gemäß würde der Verlauf der Krankheit
in diesem Falle für ein Neubildungs-Cholesteatom sprechen,
wenn man die Angaben des indolenten, apathischen und un-
intelligenten Patienten als verläßlich ansehen könnte. Jedenfalls gibt ein solcher Fall zu denken.

Fall von Pyaemie mit Sinusthrombose.

Prot. Nr. 385. Die 40jährige Witwe G. H. leidet seit 4 Monaten an
einem linksseitigen Ohrenfluß; zeitweise treten heftige Kopfschmerzen hinzu.
Schwindel ist fast immer vorhanden. Im Trommelfell eine kleine Perforation vorne oben, Sekretion gering, Trommelfell eingezogen. Die genaueste
Untersuchung ergibt nicht den geringsten Anhaltspunkt für das Vorhandensein einer intrakraniellen Komplikation. In der Warzengegend keine Veränderung, keine Schmerzen, keine Druckschmerzhaftigkeit, Druck und
Klopfen auf die Kopfknochen nirgends empfindlich, Augenhintergrund normal, Urin normal. Dennoch treten von Zeit zu Zeit in unregelmäßigen
Zwischenräumen von 3—6 Wochen Anfälle von heftigen Kopfschmerzen,
Brechreiz, Schüttelfrost, hohen Temperatur bis zu 40° C. und viel stärkerer Schwindel auf. Während eines solchen Anfalles bleibt Patientin zu
Bett, ist wegen Schwindel nicht in der Lage sich aufzurichten und so hochgradig abgeschwächt, daß an ihr Aufkommen gezweifelt wird. Auch während eines solchen Anfalles ist nirgends am Kopfe eine äußerliche Veränderung oder Empfindlichkeit oder irgend ein Hinweis auf eine cerebrale
Komplikation aufzufinden. Ist der Anfall vorüber, was gewöhnlich 3—4 Tage
dauert, dann erholt sich die Patientin wieder und leichtet bis auf den geringen
Schwindel und dem geringen Ohrenfluß, der sie übrigens in der Ausführung
ihrer häuslichen Beschäftigung nicht stört, ganz wohl. Nachdem diese Anfälle sich bereits einigemal wiederholt hatten, wodurch die Patientin fast an
den Rand des Grabes gebracht worden und keine andere Ursache für dieselbe nachweisbar war, gelang es die Patienten zur Operation zu bewegen,
die in der hiesigen chirurgischen Klinik von Prof. Kader ausgeführt wurde.

Am 31. Mai wird nach Ausführung eines Lappenschnittes hinter dem
Ohre der Warzenfortsatz bloßgelegt, der sich an der Oberfläche als sehr

blaß, aber sonst unverändert präsentiert. In der Tiefe erscheint der Knochen blaß, sehr hart und zellenarm. Besonders an seiner Basis, nach oben gegen die Dura und nach hinten gegen den Sinus erscheint der Knochen so hart sklerorisiert, daß er sich wie Marmor meißelte. Dura und Sinus werden bloßgelegt und die Inspektion derselben verrät nichts Suspektes. Im Antrum wenige Granulationen; im hinteren oberen Winkel desselben treten aus einer kleinen Öffnung 1—2 Tropfen Eiters hervor und mit dem scharfen Löffel konnte hier aus einer kleinen Warzenstelle eine kleine mit Granulationen umgebene Cholesteatomperle herausgeholt werden. Abtragung des oberen Teiles der hinteren knöchernen Gehörgangswand und der pars ossea. Extraktion des von Granulationen eingebetteten Hammers. Auskratzung von Paukenhöhle und Antrum. Darauf wird die Wundhöhle mit Jodoformgaze austamponiert und die retroauriculäre Wunde primär vernäht, bis auf den unteren Wundwinkel, durch den ein Gazedrain eingeführt wird.

1. Mai. Facialislähmung, Kopfschmerzen und Schwindel eher zugenommen. Die Temperatur, die kurz vor der Operation 37° C. betrug, stieg in den folgenden Tagen auf 37,6°, 38° und 40°. Es treten Schmerzen und Schwellung in der Jugularisgegend auf, Kopfschmerzen immer stärker, Somnolenz.

6. Mai. Temperatur 39°, Schwellung und Schmerzhaftigkeit hat zugenommen, im Augenhintergrund Hyperaemie und Erweiterung der Venen der entsprechenden Seite. Nun schritt Prof. K. zur Sinusoperation. In der Chloroformnarkose wird ein 8 cm langer Schnitt längs des inneren Randes des Sternocleidomastoideus geführt. Nach Durchschneidung der Halsfascie wird die Jugularvene stumpf herauspräpariert. Die Vene erscheint kollabiert, wird unmittelbar über dem Jugulum sterni unterbunden und über der Ligatur durchschnitten. Keine Blutung aus der Vene. Sie wird von unten drainiert und die Hautwunde wird tamponiert. Darauf erfolgt Erweiterung der Trepanationswunde, Bloßlegung des Sinus bis weit nach hinten, Spaltung desselben nach oben und hinten bis in die Nähe des Confluens sinum, wobei 2 gelbe, in Erweichung begriffene Coagula aus demselben entfernt werden. Tamponierung, Verband.

Am anderen Tage ging die Temperatur auf 37,2° herunter und blieb dann normal. Pat. fühlte sich bedeutend erleichtert, die Schmerzen sind ganz verschwunden und eine Temperatursteigerung kam seit der zweiten Operation nicht mehr vor. Die Veränderung am Augenhintergrnnd hielten noch ziemlich lange an. Sonst normaler Verlauf und nach einigen Monaten Heilung mit Zurücklassung einer permanenten retroauriculären Öffnung. Die vor der Operation zeitweise aufgetretenen pyaemischen Anfälle haben sich später nie mehr wiederholt. Die Facialisparalyse hat sich unter entsprechender Behandlung bedeutend gebessert. Nur der vor der Operation vorhandene Schwindel besteht, wenn auch in geringerem Grade, noch immer fort, ohne daß eine Ursache für denselben nachgewiesen werden könnte.

Dieser Fall erscheint merkwürdig durch die lange Zeit sehr erschwerte Diagnose. Die in langen Zwischenräumen auftretenden Fieberanfälle wurden anfangs verschiedenen Ursachen zugeschrieben und in verschiedener Weise gedeutet. Das verhältnismäßige Wohlbefinden in der Zwischenzeit, der Mangel jeglicher Veränderungen in der Jugularis- und der Sinusgegend, von Retentionserscheinungen, im Augenhintergrund, von Gehirnerscheinungen ließen die Annahme einer otitischen Pyämie unwahrscheinlich erscheinen, wenngleich mit Rücksicht auf die gleichzeitig bestehende Ohreiterung an eine solche Komplikation gleich vom Beginn gedacht wurde. Erst als sich jede andere Ursache und insbesondere auch Intermittens ausschließen ließ und die zunehmende Schwäche des Patienten ein längeres Zuwarten nicht mehr gestattete, wurde zur Operation geschritten. Noch merkwürdiger erscheint, daß selbst der bei der ersten Operation bloßgelegte Sinus nichts krankhaftes verriet und der Befund dabei zu dem Glauben verleiten konnte, daß die bloße Ausräumung der Mittelohrräume zur Heilung ausreichen könnte. Und doch läßt der ganze Verlauf der Krankheit keinen Zweifel darüber zurück, daß der Sinus schon lange zuvor affiziert und die Ursache der Fieberanfälle sein mußte. Unwiderleglich bewiesen erscheint diese Annahme durch das Ausbleiben der Anfälle seit der Sinusoperation. Dafür spricht auch der Befund an der Vena jugularis, die kollabiert und blutleer gefunden wurde, was auf eine bereits einige Zeit bestehende venöse Zirkulationsstörung in dieser Gegend hinweist. Es muß also angenommen werden, daß entweder eine Phlebitis am Bulbus oder an der Jugularis die Ursache der Fieberanfälle, der Sinus jedoch zur Zeit der ersten Operation noch gesund war und erst später erkrankte seine Erkrankung aber nicht erkannt wurde, weil die bloße Inspektion zur Beurteilung seines Zustandes nicht ausreicht. Dies würde dafür sprechen, in jedem verdächtigen Fall sich nicht mit der bloßen Bloßlegung und Inspektion des Sinus zu begnügen, sondern eine Probepunktion hinzuzufügen, wie dies schon von manchen Autoren gefordert wurde.

Wie dem auch sei, ob nun der Sinus, der Bulbus oder die Vene früher erkrankt war, muß es immerhin als sonderbar erscheinen, daß ein solcher Zustand ohne Schwellung hinter dem Ohr, in der Jugularisgegend und selbst ohne Druckempfindlichkeit daselbst so lange Zeit bestehen konnte. — Auch der zur Zeit, wenn auch in geringerem Grade, noch bestehende Schwindel, konnte bis jetzt keine befriedigende Erklärung finden. Sollte derselbe vielleicht auf eine zur Zeit noch nicht ganz kompensierte Störung der venösen Zirkulation im Gehirn zurückzuführen sein? — Vielleicht wird die weitere Beobachtung der Patientin mit der Zeit auch hier bessere Aufklärung bringen.

Die Lokalanaesthesie

bei Operationen in der Nase und im Ohre wurde eine lange Zeit ausschließlich von Cocain beherrscht, ebenso wie bei den chirurgischen Eingriffen an anderen Körperstellen. Diese ausgedehnte Anwendung des Cocains förderte viele negative Seiten dieses Mittels zutage. Es gibt wohl kaum einen Arzt

der dieses Mittel öfter zur Anwendung brachte, ohne hie und da
Fälle von Ohnmachten oder Ohnmachtsanwandlungen infolge desselben beobachtet zu haben. Auf eine momentane und kurze
Zeit dauernde Rauschempfindung und psychomotorische Erregung
pflegt oft ein Zustand von Schwäche und Mattigkeitsgefühl zu
folgen. Nicht selten wurde auch Schlaflosigkeit infolge von Co-
caingebrauch auch beobachtet. Abgesehen von den Störungen des
Allgemeinzustandes pflegt Cocain auch lokal einen mannigfachen
schädlichen Einfluß auf die Schleimhaut auszuüben, mit der es
in Kontakt gekommen ist. In der Nase angewandt, zieht es oft
einen höchst unangenehmen Stockschnupfen nach sich, der von
eitriger Sekretion aus der Nase gefolgt wird. Im Kehlkopf
pflegen nach Anwendung des Cocains krampfhafte Kontraktionen
der Muskeln zu folgen, die von angsterregenden Atembeschwerden
begleitet sind. Dazu lehrte die Erfahrung, daß manche Personen
eine Idiosynkrasie gegen dieses Mittel besitzen und infolgedessen
schon auf eine geringe Dosis desselben mit einer Reihe sehr unangenehmer Erscheinungen reagieren.

Solche unangenehme Erfahrungen veranlaßten die Ärzte, sich
um andere Mittel umzusehen, welche bei gleicher anästhesieren-
der Eigenschaft, doch frei von schädlichen Nebenwirkungen
waren. So kam es, daß Eucain, Novocain, Tropacain, Stovain
und andere bei den Ärzten mit offenen Armen aufgenommen
wurden und mit mehr oder weniger günstigen Erfolgen in Verwendung kamen. Im letzten Jahre verwandte ich zu diesem
Behufe in ziemlich ausgedehnten Maße Alypin und kann es
gleich sagen, zu meiner großen Zufriedenheit. Ich konnte mit
Hilfe dieses lokal angewandten Mittels in der Nase schmerzlos
operieren, ohne unangenehme Nebenerscheinungen, wie nach
Cocain, zu befürchten. Die anästhesierende Wirkung dieses
Mittels ist fast die gleiche wie die des Cocains, nur muß das
Alypin etwas länger mit der zu anästesierenden Stelle in Kon-
takt bleiben resp. eingerieben werden. Doch soll dieses Mittel
bei Operationen nie ohne ein Nebennierenpräparat angewendet
werden, was übrigens in neuester Zeit auch bei Verwendung von
Cocain nicht unterlassen wird. Ich verwende dabei gewöhnlich
Adrenalin, Paranephrin Merck, in letzter Zeit auch Tonogen.
Alle diese Mittel leisten vorzügliche Dienste behufs Blutstillung.
Leider leiden sie auch an dem großen Fehler, daß sie nicht
dauerhaft genug sind, leicht verderben und ziemlich rasch die
Wirkung versagen. In dieser Beziehung verdient vielleicht das

Adrenalin den Vorzug, dessen allgemeiner Verbreitung jedoch der
hohe Preis im Wege steht. Auch habe ich mich überzeugt, daß diese
Nebennierenmittel in kleineren Dosen aus der Apotheke bezogen
nicht jene Wirkung besitzen, wie die direkt aus den bezüglichen
Fabriken stammenden Orginalproben. Ich will hier nicht darauf
eingehen, zu erörtern, worin die Ursache dieser Erscheinung liegen
mag. Ich meine jedoch, es würde sich empfehlen, wenn diese
Fabriken ihre Präparate in kleineren Dosen in Originalverpackung
den Apotheken zum Weiterverkauf zur Verfügung stellen würden.[1]

Mit Hilfe dieser Mittel gelingt es auch bei Anwendung von
Alypin Blutungen bei der Operation und Nachblutungen zu verhüten, obgleich das Alypin nicht die gefäßkontrahierende Wirkung besitzt und nicht eine Anämie der Schleimhaut erzeugt,
wie das Kokain. Nur in zweien meiner operierten Fälle hatte
ich eine Nachblutung zu verzeichnen, die eine hintere Nasentamponade erforderlich machte. In beiden Fällen war jedoch
dieser Zufall weder der Operationsmethode, noch den dabei verwandten Mitteln zuzuschreiben, wie der weiter unten angeführte
Verlauf derselben zeigen wird.

Es soll hier nicht unerwähnt bleiben, daß ich seit über ein
Jahr nach der Entfernung der Nasenmuscheln keine Tamponade
ausführe, nachdem ich mich auf der Abteilung des Dr. Hajek
in Wien überzeugt habe, daß dies ohne Gefahr für den Patienten
geschehen kann. Welche Wohltat es für den Patienten bedeutet,
wenn die Nasentamponade unterlassen wird, weiß jeder zu würdigen, der solche Patienten zu beobachten Gelegenheit hatte, die
eine solche Tamponade an sich ausführen lassen und tragen
mußten. Solche Patienten behaupten, sich lieber dreimal operieren
als einmal tamponieren lassen zu wollen. Es kommt auch vor,
das ein an einer Seite operierter Patient es ablehnt, sich an
der anderen Seite operieren zu lassen, nur der äußerst lästigen
und unangenehmen Tamponade wegen. Ich kann nun auf Grund
meiner neuesten Erfahrungen bestätigen, daß bei entsprechender
Aufmerksamkeit und gehörigem vorsichtigem Verhalten die Nasentamponade nach der Conchectomie überflüssig gemacht werden
kann. Es ist jedoch wichtig darauf zu achten, daß der Patient
noch mindestens zwei Stunden nach der Operation unter Aufsicht des Arztes bleibe, und während dieser Zeit, wie auch an
den folgenden 48 Stunden sich möglichst ruhig verhalte, wenig
spreche, brüske Bewegungen vermeide und alles unterlasse, was

1) Ist bereits in neuester Zeit der Fall.

Blutandrang zum Kopfe verursachen kann, wie Genuß heißer Getränke, von Spirituosen, Bücken, Heben, harten Stuhl, geistige Aufregungen und Anstrengungen usw. In keinem Fall jedoch darf man einem Patienten, selbst bei tamponierter Nase, unmittelbar nach einer solchen Operation eine Reise unternehmen lassen, wodurch er der Aufsicht des Arztes entzogen werden würde.

Die beiden Fälle, bei denen ich die hintere Tamponade nachträglich ausführen mußte, sind folgende.

Prot. Nr. 381. J. F. ein Schneider aus Podgórze, scheinbar ganz gesund. Linke Nase hochgradig verengt infolge Hypertrophie der unteren Muschel. Am 26. Mai um 9 Uhr vormittag führte ich Conchotomie aus unter Anwendung von Tonogen und einer 20proz. Alypinlösung. Operation schmerzlos. Patient verbleibt 2 Stunden unter meiner Aufsicht. Die anfangs geringe Blutung hörte fast bald ganz auf und Patient kehrte um 11 Uhr nach Hause zurück.

Gegen 4 Uhr nachmittags wurde ich zu demselben von seinem Hausarzte gerufen. Ich finde den Patienten zu Bette, äußerst blaß und blutarm, in verbluteten Kleidern und von blutbefleckten Betttüchern umgeben. Ich erfuhr, daß derselbe gleich nach seiner Rückkehr in seine Wohnung stark aus der Nase zu bluten begann, der herbeigeholte Hausarzt Dr. Pisek tamponierte die Nase von vorne. Die Blutung dauerte jedoch durch die Choanen fort und nach einiger Zeit erbrach der Patient ungeheure Blutmengen aus dem Magen. Ich ging nun daran, die Belloquesche Röhre anzulegen. Allein bei dem Versuche sich aufzurichten wird Patient totenbleich, ohnmächtig, pulslos. Ich versuchte nun durch stärkere tiefe vordere Tamponade der Blutung Herr zu werden. In der Tat schien das gelungen zu sein, da weder durch die Nase noch durch den Rachen eine wesentliche Blutung zu konstatieren war. Allein Patient konnte sich nicht erheben. Nach Stimulantien und wiederholten Kampferinjektionen besserte sich zwar der Puls etwas, doch nur für kurze Zeit, da er bald wieder fadenförmig, aussetzend wurde. Autotransfusion, Spirituosen, schwarzer Kaffee, Ätherinjektionen und sonstige Stimulantien hatten nur schwachen und vorübergehenden Erfolg. Ohnmachten. kalter Schweiß, Pulslosigkeit, Flimmern vor den Augen usw. kehrten immer und immer wieder. So verbrachten wir unter ängstlichem Hangen und Bangen qualvolle lange Stunden am Krankenbette. Der immer hartnäckiger auftretende, von peinlichen Übelkeiten begleitete Brechreiz wurde anfangs auf die Überfüllung des Magens mit den in vielleicht zu großer Quantität innerlich gereichten Stimulantien geschoben, bis endlich ein starker Brechanfall eine geradezu unglaubliche Masse von Blut aus dem Magen zutage förderte. Nun war es klar, daß die Blutung aus den Choanen fortdauern müßte und daß das verschluckte Blut die Ursache der Übelkeiten war. Und doch erschien uns, bei der vorhandenen hochgradigen Schwäche die Entfernung des Nasentampons und die Applikation der Belloqueschen Röhre ein gewagtes Beginnen. Es stand zu befürchten, daß der Patient diese Manipulation nicht wird bestehen können. Wir versuchten nun als ultimum refugium mit Hilfe des Kollegen Dr. Frommer die subkutane Infusion physiologischer Kochsalzlösung. Aber auch die Wirkung dieses Mittels erwies sich nur vorübergehend. Der Kranke konnte nicht recht zu sich kommen und sein Zustand blieb ein höchst bedrohlicher. In dieser Lage, als es nun schien, daß nichts mehr zu verlieren war, entschloß ich mich, trotz der drohenden Gefahr, unter dem Beistand der beiden genannten Kollegen die Nase auszuräumen und die hintere Nasentamponade auszuführen. Die Manipulation ging leicht und glatt, ohne stärkere Blutung und ohne sonstige Zufälle in liegender Lage des Patienten von statten und seit diesem Momente trat eine augenfällige Änderung im Befinden des

Kranken ein. Der Puls erholte sich immer mehr, die Schwächeanfälle traten
nicht mehr auf. Der Blick des Patienten wurde lebhafter, der Gesichtsausdruck verlor seinen ängstlichen hinfälligen Zug und wurde immer frischer.
Erst als sich nach einigen Stunden die Besserung als anhaltend und fort-
schreitend erwies, verließen wir spät nach Mitternacht beruhigt den Patienten.
    In den folgenden Tagen kehrten die Kräfte des Patienten rasch zurück.
Als ich nun am dritten Tage die Tampone zu lösen versuchte, zeigte sich
bei der Lockerung des vorderen Tampons eine solche frische Blutung aus
der vorderen Nasenöffnung, daß ich sofort frisch tamponieren mußte. Am
folgenden Tage wurde ich vom Hausarzte, Kollegen Dr. Pisek verständigt,
daß der Patient fiebere. Dieser Umstand ließ ein längeres Verweilen der
Tampone in der Nase wegen drohender Infektionsgefahr als bedenklich und
somit eine sofortige Entfernung derselben als unbedingt notwendig erscheinen.
Ich schritt also zur Extraktion der Tampone, nachdem zuvor alle Vorbereitungen getroffen waren, um nötigenfalls sofort einen frischen Tampon an-
zubringen. Diese Eventualität erwies sich jedoch glücklicherweise als überflüssig. Die schonungsvolle und vorsichtige Entfernung der Tampone war
diesmal von keiner frischen Blutung begleitet, und auch in der Folge ist
keine Blutung mehr aufgetreten. Patient genas rasch vollständig ohne irgendwelche schädliche Folgen. Es soll jedoch nicht unerwähnt bleiben, daß die
so wirkungsvolle hintere Tamponade mit in Tonogen getauchte Jodoformgaze
ausgeführt wurde.

Der Verlauf dieser Blutung läßt es als unzweifelhaft erscheinen,
daß man es hier mit einem Falle von Hämophilie zu tun hatte.
Diese abundante Blutung viele Stunden nach der Operation,
trotz tiefer vorderer Tamponade, trotz ruhigen Verhaltens, das
Auftreten der Blutung noch nach 3 Tagen, beim Versuche den
Tampon zu entfernen, obgleich eine Erkrankung der Nieren,
des Zirkulationsorganes und die Verletzung eines größeren Gefäßes ausgeschlossen werden konnte, trotzdem unmittelbar nach
der Operation die Blutung eine geringe war und 2 Stunden
später fast ganz aufgehört hatte, läßt keine andere Deutung zu.
Nun pflege ich von jeher vor jeder Operation nach Hämophilie
zu inquirieren. Auch diesmal hatte ich diese Vorsichtsmaßregel
nicht aus den Augen gelassen und auf wiederholtes eindring-
liches Fragen, ob er nicht manchmal spontan aus den Schleimhäuten oder bei geringfügiger Verletzung stärker blute, ant-
wortete der Patient beharrlich entschieden verneinend. Auch
spätere bei der Umgebung des Patienten eingezogene Erkun-
digungen haben dieselbe negative Auskunft eingebracht. Es war
auch beim Patienten kein Zeichen einer bestehenden Hämophilie
aufzufinden. Wir müssen daher diesen Fall als einen solchen von
latenter Hämophilie auffassen und diese Ansicht wurde auch von
den anderen Kollegen, die mit mir diesen Fall beobachteten, geteilt.
Vor einem solchen Zustande kann eigentlich ein Arzt bei keinem
Patienten sicher sein, und schon aus diesem Grunde darf eine
solche Operation nicht bei einem fremden Patienten vorgenommen
werden, der kurz darauf in seine Heimat zurückfahren will.

Prot. Nr. 518. Bei dem 11jährigen Patienten J. M hatte ich ein Jahr zuvor die Conchotomie auf einer Seite ausgeführt. Der postoperative Verlauf war normal, ohne irgendwelche Störung. Am 3. Juli 1906 trug ich die untere Nasenmuschel der anderen Seite bei Anwendung von Tonogen und 10 proz. Cocainlösung ab. Die Blutung, nach der Operation gering, steht bald ganz Sechs Tage später, wurde ich in später Nachtstunde zu dem Patienten geholt, den ich blaß, abgeschwächt, mit verbluteten Gewändern sitzend antraf. Es wird mir mitgeteilt, daß der Patient schon den ganzen Tag angeblich aus unbekannter Ursache aus beiden Nasenlöchern und aus dem Munde blute, aber erst gegen Abend sei die Blutung immer stärker geworden, so daß ärztliche Hilfe aufgesucht werden mußte. Nachdem ich die operierte Nasenseite als Quelle der Blutung festgestellt hatte, legte ich die Belloquesche Tamponade an, worauf die Blutung sistierte. Nachträglich erfuhr ich, daß der sehr lebhafte Junge trotz anbefohlener Ruhe in den letzten Tagen viel gymnastizierte und besonders im letzten Tage viel herumsprang und einmal auf den Boden stürzte und sich im Gesicht aufschlug. Zwei Tage darauf anstandslose Entfernung des Tampons. Am 10. Juli traten Temperatursteigerungen und Ohrenschmerzen auf und die Untersuchung ergab: Otitis media acuta ambilateralis. Stauungsbehandlung. Nach einigen Tagen das rechte Ohr geheilt, am linken Eiterung. Nach 6 Tagen Aufhören der Eiterung links Wegen der noch bestehenden Schmerzhaftigkeit am linken Warzenfortsatze, wird daselbst Aspirationshyperämie angewendet, indem der Saugapparat ohne vorausgegangenen Einschnitt angelegt wird, worauf nach weiteren zwei Tagen sämtliche Krankheitserscheinungen schwanden.

In diesem Falle ist die späte Nachblutung wohl unzweifelhaft dem unzweckmäßigen Verhalten des Patienten so kurze Zeit nach dem Eingriffe zuzuschreiben.

Nur möchten wir zwar nicht behaupten, daß das Cocain in allen Fällen durch Alypin ersetzt werden kann. Wir möchten dem Cocain den Vorzug geben überall dort, wo daran gelegen ist die Anästhesie möglichst rasch herbeizuführen, ferner wo es wichtig ist eine Retraktion der Schleimhaut zu erzeugen, um eine größere Übersicht in der Nase, und eine leichtere Zugänglichkeit für die Instrumente zu bewirken. Die größere Geräumigkeit der Nase, die wir bei Anwendung des Cocains erreichen, kann mit Hilfe von Alypin nicht herbeigeführt werden. Weiters verdient das Cocain den Vorzug in Fällen, in denen bei vorzunehmenden blutigen Eingreifen kein Nebennierenpräparat zur Verfügung steht und wir ohne dieses Hilfsmittel operieren müssen. Das Alypin allein, ohne ein blutstillendes Mittel halten wir zur Ausführung blutiger Operationen für ungeeignet. Hingegen leistet uns das Alypin hervorragende Dienste in allen jenen Fällen, in denen es sich weniger um die Blutstillung als um die Anästhese handelt. Hierher gehören z. B. Fälle, in denen die wegen großer individueller Empfindlichkeit erschwerte Rhinoskopia posterior oder die Laryngoskopie die Anwendung eines lokalen Anaestheticums unentbehrlich macht. Die Einpinselung der Pharynxwand, Uvula resp. auch

der Epiglottis mit einer 10—20 proz. Alypinlösung erleichtert
diese Manipulationen ungemein und macht sie in vielen Fällen,
z. B. bei Kindern, möglich, wo sie ohne dieses Hilfsmittel absolut unausführbar wären. Insbesondere in Fällen, in denen
eine größere Menge eines Anaestheticums erforderlich ist, z. B.
der Tracheo-, Broncho-Oesophagoskopie kann dieses Mittel
seiner Unschädlichkeit wegen unschätzbare Dienste leisten und
verdient unbedingt dem weniger indifferenten Cocain vorgezogen
zu werden. Dasselbe gilt, wo es sich darum handelt, die wegen
allzugroßer Empfindlichkeit eines Patienten erschwerte oder unmöglich gemachte Katheterisierung der Tuba zu ermöglichen.
Nur wo diese Manipulation durch Schwellung und Verengerung
der Nase erschwert ist, wird man von dem Cocain eine bessere
Wirkung erzielen können. Aber auch bei blutigen Eingriffen
wird man mit größerer Ruhe und Sicherheit sich des Alypins in
Verbindung mit einem Nebennierenmittel bedienen, wenn man es
mit schwächlichen, nervösen, blutarmen Patienten oder mit Kindern zu tun hat oder auch mit Personen, von denen uns bekannt ist, daß sie das Cocain schlecht vertragen.

In neuester Zeit habe ich auch das „Tonocain" Richter
bei Operationen in der Nase in Verwendung gezogen und war
mit der Wirkung dieses Mittels recht zufrieden. Dasselbe wird
in sehr praktischer Weise in kleinen Ampullen in den Handel
gebracht, welche in einem Gramm 0,02 B. Eucain und 0,18 Tonogen suprarenale Richter enthalten. Mit einem in diese
Mischung getauchten kleinen Wattetampon wird die zu operierende Stelle eingerieben, worauf die Operation schmerzlos und
fast blutfrei ausgeführt werden kann.

Einen Fall von Reflexhyperämie der Nase

hatte ich Gelegenheit zu beobachten und zu behandeln, dank
der Freundlichkeit des Primärarztes der gynäkologischen Abteilung, Kollegen Dr. Lachs.

Prot. Nr. 428. Die 22jährige verheiratete Patientin T. K. gibt an, daß
sie seit 5 Jahren regelmäßig kurze Zeit vor der Menstruation an heftigen
rechtsseitigen Leibschmerzen leide, die nach Beginn der Menstruation aufhören. Die Untersuchung der Nase ergab eine starke Hyperämie der rechten unteren Muschel. Auf Einpinselung von Cocain ließen die Schmerzen
nach und hörten dann auf einige Zeit ganz auf. Da sich dies einige Male
beobachten ließ, konnte wohl ein Zufall ausgeschlossen und ein Kausal-
zusammenhang mit Sicherheit angenommen werden. Leider entzog sich die
Patientin vor der vollständigen Heilung der weiteren Beobachtung und kann
über das Endresultat vorläufig noch nicht berichtet werden.

Ein Fall von Verbrühung von Mund und Rachen.

Prot. Nr. 1020. Der auf der Abteilung des Primärarztes Koll. Dr. Landau aufgenommene, von uns beobachtete und behandelte Fall betraf einen sechsjährigen Knaben, der unvorsichtigerweise kochendes Wasser aus einer Teekanne genoß. Die Untersuchung ergab: An den Mundwinkeln und am harten Gaumen Verbrühungen 1. und 2. Grades. Die stellenweise von der Unterlage blasenförmig abgehobene Schleimhaut war ganz weiß und machte auf den ersten Anblick den Eindruck eines diphtheritischen Belages. An anderen Stellen war die Schleimhaut des Epithels beraubt, hochrot. Ebenso war die hintere Pharynxwand und die Uvula teils von losgelösten Epithelblasen bedeckt, teils vom Epithel entblößt, rot, geschwellt. Die Epiglottis oedematös, die Atmung erschwert, rasselnd, so daß man auf die Ausführung der Tracheotomie vorbereitet sein mußte. Aus dem Mund übelriechender Atem, aus der Nase reichlicher, übelriechender Ausfluß. Die Nahrungsaufnahme sehr erschwert. Therapie: Einpinselung der affizierten Stellen mit 10 proz. Alypinlösung erleichterte bedeutend die Untersuchung. Dieses sowie Zerstäubungen mit 3 proz. Perhydrol Merck erwies sich von ausgezeichneter Wirkung. Die Schmerzhaftigkeit, die Schwellung und der übelriechende Atem verschwanden schnell, die Nahrungsaufnahme wurde erleichtert, Mund und Rachen reinigten sich in kurzer Zeit, und der kleine Patient wurde einer raschen Genesung zugeführt.

VIII.

Besprechungen.

1.

The labyrinth of animals
by **Albert A. Gray, M. D. (Glas.), F. R. S. E.** Surgeon for
diseases of the ear to the victoria infirmary, Glasgow. London.
J. u. A. Churchill, 1907.

Besprochen von
Dr. W. Küstner in Halle.

Der Verfasser hat in wundervoller Weise das Labyrinth
der Wirbeltiere mit Ausnahme der Fische dargestellt. Er ging
bei seinem Werke von der Ansicht aus, daß zwar in zahlreichen
Büchern und Arbeiten Darstellungen des knöchernen und häutigen Labyrinths mit Korrektheit gegeben sind, daß aber alle
diese Darbietungen nur zusammengesetzte Bilder oder nur Teile
des Labyrinths sind; — er dagegen hat es sich zur Aufgabe
gemacht, das Labyrinth, so wie es tatsächlich ist, vorzuführen.
In eingehendster Weise beschreibt er die Art des Präparierens.
Davon soll nur hervorgehoben werden, daß die Schläfenbeine
möglichst sofort nach dem Tode von überflüssigen Knochen
befreit werden müssen, darauf wird das ovale Fenster nach
Wegnahme des Steigbügels geöffnet und die fixierende Flüssigkeit,
5—10 proz. wässerige Formalinlösung kann eindringen. Nach
den verschiedensten Behandlungen mit Alkohol, Celloidin und
Xylollösung, die wochenlang nach bestimmter Methode fortgesetzt
werden müssen, erfolgt später die Entkalkung und Fortnahme
des das Labyrinth umgebenden Knochens. Eine Tabelle, wie
lange die Labyrinthe der einzelnen Tiere den Lösungen ausgesetzt und präpariert werden müssen, ist beigefügt. Die so erhaltenen nackten Labyrinthe hat Verfasser dann mit starker
Vergrößerung — auch dies Verfahren ist aufs genaueste geschildert — und zwar stereoskopisch photographiert. Die jedem

Buche beigefügte Lupe für beide Augen (Prismen, wie sie jeder
stereoskopische Apparat hat), läßt, in richtigen Abstand zwischen
Auge und Bild gebracht, das Künstlerische der so präparierten
Labyrinthe deutlich erkennen. Wie die zartesten Glasgebilde
stehen die Labyrinthe plastisch da: die Bogengänge, an denen
man den Peri- und Endolymphraum deutlich unterscheiden kann,
die Ampullen, das Vestibulum und die vollkommen durchsichtige
Schnecke. Auf 31 Tafeln stellt Verfasser die Labyrinthe der
verschiedensten Wirbeltiere dar, beginnt mit dem des Menschen,
kommt auf die menschenähnlichen Affen bis herab zu den
Halbaffen, geht auf die Fleischfresser, Tiger, Löwe, Puma, Hund
und Katze über, und das Raubzeug, Otter, Wiesel, führt uns
ferner das Labyrinth der Spalthufer, wie Antilope, Gazelle und
Schaf in gleichschöner Weise wie das des Pferdes, Dromedares
und Schweines vor und schließt mit dem der Nagetiere, Hase,
Kaninchen, Ratte, Maus. Der verbindende Teil erörtert dabei
interessante Merkmale der vergleichenden Anatomie, dem Schluß
des Buches ist eine genaue Tabelle der Maße der Labyrinthe
beigefügt. Die ganze Ausstattung des Buches ist eine in jeder
Beziehung vornehme zu nennen und bildet zu den wundervoll
plastischen Darstellungen, neben deren künstlerischem Wert man
den des Lehrzweckes hoch einschätzen muß, einen würdigen
Rahmen.

2.

**Zur Funktion des Schläfenlappens des Großhirns.
Eine neue Hörprüfungsmethode bei Hunden; zugleich
ein Beitrag zur Dressur als physiologische Untersuchungsmethode. Von Dr. Otto Kalischer in Berlin.**

(Sitzungsberichte der Königlich Preußischen Akademie der Wissenschaften
1907, X.)

Besprochen von
Dr. W. Küstner in Halle.

Die Arbeit Kalischers, die mit Unterstützung der
Königlichen Akademie der Wissenschaften zu Berlin begonnen
hat, wollte die Beziehungen des Schläfenteils des Großhirns zum
Hörakte feststellen und die H. Munkschen Angaben nachprüfen, daß bei Hunden die Wahrnehmung hoher Töne in der
vorderen Partie der Hörsphäre, die der tieferen Töne in der
hinteren liege.

Während vorher die Prüfung des Gehörs der Hunde darin
bestanden hatte, daß dieselben auf bestimmte Töne und Geräusche in der Weise reagierten, daß sie die Ohren spitzten,
Kopfbewegungen ausführten oder sich nach der Schallquelle
quelle hinbewegten, führte Verfasser eine praktischere und be-
quemere Prüfung unter Benutzung des Freßreizes. ein: Auf
einen bestimmten Ton erst durften immer die Prüflinge ihre
dargebotene Mahlzeit angreifen. Bei dieser Dressur stellte sich
heraus, daß die Tiere sehr bald ihren sogenannten „Freßton",
den Ton, der ihnen stets ein Zuschnappen nach dem Dar-
gereichten gestattete, sich genau merkten und nach einiger Zeit
von anderen Tönen, die oft nur um einen halben Ton von dem
ihrigen verschieden waren, genau unterscheiden konnten, ja
sogar den sogenannten Freßton mit Sicherheit heraushörten, wenn
mehrere Töne zusammen erklangen. Es blieb gleich, ob die
Versuchstiere auf einen hohen Ton C⁴ oder auf einen tiefen
eingedrillt wurden. Der Verfasser benutzte zur Dressur als
tonerzeugendes Instrument das Klavier, das Harmonium und die
Orgel. Die Töne des Klaviers eigneten sich nicht so gut wie
die langezogenen Töne der beiden andern Instrumente zur Hörprüfung. Ließ man nun sehr oft den Dressurton erklingen,
zeigten die Versuchstiere nicht mehr die prompte Reaktion wie
bei dem ersten Antönen: es zeigten sich Ermüdungserscheinungen,
die aber verschwanden, wenn inzwischen einige Male einzelne
Gegentöne angeschlagen wurden. Bezeichnend für die Aufmerksamkeit der Tiere ist es, daß es auch leicht gelang, sie von
einem Freßton auf einen andern umzustimmen. Es machte auch
nichts aus, wenn man, sobald man das Versuchstier bereits an
einen Ton gewöhnt hatte, die Dressur tagelang aussetzte. Bei
Wiederaufnahme der ausgesetzten Prüfungen wußte das Tier
seinen Freßton noch genau. Als Zeit einer solchen Dressur
gibt der Verfasser oft wenige Tage als genügend an, bemerkt
jedoch dabei, daß die Hunde allerdings bezüglich der Güte des
Gehörs nicht gleich sind und sich weibliche besser als männliche
Tiere zur Dressur eigneten. Nach dieser genau beschriebenen
Dressur kommt Verfasser zu dem Schluß, daß die Hunde ein
überaus feines Tonunterscheidungsvermögen durchweg haben
und daß sie, da sie nach tagelanger Unterbrechung der Dressur
sofort den Freßton von Gegentönen unterscheiden können, auch
ein „absolutes Tongehör" haben müssen.

Daß es sich ausschließlich um akustische Wahrnehmungen

bei den Versuchstieren handelte, entnahm der Verfasser, abgesehen von der genauen Beobachtung, daß die Tiere einzig und allein ihre Aufmerksamkeit den Fleischstücken zuwandten, noch besonders daraus, daß die Versuche genau so glückten, als er die Tiere zeitweilig durch Vernähen der Augenlider blind machte.

Um ganz sicher zu gehen, daß es sich um ein Reagieren auf bestimmte Töne handelte, zerstörte K a l i s c h e r bei gut dressierten Hunden die Schnecke beiderseits. Während die Tiere nach der Zerstörung nur einer Schnecke die Versuche wie vor dieser Operation prompt erledigten, war nach der Zerstörung auch der andern Schnecke von Dressur nichts mehr zu merken. Die Tiere schnappten unfolgsam nach den Fleischstücken, welcher Ton auch angeschlagen wurde. Sie hatten ihre Dressur vollständig eingebüßt. Sie waren auch nach Zerstörung beider Schnecken für irgend eine Tondressur nicht mehr zugänglich.

Man kann danach den Beweis als erbracht ansehen, daß es sich um eine akustische Tonwahrnehmung bei den dressierten Tieren handelte.

H. M u n k [1]) hatte nun behauptet, daß bei einseitig zerstörter Schnecke und gleichzeitiger Zerstörung des Schläfenlappens vollständige Taubheit der Tiere wegen der vollkommenen Kreuzung der Nervi acustici v o l l s t ä n d i g und zwar d a u e r n d eintrete. Demgegenüber zeigte aber nun der Verfasser durch sein Dressurverfahren, daß derartig verstümmelte Tiere von ihrer Dressur nichts eingebüßt hatten, also nicht taub geworden waren; nur reagierten sie auf das Kommandowort nicht mehr so prompt wie früher und zeigten Orientierungsstörungen. Auch bei doppelseitiger Schläfenlappenexstirpation zeigte sich kein Unterschied bei den Dressurversuchen bezüglich der „Tonunterscheidungsempfindlichkeit." Die Tiere schnappten beim „Freßton" nach ihren Fleischstücken und ließen davon ab, sobald ein fremder Ton angeschlagen wurde. Ja, es gelang auch, die schwer geschädigten Tiere auf einen andern Freßton umzudressieren. Daraus, daß nun die doppelseitige Schläfenlappenexstirpation nicht die Dressurfähigkeit auf Töne einschränkte, wohl aber die Tiere nicht mehr so aufmerksam für Kommandoruf und Lockungen waren, schließt der Verfasser, daß zwei verschiedene Hörakte, die wieder von verschiedenen Bedingungen abhängig sind, vorliegen müssen, und meint, daß so manche

---

1) H. M u n k: Über die Funktion der Großhirnrinde. Berlin 1890.

Hörreaktionen schon unterhalb der Großhirnrinde zustandekommen; zu letzteren gehöre auch die Möglichkeit, musikalische
Töne zu unterscheiden. So nimmt Kalischer das Zentrum der
Reaktion für Ohrenspitzen und lauschende Kopfbewegung in den
hinteren Vierhügeln an, da nach doppelseitiger Zerstörung derselben auch bei stärksten Geräuschen kein Ohrenspitzen mehr
erfolgte. Das Verwerten, Verarbeiten und Umsetzen von Gehörseindrücken in zweckentsprechende Bewegungen fällt bei doppelseitiger Schläfenlappenexstirpation weg, daher kommt die
Orientierungsstörung. Hunde, denen die Vierhügel zerstört
waren, verhielten sich wie solche, denen beide Schläfenlappen
exstirpiert waren, bezüglich des Nichtreagierens auf Kommandoruf und Lockungen und bezüglich der Unruhe und der Unsicherheit der Orientierung.

　　Jedenfalls geht aus Verfassers interessanten
Versuchen hervor, daß nach Zerstörung der Schnecke
und des gleichseitigen Schläfenlappens keine absolute Taubheit eintritt und daß nicht nur in der
Großhirnrinde, sondern auch in infrakortikalen
Zentren unter gewissen Bedingungen Hörreaktionen
ausgelöst werden.

3.

Die chronische progressive Schwerhörigkeit. Ihre
Erkenntnis und Behandlung. Von Dr. August Lucae,
Geh. Med.-Rat und Professor an der Königl. Friedrich Wilhelms-
Universität zu Berlin. Mit 25 Textfiguren und 2 Tafeln. Berlin,
Julius Springer. 1907. VIII u. 392 Seiten.

Besprochen von
Prof. K. Bürkner in Göttingen.

　　August Lucae bringt in dem vorliegenden stattlichen
Bande die Ergebnisse seiner reichen praktischen Erfahrung über
die chronische progressive Schwerhörigkeit und seiner viel-
fältigen Studien auf physiologisch-pathologischem Gebiete überhaupt zur Veröffentlichung. Diejenigen, welche die älteren Arbeiten des um die Entwicklung der Ohrenheilkunde verdienten
Verfassers kennen, werden schon über viele seiner Ansichten
unterrichtet gewesen sein, aber dennoch sehr viel Neues und
Anregendes in dieser Zusammenfassung finden; und für die
Jüngeren unter uns ist das Werk schon mit Rücksicht auf die

darin verstreuten historisch-kritischen Besprechungen von großer
Wichtigkeit. Jeder, der sich wissenschaftlich mit der Otologie
beschäftigen will, muß das Buch lesen oder vielmehr durch-
studieren, denn die eben nicht leichte Darstellungsweise des
Verfassers verlangt ein intensives Eingehen auf seine Schilderung;
ein flüchtiges Durchblättern ist zwecklos.

Lucae selbst sagt, daß seine Auffassung der progressiven
Schwerhörigkeit, die er eher ein Stief- als ein Schmerzenskind
der Otologie nennt und die er in therapeutischer Hinsicht weit
besser als ihren Ruf findet, erheblich von der der Autoren ab-
weiche. Und in der Tat ist es vorauszusehen, daß seine Darlegungen im einzelnen auf Widerspruch stoßen werden. Er
selbst hat die Arbeiten anderer nicht nur sehr vollständig,
sondern auch sehr sachlich wiederzugeben gesucht, und auch
da, wo er sich auf seine frühesten Arbeiten beruft, wird er den
neuesten Veröffentlichungen gerecht.

An zahlreichen Stellen des Buches finden sich kasuistische
Beiträge — im ganzen 66 Fälle — in den Text verflochten,
die zur Erklärung und Begründung dienen sollen. Es dürfte
hier und da der Eindruck entstehen, als ob die auf einzelne
Krankheitsbetrachtungen gestützten Schlüsse zu bereitwillig ver-
allgemeinert würden, wenn sie auch im bestimmten Falle bestechend klingen. Sicherlich wird man aber an keiner Stelle
das Bestreben vermissen, streng wissenschaftlich zu verfahren und
durch Tatsachen zu begründen.

Zwei Tafeln mit Abbildungen, von denen namentlich die
erste, kolorierte ganz vorzüglich ausgeführt ist, zeigen die
wesentlichsten Trommelfellbilder, welche im Texte beschrieben
werden.

Was den reichen Inhalt des dem Andenken von Toynbee
und Virchow gewidmeten Monographie anbelangt, so kann er
hier nur in sehr skizzenhafter Form wiedergegeben werden,
denn bei der Fülle von Einzelheiten, welche der Verfasser aus
dem Schatze seiner Gelehrsamkeit und praktischen Erfahrung
beibringt, eignet sich das Werk nicht für ein kurzes Referat;
es verlangt vielmehr und verdient, wie ich schon betont habe,
ein eigenes Studium.

Im ersten Kapitel schildert Verfasser nach einleitenden
und neben historischen Bemerkungen den Standpunkt,
welchen er gegenüber der Sklerosenfrage einnimmt, und
zwar hebt er vor allem hervor, daß sehr verschiedene Affektionen

des Gehörorganes vorliegen können, deren klinische Bilder übereinstimmen und deren gemeinsames auffallendstes Symptom die
progressive Schwerhörigkeit ist. Er zählt zu diesen Erkrankungsformen die trockenen chronischen Mittelohrprozesse, d. h. nicht
nur die selten primäre, am häufigsten aus hypersekretorischen
Katarrhen sich entwickelnde sekundäre sklerotische Umwandlung
der Paukenschleimhaut, sondern auch Residuen eitriger Mittelohrentzündungen: und er wählt den Ausdruck „Prozesse" mit
Vorbedacht mit Rücksicht auf den fortschreitenden Charakter
der Krankheit.

Unterschieden wird die postkatarrhalische Form (gleich
Rigidität — Toynbee, Sklerose — v. Tröltsch), die post-
otitische und adhäsive Form der chronischen progressiven Schwerhörigkeit, alles Formen, bei denen das
Trommelfell Veränderungen zeigt; während der Ausdruck sklerotische Form für die Fälle von normalem oder annähernd
normalem Trommelfellbefunde vorbehalten bleiben soll. Freilich
handelt es sich hier, wie Verfasser betont, nicht nur um das
normale Aussehen, sondern auch um die normale akustische
Dignität des Trommelfelles, welche durch Beobachtung bei der
pneumatischen Vibrationsmassage festgestellt werden kann. Gerade bei dieser letzteren Untersuchungsmethode konnte Verfasser
erkennen, daß minutiöse, wahrscheinlich durch Insuffizienz der
Binnenmuskeln bedingte Spannungsanomalien des Trommelfelles
vorkommen, welche er als akkommodative Form der chronischen progressiven Schwerhörigkeit bezeichnet.

Mir scheint, daß diese Einteilung sehr vieles für sich hat,
schon weil sie geeignet ist, die verschiedenen Krankheitsformen
zu sondern, welche jetzt oft schlechthin unter der Bezeichnung
Sklerose zusammengefaßt werden, während andererseits der miß-
verständlichen Auffassung vorgebeugt wird, als ob den normalen
chronischen Mittelohrprozessen immer die neuerdings beschriebenen anatomischen Veränderungen in der Labyrinthkapsel zugrunde liegen müßten.

Über die pathologische Anatomie handelt das zweite
Kapitel. Hier hebt Verfasser in einer historisch-kritischen Besprechung mit vollkommenem Rechte hervor, daß es nicht statt-
haft sei, auf Grund der verhältnismäßig wenigen bisher anatomisch untersuchten Fälle mit meist negativem Befunde in der
Paukenschleimhaut ohne weiteres eine primäre Erkrankung der
Labyrinthkapsel (Politzer, Siebenmann) anzunehmen; und

was die Ansicht Manasses betrifft, daß die progressive Schwerhörigkeit vorwiegend häufig nervösen Ursprunges sei, so weist
Verfasser auf das Fehlen einer klinischen Beobachtung der meisten sezierten Fälle hin, bestreitet auch, daß mit den von Manasse gefundenen Veränderungen die von anderer Seite beschriebenen Krankheitsprozesse ohne weiteres als identisch angesehen werden dürfen.

Aus der vom Verfasser gegebenen Übersicht über die pathologische Anatomie der progressiven Schwerhörigkeit geht hervor, daß der Krankheit die verschiedensten Veränderungen zugrunde liegen können. In der bei weitem größten Zahl der Fälle
handelt es sich um solche, welche, meist im Mittelohre, seltener
im Felsenbein (Labyrinthkapsel), gewöhnlich latent verlaufen,
sehr häufig ihren Ausgang finden in Fixierung der Gehörknöchelchen (Steigbügelankylose) resp. Vermauerung der Fenster. Es
scheint ferner unzweifelhaft, daß der größte Teil aller dieser Befunde auf entzündliche Prozesse in der Paukenschleimhaut zurückzuführen ist. Zu bemerken wäre hier wohl, daß Grunert,
welchen Verfasser (S. 52) zitiert, auch nur auf die durch anatomische Befunde bewiesene Möglichkeit der Entstehung des
Knochenprozesses ohne vorhergegangene Mittelohrentzündung hinweisen wollte.

In dem dritten Kapitel, in welchem die Ätiologie behandelt wird, bringt Verfasser einige statistische Daten über das
eigne Krankenmaterial, aus welchen wir hervorheben, daß von
733 Fällen von chronischer progressiver Schwerhörigkeit 300 das
männliche, und 353 das weibliche Geschlecht betrafen, daß ferner
das Alter von 21—50 Jahren mit rund 74 Proz. überwog, doppelseitig rund 87 Proz. der Fälle waren. In 87 Proz. wurde die
Erblichkeit sichergestellt, und zwar fanden sich an den Trommelfellen der hereditär Belasteten in 157 Fällen (67 Proz.) Zeichen
von abgelaufenen Katarrhen und Entzündungen, während nur in
halb so vielen Fällen (33 Proz.) sogenannte reine Sklerose ohne
Trommelfellveränderungen vorlag. Verfasser schließt aus diesen
Zahlen mit Recht, daß die Erblichkeit keineswegs für die letztere Krankheitsform als charakteristisch gelten könne. Von den
angeblich nicht hereditären Fällen zeigten 65 Proz. Trommelfellveränderungen.

Zu besonderer Zurückhaltung mahnt der Verfasser gegenüber der Annahme, daß die progressive Schwerhörigkeit auf bestimmte konstitutionelle Krankheiten zurückzuführen sei. In den

meisten Fällen handle es sich vorläufig nur um Vermutungen.
Besonders sei Syphilis, die in neuerer Zeit eine große Rolle bei
der Ätiologie der vorliegenden Krankheit spielt, nur mit Vorsicht
zu verwerten, zumal da der bestimmte Nachweis der Infektion
fast überall fehlt. Ich stimme dem Verfasser auch in diesem
Punkte vollkommen zu.

Was den Einfluß des Schädelbaues und der Gestalt des
Nasenrachenraumes betrifft, auf welche v. Tröltsch die Aufmerksamkeit gelenkt hat, so hält Verfasser ihn nicht für unwahrscheinlich, zumal da die Annahme sehr naheliegend sei, daß
die so häufig zu beobachtende Vererbung einer bestimmten Gestalt, Größe und Lage der Ohrmuschel sich auch auf die räum-
lichen Verhältnisse der übrigen Teile des Gehörorganes erstrecken
könne. Von besonderer Wichtigkeit sei aber die leichte Vererbung chronischer Katarrhe.

Kapitel IV bringt eingehende Schilderungen über Symptome und Verlauf der Krankheit. Als das hauptsächlichste
Symptom wird der Verlust des Sprachgehörs bezeichnet. Charakteristisch ist ferner die Paracusis Willisii. Verfasser hat sie
nie bei einer nervösen Schwerhörigkeit beobachtet, was ganz
mit meinen Erfahrungen übereinstimmt, ebenso wie die Behauptung, daß die Erscheinung nicht als prognostisch ungünstig aufgefaßt werden dürfe. Als öfter vorkommendes Symptom wird
das „Hören, aber Nichtverstehen" hervorgehoben, eine Art von
Doppelhören. Ferner wird ausführlich das Hervortreten subjektiver Gehörsempfindungen, der Hauptklage der Kranken, besprochen. Wenn Verfasser ein hohes Klingen prognostisch günstiger als die tiefen Geräusche erklärt, so glaube ich, daß er mit
dieser Behauptung vielfach auf Widerspruch stoßen wird. Mit
Recht betont er aber jedenfalls, daß gewisse Allgemeinkrankheiten, besonders des Gefäßsystems, bei der Entstehung der subjektiven Geräusche eine wichtige Rolle spielen. Die durch
äußeren Schall hervorgerufenen oder beeinflußten subjektiven
Gehörsempfindungen können durch äußeren Schall an Intensität
zu- oder abnehmen; im ersten Falle besteht meist auch Hyperaesthesia acustica.

Als weniger regelmäßige Erscheinungen werden noch Schwindel, Schmerz und Jucken genannt.

Der Verlauf wird durch die Lebensweise des Patienten
sehr beeinflußt; mit Recht weist Verfasser auf die Schädlichkeit
des übermäßigen Tabak- und Alkoholgenusses hin, durch wel-

chen oft eine rapide Verschlechterung bewirkt werde. Auch die
Übertäubung kommt vielfach in Betracht, besonders durch unvermutet das Ohr treffende Schallreize. Sehr wichtig sind psychische Affekte. „Traurigkeit erzeugt Schwerhörigkeit" nach
Verfassers Erfahrungen auf diesen Gebiete. Daß dieser etwas
paradox klingende Ausspruch nicht ohne Berechtigung ist, wird
nicht zu bestreiten sein.

Der physikalischen Untersuchung ist das fünfte
Kapitel gewidmet. In einer physiologischen Einleitung werden
die interessanten Beobachtungen geschildert, welche Verfasser
während der Schallzuführung am lebenden Trommelfelle mit
Hilfe des Siegleschen Trichters angestellt hat und aus welchen
Verfasser den Schluß zieht, daß eine doppelte Schalleitung zum
Labyrinthe besteht: vom Trommelfelle durch die Kette der Ge-
börknöchelchen und vom Trommelfelle durch die Luft der Paukenhöhle auf die Fenster, besonders auf das runde Fenster.

Die Schalleitung durch die Kopfknochen steht hinter der
Luftschalleitung weit zurück; Schwerhörige, deren Knochenleitung gut erhalten, ja im Gegensatze zur Luftleitung verstärkt
ist, haben in praxi davon absolut keinen Nutzen.

Bezüglich des Weberschen Versuches wird die vom Verfasser selbst früher vertretene Ansicht, daß eine Erhöhung des
intralabyrinthären Druckes in Frage komme, sowie die Annahme
der Behinderung des Schallabflusses (Mach) widerlegt, als wahrscheinlich zutreffende Erklärung die Resonanz im Ohre bezeichnet.

Bei der Hörprüfung findet Verfasser die Prüfung des
Sprachgehörs, besonders für Konsonanten, am notwendigsten.
Auf die vom Verfasser angegebene phonometrische Untersuchung
der verschiedenen Laute kann hier nicht näher eingegangen
werden. Die mit ihrer Hilfe aufgestellte Tabelle von Hörprü-
fungsworten sei der Beachtung empfohlen.

Die übliche Prüfung des Tongehörs, sagt Verfasser, muß infolge der mangelhaften Reinheit der Stimmgabeln und der Nicht-
benutzung der zu einer wissenschaftlichen Untersuchung, wie
Verfasser schon wiederholt betont hat, durchaus notwendigen
Resonatoren zu falschen Resultaten führen. Erst wenn das Ohr
selbst beim stärksten Anschlage der Stimmgabel auch auf den
Resonator nicht reagiere, habe man ein Recht, Inseln und Lücken
in der Tonskala anzunehmen und diese Defekte auf eine Labyrintherkrankung zu beziehen, während in den Fällen, in welchen

die betreffenden Töne mit dem Resonator noch gehört werden,
eine Affektion des inneren Ohres im Bereiche dieser Töne ausgeschlossen sei.

Verfasser untersucht mit Contra-G und den Oktaven C, c,
c^1, c^2, c^3, c^4, seltener c^5. Alle, außer Contra-G und einer zweiten kleinen c-Gabel, sind unbelastet. Hierzu kommt noch eine
kleine g^4-Pfeife bei hochgradiger Taubheit, und eine kleine a^1-
Zungenpfeife. Im allgemeinen kommt man, wie Verfasser ja des
öfteren dargelegt hat, mit den Resonatoren (c—c^3) aus. Für c
und c^4 verwendet Verfasser je eine Gabel mit Vorrichtung zur
Erzielung eines gleichmäßigen Anschlages, für die Herstellung
der altramusikalischen Töne seinen bekannten Apparat von Stahl-
zylindern (c^5—g^6).

Aus den allgemeinen Ergebnissen der Prüfung sei hier nur
erwähnt, daß Verfasser den Weberschen Versuch für sehr unsicher hält, weil bei verschiedenem Sitze des Ohrenleidens dieselben Veränderungen der Knochenleitung beobachtet werden;
der Versuch von Lucae-Gellé wird für praktisch nicht gut
verwertbar erklärt; der Wert des Rinneschen und des Schwabachschen Versuches wird eingehend erörtert; ebenso die diagnostische Bedeutung der Bezoldschen Trias.

Bei der objektiven Untersuchung fällt häufig eine Trockenheit, Röte und Verengerung des Gehörganges durch Hyperostosen, seltener durch Exostosen auf; die verschiedenen Trommelfellbilder werden eingehend beschrieben, und besonders wird
dabei auf das häufige Vorkommen von Trübungen, Einziehungen
und solchen Befunden hingewiesen, welche von abgelaufenen
Eiterungen oder von adhäsiven Prozessen herrühren. Desgleichen
finden die Ergebnisse des Katheterismus und der Auskultation
eine genaue Erörterung. Großen Wert legt Verfasser auch auf
die Prüfung der Resonanz des Ohres durch Anblasen vermittelst
eines $1/2$ cm tief in den Gehörgang eingeführten Gummirohres;
man wird dadurch über den Spannungszustand des Trommelfelles belehrt und findet bei normalem Gehörorgane im allgemeinen ein normales Anblasegeräusch, während dieses bei pathologischem Trommelfellbefunde Schwerhöriger sowohl normal
als pathologisch ausfallen kann.

Es folgt die genaue Beschreibung der pneumatischen Untersuchung mit dem Sieglesehen Trichter bei pneumatischer Massage, welche mit einem vom Verfasser modifizierten Pneumomo-
tor betrieben wird. Bei sogenanntem sklerotischem Trommelfell-

befunde werden mit der hierbei ausgeführten positiven Massage viel häufiger Störungen der Beweglichkeit am Hammergriff und Trommelfell gefunden, als bei der Anwendung der negativ-positiven Massage, wie Verfasser so schon anderwärts erörtert hat. Schließlich wird auch die Notwendigkeit einer genauen Untersuchung der Nase und des Rachens gebührend betont.

In dem sechsten Kapitel findet sich eine interessante differentialdiagnostische Auseinandersetzung, welche im Originale nachgelesen werden muß.

Aus dem Teile über die Prognose, welche Kapitel VII behandelt, seien folgende Punkte hervorgehoben: Die meist als ungünstig bezeichnete Heredität ist im allgemeinen nicht entscheidend, auch der Trommelfellbefund ist nicht maßgebend, obwohl als am günstigsten die katarrhalischen Trommelfellbilder bezeichnet werden können. Fälle ohne subjektive Geräusche sind die günstigsten, rapide Verschlimmerung ist ein ungünstiges Zeichen. Besonders wird aber die Prognose getrübt durch das Hinzutreten einer akuten eitrigen Mittelohrentzündung bei Starrheit des Trommelfelles, namentlich wenn die Paracentese nicht rechtzeitig ausgeführt wird.

Kapitel VIII enthält die Schilderung der Therapie, zunächst der lokalen. Die Luftdusche spielt nach Lucaes Auffassung meist unberechtigter Weise eine große Rolle bei der Behandlung der progressiven Schwerhörigkeit. Nur ganz ausnahmsweise sind in leichteren und mittelschweren Fällen der adhäsiven und postkatarrhalischen Form dauernde Erfolge zu erwarten, bei der sklerotischen Form aber zeigt sich höchstens im Anfange der Behandlung ausnahmsweise eine geringe Besserung.

Unter den Methoden der Massagebehandlung, welche Verfasser mit Recht für die geeignetere erklärt, wird der Traguspresse, des vom Verfasser selbst angegebenen Ballons zur Luftverdünnung, sowieder neueren der Anwendung des konstanten negativen Druckes dienender Apparat Erwähnung getan. Die pneumatischen Massageapparate sollten, wie Verfasser ja schon früher betont hat, nie luftdicht in den Gehörgang eingeführt werden. Bei eigentlicher Sklerose führen sie nur in frischen Fällen zu einer Besserung.

Physiologischer als die gewöhnlich angewandte positiv-negative Massage, welche das Trommelfell vorwiegend nach außen ausbuchtet, wirkt die ausschließlich positive Massage. An der Hand einiger Fälle wird die Wirkungsweise der häufig vom Ver-

fasser angewandten Wassermassage besprochen. Einen breiten
Raum nimmt die Schilderung der Anwendungsweise und des
Nutzens der Drucksonde ein. Ich gestehe, daß ich trotz immer
wiederholten Versuchen mit verschiedenen Modellen dieses Instrumentes nicht habe zu dem Ergebnisse kommen können, daß
es vor der indirekten Massage den Vorzug verdiene. Nach Verfassers Erfahrung werden die sklerotischen Fälle mit steilem
Trommelfelle am meisten gebessert; weniger als die Hörfähigkeit werden die subjektiven Geräusche beeinflußt.

Von operativen Behandlungmethoden werden die Durchschneidung der hinteren Falte, die Inzision von Narben, die Anlegung einer persistenten Wunde im Trommelfelle, die Tenotomie
des Musc. tensor tympani und stapedius, die Hervorziehung des
Hammergriffes, die totale Exzision des Trommelfelles und Hammers und die Mobilisierung und Extraktion des Steigbügels genauer beschrieben und kritisch beleuchtet.

Bei der Besprechung der Hervorziehung des Hammergriffes
(S. 279) wäre wohl auf das von Grunert angewandte Verfahren
der gleichzeitigen Luxation des Hammer-Amboßgelenkes hinzuweisen gewesen, durch welches die Wiederverwachsung verhindert wird (A. f. O. Bd. 43. S. 134).

Für die Entfernung des Amboßes verwendet Verfasser (S. 286)
ein kleines geknöpftes Häkchen und seine nach Art des Litho-
triptors konstruierte Hammerzange; er verschmäht den Amboß-
haken. Mir scheint, daß die Anwendung eines solchen und insbesondere des ganz vorzüglichen Instrumentes von Zeroni, das
gar nicht erwähnt wird, den Eingriff wesentlich erleichtert.

Ferner werden die Behandlung mit dem konstanten Strome
und die lokale medikamentöse Behandlung, sowie die Behandlung des Nasenrachenraumes besprochen. Sehr selten ist nach
Verfassers Ansicht eine Indikation zur Entfernung der Rachenmandel vorhanden.

Es folgt eine lesenswerte Abhandlung über allgemeine Therapie und Diätetik. Von Jodkalium hat Verfasser infolge des
konsekutiven Schnupfens meist nur Nachteile gesehen; Phosphorbehandlung fand er selten nützlich, zuweilen schädlich.
Auch von Thiosinamin sah er keine nachweisbaren Erfolge;
allein hörverbessernd wirkte Pilocarpin. Unter den verschiedenen gegen Ohrensausen empfohlenen Mitteln verdiene das
Isopral den Vorzug. Wenn Verfasser eine lokale Wirkung von
Bade- und Brunnenkuren nicht erwartet, günstige Erfolge auf

die Entziehung des Patienten von seiner Arbeit zurückführt; wenn er energisch gegen kalte Bäder jeder Art und gegen Kopfduschen zu Felde zieht, so wird man ihm wohl ziemlich allseitig beistimmen.

Das neunte Kapitel handelt von den Hörrohren und anderen Hilfsmitteln, worüber Verfasser ja kürzlich schon wichtige Mitteilungen veröffentlicht hatte. Der aus Mikrophon und Telephon bestehende Akustikapparat wird bei hochgradiger Schwerhörigkeit empfohlen. Großes Gewicht legt Verfasser auf das Absehen vom Munde.

Ein eigenes Kapitel, das zehnte, widmet Lucae der von ihm beschriebenen akkommodativen Form der chronischen progressiven Schwerhörigkeit. Seine physiologisch-pathologischen Beobachtungen haben ihn gelehrt, daß im allgemeinen alle starken Schalleindrücke durch den festen Leiter der Gehörknöchelchen, die schwachen dagegen durch die Luft der Paukenhöhle ihren Weg zum Labyrinthe nehmen. Daher werden oft bei erheblich herabgesetztem Sprachgehör und positivem Ausfall des Rinneschen Versuches sämtliche musikalischen Töne mit Einschluß der hohen Resonanztöne verhältnismäßig gut gehört. Verfasser nimmt an, daß der Musc. tensor tympani das Ohr für die starken musikalischen Töne und die in ihrer Strecke gelegenen musikalischen Geräusche akkommodiere, während der Musc. stapedius alle schwachen Schalleindrücke, darunter speziell die ultramusikalischen Töne von g^6 aufwärts zur besseren Wahrnehmung bringe. Daß im Tensor tympani eine Schutzvorrichtung gegen allzu laute Schalleindrücke zu suchen sei, widerlegt Verfasser. Diese Rolle würde weit eher dem Stapedius zufallen.

In einem Abschnitte über die Histologie und Funktion der Lamina propria des Trommelfelles wird die Technik und der Verlauf der vom Verfasser empfohlenen Inzision durch die Ring- oder Radiärfaserschicht erörtert. Die Erfolge waren im allgemeinen bei derjenigen Gruppe der akkommodativen Form, bei welcher die Perzeption für die hohen musikalischen Töne erhalten war, nach Ausführung einer radiären, die Ringfasern durchtrennenden Inzision günstiger als bei der zweiten Gruppe, bei welcher die tieferen Stimmgabeltöne bei noch ziemlich guter Perzeption der hohen Resonanztöne schlecht vernommen werden. Bei dieser hat er eine zirkuläre, die Radiärfasern durchtrennende Inzision in das hier oft auffallend steil zur Achse des Gehörganges stehende Trommelfell vorgenommen und beab-

sichtigt dadurch auf den Stapedius, wie durch die radiäre Inzision auf den Tensor tympani einzuwirken.

So viel über den Inhalt. Das Buch bedarf bei der ausgezeichneten Stellung, welche der verehrte Verfasser in der Wissenschaft einnimmt, selbstverständlich keiner besonderen Empfehlung. Es wird in dem Kreise der Fachgenossen überall eingehende Beachtung finden und auch von Denjenigen, welche im
Einzelnen abweichender Ansicht sind, als ein höchst verdienst-
volles Werk bezeichnet werden müssen.

4.

H. Neumann, Der otitische Kleinhirnabszeß. F. Deuticke,
Leipzig und Wien, 1907.

Besprochen von

Dr. F. Isemer, Halle a. S.

In der als Monographie erschienenen Arbeit hat Verfasser
die bisher veröffentlichten Fälle von Kleinhirnabszessen gesammelt und dazu die in den letzten 6 Jahren in der Wiener
Ohrenklinik beobachteten Fälle hinzugefügt, so daß ihm ein
sehr reiches Material zur Verfügung stand.

In dem ersten Abschnitt seiner Arbeit bringt Verfasser
statistische Verhältnisse und zieht hierfür die Mitteilungen von
Koch, Okada, Körner, Heimann und seine eigenen früheren heran. Aus seiner Statistik ergibt sich unter anderem, daß in
den akuten Fällen von Mittelohreiterungen die Labyrintheiterung
für die Entstehung des Kleinhirnabszesses keine Rolle spielt,
sondern daß derselbe da meist durch Vermittelung einer Sinusphlebitis oder eines extraduralen Abszesses entsteht. Anders dagegen bei den chronischen Fällen; hier zeigt die Statistik, daß
die Kleinhirnabszesse labyrinthären Ursprunges die Mehrzahl
(43,75 Proz.) bilden.

Als Wegleitung vom erkrankten Labyrinth zum Hirnabszeß
werden erwähnt: Der tiefe extradurale Abszeß, der innere Gehörgang, in vereinzelten Fällen auch nach (Boesch) der Aquaeductus
vestibuli und cochleae und Bogengangsfisteln. Verfasser geht hier
näher auf die Bedeutung des Aquaeductus vestibuli für die Fortleitung der Eiterung vom Labyrinth in die Schädelhöhle ein.

Im 2. Abschnitt folgt eine übersichtliche Darstellung der
Ätiologie und pathologischen Anatomie der otitischen Kleinhirn-
abszesse. Auf die bekannten pathologischen Veränderungen der
Knochenwand des Mittelohres bei chronischen Mittelohreiterungen

mit und ohne Cholesteatom wird näher eingegangen und weist
Verfasser darauf hin, welche bedeutsame Rolle namentlich das
Cholesteatom für das Fortschreiten der Infektionsprozesse nach
dem Endocranium spielen.

Die Ursache, weshalb bei der Fortpflanzung infektiöser Prozesse vom Mittelohr aus auf die Schädelhöhle das eine Mal diffuse
Meningitis, das andere Mal umschriebene Prozesse (Sinusthrombose, Hirnabszeß, Extraduralabszeß) entstehen, hält Verfasser abhängig von dem Induktionsweg und der Wirkung der Infektionsträger.

Im 3. Abschnitt wird das wichtige Kapitel der Symptomatologie der Kleinhirnabszesse erörtert und hebt Neumann die
großen Schwierigkeiten hervor, ein einheitliches Symptomenbild
für den otitischen Kleinhirnabszeß zu geben. Er weist darauf
hin, daß es oft unmöglich sei, die durch die Encephalitis und
andere sekundäre Veränderungen hervorgerufenen Symptome von
denen des Abszesses selbst zu trennen, und daß auch durch die
nicht seltene Latenz der Kleinhirnabszesse (9,4 Proz.) die Diagnose
derselben sehr erschwert werde. In drei Gruppen werden die
Symptome des otitischen Kleinhirnabszesses zusammengefaßt, und
zwar in: Herdsymptome, Allgemeinsymptome und Fernsymptome.

Als Herdsymptome werden erwähnt: vestibularer Nystagmus,
Schwindel und vestibulare Ataxie (Läsionen des Deiterschen
Kernes), ferner Hemiparese und Hemiataxie der oberen und unteren Extremitäten derselben Seite ohne Störung der bewußten
Tiefensensibilität (Läsion der sensiblen Körperbahnen). Seinen
ausführlichen Erörterungen dieser cerebralen Funktionen legt
Verfasser die eingehenden diesbezüglichen Untersuchungen Ba-
ránys und seine eigenen zugrunde; hierdurch gibt Neumann
einen wertvollen Beitrag zur Klärung mancher für die Diagnose
des otitischen Kleinhirnabszesses wichtiger Erscheinungen.

Von den Allgemeinsymptomen wird besonders auf den sub-
normalen Fieberverlauf der unkomplizierten Cerebellarabszesse
hingewiesen. Das im Verlauf eines Kleinhirnabszesses auftretende Fieber kann nach den Erfahrungen des Verfassers entweder durch den primären Eiterherd im Schläfenbein oder durch
den cerebellaren Prozeß selbst bedingt sein; im ersten Falle geht
die Temperatur nach Beseitigung des Eiterherdes im Schläfenbein zurück. Im 2. Fall kommen als Ursache des Fiebers eine
komplizierende Sinusthrombose oder eine eitrige, bezw. seröse
Meningitis in Betracht, und sei hier der weitere klinische Verlauf

entscheidend für die Differenzialdiagnose. „Geht die Temperatursteigerung nach Beseitigung des ursächlichen Hirnabszesses
prompt zurück, so handelt es sich um Meningitis serosa. Bei
circumskripter eitriger Meningitis persistieren die Fieberbewegungen auch nach der operativen Entleerung des Abszesses weiter, erreichen aber niemals höhere Grade und klingen in jenen
Fällen, die in Heilung übergehen, allmählich ab."

Als Ursache der Fernsymptome nimmt Verfasser die Erhöhung
des intrakraniellen Druckes und Fortpflanzung desselben auf das
Hirnparenchym an, wobei auch die deletären Wirkungen des den
Abszeß begleitenden entzündlichen Ödems eine gewisse Rolle
spielen. Von den zahlreichen, vom Verfasser übersichtlich zusammengestellten Fernsymptomen will Referent hier nur zwei besonders hervorheben: den Kopfschmerz und die Funktionsstörungen
von Seiten des erkrankten Gehörorganes. Es ist eine bekannt Tatsache, daß anhaltend heftiger halbseitiger, oft nach der Schulter
ausstrahlender Hinterkopfschmerz ein wertvolles diagnostisches
Symptom des Kleinhirnabszesses ist. Im allgemeinen kann man
sagen: geht nach der Mastoidoperation dieser Kopfschmerz nicht
zurück, oder wird er sogar noch heftiger, so ist keine Zeit zu
verlieren, die Kleinhirntrepanation auszuführen. Referent hat Gelegenheit gehabt, in mehreren Fällen von Kleinhirnabszeß dieses
Symptom als das einzige hervorstechende zu beobachten. Ebenso
wertvoll für die Diagnose der otitischen Kleinhirnabszesse ist das
Ergebnis der Funktionsprüfung. J a n s e n s Verdienst ist es, wie
auch Verfasser hervorhebt, zuerst nachgewiesen zu haben, daß
die meisten Fälle von Cerebellarabszeß mit Erkrankung des Labyrinths einhergehen. Nach den Untersuchungen des Verfassers
waren unter 132 chronischen Fällen von otitischem Kleinhirnabszeß 55 mit Labyrintheiterung kompliziert. Dieser hohe Prozentsatz weist darauf hin, welch hohen Wert eine genaue Funktionsprüfung des erkrankten Ohres für die Genese des otitischen
Kleinhirnabszesses hat.

In weiteren einzelnen Kapiteln werden dann: Initialstadium,
manifestes Stadium, Terminalstadium, Diagnose, Differenzialdiagnose, Prognose und Operationen und Nachbehandlung der
otitischen Kleinhirnabszesse erörtert.

In Bezug auf die Methoden zur Entleerung des Kleinhirnabszesses steht Verfasser auf folgendem Standpunkte: Liegt Verdacht oder sicher Nachweis eines Kleinhirnabszesses vor, so wird
zunächst die Totalaufmeißelung der Mittelohrräume vorgenom-

men, ausgenommen die wenigen Fälle, bei denen infolge bedrohlicher Allgemein- und Hirndrucksymptome schnelle Entleerung
des Abszesses geboten ist, und ohne vorherige Mastoidoperation
direkt auf den cerebralen Eiterherd eingegangen wird. Ergiebt
die vor der Operation erhobene Funktionsprüfung das Bestehen
einer Labyrinthtaubheit, so wird an die Mastoidoperation unmittelbar die Labyrintheröffnung angeschlossen, um dann mit
auf den Abszeß einzugehen. In denjenigen Fällen, in welchen
es zweifelhaft erscheint, ob neben der durch die Funktionsprüfung des Labyrinths festgestellten eitrigen Labyrintherkrankung
noch ein Kleinhirnabszeß vorliegt, führt Verfasser zunächst nur
die Labyrinthoperation aus, um den Erfolg derselben zunächst
abzuwarten. Schwinden nach der Labyrintheröffnung die klinischen Symptome, die erfahrungsgemäß bei labyrinthären Kleinhirnabszessen und eitrigen Labyrintherkrankungen in gleicher
Weise auftreten können nicht, so wird von der Gegend des
eröffneten Labyrinths aus die Exploration des Kleinhirns vorgenommen.

In allen übrigen nicht mit Labyrintheiterung komplizierten
Fällen von Kleinhirnabszeß empfiehlt Verfasser nach breiter
Freilegung der Dura der hinteren Schädelgrube ebenfalls von
der Operationswunde aus auf das Kleinhirn einzugehen, und
zwar nach Spaltung der Dura das Kleinhirn mit dem Messer zu
inzidieren und dann mit einer Kornzange die Kleinhirnwunde
nach hinten und unten zu erweitern. Bei großen Abszeßhöhlen
wird außerdem noch eine Gegenöffnung hinter dem Sinus empfohlen, besonders in jenen Fällen, in denen man eine Unterbindung oder Durchschneidung des Sinus vermeiden möchte.

Diesem Vorgehen des Verfassers, prinzipiell von der Operationshöhle aus das Kleinhirn zu trepanieren, kann Referent nicht zustimmen. Es sei hier unter anderem nur auf die Reihe von Fällen
hingewiesen, in denen das Krankheitsbild so kompliziert ist, daß
man den Kleinhirnabszeß nicht mit Sicherheit diagnostizieren kann.
In allen diesen Fällen hält Referent es für empfehlenswerter, nicht
von der Operationswunde aus, sondern von außen, das Kleinhirn
zu eröffnen. Auf diese Weise vermeidet man bei eventueller
negativer Exploration eine Infektion der Hirnwunde, die bei
der doch alles eher als aseptischen Mastoidwunde unvermeidlich
ist. Daß die primäre Erkrankung im Schläfenbein bei der
Mastoidoperation mit entfernt, die Dura bei erkranktem Tegmen weit freigelegt und ein eventuell erkrankter Sinus von

dem infizierten Inhalt befreit werden muß, ist selbstverständlich.
Die Entleerung eines Hirnabszesses von außen kann, vorausgesetzt, daß die Trepanationsöffnung groß genug angelegt ist,
mindestens ebenso ausgiebig erzielt werden, wie bei der Eröffnung von der Operationswunde aus. Eine Gegenöffnung nach
der Operationswunde wird nur in vereinzelten Fällen in Frage
kommen.

Zum Schluß seiner Arbeit giebt Verfasser eine kurze Zusammenstellung aller aus der Literatur gesammelten Fälle von
Kleinhirnabszeß, denen noch die Fälle von otitischem Kleinhirnabszeß beigefügt sind, die Verfasser aus der Klinik P o l i t z e r
in den letzten 6 Jahren gesammelt hatte.

IX.

Wissenschaftliche Rundschau.

1.

E. J. Moure, Contribution à l'étude de la chirurgie du labyrinthe. Revue hebdomadaire. 1905. Nr. 16.

M. weist darauf hin, daß die Diagnose: Labyrinthitis nicht gleich einen Eingriff am Labyrinth indiziert, da auch schwere Symptome von Labyrinth-eiterung nach der Totalaufmeißelung schwinden können.

Folgende drei Krankengeschichten werden mitgeteilt:

1. 41jähriger Steuermann hat sich in einem tropischen Malaria-Anfall eine Revolverkugel ins Ohr geschossen. Es trat Ohreiterung ein, und mehrere Monate nachher wurde die Kugel operativ aus dem Labyrinth entfernt. Die Operationshöhle wurde indessen nicht trocken. Mehrere Monate nach dem ersten Eingriff stellte sich wieder Kopfschmerz, Schwindel, Ohrensausen und Fieber ein (39,7° C). Eine Lumbalpunktion ergab unter Druck stehenden Liquor, der Lymphocyten und polynucleäre Leukocyten enthielt (15—25 bezw. 8—10 pro Gesichtsfeld) Weber nach dem gesunden Ohr. Flüstersprache = 0. Laute Sprache = 20 cm. Galton = ⁶/₄. Nunmehr entschloß sich M. „zu einem abermaligen Eingriff und trug die Schnecke mit dem Hohlmeißel ab. Der postoperative Verlauf war normal, und der Kranke wird geheilt, ohne Facialisparese entlassen".

2. 25jähriger Kranker war im Jahre 1903 total aufgemeißelt worden. 20 Tage nachher wegen Fortdauer des Fötors und der Schmerzen erneuter Eingriff. Auch danach keine Besserung. Die Sondierung ergibt unter den Granulationen einen Labyrinthsequester. Der Kranke hat nicht näher zu charakterisierenden Schwindel. Dritte Operation. Es wird ein großer Laby-rinthsequester herausgeholt, nach dessen Entfernung Kleinhirn- und Groß-hirndura freiliegen. Totale Facialislähmung.

Der Kranke wird mit anscheinend gut fortschreitender Heilung zur auswärtigen Nachbehandlung entlassen.

3. 22jährige Patientin schießt sich drei Revolverkugeln ins rechte Ohr. Danach Fazialislähmung, welche drei Tage dauerte. Eine der Kugeln wurde sofort entfernt. Zwei Projektile blieben sitzen, und es schloß sich eine abundante Ohreiterung an. Die Kranke hatte häufig Schwindel und Er-brechen, fällt nach vorn und rechts. Der Gang ist unsicher. Die Sehschärfe herabgesetzt, Allgemeinzustand schlecht.

Bei der Operation wurde mit Mühe ein auf dem Promontorium platt-gedrücktes Projektil entfernt, ohne daß der Fazialis verletzt wurde. Heilung in drei Wochen ohne weiteres Eingehen aufs Labyrinth.   Eschweiler.

2.

Laurens, Trépanation de la mastoïde chez un nouveau né. Ibidem Nr. 19.

Typischer Fall bei einem dreiwöchigen Säugling.   Eschweiler.

3.

Brindel (Bordeaux), Des complications auriculaires consécutives aux occlusions du conduit auditif externe. Ibidem Nr. 17.

B. gibt zwei Krankengeschichten über Komplikation von Mastoiditis mit erworbener und angeborener Gehörgangsatresie.

1. 4jähriges Kind hat bei der Zangen-Geburt eine Fraktur des Schädels erlitten. Es schloß sich eine Eiterung des Mittelohrs an, welche mehrfache Inzisionen in retroaurikuläre Schwellungen nötig machte.

Jetzt besteht eine eiternde Fistel hinter dem Ohr, während der Gehörgang in seinem knorpligen Teil völlig atresiert ist.

Bei der Totalaufmeißelung, zu der man sich schließlich entschloß, fand sich der Warzenfortsatz von Granulationen durchsetzt. Die Gehörknöchelchen und das Trommelfell wurden entfernt.

Von der hinteren Gehörgangswand wurde eine Spange am Aditus ad antrum stehen gelassen. Darauf Bildung eines Lappens. Die Heilung nahm fünf Monate in Anspruch. Elf Monate nach der Operation zeigte der Gehörgang noch keine Neigung zum Wiederabschluß.

2. 13jähriger Patient, taubstumm, bekam vor einem Jahre eine fluktuierende Schwellung hinter und über dem Ohr, nach deren Inzision durch den Hausarzt zunächst Blut, dann Eiter abfloß. Bei der Aufnahme bestand Atresie des Gehörgangs. Über dem Ohrmuschelansatz führt eine Fistel zum Warzenfortsatz hin. Bei der Operation wurde nach Ablösung der Ohrmuschel die Totalaufmeißelung in herkömmlicher Weise gemacht. Der knöcherne Gehörgang war sehr stark verengt. Nach Freilegung der Mittelohrräume wurde ein zwei zu ein Zentimeter großer Sequester der Tabula interna entfernt, sodaß die Sinuswand freilag. Durch einen Schnitt wurde dann der Gehörgang gespalten und die retroaurikuläre Wunde genäht. Zur Zeit der Veröffentlichung war der neugebildete Gehörgang noch weit offen.

Eschweiler.

4.

Furet (Paris), Traitement chirurgical de la paralysie faciale. Ibidem Nr. 32.

Besprechung der Literatur. Keine Krankengeschichten.

Eschweiler.

5.

Mongardi (Bologna), Considérations et analogies physiques dans l'oreille moyenne. Ibidem Nr. 35.

M. hält an der Helmholtz'schen Theorie fest. Keine neuen Gesichtspunkte.

Eschweiler.

6.

Compaired (Madrid), A propos de quelques détails ou modifications dans l'exécution de l'atticoantrectomie. Ibidem Nr. 36.

C. schildert das von ihm geübte Verfahren und stellt folgende Grundsätze auf: 1. Der erste Verband wird spätestens nach vier Tagen gewechselt. 2. Spätestens nach 14 Tagen soll die retroaurikuläre Wunde geschlossen werden. 3. Das beste Verbandmaterial ist trockene aseptische Gaze.

Eschweiler.

7.

Champeaux (Lorient), Attaques hystériformes consécutives à une lésion de l'oreille. Ibidem.

Bei einer Patientin mit chronischer Mittelohreiterung schwanden die hysterischen Anfälle nach Auskratzung des Mittelohrs.   Eschweiler.

8.

Dupont (Bordeaux), Otite moyenne aigue grippale et algie mastoï-
dienne. Ibidem Nr. 39.

39jährige Patientin bekam in Anschluß an Influenza heftige Ohr- und
Kopfschmerzen nachts. Die Untersuchung der Hautsensibilität ergab den
hysterischen Charakter der Schmerzen. Heilung ohne Eingriff am Ohr.

Eschweiler.

9.

Grazzi (Pisa), Contribution à l'étude de la commotion labyrin-
thique par la foudre. Ibidem Nr. 40.

1. 21jährige Patientin gibt an, vor einigen Monaten vom Blitz getroffen
worden zu sein, als sie unter einer Zypresse Schutz suchte. Sie wurde bewußtlos nach Hause gebracht, wo sich außer Verbrennungen etc. völlige
Taubheit herausstellte. Beim Gehen schwankte sie wie eine Betrunkene.
Die otoskopische Untersuchung ergab keinen pathologischen Befund. Bei
Luft- und Knochenleitung bestand absolute Taubheit. Schwindel war nicht
mehr vorhanden. Die Behandlung blieb erfolglos.

2. 56jähriger Hemiplegiker gibt an, im Alter von 20 Jahren vom Blitz
im Zimmer getroffen worden und seitdem links taub zu sein. Damals habe
ihn der Arzt zur Ader gelassen; er habe an starkem Schwindel gelitten.
Otoskopisch war nichts nachzuweisen. Eschweiler.

10.

Trimont (Caen), Abscès extra-Dure-mérien occupant l'étage moyen
et inférieur du crane compliqué d'abcès énorme de la nuque
Opérations. Guérison. Ibidem.

Der Titel zeigt den Inhalt an. Eschweiler.

11.

Uchermann (Christiania), Cas de thrombose infectieuse du sinus
occipital. Ibidem Nr. 45.

18jährige Patientin bekam vor neun Tagen Schmerzen hinter dem
rechten Ohr, nach einigen Tagen daselbst auch Anschwellung, welche sich
entlang den M. sterno-cleido nach unten und nach dem Nacken zu fortsetzte.
Es besteht stark gestörtes Allgemeinbefinden, Frost und Fieber, Schwindel
und Ohrensausen. Die otoskopische Untersuchung ergibt Rötung neben dem
Hammergriff, sonst normale Verhältnisse. Flüstersprache — 7 m. Weber nach
rechts. Linkes Ohr gesund.

16. September. Schüttelfrost und 41,5° C. Operation. Nach Inzision
hinter dem Ohr, welche nach unten entlang dem Kopfnicker geführt wird,
strömen etwa 100 g grünen stinkenden Eiters aus einer Abszeßhöhle hervor, die nach oben von der periostentblößten Occipitalgegend begrenzt wird
und bis zu den tiefen Halsmuskeln reicht.

Im Warzenfortsatz findet sich nur in einer Spitzenzelle 2—3 Tropfen
Eiter. Sonst kein path. Befund Sinuswand normal. Der Abszeß wird ausgiebig drainiert.

18. September. Die Schüttelfröste mit hohem kontinuierlichen Fieber
dauern an. Temp. bis 41,°6 C Verbandwechsel in Narkose. Der Sterno-
kleido wird quer durchschnitten, um die Abszeßhöhle noch besser zugänglich
zu machen. Die Vena jugularis wird nicht gefunden. Der Sinus wird in
ganzer Ausdehnung frei gelegt und hat normales Aussehen.

20. September. Exitus letalis.

Die Sektion ergab einen erweichten, grau-gelben Thrombus im Sinus
occipitalis, der sich auch in das venöse Geflecht um das Foramen magnum
herum fortsetzte. Die Höhle des Weichteilabszesses am Halse und Nacken
erstreckt sich zwischen erstem Halswirbel und Occiput bis zum Venenplexus.
Der Thrombus im Occipitalsinus reicht bis in den Confluens sinuum hin-

ein, erstreckt sich von hier bis in den Sinus transversus und den Sinus petrosus sup. Dieser Thrombus ist indessen rot, nicht weiß, und eher als Koagulum anzusprechen. Man hat den Eindruck, daß die Infektion von den Cervikalvenen auf den Occipitalsinus übergegangen ist.

Außerdem bestanden kleine Lungeninfarkte und fettige Degenerationen der Leber und Nieren. Aus den Lungeninfarkten ließ sich keine Kultur pathogener Bakterien züchten, dagegen ergab die mikroskopische Untersuchung Streptokokken.　　　　　　　　　　　　　　　　Eschweiler.

12.

Bonain (Brest). De l'hémorrhagie méningée comme conséquence de l a compression du sinus latéral dans les interventions sur l'a pophyse mastoide. Ibidem. Nr. 46.

Bei dem Patienten wurde wegen einer Mastoiditis ac. die Aufmeißelung gemacht. An Stelle des Antrums wurde der Sinus eröffnet und tamponiert. Das Antrum selbst wurde wegen der Sinusvorlagerung nicht gefunden, sondern nur eine Spitzenzelle, welche Eiter und Granulationen enthielt, ausgekratzt. 17 Tage nach der Operation trat plötzlich Somnolenz und Lähmungserscheinungen an den Extremitäten ein.

Die Trepanation ergab meningeale Blutung. Tod nach drei Tagen. Keine Sektion.　　　　　　　　　　　　　　　　　　　Eschweiler.

13.

Noltenius (Bremen), Leptoméningite circonscripte chronique et paralysie de l'abducteur. Ibidem. Nr. 48.

23jähriger Patient wurde wegen akuter Mastoiditis rechts operiert. Der Warzenfortsatz war eitrig infiltriert, aber nach den Meningen hin nicht durchbrochen. Der Verlauf nach der Aufmeißelung schien normal, als drei Wochen post operationem eine Granulationsbildung aus der Tubenecke der Paukenhöhle her bemerkt wurde. Am 25. Juli wurde an diese Stelle kürettiert. Man kam in einen etwa groß-erbsengroßen, knöchern umwandeten Hohlraum. Am 29. Juli traten meningitische Symptome auf. Am 30. Juli war rechts Abduzenslähmung zu konstatieren. Lumbalpunktion ergibt keine Eiterzellen im Liquor.

Am 31. Juli wird die Totalaufmeißelung und die Labyrintheröffnung gemacht. Nirgendwo findet sich ein Herd. Tod am 3. August.

Die Sektion ergibt ein in den tubaren Zellen lokalisiertes Empyem, welches offenbar die Meningitis veranlaßt hat. Ähnliche Veränderungen wies auch das linke Felsenbein auf, obwohl der Patient nie über das linke Ohr geklagt hatte.

Es bestand eine wenig ausgesprochene Basilarmeningitis mit gelatinösem Exsudat, vorwiegend in den unteren Partien des Medullarkanals.
　　　　　　　　　　　　　　　　　　　　　　　　　Eschweiler.

14.

E. J. Moure, Contribution à l'étude des abscès du cerveau d'origine otique. Ibidem. Nr. 49.

Die Arbeit enthält die sehr ausführlichen Krankengeschichten von operativ behandelten und zum Tode führenden Großhirnabszessen. Zwei Fälle wurden seziert. Es muß auf das Original verwiesen werden.
　　　　　　　　　　　　　　　　　　　　　　　　　Eschweiler.

15.

Lafite-Dupont (Bordeaux), Méningite dans un cas de labyrinthite fongueuse. Trépanation du labyrinthe. Craniotomie. Guérison. Paralysie faciale consécutive. Suture du facial à l'hypoglosse. Ibidem. Nr. 52.

27jährige Patientin wurde zunächst total aufgemeißelt. Auch eine Nachoperation führte nicht zur Heilung, und plötzlich traten meningitische Erscheinungen auf. Die Lumbalpunktion ergab trüben, reichlich Leukocyten enthaltenden Liquor.

Bei der erneuten Operation wurden Bogengang und Vestibulum freigelegt und ausgekratzt. Sie waren „mit rötlichem Bindegewebe ausgefüllt". Der Fasialis wurde geopfert (!) Die Schnecke wurde geschont. Heilung in fünf Monaten Flüstersprache wird auf 15 cm Entfernung gehört.

Die Vereinigung des N. facialis mit dem Hypoglossus hat noch kein funktionelles Resultat geliefert.   Eschweiler.

16.

Hanau W. Loeb (St. Louis), A study of the anatomy of the accessory cavities of the nose by topographic projections. Annals of otol., rhinol. and laryngol., Dec. 1906 (Sonderabdruck aus der Fraenkel-Festschrift).

Der Verfasser bringt in einer Anzahl von Zeichnungen Ansichten der Nasennebenhöhlen zur Darstellung, die er nach Serienschnitten durch einen dekalzinierten Kopf mit Hilfe eines sinnreichen, im beigegebenen Texte näher erläuterten Rekonstruktionsverfahrens gewonnen hat. Es sind frontale, horizontale und sagittale Schnittflächen bezw. Ansichten und dabei die verschiedenen Höhlen in mehrfarbigen Zeichnungen, teilweise aufeinander projiziert, wiedergegeben. — Bei noch so getreuer Berücksichtigung der natürlichen Details wird die Methode, so anschaulich sie scheint, dem verwickelten und variablen Bild des Nebenhöhlensystems der Nase plastisch nur sehr unvollkommen gerecht, und der didaktische Wert des anatomischen Präparates läßt sich gerade hier höchstens durch Diapositive stereoskopischer photographischer Aufnahmen annähernd ersetzen.   Fröse.

17.

M. V. Cheval, Carie du rocher, thrombo-phlébite du sinus latéral gauche, pneumonie droite septique. Évidement pétro-mastoïdien, excision du sinus latéral gauche. Guérison. Société royale des sciences médicales et naturelles de Bruxelles. Bulletin de la séance de Mai 1907, Nr. 5.

Drei Tage nach der Sinusoperation manifestierte sich unter den Erscheinungen einer Pneumonie des rechten Oberlappens eine Lungenmetastase. Die V. jugularis war nicht unterbunden worden. Im übrigen ist der Operationsbefund zu lückenhaft beschrieben, um auf die Polemik des Verfassers gegen die Jugularisunterbindung näher eingehen zu können.   Fröse.

18.

De Stella, Abscès du lobe temporo-sphénoïdal et méningite otitique. Arch. internat. de laryngol., d'otol. et de rhinol. Tome XXIII, Nr. 2 Mars—Avril 1907.

Kurze Krankengeschichte und Analyse eines Falles von Schläfenlappenabszeß und Meningitis im Verlaufe einer chronischen Mittelohreiterung. Der Abszeß (Seite ? Ref.) wurde nicht diagnostiziert; für ihn sprachen Pulsverlangsamung auf 60 Schläge, halbseitiger Kopfschmerz, leichte Somnolenz ohne Exzitation, Fehlen von Krämpfen. Die Lumbalpunktion ergab trüben Liquor mit Leukozyten und Streptokokken; außerdem wiesen das Fieber (39°), Erbrechen, Nackenstarre, Kernigsches Symptom auf Meningitis. Nach mehr schleichendem Beginn während einiger Wochen erfolgte plötzlich, binnen 8 Tagen, die Entwicklung des Krankheitsbildes zu voller Höhe. Heftiger Schwindel, Ungleichheit der Pupillen. Bei der Operation wurde über dem makroskopisch intakten Tegmen ein kleiner subduraler Eiterherd eröffnet, und die Höhle drainiert. Nach drei Tagen Exitus. Die Autopsie ergab außer dem entleerten zirkumskripten subduralen Abszeß, welcher der Felsenbeinpyramide anlag, an den Meningen keinen weiteren Entzündungsherd! Der große Hirnabszeß war älteren Datums, mit fester Balgkapsel umgeben.
                                                          Fröse.

19.

Ernesto Botella (Madrid), Sarcome de l'oreille moyenne; Attico-
tomie; guérison. Ebenda.

43jährige Frau von gutem Ernährungszustande erkrankte vor 4 Jahren
mit rechtsseitigen Ohrgeräuschen und leichter Schwerhörigkeit. 7 Monate
später traten nach einer Erkältung heftige Schmerzen hinzu, verschwanden
jedoch nach der Parazentese des Trommelfells, die etwas Eiter entleert
haben soll. Ein otoskopischer Befund aus dieser Zeit fehlt. Vier Monate
vor der Untersuchung wurde die Patientin darauf aufmerksam, daß klare,
sehr fötide Flüssigkeit aus dem Gehörgange floß. Zuweilen, bei heftigen
Hustenstößen, Hämorrhagien, die spontan wieder standen, jedoch immer mehr
an Heftigkeit zunahmen.

Die Untersuchung wies im Gehörgange fötide, klare Flüssigkeit und
nach Ausspritzung eine rötliche, weiche Masse mit unebener Oberfläche nach,
die den Meatus völlig obturierte und bei der geringsten Berührung blutete.
Die beim Versuche, die Ursprungsstelle der Masse zu eruieren, auftretende
Blutung nötigte zur Tamponade. Luftleitung (Uhr) aufgehoben, Rinne negativ. Knochenleitung regelrecht. Der Knochen der vorderen oberen Gehörgangswand lag bloß.

Bei der histologischen Untersuchung exzidierter Proben fand sich in
dem Tumor ein Stroma von sehr lockerem Bindegewebe, das von einer Menge
kleiner runder Zellen, vom Typus der embryonalen, durchsetzt war, mit sehr
erweiterten Blutgefäßen. Diagnose: Sarcoma teleangiectodes.

19. Dezember 1905. Nach Vorklappung der Ohrmuschel und Heraus-
stülpung des membranösen Gehörgangs wurde zunächst die abundante Blutung durch Hydrarg. peroxyd. und Adrenalin gestillt, und unter wiederholten
Fazialisspasmen der Tumor exkochleiert. Er entsprang von dem Aditusteile
des Attik. Die laterale Attikwand wurde daher entfernt, und die hintere
Wand des häutigen Gehörganges exzidiert. Hautnaht. Später aufschließende
Granulationen wurden galvanokaustisch beseitigt; im übrigen glatte Heilung.
Von einem Rezidiv wird nichts erwähnt. Der Krankheitsverlauf und auch
der histologische Befund lassen die Diagnose nicht ganz einwandfrei er-
scheinen (Ref.).   Fröse.

20.

Bonnes (Nimes et Biarritz), Traitement de l'eczéma chronique du
pavillon et de la région auriculaire. Ebenda.

Bei hartnäckigem Ekzem der Ohrmuschel und ihrer Umgebung werden
als zuverlässig wirksam täglich ein- oder zweimalige Verbände mit Boralkohol (70 %) empfohlen. Der Gehörgang ist dabei zu schützen.

                                                              Fröse.

21.

A. R. Salomo (Paris), Quelques particularités de la mastoïdite des
nourissons. Ebenda. Tome XXIII, Nr. 3, Maifum 1907.

Salomo knüpft seine Betrachtungen über die Mastoiditis der Säuglinge
an 150 Fälle, die er in der Literatur fand bezw. von Ohrenärzten mitgeteilt
erhielt. Nur zwei Fälle hat S, zusammen mit Chauveau, selbst beobachtet.
Seine Angaben enthalten nichts Neues. Erwähnt sei, daß ätiologisch 30 mal
Bronchopneumonie, 35 mal Magen-Darmkatarrh, 20 mal Masern verzeichnet
sind. Im 1.—6. Lebensmonat standen 35 (15 im 1.—3.), im 6.—12. 62, im
12.—18. 55 Patienten. Plötzlicher Ausbruch mit Bildung eines subperiostalen
Abszesses im Verlaufe einer akuten Otitis media ist die Regel. Bei langsamer
Entwicklung der Mastoiditis besteht dringender Verdacht, daß das Kind
tuberkulös ist (23 Fälle). 32 mal war keine Mittelohreiterung voraufgegangen,
d. h. keine Perforation des Trommelfells eingetreten.   Fröse.

22.

B. Okouneff (St. Petersbourg), **Ma méthode plastique dans l'opération radicale de l'oreille moyenne.** Ebenda.

O. beschreibt und illustriert eine von ihm zwecks Bildung eines möglichst „universellen" Lappens erdachte Gehörgangsplastik. Vorderer und hinterer Längsschnitt; der erstere wird winklig nach der oberen Zirkumferenz des Tragus hin verlängert, der letztere endet, in bogenförmiger Fortsetzung nach unten durch die Concha, gegenüber. So entsteht ein großer, sehr beweglicher oberer Lappen, und die resultierende Erweiterung der Gehörgangsöffnung wird durch den Tragus verdeckt. Fröse.

23.

A. H. Cheatle (Londres), **Conditions anatomiques permettant au pus de passer de l'antre vers le cou.** Revue hebdom. de laryng, d'otol. et de rhinol., 28e année, Nr. 12.

Abbildung und aphoristische Besprechung einer Anzahl von Durchschnitten durch Warzenfortsätze, um die verschiedenen Chancen darzulegen, welche für den Durchbruch des Eiters durch die Incisura mastoidea vorhanden sein können. Fröse.

24.

Pierre Cornet (Châlons-sur-Marne), **Abscès extradural d'origine otique extériorisé spontanément au-dessous des muscles de la nuque.** Rev. hebdom. de laryng., d'otol. et de rhinol., Nr. 25, 22. Juni 1907.

25 jähriger Araber war im Juli 1906 einer linksseitigen Mastoidoperation unterzogen worden. 26. September Aufnahme ins Spital zu Constantine wegen Schmerzen in der linken Schläfe. Operationswunde vernarbt, Warzenfortsatz druckempfindlich, Trommelfell hinten oben leicht injiziert. 28. Sept. Entfernung umfangreicher adenoider Wucherungen. Vom 8. Oktober ab trat hinter der Operationsnarbe ein am Hinterhaupt, nach der Mittellinie zu stetig fortschreitendes schmerzloses Ödem auf, während die Lymphdrüsen hinter dem Kopfnicker anschwollen. Kein Fieber; gutes Allgemeinbefinden. 13. Oktober Totalaufmeißelung. Corticalis und Diploë morsch; Granulationen im Antrum; Tabula interna nicht pathologisch verändert. Schmerzen, Ödem und Drüsenschwellung gingen hierauf zunächst zurück. 19. Oktober pulsierende Schmerzen in der linken Schläfe, Temperatur 37,4°, Puls 96. Am 26. Oktober erschien wieder das Ödem über der Schuppe des Hinterhauptbeins; Temp. 36,8—37,3°, Puls 108. Operation verweigert. Der Allgemeinzustand blieb unverändert; die Pulszahl stieg bei einer Temperatur von 37° morgens und 37,5° abends auf 112 Schläge. In der Mittellinie des Nackens und an der Carotis keine Infiltration. Am 29. Oktober trat fingerbreit hinter dem Warzenfortsatze Fluktuation auf, während die Pulszahl auf 80 Schläge und die Temperatur auf 36,9° sank. Appetitlosigkeit, Diarrhöe. 29. Okt. Operation: Längsschnitt an der Stelle der Fluktuation und Entleerung einer größeren Menge Eiters aus einer Höhle zwischen der Hinterhauptschuppe und den tiefen Nackenmuskeln; in der Tiefe waren die ersten Halswirbel sichtbar. Bloßliegender Knochen oder ein fistulöser Durchbruch wurden nicht gefunden. Sulcuswand morsch; unter dem Sinusknie auf der Dura ein Granulationsherd von Frankgröße. Bei Druck auf die Nackengegend quoll zwischen Dura und Knochen etwas Eiter aus der Tiefe. Resektion der Schuppe des Hinterhauptbeins dem Wege des Eiters entlang, nach dem for. occipit. zu. Knochen gesund. Ende Dezember wurde Patient geheilt entlassen.

Da sich in der Jugularis- und Carotisgegend keine Infiltration fand, auch die Mittellinie des Nackens nicht druckempfindlich war, und keine Kompressionssymptome von seiten der Halsmarknerven bestanden, nimmt Cornet an, daß sich der Extraduralabszeß vielleicht durch das for. condyloid.

posterius nach unten entleerte. — Der Sitz des anfänglichen Druckschmerzes und der dann nachweisbaren Fluktuation deutet mehr auf das for. mastoid. (Ref.).   F r ö s e.

25.

Charles J. Heath (London), **T h e d u t y o f r e s t o r i n g h e a r i n g b y o p e-r a t i o n i n c h r o n i c a u r a l s u p p u r a t i o n.** Presidential address, delivered before the West Kent Medico-chirurgical Society, at the Miller Hospital Greenwich, on friday, May 3rd 1907.

Der Vortrag, der sich auf ein Material von mehr als 500 eigenen Operationen und auf die Erfahrungen dreier anderer englischer Otologen (J a-k i n s, S p i c e r, B a r k) stützt, bezweckt den Nachweis, daß

1. bei allen chronischen Mittelohreiterungen sich der Hauptsitz des Leidens im Antrum bezw. Warzenfortsatze befindet,

2. die Ausrottung allein dieses Hauptherdes genügt, um die Pauke und Trommelfellperforation von selbst ausheilen zu lassen,

3. diese Operationsmethode (typische Aufmeißelung und Fortnahme der hinteren oberen und der unteren Gehörgangswand und eines Teils der „Attikbrücke" und des Annulus tympanic.; Schonung von Trommelfell, Pauke und lateraler Attikwand) ungefährlicher ist als die übliche „Radikaloperation" und, soweit dies möglich, die Wiederherstellung bezw. Erhaltung des Hörvermögens auf dem operierten Ohre gewährleistet.

Nur für die Fälle, in denen das Trommelfell und die äußeren Gehörknöchelchen größtenteils oder völlig zerstört oder letztere durch Karies offenbar funktionsunfähig geworden sind, soll die Ausräumung sämtlicher Mittelohrräume mit Fortnahme des Trommelfells und der lateralen Attikwand reserviert bleiben. Daß H. nur bei Scharlach „und anderen akuten Krankheiten", nicht aber auch sonst, bei chronischer Mittelohreiterung, Ossicula-Karies gesehen hat, muß einigermaßen befremden, daß er aber der Schleimhautdegeneration in der Pauke und der Labyrinthwandkaries gegenüber die größte operative Zurückhaltung predigt, ist sehr zu begrüßen.

Eine neue operative Ära wird ja durch H e a t h s Vorgehen, entgegen seiner Annahme, zwar nicht angebahnt werden. Dazu würden vor allem schon viel genauere Untersuchungsbefunde vor und nach der Operation, eine hinreichend lange Nachbeobachtung vieler Patienten u. a. m. gehören; die Krankengeschichten über die mitgeteilten drei Fälle sind z. T. sehr rudimentär. Ferner können mindestens Fall 1 und 3 nicht als beweiskräftig gegen die Totalaufmeißelung betrachtet werden, da der Ohrbefund wohl nur zur typischen Aufmeißelung des Antrums berechtigte. Im 2. Falle konnte ein großer rezidivierender Attikpolyp allerdings vielleicht für Karies im Attik sprechen.

Das Operationsverfahren dürfte häufig durch die typische Aufmeißelung des Antrums, welche die hintere obere Gehörgangswand schont, ausreichend zu ersetzen sein. In den Fällen von Karies der Attikwände, in denen wegen geringer, zirkumskripter Beteiligung von Hammer oder Ambos das Hörvermögen gut geblieben ist, wird es, was Ausheilung der Karies und Versiegen der Sekretion betrifft, wahrscheinlich versagen. Schließlich verdient betont zu werden, daß in vielen Fällen von Totalaufmeißelung an der postoperativen Herabsetzung des Hörvermögens nicht die Art der Operation, sondern der Nachbehandlung die Hauptschuld trägt, und daß bei Freihaltung der Labyrinthfenster von Narbenpolstern, sofern das Labyrinth intakt war, öfter Flüstersprache auf mehrere Meter (bis zu 6 m und darüber) verstanden wird.

Immerhin muß H e a t h s Bestreben, die Pauke und die Knöchelchenkette nach Ausschaltung der kausalen Antrumaffektion unberührt der Selbstheilung zu überlassen, angesichts der manchenorts beliebten Auslöffelung der Pauke gebührend hervorgehoben werden. Ist auch sein Vorgehen noch nicht ganz frei von Einseitigkeit, so bedeutet es doch eine Stütze für die konservative und individualisierende Otochirurgie.   F r ö s e.

26.

Heath (London), The treatment of chronic suppuration of the middle ear without removal of the drum membrane and ossicles. Reprint. from the Lancet, April 27, 1907.

Der Gedankengang dieser Arbeit deckt sich großenteils mit dem in der vorstehenden.

Sie enthält kritische Bemerkungen über 5 Fälle, welche der „konservativen Operation" unterzogen wurden.

1. 21. September 1906. 24jährige Patientin mit 6 Monate alter Eiterung des rechten Ohres; Schwindelgefühl, auch im Liegen. Uhrticken auf 1 Zoll. Perforation in der Membr. Shrapnelli Tuben durchgängig, doch kein Perforationsgeräusch Bei der Operation (11. Okt.) ließ sich auch von der Pauke her durch eine angelegte Trommelfellöffnung keine Luft ins Antrum blasen, ebensowenig vom Antrum aus in die Pauke. Die Entfernung einer schmalen Knochenbrücke über der Perforation erlaubte hier und in 3 andern Fällen einen Einblick in den Attik. 6 Tage nach der Operation war die Trommelfellinzision verheilt und die Perforation (Valsalva) für Luft durchgängig, also die Kommunikation zwischen Pauke und Attik nach spontanem Rückgang der Schleimhautschwellung wieder hergestellt. Uhrticken auf 5 Zoll, Versiegen der Eiterung, Verschluß der Perforation.

2. Juli 1906. Linksseitige Eiterung seit 2 Monaten; Schmerzen seit einer Woche, Schwindelgefühl. Uhrticken auch nicht ad concham. Tube frei, kein Perforationsgeräusch. Im Gehörgang halbzollanger Polyp, nach dessen Entfernung in der Shrapnell'schen Membran eine Perforation. Einige Tage lang Alkoholtropfen. Dann Abtragung eines nachgewachsenen Polypen, Vermehrung der Sekretion. Schließlich, 25. Oktober, Operation. Im Antrum käsiger Eiter und Granulationen, auch in benachbarten Zellen. Entfernung einiger Granulationen aus dem Attik, die von hinten her sichtbar waren. Luftdurchblasen von der Perforation her nach dem Antrum. 4 Tage nach der Operation bei Valsalva Perforationsgeräusch. Volle Rekonvaleszenz: Verheilung der Perforation, Versiegen der Eiterung; Uhrticken auf 11 Zoll.

3. 2. November 1906. 4 Monate alte Eiterung links, Ohrensausen, Schmerz im Warzenfortsatze Uhrticken ad concham. Erbsengroße graue Granulation hängt durch die Shrapnell'sche Membran in den Gehörgang. Kein Perforationsgeräusch. Operation 16. November 1906: Im Aditus dicker Eiter; Entfernung von Granulationen. Luftdurchblasen von hinten her fördert durch die Perforation mehrere glänzende Epithellamellen zutage. Gute Rekonvaleszenz; nach einigen Tagen beim Valsalva'schen Versuche Perforationsgeräusch. Wegen einer hinzugetretenen Infektionskrankheit mußte die Pat. verlegt werden und verschwand damit aus Heaths Beobachtung.

4. 12. November 1906. Fazialisparalyse. Seit 27 Jahren rechtsseitige Eiterung, seit 9 Tagen komplette Fazialislähmung. 15. November Operation. Im Antrum Granulationen und Eiter. Kommunikation zwischen Pauke und Antrum frei, keine weiteren Granulationen nachweisbar. Entlassung am 2. Dezember: Fazialislähmung verschwunden, ebenso die Eiterung. Uhrticken vor der Operation auf 2½, bei der Entlassung auf 6 Zoll. — Über den Trommelfellbefund wird nur angegeben, daß eine Perforation bestand.

5. Alter Fall von Knöchelchenextraktion. 5. November 1906. Seit 14 Jahren linksseitige Eiterung, niemals Schmerzen. Früher anderweitig operiert, wahrscheinlich Hammer-Ambosextraktion und Kürettement. An der Labyrinthwand bandförmige Narbe, unterhalb derselben eine kariöse Stelle. Operation: Im Antrum Eiter und Granulationen, letztere auch im Aditus. Entfernung der pyogenen Membran aus Antrum und Aditus. Schnelle Heilung, auch der Karies an der Labyrinthwand, Versiegen der Sekretion. Nach 3 Wochen entlassen. Hörvermögen auf das Doppelte gestiegen (Uhrticken auf 4½ Zoll).

Heath stellt fest, daß trotz des Sitzes der Perforation in den 3 ersten Fällen von einer eigentlichen Attikerkrankung nur bei dem Cholesteatomfalle gesprochen werden kann; dieser wurde jedoch nicht zu Ende beobachtet.

Als wahrscheinliche Ursache der Fazialislähmung im 4. Falle sieht er beginnende Karies in der Pauke an, umsomehr, als von einer lebhaften schützenden Schleimhautschwellung nichts zu bemerken war. Hier wie im letzten Falle glaubt H die Karies in der Pauke nach Ausrottung des rückwärts gelegenen Eiterherdes geheilt zu haben, seines Erachtens ein Beweis dafür, daß die Karies nicht die Ursache, sondern die Folge der fortbestehenden Ohreiterung ist. Er rät schließlich, durch möglichst frühzeitiges Operieren die Chancen des therapeutischen Erfolges zu bessern, und betont nach der technischen Seite, daß, um Taschenbildung und Sekretstauung zu vermeiden, und um bei der Operation und während der Nachbehandlung die Pauke gut übersehen zu können, auch die untere Gehörgangswand hinreichend entfernt werden muß.

Die Ausheilung des Cholesteatomfalles und die Karies am Fazialkanal sind nicht erwiesen. Ferner begünstigte die freie Lage der Karies an der Labyrinthwand an sich die Heilung. Eine bedenkliche Schwäche der Operationsmethode Heaths liegt darin, daß Karies am Tegmen tympani, die durchaus nicht so selten ist, wie H. anzunehmen scheint, und auch bei funktionstüchtigen Knöchelchen vorkommt, unentdeckt bleiben und weiterhin zu intrakraniellen Folgezuständen führen kann. — Wie er sich dem membranösen Gehörgang gegenüber verhält, gibt H. nicht näher an. (Ref.)

In der Sitzung der British laryngolog., rhinol. and otol. Association vom 9. November 1906 hebt H. übrigens noch hervor, daß er bei ausgedehnter Erkrankung im Attik wahrscheinlich die „Radikaloperation" ausführen würde.

In der Sitzung derselben Gesellschaft vom 4. Januar 1907 gibt er auf H. Clayton Fox' Anfrage, worin der Vorteil seiner Operation vor der Schwartze'schen bestände und auf Fox' Hinweis, daß nach Heaths Operation in der Pauke Adhäsionen auftreten, Sausen bedingen und später die Knöchelchenextraktion notwendig machen könnten, die Erklärung ab: er betrachte seine Operation gerade deswegen als der Schwartze'schen überlegen, weil sie nach Abtragung der hinteren und der unteren Gehörgangswand eine ausgiebige (efficient) Untersuchung der Pauke ermögliche; erst in diesem Stadium der Operation ließe sich entscheiden, ob die radikale Eröffnung nötig sei.   Fröse.

27.

Lubliner. (Warschau), Über die durch Bombenexplosion hervorgerufenen Verletzungen des Trommelfelles. Medycyna 1906. Nr. 35.

L. hatte Gelegenheit, 4 einschlägige Fälle zu beobachten:

1. Fall. Im Moment der Explosion fühlt Patient nur eine unbedeutende Betäubung, die durch die ganze folgende Nacht im rechten Ohr anhält. Am anderen Tage heftige Schmerzen daselbst. Die Untersuchung ergibt: rechts eine geringe Schwellung der Haut über dem Warzenfortsatze, im knöchernen Gehörgange etwas Blutgerinsel, in der Membrana tympani eine klaffende Ruptur mit zottigen Rändern im hinteren unteren Quadranten, von dem unteren Ende des Hammergriffes zum Trommelfellrand ziehend. Gehör unbedeutend abgeschwächt. Linkes Trommelfell hyperämisch. Nach 20 Tagen Heilung. Zwei Monate später erfolgte nach Nasenspülung eine akute eitrige Media rechts mit der Perforation im hinteren oberen Abschnitt. Die früher rupturiert gewesene Stelle intakt. Wegen heftiger Schmerzen, reichlicher Eiterung und hohen Fiebers Operation. Eröffnung des Antrum und des Attikus. Abtragung des Warzenfortsatzes, dessen gut entwickelte pneumatische Zellen eitrig infiltriert waren. Nach 10 Wochen Restitutio ad integrum.

2. Fall. Im Momente der Explosion fühlte Patient ein Brausen in den Ohren und im Kopfe, das nach einigen Minuten nachließ. Sonst keine Beschwerden. Am anderen Tage gelblicher Ausfluß aus dem rechten Ohr. Sechs Tage später zeigt die Untersuchung: eine 3 mm lange, regelmäßige eiternde Perforation im vordern oberen Quadranten des rechten Ohres. Nach 3 Wochen Heilung.

3. Fall. Patientin wird von der in einer Entfernung von 3—4 Schritten erfolgten Explosion auf die Seite geschleudert und verliert das Bewußtsein. Durch 3 Tage Schwanken beim Gehen, Betäubung, Unmöglichkeit zu stehen; einige Male Erbrechen. Am 5. Tage fand sich: rechts eitrige Perforation im vorderen unteren Quadranten, stechende Ohrenschmerzen; links: vorderer oberer und vorderer unterer Quadrant blaurot, Bluterguß im Trommelfell und in der Paukenhöhle. Gehör herabgesetzt. Knochenleitung erhalten. Einige Wochen später konstatiert Guranowski: rechts: Extravasat im Trommelfell und der Umbogegend, vorn unten eine Narbe; links: eine trockene dreieckige Perforation hinten unten. Gehörprüfung: Uhr rechts 0, links a.c., W. links, R. beiderseits positiv. Diagnose: Traumatische Trommelfellruptur beiderseits, Bluterguß ins rechte Labyrinth. Das Gehör besserte sich später etwas, das Erbrechen hörte auf, der Schwindel hielt noch lange an.

4. Fall. Die in dem Kaffeehause, aus dessen Fenster eine Bombe geschleudert wurde, sitzende Patientin erfährt eine Betäubung, nach einer halben Stunde stechende Schmerzen im linken Ohr. Untersuchung: ein unbedeutendes Extravasat im vorderen oberen Abschnitte des sonst unbeschädigten Trommelfelles. Eisumschläge, 10%/₀ Cocaintropfen ins Ohr. Nach 2 Tagen normal.

In dem Befunde des ersten Falles sieht L. eine Bestätigung der Behauptung Eysells, daß bei Personen mit gut entwickelten pneumatischen Zellen des Warzenfortsatzes Trommelfellrupturen während einer Explosion leichter zustande kommen als bei anderen Personen. Die Labyrinthbeschädigung im Falle 3 glaubt L. nicht auf die Explosion, sondern auf den Schlag auf den Kopf beim Umfallen beziehen zu sollen. Spira.

28.

A. Zebrowski (Warschau), Beitrag zur Kasuistik der otitischen Hirnabszesse. (Gazeta Lekarska 1906. Nr. 8, 9.

1. Fall. Im Verlaufe einer linksseitigen chronischen Mittelohreiterung unregelmäßige Temperatursteigerungen. Proc. mast. nicht schmerzhaft. Hartnäckige heftige Schmerzen in der linken Schläfegegend. Später langsame Sprache. Aphasia amnestica, Apathie, Somnolenz, Puls relativ verlangsamt, Steigerung der Schmerzen beim Beklopfen der Schläfegegend. Aufmeißelung, Bloßlegung des Sin. trans., der gesund befunden wird. Wegen hochgradiger Sklerose des Warzenfortsatzes wird die Squama aufgemeißelt. Probepunktion erfolglos, erst ein 2½ cm tiefer Schnitt durch die Hirnsubstanz fördert den Abszeß zutage. Momentane Besserung. Später traten wieder hohe Temperaturen und andere meningeale Erscheinungen auf, denen der Patient am 5. Tage nach der Operation erliegt. Sektion: ein den ganzen Schläfelappen einnehmender Abszeß, diffuse eitrige Meningitis, Erkrankung des Tegmen tympani, durch welches der Abszeß mit der Paukenhöhle kommuniziert. — Dieser Fall lehrt, daß es sicherer und vorzuziehen ist, einen Schläfelappenabszeß von der Paukenhöhle aus, nach vorausgegangener Bloßlegung der Paukenhöhlenräume anzugehen. Die beste Methode bleibt jedoch die Eröffnung eines solchen Abszesses gleichzeitig vom Tegmen und von der Squama aus.

2. Fall. Ähnlicher Verlauf, nur waren keine Fiebererscheinungen, trotz großer Ausdehnung des Abszesses, vorhanden. Sklerose des sonst gesunden Warzenbeines. Die Sprachstörungen entschieden die Diagnose. Nach der Abszeßoperation nach der chirurgischen Methode Heilung.

3. Fall. Perforatio sicca links, unregelmäßiges Fieber, dann profuse Eiterung. Aufmeißelung, Knochensklerose, aus dem kleinen Antrum wird eine geringe Menge Granulationen entfernt. Normaler fieberloser Verlauf. 10 Tage später plötzlich Erbrechen, Pulsverlangsamung, langsame Sprache, heftige Kopfschmerzen. Somnolenz. Dann Besserung sämtlicher Erscheinungen. Heilung der Trepanationswunde. Nach weiteren 14 Tagen plötzlich Unruhe, subnormale Temperatur (35°), Puls 46, Cheyne-Stockes und Exitus im Sopor. Sektion ergibt: nirgends Karies, eingekapselter Abszeß im linken Stirnlappen mit Durchbruch in die linke Seitenkammer, Thrombophlebit. sin. trans. Spira.

12*

29.

Lewin, Fall eines kopiösen Ausflusses von Cerebrospinalflüssigkeit aus dem äußeren Gehörgang bei intaktem Trommelfell (Russkij Wracz 1906).

Die 14jährige Patientin gibt an, daß sie vor 15 Tagen auf den Hinterkopf fiel und mit dem rechten Ohr auf eine Ofenbank aufschlug. Darauf
heftige Kopfschmerzen. Schwindel, Ohrenstechen durch 3 Tage. Keine
Bewußtlosigkeit, keine Blutung aus dem Ohre. Am 3. Tage begann ein
immer stärkerer Ausfluß einer wässerigen, durchsichtigen Flüssigkeit aus
dem rechten Ohre, die schließlich 3 Liter täglich betrug und bei Nacht die
Polster ganz durchnäßte. Sonst befindet sich Patientin ganz wohl. Die
Untersuchung ergab: die knöchernen Gehörgangswände angeschwollen, gerötet, auf Berührung äußerst empfindlich, Trommelfell unverletzt, keine
Spur einer Blutung. Eine exakte Beobachtung läßt Simulation ausschließen.
Die Untersuchung der Flüssigkeit ergab liquor cerebrospinalis. Die Krankheit dauerte 3 Wochen. Dann hörte der Ausfluß auf. L. vermutet, daß die
Flüssigkeit wahrscheinlich aus einer Fissur an jener Stelle der Schädelbasis
ausfloß, welche die obere Grenze des äußeren Gehörganges bildet. Einen
einzigen ähnlichen Fall hat Zaufal beschrieben. Am merkwürdigsten erscheint, daß ein so großer Verlust der Hirnflüssigkeit gar keinen schädlichen
Einfluß weder auf das Gehirn, noch auf das Nervensystem, noch auf den
allgemeinen Zustand ausübte.   Spira.

30.

Heiman, T. (Warschau), Ein Fall von akutem otitischen Hirnabszeß,
induziert durch Otitis media suppurativa acuta. Einiges zur
Statistik der otitischen Hirnabszesse. (Medycyna 1906. Nr. 1, 2, 3, 4, 5.)

Die wesentlichsten Momente des mitgeteilten Falles sind folgende:
Eingießen einer ätzenden Flüssigkeit ins Ohr, Otit. med. suppurat. acut. dext.,
Karies acuta proc. mastoid., Operation des Warzenfortsatzes. Einige Tage
darauf Fieber und Hirnerscheinungen, später Abfall der Temperatur, Pulsverlangsamung Kopfschmerz, Vomitus, Apathie, Somnolenz, Obstipation,
Papillenhyperämie links, Stauungspapille rechts. Operation des Schläfelappen-
abszesses. Heilung. — Im Anschlusse daran erwähnt H. einen anderen,
von ihm beobachteten Fall, betreffend ein elf Monate altes Kind, bei dem
gleichfalls erst nach einer Auskratzung des kariös erweichten Warzenfortsatzes Erscheinungen eines Hirnabszesses aufgetreten sind, an denen der
k eine Patient zugrunde gegangen ist. Keine Abszeßoperation, keine Nekro-
kbpie.

An der Hand von 645 von ihm zusammengestellten Fällen bespricht
H. ausführlich das Vorkommen der Gehirnabszesse nach 1. ihrer Lokalisierung, 2. nach Alter und 3. Geschlecht der Patienten, 4. der Körperseite,
5. Einfachheit oder Mehrheit, 6. Häufigkeit der Komplikationen, 7. den zugrunde liegenden chronischen oder akuten Ohreiterungen, 8. den Behand-
lungsresultaten. Zum Vergleiche werden analoge Zusammenstellungen
anderer Autoren entgegengestellt. Von den 645 vom Verf. gesammelten
Fällen betrafen 456 Groß-, 188 Kleinhirnabszesse. Die Zusammenstellung
nach dem Alter zeigt, daß Gehirnabszesse nach dem 60. Lebensjahre nur
selten, am häufigsten zwischen dem 2—3. Dezennium vorkommen, und daß
dem Kindesalter keine größere Widerstandsfähigkeit gegen Gehirnabszesse
zugeschrieben werden kann. Im Allgemeinen kommen Hirnabszesse bei
Männern dreimal so oft vor als bei Frauen. Doch überwiegt im ersten Dezennium die Häufigkeit der Gehirnabszesse beim weiblichen Geschechte jene
bei Männern. Bezüglich der betreffenden Seite waren 242 rechts-, 293 linksseitig, also im Gegensatze zu Körner linkerseits häufiger, 45mal fanden sich
je 2, 2mal je 3 und 2mal mehr Gehirnabszesse gleichzeitig, und 2mal fand
sich die Angabe, daß der Hirnabszeß auf der contralateralen Seite der Ohraffektion lokalisiert war, was H. als einen lapsus calami vermutet. Unter den
Komplikationen waren am häufigsten Meningitiden, dann Sinusphlebitis.
457 Hirnabszesse waren nach chronischer, 113 nach akuter Ohreiterung auf-

getreten. Von den operierten. Fällen sind 193 — 37.8% genesen, starben
326, was H. als der Wirklichkeit nicht entsprechend betrachtet und auf die
häufigere Veröffentlichung günstig verlaufener Fälle zurückzuführen wäre.
                                                    Spira.

31.

Sedziak (Warschau), Nasen-, Hals-, Kehlkopf- und Ohrenstörungen im Verlaute von Diabetes mellitus. (Czasopismo Lekarskie
1906. No. 10.)

Von Seiten des Gehörorganes findet man dabei am häufigsten das mittlere, weniger oft das äußere, ausnahmsweise das innere Ohr affiziert.

1. Am äußeren Ohre findet man recht häufig Pruritus auriculae und
meatus, ferner Furunculosis meatus.

2. Viel häufiger ist Otitis media suppurativa anzutreffen, die sich bei
Diabetes durch besonders heftige Schmerzen, die auch nach der Perforation
des Trommelfelles andauern, häufige Blutungen, reichliche Sekretion eines
dünnflüssigen eitrigen Sekretes, frühzeitige Mitaffektion des Proc. mastoid.,
Neigung zu raschen ausgedehnten Destruktionen, zu Caries und intrakraniellen Komplikationen auszeichnet. Mit Rücksicht auf die schwere Heilbarkeit von Wunden bei Diabetes und die Neigung zu Nekrose, soll man
sich dabei nicht zu sehr mit der Ausführung der Trepanation des Warzenfortsatzes beeilen, die bei reichlichem Zuckergehalte im Urin sogar kontraindiziert ist, da es dabei leicht zu Coma diabeticum kommen kann.

3. Viel seltener sind bei Diabetes Affektionen seitens des inneren Ohres
zu beobachten, und zwar kommen solche vor in Form von Schwindel, Ohrenrauschen und progressiver Schwerhörigkeit.   Spira (Krakau).

32.

St. Ronthaler (Warschau), Die Untersuchung des Gehöres in den
Schulen. (Czasopismo Lekarskie 1906. No. 7 u. 8.)

Bei 301 von ihm untersuchten Handelsschülern in Warschau fand
Ronthaler 134 Gehörorgane mit herabgesetzter Hörschärfe (unter 8 M.
Flüstersprache). 61 Kinder waren obrenkrank infolge adenoider Vegetationen, 13 aus anderen Ursachen (Infektionskrankheiten, Septumdeviationen,
Tonsillenhypertrophie usw.), 23 wegen Cerumen obturans, also im ganzen
97 Kinder unter 301 d. i. 32,22 Proz. Von diesen 97 Affizierten klagten nur
26 spontan über Schwerhörigkeit, während die anderen von ihrem Leiden
nichts wußten. In den unteren Klassen war ein größeres Prozent Schwerhöriger als in den oberen. Während unter allen Schülern 138, d. i. 45,84
Proz. mit Adenoiden behaftet waren, entfielen auf die drei unteren Klassen
allein 76,6 Proz. dieser Affektion. Auf 138 Fälle mit adenoiden Vegetationen
waren 61, d. i. 44,2 Proz. mit Ohrenkrankheiten kompliziert. Vergrößerte
Mandeln wurden in 102 Fällen, gewöhnlich in Verbindung mit Vergrößerung
der dritten Mandel, Nasenmuschelhypertrophie in 49 Fällen, fast immer mit
adenoiden Vegetationen beobachtet. Von den 138 Schülern mit adenoiden
Vegetationen klagten 27 über Kopfschmerzen, Gedächtnisschwäche und andere Symptome von Aprosexie. Bei vier war ein Rezidiv der adenoiden
Wucherungen nach 2—4 Jahren aufgetreten.

Die periodische Untersuchung des Gehörs von Schülern ist sehr wichtig,
behufs Kontrollierung einer geringen Gehörsabnahme gleich im Beginn einer
Ohrenkrankheit, da gerade so leichte Fälle mit der Zeit in hartnäckige,
schwer heilbare Erkrankungen überzugehen pflegen. Es ist wichtig, die
Prüfung der Hörschärfe für Worte und Zahlen in Flüstersprache vorzunehmen, wobei schon geringe Hördefekte erkannt werden können. Zu Beginn des Schuljahres sind alle neu eintretenden Zöglinge, sonst sämtliche
Schüler 2 mal jährlich einer regelmäßigen Untersuchung zu unterziehen. Wird
eine Ohren- oder Nasen- resp. Rachenkrankheit gefunden, die eine Behandlung erfordert, dann sind die Eltern resp. Vormunde der betreffenden Schüler
davon zu verständigen. Besonders Schülern mit sogenanntem Habitus ade-
noidalis sollen Klassenvorstände und Schulärzte ihre Aufmerksamkeit zu-

wenden. Hochgradig schwerhörige Schüler (unter ½ Meter für laute Sprache)
sind aus öffentlichen Schulen zu entfernen und für einen besonderen Privat-
unterricht zu bestimmen. _____   Spira (Krakau).

33.

Sedziak (Warschau), Nasen-, Rachen-, Kehlkopf- und Ohrenstörungen im Verlaufe von Erkrankungen des Herzens und der Gefäße (Nowiny Lekarskie 1906. No. 10.)

Die Ohrenstörungen betreffend, bespricht Verfasser die entotischen Geräusche als arterielle, mit der Herztätigkeit isochrone Pulsationen und die
Hörstörungen, die durch Erkranken des linken Herzens, der Arterien und
durch Aneurysmen hervorgerufen werden können und venöse bauchende,
kontinuierliche Geräusche, Stauungshyperämie in der Paukenhöhle und aurikuläre Blutungen, die pathologischen Prozessen der Vena jugularis und in
deren Nachbarschaft, z B Struma ihre Entstehung verdanken; ferner embolische Prozesse im Gehörapparat bei Endocarditis, Ekchymosen am Trommelfelle, Haematotympanum, Otitis media acuta haemorrhagica und endlich Otitis ext furunculosa, die durch Kreislaufstörungen veranlaßt werden
können.

(Diese Arbeit ist mit der in Nr. 12 der Monatsschrift f. Ohrenheilkunde
1906 abgedruckten identisch.)   Spira (Krakau.)

34.

Sedziak (Warschau), Über den Stand der Laryngologie, Rhinologie
und Otiatrie in Polen im 19. Jahrhundert. Nowiny Lekarskie
1906. No. 3.

Wie im Westen Europas, begann auch in Polen die Entwicklung der
genannten Disziplinen erst nach der Mitte des vorigen Jahrhunderts, seit
der Erfindung des Laryngoskops durch Garcia und des Ohrenspiegels durch
Tröltsch. Von diesem Zeitpunkte an machte sich eine rege Tätigkeit auf
allen diesen Gebieten geltend und nahm die einschlägige Literatur, besonders gegen Ende des vorigen und Beginn des jetzigen Jahrhunderts, einen
starken Aufschwung. Verfasser führt aus dieser Zeit die wichtigsten Autoren, deren Leistungen, Werke und Arbeiten auf allen Gebieten der Ohrenheilkunde an und bespricht dann den Anteil polnischer Ärzte an der allgemeinen und speziellen Ausbildung und Fortentwicklung dieser Wissenschaften.
          Spira (Krakau).

35.

Guranowski (Warschau), Über den heutigen Stand der Otosklerose.
(Medycyna 1906. No. 14, 15, 16, 17, 18.)

Eingangs Besprechung der Literatur seit Tröltsch, der Befunde und
deren Deutungen der auf diesem Gebiete tätigen Autoren, und die Ansichten
derselben in Bezug auf das Wesen des anatomisch-pathologischen Prozesses,
seines Vorkommens, seiner Ätiologie usw. In seinem Materiale hat Guranowski unter 396 Fällen dieser Krankheit 225 Frauen und 171 Männer
notiert. 33 Proz. wiesen erbliche Belastung auf. Bei der Besprechung der
verschiedenen Ansichten über Erblichkeit in der Biologie unterscheidet Verfasser mit Orth Heredität von Kongenitalität, welche letztere erworben sein
kann, ohne hereditär zu sein. Hereditär kann nur sein, was von den inneren physikalischen und chemischen Eigenschaften der Keimzelle abhängt.
Was sonst intrauterin erworben ist, ist wohl kongenital, aber nicht hereditär. Wenn man nun mit Siebenmann und Körner die Otosklerose als
eine auf Heredität beruhende, abnorme Hyperplasie des Felsenbeines betrachtet, so müssen alle anderen ätiologisch in Betracht kommenden pathologischen Prozesse, wie Katarrhe, Infektionskrankheiten, Rheumatismus,
Lues usw. nur als begünstigende Ursachen angesehen werden. — Guranowski gibt dann eine klinische Darstellung dieser Krankheit, die für Leser

dieses Archives nichts Neues bietet. Nachdem Verfasser in ziemlich vielen Fällen dieser Krankheit Hyperämie am Promontorium beobachtet hat, erachtet er dieses Symptom als charakteristisch für diese Affektion. In acht von ihm durch die ganze Zeit der Behandlung beobachteten Fällen, hatte Verfasser den Eindruck, daß Phosphor nach Siebenmanns Angaben gereicht den krankhaften Prozeß zum Stillstande zu bringen geeignet ist. Hausärzte sollen Kindern, die von otosklerotischen Eltern stammen, sobald sich eine beginnende Abnahme des Hörvermögens bemerkbar macht, recht frühzeitig Phosphor reichen und die Wahl eines Berufes, welcher größere Ansprüche an das Gehör stellt, abraten, und Bahnärzte sollen aus Gründen öffentlicher Sicherheit verlangen, daß mit Otosklerose behaftete Bahnbedienstete aus dem Dienste entlassen werden. Guranowski hält es für ratsam, solchen Patienten die Hoffnungslosigkeit ihres Zustandes offen vorzustellen, um so zu verhüten (? Ref.), daß sie nicht in Hände von Kurpfuschern und Quacksalbern fallen. Spira (Krakau).

<hr>

36.

Rontaler (Warschau), Kasuistik von Komplikationen eitriger Mittelohrprozesse. (Gazeta Lekarska 1906. Nr. 46, 47, 49, 51, 52.

Von 32 in Lodz und in Irkutsk (während des russisch-japanischen Krieges) ausgeführten Operationen am Warzenfortsatz teilt Rontaler folgende 13 interessantere mit:

Fall 1. Otit. med. purul. chron., Mastoiditis tuberculosa, Lymphadenitis bei einem 1½ Jahre alten Kinde, bemerkenswert durch wiederholte Sequesterbildung nach der Aufmeißelung.

Fall 2. Otit. med. purul. chron. tuberc. duplex. Caries proc. mast. tuberculosa, Totalaufmeißelung. Auf die tuberkulöse Natur der Erkrankung in beiden Fällen schloß Verfasser aus dem schmerzlosen Beginn der Erkrankung, der ausgedehnten Zerstörung des Trommelfelles, der raschen Verschlimmerung des Gehöres, der fortschreitenden Karies, der massenhaften Granulationsbildung, der gleichzeitigen Lymphadenitisscrophulose, resp. Spitzenaffektion und der Rotfärbung eines in Dermatolglycerin getauchten und ins Ohr eingelegten Gazestreifens

Fall 3. Otit. med. pur acut., Osteitis tuberc. proc. mast., ruptura traumatica sin. traversi. Heilung. Die vom Autor behauptete primäre Entstehung der Warzenfortsatztuberkulose kann nach Ansicht des Ref. durchaus nicht als bewiesen angenommen werden.

Fall 4. Akute Eiterung nach Scharlach mit starker Blutung einer kleinen Arterie aus dem Mittelohre. Trepanation. Heilung.

Fall 5. Post morbillos: Otit. ext. et myringit. croupusa, Mastoiditis suppurativa primaria. Periostitis. Aus dem Umstande, daß im Ohre selbst nach der Paracentese kein Eiter sich zeigte schließt R., daß die Mastoidit. purulenta primär-hämatogen oder lymphogen entstanden sein muß. (Nach Ansicht des Ref. mit Unrecht, da doch eine Otit. med. ohne Eiterung vorhanden und die Ursache der eitrigen Mastoiditis gewesen sein kann.) Aus dem Mangel einer Fistel in der Corticalis, durch welche der Eiter aus dem Warzenfortsatz unter das Periost hätte gelangen können schließt Verf., daß die Periostitis durch die Otit. ext. verursacht worden sei. (Trotz des Mangels einer solchen Fistel kann doch eine Periostitis von einer Mastoiditis induziert werden. Ref.)

Fall 6. Chronische, 1 Jahr dauernde Otorrhoe, Empyema antri mastoidei, Sclerosis proc. mast. bei einem 12jährigen Kinde.

Fall 7. Otit. med chron. supp. c. polyp. Mastoiditis. Bei der Aufmeißelung wird die Warzenfortsatzspitze sehr dünn (5 mm) gefunden.

Fall 8. Infolge ungeschickter Extraktionsversuche eines Fremdkörpers (Erbse) aus dem äußeren Ohr bei einem 2jährigen Kinde entsteht: Otit. ext. und Perforat. memb. tymp. traumatica, Otit. m. purul., Fieber. Extraktion des Fremdkörpers aus der Paukenhöhle nach Ablösung des häutigen Gehörganges. Meningitis. Exitus.

Fall 9. Totalaufmeißelung wegen chron. Otorrhoe. Trotzdem während der Operation keine Fazialiszuckungen wahrgenommen wurden, trat eine

Stunde später Fazialisparese auf. Hier fand sich auch eine traumatische, offenbar artifizielle Verletzung des äußeren Gehörganges, die sich Pat. selbst behufs Befreiung vom Militärdienst zugefügt hat. In Chaborowsk hat R. mehrere Fälle solcher Verletzungen gleichzeitig beobachtet, eine wahre Epidemia traumatica. In einem derselben trat in Folge einer solchen Verletzung eine eitrige Mastoiditis auf, welche Aufmeißelung nötig machte. In einem anderen Falle mit der Zerstörung des Helix kam es zu einer hartnäckigen Stenose des Meatus ext., welche Inzisionen, Exzisionen, Dilatationen und selbst der Transplantation Trotz bot.

Fall 10. Cholesteatom des Mittelohres, Caries regionis posterio-superioris meatus audit. ossei, Abscessus epiauricularis subcutaneus. Den Mangel von Gehirnerscheinungen trotz der ungeheuren Dimensionen des Cholesteatoms erklärt R. durch die Entleerung des Eiters durch die Fistel in der hinteren oberen Gehörgangswand, durch den subkutanen Abszeß über dem Ohre und durch die Tube. R. bezeichnet eine solche Perlgeschwulst als „Pseudo-Cholesteatom", im Gegensatze zum „Cholesteatoma verum" der Anatomen. Wegen der Möglichkeit eines Rezidivs soll in solchen Fällen die retroauriculare Öffnung längere Zeit offen erhalten werden.

Fall 11. Im Verlauf einer chron. Otorrhoe post typhum: Schwindel, zeitweise sehr heftig. Übelkeit, Erbrechen, leichte Ataxie. Empfindlichkeit des Proc. mast. Aufmeißelung. Im Warzenfortsatz ein bis zur bloßgelegten Dura reichender Abszeß. Punktionen des Kleinhirns negativ. Heilung. Die Schwindelerscheinungen erklärt Verf. durch Druck des Eiters auf die Fenestra ovalis.

Fall 12. Otit. m. purul. acut., Mastoidit. purul. Bezoldi, Aufmeißelung, dann Fiebererscheinungen und heftige Kopfschmerzen, 2. Operation, Bloßlegung eines Abscessus perisinuosus, dann Verschlimmerung. Meningitis purul., Exitus, betreffend einen 52jährigen Patienten, der in der Jugend Syphilis überstanden hatte. Auffallend waren die seit Beginn bestandenen heftigen, hartnäckigen Kopfschmerzen, die R. auf den sich bildenden perisinuösen Abszeß bezieht.

Fall 13. 50jähriger Patient. Am 10. März seit einer Woche heftige Schmerzen in Ohr, Auge und Zähnen links. Ohrenrauschen. Schwerhörigkeit, angeblich niemals Ohrenfluß. Hinterer oberer Quadrant des Trommelfells gerötet, geschwellt, vorne unten eine Narbe. Weber links, Rinne —, zweimalige Paracentese, kein Eiter. 20. März rasende Schmerzen in der linken Gesichtshälfte. Anfangs April Übelkeit. Temperatur 36,4—37°, Puls 80—90. 9. April. Temperatur 39°, Puls 90. Schwellung und Rötung am Warzenfortsatze. Schmerzhaftigkeit bei Druck und Bewegung des steifen Nackens, unsicherer Gang, einmal Erbrechen, keine Stauungspapille. Später kein Fieber mehr. 2. Mai. Gleichgewichtsstörungen, Nacken- und Hinterhauptschmerzen. 10. Mai. Stauungspapille, kontralaterale Facialislähmung. Patient stirbt kurz vor Ausführung der beabsichtigten Operation. Sektion: Im Ohre kein Eiter. Knöchelchen normal, Thrombophlebitis obturans, Abscessus cerebelli sin., Hydrocephalus internus. — Es war. mit Rücksicht auf die ausgebreitete Trigeminusneuralgie, eine Gehirnkrankheit in der Gegend des Ganglion Gasseri diagnostiziert worden. Dagegen sprach anfangs Mangel einer Stauungspapille. Später schwankte die Diagnose zwischen Abszeß und Neoplasma. Verfasser vermutet, daß der Ausgangspunkt der Krankheit in einer lange vorausgegangenen Ohreiterung zu suchen ist, wofür die Narbe im Trommelfell sprach.

Alle mitgeteilten Fälle werden von kritischen Bemerkungen und literarischen Hinweisen begleitet.   S p i r a (Krakau).

37.

Sedziak (Warschau), Nasen-, Hals-, Kehlkopf- und Ohrenstörungen im Verlaufe von Nierenkrankheiten. Nowiny Lekarskie 1906. No. 11.

Unter ausgedehnter Berücksichtigung der Literatur bespricht S e d z i a k zunächst I. Störungen der Nase bei Nierenkrankheiten, als: Epistaxis, Rhi-

nitis et Rhinopharyngitis atrophica. Anderseits können Exacerbationen
eines chronischen Nasenkatarrhes die Herz- und Respirationsfunktion derart
beeinflussen, daß Stauungszustände in den Nieren zustande kommen. II. Häufiger sind bei Nierenkrankheiten Störungen in Mundhöhle und Pharynx, und
zwar als Blutungen, Ödeme, Anämien, Pharyngit. sicca, Tonsillitis, Tonsil-
larabszeß, Stomatitis, Pharyngitis uraemica, Glossitis membranacea. III. In
Larynx und Trachea wurden beobachtet: Ödeme, Asthma uraemicum, Aphasia uraemica, Laryngitis haemorrhagica, Diphtheritis, Blässe der Schleimhaut. IV. Im Gebiete des Gehörorganes kommen bei Nierenkrankheiten
vor: Otitis med. acut. simpl. und haemorrhagica, Otitis necrotica im Mittelohr und am Warzenfortsatz, Extravasate im Labyrinth, Anaesthesia acustica. Taubheit, Ohrengeräusche.   Spira (Krakau).

38.

Sedziak (Warschau), Nasen-, Hals-, Kehlkopf- und Ohrenstörungen
im Verlaufe von Erkrankungen der Verdauungsorgane Prze-
glad Lekarskie 1906. No 47.

Nach Anführung der einschlägigen Literatur bespricht Verfasser I. den
Einfluß der Erkrankungen der Nase auf die Verdauungsorgane. a) Auf
mechanischem Wege begünstigt die Undurchgängigkeit der Nase das Entstehen von chronischen und akuten katarrhalischen Zuständen der oberen
Ernährungswege, Störungen der Entwicklung bei Säuglingen, während bei
sonstigen Erkrankungen der Nase und ihrer Nebenhöhlen b) einerseits durch
Fortpflanzung per continuitatem resp. contiguitatem und durch Verschlucken
des Sekretes verschiedene Störungen des gesamten Digestionstraktes, andererseits c) auf nervöser Basis die sogenannten Reflex-Magenneurosen entstehen können.

Als Beispiele einer umgekehrten Beeinflussung werden aufgeführt: Erkrankungen der Kieferhöhlen infolge von Zahnkrankheiten, verschiedene
Nasenkrankheiten infolge von Stauungszuständen in den Verdauungsorganen
und vielfache nervöse Störungen des Riechorganes (Niesen, Hydrorrhoea
nasalis usw.) bei manchen Magen-, Gedärmen- und Leberleiden.

II. Ein ähnliches reziprokes Verhältnis besteht zwischen Erkrankungen
des Rachens einerseits und jenen des Magendarmes anderseits.

III. Erkrankungen des Larynx und der Trachea können durch Fortpflanzung katarrhalischer Zustände vom Rachen, seltener vom Oesophagus
und Magen, ferner von Oesophaguscarcinom, — bei sauerem Aufstoßen, bei
Erbrechen durch Eindringen von Speiseresten in die Atmungswege, bei
Oesophaguscarcinom und retro- und perioesophagalen Abszessen durch Ste-
nosierung der Luftwege, Drucklähmung der Larynxnerven zustande kommen. Bei verschiedenen Erkrankungen des Magens und der Leber wurden
mancherlei nervöse Zustände, wie Kitzeln, Lähmungen, Husten, Stimm-
schwäche, Heiserkeit, ferner Stauungszustände, Ödeme, ikterische Färbung
der Schleimhaut der oberen Luftwege beobachtet. — Umgekehrt hat Loeri
einen Fall von Erbrechen beobachtet, veranlaßt durch einen Fremdkörper
im Larynx.

IV. Ohrenkrankheiten begleiten Affektionen der Verdauungsorgane
häufig bei Kindern, ferner als Otalgie, akute Mittelohrentzündungen, Hörstörungen und Ohrensausen bei Zahnkrankheiten, Anginen. Tonsillitiden. Affektionen der Mundhöhle und des Magens, als Herpes auriculae bei Ver-
dauungsstörungen, als Blutextravasate am Trommelfelle und im Mittelohr
infolge venöser Stauung bei Leberkrankheiten, als gelbe Verfärbung des
Trommelfelles bei Ikterus. Umgekehrt sind bei Kindern Verdauungskrank-
heiten oft Folge von Ohrenentzündungen, können Otitis externa und Mastoiditis Störung der Kieferbewegung und der Nahrungsaufnahme, kann Zerfall
der roten Blutkörperchen bei hämorrhagischem Exsudat in der Paukenhöhle
Ikterus bewirken.   Spira (Krakau).

X.

Sitzungsbericht der oto-laryngologischen Sektion des Warschauer ärztlichen Vereins. (Medycyna 1906.)

1. **Garanowski** spricht über den gegenwärtigen Stand der Lehre der Otosklerose.

In der Diskussion hebt **Meyerson** hervor, daß, obgleich die Statistik noch zu keinem bestimmten Resultate geführt hat, er doch den Eindruck habe, daß die Syphilis bei dieser Krankheit keine wesentliche ätiologische Rolle spielt. Da manche Fälle dieser Krankheit mit rein katarrhalischen, besserungsfähigen Veränderungen kompliziert sind, ist die Prognose nicht durchaus ungünstig zu stellen.

Srebrny erwähnt einen von ihm beobachteten Fall von Otosklerose bei einem 15jährigen Patienten. Auch er ist der Ansicht, daß Syphilis hier keine ätiologische Bedeutung besitze, dagegen hat er oft diese Krankheit bei Arthritikern angetroffen. Zur Differenzierung der Krankheit von den katarrhalischen Veränderungen dient der Effekt der Lufteintreibung. Ist dieser positiv, so kann man dem Patienten Besserung versprechen. S. hält es nicht für richtig, dem Patienten die Hoffnungslosigkeit seines Zustandes zu offenbaren und so jeden Funken einer Hoffnung in ihm zu verlöschen.

Chorazycki hat Koinzidenz dieser Krankheit mit übermäßiger Weite der Nasengänge beobachtet und glaubt einen Zusammenhang zwischen diesen Affektionen annehmen zu sollen, stößt aber dabei auf Widerspruch bei anderen Rednern.

Heimann hält es auch für zu grausam, dem Patienten jede Hoffnung zu nehmen. Als eines der frühesten Symptome der Sklerose hat H. das Auftreten einer vorderen Trommelfellfalte beobachtet.

Guranowski erklärt, daß er die wahre Aufklärung des Kranken über seinen Zustand für notwendig erachte, um ihn von der Wahl eines Berufes abzuhalten oder ihn zur Aufgabe eines solchen zu bewegen, der ein gutes Gehör erforderlich macht.

2. **Heimann** bespricht anläßlich eines von ihm beobachteten einschlägigen Falles den Verlauf der Mittelohrentzündung bei Diabetes. Bei Diabetes pflegen zwei Formen von Ohrenkrankheiten vorzukommen, 1. selten eine Affektion des inneren Ohres, 2. häufiger eine eitrige Mittelohrentzündung, der man den Charakter einer besonderen Bösartigkeit zuzuschreiben versuchte. H. konnte in seinen Fällen keinen Unterschied im Verlaufe dieser Krankheit bei Diabetes im Vergleiche zu den sonstigen Fällen beobachten. Bei einem 80jährigen Manne mit $3\frac{1}{2}\%$ Zucker im Harn fand H. in der 4. Woche einer akuten Media geringe Eiterung im Ohre, unbedeutende Schmerzhaftigkeit am Proc. mast., Temp. 39,5°. Aber schon nach einer Woche war die Hitze verschwunden, die Eiterung versiegt, das Trommelfell geschlossen. Gehör für Taschenuhr = 0, für die Sprache = $1\frac{1}{2}$ Meter. Nur klagte der Patient noch über große Schwäche. Am Abend desselben Tages Temperatursteigerung ohne Schüttelfrost. Zwei Wochen später plötzlicher Bewußtseinsverlust mit dem Bilde einer Meningitis ohne vorausgegangene Erscheinungen. 18 Stunden später Exitus. H. meint, daß die Schwäche, über die der Patient klagte, und die geringe Hör-

fähigkeit auf eine etwa bestehende Komplikation hätte aufmerksam machen können.

Chorazycki hat einen 23jährigen Diabetiker mit einer akuten eitrigen Mittelohrentzündung beobachtet. der sich nach der Parazentese wohl befand, am folgenden Tage sich schlecht fühlte, schwachen Puls aufwies und tags darauf verschied.

Heiman führt den Fall einer 72jährigen Frau an, die auf beiden Ohren ertaubte. Die Untersuchung ergab Labyrinthtaubheit und Diabetes. Nach einem 2wöchentlichen Gebrauche von Karlsbader Wasser kehrte das Gehör zurück.

Sokolowski teilt die Ansicht H's., daß die Otitis media bei Diabetes sich nicht von der gewöhnlichen Mittelohrentzündung unterscheide und auch die Trockenheit des Halses, die man dem Diabetes zuschrieb, ist nicht charakteristisch, und rührt nur von dem oft gesteigerten Durstgefühl her; hingegen sieht man oft Diabetes ohne Pharyngitis sicca. Auch für blutige Eingriffe bilde Diabetes keine Kontraindikation, wie man lange Zeit glaubte.

Srebrny hat selbst eine Trepanation des Warzenfortsatzes bei einem an Diabetes leidenden Patienten beobachtet, der von jeder Komplikation frei blieb. Hingegen hat er in einem Fall nach der Inzision eines Furunkels des äußeren Gehörganges einige Wochen mit der Krankheit zu kämpfen, bis es ihm gelang, Heilung herbeizuführen.

3. Zebrowski, M. Über die Heilbarkeit und operative Behandlung otitischer Pyaemie. Auf Grund der von ihm beobachteten und operierten Fälle kommt Z. zu folgenden Konklusionen: 1. Die otitische Pyaemie verläuft unter verschiedenen Formen und die operativen Eingriffe müssen je nach der Intensität der Krankheit und den während der Trepanation gefundenen pathologisch-anatomischen Veränderungen modifiziert werden. 2. Die vollständige Elimination des Krankheitsherdes aus dem Schläfenbein und die Bloßlegung des Sinus transversus reichen oft allein vollkommen zur Heilung der Pyaemie aus. 3. Mehrwertiges Antistreptokokkenserum kann manchmal auf den postoperativen Verlauf otitischer Pyaemie einen sehr günstigen Einfluß ausüben. 4. Fehlen von Schmerzhaftigkeit des Warzenfortsatzes bei eitrigen Prozessen des Mittelohres kann keine Kontraindikation gegen einen operativen Eingriff bilden. 5. Das Erscheinen von Symptomen einer Phlebitis des Sinus cavernosus ist als ein Zeichen des nahen Exitus, jedweder Versuch einer operativen Eröffnung dieses Sinus als unstatthaft anzusehen.

Heiman findet in diesem Vortrag eine Bestätigung seiner Beobachtung, daß otitische Pyaemien mit Metastasen in den peripheren Organen (Gelenke, Muskeln usw.) eine bessere Prognose gestatten, als jene mit Metastasen in den inneren Organen. Die von Grunert und Voss praktizierte Eröffnung des Bulbus venae jugularis behufs Entfernung von Thromben aus demselben ergab ihm bis jetzt keine befriedigenden Resultate.

Spira (Krakau).

XI.

Sitzungsbericht der Gesellschaft sächsisch-thüringischer Kehlkopf- und Ohrenärzte zu Leipzig.

(Sitzung am 4. Mai 1907.)

1. Dr. Trautmann demonstriert einen Fall von Lähmung des linken musc. posticus laryngis, des weichen Gaumens und der Rachenwand auf der gleichen Seite, ohne bekannte Ursache plötzlich entstanden und ohne Behandlung in 3 Wochen wieder geheilt. Es bestand gleichzeitig eine subakute linksseitige Mittelohreiterung ohne Komplikation. Sensibilität des Rachens und Kehlkopfes herabgesetzt, geringe Schmerzen an der linken Halsseite. Nervenstatus und Augenhintergrund ohne Besonderheiten; Puls und Atmung normal. T. hält die Erkrankung für eine Neuritis n. vagi, das Zusammentreffen mit der Mittelohreiterung für zufällig.

2. Dr. Lauffs zeigt zwei Fälle von stürmisch einsetzender Stirnhöhleneiterung, welche der Klinik zur Operation zugewiesen waren, bei welchen aber die endonasale Behandlung genügte. In dem einen bestanden Fieber bis 38,4°, sehr starke Schmerzen, Periostitis der facialen und orbitalen Stirnbeinwand, hochgradiges Ödem des oberen Augenlides und Exophthalmus. Heilung nach 3 Wochen unter täglichen Ausspülungen.

Außerdem Vorstellung eines Mannes mit anfallsweise auftretendem hysterischen Spasmus laryngis bei gleichzeitiger chronischer Laryngitis, bei welchem anderwärts schon die Ausführung der Tracheotomie beabsichtigt war.

3. Die Behandlung der unkomplizierten chronischen Mittelohreiterung. Diskussionsthema. Geheimrat Schwartze wünscht, daß der Vorsitzende nicht zuerst das Wort nimmt, damit die Anwesenden sich möglichst unbeeinflußt äußern sollen. Da sich jedoch zunächst niemand zum Wort meldet, führt Prof. Barth aus, daß die Art der Behandlung eine so verschiedene, z. T. widersprechende sei, daß eine Verständigung durch gegenseitige Aussprache versucht werden sollte. Auf Schwartze's Vorschlag folgt zuerst die Besprechung der allgemeinen Behandlung. An der Diskussion beteiligen sich die Herren Mejer, Thies I, Schmiedt, Robitzsch, Stimmel. Alle sind über die Wichtigkeit auch der Allgemeinbehandlung, besonders im Kindesalter, einig. Vor allem ist hervorzuheben, daß Schwartze Aufenthalt nicht nur in Luftkurorten besonders mit Gradirwerken, sondern selbst an der See (Mittelmeer und Ostsee, nicht Nordsee) empfiehlt und daselbst auch erwärmte Seebäder in der Wanne nehmen läßt. Barth ist bei genügendem Schutz des Ohres nicht gegen den Gebrauch der Seebäder. Nur Patienten mit progressiver Schwerhörigkeit (Mittelohrsklerose) sei der Aufenthalt an der See zu verbieten. Schwartze stimmt dem letzteren zu. Robitzsch empfiehlt auch Sonnen-Luftbäder. Stimmel hat gute Erfolge von der Ansaugungstherapie bei chronischen Eiterungen gesehen.

A. Barth.

Personal- und Fachnachrichten.

Prof. Zaufal in Prag vollendete am 12. Juli 1907 sein 70. Lebensjahr. Jede öffentliche Ehrung aus dieser Veranlassung mußte unterbleiben, weil sich Prof. Zaufal eine solche wegen eines ihn zur Zeit schwer bedrückenden körperlichen Leidens verbeten hatte. Unsere herzlichsten Wünsche zu diesem Tage haben wir ihm telegraphisch übermittelt und haben damit sicher im Sinne aller Leser des Archivs gehandelt. Seit der Begründung des Archivs (1864) hat Zaufal sich als treuer Mitarbeiter desselben bewährt, und in demselben außer seinen grundlegenden Arbeiten über die Bakteriologie der Otitis und die Actinomycosis des Ohres zahlreiche wertvolle pathologisch-anatomische Mitteilungen niedergelegt. Wir verdanken ihm Verbesserungen in der Methode der Totalaufmeißelung des Proc. mastoideus und die erste Anregung zur Unterbindung der Vena jugularis bei der Behandlung der Pyaemia ex. otitide mit Sinusthrombose. Die Idee, die Ausbreitung der Infektion durch Unterbindung der abführenden Hauptvene zu verhindern, fand neuerdings auch in andern Gebieten der Medizin Verwendung und Anerkennung, so besonders in der Gynäkologie bei der Behandlung des Puerperalfiebers durch Unterbindung der abführenden Venae spermaticae. Außerdem aber verdanken wir Zaufal wesentliche Verbesserungen in unserm otiatrischen Instrumentarium (Desinfektionskapsel beim Gebrauch der Luftdusche, schaufelförmigen Hebel zur Fremdkörperextraktion und manches andere). —

Mit großer Befriedigung darf der 70jährige Forscher und Freund auf seine Lebensarbeit zurückblicken, die für die Entwicklung unserer Disziplin von hohem Werte gewesen ist

Diese gewiß allerseits gebilligte hohe Anerkennung seiner Verdienste und die dankbare Ehrung seiner Fachgenossen mögen ihm für den weiteren Lebensabend Trost im Leiden sein!   Schwartze.

Der Privatdozent und Titularprofessor Stabsarzt Dr. Voss in Königsberg i. Pr. wurde nach Frankfurt a. Main berufen zur Übernahme der Leitung der Ohrenabteilung eines neuen, noch im Bau begriffenen städtischen Krankenhauses.

————

Dr. Neumann in Wien erhielt die Venia legendi für Ohrenheilkunde.

————

Prof. Politzer tritt am 30. September d. J. von der Leitung der Universitäts-Ohrenklinik in Wien zurück, und wird an diesem Tage das Komitee zur Überreichung einer Plakette empfangen.

— —·—

Dem Privatdozenten Dr. R. Eschweiler in Bonn ist der Titel als Professor beigelegt worden.

In der Einladung zur 79. Versammlung Deutscher Naturforscher und Ärzte in Dresden (15.—21. September 1907) sind für die Sektion Ohrenheilkunde zu Vorträgen und Demonstrationen angemeldet:

1. Alexander (Wien): a) zur Kenntnis der Labyrintheiterung. b) das Gehörorgan der Kretinen.

2. Barth (Leipzig): Kehlkopf-, Nasen- und Ohrenheilkunde sind beim Unerricht, auf wissenschaftlichen Kongressen und in der Literatur grundsätzlich gemeinsam, nicht getrennt zu behandeln.

3. Mann (Dresden): Orbitalphlegmone im Verlaufe einer akuten Otitis media.

4. Nager (Basel): Demonstrationen zur pathologischen Anatomie des Labyrinths.

5. Panse (Dresden): Präparate zur Histologie der Labyrintherkrankungen.

6' Rudloff (Wiesbaden): Über Plastik nach Radikaloperation.

Außerdem haben sich noch zu Vorträgen mit „vorbehaltenem Thema" Blau (Görlitz), Hinsberg (Breslau), Reinkrug (Breslau) angesagt.

Zahlreicher Besuch der Sektion ist sehr erwünscht, da voraussichtlich zu dem Antrage von Prof. Barth eine für die weitere Entwicklung der Otologie wichtige und entscheidende Frage zur Diskussion gestellt ist.

Schwartze.

Berichtigung zu Band 72.

In dem historischen Rückblick auf die Entwicklung der Universitäts-Ohrenklinik in Halle a. S. ist unter den Dissertationen hinzuzufügen zu 1867: Tillmanns — Über Faciallähmung bei Ohraffektionen.

Die Ohrtrompete (Tuba Eustachii), ihre Anatomie und ihr Bewegungsapparat mit einer Beschreibung der Knorpel, Muskeln, Fascien und der Rosenmüller'schen Grube.

Von .

W. Sohier Bryant, M. D., in New-York.

Mit 12 Abbildungen.

Während der letzten zwanzig Jahre hat sich der Verfasser klinisch sowohl als anatomisch viel mit der Ohrtrompete beschäftigt, und ist dabei längst auf gewisse physiologische und anatomische Punkte aufmerksam geworden, die zwar nicht allgemein angenommen werden, aber von ihm durch klinische Beobachtungen und Autopsiepräparate zu seiner eigenen Befriedigung festgestellt worden sind.

Physiologie: Die normale Ohrtrompete öffnet sich während des Schlingaktes oder beim Gähnen. Eine teilweise Eröffnung findet statt bei der Phonation, entsprechend der Rückwärtsbewegung des Gaumensegels, die am größten ist für die Buchstaben K, T, I und so weiter, und am geringsten für M und N. Besichtigung durch die Nasengänge, nach Entfernung der unteren Nasenmuscheln, zeigt das Ostium pharyngeum der Ohrtrompete und den Tubenwulst. Der Schlingakt oder ein Akt, der den weichen Gaumen hebt und an die hintere Rachenwand anlegt, ist mit der Gaumenbewegung entsprechenden Bewegungen des lateralen Knorpels verbunden. Der laterale Knorpel hebt sich mit einer Einwärts- und Rückwärtsbewegung, und zu gleicher Zeit ändert sich die Gestalt der Ohrtrompetenmündung von einem nahezu senkrechten Schlitz zu einer dreieckigen Öffnung. Dies wird verursacht durch eine Rückwärtsbewegung der hinteren Wandung der geschlossenen Tuba. Die vordere Wand bleibt unverändert. Die untere Wand der offenen Ohr-

trompete wird von der gespannten unteren Kommissur der geschlossenen Ohrtrompete gebildet. Die Bewegung des lateralen
Knorpels findet statt in der Ausbuchtung der seitlichen Rachenwand oder Rosenmüllerschen Grube. Wenn die Mündung der
Ohrtrompete weit offen steht, kann bis beinahe an den Tuben-
isthmus in die Tiefe gesehen werden.

Anatomie der Ohrtrompete: Der knorpelig-membranöse Abschnitt ist sehr unregelmäßig in der Anordnung seiner Bestandteile. Die hintere Wand besteht aus Knorpel, dessen hintere
Oberfläche beinahe ein rechtes Dreieck bildet und den größten
Teil der vorderen Wand der Rosenmüllerschen Grube darstellt.
Die Spitze des Dreiecks liegt am Übergang der knorpeligen in
die knöcherne Ohrtrompete.

Der obere Rand des Knorpels ist am Schädel befestigt und
paßt in eine Vertiefung im Keilbein. Der rechte Winkel des
Dreiecks liegt am pharyngealen Ende des oberen Knorpelrandes,
und sein Ansatz ist unweit der Basis des inneren Processus
pterygoideus. Der innere Rand bildet den kurzen Schenkel des
Dreiecks. Dies ist zugleich der freie Rand des Knorpels und
bildet den Tubenwulst. Das untere Ende verläuft in dem pharyngealen Knorpelfortsatz. Die dritte Seite des Dreiecks bildet
den beweglichen Rand des Knorpels. Der dreieckige oder laterale Knorpel verläuft oberhalb der Ohrtrompete und bildet einen
kleinen Teil der vorderen Tubenwand, durch den Hakenfortsatz
des Knorpels. Die vordere Wand besteht größtenteils aus einer
starken Membran.

Bei geschlossener Ohrtrompete werden die oberen und
unteren Grenzen der äußeren Hälfte der knorpeligen Tuba von der
Konkavität des lateralen Knorpels gebildet. Die untere Wand
der offenen Ohrtrompete ist eine lockere elastische Fasergewebs-
schicht, die sich faltet und zusammenzieht, wenn die Tuba geschlossen ist. Der Knorpel und seine Ansätze sind elastisch
und geben leicht nach auf Druck, so daß die Beweglichkeit eine
ziemlich freie ist. Einer dieser Knorpel ist bedeutend größer
als die übrigen. Bei geschlossener Ohrtrompete ist das Lumen
des inneren Drittels durch die Berührung der vorderen und
hinteren Oberfläche verschwunden. Der äußere Teil der knorpelig-
membranösen Ohrtrompete bleibt offen, weil die vordere Wand
nicht ganz gegen die konkave hintere Wand zusammen fällt.
Der Längsdurchmesser des geschlossenen Ostium pharyngeum
mißt durchschnittlich 7 mm. Das offene Ostium, von dreieckiger

Gestalt, hat eine durchschnittliche Höhe und Weite von 6 mm.
Der äußere Teil der Ohrtrompete, offen im normalen Zustande,
hat eine starre und verhältnismäßig unnachgiebige Wand, während
das pharyngeale Ende zusammenfallen kann. Die Mukosa der
geschlossenen Ohrtrompete liegt in Längsfalten, besonders nach
dem Rachen und dem Tubenboden zu. Die Stärke der Submukosa ist hier bedeutend vergrößert. Bei ausgedehnter Ohrtrompete verschwinden die Längsfalten größtenteils.

Die vordere Wand der Ohrtrompete ruht auf dem M. tensor
veli palatini, und dieser auf dem M. pterygoideus internus und
den dazwischen liegenden Fascien. Das pharyngeale Ostium
ruht auf der hinteren Fläche des Processus pterygoideus. Dieser
Rückhalt verhindert die vordere Wand am Zusammensinken. Die
hintere Wand hat einen Knorpel, der an seiner Ansatzstelle
freibeweglich und nachgiebig ist, und mit dieser Bewegung eine
beträchtliche Zunahme des Tubenlumens gestattet.

Die Ohrtrompete hat zwei wichtige mit den beiden Haupt-
muskeln alternierende Fascien. Dieselben liegen in derselben
Fläche wie die Tubenachse und beinahe parallel zu einander.
Die Fasern der Fascien verlaufen fast rechtwinkelig zur Tubenachse. Die wichtigste oder salpingo-pharyngeale Fascie liegt
zwischen den M. levator und M. tensor palati. Sie entspringt
von der membranösen Ohrtrompete im Winkel zwischen der vorderen und unteren Wand der offenen Tuba, oder dem unteren
Winkel der geschlossenen Tuba. Sie reicht bis zum Hakenfortsatz des Keilbeins. Die andere Fascie liegt hinter dem M.
levator veli palatini und inseriert am unteren freien Rande des
lateralen Knorpels, wodurch der M. levator während seiner
Rückwärtsbewegung am Abgleiten vom pharyngealen Knorpelfortsatz verhindert wird.

Eine Reihe von Muskeln liegen auf der Ohrtrompete oder
in deren Nachbarschaft und beeinflussen dieselbe durch ihre
Bewegungen. Die wichtigsten darunter sind der M. levator veli
palatini (oder Dilatator Tubae) und der M. tensor veli palatini.
Die Fasern dieser beiden Muskeln verlaufen sozusagen parallel
mit der Längsachse der Tuba. Der M. levator liegt unterhalb
des Tubenlumens und vorne vor dem pharyngealen Fortsatz des
lateralen Knorpels. In der Peripherie entspringt er vor dem
Canalis caroticus am Schläfenbeine. Zuweilen sind die Fasern
am unteren Rande des lateralen Knorpels angeheftet. Die Muskel-
hülle hat eine starke Insertion in das Perichondrium des lateralen

13*

Knorpels. Die Fasern bilden einen starken runden Muskelbauch. Das innere Ende inseriert an der Muskelmasse im Gaumensegel. Diese Insertion bewegt sich mit dem weichen Gaumen. Wenn der weiche Gaumen erschlafft ist und nach vorwärts hängt, wird die Gaumen-Insertion des M. levator herunter und vorwärts gezogen. Wenn der Gaumen herauf- und zurückgezogen wird, so wird der M. levator ebenfalls aufwärts und rückwärts gezogen.

Der M. levator veli palatini drängt den lateralen Knorpel rückwärts, aufwärts und einwärts, demzufolge eine Eröffnung der pharyngealen Tubenmündung eintritt. Der erschlaffte Muskel bildet einen stumpfen Winkel mit rückwärtiger Öffnung an der Stelle, wo er den pharyngealen Knorpelfortsatz berührt. Bei seiner Kontraktion drängt der Muskel diesen Fortsatz rückwärts, aufwärts und einwärts, und richtet sich zu gleicher Zeit teilweise gerade. Der Knorpel dreht sich einwärts, wegen seiner schiefen Anheftung an der Schädelbasis.

Der M. tensor veli palatini besteht aus einer dünnen Schicht von Muskelgewebe und Aponeurosis, welche die vordere Tubenfläche bedeckt. Seine Anheftung in der Peripherie ist weit veränderlicher als die des M. levator. Er entspringt vom Keilbeine nahe am Ursprunge des Tubenknorpels, und erstreckt sich öfters durch aponeurotische und Muskelfasern bis zur oberen Fläche des Hakenfortsatzes des lateralen Knorpels. In 20 Proz. der untersuchten Präparate reichte die Insertion abwärts und bedeckte einen Teil der vorderen häutigen Wand, auf welcher der Muskel ruht, aber niemals war derselbe bis zum inneren Drittel der Tuba inseriert. Der Muskel inseriert öfters an die an seiner äußeren Oberfläche liegenden Fascien. Der äußere Muskelbauch des M. tensor veli palatini ist mit seiner Sehne am Hakenfortsatz des Keilbeins angeheftet. Das äußere Ende ist an der Schädelbasis und an den äußeren Fascien des M. tensor befestigt. Die Richtung der Muskelfasern wechselt von solchen, die mit der Ohrtrompete vollkommen parallel verlaufen, bis zu einem Verlaufswinkel von 10 Grad, so daß dieselben keinen Zug vorwärts auf die vordere Tubenwand oder abwärts auf den Hakenfortsatz des Knorpels auszuüben im Stande sind. In der Tat kann die Kontraktion des Muskels das Lumen der Ohrtrompete, wenn überhaupt, nur wenig beeinflussen. Nach vorne wird der Muskel fest gestüzt von der Aponeurose, die auf dem M. pterygoideus internus und dem Keilbeinfortsatze ruht.

Eine weniger wichtige mit der Ohrtrompete zusammen-hängendende Muskelgruppe ist unbeständig, und besteht, wenn vorhanden, aus einem Teile des M. palato-glossus, dem M. salpingoglossus, und einem Teile des M. constrictor pharyngis superior, dem M. salpingo-pharyngeus, und einem Teile des M. palato-pharyngeus. Dieser Muskel verläuft am inneren Rande des salpingo-pharyngealen Ligamentes entlang und inseriert mit demselben am Winkel zwischen der vorderen Wand und dem Tubenboden. Er erweitert die Tubenmündung durch einen Zug vorwärts und abwärts am vorderen Winkel. Die Fasern des M. salpingo-pharyngeus können nur den lateralen Knorpel nieder-drücken und abwärts und vorwärts ziehen, was den Verschluß der Tuba zur Folge hat. Er inseriert nahe dem unteren pha-ryngealen Fortsatze des lateralen Knorpels.

Die oberen Fasern des M. constrictor pharyngis verlaufen unter der Tubenmündung, reichen gelegentlich bis zu den drei-eckigen Knorpeln, den M. salpingo-pharyngeus bildend, und in-serieren nahe dem Tubenwulst. Die übrigen Fasern verflechten sich außerhalb der vorgenannten und ziehen zur Hinterwand des Pharynx hinter der Rosenmüllerschen Grube. Die Teil-stelle der Muskelfasern bildet die untere Kommissur der Rosen-müllerschen Grube.

Die Rosenmüllersche Grube, oder der Recessus pharyngeus, ist äußerst unregelmäßig. Im Säugling fehlt dieselbe gänzlich. Sie gestattet Raum für die Bewegungen des lateralen Tuben-knorpels, der in ihrer vorderen Wand liegt. Im Querschnitt gesehen, erscheint die Rosenmüllersche Grube von etwa linsen-förmiger Gestalt. Ihr oberer Winkel wird vom Insertionswinkel des lateralen Knorpels mit der Schädelbasis gebildet. Ihre untere Kommissur wird vom oberen Rande des M. Constrictor pharyngis superioris oder von dem Winkel zwischen den beiden Bündeln dieses Muskels gebildet. Die Spitze der Rosenmüllerschen Grube reicht beinahe bis zur unteren Öffnung des Canalis caroticus. Die hintere Wand wird von den Wirbelmuskeln unterstützt. Die Tiefe des Recessus pharyngeus längs der vor-deren Wand belief sich auf durchschnittlich 18 mm in 25 unter-suchten Fällen. Die Entfernung von der oberen zur unteren Kommissur betrug durchschnittlich 26 mm. Bei geschlossener Ohrtrompete war die Weite des Recessus im Durchschnitt 11 mm.

S c h l u ß : Die physiologische Funktion der Ventilation der Paukenhöhle wird hauptsächlich vom M. levator veli palatini übernommen. Der Mechanismus, durch welchen die Eröffnung der Ohrtrompete zustande kommt, besteht in dem rückwärtigen Druck des M. levator veli palatini auf den lateralen Knorpel, der an seiner oberen Insertion rückwärts, aufwärts und einwärts schwingt, den Tubenboden mit sich zieht, und so ein dreieckiges Ostium bildet.

Durch die Liebenswürdigkeit des Herrn Professors George S. Huntington war es dem Verfasser vergönnt, die vorliegenden Untersuchungen in dem Anatomischen Laboratorium des College of Physicians and Surgeons der Columbia University zu Ende zu führen.

Die folgenden Zeichnungen von lebenden und anatomischen Präparaten sind von Herrn Dr. A. Braun aus New-York angefertigt worden.

Fig. 1. Pharyngealmündung der rechten tympanopharyngealen Tuba im Ruhezustand, im Lebenden vom vorderen Nasengang gesehen. Die untere Nasenmuschel fehlt.

Fig. 2. Dasselbe wie Fig. 1; während eines Schlingaktes ist die obere Fläche des weichen Gaumens sichtbar geworden und nimmt den Vordergrund ein. Der laterale Knorpel hat sich einwärts und aufwärts gedreht, so daß die Tubenmündung erweitert ist.

Fig. 1.   Fig. 2.

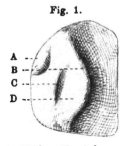 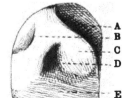

A. Mittlere Muschel.
B. Rosenmüllersche Grube.
C. Tubenmündung, geschlossen.
D. Tubenwulst.

A. Rosenmüllersche Grube.
B. Mittle Muschel.
C. Tubenwulst.
D. Tubenmündung, offen.
E. Weicher Gaumen.

Fig. 3. Dieselbe Tuba wie in Fig. 1 im Ruhestand, durch ein Eustachisches Salpingoskop gesehen. Die Rosenmüllersche Grube erscheint auf der linken Seite, weil das Bild durch die Linse umgekehrt gesehen wird.

Fig. 4. Dasselbe wie Fig. 3, während eines Schlingaktes. Die Oberfläche des weichen Gaumens nimmt den Vordergrund ein. Die Rosenmüllersche Grube ist nahezu verschlossen durch die Rückwärts- und Aufwärtsbewegung des lateralen Knorpels, mit resultierender Erweiterung der Ohrtrompete.

Fig. 3.

Fig. 4.

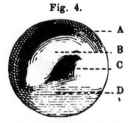

A. Rosenmüllersche Grube.
B. Tubenwulst.
C. Tubenmündung, geschlossen.

A. Rosenmüllersche Grube.
B. Tubenwulst.
C. Tubenmündung, offen.
D. Weicher Gaumen.

Fig. 5. Stellt den linken postnasalen Raum mit schlaff herabhängendem weichen Gaumen dar. Der Muskelbauch des M. levator veli palatini ist freipräpariert und hängt von der Mündung der tympano-pharyngealen Tuba herunter.

Figur 5.

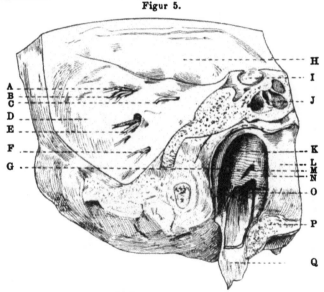

A. Innerer Gehörgang. — B. Siebenter und achter Nerv. — C. Sechster Nerv. — D. Hintere Schädelgrube. — E. Neunter, zehnter und elfter Nerv. — F. Zwölfter Nerv. — G. Hintere Pharynxwand. — H. Mittlere Schädelgrube. — I. Hypophysis celebri. — J. Keilbeinhöhle. — K. Rosenmüllersche Grube. — L. Nasenscheidewand. — M. Tubenwulst. — N. Tubenmündung, geschlossen. — O. M. levator veli platini. — P. Harter Gaumen. — P. Weicher Gaumen.

Fig. 6. Dasselbe Präparat wie Fig. 5. Der weiche Gaumen ist herauf- und zurückgezogen, den M. levator veli palatini mit sich ziehend, dessen Fasern jetzt von der Tubenöffnung abwärts und rückwärts laufen. Die Spannung dieser Fasern hat den lateralen Knorpel rückwärts und aufwärts gedreht und die Tuba geöffnet.

Fig. 6.

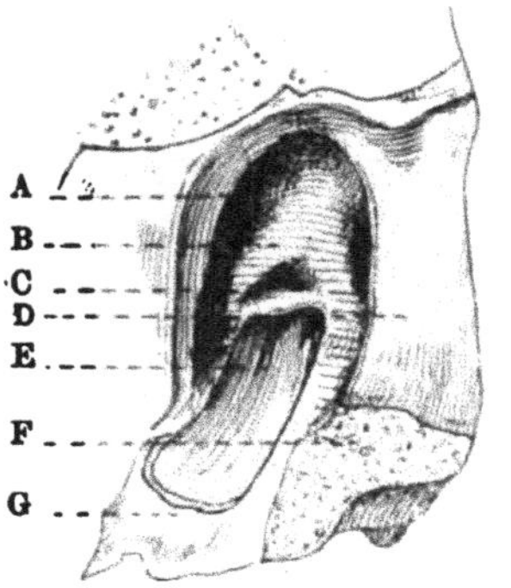

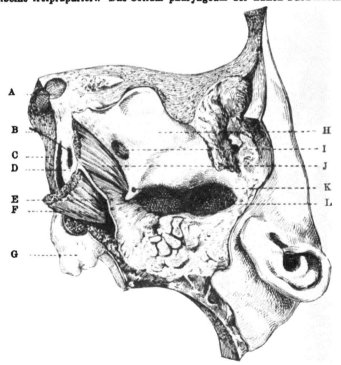

A. Rosenmüllersche Grube.
B. Tubenwulst.
C. Tubenmündung, offen.
D. Nasenscheidewand.
E. M. levator veli palatini.
F. Harter Gaumen.
G. Weicher Gaumen.

Fig. 7. Schädelbasis; der Unterkiefer ist entfernt und ein Teil des Keilbeins freipräpariert. Das Ostium pharyngeum der linken Tuba Eustachii

A. Keilbeinhöhle. — B. Sonde in der Ohrtrompete. — C. Rosenmüllersche Grube. — D. Tubenwulst. — E. Aponeurosis zwischen M. levator und tensor veli palatini. — F. M. levator veli palatini. — G. Weicher Gaumen. — H. Ala magna sphenoidale. — I. Foramen ovale. — J. M. tensor veli palatini. — K. Foramen spinosum. — L. Fossa glenoidalis.

erscheint an seiner rechten Stelle. Die M. tensor und levator veli palatini sind in der Höhe der Tubenöffnung durchschnitten und ihre äußeren Oberflächen freipräpariert. Dazwischen liegt das salpingo-pharyngeale Ligament. Die Fasern der M. tensor und levator veli palatini erscheinen in paralleler Richtung mit der Tubenachse. Die breite äußere Oberfläche des M. tensor ist sichtbar. Der Muskelbauch des M. levator ruht auf dem unteren Teil der Ohrtrompete und der vorderen Oberfläche des unteren Knorpelwinkels.

Fig. 8. Ein ähnliches Präparat, das die Tuba im Querschnitt darstellt. Vom pharyngealen Ende sind 2 mm entfernt worden. Die Fasern der M. tensor und levator erscheinen in paralleler Richtung mit der Tuba, getrennt von einander durch das salpingo-pharyngeale Ligament. Der M. levator veli palatini erscheint auf der vorderen Oberfläche des pharyngealen Knorpelfortsatzes ruhend.

Fig. 8.

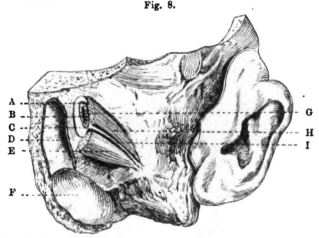

A. Hakenfortsatz des Knorpels. — B. Querschnitt durch die Tuba. — C. Knorpelschnitt. — D. Rosenmüllersche Grube. — E. M. levator veli palatini. — F. Condylus. — G. Schnitt durch häutigen Tubenteil. — H. M. tensor veli palatini. — I. Aponeurosis zwischen M. tensor und levator veli palatini.

Fig. 9. Dasselbe. Der M. levator veli palatini ist angespannt in der von dem Muskel eingenommenen Rückwärtsrichtung, wenn der weiche Gaumen sich hebt, wie in Fig. 6 dargestellt. Jetzt stößt er den pharyngealen

Fig. 9.

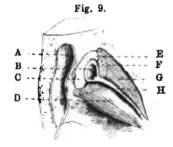

A. Rosenmüllersche Grube.

B. Tubenschnitt, geöffnet.

C. Knorpeliger Tubenteil.

D. M. levator veli palati.

E. Hakenfortsatz des Knorpels.

F. Häutiger Tubenteil.

G. M. tensor veli palatini.

H. Aponeurosis zwischen M. tensor und levator palatini.

Knorpelfortsatz aufwärts und rückwärts, verdrängt das Lumen der Rosenmüllerschen Grube, und öffnet die Ohrtrompete. Die vordere Tubenwand
bleibt unverändert. Der erhöhte Umfang der offenen Tuba wird hervorgebracht durch die Nachgiebigkeit der Tubenwand zwischen dem Knorpel und
dem Ansatz des salpingo-pharyngealen Ligaments.

Fig. 10. Ähnliches Präparat, mit weiterer Entblößung der Strukturen
am Tubenboden. Die beiden Muskeln erscheinen in paralleler Richtung mit
der Tuba, zwischen denselben die vordere Tubenwand, der Ansatz des
Ligaments, und ein Teil des unteren Knorpelrandes, auf welchem der
M. levator veli palatini ruht. Der dünne untere Rand des M. tensor ist
sichtbar.

Fig. 10.

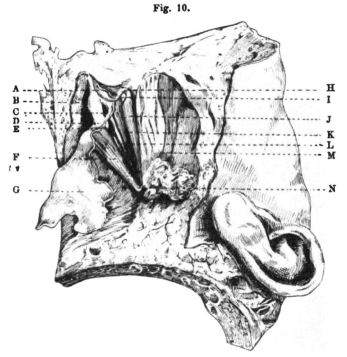

A. Palatiner Teil des M. tensor veli palatini. — B. Rosenmüllersche Grube. —
C. Tubenmündung. — D. Tubenwulst. — E. Knorpelteil der Tuba Eustachii. —
F. M. levator veli palatini. — G. Weicher Gaumen. — H. Sehne des M. tensor
veli palatini. — I. Hakenfortsatz. — J. M. tensor veli palatini. — K. Häutiger
Tubenteil. — L. Ansatz der Fascien an die Tuba. — M. M. pterygoideus in-
ternus. — N. Dornfortsatz des Keilbeins.

Fig. 11. Ähnliches Präparat der rechten Seite. Der M. tensor veli
palatini ist freipräpariert und scharf nach außen geschlagen, so daß seine
innere oder hintere Oberfläche bloß liegt. Die vordere Tubenwand erscheint
frei von Muskelfasern, die in diesem Falle an keinem Teile der Ohrtrompete befestigt waren, sondern über dieselbe hinaus bis zu ihrer Insertion an
der Schädelbasis verliefen.

Fig. 11.

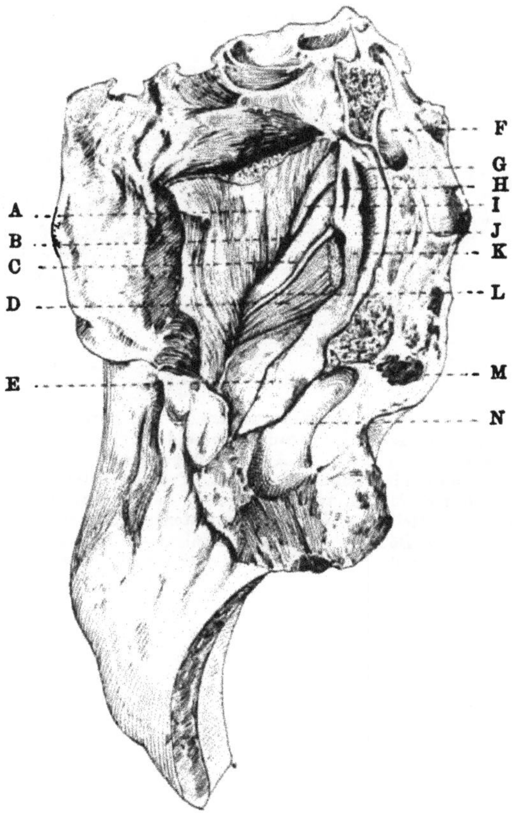

A. M. tensor veli palatini.
B. Schädel-Ansatz des M. tensor veli palatini.
C. Häutiger Tubenteil.
D. M. levator palatini.
E. Weicher Gaumen.
F. Keilbeinhöhlenzelle.
G. Rosenmüllersche Grube.
H. Tubenmündung.
I. Knorpelband.
J. Tubenwulst.
K. Pharyngealer Knorpelfortsatz.
L. Aponeurosis zwischen M. levator und tensor veli palatini.
M. Basilarfortsatz des Hinterhauptbeins.
N. Condylus.

Fig. 12. Ein fast senkrechter Schnitt durch den rechten Mittelohrgang.
Die innere hintere Hälfte der Tuba Eustachii erscheint mit einer konkaven
Wand. Unter der Ohrtrompete ist der M. levator veli palatini sichtbar.
Derselbe ist von seinem Bette am Tubenboden entlang gegen den Knorpel
gehoben worden und zeigt den Ansatz am Knorpel.

Figur 12.

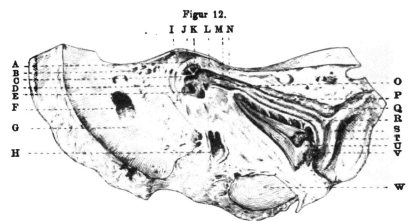

A. Kanal für N. facialis. — B. Warzenzellen. — C. Pyramide. — D. N. facialis. — E. Fenestra cochleae. — F. Sinus sigmoideus. — G. Warzenfortsats. — H. Arteria carotis interna. — I. Äußerer Bogengang. — J. M. stapedius. — K. Fenestra vestibuli mit Steigbügel. — L. Promontorium. — M. Cristafalciformis. — N. Kanal für M. tensor tympani. — O. Knöcherner Tubenteil. — P. Knorpeliger Tubenteil. — Q. Durchschnittener Knorpel. — R. Muskel und Knorpel verbindendes Bündel. — S. Tubenwulst. — T. Rosenmüllersche Grube. — U. M. levator veli palatini. — V. Pharyngealer Knorpelfortsats. — W. Condylus.

Über die Einwirkung des berufsmässigen Telephonierens auf den Organismus mit besonderer Rücksicht auf das Gehörorgan.

Von

Dr. N. Rh. Blegvad,

ehem. Assistent an der Ohren- und Halsklinik des Kopenhagener Kommunehospitals.

(Fortsetzung und Schluß.)

4) Die Verhältnisse bei der Perception der Stimmgabeln per Luftleitung und per Knochenleitung.

Pflanzt sich der Schall vom Telephon per Luftleitung oder per Knochenleitung fort? Hierüber findet man bei Zwaardemaker und Quix[1] folgende Angaben: „Beim Telephon pflanzt der Schall sich auf zwei Wegen zum Trommelfell bezw. Labyrinthfenster fort: a) von der Telephonplatte durch Luftleitung direkt zum Trommelfell, b) von der Telephonplatte auf das Gehäuse, und von diesem durch die Ohrmuschel zum knöchernen Gehörgange (weiter verfolgt er dann den Weg cranio-tympanal oder craniell). Welchen Anteil jede dieser beiden Leitungsbahnen an der Fortpflanzung der totalen Schallmenge hat, ist schwer zu sagen. Das gegenseitige Verhältnis wird in hohen Grade von der Dicke der Telephonplatte und der Art der Einklemmung derselben abhängig sein, auch von der größeren oder geringeren Kraft, mit welcher das Telephongehäuse der Ohrmuschel und die Ohrmuschel dem Schädel angedrückt wird. Aber auch, wenn diese Kraft nur mäßig genommen wird, und die Ohrmuschel mit dem Schädel keine anderen als ihre natürlichen Berührungspunkte hat, ist beim gewöhnlichen Telephon der Stadtleitungen die vom Gehäuse ausgehende Schallübertragung recht bedeutend." Es unterliegt kaum einem Zweifel, daß — wie die obigen Worte angeben — die Schallübertragung sowohl per Luftleitung als auch per Knochenleitung geschieht; ich glaube aber, daß der Anteil der Luftleitung der bedeutendste

---

1) Archiv f. Anatomie u. Physiologie. Physiol. Abtlg. Jahrg. 1904. S. 26.

ist. An dem Ebonitgehäuse, welches die Telephonplatte umgibt, findet sich ein trichterförmig vertiefter Deckel und in
dessen Mitte ein Loch von etwa 13 mm Durchmesser; durch
dieses Loch gehen die Schallwellen direkt von der Telephonplatte zum Trommelfell, sodaß sie sich an dieser kleinen Fläche,
die etwa den Durchmesser des Gehörganges hat, gleichsam konzentrieren. Am Telephon hört man unbedingt am besten, wenn
der Hörer so gehalten wird, daß das Loch des Deckels gerade
vor dem Ohreingang zu liegen kommt, und wenn man dem
Loche einen andern Durchmesser gibt, so wird die Schallstärke
bedeutend geschwächt. Durch diese Veränderung wird nur die
durch Luftleitung fortgepflanzte Schallmenge beeinflußt, und da
nun die Schallstärke dadurch bedeutend geschwächt wird, so
darf man daraus schließen, daß die Ueberführung per Luftleitung die überwiegende ist.

Damit es möglich werde, die bei der Bestimmung der Luft-
und Knochenleitung gefundenen Zahlen und ihre Abhängigkeit
vom Telephonieren zu beurteilen, habe ich sie in der untenstehenden Tabelle in 3 Gruppen geordnet. Die erste Gruppe
umfaßt die Durchschnittszahlen für 140 Telephonistinnen mit
einer Dienstzeit von 5½ bis 23 Jahren incl.; in der zweiten
Gruppe findet man die Durchschnittszahlen für 123 Telephonistinnen mit einer Dienstzeit von 2 bis 5 Jahren incl. und die
dritte enthält die Durchnittszahlen für 108 Telephonistinnen mit
einer Dienstzeit von ¼ bis 1½ Jahren incl. Die hinter den
Durchschnittszahlen und in Parenthese stehenden Zahlen bezeichnen die Anzahl der Telephonistinnen.

Durchschnittszahlen für die Perceptionszeit per Luftleitung und per Knochenleitung.

		Telephonsitinnen mit Dienstzeit 5½—23 Jahre		Telephonistinnen mit Dienstzeit 2—5 Jahre		Telephonistinnen mit Dienstzeit ¼—1½ Jahr	
Luftleitung a₁	r.	51.9	(137)	51.6	(122)	48.9	(107)
	l.	53.7		52.5		50.6	
Luftleitung A (Maximal-malausschlag)	r.	108.6	(45)	111.0	(41)	107.5	(62)
	l.	107.4		107.4		106.3	
Luftleitung A (Anschlag mittelst Pendelapparat) .	r.	53.5	(95)	55.6	(81)	51.6	(45)
	l.	54.7		55.5		53.3	
Knochenleitung a₁ . . .	r.	17.0	(137)	16.9	(122)	15.8	(107)
	l.	16.9		17.5		16.5	
Knochenleitung A . . .	r.	25.3	(139)	24.6	(120)	23.7	(107)
	l.	24.2		23.8		23.0	

Wenn man die obigen Zahlen beurteilen soll, so muß man wissen, welche Perceptionszeiten die angewandten Stimmgabeln bei normalen Ohren, bei Damen, die nie berufsmäßig telephoniert haben, ergeben würden. Ich untersuchte deshalb 130 solche Damen, welche Anstellung bei der Telephongesellschaft suchten und im Alter zwischen 16 und 50 Jahren standen. Unter diesen Damen hatten 70 (im Alter zwischen 16 und 25 Jahren) völlig normales Gehör und normale Trommelfelle aufzuweisen, d. h. am Trommelfelle war keine Verdickung, Retraktion, Kalkabablagerung, Narbe, Perforation u. dergl. nachzuweisen. — Die bei dieser Untersuchung gefundenen Durchschnittszahlen waren folgende:

Luftleitung a_1 . . . . . 51.7
Luftleitung A (Maximalausschlag) . 108.4
Luftleitung A (Anschlag m. Pendelapp) 53.7
Knochenleitung a_1 . . . . 16.8
Knochenleitung A 25.8

Bezeichnen wir nun die bei normalen, nicht telephonierenden Individuen gefundene Durchschnittszahl durch μ, die bei Telephonistinnen gefundene durch m und die Differenz zwischen den Durchschnittszahlen m_r und m_1 (Durchschnittszahlen rechts bezw. links) durch d, und bezeichnen wir endlich das Verhältnis als positiv, wenn die Zahl beim rechten Ohr größer ist als beim linken, so ergiebt sich folgendes:

Übersicht über die Differenz zwischen der bei normalen, nicht telephonierenden Individuen gefundenen Durchschnittszahl (μ) und der bei Telephonistinnen gefundenen (m), sowie auch über die Differenz (d) zwischen den Durchschnittszahlen m_r und m_1 (Durchschnittszahlen rechts bezw. links).

| | | | Telephonistinnen m. Dienstzeit | | |
			$5\frac{1}{2}$—23 J.	2—5 J.	$\frac{1}{4}$—$1\frac{1}{2}$ J.
Luftleitung a_1	$m \div \mu$	r.	0.2	÷ 0.1	÷ 2.8
		l.	2.0	0.5	÷ 1.7
	$d\,(m_r \div m_e)$		÷ 1.8	÷ 0.6	÷ 1.1
Luftleitung A (Maximalanschlag)	$m \div \mu$	r.	0.2	2.6	÷ 0.9
		l.	÷ 1.0	÷ 1.0	÷ 2.1
	$d\,(m_r \div m_e)$		1.2	3.6	1.2

(Fortsetzung der Übersichts-Tabelle.)

			Telephonistinnen m. Dienstzeit		
			5½—23 J.	2—5 J.	¼—1½ J.
Luftleitung A (Ausschlag mittelst Pendelapparat .	$m \div \mu$	r.	÷ 0.2	1.9	÷ 2.1
		l.	1.0	1.8	÷ 0.4
	$d(m_r \div m_e)$		÷ 1.2	0.1	÷ 1.7
Knochenleitung a₁ . . .	$m \div \mu$	r.	0.2	0.1	÷ 1.0
		l.	0.1	0.7	÷ 0.3
	$d(m_r \div m_e)$		0.1	÷ 0.6	÷ 0.7
Knochenleitung A . . .	$m \div \mu$	r.	÷ 0.5	÷ 1.2	÷ 2.1
		l.	÷ 1.6	÷ 2.0	÷ 2.8
	$d(m_r \div m_e)$		0.1	0.8	0.7

Aus dieser Übersicht geht hervor:

1) Die Differenz $m \div \mu$ ist bald positiv, bald negativ, d. h. die Durchschnittszahlen für Telephonistinnen sind bald größer, bald kleiner als die entsprechenden Zahlen bei andern normalhörigen Individuen. Die positiven und negativen Differenzen sind innerhalb der 3 Gruppen sehr ungleichmäßig verteilt. Nur für die Knochenleitung A ist die Differenz in sämtlichen 3 Gruppen und für beide Ohren negativ und bei den Telephonistinnen, welche am längsten im Dienste standen, ist die Differenz am größten (÷ 0.5 und ÷ 1.6), aber alsdann vermindert sie sich stufenweise, so daß sie bei den Damen mit der kürzesten Dienstzeit am kleinsten ist (÷ 2.1 und ÷ 2.8). Bei der Luftleitung a₁ ist die Differenz 3mal positiv und 3mal negativ, und auch hier nimmt wie bei der Knochenleitung A die Differenz von 0.2 bezw. 2.0 bis ÷ 2.8 bezw. 1.7 ab, der Dienstzeit der Telephonistinnen entsprechend. Bei der Luftleitung A und der Knochenleitung a₁ sind die positiven und negativen Differenzen ohne sichtbare Ordnung verteilt.

Die bei der Luftleitung a₁ und der Knochenleitung A gefundenen Ergebnisse könnten mithin, wie es scheint, darauf deuten, daß das Gehör der Telephonistinnen sich nach und nach verbessere. Indes ist man kaum berechtigt, auf Grundlage der vorliegenden Untersuchung einen derartigen Schluß zu machen; denn teils ist das Material zu klein, und teils sind die Beobachtungsfehler zu groß. Betrachten wir z. B. die Luftleitung A, wo zwischen den mittelst des Pendelapparates und den durch den

Maximalanschlag gewonnenen Resultaten die vollständigste Nichtübereinstimmung herrscht, so leuchtet der Einfluß der Beobachtungsfehler genugsam hervor, und wenn nun auch die Beobachtungsfehler bei a_1 sicher bei weitem nicht so groß sind, so sind sie doch immerhin recht bedeutend; denn es ist keineswegs leicht zu entscheiden, in welchem Augenblicke der Klang einer Stimmgabel eben aufhört.

Da die positiven und negativen Differenzen so ungleichmäßig verteilt und einander an Zahl ungefähr gleich sind, so geht daraus hervor, daß der Einfluß des Telephons auf das Gehör nicht so bedeutend gewesen ist, daß ich denselben bei dem vorliegenden Material mittelst der mir zu Gebote stehenden Untersuchungsmethoden nachzuweisen imstande war. Die Abweichungen von der Norm, welche gefunden wurden, können auf Beobachtungsfehlern beruhen, vielleicht auch auf dem verschiedenen Alter und der verschiedenen Angabe von Dienststunden vor der Untersuchung und auf andern Faktoren, welche sich der Berechnung entziehen.

2. d ist in 7 Fällen negativ, in 8 Fällen positiv. Bei der Luftleitung A mit Maximalanschlag und bei der Knochenleitung A ist die Differenz'in sämtlichen drei Gruppen positiv; bei der Luftleitung A (Anschlag mittelst des Pendelapparats) und bei der Knochenleitung a_1 ist sie bald positiv, bald negativ, und bei der Luftleitung a_1 endlich ist sie überall negativ, d. h. die Durchschnittszahl der Luftleitung a_1 ist links immer größer als rechts. Da nun die überwiegende Anzahl der Telephonistinnen beim Telephonieren ausschließlich das linke Ohr gebraucht, und da jedenfalls sämtliche Telephonistinnen (fünf allein ausgenommen) längere Zeit hindurch (vor der Einführung des Kopftelephons) sich beim Telephonieren des linken Ohres bedienten, so könnte man geneigt sein, das Telephonieren als die Ursache des in Rede stehenden Verhältnisses zu betrachten, und das um so mehr, als auch Braunstein[1]) ein ähnliches Resultat erzielte. Braunstein gibt nämlich an, daß er bei der Untersuchung der Luftleitung in 68 Fällen (42 Proz.) die größte Zahl an dem beim Telephonieren tätigen Ohr fand, in 43 Fällen (27 Proz.) war das Gegenteil der Fall, und in 49 Fällen (31 Proz.) war das Gehör an beiden Ohren gleich gut. Man könnte sich denken, daß es sich hier um eine Art Angewöhnung handle, eine Angewöhnung, wie wir sie in Abschnitt 1 bei der Besprechung der unteren

1) Archiv für Ohrenheilk. Bd. 59, 1903, S. 298.

Grenze erwähnt haben; es sollte das Ohr mithin beim Gebrauch für die Töne von einer bestimmten Tonhöhe geschärft
werden. Eine solche Angewöhnung müßte vermutlich wie bei
den tiefen Tönen recht schnell eintreten, und es ließe sich erwarten, daß man sie bei Telephonistinnen, die etwa 1 Jahr den
Hörer am rechten Ohr getragen haben, recht ausgesprochen finden könnte [1]), und bei Telephonistinnen, die den Hörer abwechselnd bald am rechten, bald am linken Ohre tragen, müßte man
alsdann gar keine Differenz zwischen m_r und m_e nachweisen
können. Es ergibt sich jedoch, daß die Differenz d (in bezug
auf a_1) bei etwa der Hälfte (16) unter den 30 Telephonistinnen,
die den Hörer am rechten Ohr tragen, positiv ist, bei der anderen Hälfte (14) ist sie negativ; durchschnittlich hört das beim
Telephonieren angewandte Ohr die Stimmgabel a_1 per Luftleitung
0,1 Sekunde kürzer als das andere. Unter den 49 Telephonistinnen, welche die beiden Ohren abwechselnd gebrauchen, ist
bei etwa der Hälfte (24) die Differenz positiv, bei $^1/_{10}$ (5) $= 0$
und bei $^2/_5$ (20) negativ; durchschnittlich beträgt die Differenz
zwischen der Luftleitung a_1 rechts und links ca. $\div$ 0,84 Sekunden. Diese Berechnung — die jedoch nur auf einem kleinen Material beruht — bestätigt nicht die oben erwähnte Annahme;
sonst müßte man annehmen, daß die Ursache, warum die Luftleitung a_1 links am größten ist, auch bei mehreren unter den
Telephonistinnen, welche beim Telephonieren den Hörer abwechselnd an beiden Ohren oder überwiegend am rechten Ohre tragen, darin liege, daß sie früher das linke Ohr angewandt haben,
so daß es sich um eine früher erworbene Angewöhnung handle,
die sich noch fortwährend geltend mache. Hierbei ist indes zu
bemerken, daß die Angewöhnung — wie schon früher erwähnt —
vermutlich auch hier wie bei den tiefen Tönen schnell entsteht
(und schnell verschwindet). Daß die Luftleitung a_1 links einen
größern Wert (durchschnittlich 1,2 Sekunden) hat bei den Telephonistinnen, die den Hörer am linken Ohre tragen, ist deshalb
unzweifelhaft nur zufällig. Für die 285 betreffenden Telephonistinnen stellen sich die Werte der Luftleitung a_1 wie folgt: bei
158 oder ca. 55 Proz. ist der Wert am größten in bezug auf das
beim Telephonieren angewandte Ohr; bei 97 oder 34 Proz. ist
das Gegenteil der Fall, und bei 30 oder ca. 11 Proz. ist er an
beiden Seiten derselbe. Es hat mithin das Telephon das Gehör
für a_1 per Luftleitung wenigstens nicht geschwächt.

1) Bei ihnen sollte also die Differenz d ($m_r \div m_e$) positiv sein.

Vollständig ähnliche Resultate stellen sich bei der Berechnung der Luftleitung A und der Knochenleitung a₁ und A heraus, weshalb diese weitläufigen Berechnungen an dieser Stelle keinen Platz finden.

Da auch nicht die gefundene Hörweite für Flüsterstimme in den Fällen, wo dieselbe bestimmt wurde, irgend einen Einfluß des Telephonierens aufwies, so darf man daraus schließen, daß das berufsmäßige Telephonieren keine Herabsetzung des Gehörs herbeiführt bei Gehörorganen mit normalen oder fast normalen Trommelfellen.

Auf der anderen Seite haben unsere Untersuchungen aber auch nicht irgend eine durch das Telephonieren hervorgerufene Schärfung des Gehörs nachweisen können. Unter Telephonistinnen ist der Glaube allgemein verbreitet, daß das Telephonieren das Gehör schärfe, eine Anschauung, die auch von Passow[1] und` Bernhardt[2] erwähnt wird. Dieser Glaube ist mithin falsch. Daß der Glaube sich bei den Telephonistinnen einnistet, erklärt sich sicher auf die Weise, daß das Ohr sich beim Telephonieren daran gewöhnt, den Schall am Telephon aufzufassen, sich also gewissermaßen dem Telephon accomodiert, und diese Accomodation kommt wahrscheinlich hauptsächlich dadurch zustande, daß man sich daran gewöhnt, teils den von der Umgebung herrührenden Lärm, der in das untätige Ohr eindringt, nicht zu beachten, und teils von den Nebenlauten, die im Telephon auftreten, hinwegzusehen. Mit dieser Annahme stimmt die Angabe überein, die ich von den meisten unter den untersuchten Telephonistinnen erhielt, indem sie nämlich behaupteten, daß der Schall einen mehr lärmenden und polternden Charakter habe, wenn sie den Hörer an dem Ohre anzubringen versuchten, welches sie sonst nicht beim Telephonieren benutzten.

III. *Veränderungen des Gehörs, hervorgerufen durch Telephonieren bei Gehörorganen mit pathologisch veränderten Trommelfellen.*

Es fanden sich im ganzen 47 Telephonistinnen, deren Trommelfelle mehr ausgesprochene pathologische Veränderungen aufzuweisen hatten, und zwar 8 mit Otitis media suppurativa chronica, 32 mit Otitis mediae suppurativae sequelae, 5 mit Otitis media catarrhalis und 2 mit Otomycosis benigna.

---

1) Die Verletzungen des Gehörorgans. Wiesbaden 1905. S. 151.
2) Betriebsunfälle der Telephonistinnen. Berlin 1906. S. 19.

A. Veränderungen des Gehörs infolge von Telephonieren bei Telephonistinnen mit Otitis media suppurativa chronica (8 Telephonistinnen).

1. Das Wesen der untersuchten Fälle.

Bei 4 unter den untersuchten Telephonistinnen fand sich
eine rechtsseitige und bei 4 eine linksseitige Eiterung.

In 3 Fällen bestand das Leiden seit der Kindheit, in einem
Falle seit 5 Jahren, in einem seit 2 Jahren, in einem seit 1 Jahre,
und in 2 Fällen ließ sich über die Dauer des Leidens nichts ermitteln. Bei 3 — vielleicht bei 4 — Telephonistinnen entstand
das Leiden, nachdem sie in den Telephondienst getreten waren.

Eine unter den Untersuchten führt ihr Leiden auf die Masern, eine andere auf eine Erkältung zurück; eine dritte meint,
daß ihr Ohrenleiden entstand, als ihre Mutter vor einem Jahre
siedendes Öl in ihren Gehörgang goß, da sie eines Tages über
Schwerhörigkeit klagte. In den übrigen Fällen läßt sich über
die Ätiologie des Leidens nichts ermitteln. Nur eine Telephonistin ist der Ansicht, daß ihr Ohrenleiden mit ihrer Tätigkeit
am Telephon in Verbindung steht; das Leiden soll nämlich nach
einem vor 2 Jahren erfolgten starken „Läuten in das Ohr" entstanden sein. Sie behauptet jedoch, daß sich sofort stinkender
Ausfluß aus dem Ohre einstellte, aber sie hatte keine Schmerzen
und litt nicht an Schwerhörigkeit. Auf Grundlage dieser Auf-
klärungen wird man wohl schwerlich annehmen können, daß das
„Läuten" die Ursache zur Entstehung des Ohrenleidens herge-
geben habe; dagegen liegt es sicher außer Zweifel, daß das
Leiden durch dasselbe verschlimmert worden ist.

Die betreffenden Telephonistinnen stehen im Alter zwischen
19 und 35 Jahren; ihre Dienstzeit liegt zwischen 4 und 17
Jahren und ist mithin durchschnittlich recht lang (nur 2 haben
eine Dienstzeit unter 5 Jahren).

Die 4 Telephonistinnen, deren rechtes Ohr erkrankt ist, gebrauchen beim Telephonieren stets das gesunde Ohr. Unter den
4 Damen, deren linkes Ohr krank ist, finden sich 2, welche
jetzt beim Telephonieren das gesunde Ohr gebrauchen; die eine
derselben hat aber früher (vor der Einführung des Kopftelephons) 3 Jahre hindurch das kranke Ohr gebraucht, ohne irgend
eine Beschwerde zu verspüren, trotzdem daß die Hörweite für
die Flüsterstimme an dem betreffenden Ohre nur 3 Meter betrug;
und die andere Telephonistin hat früher ebenfalls das kranke

Ohr benutzt; als aber das erwähnte „Läuten" eine Exacerbation
ihres Ohrenleidens herbeiführte, hat sie seitdem den Hörer am
gesunden Ohre getragen. Die dritte ahnte nicht, daß ihr Ohr
krank sei; sie hatte 12 Jahre lang das linke Ohr beim Telephonieren angewandt und meinte, mit demselben sehr gut hören
zu können. Bei der Untersuchung hört sie die Flüsterstimme
in einem Abstand von nur 1 Meter. Die vierte Dame endlich
hatte 7 Jahre lang das kranke Ohr beim Telephonieren gebraucht, obgleich das Gehör so stark herabgesetzt war, daß sie
die Flüsterstimme nur in einem Abstand von $1/2$ Meter auffassen
konnte.

2. Die Verhältnisse der Trommelfelle.

Das Trommelfell des nicht erkrankten Ohres war in fast
sämtlichen Fällen normal; nur bei zwei Damen war dasselbe
etwas retrahiert, und bei einer war es ein wenig narbenartig verändert. Das Trommelfellbild hat an dem erkrankten Ohre außer
den Zeichen der chronischen Mittelohreiterung keine besonderen
Abnormitäten aufzuweisen, und speziell bietet es keine stärkeren
Veränderungen dar bei denjenigen Telephonistinnen, die den
Hörer am kranken Ohre tragen.

3. Die Verhältnisse der unteren Tongrenze.

Die untere Tongrenze war bei sämtlichen 8 Telephonistinnen
erhöht; die bedeutendste Erhöhung (2 Oktaven, d. h. bis zum C
der großen Oktave) findet sich bei einer Dame, die beim Telephonieren das gesunde Ohr gebraucht.

4. Die Verhältnisse der oberen Tongrenze.

Die obere Tongrenze ist bei drei unter den in Rede stehenden Telephonistinnen bis auf 0,3 (48000 v. d.) herabgesetzt, und
zwar am kranken Ohr; diese Herabsetzung wird man jedoch
schwerlich als eine pathologische betrachten können.

5. Die Verhältnisse der Perception der Flüsterstimme.

Die Hörweite für die Flüsterstimme ist bei sämtlichen 8 Telephonistinnen herabgesetzt. Bei einer Beamtin, die den Hörer
am gesunden Ohre trägt, ist die Herabsetzung sogar so bedeutend, daß sie die Flüsterstimme gar nicht auffassen kann; gewöhnliche Rede vermag sie nur ad aurem aufzufassen. Bei den
übrigen ist die Herabsetzung nicht so groß wie bei der letzterwähnten Dame, aber häufig ist sie doch ziemlich bedeutend
(Hörweite für Flüsterstimme: $1/2$—1 Meter, siehe oben.

**6. Die Verhältnisse der Perception der Stimmgabel
per Luftleitung.**

Wie zu erwarten war, variierten die Werte für die Luftleitung sowohl für a_1 wie auch für A einigermaßen parallel mit der Hörweite für die Flüsterstimme.

Zur Beantwortung der Frage, welchen Einfluß das Telephonieren auf ein Gehörorgan mit chronischer Mittelohreiterung hat, gibt die vorliegende Untersuchung keinen nennenswerten Beitrag. Zwar geht aus unserer Untersuchung hervor, daß das Aussehen des Trommelfells, die untere Tongrenze, die obere Tongrenze, die Hörweite für die Flüsterstimme und die Perceptionszeit per Luftleitung im ganzen nicht mehr affiziert waren bei den 4 Telephonistinnen, die beim Telephonieren das kranke Ohr anwenden, als bei den 4 übrigen; aber gesetzt den Fall, daß wir bei den 4 ersterwähnten Telephonistinnen einen oder mehrere unter den obigen Werten in höherem Grade beeinflußt gefunden hätten, so wären wir dennoch imstande gewesen, einen sicheren Schluß auf den Einfluß des Telephonierens zu machen. Man kann nämlich bei der chronischen Mittelohreiterung von dem Aussehen des Trommelfells aus keinen Schluß auf die untere Tongrenze und die Hörweite für die Flüsterstimme oder umgekehrt machen; denn diese Erscheinungen variieren scheinbar völlig unabhängig von einander. Jedoch geht aus unseren Ergebnissen hervor, daß das stetige Telephonieren keinen besonders schädlichen Einfluß auf eine chronische Mittelohreiterung ausübt; denn sonst hätte eine Telephonistin nicht 12 Jahre lang beim Telephonieren das kranke Ohr gebrauchen können, ohne daß eine starke Herabsetzung des Gehörs oder subjektive Symptome sich einstellten, ja sogar ohne daß sie sich bewußt wurde, daß ihr Ohr krank sei, speziell fanden sich in keinem Falle Zeichen einer Labyrinthaffektion, d. h. weder eine nennenswerte Herabsetzung der oberen Tongrenze noch subjektive Gehörsempfindungen waren vorhanden. Andererseits ergibt sich, daß die plötzlich und stark auftretenden Schalle im Telephon („Läuten in das Ohr") jedenfalls ein schon vorhandenes Leiden verschlimmern können.

B. Veränderungen des Gehörs infolge von Telephonieren bei Telephonistinnen mit Otitidis mediae suppurativae sequelae (32 Telephonistinnen).

1. Das Wesen der untersuchten Fälle.

In 9 Fällen fanden sich die Veränderungen links, in 17 Fällen

am rechten Ohre, und in 6 Fällen an beiden Ohren. Bei 20 unter
diesen Telephonistinnen ließ sich über frühere Ohrenleiden nichts
ermitteln; mehrere unter denselben haben aber an Scarlatina, Mor-
billi oder anderen Kinderkrankheiten gelitten, welche die pathologischen Veränderungen haben hervorrufen können. Bei 6 waren
im Kindesalter Ohrenschmerzen und Ohrenentzündung aufgetreten. Eine unter denselben wurde wegen Mastoiditis operiert;
eine litt im 16. Lebensjahre an Ohrenentzündung, eine andere
desgleichen im 17. Lebensjahre, d. h. bevor sie in den Telephondienst traten. Bei 2 Telephonistinnen stellte sich vor 3 Jahren,
d. h. während sie im Telephondienst standen, eine Eiterung ein;
bei der einen entwickelte sie sich infolge der Influenza, die
andere weiß keine Ursache anzugeben. Da das Gehör der beiden Damen vollständig normal ist (die eine litt an doppelseitigem
Ausfluß), so hat mithin in diesen beiden Fällen das Telephonieren durchaus keinen schädlichen Einfluß auf das Gehör geübt. Bei einer, die als Kind an Schmerzen in und Ausfluß aus
dem linken (?) Ohre litt, stellten sich vor etwa 1 Jahre (vielleicht
durch den Druck des Kopftelephons (?) hervorgerufen) Schmerzen im
linken Ohre und etwas Ausfluß ein. Bei Spezialbehandlung trat im
Laufe eines Monats Heilung ein. Es ist in diesem Falle nicht zu
entscheiden, ob wirklich das Telephonieren es ist, welches eine
Ohreneiterung hervorrief. Im Augenblicke erblickt man nichts
als eine trockene Perforation im linken Trommelfell. Schließlich erklärt eine unter diesen Telephonistinnen, daß sich vor
1 Jahre infolge von „Läuten" Schmerzen im rechten Ohre einstellten, die etwa 14 Tage lang dauerten; die Schmerzen waren
jedoch weder von Schwerhörigkeit noch von Ausfluß begleitet,
und es ist deshalb nicht wahrscheinlich, daß eine im rechten
Trommelfell vorhandene Perforation durch die Folgen des „Läutens" hervorgerufen worden ist.

Die in Rede stehenden Telephonistinnen standen im Alter
zwischen 18 und 47 Jahren und hatten eine Dienstzeit von
$^1/_2$ bis 14 Jahren; die Dienstzeit ist mithin durchschnittlich ziemlich bedeutend.

Unter den 9 Telephonistinnen, deren linkes Trommelfell
anormal ist, finden sich 6, die beim Telephonieren den Hörer
am linken Ohre tragen, und bei 3 unter denselben ist links die
Hörweite für die Flüsterstimme bis auf 8 Meter herabgesetzt. Die
siebente trägt den Hörer am rechten Ohre (Mastoiditis sinistrae

sequelae), die achte in der Regel am rechten Ohre, und die neunte
trägt ihn abwechselnd an beiden Ohren.

Unter den 17 Beamtinnen, deren rechtes Trommelfell anormal ist, finden sich 10, die beim Telephonieren das linke Ohr
gebrauchen; die übrigen 7 tragen den Hörer bald am linken,
bald am rechten Ohr, aber 4 unter ihnen gebrauchen beim Telephonieren doch überwiegend das linke Ohr.

Zwei unter den 6 Telephonistinnen, die an beiden Trommelfellen Anomalien aufzuweisen haben, tragen den Hörer abwechselnd an beiden Ohren; die übrigen tragen ihn links. 4 unter
diesen 6 Damen besitzen ein normales Gehör; die fünfte trägt
den Hörer überwiegend am schlechteren Ohre, die sechste trägt
ihn dagegen vorzugsweise am besseren Ohre, dessen Hörweite
für die Flüsterstimme jedoch bis auf 4 Meter herabgesetzt ist.

Unter den obigen 32 Telephonistinnen finden sich demnach
11, die den Hörer an einem gesunden Ohre tragen, während 12
andere fortwährend und 9 gelegentlich beim Telephonieren ein
Ohr gebrauchen, dessen Trommelfell pathologisch verändert ist.
10 unter diesen Damen tragen den Hörer an einem Ohre, dessen
Hörvermögen herabgesetzt ist.

2. Die Verhältnisse der Trommelfelle.

Die Trommelfelle haben bei den meisten unter diesen Telephonistinnen Narben oder Kalkablagerungen oder beides zugleich aufzuweisen. An 7 Trommelfellen wurden unzweifelhafte
und an 2 zweifelhafte Perforationen (vielleicht Narben) nachgewiesen. In 4 Fällen war das linke Trommelfell perforiert, 3 mal
fand sich die Perforation rechts, und bei einer Dame waren
beide Trommelfelle perforiert.

3. Die Verhältnisse der unteren Tongrenze.

Bei 2 Telephonistinnen wurde die Lage der unteren Grenze
nicht festgestellt; bei 21 war sie normal. Bei den übrigen neun
Damen ist die untere Tongrenze mehr oder weniger erhöht. Bei
7 unter denselben ist die Erhöhung wahrscheinlich durch die
abgelaufene Eiterung hervorgerufen worden; aber bei 2 Beamtinnen wurde eine Schwächung der Perception der hohen Töne
am gesunden Ohre nachgewiesen, während das erkrankte Ohr
eine normale untere Grenze aufzuweisen hatte. In diesen Fällen
kann die mangelhafte Perception der tiefen Töne also nicht dem
veränderten Mittelohre zur Last gelegt werden. Es ist aber
— wie schon oben hervorgehoben — wahrscheinlich, daß die

mangelhafte Perception auf einer Angewöhnung für Töne (der gewöhnlichen Rede) beruht, die höhere Schwingungszahlen haben, als die der tiefen Stimmgabeln; denn die betreffenden Damen gebrauchen beide beim Telephonieren das gesunde Ohr.

4. Die Verhältnisse der oberen Tongrenze.

Bei 10 unter den in Rede stehenden Telephonistinnen wurde eine Herabsetzung der oberen Grenze beobachtet. Dieselbe läßt sich in sämtlichen Fällen als Folge eines Ohrenleidens oder des Alters erklären; es ist mithin bei keiner unter den Untersuchten eine durch das Telephonieren hervorgerufene Einwirkung auf das Verhältnis der oberen Tongrenze nachgewiesen worden.

5. Die Verhältnisse der Perzeption der Flüsterstimme und der Stimmgabel per Luftleitung.

Die Hörweite für die Flüsterstimme und die Perzeptionszeit per Luftleitung war bei 12 Untersuchten herabgesetzt, aber in sämtlichen Fällen ließ sich die Herabsetzung als eine Folge der abgelaufenen Mittelohreiterung erklären.

Im großen Ganzen deuten die Ergebnisse der an diesen 32 Telephonistinnen angestellten Funktionsprüfung keineswegs auf eine schädliche Einwirkung des berufsmäßigen Telephonierens auf das Hörvermögen eines Ohres, dessen Trommelfell entweder narbenartig verändert oder perforiert ist.[1)]

Betrachtet man die Abschnitte II und III, so ergibt sich folgendes:

Bei sämtlichen Telephonistinnen mit normalen Trommelfellen war das Gehör normal und durchgehend an beiden Ohren gleichen Grades. In den Fällen, die eine Herabsetzung des

---

1) Auch nicht bei den 5 Telephonistinnen, die an akuter (oder subakuter) Otitis media catarrhalis litten, wurde irgendwelche schädliche Einwirkung des Telephonierens nachgewiesen. Keine unter ihnen betrachtete ihre Tätigkeit als Telephonistin als die Ursache des Leidens, noch fühlte es als eine Beschwerde, den Dienst mittelst des erkrankten Ohres zu versehen; bei einer unter ihnen verschwanden die Schmerzen sogar, sobald sie in einer warmen Stube an ihre Arbeit ging.

Zwei unter den Untersuchten litten an Otonycasis benigna in beiden Gehörgängen. Ihre Krankengeschichten werden später Erwähnung finden. Die Funktionsprüfung brachte bei ihnen nichts Merkwürdiges an an den Tag; eigentümlich ist es, daß ich bei der einen die obere Tongrenze bis auf $\frac{0.9}{0.8}$ herabgesetzt fand, obschon die Dame nur 31 Jahre alt war.

Hörvermögens aufwiesen, waren pathologische Veränderungen
des Trommelfells vorhanden, welche die Herabsetzung erklären
konnten. Das berufsmäßige Telephonieren hat mithin
keine Herabsetzung des Hörvermögens der gesunden
Gehörorgane herbeigeführt, und kein Umstand ist
vorhanden, der die Annahme stützen könnte, daß das
berufsmäßige Telephonieren bei kranken Gehörorganen auf das Hörvermögen schädlich einwirke
(abgesehen von Unglücksfällen wie Blitzschlag und „Läuten in
die Ohren", die später Erwähnung finden). Diese Behauptungen
sind vermeintlich gemeingültig, vorausgesetzt daß der Telephondienst an andern Orten unter gleichen Verhältnissen wie in
Kopenhagen vor sich geht.

IV. *Andere Symptome von seiten des Ohres, hervorgerufen durch*
Telephonieren.

Verschiedene Untersucher (Gellé[1]), Politzer[2]), Röpke[3]),
Tommasi[4]), Wernicke[5]), Kurella[6]), Bernhardt[7])), die
sich mit der Frage über den Einfluß des Telephonierens auf
den Organismus beschäftigten, haben eine ganze Reihe von
Symptomen zu verzeichnen, die dem stetigen Telephonieren zur
Last gelegt werden. Außer progressiver Verminderung des Hörvermögens und Labyrinthaffektionen findet man folgende Symptome
erwähnt: Ohrenschmerzen, subjektive Gehörsempfindungen, Hyperaesthesia acustica, Schwindel, Gefühl von Druck und Fülle im
Ohre, allgemeine Nervosität, Hysterie, psychische Depression
und Tic convulsif.

Bei der Untersuchung der Kopenhagener Telephonistinnen
habe ich die Aufmerksamkeit auf das Auftreten der obigen
Symptome gerichtet; es traten mir aber erhebliche Schwierigkeiten entgegen, wenn es zu entscheiden galt, ob die gefundenen
Symptome durch das Telephonieren hervorgerufen waren. Diese

---

1) Ann. d. mal. de l'oreille etc. 1889, Nr. 12 u. Zeitschr. f. Ohrenheilkunde Bd. 20, 1890, S. 150.

2) Lehrb. d. Ohreilk, 4. Aufl. 1901, S. 649.

3) Die Berufskrankb. d. Ohres usw. 1902.

4) Alli del VII. Congresso della Soc. Italiana di Laring., Otolog. etc.
1906, S. 17 ff.

5) Monatsschr. f. Psychiatrie u. Neurolgie. Bd. 17, 1905, Ergänzungsheft S. 1 ff.

6) Elektr. Gesundheitsschädigungen am Telephon. 1905.

7) Die Betriebsunfälle der Telephonistinnen. 1905.

Schwierigkeiten entsprossen der Antipathie der Telephonistinnen gegen das Kopftelephon. Bis zum 1. Januar 1904 benutzte die Kopenhagener Telephongesellschaft ausschließlich ein Handtelephon, welches mit der linken Hand an das Ohr angedrückt wurde. An Stelle dieses Apparats wurde nun das oben beschriebene Kopftelephon eingeführt. Dasselbe hat den technischen Vorzug, daß es nicht mittelst der Hand festgehalten wird, sodaß auch die linke Hand für die Expedition frei wird. Von seiten der Telephonistinnen trat indes der Einführung des Kopftelephons ein energischer Widerstand entgegen; sie behaupteten, daß der Apparat drücke, Kopfschmerzen hervorrufe usw. Diese Antipathie hat unzweifelhaft dazu beigetragen, daß die Klagen über subjektive Symptome, welche mir vorgebracht wurden, etwas übertrieben wurden; denn die Unzufriedenen sind wahrscheinlich der Ansicht gewesen, daß es von Vorteil sein könnte, wenn sie einen Arzt von den mit der Anwendung des Apparats verbundenen Unannehmlichkeiten überzeugen könnten. Außerdem wird es sicher auch mit Schwierigkeiten verbunden sein, die durch den Druck der Ebonitplatte und der Pelotte des Kopftelephons hervorgerufenen Unannehmlichkeiten von denjenigen zu unterscheiden, die durch das Telephonieren (d. h. durch Schalle im Telephon, Anspannung der Aufmerksamkeit und dergl.) verursacht werden. Daß ein subjektives Symptom durch das Telephonieren und nicht durch den Druck des Kopftelephons hervorgerufen worden ist, kann man nur dann mit völliger Sicherheit behaupten, wenn das Symptom schon vor der Einführung des Kopftelephons vorhanden war. Auch hier wird, wie man sich leicht vorstellen kann, die herrschende Antipathie gegen das Kopftelephon zu Irrungen Veranlassung geben können. Ist doch die Möglichkeit vorhanden, daß die Telephonistin, fest überzeugt wie sie ist von der schädlichen Wirkung des Kopftelephons, zu der Ansicht gelangt, daß dies oder jenes Symptom sich erst nach der Einführung des Kopftelephons eingestellt habe, während sie sich garnicht mehr erinnert, daß das Symptom auch schon früher vorhanden war! So haben z. B. mehrere unter den Untersuchten behauptet, daß sie vor der Einführung des Kopftelephons nie an Kopfschmerzen gelitten hätten. In der Folge werden wir, soweit möglich, die durch das Telephonieren hervorgerufenen Unannehmlichkeiten von denjenigen zu unterscheiden versuchen, die dem Kopftelephon zur Last gelegt werden müssen.

1. Ohrenschmerzen.

Mehrere Telephonistinnen klagten über Ohrenschmerzen, aber nicht immer konnte durch die objektive Untersuchung eine Ursache nachgewiesen werden.

10 unter den untersuchten Damen erklärten, daß sie die Schmerzen erst nach der Einführung des Kopftelephons verspürt hätten, und zwar ausschließlich, wenn sie den Hörer am Ohre hätten, sonst wären keine Schmerzen da. Eine unter diesen Damen litt in den ersten 3 Monaten nach der Einführung des Kopftelephons an stechenden Schmerzen im Ohre; bei einer andern traten die Ohrenschmerzen ebenfalls nur in der ersten Zeit auf; bei einer dritten stellen sich die Schmerzen erst dann ein, wenn sie eine Zeit lang telephoniert hat, und nach ihrer Ansicht werden sie von dem Druck des Kopftelephons hervorgerufen; eine vierte verspürt „Nervenschmerzen" im Ohre, wenn sie den Hörer am linken Ohre trägt; bei einer fünften wurde im Gehörgange eine Acnepustel gefunden.

Noch 2 andere Telephonistinnen, die nach der Einführung des Kopftelephons angestellt wurden, klagten über Ohrenschmerzen. Bei der einen stellen sich die Schmerzen nur dann ein, wenn sie den Hörer am linken Ohre trägt; an dem Trommelfelle dieses Ohres findet sich eine Kalkablagerung, und es handelt sich in diesem Falle vielleicht um eine abgelaufene Eiterung, welche die Empfindlichkeit im Ohre hervorgerufen hat. Die andere Telephonistin hat erst in jüngster Zeit nach andauerndem Telephonieren jagende Schmerzen im Ohre verspürt, ohne daß die objektive Untersuchung eine Ursache nachzuweisen imstande ist.

Bei 12 Telephonistinnen sind Schmerzen in den Ohren aufgetreten, ohne daß jedoch die Damen diese Erscheinung auf das Kopftelephon zurückführen; auch in diesen Fällen finden sich keine pathologischen Veränderungen am Trommelfell, und das Gehör ist normal. Die eine hat hin und wieder Schmerzen im linken Ohre, welches sie beim Telephonieren anwendet; die zweite, die den Hörer am linken Ohre trägt, leidet im letzten Halbjahr an Schmerzen und Sausen in beiden Ohren. Die dritte verspürte ebenfalls während des letztverflossenen Halbjahres mitunter stechende Schmerzen im linken Ohre, welches sie beim Telephonieren gebraucht; die vierte litt 2 Tage vor der Untersuchung an stechenden Schmerzen im Ohre, die bis·

in den Unterkiefer hinausstrahlten (sie trägt den Hörer abwechselnd an beiden Ohren); bei der fünften stellen sich immer beim Telephonieren (also auch wenn sie sich des Handtelephons bedient) und bei Erkältung Schmerzen im Ohre ein; die sechste verspürt hin und wieder Schmerzen im linken Ohre, an welchem sie den Hörer trägt, jedoch treten die Schmerzen nicht besonders beim Telephonieren auf; bei der siebenten entstanden beim Gebrauch des gewöhnlichen Handtelephons so heftige „nervöse Ohrenschmerzen", daß sie auf 1 Jahr Urlaub nehmen mußte; mittlerweile schwanden die Schmerzen und haben sich hernach nicht wieder eingestellt. Noch 2 andere unter diesen Telephonistinnen leiden anfallsweise an nervösen Otalgien, die jedoch nicht vorzugsweise während des Telephonierens oder gleich nach demselben auftreten. Bei der zehnten haben sich im letzten Halbjahr nach mehrstündiger Arbeit und besonders nach „Läuten in das Ohr" Schmerzen in dem beim Telephonieren angewandten Ohre eingestellt; hiermit übereinstimmend erklärt die elfte, daß sie nach einem vor 1 Jahre erfolgten heftigen Läuten in das linke Ohr häufig Schmerzen in diesem Ohre verspürt, und zwar nach stundenlangem Dienste und beim „Läuten", und die zwölfte gibt an, daß nach einem vor 4 Jahren erfolgten heftigen „Läuten in das linke Ohr", wodurch sogleich Kopfweh und Schmerzen hervorgerufen wurden, ab und zu während der Arbeit Schmerzen im linken Ohre sich einstellen. In diesem Zusammenhange sei erwähnt, daß das heftige „Läuten" (d. h. der Schall des Rufstromes, siehe oben Seite) bei mehreren Telephonistinnen Ohrenschmerzen hervorruft. Daraus geht hervor, daß die heftigen und plötzlich auftretenden Schalle eine bedeutende Rolle spielen als ätiologische Faktoren bei den bei Telephonistinnen auftretenden Ohrenschmerzen, die ohne Zweifel überwiegend „nervöser" Art sind.

Während wir in den obigen Fällen weder anamnestisch noch objektiv mit Sicherheit eine andere Ursache zu der Entstehung der Schmerzen als das Telephonieren (oder den Druck des Kopftelephons) nachweisen konnten, so finden wir in den folgenden 3 Fällen andere Momente, welche mitwirkend gewesen sind. Bei 2 Telephonistinnen traten nämlich beim Telephonieren Schmerzen im Ohre auf im Anschluß an ein Ohrenleiden. Im einen Falle handelte es sich um eine nervöse Patientin, die an einer akuten katarrhalischen Otitis media er-

krankte, welche Schmerzen erzeugte, wenn die Patientin sich
in der Kälte befand, und wenn sie den Hörer an dem betreffenden Ohre trug. Bei der zweiten Telephonistin entstand vor 3
Jahren eine linksseitige Tubaocclusion; seitdem hat die Patientin
Schmerzen verspürt, so oft sie den Versuch machte, den Hörer
am linken Ohre zu tragen. Die dritte Telephonistin hat früher
hin und wieder an Ohrenschmerzen und Sausen in beiden Ohren,
hauptsächlich aber im rechten Ohre gelitten (sie trägt den Hörer
abwechselnd an beiden Ohren). Bei der Untersuchung wurde
in beiden Ohren eine Otomyeosis benigna nachgewiesen, die
zwar nicht das Trommelfell befallen hatte, aber dennoch vielleicht zum Auftreten der Symptome Veranlassung gegeben hatte.

Abgesehen von diesen 3 Telephonistinnen (und vielleicht
von 2 unter den oben erwähnten, die hin und wieder — die
eine jedoch nicht besonders beim Telephonieren — in einem
Ohre mit Spuren einer abgelaufenen Eiterung Schmerzen verspüren) findet sich unter den untersuchten Damen, bei welchen
ein Ohrenleiden oder Spuren eines solchen nachgewiesen wurde,
keine einzige, welche über Schmerzen im kranken Ohre beim
Telephonieren klagte. Zwar gebrauchen die meisten unter den
Telephonistinnen das gesunde Ohr beim Telephonieren, aber es
finden sich doch unter den an chronischen Eiterungen leidenden
Damen 2 und unter den an Otitidis mediae suppurativae sequelae
leidenden 21, die beim Telephonieren das kranke Ohr anwenden
und dabei nirgends Schmerzen verspüren.

3 Telephonistinnen klagen über Auftreten von Schmerzen
in den Ohren bei Erkältung, aber nur bei einer unter denselben
stellen sich zugleich Schmerzen beim Telephonieren ein. Das
Trommelfell und das Gehör sind bei diesen Damen normal.

Auch über Schmerzen in den Umgebungen des Ohres wurden
Klagen vorgebracht, aber in sämtlichen Fällen waren die Symptome erst nach Einführung des Kopftelephons aufgetreten. 2
Telephonistinnen erklären, daß das Kopftelephon Schmerzen
vor dem Tragus hervorruft; eine klagt über Schmerzen an
der Stirn; eine andere verspürt die Schmerzen „oben im
Kopfe", eine dritte in der linken Schläfe, eine vierte in der
Wange. Eine Telephonistin klagt über „Nervenschmerzen"
im Nacken und über Schmerzen an den Stellen, wo das Kopftelephon und die Pelotte drücken, und bei einer Dame traten
so heftige „Nervenschmerzen" im Hinterkopfe auf, daß sie
sich 3 Monate lang beurlauben ließ. Zwei andere Beamtinnen

klagen über Schmerzen im Auge und in der Schläfe, und schließlich gibt eine Telephonistin an, daß sie das Gefühl habe, als wäre sie „wund" im Ohre.

6 unter den oben erwähnten Telephonistinnen erklären, daß das Kopftelephon sie nicht belästigt, wenn sie den Apparat am rechten Ohre tragen; am linken Ohre getragen rufe es dagegen bei 4 unter diesen Damen Schmerzen im Ohre, bei einer seit 2 Monaten Schmerzen in der Wange, und bei einer Schmerzen in der Schläfe hervor.

Unter den 46 Telephonistinnen (11 Proz. unter sämtlichen Untersuchten), die über Schmerzen im Ohre und an verschiedenen Stellen des Kopfes klagen, finden sich 22, die dem Kopftelephon das Leiden zur Last legen, 8, bei welchen andere Momente (Ohrenleiden) mitwirkend sind, 7, bei welchen das „Läuten in die Ohren" die Schmerzen hervorruft, und 11 (ca. 3 Proz.), bei denen die Schmerzen möglicherweise ausschließlich infolge von dem Telephonieren auftreten. Unter diesen 46 Telephonistinnen haben nur 4 ein pathologisch verändertes Trommelfell aufzuweisen. Es treten mithin die Schmerzen im Ohre beim Telephonieren nicht häufiger auf bei Telephonistinnen mit anormalen Ohren.

2. Subjektive Gehörsempfindungen.

Eine unter den Untersuchten klagte über Sausen im rechten Ohre, welche Erscheinung erst nach der Einführung des Kopftelephons aufgetreten war; wenn sie den Hörer am linken Ohre trägt, verspürt sie keine Unannehmlichkeit. (An dieser Stelle sei hervorgehoben, daß auch Braunstein[1]) einen Fall mitteilt, wo das Kopftelephon Sausen im einen Ohre, aber nicht im andern, hervorrief.)

7 Telephonistinnen klagen über Sausen in den Ohren, und einen andern Grund dieser Erscheinung als den Telephondienst kann man nicht nachweisen; denn das Trommelfell und das Gehör dieser Damen sind normal. No. 1 gibt an, daß sie ab und zu an Sausen und Schwere in den Ohren leidet; No. 2 verspürte vor etwa 1 Jahre Sausen im linken Ohre, nachdem sie einige Zeit sehr viel zu tun gehabt hatte; das Symptom, welches nicht von Schwerhörigkeit begleitet war, schwand nach Ausspülung. Bei No. 3 stellt sich seit einigen Jahren Ohrensausen nach eintägigem Dienste ein. No. 4 leidet im letzten

1) Archiv f. Ohrenheilk. Bd. 59, 1903, S. 279.

Halbjahr häufig an Sausen (und Schmerzen) in beiden Ohren; No. 5 verspürte während des letzten Monats jagende Schmerzen im linken Ohre, an welchem sie den Hörer trägt, außerdem leidet sie an Ohrensausen, welches sich erst abends, wenn die Patientin im Bette liegt, einstellt; das Symptom tritt nicht heftiger auf, wenn sie den ganzen Tag telephoniert hat. No. 6 leidet sehr an Kopfschmerzen, die in der Schläfe lokalisiert sind, und an Ohrensausen; das Kopftelephon drückt ein wenig die Anthelix, belästigt sie aber sonst nicht. No. 7 endlich hat in 4—5 Tagen unmittelbar vor der Untersuchung Sausen und „Klapperscheinungen" im linken Ohre verspürt.

Schließlich finden sich unter den Untersuchten 9 Damen, bei denen andere Momente vorhanden sind, die bei der Entstehung der subjektiven Gehörsempfindungen eine Rolle gespielt haben können. Die eine unter diesen Telephonistinnen leidet hin und wieder an Ohrensausen, ist aber selbst der Ansicht, daß die Erscheinung auf Nervosität beruht; eine andere Dame, die hin und wieder nach anhaltendem Telephonieren Ohrensausen verspürt, ist etwas anämisch. Eine dritte, ein sehr nervöses und anämisches Individuum, hat seit 10 Jahren (ihre Dienstzeit ist 11 1/2 Jahre) alljährlich im Frühling und Herbst an Ohrensausen und Schwindel gelitten; diese Leiden verschlimmern sich allmählich. Eine vierte erkrankte im Jahre 1904 an einer linksseitigen akuten, eiterigen Otitis media; seitdem hat sie ab und zu Ohrensausen im linken Ohre. Eine fünfte leidet seit dem vorigen Herbst an Sausen, „Klapperscheinungen" und Druck im rechten Ohre. Da sie beim Telephonieren das linke Ohr gebraucht, so können diese Erscheinungen nicht direkt durch das Telephonieren hervorgerufen sein; vielmehr muß man annehmen, daß sie von einem Mittelohrkatarrh verursacht werden. Dasselbe gilt in bezug auf die sechste, die mitunter bei Erkältung Sausen und „Klappempfindungen" im rechten Ohre verspürt (den Hörer trägt sie links). Die siebente, welche Otomykose aufweist, leidet hin und wieder an Ohrensausen; bei der achten tritt abends etwas Ohrensausen auf, welches nicht durch den Telephondienst verschlimmert wird; die Erscheinung stellte sich nach einer leichten Otitis media catarrhalis acuta sinistra ein, welche durch einen Katarrh des Rachens hervorgerufen wurde. Schließlich findet sich eine Telephonistin, die etwa in einem Vierteljahre an Schmerzen im linken Ohre und an Sausen und „Klappempfindung" in beiden Ohren gelitten hat. Bei dieser Dame sind beide Trommelfelle etwas retrahiert, aber im übrigen bieten sie nichts Abnormes dar, so daß die Möglichkeit nicht ausgeschlossen ist, daß die Symptome wenigstens zum Teile durch das Telephonieren hervorgerufen sein können. Überhaupt läßt sich nicht bestreiten, daß das Telephonieren bei einigen unter den oben erwähnten 9 Telephonistinnen jedenfalls indirekt (durch Hervorrufung von Nervosität und Anämie) bei der Entstehung der subjektiven Gehörsempfindungen mitwirkend sein kann.

Unter den oben erwähnten 17 Telephonistinnen die über Ohrensausen klagen, findet sich mithin eine, bei der die Erscheinung erst nach der Einführung des Kopftelephons aufgetreten ist; bei 2 tritt das Symptom in dem Ohre auf, welches nicht beim Telephonieren gebraucht wird, und das Leiden wird also schwerlich dem Telephonieren zur Last gelegt werden können; bei den übrigen 14 Telephonistinnen dieser Gruppe, ca. 3,3 Proz. unter sämtlichen Untersuchten ist das berufsmäßige Telephonieren wahrscheinlich ein mitwirkender ätiologischer Faktor gewesen.

Klagen über subjektive Gehörsempfindungen liegen von 15 Telephonistinnen mit normalen oder fast normalen Trommelfellen und von 2 Damen mit pathologisch veränderten Trommelfellen vor; die Erscheinungen wurden demnach relativ nicht häufiger bei Telephonistinnen mit Ohrenleiden beobachtet.

3. Parästhesien in den Ohren.

Über Druck, Fülle, „Klapperscheinungen" und Eingenommenheit im Ohre klagten 7 Telephonistinnen. Bei 2 unter denselben beruhen die Symptome wahrscheinlich nicht auf dem Telephonieren, denn sie treten in dem Ohre auf, welches nicht beim Telephonieren benutzt wird. Eine dritte leidet mitunter nach dem Telephonieren an Schwere über den Augen und an Kopfschmerzen; eine vierte verspürt, wenn sie telephoniert hat, jedesmal Ermüdung im Ohre und Druck und Fülle in der linken Kopfhälfte.

Eine unter den untersuchten Damen leidet seit einiger Zeit an Authophonie im linken Ohre; bei einer andern findet sich dasselbe Symptom; es stellte sich vor 3 Jahren nach einer Tubaokklusion ein. Eine dritte gibt an, daß das Kopftelephon das Ohr drücke und „Eingenommenheit im Kopfe" erzeuge; bei einer vierten stellt sich „Klopfen in den Schläfen" ein, wenn sie das Kopftelephon trägt.

4. Schwindel.

Über Schwindel klagt die oben erwähnte Telephonistin, die alljährlich im Frühling und Herbst an Ohrensausen und Schwindel leidet, ohne daß es sich indes um typische Méniѐre'sche Anfälle handelt. Dagegen habe ich unter den Untersuchten eine Dame gefunden, die den Méniѐre'schen Symptomenkomplex darbietet; jedoch ist sie nicht der Ansicht, daß das Leiden durch den Telephondienst, Blitzschlag od. ähnl. hervorgerufen worden ist. Diese Telephonistin ist 41 Jahre alt, und in ihrer Verwandtschaft soll sich keine Disposition für Ohren- oder Nervenleiden finden; sie steht schon 20 Jahre im Telephondienst. Vor etwa 20 Jahren litt sie an einer linksseitigen Ohreneiterung, welche ca. 6 Wochen andauerte; ihr linkes Trommelfell ist etwas retrahiert und verdickt, und an demselben findet sich unter dem Umbo eine zweifelhafte Narbe. Diese Ohreneiterung hat sie sonst nicht belästigt, aber seit 5 Jahren leidet sie, ohne daß sie eine Veranlassung dazu angeben kann, an anfallsweise auftretendem Schwindel in Verbindung mit Ohrensausen und Übelheit; Erbrechen tritt nie ein. Der Schwindel ist in der Regel nicht besonders stark, aber es ist doch vorgekommen, daß sie zu Boden gestürzt ist. In den späteren Jahren sind die Anfälle weniger heftig gewesen. Sie stellen sich nicht vorzugsweise nach anstrengendem Dienste oder sonst im Anschluß an das Telephonieren ein. Das Gehör, und speziell auch die obere Grenze $\left(\dfrac{0.2}{0.3}\right)$, ist vollständig normal; die Dame ist aber sehr nervös. Mitunter tritt während des Telephonierens der Schwindel auf, nämlich wenn sie das Kopftelephon trägt. Ob der Telephondienst im obigen Falle ein ätiologischer Faktor ist, läßt sich schwerlich entscheiden. Da die Symptome erst auftraten, nachdem die Patientin 15 Jahre als Telephonistin tätig gewesen war, so ist die Möglichkeit dafür nicht auszuschließen, namentlich nicht wenn man in Betracht zieht, daß Heermann[1]) und Kurella[2]) Fälle mitteilen, bei welchen sich beim Telephonieren (in Folge von Starkstrom) der Méniѐre'sche Symptomenkomplex entwickelte.

5. Hyperaesthesia acustica (Hyperacusis dolorosa).

Dieses Symptom fand ich im hohen Grade bei der oben erwähnten Telephonistin, die an Méniѐres Krankheit litt. Sie

---

1) Über den Méniѐre'schen Symptomenkomplex. Halle 1903. S. 4, 25 und 29.

2) Elektr. Gesundheitsschädigungen am Telephon. Leipzig 1905. S. 13.

schaudert stark, wenn man ihr die Stimmgabel a, vor das Ohr bringt, und sie verträgt garnicht, daß man die Knochenleitung mittelst der Stimmgabel A mißt. Vielleicht steht bei dieser Patientin die Hyperästhesis im Zusammenhang mit der Ménière-'schen Krankheit, und vielleicht ist sie durch dieselbe Ursache hervorgerufen worden, vasomotorische Störungen im Labyrinthe?) Ferner erklärt eine Telephonistin, daß sie gegen jeglichen Schall (Läuten in die Ohren, Lärm, ja sogar das Ticken einer Uhr) sehr empfindlich ist, und schließlich teilt Herr Telephoningenieur Jensen mir mit, daß sich bei ihm eine bedeutende Hyperacusis (non dolorosa) entwickelte, und zwar am linken Ohre, welches er 15 Jahre hindurch beim Telephonieren angewandt hatte. Mit diesem Ohre hörte er z. B. das Ticken einer Uhr im doppelten Abstand als mit dem andern. Nachdem er in 2 Monaten nicht telephoniert hatte, war das Symptom völlig verschwunden, und bei der Untersuchung ließ sich keine Spur desselben nachweisen.

Während die Untersuchung der Knochenleitung mit der Stimmgabel A normale Individuen nicht belästigt, so fanden sich unter den Telephonistinnen 4, welche angaben, daß der Schall und das Schnurren der Stimmgabel sehr lästig waren, und infolgedessen mußte die Untersuchung unterlassen werden. Bei einigen Damen wurde die Untersuchung zwar unternommen und zum Abschluß gebracht, aber sie klagten über den starken und lästigen Schall und über Schnurren an verschiedenen Stellen wenn die Stimmgabel am Kranium ruht; z. B. verspürten 10 Schnurren im ganzen Kopfe, eine bis in den Hals hinab, und eine „durch den ganzen Körper bis in die große Zehe hinab". Auch per Luftleitung war der Schall der Stimmgabel A diesen Individuen sehr unangenehm, während die Stimmgabel a, sie garnicht belästigte. Es handelt sich in diesen Fällen unzweifelhaft um eine Hyperästhesis, und zwar nicht nur dem Schalle, sondern auch den Schwingungen der Stimmgabeln gegenüber; übrigens wurde durch die Funktionsprüfung bei diesen Telephonistinnen nichts nachgewiesen, welches die Annahme berechtigen könnte, daß die Hyperästhesis das Symptom eines Ohrenleidens (insbesondere einer Labyrinthaffektion) wäre; sie ist vielmehr als der Ausdruck einer allgemeinen Nervosität zu betrachten, durch welche bewirkt wird, daß jeder plötzlich und unerwartet auftretender Schall das Individuum schaudern macht.

6. Jucken in den Ohren.

Über dieses Symptom siehe oben.

V. *Symptome, welche dem Kopftelephon zur Last gelegt werden.*

Schon früher haben wir an verschiedenen Stellen in vorliegender Arbeit Klagen über Schmerzen, Ohrensausen, Druck, Schwere und Fülle im Ohre verzeichnet, welche Symptome dem Kopftelephon zur Last gelegt wurden. Wie erwähnt, wurde an sämtliche Telephonistinnen die Frage gerichtet, ob das Kopftelephon sie belästige, und 423 Telephonistinnen haben diese Frage beantworten können. 128 unter denselben (30,3 Proz.) haben angeblich keine Belästigung verspürt; 66 (15,6 Proz.) erklären, daß sie anfangs vom Kopftelephon belästigt wurden, jetzt aber, da sie sich an den Apparat gewöhnt haben, belästigt er nicht. 88 (20,8 Proz.) klagen über Belästigung geringeren Grades, und 141 (33,3 Proz.) gehen an, daß sie durch daß Kopftelephon sehr belästigt werden. Es finden sich mithin 229 Telephonistinnen (54,1 Proz.), welche das Kopftelephon angeblich im größeren oder geringeren Grade belästigt, und 194 (45,9 Proz.), die keine Belästigung verspüren.

Unter den Damen, die über Belästigung klagen, finden sich 166, die sich über e i n e n v o m T e l e p h o n g e ü b t e n D r u c k beschweren. 115 unter denselben geben an, daß das äußere Ohr, die Helix, die Anthelix, der Tragus oder das ganze äußere Ohr, gedrückt werden; 84 unter ihnen werden dadurch im hohen Grade belästigt, 31 weniger stark. In 28 Fällen klagten Telephonistinnen über einen Druck, den die Pelotte, die am andern Ende des den Hörer tragenden Metalbügels sitzt, auf das Scheitelbein an der entgegengesetzten Seite ausüben soll. In 19 Fällen war dieses Übel sehr stark ausgesprochen, in 9 Fällen dagegen weniger stark. Endlich klagten 23 Damen über einen Druck von seiten der Brustplatte, die das Mikrophon trägt. Eine Telephonistin gibt an, daß das Lopftelephon so stark drückt, daß in den Wangen Ödem entsteht; bei 5 andern Untersuchten drückt das Telephon „den ganzen Kopf". In einigen Eällen verspüren die Damen nur dann einen Druck, wenn sie den Hörer links tragen; am rechten Ohre getragen belästigt er sie garnicht; bei Beamtin war das Gegenteil der Fall.

13 Telephonistinnen erklären, daß das Kopftelephon sie sehr e r m ü d e t: eine unter denselben ermüdet jedoch nur dann, wenn sie den Hörer am linken Ohre trägt. 10 andere Damen geben an, daß das Kopftelephon sie allerdings mehr ermüdet als das gewöhnliche Telephon, aber der Unterschied ist doch nicht sehr

bedeutend. Eine unter den Untersuchten wird schläfrig, wenn sie den Hörer am Ohre trägt.

2 andere geben an, daß sie seit der Einführung des Kopftelephons nervös geworden sind, und eine erklärt, daß sie nach beendetem Dienste „Leere im Kopfe" verspürt.

7 Telephonistinnen leiden seit der Einführung des Kopftelephons konstant oder fast konstant an Acnepusteln an der Auricula oder an Furunkeln im Gehörgange, wodurch sie etwas belästigt werden; eine andere war unmittelbar vor der Untersuchung eine Zeitlang genötigt, den Hörer am rechten Ohre zu tragen, weil sich, vielleicht infolge von dem Druck des Kopftelephons, eine Ulzeration an der linken Auricula entwickelt hatte.

Unter den Klagen, die sonst vorgebracht wurden, seien folgende erwähnt: Eine unter den untersuchten Damen ist der Meinung, daß das Kopftelephon bei ihr Schmerzen im linken Ohre und Ausfluß aus demselben hervorgerufen habe. Die Patientin litt als Kind an einer Ohrenentzündung in einem Ohre (vielleicht im linken, denn das rechte ist fast normal); ob das Kopftelephon wirklich dazu Veranlassung gegeben hat, daß die Eiterung sich wieder einstellte (oder verschlimmerte), mag dahingestellt sein; sehr wahrscheinlich ist dies allerdings nicht. Jetzt beobachtet man in dem betreffenden Ohre nur eine trockene Perforation, und das Gehör ist etwas herabgesetzt.

Wenn man der Angabe Glauben schenken kann, so hat das Kopftelephon bei einer Telephonistin eine sehr sonderbare Erscheinung hervorgerufen, nämlich Nasenbluten, welches sich — was bemerkenswert ist — nicht während des Dienstes, sondern erst in der Nacht einstellte. Das Phänomen verschwand indes, als die Dame sich an den Apparat gewöhnt hatte. Diese Mitteilung macht einen so unzuverlässigen Eindruck, daß man sicher berechtigt ist, an dem Kausalzusammenhange zu zweifeln.

Bei einer Telephonistin, die an einem ausgeprägten Morbus Basedowii leidet, rief das Kopftelephon so heftige Symptome (Unwohlsein, Übelkeit, Erbrechen) hervor, daß sie es garnicht vertragen konnte, den Apparat zu benutzen, und sie hat deshalb seitdem nur solche Arbeit verrichtet, bei der das Kopftelephon nicht zur Anwendung kam. Man irrt sicher nicht, wenn man diese schweren Erscheinungen mit dem bei einer so sehr von der Basedowschen Krankheit angegriffenen Patientin vorhandenen nervösen Zustand und mit dem Widerstand in Verbindung setzt, den die Einführung des Kopftelephons bei den meisten Tele-

phonistinnen ins Leben rief. Auch bei einer andern sehr nervösen Telephonistin verursachte das Kopftelephon Übelkeit, und
der Apparat belästigte sie so sehr, daß sie „es im ganzen Körper
verspören konnte". Wenn nun auch anzunehmen ist, daß der
psychische Moment in diesen beiden Fällen eine wichtige Rolle
spielte, so muß man dabei doch beachten, daß das Kopftelephon
durch Druck auf den Ramus auricularis nervi vagi auf rein
reflekterischem Wege wohl die Übelkeit hervorrufen könnte. Bei
keiner unter diesen Patientinnen ruht indes die Einführung des
Ohrtrichters oder ein vorübergehender Druck auf das äußere Ohr
Übelkeit hervor.

Eine Telephonistin gibt an, daß das Kopftelephon bei ihr
ein Leiden hervorgerufen habe, welches der Beschreibung nach
sicher eine Periostitis mandibulae sinistrae war. An und für
sich ist es nicht wahrscheinlich, daß ein Druck auf das Ohr eine
solche Affektion herbeiführen könne, und bei der Untersuchung
ergab sich denn auch, daß die Dame im linken Unterkiefer
einige cariierte Zähne hatte, die ohne Zweifel als der eigentliche Herd des Leidens zu betrachten sind.

Einige unter den Telephonistinnen bedienten sich recht
starker, teilweise sogar drastischer Ausdrücke, wenn sie die mit
der Anwendung des Kopftelephons verbundenen Unannehmlichkeiten beschreiben wollten. So erklärt z. B. eine Telephonistin,
daß sie beim Gebrauch des Kopftelephons „eine so große Empfindlichkeit in den Augen verspüre, daß sie dieselben nicht zu
drehen imstande war"; eine andere gibt an, daß das Kopftelephon
„ganz außerordentlich" belästige, sie verspüre Schmerzen vor
dem Tragus und könne in der Nacht nicht schlafen; sie müßte
sich deshalb längere Zeit beurlauben lassen und trägt seitdem
nicht den Apparat. Bei einer dritten stellten sich Schmerzen
in der Schläfe und den Augen samt Jucken in beiden Ohren ein.

Letzteres Symptom — das J u c k e n — habe ich nicht nur
bei der obigen Telephonistin, sondern auch bei verschiedenen
andern gefunden, und wahrscheinlich wäre es mir noch häufiger
entgegentreten, wenn meine Aufmerksamkeit etwas früher auf
dasselbe hingelenkt geworden wäre. Bei Frl. Maria J. fand
ich folgende merkwürdige Verhältnisse: Das Trommelfell ist an
beiden Ohren normal, aber in den Gehörgängen findet sich eine
heftige Entzündung, sodaß die Wände mit einer Schicht von
schwärzlichem Eiter bedeckt sind; bei der mikroskopischen
Untersuchung ergibt sich, daß der Eiter zahlreiche A s p e r g i l l u s

flavus Sporen und Mycelien enthält. Das Leiden gab sich durch keine anderen Symptome als Ausfluß und heftiges Jucken zu erkennen, und durch Ausspülen und Einträpfeln von Salycilalkohol (5 Proz.) schwand es schnell. Das Übel soll während der Dienstzeit der Telephonistin entstanden sein und soll sich nach der Einführung des Kopftelephons verschlimmert haben.

Gleichzeitig kam eine andere Telephonistin wegen eines doppelseitigen Ohrenleidens zur Behandlung, und ich hatte das Leiden als eine Otitis media suppurativa chronica diagnosticiert, wenngleich die Herabsetzung des Hörvermögens nur sehr gering war. Die Beschaffenheit des Eiters und das Aussehen der Wände des Gehörganges waren indes völlig wie bei der obigen Dame, und durch die nämliche Behandlung schwand das Leiden schnell; nach dem Ablauf des Leidens war das Trommelfell fast normal und das Gehör gut, woraus hervorgeht, daß es sich auch in diesem Falle um eine Otomycosis benigna handelte.

Wie erwähnt, ergab sich bei der Untersuchung, daß mehrere Telephonistinnen an Jucken in den Ohren litten. Bei einer unter denselben stellten sich einige Zeit vor der Untersuchung Ausfluß und heftiges Jucken in beiden Ohren ein, welches Leiden etwa 1 Monat andauerte. Schmerzen, Sausen und Schwerhörigkeit verspürte sie nicht. Durch Einträufeln von Tropfen wurde Heilung herbeigeführt. Bei den meisten Telephonistinnen ist das Jucken entstanden, nachdem sie in den Telephondienst getreten waren; das Leiden ist häufig nach der Einführung des Kopftelephons verschlimmert worden und hat häufig oder ausschließlich seinen Sitz in dem Ohre, an welchem der Hörer vorzugsweise getragen wird. Indes habe ich nur bei den beiden oben erwähnten Damen eine wohl ausgesprochene Otomycosis gefunden; sonst habe ich höchstens einige Rötung im Gehörgange (am häufigsten sekundär nach Manipulationen) und einige festsitzende Sekretborken beobachtet; diese Borken einer makroskopischen Untersuchung zu unterwerfen, hatte ich nicht die Gelegenheit. In einigen Fällen hatte der Gehörgang indes mikroskopisch durchaus keine Abnormität aufzuweisen. In dergleichen Fällen ist vermutlich ein nervöser Pruritus cutaneus vorhanden gewesen; jedenfalls hat man keinen Grund zu glauben, daß es sich in sämtlichen Fällen um Aspergillus handelte. Ich bin indes überzeugt, daß die stetige Anwendung des Telephons nicht ohne Einfluß ist auf die Entstehung des Juckens im Ohre.

Mehrere Telephonistinnen hatten beobachtet, daß das Jucken sich verschlimmerte oder gar erst einstellte, wenn die Ohren beim Tragen des Kopftelephons erwärmt wurden, und in diesem Umstande müssen wir sicher die Erklärung der Erscheinung suchen. Wenn die Telephonistin an einem heißen Sommertage mehrere Stunden die Ebonitplatte dicht vor dem Ohre hat, so wird die Luft im Gehörgange leicht sehr erwärmt; eine heftige Schweißsekretion tritt ein, und es juckt im Ohre. Sie steckt etwa eine Haarnadel in den Gehörgang, das macerierte Epithel wird dabei abgekratzt und der Boden ist für die Aspergillus- pilze vortrefflich bereitet, oder es stellt sich Ekzem ein. Der Umstand, daß ich bei den obigen 2 Telephonistinnen das Leiden an beiden Ohren fand, widerspricht nicht dieser Hypothese. Die eine Dame trägt nämlich den Hörer abwechselnd an beiden Ohren; die andere gebraucht allerdings beim Telephonieren nur das linke Ohr, aber wenn sich erst in einem Ohre eine Otomy- cosis entwickelt hat, so wird das Leiden sehr leicht durch Selbstinfektion auf das andere übertragen werden.

Ich bin deshalb der Ansicht, daß es nicht auf einer Zu- fälligkeit beruht, wenn eine unter den von Braunstein[1]) unter- suchten Telephonistinnen an Otomycosis litt. B. fand ein Bild, wie auch ich es in mehrerrn Fällen beobachtete, nur daß in meinen Fällen der Gehörgang nicht feucht war. Er beschreibt das Bild in folgender Weise: „Äußerer Gehörgang feucht, stellen- weise ohne Epithelbedeckung und ebenso wie das Trommelfell hier und da mit gelben Pünktchen besät. Patientin klagte über zeitweises heftiges Jucken im Gehörgange. Die mikroskopische Untersuchung einiger kleiner Epithelfetzen zeigte, daß die Ur- sache der Erkrankung der Aspergillus flavus war. Eine Per- foration des Trommelfells war nicht vorhanden, wie sowohl otoskopisch als auch mit Hülfe der Lucae'schen Luftdusche fest- gestellt wurde." B. meint allerdings[2]), daß das Leiden nicht durch das Telephon hervorgerufen werde, sondern dadurch, daß die Patientin den Gehörgang mittelst einer Haarnadel reinigt. Aber man findet bei B. keine Angaben darüber, ob die betreffende Patientin diese üble Gewohnheit hatte vor dem Auftreten des Ohrenleidens; es wäre jedoch möglich, daß die Gewohnheit durch die Otomycosis — oder durch den Gebrauch des Kopf- telephons hervorgerufen wäre.

1) Archiv f. Ohrenheilk. Bd. 59, 1903, S. 309.
2) Archiv f. Ohrenheilk. Bd. 59, 1903, S. 297.

Um dem Jucken im Gehörgange, eventuell auch dem Ekzem oder der Mycosis, vorzubeugen, ist es ratsam, daß es den Telephonistinnen zur Pflicht gemacht wird, häufig mit der Anbringung des Kopftelephons an den beiden Ohren zu wechseln, und ferner müssen sie auf die Gefahren aufmerksam gemacht werden, welche mit dem Einbringen von Haarnadeln und dergl. in den Gehörgang verknüpft sind. Zugleich müßte man einen Versuch machen, die Ventilation unter dem Kopftelephon zu verbessern; vielleicht könnte man die Platte perforieren oder den Apparat mit einem im Rande durchlöcherten Gummiringe versehen. [1)]

Wenn man untersucht, an welcher Zentrale die Telephonistinnen tätig sind, die am stärksten über die durch das Kopftelephon hervorgerufene Belästigung klagen, so ergibt sich, daß man sie vorzugsweise unter dem an den kleinen Zentralen beschäftigten Personal findet; zugleich stellt sich aber auch heraus, daß die verschiedenen Zentralen sich in dieser Beziehung sehr von einander unterscheiden. Es finden sich Zentralen, wo sämtliche Beamtinnen erklären, daß das Kopftelephon sie sehr stark belästigt, und an andern Zentralen geben sämtliche Angestellten an, daß sie gar keine Belästigung verspüren, ja es ist sogar vorgekommen, daß das Personal einer Zentrale sich über den Apparat lobend äußerte. Das oben dargestellte Verhältnis kann nicht darauf beruhen, daß das Kopftelephon in der einen Zentrale mehr als in der andern belästigen sollte; denn der Apparat ist überall derselbe. Vielmehr ist die Ursache sicher in der psychischen Einwirkung der Umgebungen zu suchen. Wenn die Telephonistin, die in einer solchen kleinen Zentrale den Ton führt, irgend eine Erklärung über den Apparat gibt, so wird dieselbe sehr leicht für die Ansicht der übrigen Angestellten maßgebend. Ich bin jedoch nicht der Meinung, daß man aus dem obigen zu schließen berechtigt wäre, daß die Belästigung von seiten des Kopftelephons ausschließlich und in allen Fällen auf Einbildung beruhe; wenn aber die Suggestion und der psychische Moment eine so hervortretende Rolle spielen,

---

1) Versuche, welche die Kopenhagener Telephongesellschaft nach meiner Aufforderung anstellte, haben gezeigt, daß eine Durchlöcherung der Telephonplatte praktisch unmöglich ist. Man öffnet dadurch nicht nur der Luft, sondern auch dem von den Umgebungen herrührenden Lärm den Zutritt ins Ohr, und letzterer wird so lästig, daß die Telephonistinnen nichts hören können.

so können meiner Ansicht nach die Unannehmlichkeiten für
normale Individuen nicht besonders groß sein. Daß die Sache
sich in Wirklichkeit wie oben geschildert verhält, das geht
erstens aus den an den kleineren Zentralen herrschenden Verhältnissen und zweitens daraus hervor, daß die Telephonistinnen,
die keinen andern Apparat als das Kopftelephon angewandt
haben, fast nie über Belästigung von seiten des Apparates
klagen.

Auch in der Literatur findet man Mitteilungen über Belästigung von seiten des Kopftelephons.

Die von Röpke[1]) untersuchten (8) Telephonistinnen legen
es dem Kopftelephon zur Last, daß sich bei ihnen, wenn sie
nach vollendeter Arbeit die Zentrale verlassen, Schmerzen in
den Ohren einstellen. Bei einer unter den Untersuchten hatte
der Druck des Telephons eine deutliche Abflächung der Helix
und der Anthelix hervorgerufen.

Braunstein[2]) fand bei seiner Untersuchung 44 Telephonistinnen, bei welchen das Kopftelephon Druckschmerzen im
äußeren Ohre hervorrief, wenngleich der Apparat nur ein Gewicht von 100 gr. hatte. In 3 Fällen fand er ein Ekzem an
der Auricula und in einem Falle eine Narbe an der Helix, die,
nach Angabe der betreffenden Telephonistin, durch den Druck
des Kopftelephons hervorgerufen war.

Kurella[3]) meint, daß der Druck des am Kopfe angebrachten Apparates eine unter den Ursachen ist, welche die
schädliche Einwirkung des Telephonierens bedingen.

Bernhardt[4]) ist der Ansicht, daß der Druck des Kopftelephons zu den Faktoren gezählt werden muss, welche dazu
beitragen, daß selbst robuste Naturen infolge von Telephonieren
müde, überreizt und nervös werden.

Mißbildung des äußeren Ohres infolge von dem Druck des
Kopftelephons, wie sie von Röpke nachgewiesen wurde, haben
weder Braunstein noch ich beobachtet; auch hat keine einzige
unter den Untersuchten über solche Mißbildungen geklagt.

Faßt man die Unannehmlichkeiten zusammen, die in Wirklichkeit von dem Kopftelephon hervorgerufen werden können,
so ergibt sich folgendes:

---

1) Die Berufskrankh. des Ohres u. der oberen Luftwege. 1902.
2) Archiv f. Ohrenheilk. Bd. 59, 1903, S. 311.
3) Elektr. Gesundheitsschädigungen am Telephon. 1905. S. 32.
4) Die Betriebsunfälle der Telephonistinnen. 1906. S. 19.

1. Das Kopftelephon kann am äußeren Ohre Acnepusteln hervorrufen.

2. Der Apparat erzeugt nicht selten — und besonders in der warmen Jahreszeit — Jucken im Gehörgange, wodurch dauernde Unannehmlichkeiten wie Ekzem, Otitis externa, Otomycosis und dergl. herbeigeführt werden können.

3. Das Kopftelephon läßt sich nicht so schnell wie das Handtelephon vom Ohr entfernen, wenn im Telephon ein plötzlicher oder unerwarteter Schall („Läuten", Blitzschlag, Starkstrom) auftritt. Dadurch wird der Apparat unzweifelhaft mehr schädlich als das Handtelephon, insbesondere für nervöse oder nervös disponierte Individuen.

VI. *Nervosität und dergl. infolge von Telephonieren.*

1. Nervosität.

In bezug auf die Frage, ob durch das Telephonieren Nervosität hervorgerufen werde, gehen die Meinungen der Verfasser etwas auseinander. Während nämlich Gellé[1]), Politzer[2]), Tommasi[3]), Wernicke[4]), Kurella[5]) und Bernhardt[6]) der Ansicht sind, daß Frauen immer oder doch in der Regel durch Telephondienst nervös werden, so behauptet dagegen Braunstein[7]), daß das berufsmäßige Telephonieren jedenfalls nicht notwendig Nervosität herbeiführt. Unter 157 Telephonistinnen fand er nämlich nur 2, die nervös waren, und er meint, daß die Nervosität in beiden Fällen auf andern Ursachen als dem Telephonieren beruhte. Es ist jedoch, wie schon früher erwähnt, die Möglichkeit vorhanden, daß die Mehrzahl unter den „nervösen" Individuen sich der Untersuchung entzogen habe, denn B. untersuchte nur die Telephonistinnen, die sich freiwillig zur Untersuchung einstellten. Daß diese Möglichkeit wirklich vorhanden ist, bestätigen die Erfahrungen, die ich bei meinen Untersuchungen gewann. Im Anfang wurde es nämlich

---

1) Ann. des malad. de l'oreille etc. 1889, No. 12.
2) Lehrbuch d. Ohrenheilk. 4. Aufl. S. 649.
3) Atti del VII. Congresso della Soc. Italiana di Loringologia, Otologia etc. Neapel 1904. S. 17 ff.
4) Monatsschrift für Psychiatrie u. Neurologie Bd. 17, 1905. Ergänzungsheft S. 1 ff.
5) Elektr. Gesundheitsschädigungen am Telephon. 1905. S. 46.
6) Die Betriebsunfälle der Telephonistinnen. 1906. S. 19.
7) Archiv f. Ohrenheilk. Bd. 59, 1903, S. 310.

den Telephonistinnen freigestellt, ob sie sich der Untersuchung
unterwerfen wollten oder nicht. Es meldeten sich daraufhin etwa
100 Damen, und zwar fast ausschließlich junge, gesunde Individuen, deren Ohren keine besondere Abnormitäten aufzuweisen
hatten, und die entweder garnicht oder nur im geringeren Grade
über Nervosität, Belästigung von seiten des Kopftelephons und
dergl. klagten. Erst als der freiwillige Zugang aufhörte, wurde
es den Telephonistinnen zur Pflicht gemacht, sich untersuchen
zu lassen, und auf diese Weise fand ich auch die Gelegenheit,
die übrigen 300 Damen zu untersuchen. Mag sich dies nun
verhalten wie es wolle; so viel ist sicher, daß ich ein Resultat
fand, welches von dem von B. gefundenen sehr abweicht. Ich
fand nämlich, daß die Klage über Nervosität sehr häufig von
den Telephonistinnen vorgebracht wurde; ja, viele unter ihnen
waren sogar fest überzeugt, daß das Telephonieren Nervosität
herbeirufen müsse, und als Ursache gaben sie verschiedene
Verhältnisse an, wie „Läuten in die Ohren", „Prüfen", Lärm
in dem großen Lokal, Ärger über die Abonnenten usw.

Ich richtete an sämtliche Telephonistinnen die Frage, ob
sie an Nervosität litten, und das Ergebnis der Untersuchung
findet man in der folgenden Tafel, die sämtliche 418 Telephonistinnen umfaßt: Die Adverbien „ein wenig", „etwas" und
„sehr" sind durchgehends auf die Art und Weise gebraucht,
wie sie von den betreffenden Damen selbst angewandt wurden.

Nervosität unter den Telephonistinnen.

	ein wenig	etwas	sehr	im ganzen
Entstanden während des Telephondienstes .	46	79	28	153
Verschlimmert während des Telephondienstes	7	12	6	25
Früher mehr ausgesprochen als jetzt . . .	—	4	3	7
Früher vorhanden, aber jetzt nicht mehr .	8	—	—	8
Keine Nervosität	—	—	—	225
Summa	61	95	37	418

Unter den 225 Telephonistinnen, die nicht nervös sind,
finden sich 25, die an Kopfschmerzen leiden; 5 klagen über
Müdigkeit nach vollendetem Dienste, und 4 leiden sicher an
Chlorose.

Was versteht man denn unter Nervosität? An viele unter
den Untersuchten richtete ich die Frage, wie die Nervosität

sich bei ihnen zu erkennen gäbe, und durch die Antworten
wurde ich überzeugt, daß viele unter den Telephonistinnen,
wenngleich die Klagen in einigen Fällen etwas übertrieben erschienen, wirklich an Nervosität litten; einige hatten sogar ausgesprochen neurasthenische Symptome aufzuweisen. Sehr häufig
erklärten die Damen, daß die Nervosität sich als Reizbarkeit
zeigte, daß sie durch jede Kleinigkeit mürrisch würden, daß sie
durch jegliche Widerwärtigkeit zum Weinen gebracht würden;
einige klagten über Schlaflosigkeit; einige litten zeitweise an
einer ausgesprochenen Hypochondrie; bei einzelnen hatte sich
sogar eine so starke neurasthenische Depression entwickelt, daß
sie sich auf kürzere oder längere Zeit hatten beurlauben lassen.
Indes deckt die Bezeichnung „Nervosität" in ihrer populären
Bemerkung über einen sehr elastischen Begriff, mit dem — und
vielleicht besonders unter jungen Damen — ein gewisser Miß-
brauch getrieben wird. Es findet sich bekanntlich eine Art von
Frauen, die da erwähnen, daß eine „moderne Frau" notwendig
an „Nervosität" leiden müsse. Es ist daher wohl möglich, daß
die obigen Zahlen betreffs der nervösen Telephonistinnen etwas
zu groß sind; ich glaube jedoch nicht, daß die Übertreibung
sehr bedeutend ist. Ich zweifle durchaus nicht daran, daß sich
unter den Telephonistinnen viele nervöse Individuen finden.

Unter den 46 Telephonistinnen, die nur über „ein wenig"
Nervosität klagten, fanden sich 6, die diese Erklärung nur mit
Vorbehalt abgaben. Unter den 79, die „etwas nervös" sind,
findet sich eine, die zugleich an Supraorbitalneuralgien
leidet, und zwar periodenweise mit freien Zwischenpausen von
etwa 6 Monaten; bei einer anderen stellte die Nervosität sich
nach einer langwierigen Appendicitis ein, und 2 geben an, daß
sie erst nach der Einführung des Kopftelephons nervös geworden
sind.

Unter den 26 Damen, die „sehr nervös" sind, findet sich
eine, die wegen ihres Leidens längere Zeit beurlaubt war,
4 klagen zugleich über Kopfschmerzen, die bei der einen
schon im Kindesalter auftraten und sich während des Telephondienstes verschlimmert haben, 3 klagen über Schlaflosigkeit,
eine leidet an Morbus Basedowii, eine an Chlorose und 2 an
Otalgia nervosa; auch bei vielen unter den Telephonistinnen,
die an Ohrenschmerzen infolge von „Läuten", „Prüfen" oder
dem Druck des Kopftelephons leiden, handelt es sich sicher um
nervöse Ohrenschmerzen. Eine Telephonistin hat früher an

nervösen Ohrenschmerzen gelitten; nachdem sie aber 1 Jahr
beurlaubt gewesen war, trat Heilung ein. Eine andere klagt
über „Nervenschmerzen" im linken Ohre; es sollen sich dieselben
nach der Einführung des Kopftelephons eingestellt haben, und
sie treten nicht auf, wenn der Hörer am rechten Ohre getragen
wird.

Unter den 3 Telephonistinnen, die früher sehr nervös waren,
sich aber jetzt besser befinden, aber 2 wegen ihres Leidens 6
Monate bezw. 12 Wochen Urlaub gehabt.

Im ganzen klagen also 185, d. h. 44,3 Proz. unter den
Telephonistinnen über Nervosität, und bei 153 unter denselben
soll das Leiden während des Telephondienstes entstanden sein;
bei 25 war das Leiden zwar schon früher zugegen, aber es hat
sich während des Dienstes verschlimmert, und schließlich hat
sich bei 7 Damen das Leiden gebessert, hauptsächlich weil sie
eine Zeitlang des Dienstes entbunden wurden. Es ist garnicht
selten, daß eine Telephonistin sich etwa 1 Jahr beurlauben läßt,
damit ihr Nervensystem restituiere.

Hat nun wirklich das Telephonieren die Nervosität hervorgerufen? Bei der Beantwortung dieser Frage ist in Betracht
zu ziehen, daß die im Dienste der Telephongesellschaft stehenden
Damen zum größten Teile früher keine Anstellung gehabt haben;
sie stehen mithin zum erstenmal in ihrem Leben einer geregelten
Arbeit gegenüber, die täglich wenigstens ein 6stündiges Stillsitzen in der Stubenluft beansprucht und zwar unter Verhältnissen, die in hygienischer Beziehung natürlich nicht ideal sind,
wenngleich in der Kopenhagener Hauptzentrale in bezug auf
die Erneuerung der Luft, die zweckmäßige Erwärmung u. dgl.
alles mögliche getan ist. Die Telephonistinnen sind durchgehend junge Damen (bei der Ausstellung 17—20 Jahre alt),
die in der Großstadt aufgewachsen und häufig chlorotisch sind.
Es ist deshalb nicht zu verwundern, daß disponierte Individuen
nervös werden, vor allen Dingen infolge von ihrer Disposition,
aber zweitens auch deshalb, weil sie in eine geordnete Arbeit
eintreten, die mit einer Anstrengung des Gehirns verbunden ist,
wie sie jede Arbeit erfordert. Daß die Tätigkeit der Telephonistin an und für sich notwendig Nervosität hervorrufen
müsse, wird man nicht behaupten können. Die Tätigkeit erfordert jedenfalls keine große Arbeit von seiten des Gehirns;
dieselbe geht zum großen Teile vollständig mechanisch vor sich,
und es bleibt sogar hin und wieder Zeit übrig für ein kleines

Gespräch. Jedoch darf man nicht vergessen, daß die Arbeit der Telephonistinnen, wie oben erwähnt, allerdings eine stetige Anspannung der Aufmerksamkeit und des Gehörs erfordert.

Auch die plötzlich auftretenden starken Schalle sind wohl — wie wir später sehen werden — imstande, eine schon vorhandene Neurasthenie zu verschlimmern oder unter Umständen eine solche bei einem disponierten Individuum hervorzurufen; daß sie aber einem gesunden Menschen irgendwie schaden könnten, ist nicht wahrscheinlich.

Nervosität fand sich nicht häufiger bei den 47 Telephonistinnen, deren Trommelfelle abnorm waren; denn 24 unter denselben sind angeblich nicht nervös, und nur 3 klagen über bedeutende Nervosität.

2. Kopfschmerzen.

105 Telephonistinnen geben an, daß sie häufig an Kopfschmerzen leiden. Unter denselben erklären 63, daß ihr Leiden mit dem Kopftelephon in Verbindung stehe, so daß der Apparat teils Kopfschmerzen hervorrufe, teils vorhandene Kopfschmerzen verschlimmere; 2 finden sich jedoch, die nur im Anfang die Kopfschmerzen verspürten, wohingegen 10 angeben, daß sie täglich Kopfschmerzen haben, wenn sie den Hörer tragen. Einige unter den Untersuchten erklärten, daß sie vor der Einführung des Kopftelephons nie Kopfschmerzen verspürt hätten. Bei einer stellen sich die Kopfschmerzen nur dann ein, wenn sie den Hörer am linken Ohre trägt. Die übrigen 42 Telephonistinnen leiden allerdings an Kopfschmerzen, sind aber nicht der Ansicht, daß dieselben unmittelbar vom Kopftelephon verursacht werden. 5 unter denselben haben schon früher an Kopfschmerzen gelitten, geben aber an, daß das Leiden sich nach der Einführung des Kopftelephons häufiger einstellt; die eine erklärt sogar, daß sie täglich während des Dienstes Kopfschmerzen habe. Unter den übrigen finden sich 3, bei denen die Kopfschmerzen häufiger auftreten, seitdem sie im Telephondienst stehen, wohingegen 2 angeben, daß das Leiden während des Telephondienstes statt zu verschlimmern eher in den späteren Jahren weniger häufig aufgetreten ist. Eine unter den Untersuchten meint, daß der Aufenthalt im Telephonsaale bei ihr Kopfschmerzen verursache.

Außerdem finden sich 45 Telephonistinnen, bei denen das „Läuten" mitunter Kopfschmerzen hervorruft, und unter ihnen

sind wieder 24, bei welchen auch das Kopftelephon Kopfschmerzen verursacht. Bei einer Dame ruft mitunter das
„Prüfen" Kopfschmerz hervor.

Unter den oben erwähnten 105 Telephonistinnen, die häufig
an Kopfschmerzen leiden, finden sich 92, deren Trommelfelle
normal oder fast normal sind, die Trommelfelle der übrigen 13
Damen haben dagegen pathologische Veränderungen aufzuweisen.
Unter den Telephonistinnen mit anormalen Trommelfellen ist
mithin die Angabe derer, die über häufiges Auftreten von Kopfschmerzen klagen, nicht größer ($^1/_3$ - $^1/_4$) als unter den Telephonistinnen mit normalen Trommelfellen ($^1/_3$).

3. Ermüdung.

Es fanden sich natürlich unter den Untersuchten einige,
welche erklärten, daß sie von ihrer Arbeit sehr ermüdet würden, und, wie schon oben erwähnt, behaupteten einige Telephonistinnen, daß das Kopftelephon sie stärker ermüdet als das
gewöhnliche Handtelephon. Interessant ist es, daß Individuen
mit pathologisch veränderten Trommelfellen scheinbar nicht stärker ermüden als die Telephonistinnen mit normalen Trommelfellen. Unter den 47 Untersuchten, deren Trommelfelle pathologisch verändert waren, fanden sich nämlich 13 oder ca. 28
Proz, die am Tage der Untersuchung 4—6 Stunden am Telephon tätig gewesen waren, und 2 von diesen Damen hatten
sogar den Nachtdienst verrichtet; trotzdem klagten nur 2 —
d. h. ca. 4 Proz. unter sämtlichen Damen mit pathologisch veränderten Trommelfellen und ca. 15 Proz. unter den 13 Telephonistinnen mit 4—6stündiger Arbeit — über Ermüdung, obgleich sämtlichen Damen eine diesbezügliche Frage vorgelegt
wurde. Diese Prozentsätze sind etwas kleiner als die, welche
bei den 371 Telephonistinnen mit normalen oder fast normalen
Trommelfellen gefunden wurden; den unter denselben fanden
sich 117 oder 31,5 Proz., die am Tage der Untersuchung 4
Stunden und darüber beschäftigt gewesen waren, und 19 —
d. h. 5,1 Proz. unter sämtlichen 371 Damen und 16,2 Proz.
unter den 117 mit 4—6stündigem Dienste — klagten über Ermüdung. Unter den 47 Untersuchten mit pathologisch veränderten Trommelfellen finden sich 20, die immer, und 10, die
gelegentlich das Telephon an dem erkrankten Ohre tragen,
ferner finden sich unter denselben 15, deren Gehör herabgesetzt
ist; wenngleich nun 8 unter den obigen 30 Telephonistinnen

am Tage der Untersuchung 4—6 Stunden am Telephon tätig gewesen waren (2 hatten den Nachtdienst verrichtet), so fand sich doch nur eine einzige, die einige Ermüdung verspürte.

VII. *Besondere Folgen des „Prüfens" und des „Läutens in die Ohren".*

(Über die mit dem „Prüfen und Läuten verbundenen technischen Verhältnisse siehe oben.)

An sämtliche Telephonistinnen wurde die Frage gerichtet, ob das „Prüfen" und das „Läuten" sie belästige, und insbesondere ob dadurch Kopfschmerz erzeugt werde. Die gewonnenen Resultate findet man in der folgenden Übersicht mitgeteilt. Die Beziehungen „einwenig", „etwas" und „sehr" sind durchgehends die nämlichen, welche die betreffenden Individuen selber benutzten, wenngleich die Damen sich hin und wieder einer krasseren und mehr drastischen Ausdrucksweise bedienten.

Belästigungen von seiten des „Prüfens" und des „Läutens".

Tafel A. 371 Telephonistimmen mit normalen oder fast normalen Trommelfellen.

Belästigt	nein	ein wenig	etwas	sehr	im ganzen
das „Prüfen"?	270 od. 72,8%	45 od. 12,1%	40 od. 10,8%	16 od. 4,3%	371
das „Läuten"?	105 od. 28,3%	39 od. 10,5%	169 od. 45,7%	58 od. 15,6%	371

Tafel B. 47 Telephonistinnen mit pathologisch veränderten Trommelfellen.

Belästigt	nein	ein wenig	etwas	sehr	im ganzen
das „Prüfen"?	33 od. ca. 70%	5 od. ca. 11%	9 od. ca. 19%	—	47
das „Läuten"?	13 od. ca. 28%	4 od. ca. 9%	18 od. ca. 38%	12 od. ca. 25%	47

Vergleicht man die beiden obigen Tabellen mit einander, so bemerkt man, daß die Prozentsätze derselben fast vollständig mit einander übereinstimmen; nur die Zahlen für die durch das „Läuten" verursachte starke Belästigung sind bei den Telephonistinnen mit anormalen Trommelfellen etwas größer als in der Tafel A. Mit andern Worten heißt das: Die durch das „Prüfen" und das „Läuten" verursachten Belästigungen sind nicht größer bei Telephonistinnen mit Ohrenleiden.

In der Regel gaben die Untersuchten an, daß das „Läuten“
bedeutend mehr belästige als das „Prüfen“, aber es fanden sich
doch einige, die das Gegenteil behaupteten.

Außerdem erklärten 53 Telephonistinnen (12,7 Proz.), daß das
„Läuten“ oft Kopfschmerzen hervorrufe oder schon vorhandene
Kopfschmerzen verschlimmere; einige behaupteten, daß das
„Läuten“ nur dann belästige, wenn schon vorher Kopfschmerzen
vorhanden waren. Nur eine Dame erklärte, daß das Prüfen“
Kopfschmerzen verursachen könne.

In der Regel erklärten die Telephonistinnen, daß sie das
„Läuten“ nur als unangenehmen Schall verspürten, aber einige
klagten doch darüber, daß sich nach ein- oder mehrmaligem
„Läuten“ Schmerzen im Ohre einstellen, die bisweilen einige
Zeit andauern; bei einer Telephonistin bestanden sie sogar 14
Tage lange fort. Die Untersuchung wies bei dieser Dame eine
Perforation des Trommelfells nach; jedoch wird man dieselbe
schwerlich dem „Läuten“ zur Last legen können, denn die
Schmerzen waren weder von Ausfluß noch von Schwerhörig-
keit begleitet. Dennoch hat das „Läuten“ ohne Zweifel das
Ohr der betreffenden Telephonistin geschädigt und hat viel-
leicht ein altes Leiden wieder angefacht. Bei einer Telephonistin ruft das „Läuten“ angeblich Schwindel hervor, der sie
jedoch nur wenig belästigt, und eine drückt sich in drastischer
Weise folgendermaßen aus: „Das „Prüfen“ belästigt mich sehr,
das „Läuten“ entsetzlich; die Haare stehen mir dabei zu Berge.“

Nur wenige Telephonistinnen sind der Meinung, daß das
„Läuten“ bei ihnen dauernde Schädigung verursacht habe.
Eine unter diesen Damen ist der Ansicht, daß ein vor Jahren
erfolgtes „Läuten“ in das Ohr zur Entstehung einer chronischen
Mittelohreiterung im betreffenden Ohre Veranlassung gegeben
habe. Es handelt sich jedoch, wie schon oben erwähnt, in
diesem Falle sicher nur um eine Exacerbation eines alten
Leidens. Bei 2 unter den Untersuchten stellen sich hin und wieder
während des Dienstes Ohrenschmerzen ein, welche sie einem
vor Jahren erfolgten „Läuten“ ins Ohr zur Last legen.

Über die Grundlage, auf welcher die Wirkungen des
„Läutens“ auf den Organismus beruhen, gehen, wie schon oben
erwähnt, die Anschauungen der Verfasser weit auseinander;
die einen sind der Ansicht, daß die Wirkungen unmittelbar von
der Elektrizität hervorgerufen werden, die andern dagegen behaupten, daß es sich lediglich um eine Schallwirkung handelt.

Nach Mitteilungen, die ich Herrn Telephoningenieur Jensen verdanke, ist in Kopenhagen eine direkte elektrische Wirkung beim „Prüfen" und „Läuten" völlig ausgeschlossen, wenn der Apparat in Ordnung ist, und die Telephonistin vorschriftsmäßig arbeitet. Ich muß mich deshalb Bernhardts[1]) Anschauung anschließen, wenn er behauptet, daß es sich in den meisten (in Kopenhagen in sämtlichen) Fällen lediglich um die Wirkung eines recht starken und unerwarteten Schalles handelt. Einem normalen Menschen wird ein derartiger Schall zwar unangenehm sein, aber irgend einen schädlichen Einfluß auf das Nervensystem wird er schwerlich üben können. Es unterliegt dagegen kaum einem Zweifel, daß ein „nervöses" Individuum, welches jedes unerwartete und plötzlich auftretende Geräusch schaudern macht, durch eine derartige Überraschung bedeutend affiziert wird; das wiederholte „Läuten" wirkt sicher jedesmal wie ein Chok auf ein schwaches oder krankhaft disponiertes Nervensystem. Auch läßt sich nicht bestreiten, daß ein solcher Schall, der direkt in das Ohr geht, sehr wohl dasselbe zu schädigen imstande ist. So gibt z. B. Passow[2]) an, daß selbst ein verhältnismäßig schwacher Schall [und namentlich ein unvermutet auftretender (Schwartze[3]), Toynbee[4])] ein Labyrinthärleiden hervorzurufen imstande ist, und zwar auch in Fällen, wo vorher scheinbar keine krankhaften Veränderungen des Gehörorgans vorhanden waren; ist aber das Gehörorgan schon vorher erkrankt, so wird selbstverständlich die Labyrinthäraffektion um so leichter entstehen.

Die meisten unter den Telephonistinnen, die durch das „Prüfen" und das „Läuten" sehr belästigt werden, klagen auch über Belästigung von seiten des Kopftelephons und über Nervosität; es ist indes — so weit mir bekannt ist — in Kopenhagen kein einziger Fall von ernsthaftem Nervenleiden, traumatischen Neurose und dergl. infolge von dem „Läuten" aufgetreten, wie dies anderswo hin und wieder vorkommt. Die Ursache dieses Verhältnisses suche sich in folgenden Umständen: Die Wirkung eines Schalles, wie er beim „Läuten" hervorgebracht wird, hängt nicht nur von der Schallstärke ab, sondern namentlich von dem physischen und psychischen Zustande der betreffenden Telepho-

---

1) Die Betriebsunfälle der Telephonistinnen, S. 9 ff., S. 43 u. 44.
2) Die Verletzungen des Gehörorgans, S. 120.
3) Die chirurgischen Krankheiten des Ohres, S. 359.
4) Die Krankheiten des Gehörorgans, S. 358.

nistin, von dem Zustande ihres Nervensystems und von der Anschauung, die sie über das Wesen des „Läutens" und den durch
dasselbe entstehenden Schaden hat. In Berlin (Bernhardt[1])
gebraucht man den Ausdruck „Strom bekommen", während die
Telephonistinnen in München von einem „Läuten in die Ohren"
reden (Steide[2]), und in Kopenhagen findet sich auch nicht
eine Telephonistin, die das „Läuten" mit elektrischen Entladungen in Verbindung setzt. Demnach wird man annehmen
können, daß die Berliner Telephonistinnen von vornherein von
den schädlichen Wirkungen des starken „Läutens" übertriebene
Vorstellungen haben, während die Telephonistinnen in München
und Kopenhagen die Sache mit einem mehr nüchternen Auge
ansehen. Eigentümlich ist es jedenfalls, daß aus Berlin (Wallbaum[3]), Bernhardt[4]), Böhmig[5]) verschiedene Berichte über
Leiden vorliegen, die das „Läuten" hervorgerufen hat, während
weder in München (Braunstein[6]) noch in Kopenhagen dergleichen Fälle zur Beobachtung gekommen sind.

VIII. *Besondere Folgen vom Blitzschlag.*

(Über die technischen Verhältnisse beim Blitzschlag (siehe
oben.)

In Kopenhagen ist, soweit mir bekannt ist, nie ein Starkstrom in die Telephonleitung geraten; dagegen liegen einige
Fälle von Blitzschlag vor. Ich fragte sämtliche Telephonistinnen, ob sie jemals einen Blitzschlag bekommen hätten, und
62 Damen (ca. 14 Proz. unter sämtlichen Untersuchten) bejahten
die Frage; 18 unter denselben hatten sogar mehrmals einen
Blitzschlag erhalten. Bei den meisten hat der Blitzschlag jedoch
nur leichte und schnell vorübergehende Symptome hervorgerufen;
nur bei einer Telephonistin hatte das Ereignis dauernde Folgen
gehabt. Vor etwa 6 Jahren erhielt sie einen Blitzschlag in das
linke Ohr. Sie bemerkte einen Knall und wäre fast ohnmächtig
geworden; gleich darnach ging sie nach Hause. Nach einiger
Zeit stellten sich Ohrenschmerzen im linken Ohre und Ausfluß
aus demselben ein, welche Symptome etwa 14 Tage lang be-

---

1) Die Betriebsunfälle der Telephonistinnen. 1906.
2) Elektrotechnische Zeitschrift 1904, S. 937 ff.
3) Deutsche med. Wochenschr., 31. Jahrg. 1905, S. 709 ff.
4) Die Betriebsunfälle der Telephonistinnen. 1906.
5) Münchener med. Wochenschr., 52. Jahrg. 1905, S. 766 ff.
6) Archiv f. Ohrenheilk., Bd. 59, 1903, S. 240 ff.

standen. Seitdem leidet sie zeitweise an Ausfluß und Jucken in beiden Ohren; heftige Schmerzen verspürt sie indes nicht Bei der Untersuchung fand sich in beiden Gehörgängen eine Otomyeosis benigna. Es ist möglich, daß der Blitzschlag dieses Leiden verschlimmert hat, aber es ist unwahrscheinlich, daß das Leiden durch den Blitzschlag hervorgerufen sein sollte.

Nur 3 unter den Untersuchten geben an, daß sie eine Zeit lang nach dem Blitzschlag bewußtlos waren, und nur 2 wurden sehr affiziert, daß sie nach Hause gehen mußten; schon am folgenden Tage konnten sie jedoch die Arbeit wieder aufnehmen; die übrigen konnten unmittelbar nach dem Ereignis die Arbeit fortsetzen.

37 Telephonistinnen empfanden den Blitzschlag als einen heftigen Knall, welchen zwei unter den Damen mit einem wiederholten, starken „Prüfen" vergleichen. 28 unter den obigen Damen haben nichts als den Knall bemerkt, bei fünf stellten sich Kopfschmerzen, und bei vier Ohrenschmerzen ein; unter den letzteren finden sich zwei, die den Schmerz so heftig empfanden, daß sie den Hörer aus der Hand fallen ließen. Sechs empfanden den Blitzschlag als einen Stoß in das Ohr oder als einen „Knuff in den Nacken". Eine Dame hörte einen Knall, und hernach „flimmerte es ihr vor den Augen"; auch zwei anderen flimmerte es vor den Augen. Eine Telephonistin hörte einen Knall, verspürte mehrere Stunden lang Schwindel, aber das Gehör wurde nicht geschädigt. Nur drei klagten über eine plötzlich eintretende Schädigung des Gehörs. Die eine gibt an, daß sie das Gefühl hatte, als wenn eine Klappe vor dem Ohre angebracht wäre (zugleich litt sie am Tage des Unfalles und am nächstfolgenden Tage an Kopfschmerzen); die andere, die schon mehrmals einen Blitzschlag bekommen hatte, wurde nach einer Entladung zehn Minuten lang „taub". Eine dritte hörte einen so heftigen Knall, daß sie zu weinen anfing; sie wurde taub und hatte Kopfschmerzen, konnte aber trotzdem wenige Stunden nach dem Ereignis die Arbeit wieder aufnehmen. Bei keiner unter den obigen drei Telophonistinnen kann jetzt eine Herabsetzung des Hörvermögens nachgewiesen werden. Drei unter den betroffenen Damen bemerkten eine Erschütterung im Körper, welche die eine als einen „Schüttelfrost" beschreibt. Eine Telephonistin hatte nach dem Blitzschlag Nasenbluten und Kopfschmerzen, nur bei einer traten vasomotorische Störungen ein, so daß der linke Zeigefinger anschwoll. Außerdem wurde der Finger anästhetisch,

und es stellte sich eine Lähmung der Hand ein, die dem Anschein
nach einer leichten Ulnarisparese entsprach; zugleich flimmerte es
ihr vor den Augen. Sämtliche Symptome bestanden jedoch nur
kurze Zeit. Zwei Telephonisten verspürten nach dem Blitzschlag
Schmerzen in der linken Rumpfhälfte und im linken Arme.

14 unter den oben erwähnten Telephonistinnen wurden im
Frühling des Jahres 1905 zu gleicher Zeit von einem Blitzschlag
getroffen, und ich hatte die Gelegenheit, die meisten unter ihnen
bald nach dem Ereignis zu untersuchen. Weder subjektiv noch
objektiv ließ sich irgendeine Abnormität nachweisen, und nur
bei zwei Damen waren mehr heftige Symptome aufgetreten.

Nur in einem Falle hat ein Blitzschlag Symptome hervorgerufen, welche die betreffende Dame nötigte, aus dem Dienste
zurückzutreten. Im Sommer 1902 bemerkte Frl. J. während
eines plötzlich aufziehenden Gewitters einen heftigen Knall im
linken Ohre, an welchem sie den Hörer trug. Sogleich verspürte sie ein sehr heftiges Sausen im Ohre, aber ihr Zustand
erlaubte ihr doch, die Arbeit wieder aufzunehmen, als sie eine
Weile geruht hatte. Der Dienst ermüdete sie jedoch sehr, und
am Tage nach dem Unfall mußte sie deshalb mit der Arbeit
aufhören. Es waren weder Schmerzen noch Ausfluß vorhanden.
Der Arzt meinte, daß das Ohr der Ruhe bedürftig sei, und die
Patientin ließ sich auf 6 Monate beurlauben. Alsdann versuchte
sie es, den Dienst wieder zu verrichten, aber sobald sie eine
Zeitlang am Telephon tätig gewesen war, stellte sich wieder
eine starke Ermüdung des Ohres ein, und sie trat deshalb zurück. Sie hat einen Ohrenspezialisten konsultiert, der ihr nur
Ruhe verordnete, aber übrigens keine Behandlung einleitete. Als
ich sie aufsuchte, um nähere Aufklärung über den Vorfall zu
erhalten, hatte sie denselben fast vergessen; jedoch gab sie an,
daß das Ohr ermüdet, wenn sie telephoniert; auch verspürt sie
Schmerz im Ohre, wenn sie sich bei windigem Wetter im Freien
aufhält. Das Gehör ist normal.

In den obigen Fällen findet sich nichts, woraus man schließen
könnte, daß es sich um eine direkte Wirkung der Elektrizität
gehandelt hätte; sämtliche Symptome lassen sich natürlich als
die Wirkungen eines heftigen und plötzlich auftretenden Schalles
auf ein disponiertes Nervensystem deuten.

Die vorliegende Untersuchung hat mithin keinen einzigen
Fall zu verzeichnen, wo infolge von Blitzschlag eine dauernde
traumatische Neurose oder sonst ein ernsthaftes Leiden entstan-

In einigen Fällen (68 oder 19,2 Prozent unter 354 Fällen) findet man bei Telephonistinnen mit normalen oder fast normalen Trommelfellen und sonst normalem Hörvermögen, daß die untere Tongrenze an dem beim Telephonieren angewandten Ohre erhöht ist, oder daß die tiefen Töne in diesem Ohre nicht so stark erklingen wie im anderen. Es läßt sich dies als eine Angewöhnung erklären; bei einem Ohre, welches fortwährend Töne mit hohen Schwingungszahlen aufzufassen bestrebt ist, wird vermutlich nach und nach zum Teile die Fähigkeit sich den tiefen Tönen zu akkomodieren, vermindert.

Ein Einfluß des Telephonierens auf die obere Tongrenze ist nicht nachgewiesen worden, d. h. die Fähigkeit, die höchsten Töne der Skala aufzufassen, ist bei den Telephonistinnen nicht beeinflußt worden.

III. Daß das berufsmäßige Telephonieren an sich eine schädliche Wirkung auf Ohrenleiden ausübt, ist nicht bewiesen worden; ein solcher schädlicher Einfluß ist sogar nicht wahrscheinlich. Dagegen finden sich viele Beispiele, daß Blitzschlag und plötzlich auftretende Schalle, wie sie im Telephon häufig vorkommen („Läuten"), ein schon vorhandenes Leiden wieder anfachen, ja unter Umständen sogar ein Ohrenleiden hervorrufen können. Es ist deshalb ratsam, jeden, der in den Telephondienst zu treten wünscht, einer Ohrenuntersuchung und einer Hörprüfung zu unterwerfen, und nur Individuen mit völlig normalen Gehörorganen Anstellung zu erteilen.

IV. Es muß als bewiesen betrachtet werden, daß das berufsmäßige Telephonieren — allerdings nur in verhältnismäßig wenigen Fällen und vielleicht nur bei nervös disponierten Individuen — Kopfschmerzen und subjektive Symptome von seiten des Ohres wie Schmerz, Sausen, Druck, Fülle, Eingenommenheit und Hyperaesthesia acustica hervorrufen kann. Einige unter diesen Symptomen beruhen auf einer allgemeinen Nervosität, die sich häufig während des Telephondienstes entwickelt, teils weil die Arbeit zum Stillsitzen in der Stubenluft zwingt, teils weil es sich um junge Individuen weiblichen Geschlechts handelt, und teils endlich auch infolge von den heftigen und plötzlich auftretenden Schallen im Telephon („Prüfen", „Läuten", Blitzschlag). Anämische, nervöse oder nervös disponierte Induviduen sollten deshalb vom Telephondienst ausgeschlossen sein.

den wäre. Daß die Verhältnisse sich in dieser Beziehung in Kopenhagen so günstig stellen, beruht vermutlich auf mehreren Umständen. 1. Der Blitzableiter, der in Kopenhagen angewandt wird, hat, wie Herr Telephoningenieur Jensen mir mitteilt, eine etwas bessere Einrichtung als im Auslande. 2. Man findet unter den Telephonistinnen keine besondere Furcht vor dem Gewitter (Keraunophobie), wie sie z. B. Bernhardt[1]) in Berlin gefunden hat. Während eines Gewitters hört der Telephondienst auf, die Telephonistinnen halten sich unter diesen Umständen allerdings am liebsten etwas fern von dem Telephon, aber eine ausgeprägte Furcht vor dem Telephonieren im Sommer (Telephonophobie) findet man durchaus nicht. In Berlin ist deshalb durch den psychischen Zustand der Telephonistinnen der Boden viel besser für die Entstehung der traumatischen Neurosen bereitet als in Kopenhagen.

Um der Entstehung so ernsthafter Fälle vorzubeugen, wie man sie z. B. in Deutschland beobachtet hat, wird man notwendig vom Telephondienst ausschließen müssen 1. Individuen, deren Gehörorgane nicht vollständig normal sind, und 2. nervöse oder nervös disponierte Individuen.

Resumé.

I. Bei 26,4 Prozent unter den 371 untersuchten Telephonistinnen mit normalem Gehör wurde eine Retraktion des Trommelfelles an dem Ohr nachgewiesen, welches beim Telephonieren gebraucht wird; am andern Ohre war keine oder doch nur eine unbedeutende Retraktion vorhanden. Wahrscheinlich ist die Anomalie — direkt oder indirekt durch das Telephonieren hervorgerufen worden.

II. Berufsmäßiges Telephonieren führt keine Herabsetzung des Hörvermögens herbei bei Individuen mit gesunden Gehörorganen. Andererseits wird durch dasselbe auch keine objektiv nachweisbare Schärfung des Gehörs herbeigeführt, wie dies häufig von Telephonistinnen behauptet wird; dagegen wird das Ohr nach und nach akkomodiert, so daß es die durch das Telephon überführten Gespräche besser aufzufassen befähigt wird und dies geschieht wahrscheinlich auf die Weise, daß der Telephonierende sich daran gewöhnt, die von den Umgebungen stammenden Geräusche und die Nebengeräusche im Telephon nicht zu beachten.

1) Die Betriebsunfälle der Telephonistinnen. 1906. S. 36.

V. Im Auslande hat man mehrmals starke und dauernde
Läsionen des Ohres und traumatische Neurosen mit ungünstiger
Prognose beobachtet, die durch Blitzschlag oder Übergang
eines Starkstroms in die Telephonleitung verursacht waren.
In Kopenhagen hat man häufig Blitzschläge beobachtet; aber
nur in seltenen Fällen haben dieselben dauernde Verletzungen
verursacht, und es handelt sich hauptsächlich um die Wirkungen
eines heftigen und plötzlich auftretenden Schalles. Ernsthafte
Fälle sind hier nie aufgetreten.

VI. Über die mit dem Tragen des Kopftelephons verknüpften
Unannehmlichkeiten siehe oben.

Schließlich erlaube ich mir, dem Direktor der Kopenhagener
Telephon-Aktiengesellschaft, Herrn Ingenieur Johannsen für
die Erlaubnis zur Untersuchung der Telephonistinnen sowie auch
für das Interesse, welches dem Unternehmen von seiten der Telephongesellschaft zuteil wurde, meinen Dank abzustatten. Den
Herren Professor Dr. med. Mygind, Professor Dr. med. Frieden-
reich und Dr. med. Jörgen Möller danke ich bestens für die
Liebenswürdigkeit, womit sie die einschlägige Literatur zu meiner
Verfügung stellten.

Literaturverzeichnis.

Baginsky, B., Die Unfallbegutachtung in der Ohrenheilkunde. Berl.
klin. Wochenschr. 42. Jahrg. 1895. S. 1169 ff. — Bernhardt, M., Die Betriebsunfälle der Telephonistinnen. Berlin 1906. — Bernhardt, P., Die
Verletzungen des Gehörorgans. Berlin 1903. — Bezold, Schuluntersuchun-
gen über das kindliche Gehörorgan. Zeitschr. f. Ohrenheilk. Bd. 14. 1885.
S. 253 ff. und Bd. 15. 1886. S. 83 ff. — Blake, Clarence J., Über den Einfluß des Telephongebrauches auf das Hörvermögen. Ebenda. Bd. 20. 1890.
S. 83 ff. — Blegvad, N. Rh., Bemerkungen über Rinnes Versuch sowie über
die Bestimmung der Perzeptionszeit von Stimmgabeln. Dieses Archiv. Bd. 67.
1906. S. 280 ff. — Derselbe, Einige Bemerkungen über den Weberschen
Versuch. Ebenda. Bd. 70. 1906. S 51 ff. — Braunstein, Über den Einfluß des Telephonierens auf das Gehörorgan. Ebenda. Bd. 59. 1903. S. 240 ff.
— Bruns, Die traumatischen Neurosen. Unfallsneurosen. Nothnagel,
spezielle Pathologie und Therapie. Bd. 12. Wien 1901. — Brunzlow, Über
das Vorkommen der vorderen Falte am menschlichen Trommelfell. Zeitschr.
f. Ohrenheilk. Bd. 46. 1904. S. 230 ff. — Derselbe, Über die Stellung des
Hammergriffs im normalen Trommelfellbilde des Menschen. Ebenda. Bd. 42.
1903. S. 361. — Böhmig, Hysterische Unfallerkrankungen bei Telephonistinnen. Münchener med. Wochenschr. 52. Jahrg. 1905. S. 760 ff. — Eulenburg, Über Nerven- und Geisteskrankheiten nach elektrischen Unfällen.
Berl. klin. Wochenschr. 42. Jahrg. 1905. S. 30 ff. — Ganser, Zur Kenntnis
der Folgen elektrischer Traumen. Gesellschaft für Natur- und Heilkunde
zu Dresden. Refer. in der Münchener med. Wochenschr. 51. Jahrg. 1904.
S. 1078 ff. — Gellé, Effets nuisibles de l'audition par le téléphone. Annales

des maladies de l'oreille, du larynx, du nez et du pharynx. 1889. No. 12. — Derselbe, Action du téléphone sur l'organe d'ouïe. Zeitschr. für Ohrenheilk. Bd. 20. 1890. S. 150. — Habermann, Über die Schwerhörigkeit der Kesselschmiede. Dieses Archiv. Bd. 30. S. 1 ff. — Heermann, G., Über den Ménièreschen Symptomenkomplex. Bresgens Sammlung zwangloser Abhandlungen aus dem Gebiete der Nasen-, Ohren-, Mund- und Halskrankheiten Bd 7. Heft 1/2. Halle 1903. — Hoche, Über die nach elektrischen Entladungen auftretenden Neurosen. Ärztl. Sachverst. Zeitung. 1902. Nr. 18. Ref. im Neurolog. Zentralblatt. 20. Jahrg. 1901. S. 627ff. — Jacobson und Blau, Lehrbuch der Ohrenheilkunde. 3. Aufl. Leipzig 1902. — Jankau, Zur Perzeptionsfähigkeit des normalen menschlichen Ohres. Monatsschr. f. Ohrenheilk. 1897. S. 56ff. — Jellinek, Elektropathologie. Die Erkrankungen durch Blitzschlag und elektrischen Starkstrom. Stuttgart 1901. — Iwanoff, A., Ein Beitrag zur Lehre über die Knochenleitung. Zeitschr. f. Psychologie und Physiologie der Sinnesorgane. Bd. 31. 1903. Ref. im Archiv f. Ohrenh. Bd. 58. 1903. — Iwanoff, Über die Schallleitung per os. Medizinskoje Obosrenje 1903, No. 15. Moskau. Ref. im Arch f. Ohrenh. 1904. S. 171. — Kahn, Die Gewerbe- und Berufskrankheiten des Ohres. Klinische Vorträge aus dem Gebiet der Otologie u. Rhino-Pharyngologie von Prof. Dr. Haug. Jena 1898. — Kieselbach, Stimmgabel und Stimmgabeluntersuchungen. Monatsschr. f. Ohrenheilk. 1891. S. 1 ff. — Körner, O., Soziale Gesetzgebung u. Ohrenheilkunde. Münch. med. Wochenschr. 49. Jahrg. 1902. Nr. 31. — Kron, U., Über hysterische Blindheit. Neurolog. Zentralblatt. 21. Jahrg. 1902. S. 584ff. — Kurella, U., Elektr. Gesundheitsschädigungen am Telephon. Zwanglose Abhandlungen aus dem Gebiete d. Elektrotherapie u. Radiologie. Heft 5. Leipzig 1905. — Lannois, Das Telephon u. die Ohrerkrankung. Internationaler Kongreß für Otologie usw. Paris 1889. Ref. im Arch. f. Ohrenheilk. Bd. 29. 1890. S. 310 ff. — v. Leyden, Ein Fall von Schrecklähmung. Berliner klin. Wochenschr. 41. Jahrg. 1905. S 193 ff. — Möller, J., Ergebnisse einiger Funktionsuntersuchungen bei akuten Erkrankungen des Mittelohres und des Gehörganges. Dieses Archiv. Bd. 47. 1899. S 275 ff. — Derselbe, Et Tilfälde af labyrinthär Angioneurose. Hospitals-Tidende. 1900. No. 40 u 41. — Ostmann, Die Lage der absoluten Schwellenwerte für Luft- und Knochenleitung bei Normalhörenden in ihrer Beziehung zu den beim Rinneschen Versuche gefundenen Zeitwerten. Dieses Archiv. Bd. 58. 1903. S. 82ff. — Passow, Die Verletzungen des Gehörorgans. Wiesbaden 1905. — Politzer, Lehrb. d. Ohrenheilkunde. 3. Aufl. 1893. Stuttgart. — Derselbe. Lehrb. der Ohrenh. 4 Aufl. 1901. Stuttgart. — Raebiger, Zur Kasuistik der Nervenkrankheiten nach elektrischem Trauma. Deutsche med. Wochenschr. 31. Jahrg. 1905. S. 866 ff. — Reuter, Beitrag zur Prüfung der Gehörschärfe mit der Flüsterstimme. Zeitschr. f. Ohrenheilk. Bd. 47. 1904. S. 91 ff. — Röpke, Die Berufskrankheiten des Ohres und der oberen Luftwege Die Ohrenheilkunde der Gegenwart usw. von Prof. Dr. Körner. Bd. 2. Wiesbaden 1902. — Schmaltz, Zur Kenntnis der Folgen elektrischer Traumen. Gesellschaft für Natur- und Heilkunde zu Dresden. Ref. in der Münchener mediz Wochenschr. 51. Jahrg. 1904. S. 1078ff. — Schmiegelow, E, Bidrag til Bedömmelsen af Öresygdommes Hyppighed blandt Skolebörn i Danmark. Hospitals-Tidende 3. Räkke IV. 1886. No. 45 und 46. — Schwartze, Die chirurgischen Krankheiten des Ohres. Stuttgart 1883. — Steidle, Beitrag zur Konstruktion elektrischer Sicherungen für Schwachstromanlagen. Elektrotechnische Zeitschrift 1904. S. 937ff. — Stein. Saxtorph, Studien over otologiske Funktionsundersögelser. Habilitationsschrift. Kjöbenhavn 1898. — Steinbrügge in Orth, Lehrbuch der speziellen pathologischen Anatomie — Gehörorgan, bearbeitet von Prof. Dr. Steinbrügge, Berlin 1891. S. 42. — Tommasi. J., Le lesioni professionali e traumatiche nell' orechio. Atti del settimo congresso della società italiana di Laryngologia, d'Otologia e di Rinologia 1903. Napoli 1904. S. 81ff. — Toynbee, Krankheiten des Gehörganges. 1863. Deutsche Übersetzung von Moos. — Trautmann, Die Lichtreflexe des Trommelfells. Dieses Archiv. Bd. 10. 1875. S. 10 ff. u. S. 87 ff. — Treitel, Über Diplacusis binauralis. Dieses Archiv. Bd. 32. 1892. S. 215 ff. — Ur-

bantschitsch, Lehrbuch der Ohrenheilkunde. 4. Aufl. Berlin-Wien. 1901.
— Wallbaum, Über funktionelle nervöse Störungen bei Telephonistinnen
nach elektrischen Unfällen. Deutsche mediz. Wochenschr. 31. Jahrg. 1905.
S. 709 ff. — Wernicke, C., Obergutachten über die Verletzung einer Telephonistin durch Starkstrom. Monatsschrift für Psychiatrie und Neurologie.
Bd. 17. 1905. Ergänzungsheft. S. 1 ff. — Wolf, O., Sprache und Ohr. Braun-
schweig 1871. — Derselbe, Hörprüfungsworte und ihre differentialdiagno-
stische Bedeutung. Dieses Archiv. Bd. 20. 1890. S. 200 ff. — Derselbe,
Hörprüfung mittelst der Sprache. Zeitschr. f. Ohrenheilkunde. Bd. 34. 1899.
S. 289 ff. — Zwaardemaker und Quix, Über die Empfindlichkeit des
menschlichen Ohres für Töne verschiedener Höhe. Archiv f. Anatomie und
Physiologie, Physiol. Abteil. 1904. S. 25 ff.

XIV.

Mitteilungen aus der Ohren- und Kehlkopfabteilung des Reichshospitals in Christiania.

Otitische Gehirnleiden.

Von

Professor V. Uchermann.

(Fortsetzung.)

2. Die otogene Pyämie und infektiöse Sinusthrombose.

β) Chronische.

4. K. S. 32 Jahre alt. Arbeiter. Aufnahme den 1. Dezember 1902. 6 Jahre alt, fiel er auf dem Eise und zerschlug sich den Kopf. Es bildete sich ein Abszeß hinter dem linken Ohr, der sich später spontan öffnete; es bildete sich eine Fistel, die sich, soweit er sich erinnern kann, mehrere Jahre offen hielt. Zuletzt schloß sie sich spontan. Ungefähr zur selben Zeit, als sich der genannte Abszeß öffnete, trat purulenter Ausfluß aus dem linken Ohr auf. Die Otorrhöe hat später fortgedauert mit zeitweisen Unterbrechungen von 1—2 Tagen; wenn die Otorrhöe aufhört, treten Schmerzen in der linken Temporal- und Mastoidalregion auf, bis die Otorrhöe wieder beginnt.

Keine Febrilia. Keine Geschwulst des Proc. mast. Das Gehör stark geschwächt. — Ist schwindelig gewesen.

Status: Der Patient ist sehr irritabel, nervös. Deprimierte Gemütsstimmung. Dann und wann beinahe geisteskrank.

Rechtes Ohr: Normale Verhältnisse.

Linkes Ohr: Im Gehörgang blutige Flüssigkeit. Der Gehörgang ist stark geschwollen. Nichts betreffs des Trommelfells angeführt. Proc. mast. zeigt zwei eingezogene Narben; keine Geschwulst oder Empfindlichkeit.

Funktionsproben:	R. Ohr	L. Ohr
Uhr	2 m.	wird nicht gehört
Flüstern	13 m.	10 cm.
Gewöhnl. Sprechen		2½ m.
Rinne	+ 30	÷ 40
Schwabach . . .	+ 0	+ 0
Weber	?	

2. Dezember: Operation:

In Chloroformnarkose Inzision wie für totale Resektion. Starke Adhärenz zwischen Periost und Knochen, so daß zur Lösung ein scharfer Löffel gebraucht werden muß. Bei der Aufmeißelung erweist sich der Knochen sklerotisch. In ca. 1½ cm Tiefe kommt man in das Antrum hinein, woselbst ein paar Granulationen und eine vereinzelte Cholesteatomzelle. Von Ohrknöchelchen keine Spur. Körners Lappen. 5 Suturen in der Mastoidalwunde.

Jodoformgaze. Verband.

6. Dezember: **Verbandwechsel.** Hat sich seit der Operation wohl befunden. Der Verband durchtränkt, nicht stinkend. **Körners Lappen** liegt gut. Die Wunde trocken.

8. Dezember: **Verbandwechsel.** Die Suturen werden entfernt.

12. Dezember: Starke Sekretion aus der Wundhöhle, die nach unten sehr eng ist. Ausspülung mit 3proz. Karbolwasser.

18. Dezember: **Transplantation** (à la Ballance).

19. Dezember: Die Verbände von der starken Sekretion aus dem Ohr beinahe durchtränkt. Der äußere Teil des Tampons wird gewechselt.

20. Dezember: Die ungewöhnlich starke Sekretion führt Tampone und Protektiv teilweise mit sich aus der Wundhöhle. Die Tampone werden gewechselt. Die äußersten Lappen liegen zusammengerollt und werden entfernt.

22. Dezember: Protektiv und Lappen folgen während des Verbandwechsels mit dem Tampon hinaus. **Die Transplantation vollständig mißglückt.**

23. Dezember: Der unterste Teil der Mastoidalwunde ist nach vorn gewölbt, rot und empfindlich. Bei Druck strömt Eiter aus dem Gehörgang. **Inzision** im unteren Teil der Mastoidalwunde. Die Höhle wird ausgespritzt. Verband mit Tampon hinter dem Ohr.

28. Dezember: **Die Mastoidalwunde in ihrer Gesamtheit** unter **Chloräthylanästhesie** geöffnet. Alle Granulationen werden mit scharfem Löffel und Kurette entfernt. Ausspülung mit 3proz. Karbolwasser.

30. Dezember: **Neue Transplantation** der ausgemeißelten Höhle, — von hinten. Tamponade von der Mastoidalwunde aus.

31. Dezember: **Reichliche Sekretion.** Der Verband beinahe vollständig durchweicht. Nur der äußerste Tampon wurde gewechselt.

1. Januar 1903: Die Tampone so von Sekret durchzogen, daß sie gewechselt werden müssen. Das Protektiv liegt weniger gut, deckt nicht überall.

2. Januar: Es wurde neues Protektiv angelegt, nachdem die Lappen teilweise geordnet waren.

3. Januar: Temp. 38.1—37.3. Die Wunde reaktionslos, die Sekretion nicht zugenommen. Puls 96. Resp. 20.

Det. Antifebrin 0.50 Vesp.

4. Januar: Temp. 38.5—38.5. Zustand wie gestern. Etwas Kopfweh.

5. Januar: Temp. 39.0—38.5. Puls 100. Resp. 24. Klagt heute über etwas Schmerz im Ohr. Beim Verbandwechsel zeigte sich die Wunde wie gestern, nur wenig Flüssigkeit in den Tamponen. Keine Übelkeit, Schwindel oder Erbrechen. Stuhlgang normal. Nichts im Halse. Über den Lungen und Abdomen normale Verhältnisse.

Det. Antifebrin 0.35 t. p. d.

6. Januar: Temp. 39.0—37.6.

7. Januar; Temp. 39 2—37.8.

10. Januar: Beinahe alle Lappen gelöst. Es liegt nur ein einziger schmaler Lappen am Boden der Wundhöhle. Vom Gehörgang hat sich die Haut etwas aufwärts des vordersten Teils der Trommelhöhle gezogen.

20. Januar: Es ist jeden Tag mit steriler Gaze gewechselt worden.

28. Januar: Der genannte Lappen längs des Bodens der Höhle hat sich etwas unter dem Protektiv ausgebreitet. Sonst ungefähr unverändert. Die Mastoidalwunde geringer.

29. Januar: Ausspülung mit 3proz. Karbolwasser.

31. Januar: Ausspülung mit Salzwasser.

Transplantation.

1. Februar: **Operation:** In Chloroformnarkose Schnitt längs den Rändern der Mastoidalwunde. Einige Granulationen wurden mit scharfem Löffel entfernt. Darauf wurde der Hautrand mit dem Raspatorium nach hinten gelöst und mit dem Messer um die Auricula herum, daß die Ränder zusammengelegt werden konnten. Um den etwas engen Gehörgang auszuweiten und außerdem die Anheftung des Ohres an den hinteren

Wundenrand zu erleichtern, wurde mit boutonniertem Messer ein Schnitt in die Narben der früheren Lappenbildung geführt, und zwar so tief, daß ein Finger in den Gehörgang hineingeführt werden konnte. Der Gehörgang wurde mit Jodoformgaze tamponiert. Darauf wurde die Wunde mit 5 Suturen zugenäht. Die Spannung in der Haut war ziemlich groß, so daß ein kleiner paralleler Schnitt hinter dem hinteren Wundrand geführt werden mußte, da der Faden sonst die dünne narbige Haut hinter der Auricula durchschneiden würde. Der Tampon, der gestern über das Protektiv und Lappen hineingelegt wurde, wurde nicht gerührt.

Jodoformgaze. Verband.

2. Februar: Temp. heute 38.5.

3. Februar: Temp. gestern abend 40.4.

Heute um 5 Uhr 41.5, um 7 Uhr 39.9, um 10 Uhr 37.5, um 12 Uhr 35.7, um 3 Uhr 36.5, um 3½ Uhr Frostanfall, um 4½ Uhr 39.4, um 7½ Uhr 40.4, um 10 Uhr 39.7. Der Patient ist trotz des hohen Fiebers ziemlich lebhaft, hat keine Schmerzen, weder im Ohr noch im Kopf. Puls 120. Resp. 24. Hustet nicht. Nichts im Schlunde, etwas dick in der Nase (wovon eine Probe genommen wurde). Verbandwechsel. Alle Tampone wurden entfernt, außerdem das Protektiv, worauf die Höhle mit 3 proz. Karbolwasser ausgespült wurde.

Det. Mixt. acid. c. chinin
— Antipyrin 1 gr.

4. Februar: Temperatur:

12 Uhr	nachts	40.0
2 „	vorm.	40.5
4 „	„	38.7
7 „	„	36.3
10 „	„	36.2
1 „	nachm.	36.0 Frostanfall
2 „	„	39.4
4½ „	„	39.9
7½ „	„	39.8
10 „	„	36.6

Die Probe aus der Nase zeigt negatives Resultat.

5. Februar: Temperatur:

1 Uhr	vorm.	40.0 Frostanfall
3 „	„	38.3
5½ „	„	39.3
7½ „	„	38.7
11 „	„	39.3
2½ „	nachm.	39.5
4½ „	„	39.5
8 „	„	38.9

Der Patient ist vielleicht etwas schläfrig, aber sonst wie gewöhnlich. Kein Schmerz. Über dem Herzen und den Lungen normale Verhältnisse. Die Wundhöhle, die morgens und abends mit 3 proz. Karbolwasser ausgespült worden ist, ist vollständig rein. Die Tampone beinahe nicht feucht. Die Wundränder blaß, nicht empfindlich oder geschwollen, sind unter den Ausspülungen etwas voneinander gewichen, so daß hinter dem Ohr eine ca. 2 cm lange, 1 cm breite Öffnung ist.

6. Februar: Temperatur:

10 Uhr	vorm.	38.9
12 „	„	39.1
2 „	nachm.	38.1
4 „	„	38.8
5½ „	„	39.0
8 „	„	39.7
10 „	„	39.3
12 „	„	38.6

Hat heute nacht unruhig geschlafen. Resp. 40. Liegt auf der linken Seite. Schwache Dämpfung abwärts nach hinten auf der rechten Seite. Geschwächte Resp., einzelne Reibungslaute. Bei Probepunktion in dem 8. i. c. Raum erhält man 1 cm³ etwas unklare, seröse, blutige Flüssigkeit.

Det. Salicyl. natric.

3 gr. t. p. a.

Appl. Cing. Neptuni,

7. Februar: Temperatur:

3 Uhr vorm.		39.8
6 „	„	39.6
8 „	„	39.2
10 „	„	39.0
12 „	„	39.5
6 „	nachm.	39.3
8 „	„	39.3
10 „	„	39.5
12 „	,	39.3

Heute nacht geschlafen, aber etwas gehustet, 3 Auswürfe, die etwas braun gefärbt sein sollen. Klagt über Husten und Schmerz in der rechten Seite. Kein Schüttelfrost seit gestern morgen. Ist sehr durstig. Ist bei Besinnung, duselt doch etwas ab und zu. Puls 128, regelmäßig. Resp. 48. Gibt an, Schmerz im rechten Oberarm zu spüren, der Gegend um Triceps herum entsprechend. Hat jede dritte Stunde 1 gr. Salicylnatr. bekommen.

8. Februar: Temperatur:

3½ Uhr vorm.		39.6
5½ „	„	39.9
7½ „	„	39.2
9½ „	„	39.1
12½ „	nachm.	38.4
1½ „	„	39.2
3½ „	„	38.3
5½ „	„	40.2
7½ „	„	40.1
10 „	„	40.1
12 „	„	39.2

Wenig Schlaf heute nächt, dann und wann unruhig gewesen, wollte aus dem Bette heraus. Bewegt nur den linken Arm und Unterextremität. Der Harn geht ins Bett. Bei der Morgenvisite antwortet er schwach, aber bei vollem Bewußtsein. Puls 132. Resp. 44. Die Dämpfung über der rechten Lunge reicht bis zur Papille. In der gedämpften Partie Krepitation und zahlreiche Schleimblasen. Der Stimmenfremitus zugenommen.

Herzdämpfung bei der 3. Costa im linken St. R. Ictus im 5. i. c. Raum. Die Herzlaute rein. Über allen Gelenken in der rechten Oberextremität zeigt sich Empfindlichkeit, aber keine Anschwellung, außerdem Empfindlichkeit auf der Innenseite des rechten Oberarms. Verbandwechsel. Die Tampons vollständig trocken.

Det. Aether. spiritus. camph.

10 Tropfen jede Stunde.

8. Februer: Vesp. Puls und Resp. wie heute vormittag. Heute abend ziemlich große Ansammlung im rechten Knie, welches sehr empfindlich ist.

Appl. Aq. saturnin.

9. Februar: Temperatur:

2 Uhr vorm.		38.2
4 „	„	38.2
6 „	„	38.5
9 „	„	39.5
11 „	„	39.5

1 Uhr nachm.		40.1
3 „	„	39.5
5 „	„	39.3
7 „	„	40.0
9 „	„	38.3
11 „	„	39.1

Heute nacht beinahe nicht geschlafen. War etwas unklar dann und wann.

Puls 128. Resp. 40. Die Dämpfung über der rechten Lunge bedeutend aufgeklärt. Zahlreiche Rasselgeräusche in dem unteren Teil der Lunge, zugleich etwas Reibungslaute. Hustet beinahe nicht.

9. Februar: Vesp. Bei der Abendvisite ist Anschwellung, Rubor und Empfindlichkeit eingetreten auf der Innenseite des linken Knies und auf der Innenseite des rechten Oberarms; nur Infiltration in der Haut.
Appl. Borwasserumschlag.

10. Februar: Temperatur:

1 Uhr vorm.		39.5
3 „	„	39.5
5 „	„	40.4
7 „	„	40.4
9 „	„	40.3

Unruhig die erste Hälfte der Nacht. Um 12 Uhr ein Krampfanfall, worauf Coma, die andauerte, bis der Tod still und ruhig um $9^1/_4$ Uhr vorm. eintrat.

Sektion: Pyämia. Intumescentia lienis. Endocarditis valvulae aortae. Pleuritis fibrinosa dextra. Synovitis suppurativa genus dextr. et cubiti dextr Endocarditis inveterata. Hypertrophia et dilatatio cordis (speziell der rechten Ventrikel). Die Pleurahöhle enthält viel Flüssigkeit. Geschwollene Milz, die Leber normal. Das Gehirn und die Häute vollständig normal, ebenso die Gehirnsinus und die Venen des Halses (keine Thrombe). In der rechten Lunge etwas Ödem, im übrigen überall lufthaltig. Im Eiter aus dem rechten Kniegelenk zahlreiche Streptokokken.

Epikrise ad 4. Auch hier liegt, wie die Sektion zeigt, keine Sinusthrombose (obturierend oder parietal) vor. Wenn die paar Frostanfälle und Metastasen zum rechten Ellbogengelenk und Kniegelenk ausgenommen werden, hat die Pyämie meistens den Charakter einer Septico-Pyämie, in ihrem späteren Verlauf einer Septichämie (Toxinämie) mit hohem kontinuirlichem Fieber und etwas umschleiertem Bewußtsein. Der Fall beweist, wie gefährlich selbst ein in der Regel so unschuldiger Eingriff, wie eine Transplantation, bei einem nervösen, hyperästhetischen Individuum sein kann, wo die Wunde Neigung zu starker Sekretion zeigt. Die erste Transplantation wurde außerdem zu spät vorgenommen, 18 Tage nach der Operation, als die Granulationen schon zu stark entwickelt waren. Die später wiederholten, allzu energischen Transplantationsversuche, der letzte in Verbindung mit dem Versuch sekundärer Schließung der Mastoidalwunde, wodurch Strammung des Gewebes nicht umgangen werden konnte, führten jedesmal zu allgemeiner Infektion (Fieber), die zuletzt einen bösartigen Charakter annahm. Durch die Erfahrung belehrt, lasse ich jetzt in solchen Fällen, die dann und wann vorkommen, jede Transplantation fahren, oder wiederhole den Versuch nicht.

b) Komplizierte Fälle (suppurative Labyrinthitis).

5.[1]) O. A. 40 Jahre alt. Maurer. Aufnahme den 16. August 1897.

4 Wochen vor der Aufnahme nahm der Patient ein Seebad. Dabei bekam er angeblich Wasser durch den Mund in das Ohr hinauf. Am Abend desselben Tages traten linksseitige Ohrenschmerzen und Sausen auf, welche Symptome später anhielten und an Stärke zugenommen haben. — Auch hatte er Fieber und kalten Schweiß. Vermindertes Gehör. Anfall von Schwindel, so daß er wie ohnmächtig umgefallen ist. Vor drei Wochen trat Erbrechen auf, was sich später mehrere Male wiederholt hat, das letzte Mal gestern nacht. Der Patient ist von einem Arzt behandelt worden, der 2mal Paracentese des Trommelfells vorgenommen hat, wobei angeblich Eiter entleert ist. Im übrigen kein Ausfluß. — Der Patient ging an seine Arbeit bis 4 Tage vor der Aufnahme, als er nicht länger vermochte. Der Appetit ist schlecht gewesen. Er ist matt geworden. Der Stuhlgang in Ordnung. Der Patient ist Biberius.

Status:

Mitgenommenes Aussehen. Blaß. Kalter Schweiß. Hat angeblich keinen Frostschauer. Hat das Gefühl, als wenn etwas vor das Ohr gefallen ist. Wird durch starke Ohrenschmerzen, Sausen und Pfeifen beschwert. Hat etwas Kopfweh (linksseitig). Puls 100. Temp. 40.4. Die Zunge belegt, etwas zitternd.

Linkes Ohr: Kein Eiter im Gehörgang, vorn und unten sieht man eine Wölbung der vorderen Wand des knöchernen Gehörganges.[2]) Das Trommelfell scheint etwas verdickt und mißfarbig. Kein Glanz, kein Lichtkegel.

Funktion:

Uhr . . . . wird nicht gehört.
Flüstern . . 40 cm.
Rinne . . . $+$ 20
Schwabach . . $-$ 15   Untersuchung durch stg. 256 App.
Weber . . . lateralisiert links.
Galton . . . 3—10.

Det. Antifebrin 0.30.

Appl. Warmer Umschlag von Aq. Burowi und Tampon im Gehörgang.

Vesp. Temp. 36.8.

17. August: Temp. heute 36.0. Hat die ganze Zeit sehr stark geschwitzt. Heute nacht gut geschlafen. Befindet sich besser, im Ohr keine Schmerzen. Keine Empfindlichkeit auf der Proc. mast. Die Geschwulst der vorderen Gehörgangswand bedeutend geringer. Das Trommelfell injiziert, aber nicht ausgebuchtet; sehr wenig geruchloses Sekret. Klagt über Schmerzen aus der linken Fossa supraclavicularis aufwärts gegen Proc. mast. Keine Geschwulst, aber etwas Empfindlichkeit bei Druck.

18. August: Temp. 37.5—39.7.

Hatte gestern nachmittag einen Schüttelfrost. Klagte gestern abend über Schmerzen in der linken Schulterregion. Schwitzt andauernd stark. Hat die ganze Nacht sehr unruhig geschlafen, deliriert, einmal aus dem Bett gesprungen. Hat ³/₄ Krug dünne wasserähnliche Flüssigkeit ausgebrochen, sowie geronnene Milch.

Puls 112, regelmäßig, etwas weich.

Über das Herz normale Verhältnisse.

---

1) Der Fall wurde während meiner Abwesenheit von dem damaligen ersten Assistenzarzt J. Heidenreich behandelt.
2) Keine besondere Empfindlichkeit bei Druck auf Proc. mast., keine Geschwulst.

Keine Kopfschmerzen oder Schmerzen im Ohr. Das Trommelfell beginnt abzubleichen. Keine Geschwulst oder Empfindlichkeit des Proc. mast. Hat Schmerzen in der linken Schulterregion und linken Sterno-Clavicalargelenk, sowie im linken Knie. Über dem Sterno-Claviculargelenk ist eine Geschwulst von der Ausdehnung eines 2 Kronenstückes und exzessive Empfindlichkeit. Empfindlichkeit auf der Innenseite des linken Knies längs der Gelenklinie, sowie über lig. patellare inf.

Det. Sol. salicyl. natric. 10—300 c. maj. bih.

Appl. Öl und Watte auf das linke Knie.

19. August: Temp. 39.6—38.3.

Gestern abend 5 Minuten lang ein Schüttelfrost. Heute nacht viel ruhiger geschlafen. Kein Erbrechen. Der Befund des Ohrs wie früher. Fortgesetzt Schmerzen im linken Sterno-Clavicalargelenk, Schulter und Knie. Andauernd starker Schweiß. Etwas Kopfweh in der Schläfenregion.

Operation: In Chloroformnarkose Schnitt wie für Schwartze. Die Weichteile normal. Das Periost nicht besonders adhärent. Corticalis normal, ca. 3 mm dick. Die pneumatischen Zellen im Proc. mast. sind mit einer klaren, serösen Flüssigkeit angefüllt. Der Sinus transversus wurde in der Ausstreckung einer Erbse bloßgelegt; die Sinuswand normal. Bei weiterer Aufmeißelung kam man in das Antrum hinein, welches normal war. Tamponade. Suturen aufwärts und abwärts. Verband.

Det. Kognakmixtur c. maj. bih.

20. August: Temp. gestern nachm. 38.9. Gestern abend 39.6, heute 38.4. Gestern nachm. etwas unruhig. Heute nacht ganz ruhig, jedoch nicht geschlafen. Kein Erbrechen. Puls 92. Schwitzt nicht. Klagt über Schmerzen in der linken Seite der Brust, am schlimmsten aufwärts über das Sterno-Clavicalargelenk. Die Schmerzen in der linken Schulter und im Knie bedeutend geringer. Die Schwellung über dem linken Sterno-Claviculargelenk hat zugenommen. Über der Vorderfläche der Lungen zerstreute Sibili und Rhonchi. Sonorer Perkussionslaut. Die Rückfläche wurde nicht untersucht. Hustet etwas mit einem reichlichen Expektorat, bestehend aus großen grauweißen Klumpen.

Appl. Umschlag von Ichthyol 10.00 Chlorof.

Ol. oliv. aa 50.00 über dem Sterno-Clavicalargelenk.

21. August: Temp. 39.0—39.8—39.5. Heute nacht beinahe nicht geschlafen. Sehr unruhig. Kein Erbrechen oder Schüttelfrost. Klagt nicht über etwas Bestimmtes. Ist heute schläfrig, antwortet doch, wenn gefragt. Hustet dann und wann. Sparsames Expektorat, worin einzelne blutrote Punkte. — Heute ist eine Geschwulst des rechten Handgelenks aufgetreten: exzessiver Schmerz bei Berührung und Bewegung. Kann das linke Knie jetzt ganz frei bewegen. Keine Empfindlichkeit bei Druck unter der Patella. Die Geschwulst über dem Sterno-Clavicalargelenk ungefähr wie früher. Durstet viel. Genoß im Laufe des gestrigen Tages 1 l. Gerstensuppe und 1 l. Milch.

22. August: Temp. 39.0—39.6—38.7. Im Laufe des gestrigen Tages sehr unruhig, das Sensorium nicht ganz frei. Erbrach sich gestern abend. Heute nacht etwas geschlafen. Scheint heute einigermaßen klar zu sein. Klagt über Schmerz auf der linken Seite der Brust. Puls 120, regelmäßig Resp. 28. Hustet fortdauernd. Über der Vorderfläche der Lungen reichliche Sibili und Rhonchi. Über Apex cordis hört man heute schwaches systolisches blasendes Geräusch. Spitzanschlag in der Parasternallinie im 5. Interkostalraum. Normale Herzdämpfung. Erbrach sich während der Untersuchung. — Fortgesetzt Schmerz und Geschwulst des linken Sterno-Clavicalargelenks und linken Handgelenks.

Det. Äther. 10 Tropfen jede 2. Stunde.

23. August: Temp. 38.7—39.4—38.8. 3 Erbrechungen im Laufe des gestrigen Tages, weshalb die Salicylmixtur seponiert wurde. Bei der gestrigen Abendvisite Puls 132, regelmäßig, weich.

Det. Infus. Digitalis 1—300 1 Speiselöffel jede 2. Stunde mit 5 Tropfen Äther in jedem Löffel.

Heute Puls 120. Hat besser geschlafen. Kein Erbrechen. Weniger Schmerz im linken Handgelenk. Weniger Geschwulst des linken Sterno-Clavicalargelenks; fortdauernd starke Empfindlichkeit. Der systolische Nebenlaut über dem Herzen heute weniger hervortretend. Empfindlichkeit bei Druck auf die Herzregion.

24. August: Temp. 38.7—39.8—38.8. Ungefähr kein Schlaf heute nacht. Klagt über Schmerz im Kopf und Rücken. Kein Erbrechen. In den letzten drei Tagen kein Stuhlgang. Abdomen ist ausgespannt, etwas empfindlich. Puls 120, weich. Resp. 28.

Verbandwechsel. Die Wunde hinter dem Ohr vollständig reaktionslos, zugewachsen, mit Ausnahme der Öffnung für den Jodoformgazetampon. Tampon und Suturen werden entfernt. Verband.

25. August: Temp. 39.1—38.6—39.1. Gestern abend ein Klystier mit reichlicher Wirkung. Der Unterleib ist weniger ausgespannt und weniger empfindlich. Ist heute nacht sehr unruhig gewesen und hat laut geschrien. Der Harn enthält Albumin. Puls 152, weich. Mittags: Puls 160.

Schielt etwas. Hat heute Halluzinationen gehabt (Leute gesehen, die alles andere waren, als seine Freunde). Liegt heute in einem Dusel, antwortet doch, wenn gefragt. Man hört einen gurgelnden Laut im Halse. Auf der Vorderseite der beiden Lungen zahlreiche Sibili. Sonor Perkussionslaut. Fortgesetzt Schmerz und Steifheit im rechten Handgelenk. Die Zunge andauernd trocken und borkig.

Appl. Kampherspritze.

26. August: Lag gestern meistens soporös, sprach dann und wann leise, jammerte zeitweise. Puls etwas frequent, oft irregulär. Das Schleimröcheln nahm den Tag über zu. Andeutung zum Schielen. Schwitzt bei der Abendvisite ziemlich stark. Kein Erbrechen.

Starb gestern nachm. 7³/₄ Uhr.

Sektion: Nur partielle Sektion (Öffnung des Kraniums) gestattet. Bei der Öffnung der Kranienhöhle nichts Abnormes. Im Sinus longitudinalis teils fließendes, teils geronnenes Blut. Dura glatt und glänzend. Nichts zu bemerken bei den dünnen Häuten und Oberfläche des Hirns. Im Sinus transversus auf beiden Seiten nur Gerinnsel und Blut, keine Thrombe. Als die Dura von der linken Pars petrosa entfernt wurde, sah man auf der Oberfläche ein paar stecknadelkopfgroße, runde Defekte im Knochen, ungefähr um das Labyrinth herum. Die Dura ist über diesen Höhlen nicht injiziert und man sieht auch keinen Eiter in den Höhlen. Bei Aufmeißelung des Os. temporis sieht man im inneren Ohr im Knochen mehrere Foci, wo der Knochen aufgeweicht und eiterinfiltriert ist. Speziell bildet das Labyrinth eine Eiterhöhle. In Cav. tympani dagegen kein Eiter. In den Seitenventrikeln des Hirns eine normale Menge klarer Flüssigkeit. Nichts zu bemerken bei den Hemisphären, Zentralganglien, Pons, Medulla oblongata oder Cerebellum.

Sektionsdiagnose: Pyämia? Otitis intima suppurativa.

Epikrise ad 5. Ein interessanter und seltener Fall eines akuten, schnellverlaufenden (nur durch Paracentese nachgewiesenes) suppuratives Mittelohrleiden, das zu einer suppurativen Labyrinthitis führt und dadurch zur Pyämie mit Metastasen zu den Gelenken und — in geringem Grade — zum Herzen, während das Hirn und der Mastoidalprocess. vollständig frei ausgehen. Bei der partiellen Resektion wurden die Mastoidalzellen und die Sinuswand normal aussehend befunden, bei der Obduktion findet sich keine Spur von Meningitis oder Sinusthrombose, im Mittelohr kein Eiter. Die Todesursache wurde nicht sicher konstatiert, da die Sektion auf den Kopf beschränkt war, scheint aber zunächst Herzlähmung gewesen sein. Irgendeine Fistel zwischen Cavum tympani und der Labyrinthhöhle wurde nicht nachgewiesen. Die Symptome des Labyrinthleidens waren: Stetig steigende Ohrenschmerzen (und etwas linksseitige Kopfschmerzen) mit Sausen und Pfeifen, Anfall schweren Schwindels, so daß er wie ohnmächtig hinfiel (vertigo ab aure laesa). Fieber mit kaltem Schweiß. Erbrechungen, vermindertes Gehör (ein Gefühl, als wenn etwas vors Ohr gefallen sei). Bei der Aufnahme ist die Temperatur 40.4. Puls 100, kein Schüttelfrost (der erst später mit den übrigen pyämischen Symptomen zusammen auftritt). Bei der Untersuchung findet man Zeichen nervöser Taubheit (Rinne + 20, Schwabach ÷ 15, Galton 3—10). Die Gehörschärfe ist herabgesetzt zu 40 cm für Flüsterton. — Während des Aufenthalts werden die labyrinthären Symptome teilweise durch die pyämischen verdrängt und die Diagnose wurde nicht gestellt, eine Öffnung des Labyrinths folglich auch nicht vorgenommen.

II. Otogene infektiöse Sinusthrombose.

a) Nichtkomplizierte Fälle.

α) Akute, mit Ramollissement.

6. C. J., 22 Jahre alt. Dienstmädchen. Aufnahme den 19. Juni 1895. Ende April infolge Erkältung plötzlich krank mit Ohrenschmerzen rechter Seite, 14 Tage später rechtsseitige Otorrhöe. Rasch abnehmendes Gehör, Schwindel (zur rechten Seite), Kopfweh (frontal, occipital). Vom 22. Mai an auf der Poliklinik behandelt (Diagnose: Otitis med. acuta supp.). 2 Tage vor der Aufnahme (17. Juni) Schmerzen in und hinter dem rechten Ohr, Erbrechen, Kopfweh, Schüttelfrost mit darauffolgender Hitze. Schmerzen und Kopfweh haben angedauert. Ist angeblich früher hinter dem Ohr geschwollen gewesen.

Die 3 letzten Tage zunehmende Otorrhöe und Empfindlichkeit des Proc. mastoideus.

Ein Erbrechen nach der Aufnahme ins Reichshospital. — Keine Phänomene vom linken Ohr.

Status präsens:

Linkes Ohr: Normale Verhältnisse.

Rechtes Ohr: Eiter im Gehörgang. Geschwulst der hinteren und vorderen Gehörgangswand. Möglicherweise etwas Schwellung des Proc. mast. Die Haut normal. Empfindlichkeit bei Druck auf die Spitze des Proc. mast. und angrenzende Teile des St.-cl.-mast. Unter dem Ohrlappen eine nußgroße, empfindliche Drüse. Das Trommelfell hervorgewölbt im hinteren unteren Quadranten, kein Lichtkegel, matt (die Gehörgangswand erschwert die Untersuchung).

Funktionsproben:

	R. Ohr	L. Ohr
Uhr	0	1 m
Flüstern	0	13 m
Gewöhnl. Sprechen	1 m	—
Rinne	÷ 35	
Weber	rechts.	

Abendtemp. bei der Aufnahme 39.1. Es wurde Paracentese des rechten Trommelfells in der vorgewölbten Partie gemacht. Darauf gaben sich die Schmerzen ein paar Stunden, kamen dann aber zurück und machten die Nacht schlaflos.

20. Juni: Temp. 39.0. Etwas Anschwellung über dem rechten Proc. mast. Empfindlichkeit, etwas Injektion.

Operation: Schnitt wie für Schwartze-Operation. Starke Blut-überfüllung der Bedeckungen und Knochen, so z. B. des Emissarium mastoideum. Corticalis dick, ziemlich weich. Ca. 1 cm in der Tiefe grüngelber Eiter, der sich in ca. 1 Teelöffelmenge hervorwälzt (mikroskopisch: Strepto- und Staphylokokken). Proc. mast. übrigens im ganzen mit Granulationen angefüllt, darin eingesprengt Eiterflocken. Abwärts und nach hinten liegt der Sinus sigmoideus entblößt in einer Ausdehnung von 2 cm, nicht mißfarbig, elastisch. Im Antrum Granulationen.

24. Juni: Seit der Operation Abendtemp. bis 39.0. Morgentemp. bis 38.7. Die früher anwesende Übelkeit hat aufgehört. Ziemlich viel Geschwulst der hinteren Gehörgangswand. Die Geschwulst des oberen Teils des St.-cl.-mast. ist heute zurückgegangen. Gestern nachmittag und heute ein Schüttelfrost von der ungefähren Dauer einer halben Stunde. Puls 96, kräftig.

Inst. Verbandwechsel 2mal täglich.

26. Juni: Andauernd Fieber, der Gehörgang geschwollen.

In Narkose wurde die hintere Gehörgangswand bis zum Trommelfell entfernt. Granulationen und Eiter zwischen dem Knochen und der fibrösen Gehörgangswand wurden entfernt.

29. Juni: Puls 104. Die Pupillen stark erweitert, werden bei Lampenlicht kontrahiert. Etwas lichtscheu, etwas duselig. Bei der Bewegung des Kopfes klagt die Patientin über Schmerzen im Nacken. Etwas Druckschmerz hinter und über der Operationswunde. In der Wunde nach innen und unten findet sich eine etwas gewölbte Partie, fluktuierend. Bei Inzision dicker Eiter. Mit der Sonde fühlt man, daß die Höhlung sich abwärts und nach vorn (Sinus sigmoideus) erstreckt. Die Höhlung wird nach vorn und aufwärts gespalten. Ca. 1 Teelöffel Eiter wurde entleert. Nach der Operation hörten angeblich die Schmerzen im Ohr auf.

1. Juli: Andauernd Fieber. Kein Schüttelfrost. Heute vielleicht etwas geschwollen unterhalb des Ohrknorpels zwischen dem Unterkiefer und Proc. mast. Starker Druckschmerz in der Nackenregion, der Partie hinter dem Sinus sigmoideus entsprechend, auf das Os. occipitis. In der Wunde nach unten einwärts sieht man eine Thrombenmasse. Etwas lichtscheuer. Puls 100, kräftig. Gestern abend Schmerz im Schlund und hinten im Nacken. Im Schlund ist nichts Abnormes zu sehen. Der Augengrund auf der linken Seite zeigt nichts Abnormes. Auf der rechten Seite etwas Injektion der Papille nach außen. Keine Stauungsphänomene. Normaler peripherer Blick.

3. Juli: Etwas besserer Nachtschlaf. Temp. heute 38.1. Puls 100 bis 120. Die Pupillen fortgesetzt stark erweitert. Andauernd lichtscheu. Keine Übelkeit oder Kopfweh. Fortgesetzter Druckschmerz im Nacken auf der rechten Seite. Ein paar Tage Diarrhöe.

4. Juli: Temp. 39.9—37.3. Puls 72. Resp. 40. Sehr unruhig heute nacht bis 3 Uhr, später mit Unterbrechungen geschlafen. Gestern abend Gefäßspasme in äußersten Fingergliedern der rechten Hand, eine Viertelstunde dauernd, es werden diese von der Patientin als abgestorben gefühlt. Die Pupillen etwas kleiner. Träge und schläfrig. Diarrhöe. Starkes Unwohlsein. Andauernd Nackenempfindlichkeit. In der Wunde sieht man die Partie entsprechend der hinteren (inneren) Sinuswand mit Granulationen angefüllt, sehr wenig Eiter. Dieselbe ist etwas gewölbt, ab und zu pulsierend. Nach dem Kreuzschnitt durch die Dura und Probeinzision ca. 2 cm in das Cerebellum hinein kam ein Teil Serum, kein Eiter. Bei Erweiterung des Schnittes abwärts etwas venöse Blutung, wahrscheinlich vom Sinus. Tamponade.

5. Juli: Temp. 39.5—37.0. Lebhafter. Mydriasis in Abnahme, die Pupillen reagieren leichter. Fortgesetzt etwas Diarrhöe.

6. Juli: Temp. 38.9—37.6. Heute mehr ausgesprochene Begrenzung der Anschwellung in der Fossa retromaxillaris und über dem übrigen Teil des St.-cl.-mast. In der Tiefe fühlt man eine Verhärtung; etwas Empfindlichkeit. Die Geschwulst erstreckt sich abwärts beinahe bis zur Höhe des Zungenbeins. Sensorium frei. Matt. Puls 84.

7. Juli: Temp. 39.1—37.4. Puls 80.

8. Juli: Temp. 38.7—37.7. Puls 92. Die folgenden Tage gleichfalls Temperatursteigerung am Abend.

13. Juli: Den letzten Tag afebril. In den letzten Tagen recht gut geschlafen. Die Lichtscheu geringer, die Pupillen beweglicher, noch etwas groß. Besserer Appetit. Die Diarrhöe aufgehört. Die Geschwulst über dem oberen Teil von St.-cl.-mast. bedeutend abgenommen. Der Gehörgang und die Trommelhöhle trocken, eine erbsengroße Perforation abwärts nach vorn.

16. Juli: Keine Empfindlichkeit über dem Proc. mast. Keine Lichtscheu. Fortgesetzt ein wenig Resistenz über dem oberen Teil der Vena jugularis.

20. Juli: Die Wunde im Proc. mast. beinahe zugeheilt. Keine Resistenz über Vena jugularis. Wohlbefinden.

25. Juli: Die Pupillen andauernd erweitert, reagieren gut. Steht auf.

2. August: Die Wunde im Proc. mast. seit 8 Tagen zugeheilt. Der Gehörgang trocken. Eine Perforation von der Größe eines Nadelkopfes vorn abwärts.

Funktionsprobe: R. Ohr
                  Uhr . . . . 5 cm
                  Flüstern . . . . . . 3 m.
              `   Rinne . . . . . . : 25
                  Weber . . . . lateralisiert rechts.

Bei ophtalmoskopischer Untersuchung kann nichts Krankhaftes nachgewiesen werden. Fortgesetzt etwas matt.

Geheilt entlassen zu einem Aufenthalt auf dem Lande.

Epikrise ad 6. Der Verlauf ist charakteristisch für eine Sinusthrombose mit zentralem Ramollissement, aber fester Thrombenmasse in den peripheren Enden, es sind daher keine Metastasen vorhanden und nach dem Öffnen des Abszesses im Sinus keine Schüttelfröste, aber noch eine Zeitlang Abendtemperatur auf Basis der abwärts fortschreitenden Sinusphlebitis mit Thrombenbildung (harte, etwas empfindliche Anschwellung in der Fossa retromaxillaris). Bei der Mastoidalresektion fand man die Sinuswand entblößt, aber „nicht mißfarbig und elastisch" und dieselbe wurde nicht geöffnet. Bei Spaltung sechs Tage später erwies sich jedoch, daß dieselbe Eiter enthielt. Auffallend während eines großen Teiles des Krankheitsverlaufes waren die ad maximum erweiterten, unbeweglichen Pupillen. begleitet von etwas Injektion der rechten Papille und einer auffallenden Apathie, doch nicht von Schwindel. Eine Probeinzision nach der hintern Hirngrube mit Entleerung von etwas Blut und Serum rief sofort Beweglichkeit der Pupillen hervor, wie denn auch der Gesichtsausdruck und die Gemütsstimmung lebhafter wurde (verminderter Druck), aber vorübergehend. „Noch 3 Wochen später, bei voller Reconvalescenz und normaler Temperatur längere Zeit hindurch, waren die Pupillen stark erweitert und außerordentlich träge, aber keine Gleichgewichtsstörung weder bei Bewegung in sitzender, noch in liegender Stellung"[1]). Die Ursache dazu ist augenscheinlich in einer durch die Thrombose hervorgerufenen genierten Hirnzirkulation zu suchen. Vielleicht hat hierzu beigetragen, daß das Leiden rechtsseitig war, da die rechte Vena jugularis in der Regel größer ist, als die linke.

7. S. K. 9½ Jahre alt. Tochter eines Landmannes. Aufnahme den 24. November 1904.

Die Krankheit begann den 17. November mit starken Schmerzen im linken Ohr und dem linken Unterkiefer („Zahnschmerzen), sowie Fieber. Seit dem 20. November Schmerzen hinter dem Ohr, am meisten den nächsten Tag. Seit dem 21. November Ausfluß eines gelben Eiters, nicht stinkend. Klagt über Sausen im Ohr, etwas Kopfschmerzen, sowie vermindertes Gehör. Kein Erbrechen. Die Krankheit trat plötzlich auf, ohne bekannte Ursache. Vor ca. 1 Jahre hatte die Patientin einige Schmerzen im linken Ohr mit etwas verringertem Gehör; wurde wieder besser. — Bei der Untersuchung findet man die Auricula etwas hervorstehend. Im Gehörgang reichlicher Eiter. Der Gehörgang nach hinten und unten geschwollen, vorn ein Furunkel. Über dem Proc. mastoideus ziemlich viel Geschwulst. Druckempfindlichkeit und Rubor, die sich abwärts über das oberste Drittel des Sterno-cleido-mast. und vorn bis zum Unterkiefer strecken. Das Trommelfell aufwärts und nach hinten stark rot und geschwollen; den Hammerschaft sieht man nicht. Perforation. Nichts besonderes in der Nase und im Schlund. Hört auf dem rechten Ohr normal, auf dem linken 1 m Flüstern. Rinne rechtes Ohr + 25, Schwabach + ÷ 0, Rinne linkes Ohr ÷ 20, Schwabach + 10. Weber lateralisiert links. — Blasses Aussehen (auch vor der Krankheit). Sieht leidend aus. Hält den Kopf steif und etwas nach links hinüber. Steifheit und Schmerzen im Nacken (keine Empfindlichkeit). Temp. 36.9. Puls 108, gut. Resp. 20. Der Harn fahl von Phosphaten, enthält kein Albumin.

25. November: Temp. 37.8. Schmerzen und Unruhe heute nacht. Partielle Resektion à la Schwartze. Es zeigt sich, daß der Abszeß in der Muskelsubstanz selbst sitzt. Aufwärts reicht er bis zur Spitze des Proc. mast., wo eine erbsengroße unebene Partie des Knochens ist, aber keine direkte Kommunikation mit den Mastoidalzellen. Bei der Aufmeißelung findet man dünnen Eiter in den Terminalzellen. Der Proc. im übrigen blutüberfüllt. Nach hinten wird der Sinus sigmoideus bloßgelegt, derselbe wird eingesunken befunden mit unebener, gräulicher Oberfläche, fühlt sich verdickt an, pulsiert, aufwärts, dem Genu sigmoideum entsprechend, ist die Wand zerfetzt. Mit der Sonde kommt man hier in den Sinus selbst hinein, der thrombosiert ist. Abwärts fühlt man mit der Sonde die Sinuswände teilweise zusammengewachsen. Rückwärts kann die Sonde ca. 1 Zoll in den Sinus transversus hineingeführt werden, ohne daß hier Blutung entsteht. Die Wand ist stark verdickt, einige blauschwarze Coagula mit blassen Knoten. Abwärts und nach innen, dem horizontalen Teil des Sinus sigmoideus entsprechend, ist die Wand gleichfalls

---

1) V. Uchermann: Die Taubstummen in Norwegen, S. 396, französische Ausgabe S. 399. Hier zitiert als Gegenbeweis der von Lucae, teilweise Baginsky und Mendel behaupteten Lehre, daß Schwindel den veränderten Druckverhältnissen der Cerebrospinalflüssigkeit zuzuschreiben sei.

verdickt, im äußersten Teil zerfetzt. Auch hier kommt man mit der Sonde in das Lumen, wo ein Coagulum von derselben Beschaffenheit, wie oben beschrieben, entfernt wird. Abgesehen von den genannten oberflächlichen Partien kein Ramollissement. Im Antrum weder Eiter noch Granulationen. Ein Teil der Sinuswand, dem mittleren Teil des Sinus sigmoideus entsprechend, wird entfernt. Im übrigen nur vorsichtige Ausschabung. Jodoformgaze. 3 Suturen abwärts, 1 aufwärts. Verband.

Im Eiter wurden Staphylokokken und Streptokokken nachgewiesen.

In der ersten Woche nach der Operation etwas Temperatursteigerung (28. November Vesp. 39.6), seit Anfang Dezember normale Temperatur. Es zeigte sich etwas Eiter unter der mittleren Sutur nach unten, derselbe wurde entfernt.

30. November ist die Wunde rein.

Den 8. Dezember steht die Patientin auf. Den 16. Dezember ohne angebliche Ursache Temperatursteigerung bis 38, den 17. Dezember Temp. 37.1 M. —38.7 Vesp., den 18. Dezember 37.8—38.8, 19. Dezember 37.9 bis 37.6; später normale Temperatur. Hierbei vollständiges Wohlbefinden. Den 31. Dezember ist die Mastoidalwunde zugeheilt, etwas Sekret aus Cavit. tympani.

Epikrise ad 7. Das Ramollissement war in diesem Fall auf das Genu sigmoideum und einen kleinen Flecken weiter abwärts beschränkt, wo die Wand ulceriert und perforiert war. Es konnte auch nicht viele Tage gedauert haben, da die Operation am 8. Tage der Krankheit stattfand. Andeutung zu pyämischen Symptomen war nicht da und nur die Nackensteifigkeit, die Nackenschmerzen und das blasse leidende Aussehen deuteten auf ein ernstes Leiden. Nach der Operation ein paar geringe Temperatursteigerungen des abends, aber im übrigen normaler Verlauf, keine Kopfschmerzen, keine Trägheit, keine erweiterten Pupillen.

β) Akute, ohne Ramollissement.

8. A. H. 24 Jahre alt. Telegraphist. Aufnahme den 6. August 1902.

3. Juli rechtsseitige Ohrenschmerzen, einige Tage später Ausfluß, der später angedauert hat. Ist mit Austrocknung behandelt. 3. August nachm. plötzlich Verschlimmerung der Schmerzen, die an den darauffolgenden Tagen weiter zunahmen. Hat die 2 letzten Tage meistens gelegen, Fieber und Kopfschmerzen gehabt, vorgestern ein Erbrechen, kein Schwindel. Er ist 4—5 Jahre lichtscheu gewesen, dieses hat sich die letzten Tage bedeutend verschlimmert.

Status: Linkes Ohr: Normale Verhältnisse.

Rechtes Ohr: Der Gehörgang ist voll von Mucopus. Nach außen im Gehörgang aufwärts und nach hinten ein Furunkel, der sich geöffnet hat. Ziemlich starke Empfindlichkeit bei Druck über dem Proc. mast. Unterhalb des Proc. etwas Rubor. Anschwellung und Empfindlichkeit über der Halsvene und dem oberen Teil der m. sterno.-cleido.-mast. Das Trommelfell injiziert. In der Mitte eine Perforation, durch welche Sekret pulsierend hervortröpfelt. Funktionsproben wurden nicht gemacht.

Temp. 39.3

Keine Symptome vom Herzen und den Lungen. Der Harn enthält kein Eiweiß oder Zucker.

7. August: Ist heute nacht sehr unruhig gewesen, teilweise besinnungslos, hat mehrere Male deliriert· Unfreiwilliger Abgang des Harns.

Temp. heute 39.3. Liegt mit halbgeschlossenen Augen (das linke meistens geschlossen), klagt, daß er nicht verträgt, gegen das Licht zu sehen. Schwache Injektion in Conjunctivae und etwas Schleim. Die Pupillen sind etwas klein, aber gleich, reagieren gut. Die Beweglichkeit der Augen normal.

Operation: In Chloroformnarkose ein 7 cm langer Schnitt hinter der Anheftung des Ohrs. Nichs zu bemerken bei den Bedeckungen und Corticalis. Bei Aufmeißelung zeigt der Knochen sich ziemlich hart und blutüberfüllt. In ca. 1.5 cm Tiefe kommt man zu einer Höhle auf dem Platz des Antrums, nur etwas über 1 cm von der hinteren Gehörgangswand. Es zeigte sich, daß die Höhle der Sinuskanal war. Zwischen dieser Höhle und der Gehörgangswand mußte man sich mit dem Meißel vorwärts arbeiten und nach innen zum Aditus, aus dem etwas seropulente Flüssigkeit trat. Es fand sich kein eigentliches Antrum. Der Sinus wurde in einer Ausdehnung von 1—2 cm² entblößt. Die Wände waren schlaff, blaß, hatten sich etwas vom Knochen zurückgezogen. Zwischen der Wand und dem Knochen, soweit man sehen konnte, kein Eiter, nur etwas fibrinöser Beleg. Es schien Undulation vorhanden zu sein, wenn auch sehr schwach. Der genannte Furunkel wurde gespalten und mit scharfem Löffel ausgeschabt. Der Patient war später am Tage ruhig und meinte, daß die Kopfschmerzen geringer seien.

8. August: Temp. 39.0—38.0 Ganz gut geschlafen. Weniger Anschwellung und Empfindlichkeit den Hals hinunter. — Ophtalmoskopische Untersuchung: Klare Medien, normaler Augengrund (Dr. Holth).

9. August: Temp. 37.8—37.7. Befindet sich ziemlich wohl. Hat nur wenig Kopfschmerzen, wesentlich im Nacken lokalisiert. — Nur unbedeutende Sekretion aus der Trommelhöhle und aus dem Aditus.

10. August: Temp. 38.4—38. Der Sinus schein mehr gespannt zu sein und die Pulsation deutlicher. Der Patient ist ziemlich gut.

11. August: Temp. 38.1—37.0. Etwas unruhig heute nacht, aber doch ziemlich viel geschlafen· Heute morgen stärkere Kopfschmerzen, jetzt aber wieder besser.

12. August: Temp. 37.6—37.5. Heute nacht ruhig. Der Gehörgang beinahe trocken. Unbedeutende seröse Sekretion aus der Mastoidalöffnung. Kann die Augen ganz öffnen. — Den Nachmittag über ziemlich starke Kopfschmerzen, meistens in der Stirn. Temp. 6 Uhr 39 0. Verbandwechsel. Die Sinuswand etwas schlaff. Kein Ödem um das Ohr herum. Nirgendswo Empfindlichkeit.

13. August: Temp. heute 38.0. Etwas unruhige Nacht. Es scheint etwas Rubor, Anschwellung und Empfindlichkeit unterhalb des Proc. mast. zu sein. Die schlaffe Sinuswand wird in einer Ausdehnung von 1 cm gespalten. Es kommt kein Blut. Der Inhalt ist geronnen, graubraun, durch und durch fest. Die Thrombe, die ziemlich fest mit der Wand verbunden ist, wird nicht entfernt. Aussaat von Thrombenmasse auf Serum.

14. August: Temp. 39.1—38.2.

15. August: Temp. 38.6—37.6. Hat eine gute Nacht gehabt. Unbedeutende Kopfschmerzen.

16. August: Temp. 38.0—36.6. Wohlbefinden. Die Serumgläser zeigen das Wachstum einiger kleiner Kolonien, die nur Kokken enthalten.

18. August: Die Abendtemp. der vorhergehenden Tage nicht über 37.9. Normale Morgentemperatur. Etwas mehr Feuchtigkeit im Gehörgang.

19. August: Temp. 37.6—37.0. Der Harn unklar, sauer, enthält reichlich Albumin.

20. August: Temp. 37.6—36.4. Harnmenge 1150. Puls 72, etwas schwach und unregelmäßig, indem jeder 8.—10. Schlag ausfällt.

Ord. Digitalis.

26. August: Die Temperatur ist normal gewesen. Puls in den letzten Tagen regelmäßig, nicht aussetzend. Heute zeigte es sich, daß der Harn etwas Blut enthält.

28. August: Der Harn enthält weniger Blut und Albumin.

29. August: Der Harn enthält einige körnige Cylinder.

31. August: In mehreren Tagen über Blutung aus der Nase, teils auch vom Zahnfleisch geklagt.

3. September: Der Blutgehalt des Harns im Abnehmen. Ab und zu rinnt etwas Blut aus dem linken Nasenloch.

8. September: Die Sekretion durch den Gehörgang, die beinahe aufgehalten hatte, ist in den letzten Tagen etwas reichlicher gewesen.

11. September: Hat in den letzten Tagen über Kopfschmerzen geklagt und Schmerzen in den Augen. Temp. und Puls normal.

13. September: Heute mehr Nasenbluten als früher. Bei Untersuchung trat Erbrechen ein. Es kam ziemlich viel dunkles, geronnenes Blut herauf.

Appl. Tampon in die linke Choane.

14. September: Der Tampon hat den Schlaf geniert und gestört. Derselbe wird entfernt, keine Blutung hinterher.

16. September: Der Harn etwas weniger Blut zeigend als früher, die Albuminmenge unverändert. In der letzten Zeit haben sich im Gehörgang mehrere Furunkel gebildet.

18. September: Der Harn beinahe frei von Blut, andauernd reichlich Albumin. Keine Blutung aus der Nase. Die Harnmenge hat während der Nephritis ungefähr 1400—1500 cm^3 per Tag ausgemacht. — Temp. und Puls fortgesetzt normal.

22. September: Der Patient befindet sich ganz wohl. Keine Kopfschmerzen. Ist hungrig. Die Mastoidalwunde schließt sich langsam. Fortgesetzt Sekretion aus dem Ohr.

1. Oktober: Der Harn enthält kein Blut, aber andauernd ziemlich viel Albumin. Die Diurese ist auf 2000—2600 per Tag gestiegen. Die Mastoidalwunde zugeheilt. In der Trommelhöhle nur wenig zäher Schleim.

7. Oktober: Der Patient befindet sich jetzt sehr wohl, schläft gut, klagt nur darüber, daß er zu wenig zu essen bekommt. Ist sehr blaß, etwas ödematös um die Augen herum. Sonst kein Ödem. Temp. und Puls normal. Reine Herzlaute. Fortgesetzt eine Diurese von 2000 und darüber.

18. Oktober: Das Ohr ist trocken.

22. Oktober: Die Diurese lag in den letzten paar Wochen zwischen 2500 und 3000.

31. Oktober: Der Harn enthält 2.5 pro Mille Albumin. Ophtalmoskopische Untersuchung: Zeichen einer Retinitis albuminurica.

3. November: Entlassen zu poliklinischer Behandlung.

9. M. T. Konstabel. 29 Jahre alt. Aufnahme den 24. November 1904.

Die Krankheit begann am 15. November mit Schmerzen im linken Ohr und dem halben Kopf auf derselben Seite, sowie vermindertem Gehör. Angenommene Ursache: Erkältung. Seit dem 17. November bettlägerig, seit dem 19. November purulenter Ausfluß. Vielleicht Fieber, doch keinen Schüttelfrost. kein Erbrechen. Bei der Aufnahme fand sich im Gehörgang Eiter und Detritus Das Trommelfell rot und geschwollen, aufwärts und nach hinten eine Perforation von der Größe eines Stecknadelkopfes. Etwas Geschwulst, ein wenig Rubor und Druckempfindlichkeit über dem Processus mastoideus. Die Gehörschärfe verringert bis auf 50 cm für Flüstern, auf der anderen Seite normal (13 m), Rinne auf dem linken Ohr $\dot{:}$ 30, Schwabach + 18, auf dem rechten Ohr Rinne + 18, Schwabach + 15. Temp. 37.2 (vesp.). Da er Operation verweigerte, wurde er am 26. November entlassen, nachdem die Perforationsöffnung im Trommelfell erweitert war, wurde jedoch am 19. Dezember wieder aufgenommen. Der Zustand hat sich ungefähr unverändert gehalten, in den letzten Tagen sind jedoch Schmerzen und Empfindlichkeit weiter nach unten und nach hinten auf dem Proc. mast., sowie über dem obersten Teil des Sterno -cleid.-mastoid. aufgetreten.

Kein Schüttelfrost oder Erbrechen. Temp. 37.0, 37.4 (vesp.), 37 2. Puls 76.
Resp. 22. Herz und Lungen normal. Nichts im Harn.
    Bei Resektion à la Schwartze (20. Dez.) fand man den ganzen Process.
mit Eiter und Granulationen angefüllt, die sich ganz bis zur Sinuswand
ausdehnten, die in 2 cm Länge entblößt liegt. Die Wand ist verdickt und
granulierend, mißfarbig, teilweise ganz schwarz. Der ganze Sinus fühlt sich
wie ein harter Strang an, worin man doch Pulsation (verpflanzt) erkennen
kann. Der Knochen wurde weiter abwärts in einer Ausstreckung von ein
paar cm längs des Sinus sigmoideus entfernt; auch hier ist die Sinuswand
verdickt, rot. Punktion wurde nicht vorgenommen. Die Kultur des aus-
gesäten Eiters ist steril. Normaler Verlauf, normale Temp.
    10. K. K. 13 Jahre alt, Tochter eines Tagelöbners aus Höland.
Aufnahme den 18. Dezember 1904.
    Die Krankheit begann vor 2—3 Wochen mit Schmerzen im linken
Ohr, die den Schlaf hinderten, die Schmerzen jetzt geringer. In den letzten
8 Tagen Schmerz hinter dem Ohr mit Druckempfindlichkeit. Etwas Fieber,
kein Frostanfall. In den letzten 14 Tagen Ohrenfluß. Das Gehör verringert. Sausen auf dem Ohr, kein Schwindel, kein Erbrechen. Ab und
zu etwas Stirnkopfweh. Nach Masern aufgestanden. Die Auricula ist her-
vorstehend. Ekzem in der äußeren Gehörgangsöffnung. Hintere Gehör-
gangswand geschwollen, wodurch das Trommelfell versteckt wird. Eiter im
Gehörgang. Geschwulst, Rubor und Druckempfindlichkeit hinter dem linken
Ohr, Fluktuation (seit 2 Tagen). Rinne linkes Ohr ÷ 38, Schwabach + 15.
Weber links. Die Patientin sieht ziemlich mitgenommen aus und hält den
Kopf etwas nach links hinüber (früher steifer im Hals und Schmerzen im
Nacken bei Bewegung des Kopfes). Temp. 37.5 (vesp.). Puls 100, gut.
Resp. 22. In der Region der Jugularis ist kein Strang zu fühlen. Harn
normal.
    19. Dezember: Temp. 37.5. Partielle Resektion à la Schwartze.
1 Teelöffel gelb-grüner, dicker, nicht stinkender Eiter zwischen dem Periost
und Knochen (nach Aussaat steril). Eiter in den Terminalzellen, nicht aufwärts. Von den Terminalzellen ist eine Passage nach hinten zum Sulcus
sigmoideus, der fast in seiner ganzen Länge entblößt liegt und angefüllt
mit Eiter, indem die verdickte, etwas unebene Sinuswand nach hinten gedrückt ist. Diese ist gelblich gefärbt, pulsiert, keine Granulationen. Im
Antrum etwas Granulationen. Ausschabung. Der Sinus wird nicht geöffnet.
Jodoformgaze. Verband.
    Normale Temperatur seit der Operation, ausgenommen den darauffol-
genden Tag (vesp. 38.5). Normaler Verlauf.

Epikrise ad 8—10. Im Falle Nr. 8 war vor der Aufnahme
Erbrechen eingetreten, und die Nacht vor der Operation ein teilweise komatöser Zustand mit unfreiwilligem Abgang des Harns,
also Zeichen einer cerebralen Komplikation toxischer oder infektiöser, meningealer Natur (lichtscheu, kontrahierte Pupillen). Gleichzeitig war etwas Anschwellung und Empfindlichkeit
in der Fossa retromaxillaris und dem obersten Teil von Sternocleido. Diese Phänomenen gingen jedoch alle rasch zurück nach
der Mastoidalresektion mit Bloßlegung des Sinus, der sich eingesunken zeigt mit einem schwachen fibrinösen Belag. Die Temperatur ist doch anhaltend etwas erhöht, besonders des abends
mit intermittierenden Kopfschmerzen. Dies hört erst auf nach
Spaltung der Sinuswand 6 Tage später, was doch nur eine durch
und durch feste Thrombe offenbart. Diese wird deshalb nicht

entfernt; nach Aussaat zeigt es sich jedoch, daß sie Kokken enthält. 6 Tage später wird reichlich Albumin im Harn nachgewiesen und der spätere Verlauf glich meistens einer ernsten
akuten Nephritis mit Affektion der Retina (Retinitis albuminurica). Diese ist nach der Entlassung zurückgegangen, und die
Patientin hat sich kürzlich als gesund auf der Klinik vorgestellt,
doch muß sie fortgesetzt eine vorsichtige Diät beobachten. Der
Fall ist interessant, weil er zeigt, daß selbst eine augenscheinlich gutartige, feste Thrombe, von Zirkulationsstörungen im
Hirn abgesehen, dadurch gefährlich werden kann, daß sie In-
fektionsstoff genug enthält, um Metastasen hervorzurufen. Es ist
daher nicht immer ohne Risiko, eine solche Thrombenmasse
sitzen zu lassen. Etwaige pyämische Symptome traten übrigens
nicht auf.

In den Fällen Nr. 9 und 10 sind die einzigsten Zeichen einer
möglichen Sinusaffektion Schmerz und Empfindlichkeit, abwärts
und nach hinten auf dem Proc. mastoideus und obersten Teil
des Sternocleido., in Verbindung mit etwas Nackensteifheit. In
beiden Fällen fand man bei der Resektion die Sinuswand entblößt, verdickt, eingesunken, im Falle Nr. 9 teilweise schwarz,
im übrigen hart und bedeckt mit Granulationen, im Falle Nr. 10
von Eiter umgeben, keine pyämischen Symptome. Sie wurde
deshalb nicht geöffnet. Normaler Verlauf, keine Temperatursteigerungen.

γ) Chronische, mit Ramollissement.

11. N. B. 19 Jahre alt. Schmiedelehrling. Aufnahme den 24. Mai
1895.

11 Jahre alt Scarlatina. Im Anschluß hieran rechtsseitige Otorrhöe.
2 Jahre vor der Aufnahme wurde der Hammer entfernt. Keine Phänomene
vom linken Ohr.

Status:
Linkes Ohr: Wachs im Gehörgang, sonst nichts Abnormes.
Rechtes Ohr: Muco-purulentes stinkendes Sekret im Gehörgang.
Trommelfell: eine große rundliche Perforation, die mehr als die untere
Hälfte des Trommelfells umfaßt, der Hammerschaft fehlt (siehe Kranken-
geschichte), kein Glanz oder Lichtkegel. Proc. mast. bietet nichts Abnormes
dar. Auch nicht der Schlund und die Nase.

Funktionsproben:	R. Ohr	L. Ohr
Uhr	ad concham	80 cm
Flüstern . .	1 m	13 m.
Rinne . . .	÷ 50	+ 45
Schwabach . .	÷ 15	
Weber . .	lateralisiert rechts.	

28. Mai: Operation: Schnitt wie für Stacke. Corticalis hart, aber
frisch. Bei Aufmeißelung stieß man gleich auf die Sinuswand. Der obere
Teil der hinteren Gehörgangswand wurde bis Cavitas tympani fortgemeißelt.
Vom Antrum fand man nur einen kleinen kurzen Kanal, der Trommelhöhle

am nächsten. Hier einige Granulationen, auch im Kuppelraum. Der Lappen wurde von der hinteren knorpeligen Gehörgangswand gebildet. Gleich nach der Operation Erbrechen.

4. Juni: Etwas Parese der rechten n. Facialis, besonders der untere Zweig, weniger der obere Zweig, kann das Auge jedoch nicht ganz schließen.

6. Juni: Gestern abend Temperatursteigerung bis 40.1. Es zeigt sich abwärts und nach hinten in der Wunde, wo der Sinus sigmoideus entblößt ist, eine hanfkorngroße Öffnung, aus der venöses Blut in einem kleinen Strahl hervorspringt. Eine kleine Knochenbrücke, die zwischen dem Antrum und der übrigen Mastoidalhohlheit zurückgelassen ist, wird fortgemeißelt.

7. Juni: Temp. gestern morgen 39.8, gestern abend 38.4. Heute 37.1.

8. Juni: Temp. gestern abend 38.7 mit einem kleinen voraufgegangenen Schüttelfrost. Heute 37.8. — Die genannte Öffnung im Sinus zeigt sich schwach pulsierend Während des Hustens kommt venöses Blut aus der Öffnung und unter darauffolgender Inspiration hört man aus der Wunde einen gurgelnden Laut und sieht einige Luftblasen; gleichzeitig starke Schmerzen in der Magengrube. Bekam eine Morphinspritze, worauf sich die Schmerzen gaben.

10. Juni: Gestern abend 10 Minuten lang Schüttelfrost. Temp. 39.6. Heute Temp. 37.7. Puls 108. Gibt an, dann und wann beim Schlucken flüssige Sachen in den verkehrten Hals zu bekommen.

11. Juni; Temp. 40.2—36.1. Puls 100. Gestern nachmittag Schüttelfrost; als er sich gestern im Bette erhob, um zu essen, bekam er plötzlich Schmerzen in der Brust, die sich doch ohne Morphium schnell gaben. Beim Verbandwechsel sieht man heute venöses Blut schwach pulsierend auf vorgenannter Stelle.

13. Juni: Abendtemp. vorgestern 38.0, gestern 39.6, mit vorangehendem Schüttelfrost. Morgentemp. normal. Puls 80.

Beim Wechseln des Tampons hinten in der Wunde traten zweimal plötzlich Stiche in rechten Seite der Brust auf, doch nicht so stark wie das erste Mal, aber mit gleichem brodelnden Laut, wie damals. In der Wunde sieht man Eiter über der Öffnung bis in den Sinus. Nach der Reinigung wurde plastische Operation unter Kokainanästhesie vorgenommen, indem ein Haut-Periostlappen, mit der Basis aufwärts, von den Bedeckungen hinter der Wunde gelöst wurde und mit Jodoformgaze über der Öffnung bis zum Sinus hinein tamponiert wurde.

15. Juni: Nach 2 Tagen normaler Temp. trat gestern nachmittag ½ Stunde Schüttelfrost ein und Steigerung auf 40.6.

Heute um 7 Uhr vormittag Schüttelfrost und Steigerung bis 40.2. Puls 112.

16. Juni: Temp. 38.0—38.6.

17. Juni: Gestern abend ein kurzer Schüttelfrost mit Steigerung bis 38.0. Heute 37.2.

18. Juni: Gestern kleine Schüttelfröste im Laufe von ½ Stunde, um 5 Uhr nachm. 40.6, um 9 Uhr 38. 1. Heute 37.3. Puls 80.

19. Juni: Temp. 36.3—38.0.

20. Juni: Temp. 36.2—35.7.

25. Juni: Später afebril. Wohlbefinden. Steht auf.

Epikrise ad 11. In der Anamnese ist nichts, was auf eine Sinusthrombose deuten kann. Die Mastoidalresektion wurde vorgenommen, um eine chronische, stinkende Otorrhoe mit abnehmendem Gehör zum Einhalten zu bringen, nachdem eine zwei Jahre früher ausgeführte Entfernung des Hammers nicht zum Ziel geführt hatte. Bei der Operation stieß man sofort auf die Sinuswand; über die Beschaffenheit derselben findet sich nichts

angeführt. 8 Tage nach der Resektion, die nach der Beschreibung unvollständig gewesen ist, trat Fieber auf und die entblößte Sinuswand findet man perforiert in einer Ausdehnung wie
ein Hanfkorn, mit etwas Blutung. Es ist nichts betreffs eines Verbandwechsels notiert. Wahrscheinlich hat also die Unvollständigkeit der Resektion eine Infektion der entblößten Sinuswand
bewirkt und dadurch Nekrose durch den Druck des Lappens
und Tampons. Die Thrombose ist augenscheinlich noch in ihrem
Entstehen (Blutung) und das Fieber gewiß durch Resorption des
Infektionsstoffs durch die geschehene Öffnung (vgl. weiter unten)
bewirkt. Erst 8 Tage später wird Eiter in der Öffnung nachgewiesen. Die Unvollständigkeit der Thrombose, wenigstens
nach unten, zeigt sich auch dadurch, daß 3 mal unter dem Verbandwechsel Phänomenen von Luftembolie auftreten, weshalb die
Öffnung durch eine plastische Operation geschlossen wird. Das
Fieber setzt dadurch 2 Tage lang aus, geht aber wieder bis auf
40 ° mit Schüttelfrost hinauf, um dann nach 5 Tagen aufzuhören.
Später normaler Verlauf. Hätte ich nun den Patienten in der
Behandlung gehabt, würde ich vorgezogen haben, die äußere
Wand des Sinus abwärts bis zum Bulbus zu entblößen, und aufwärts jedenfalls bis zum Knie, von außen zu tamponieren und
die dazwischen liegende Partie zu entfernen.

　　12. M. J., 49 Jahre alt.　Frau eines Restaurateurs.　Aufgenommen in
die Med. Abt. A den 28. Januar 1896.
　　Nach dem Journal soll die Patientin vor 14 Jahren 3 Tage lang Schmerzen im linken Ohr gehabt haben und dadurch auf diesem Ohr vollständig
taub geworden sein. Es ist aus diesem Ohr niemals Flüssigkeit getreten;
wurde von einem Arzt behandelt. Auf dem rechten Ohr gutes Gehör bis
zum letzten Herbst (ihre Auskünfte scheinen unzuverlässig zu sein). Letzten
Sommer Schmerzen im linken Ohr und in der linken Schläfe, schlimmer seit
Oktober (1895). Vor einem Monat Schmerzen auf der rechten Seite, in den
letzten 14 Tagen Schmerzen im rechten Ohr. In der letzten Zeit Schmerzen
über den ganzen Kopf, nicht in Anfällen. Vor ca. 8 Jahren Lues. Das
rechte Trommelfell fahl, weißlich (sklerotisch). Das linke Ohr scheint normal.
　　13. Febr. reichlicher purulenter, stinkender Ausfluß aus dem linken Ohr,
Empfindlichkeit über dem linken Proc. mast. Perforation im oberen vorderen Quadrant, hinterer Teil des Trommelfells stark vorgebuchtet.
　　22. Febr.: Paracentese des Trommelfells, wodurch ziemlich viel Eiter
entleert wurde. Überführung den 23. Febr. nach der Ohrenabteilung. Bei
der Aufnahme fand man:
　　Über den Proc. mast. auf der linken Seite starke Geschwulst, Rubor
und Empfindlichkeit (meistens über der Spitze und nach hinten). Die Geschwulst und die Empfindlichkeit setzt sich nach hinten gegen den Nacken
fort. — Eiter im Gehörgang. — Stecknadelkopfgroße Perforation abwärts
und nach hinten in dem Trommelfell; aufwärts Ausbuchtung. Gehörvermögen: Rechtes Ohr Flüstern 1 m, linkes Ohr 0, Rinne rechtes Ohr + 25,
linkes Ohr ÷ 5.
　　24. Febr.: Operation: Schnitt wie für Stacke, sowie ein horizontaler
Schnitt bis Proc. occipitalis. Bei Lösung des Lappens abwärts dicker Eiter

aus einer subperiostealen Höhle, direkt unter dem horizontalen Teil von Occiput. Nach vorn und abwärts fühlt der Finger ein großes pulsierendes Gefäß. Proc. mast. stark sklerotisch, so gut wie keine pneumatische und sehr wenig diploetische Hohlräume. Vom Antrum werden einige Granulationen und etwas verdicktes Schleimhautgewebe entfernt. Ein wenig Eiter zwischen dem fibrösen Gehörgang und Knochen mit einem scharfen Löffel entfernt. Die Sinuswand nicht bloßgelegt. Körners Lappen. — In der Halswunde Gazetampon nach Spaltung der äußeren Muskelwand.

25. Febr.: Temp. 39,8—34,6.

26. Febr.: Ungefähr um 4 Uhr heute morgen Besinnungslosigkeit, die andauert. Im Laufe des Vormittags liefen aus dem rechten Mundwinkel mehrere Speiselöffel stinkender Eiter (der bei der Rhinoskopie aus der Pars sphenoid. auf der linken Seite zu kommen scheint). Auf dem rechten Gaumenbogen ein luetischer Defekt. — Gestern abend durch Sonde ernährt. Der Harn (albuminhaltig) wurde mit dem Katheter genommen. — 50 gr. — Temp. 36,8—37,4. Puls 152, klein, weich. Resp. 44.

1. März: 7¼ Uhr Mors.

Sektion: (nur das Kranium wurde geöffnet).

Abwärts und nach hinten von Proc. mast. eine größere Inzisionsöffnung, die in einem Abszeß unter der linken Hälfte des Os. occipitis hineinführt. Dieser Abszeß erstreckt sich speziell weit nach vorn und einwärts.

Auf der Konvexität der Dura mater nichts. Auf der Innenseite frisch aussehende Blutaustretungen; dieselben finden sich auch auf der Basis cerebri. Zwischen den dünnen Häuten ziemlich viel Oedem; außerdem Überfüllung der Gefäße, aber kein Zeichen von Leptomeningit. Cerebellum mit seinen dünnen Häuten etwas adhärent zur Dura, aber keine Meningitis. Die dünnen Häute nur etwas milchartig verdickt.

In stärkerem Grade Adhärenz zwischen Occipitallappen (besonders die hintere Partie und äußere Kante) und Dura. Bei der Lösung kommt man hier in eine Abszeßhöhle hinein (zwischen Dura und untere Fläche des Occipitallappens). Bei Lösung des Sinus transversus werden einige Zweige desselben übergerissen, wobei Eiter heraustritt. — Sinus longitudinalis frei. — Vom Torcular Herophili trifft man Thrombenmassen, die bald in dicken gelben Eiter übergehen, der auch den ganzen Sinus transv. sin. und seine Zweige ausfüllt. Ebenso im rechten Sin. transv., der jedoch weniger gefüllt ist. — Cavitas tympani sin. (nicht dext.) ist mit Eiter gefüllt. — Vena jugularis sin. mit dickem Eiter gefüllt, soweit man sehen kann. Im rechten Bulbus venae jugularis ein erbsengroßer Eiterklumpen, sonst nur Thrombenmassen. — Im Sinus sphenoidalis kein Eiter. Die Gehirnmasse im ganzen hyperämisch, kein Eiterfocus Ein wenig klare seröse Flüssigkeit in den Seitenventrikeln.

Sektionsdiagnose: Otitis med. supp. sin. cum abscessu suboccipital. et pyophlebitide sinuum transv.

Epikrise ad 12. Bei der Krankheitsgeschichte und dem Verlauf ist nichts, was auf eine Sinusthrombose deutet, ausgenommen der suboccipitale Abszeß, der zwar auch beim Mastoidalabszeß in stark pneumatischen Prozessen vorkommt, jetzt aber bei einem sklerotischen Proc. mastoideus wie hier, mir immer eine Veranlassung geben würde, eine genauere Untersuchung des Sinus vorzunehmen. Bei der Resektion fand man den Knochen elfenbeinhart und frisch, weshalb der Sinus nicht bloß gelegt wurde. 1½ Tag später tritt Coma ein, und 6 Stunden später kommen durch den Mund mehrere Speiselöffel stinkender Eiter, der auch in der Nase nachgewiesen wird und der, aus dem Sinus sphenoidalis sin. zu kommen scheint. Dieser wird jedoch bei der Sektion leer gefunden und die Ursache wurde nicht nachgewiesen. Wahrscheinlich muß ein Durchbruch von dem suboccipitalen Abszeß stattgefunden haben, „der sich weit nach vorn und einwärts erstreckt" (siehe Sektionsbefund) bis zum Fornix pharyngis. Das Ramollissement erstreckte sich auf der linken Seite bis in die linke jugularis hinab, „soweit man sehen konnte" (partielle Sektion).

Auf der rechten Seite war beginnendes Ramollissement im Sinus transversus sowie ein kleiner Eiterklumpen im rechten Bulbus v. jugularis. Diese Thrombose muß in Verbindung gesetzt werden mit ihrem rechtsseitigen Ohrenleiden (vgl. Krankengeschichte), indem die Thrombe bei Torcular Herophili fest war. Die Affektion der V. jugularis war vor der Operation nicht observiert. Der subdurale Abszeß zwischen Tentorium cerebelli und dem Occipitallappen wäre vielleicht bei der Öffnung und Reinigung des Sinus transversus sinister nach Torcular entdeckt worden.

13. G. T., 24 Jahre alt, Ingenieur.

Aufnahme den 18. April 1899.

Als Kind linksseitige Otorrhöe, die sich später oft wiederholt hat, besonders wenn er „erkältet" gewesen ist. Die jetzige Krankheit des Patienten begann plötzlich ohne bekannte Ursache den 23. März mit reißenden, linksseitigen Ohrenschmerzen, die angedauert haben, die letzten Tage jedoch ausgeblieben sind. Stinkender Ausfluß. Sehr vermindertes Gehör. Wackelnder Schwindel, wenn er aufrecht sitzt. Kopfschmerzen (frontal und temporal). Den 1. April trat starker Schüttelfrost auf, der sich später täglich wiederholt hat und gewöhnlich einmal vormittags aufgetreten ist; hinterher starke Hitze mehrere Stunden. Stich in der rechten Seite die zwei letzten Tage.

Status:

Mager. Sieht sehr mitgenommen aus.

Klagt über Mattigkeit und Stich in der rechten Seite. Puls 140. Temp. 37,2. Resp. 32. Zunge trocken, etwas belegt. Blasse Schleimhäute. Rechtes Ohr: Normale Verhältnisse. Linkes Ohr: Im Gehörgang stinkender Eiter. Proc. mast. bietet nichts Abnormes dar. Das Trommelfell graurötlich, matt, kein Lichtkegel, der Hammerschaft nicht sichtbar. Große Perforation nach hinten abwärts, durch diese sieht man die Trommelhöhle mit dem scheinenden Cholesteatommass en angefüllt.

Funktionsproben	R. Ohr	L. Ohr
Uhr	1½ cm	nicht zu hören
Flüstern	10 —12 m	20 cm
Rinne		÷ 25
Schwabach		+ 20
Weber	lat. links.	

Über der Vorderfläche der rechten Lunge Dämpfung von der 5. Costa in der Mammillarlinie, geht mit der Leberdämpfung in eins.

Die Dämpfung setzt sich bis zur Hinterfläche fort und erreicht hier 2 Finger breit oberhalb des Angulus. In der gedämpften Partie hört man den Respirationslaut schwach, der Pektoralfremitus ist geschwächt. Im Rande der Dämpfung pleuritische Reibungslaute. Über den Lungen im übrigen normale Verhältnisse. Das Herz: Nichts Abnormes. Der Harn: Reichlicher Uratbodensatz, kein Albumin oder Zucker.

19. April: Temp. 37,0—39,3. Heute vormittag ein Schüttelfrost, ¼ Stunde lang mit Temperatur bis 39, 3.

Operation. In Chloroformnarkose Schnitt wie für vollständige Resektion. Das Periost stark adhärent bis zum Knochen. In ca. 1½ cm Tiefe zeigt sich weißlicher, stark stinkender Eiter, der von hinten heraussickert. Bei weiterer Aufmeißelung des stark sklerotischen Knochens zeigt es sich, daß Eiter aus einem perisinuösen Abszeß kommt, der die Sinuswand komprimiert hat und mit dieser pulsiert. Der Abszeß enthält ca. 1 Teelöffel Eiter. Die Wand ist teilweise mit Granulationen bedeckt. Nach Entfernung derselben füllt sich der Sinus wieder und fühlt sich mit dem Finger weich, schwach pulsierend, an. Derselbe wird deshalb nicht inzidiert. — Nach weiterer Entfernung der hintern Gehörgangswand, Margo tympanicus etc. findet man im Antrum und Rezeß einige Cholesteatomzellen und unbedeutend von Granulationen. Der Ambos scheint etwas defekt zu sein, der Hammer dagegen normal, — Ausschabung. — Körners Lappen. Tamponade der Mastoidalwunde mit Jodoformgaze. Tamponade des Gehörgangs. — Verband. — Heute hört man im Rande der matten Partie bronchiales Atmen. Bei der Probepunktion 1 Finger breit abwärts und etwas nach außen vom Angulus gelbfarbige, undurchsichtige Flüssigkeit.

20. April: Temp. gestern um 3 Uhr 38,4, um 6 Uhr 39,0, um 10½ Uhr 40,1, um 12 Uhr 40,3. Heute um 4 Uhr vormittags 38, 2, um 6 Uhr 37, 9.

Befand sich nach der Operation ziemlich wohl, kein Erbrechen. Gestern abend um 10½ Uhr ein Schüttelfrost von 20 Minuten mit Steigerung bis auf 40,3. Heute nacht ein paar Stunden Schlaf. Puls 104. Resp. 36. Die Sklera ikterisch. Ord. Sol. salicyl. natric. 20 — 300 c. maj. t. p. d. Diät III. Appl. Cing. Neptuni.

21. April: Temp. gestern 40,2—39,6. — 38,5—37,6. Heute 37,4—37.0. Gestern um 2 Uhr ein Schüttelfrost von 5 Minuten mit Steigerung bis zu 40,2. Hat heute nacht gut geschlafen, klagt nicht über Stiche; kein Husten, kein Erbrechen. Puls 96. Resp. 30. Die Sklera ikterisch, im übrigen kein Ikterus. Der Harn dunkelgelb, gibt keine Gallfarbstoffreaktion. — Auch heute matter Laut auf der Vorderfläche von der 5. Costa in der Mammillarlinie, in der Axillarfläche von der 4. Costa. Auf der Hinterfläche in der Angularlinie gedämpfter Schall 3 Finger breit unterhalb Spina scapulae bis 1 Finger breit unterhalb Angulus, von hier tympanitischer Laut bis 1 Hand breit oberhalb Basis thoracis. Der Perkussionslaut inwärts bei Columna gedämpft tympanitisch. Die rein tympanische Partie ist von ungefähr einer Handfläche Ausdehnung. Auf der Vorderfläche ist der Respirationslaut oberhalb der gedämpften Partie sehr geschwächt, in der gedämpften Partie aufgehoben. Auf der Hinterfläche ist der Respirationslaut sehr schwach. — Kein fremder Laut. — Probepunktion auf derselben Stelle wie zuletzt,l die aspirierte Flüssigkeit dieses Mal bedeutend klarer. Cont. Behandung.

22. April: Temp. gestern 12 Uhr 40,6, um 3 Uhr 39,3, um 6 Uhr 37,7, um 9 Uhr 37,5, 12 Uhr nachts 38,0. — Gestern um 11½ Uhr vormittags ein Schüttelfrost von ½ Stunde (Steigerung bis 40,6). Heute nacht 4 Stunden geschlafen. — Heute morgen um 5½ Uhr wieder Schüttelfrost (Temp. 40,1). Puls 136. dikrot. Resp. 36. Kein Stuhl seit 3 Tagen. Appl. Klystier.

Der Verband etwas durchsickert, ziemlich stinkend, Verbandwechsel. Sinus pulsierend, dick fibrinbelegt. Die Tampone werden erneuert. Verband.

23. April: Temp. gestern 3 Uhr 38,2, — 39,5, — 38,2, — 37.0, (jede 3. Stunde gemessen). Heute um 6 Uhr 37,4, — 38, 4, — 40,3. Heute nacht 4 Stunden geschlafen. Heute um 12 Uhr Schüttelfrost (Temp. 40,3). Puls 120. Resp. 32.

24. April: Temp. gestern 39,1—37,9—38,6—38,0. Heute um 6 Uhr 39,0—38,9—41,3 (um 10 Uhr). Heute um 9½ Uhr Schüttelfrost (Temp. 41,3). In der Angularlinie matter Laut von etwas oberhalb des Angulus, oberhalb tympanitisch. Auf der Vorderfläche Dämpfung wie früher. — Hör- und fühlbare zahlreiche Reibungslaute in der Axillarfläche von der 5. Costa. Der Respirationslaut in der matten Partie auf der Hinterfläche beinahe auf-

gehoben. Der Harn heute bockbierfarbig, enthält Gallenfarbstoff und Albumen. Puls 114. Resp. 32. Verbandwechsel.

Mit Pravaz Spritze wurde auf 3 verschiedenen Punkten auf der für den Sinus transversus gehaltenen Stelle Probepunktionen gemacht. Es wurde dabei klare, seröse und sero-sanguinolente Flüssigkeit entleert. Die Mastoidalwunde sieht im übrigen gut aus.

25. April: Temp. gestern um 12 Uhr 39,6—38,0—38,0—38,2—39,0. Heute 3 Uhr vormittags 37,5—38,0—38,1—41,5—38,5 (jede dritte Stunde gemessen). Gestern nachmittags um 5 Uhr wurde in dem 6. i. c. Raum etwas inwärts der hinteren Axillarlinie.

Punktion mit Bülaus Troikart gemacht und im Laufe von ¹/₂ Stunde 1 l. fahle, sehr stinkende Flüssigkeit entleert. Man ließ die Kanüle liegen, mit Seide und Sparadrap befestigt. Die Schlange wurde in eine Flasche mit Karbolwasser hineingeführt. Im Laufe der Nacht wurden 500 gr fahle Flüssigkeit entleert. Heute vorm. 2 Schüttelfröste (um 11 und um 1 Uhr). Es wurde deshalb heute nachm. 6 Uhr Resektion der 7. Costa ungefähr in der Angularlinie gemacht und im 1 Zoll langes Stück der Rippe mit der oberhalb liegenden Intercostalmuskel entfernt wurde. Bei Öffnung der Pleurahöhle kam man in eine faustgroße Höhle hinein, die beinahe leer war, aber stinkend. Pleura pulmonalis ist teilweise von einer gelbweißen Membran bedeckt. Die Höhle wurde mit lauwarmen Borwasser ausgespült. Es wurde ein dickes Drainrohr eingesetzt. Verband.

Mikroskopisch sieht man in dem Eiter Massen von Stäben, Kokken und Streptokokken. Puls nach der Operation 140, klein. Appl. Kampferspritze. Warmflaschen.

1 Stunde nach der Operation plötzliche starke Blutung durch den Mund. Er hat 3—4 Speiselöffel reines helles Blut ausgespuckt. Er kollabierte sofort, trotz Kampfer- und Ätherspritzen. Starb 8 Uhr abends.

26. April: Sektion. In der rechten Pleurahöhle ist auf der Hinterfläche eine durch Adhärenzen stark begrenzte Höhle, die sich von der 2. bis zur 5. Costa streckt. Der Inhalt durch die Perforationsöffnung entleert. An den Wänden der Höhle ist ein 1—2 mm dicker fibrino-purulenter, stark stinkender Beleg. Die Lunge ist in wesentlichem Grade komprimiert. In dem rechten unteren Lungenlappen sieht man vorn eine haselnußgroße Abszeßhöhle, die sich in der Empyemhöhle geöffnet hat. Ähnliche Abszeßhöhlen finden sich auch auf mehreren anderen Stellen im unteren Lappen, meistens gerade unter der Oberfläche.

Das Lungengewebe im Umkreise ödematös, aufgeweicht und halbwegs zerfließend. Der Inhalt der Abszeßhöhlen ist stark stinkend, in einigen finden sich reichliche Blutgerinsel; sie kommunizieren mit den Bronchien, die gleichfalls mit Gerinsel angefüllt sind. Auch in den zwei obersten Lappen reichlich Blut in den Bronchien. — In der linken Lunge ein paar bohnengroße gangränöse Höhlen. Diesem entsprechend ist Pleura in einer Ausdehnung von einem Zweikronenstück stark injiziert.

Cavitas cranii. Bei der Hirnsubstanz nichts zu bemerken. Nach Entfernung der Dura ganz in der Nähe des Sinus bei der hintersten Ecke der Operationswunde sieht man die Dura eiterinfiltriert und mißfarbig. Der Sinus transversus ist in einer Ausdehnung von ca. 4 cm mit Eiter und teilweise ramollierenden Thrombenmassen angefüllt. Im Sinus übrigens fließendes Blut. Starke Milzgeschwulst. Hyperämie und Fettdegeneration der Nieren. Ikterische Leber (keine nachweisbare Gallenstase).

Sektionsdiagnose: Otit. med. chr. supp. et abscess. mast. operat. Thrombosis sinus transv. sin. Empyema operat. dextr. Abscessus multipl. pulmon. c. haemorrhagia (haemoptysis). Oedema pulmon (Tumor lienis, Nephritis, Dilatatio cordis, Icterus universalis). — Pyämia.

Epikrise ad 13. Bei der Aufnahme war seit 18 Tagen Pyämie mit Frostanfällen täglich vorhanden, und Zeichen von

Lungenleiden (Stiche). Puls 140, Respiration 32. Abmagerung und Anämie (blasse Schleimhäute, Schwindel in aufrechter Stellung, keine Labyrinthleiden), rechtsseitige Pleuritis. Die Chancen also gering. Bei der Resektion fand man den Sinus sigmoideus entblößt, umgeben von Eiter und bedeckt mit Granulationen. Da derselbe nach der Kompression sich wieder füllte, sich weich und schwach pulsierend anfühlte, wurde er leider nicht inzidiert, wozu die Krankengeschichte aufgefordert haben dürfte. Es wurde auch zu lange (6 Tage) mit der Operation der Brusthöhle gewartet. Die Lunge zeigte sich übrigens nicht sehr komprimiert, es waren aber Abszesse mit stinkendem Inhalt und Kommunikation mit der Pleurahöhle vorhanden. Die zunächst liegende Todesursache war eine akute Lungenblutung (vgl. Fall 25).

14. K. O. 23 Jahre alt, Hausknecht. Aufnahme den 16. Juli 1900.

Vor ungefähr 3 Jahren bekam er plötzlich, ohne bekannte Ursache, Schmerzen im rechten Ohr und nachfolgende Otorrhöe. Diese hörten angeblich nach kurzer Zeit auf. Vor ca 1 Jahr trat rechtsseitige Otorrhöe auf, die später angedauert hat. Das Gehör hat nach und nach abgenommen, doch wechselnd. Hat etwas Ohrensausen gehabt, dann und wann Kopfschmerzen.

21. Juni 1900 wurde aus dem rechten Ohr ein größerer Polyp entfernt, er hörte dann Flüstern auf 3 m.

14. Juli wurde wieder ein Polyp entfernt. Er erinnert sich nicht, daß dem linken Ohr jemals etwas gefehlt hat.

3 Tage vor der Aufnahme bekam er plötzlich starke Schmerzen hinter dem rechten Ohr, die den Hals hinunterstrahlten, gleichzeitig Geschwulst und Röte. Hat Febrilia gehabt. Abnehmendes Gehör.

Status: Temp. 37,3. Linkes Ohr: Das Trommelfell zeigt matten Glanz, graue Farbe, keinen Lichtkegel, hinter Proc. brevis eine kleine runde Perforation, abwärts nach hinten eine kleine längliche Kalkablagerung, Rechtes Ohr: Der Gehörgang mit Mucopus und Granulationen gefüllt. die Wand des Gehörganges geschwollen, weshalb das Trommelfell nicht zu sehen ist. über den Proc. mast. etwas Geschwulst und Empfindlichkeit bei Druck. Funktionsproben:

Uhr . . . 3 cm
Flüstern . . 20 cm (sechs, sieben)
Rinne . . — 15
Schwabach + 15.

Der Harn enthält kein Albumen.

17. Juli: Operation: In Chloroformnarkose Schnitt wie für totale Resektion. Das Periost adhärent, von normalem Aussehen. Der Knochen sklerotisch. In ca. 1½ cm Tiefe kommt dünner, hellgelber, stark stinkender Eiter, der unter sehr starkem Druck steht. Das Antrum trifft man in ca. 2 cm Tiefe, und dasselbe ist mit breiartiger Cholesteatommasse gefüllt. Im Antrum sind auch reichliche Granulationen und Eiter. Nach außen von dem Antrum ist die Dura nach hinten in einer Ausdehnung von 1 cm² entblößt; dieselbe ist bedeutend verdickt, mit Granulationen besetzt. In der Trommelhöhle Granulationen. Von Gehörknöchelchen sieht man nur den Hammer. Aussetzung mit Körners Lappen. Tamponade. Verband.

18. Juli: Temp. 37,8—37,0
19. Juli: Temp. 37.4—36,3
23. Juli: Temp. normal. Etwas Gestank.

18*

Der Eiter kommt aus einer ganz kleinen Fistel in der Ecke der oberen und hinteren Wand des Antrums (epidural Abszeß?). Mit der Sonde kommt man hier ca. ¹/₂ cm in die Tiefe, man fühlt keinen Knochen, aber eine weiche nachgiebige Membran (Dura). Hat sich seit der Operation ganz wohl befunden. Normale Temperatur.

4. August: Andauernde, ziemlich reichliche Eiterabsonderung, nicht länger Gestank. Die genannte Fistel kann man heute nicht deutlich sehen. Ausschabung überflüssiger Granulationen.

14. August: Fortgesetztes Wohlbefinden und normale Temperatur. Andauernde reichliche Granulationsbildung und Eiterabsonderung.

15. August: Operation: In Chloroformnarkose wurde der Schnitt aufwärts und abwärts von der Mastoidalöffnung verlängert. · Das Periost wurde in großer Ausdehnung nach hinten geschoben; hierbei entdeckte man auf dem Planum occipitale ossis occipitis ca. 5 cm vom hintern Rand des Proc. mast. einen ovalen ca. bohnengroßen, mit einzelnen Granulationen durchsetzten Defekt, dessen Ränder uneben gezähnt sind. Es wurde ein Schnitt durch die Bedeckungen nach hinten gemacht, zum ursprünglichen Schnitt rechtwinkelig.

Die nekrotische Partie ist ganz flach, die Sonde kann nicht in die Tiefe geführt werden. Die Granulationen in der Mastoidalwunde werden ganz ausgeschabt.

Man findet jetzt, dem tiefsten Abschnitt des Sinus sigmoideus entsprechend, eine Stelle, wo reichere Granulationsbildung ist. Hier kommt man mit der Sonde mehr als 1 cm nach außen und hinten in Granulationsgewebe.

Alle überdeckende Knochen werden nun mit Stilles kleiner Knochenzange entfernt. Indem man die Sonde weiter nach hinten führt, wo fortgesetzt Granulationen sind, kommt man in die Richtung der früher genannten kariösen Partie des Os. occipitis. Alle drüberliegenden Knochen wurden bis zu dieser Stelle entfernt. Der vorliegende Kanal zeigt sich als der thrombosierte Sinus sigmoideus und transversus. Die Länge der thrombosierten Partie ist ungefähr 5 cm. Alle Granulationen im Sinus werden vorsichtig weggeschabt. Hinten kann man die Stelle sehen, wo die Thrombe endete; man sieht nämlich eine unebene gefranzte Falte der lateralen Wand, unter der man das zusammengewachsene vertikal gehende Lumen des Sinus bemerkt. Um die Venenwand zu inspizieren, wird diese noch ca. 1 cm gegen den Confluens sinuum bloßgelegt. Hierbei wird die Vene verletzt und es kommt reichliche Blutung, die bei leichter Tamponade aufhört. Beim Ausschaben des Sinus sigmoideus nach innen, kommt auch venöse Blutung, die doch bei Tamponade steht. Es kann auf dieser Stelle ein Zusammenwuchs der Sinuswände nicht deutlich gesehen werden. — Die nach hinten, aufwärts und auswärts vom Antrum entblößte Durapartie wird von Granulationen reingeschabt und der Knochen etwas aufwärts und rückwärts entfernt. Die Dura zeigt sich hier ziemlich normal.

Körners Lappen. Teilweise Suturierung der Wunde nach hinten, aufwärts und abwärts. — Tamponade. Verband.

20. August: Seit der Operation normale Temp. — Wohlbefinden. Die Mastoidalwunde zugeheilt. — Der weitere Verlauf zufriedenstellend.

29. Nov.: Das Ohr trocken. Typisches Aussehen wie nach Totalaufmeißelung.

Funktion: Flüstern . . 2 m (sechs, sieben)
          Rinne . . . ÷ 45
          Schwabach . + 25
          Weber lateralisiert rechts.

Geheilt entlassen.

Epikrise ad 14. Die Krankheitsgeschichte gibt keine Veranlassung, an ein Sinusleiden zu denken. Kein Fieber. Bei der Operation zeigte sich der Knochen sklerotisch, das Antrum mit

Eiter gefüllt, der unter starkem Druck steht, sammt Cholesteatommassen. Die Dura cerebelli liegt entblößt in 1 qcm Ausdehnung,
verdickt und bedeckt mit Granulationen. Nach der Operation
fortgesetzt reichliche Eitersekretion und Granulationsbildung,
teils in der Wand des Antrums aus einer kleinen Fistel, die zur
Dura cerebelli, teils abwärts führt.

Immer noch ohne Fieber. Ca. 1 Monat nach der ersten Operation wird in der Narkose eine Untersuchung der Wunde vorgenommen. Nach der Ausschabung zeigte es sich, daß abwärts eine Fistel mit Granulationen angefüllt ist, die in 5 cm
Länge zu dem mit Granulationen angefüllten Sinus sigmoideus
transversus führt. Nach hinten sind die Sinuswände zusammengewachsen, wahrscheinlich auch abwärts (kein Fieber), so daß
sich die Eitersekretion von den Granulationen durch die Fistel
in das Antrum geleert hat; eine Art Naturheilung, die den Mangel
an Fiebersymptomen erklärt. Nach hinten hat die Sinusphlebitis
einer oberflächlichen Caries des Occipitalknochens hervorgerufen.
Normaler Verlauf. (In Nr. 3 der Revue hebdomadaire de laryngologie etc. 1905 erwähnt Moure einen ähnlichen Fall, wo die
profuse Eitersekretion einen Eingriff in drei verschiedene Re-
prisen veranlaßte, ohne daß es, sonderbar genug, glückte, die
Ursache nachzuweisen. Bei der Sektion fand man eine „Phlé-
bite suppurée du sinus latéral, qui se drainait à tra-
vers la mastoïde par l'oreille moyenne et le conduit.")

(Fortsetzung folgt.)

XV.

Studien über den sogenannten Schallleitungsapparat bei den Wirbeltieren und Betrachtungen über die Funktion des Schneckenfensters.

Von

Dr. Hermann Beyer, Berlin.

(Mit 24 Abbildungen.)

(Fortsetzung.)

Auf Grund seiner Zusammenstellung der verschiedenen Formen der Columellen von Vögeln glaubt Krause in betreff der Hörfähigkeit derselben folgendes schließen zu dürfen. Hochgewölbte Endscheiben und starke Stiele sprächen für Feinhörigkeit der Besitzer, becherförmig vertiefte und an Umfang sehr vergrößerte Scheiben und dünne Stiele für ein gutes Gehör, flache massive Scheiben und kurze dicke Stiele dagegen für ein geringes oder schlechtes Hörvermögen. Folgen wir diesen Ausführungen, so müßten wir den Ophidiern mit ihren flachen Endscheiben und dem langen dünnen Columellastiel nur geringe Hörfähigkeit, den Cheloniern mit ihren ausgehöhlten Endplatten und dem gleichfalls langen dünnen Stiel ein besseres Hörvermögen zuschreiben. Es könnte also auch in diesem Sinne die molekulare Schallfortpflanzung als eine zu berücksichtigende Möglichkeit angesehen werden, die Kopfknochenleitung bliebe aber immer noch diejenige Art, in welcher in der Hauptsache die Übertragung der Schallwellen auf das Labyrinth erfolgen müßte. Für den Mittelohrapparat käme aber dann entsprechend den bei den Amphibien und Ophidiern entwickelten Annahmen auch wiederum die Regulierung des intralabyrinthären Druckes in betracht, wofür wiederum die gleichartigen Anlagen des häutigen Labyrinths und seiner Kommunikationswege sprechen würden.

(Saurier.) In der Reihe der Reptilien folgen als nächste Gattung die Sauropsiden, die in bezug auf die Entwicklung ihres Gehörorgans mannigfache Varianten aufweisen. Die besten Schilderungen des Gehörapparates liefern uns Hasse, Clason und in neuerer Zeit Versluys, welch' letzterer die anatomischen Verhältnisse dieses Organs' außerordentlich eingehend und erschöpfend behandelt hat.

Die Mehrzahl der Saurier besitzt ein Trommelfell, das vielfach tiefer in der äußeren Haut gelagert ist, wodurch eine Art flacher äußerer Ohröffnung zustande kommt, welche bei den Gekoniden sogar mittels eines besonderen Muskels verschließbar ist. Bei verschiedenen Arten springt an der vorderen Umrandung derselben ein spitzer Zipfel der Cutis vor und bildet so gewissermaßen einen kleinen Tragus. Gewöhnlich ist das Trommelfell oval, doch kommen auch nierenförmige und längliche Formen vor, indem die Größe des Quadratbeins für die Form und Größe der Membran maßgebend zu sein pflegt. Denn das in seiner Dicke sehr variierende Trommelfell ist zwischen dem Os quadratum, dem M. depress. mandibul. und einem Fortsatz des Unterkiefers ausgespannt. Im Gegensatz zum Trommelfell der Batrachier und Chelonier, welches durch die überlagerte Haut derb und schwer erscheint, ist das Trommelfell der Saurier durchweg eine dünne Membran und besteht aus einer feinen äußeren Epidermisschicht und einer mittleren Lamella propria, die von innen von dünner Schleimhaut überzogen ist. Allen denjenigen Lacertiliern, welche in Körperbau und Lebensweise den Ophidiern nahestehen, wie die Anguiden, Scinciden und Amphisbaeniden fehlt auch wiederum das Trommelfell, was nach der Ansicht von Versluys auf eine Rückbildung zurückzuführen ist. Aber auch bei den Chamäleonten ist dies der Fall. Ähnlich wie bei den Ophidiern bedeckt auch bei ihnen ein dickes Muskelpolster, bestehend aus drei übereinander gelagerten Muskeln den sonst der Stelle des Trommelfells entsprechenden Abschnitt.

Eine Columella ist bei allen Sauriern vorhanden und besteht regelmäßig aus einem inneren knöchernen Teil, den Versluys als Stapes bezeichnet, und einem äußeren knorpligen Stück, der Extracolumella (Fig. 8). Bei den Stammformen der Lacertilier sind diese beiden Stücke gelenkig miteinander verbunden gewesen, und dieses Gelenk besteht noch bei mehreren Familien der großen Klasse. Später hat es sich vielfach zurückgebildet,

ist zu einem straffen Gelenk oder sogar zu einer Synchondrose
geworden, in welcher keine Bewegung mehr möglich ist. Der
Stapes hat gewöhnlich die Form eines dünnen feinen Säulchens,
welches mit einer knöchernen verbreiterten Fußplatte endigt, deren
Fußstück mitunter von einem kleinen Gefäß durchbohrt wird,
wodurch einige Ähnlichkeit mit dem Säugetierstapes entsteht.

Nicht so einfach seiner Gestalt nach ist die knorplige Extracolumella gebildet, an der wiederum ein Stiel und das Insertionsteil zu unterscheiden ist. Vom medialen Ende des mitunter
die Länge des Stapes erreichenden Stieles geht ein derber Fortsatz aus, der Processus internus, oder das Infrastapediale, welches am Trommelfell liegend bis zum Quadratbein zieht mit
demselben sich knorplig vereinigend. Es besteht also auch hier
noch eine direkte Verbindung der Columella mit dem Quadratbein. Dieser Fortsatz fehlt der Columella der Chelonier und ist

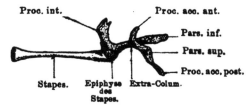

Fig. 8. Leguan. Rechte Columella von der Dorsalseite nach Versluys.

nur minimal ausgebildet bei derjenigen der Ophidier. Die eigentliche Befestigung am Trommelfell wird jedoch durch den rechtwinklig vom Stiel abgehenden Insertionsteil mittels seiner zwei
Ausläufer, der Pars superior oder dem Suprastapediale und der
Pars inferior oder dem Extrastapediale herbeigeführt. Der erste
kurze Fortsatz zieht nach dem dorsalen Rande des Trommelfells
und der letztere längere ist im hinteren oberen Quadranten
der Membran eingebettet, fast bis zur Mitte derselben herab-
reichend. Äußerlich markiert er sich als feine Leiste. Zwischen
diesen beiden Teilen der Extracolumella verläuft regelmäßig ein
feines sehniges Band nach oben zur Schädelkapsel, in welchem
Versluys einen degenerierten Muskel sieht, durch dessen Kontraktion dort wo die gelenkige Verbindung zwischen Stapes und
Extracolumella besteht, das Trommelfell gespannt werden konnte.
Irgend welche Muskeln, durch die sonst die Spannung des Trommelfells geändert werden könnte, sind nicht vorhanden, außer
bei den Geckoniden, bei welchen von der Mitte des hinteren
Trommelfellrandes aus von einem besonderen accessorischen Fort-

satz der Extracolumella ein kleiner Muskel rückwärts zieht und
sich am Unterkiefer befestigt. Seine Wirkung würde der eines
Laxators entsprechen.

Bei fast allen Sauriern kann von einer eigentlichen Paukenhöhle nicht gesprochen werden, denn ein Sagittalschnitt durch
den Kopf eines der Vertreter dieser Klasse zeigt deutlich, daß
die beschriebenen Gebilde nur in einer Bucht der Mundhöhle gelagert sind (Fig. 9). Da dieser Raum mit der Rachenhöhle somit in weiter Kommunikation steht, braucht sich eine Tube naturgemäß nicht zu entwickeln. Der ganze, den obersten Teil der

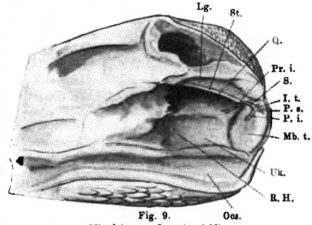

Fig. 9.
Mittelohr von Lacerta viridis.

St. — Stapes (knöchern).	Lg. — Ligament des Stapes.
I. t. — Insertionsteil	Q. — Quadratum.
P. s. — Pars superior ⎫ Extra	Uk. — Unterkiefer.
P. i. — Pars inferior ⎬ Columellae	R. H. — Rachenhöhle.
S. — Stiel ⎭	Oes. — Oesophagus.
Pr. i. — Processus int.	Mb. t. — Membrana tymp.

Rachenhöhle einnehmende Abschnitt wird nach hinten und lateral
vom Trommelfell, vorn vom Quadratbein, nach oben vom Tympanicum und nach unten vom Ösophagus und den Muskeln des
Rachenbodens begrenzt. Nur bei den Chamäleonten besteht eine
Vorrichtung zur Verengerung der Kommunikation des Recessus
mit der Rachenhöhle durch einige Schleimhautfalten; es ist also
die Weite dieser Kommunikationsöffnung ohne alle sichtliche
Anpassung an die Funktion des Gehörorgans. An seinem oberen
Dache, direkt dem Knochen anliegend, zieht, in Schleimhaut eingebettet, die Columella. Je nach der Länge des Recessus der
Rachenhöhle ist auch die Länge der Columella verschieden. So

erreicht sie z. B. bei dem kurzgedrungenen Kopf des Gekko, dessen längste Breite von der Nasenspitze bis zum äußeren Rande des Trommelfells gemessen ungefähr 4 cm beträgt, die enorme Größe von fast 1 cm. Die scheibenförmige ovale, mitunter ausgehöhlte Stapesendplatte verschließt die Öffnung des Vorhoffensters so vollkommen, daß die beiderseitigen Ränder nur durch eine dünne, aber dichte Bindegewebsschicht getrennt werden können und daher nur eine geringe Bewegungsmöglichkeit zwischen beiden Teilen besteht.

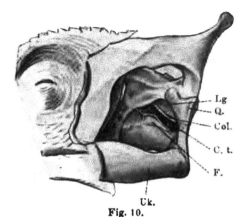

Fig. 10.

Mittelohr von Chamaeleon vulgaris.

Col. — Columella.   Q. — Quadratum.
Lg. — Ligament derselben. Uk. — Unterkiefer.
C· t. — Cavum tympani.   F. — Fascie.

Entsprechend der verhältnismäßig kleinen Paukenhöhle bei den Chamäleonten ist auch die Columella derselben kürzer und geht leicht gekrümmt vom hinteren mittleren Ende des Quadratbeins, wo sie sich mittels des Proc. int. befestigt, nach oben vorne zum Vorhoffenster, um mit einer ovalen, am Rande gewulsteten Endplatte zu enden (Fig. 10). Bei Anguis fragilis ist die ganze Anlage viel kleiner und einfacher und zeigt mehr Ähnlichkeit mit den gleichen Gebilden der Schlangen. Der Recessus der Rachenhöhle wird durch die Kürze des Kopfes viel enger, die äußeren Muskeln rücken daher näher aneinander und die beschuppte Körperhaut setzt sich direkt über die Muskelschicht fort. Die Art des Verlaufs der feinen Columella ähnelt dagegen derjenigen der Chamäleonten. Sie geht nämlich auch hier in einem kleinen Bogen vom Quadratbein zum Vorhoffenster, ist dabei aber nicht im obersten Teil des Recessus der Rachenhöhle gelagert wie bei den anderen Sauriern, sondern mehr im mittleren Abschnitt. Es wechseln also bei den Sauriern alle Formen des äußeren Leitungsapparates. Durchweg besteht aber die Erweiterung der Rachenhöhle zu einer oberen Ausbuchtung, in der dann das Gehörstäbchen gelagert ist, sei es, daß es von einem Trommelfell herüberzieht, oder, wie bei den Schlangen, seine Befestigung am Quadratbein hat. Nur die Chamäleonten verfügen also über eine abgeschlossene, aber von außen durch Muskeln bedeckte kleine Paukenhöhle.

Das knöcherne Labyrinth ist wie bei den Teleostiern aus dem Pro-, Opist- und Epioticum zusammengesetzt, welch letzteres in der Mitte und oberhalb der beiden anderen Knochen gelagert ist. Vielfach sind die Ampullen der Bogengänge äußerlich am Knochen durch Erhabenheiten markiert.. Am deutlichsten sah ich beim Chamäleon die Kanäle durchschimmern, fast wie es bei den Vögeln der Fall ist. Um die verwickelten anatomischen Verhältnisse betreffend das sogenannte For. rot. zu verstehen, wollen wir die Erläuterungen, welche uns Hasse, Clason und vornehmlich Versluys über die Anlage des Dct. peril. liefern, eingehend behandeln, da sich aus dieser vervollkommneteren Anlage erklärende Rückschlüsse auch auf die gleichen Verhältnisse bei den Amphibien, Ophidiern und Cheloniern ziehen lassen.

Der Dct. peril. zieht, nachdem seine Wand eine der Scal. tymp. entsprechende Aussackung erfahren hat, durch ein weites Loch in den Recessus scal. tymp., wo er zu dem Sacculus anschwillt, der durch das For. jugul. int. sich nach den Subarachnoidalräumen im Schädel öffnet. Die Paukenhöhlenschleimhaut legt sich der Öffnung des For. jugul. an, und da der Sacc. peril. sich gleichfalls von innen soweit lateralwärts erstreckt, entsteht durch Anlagerung dieser beiden Häute, die noch durch Bindegewebe verbunden sind, für diese Öffnung eine Art von Verschlußmembran. Versluys nimmt nun an, daß durch diesen Kanal bei den Stammformen der Saurier die Vena jugularis verlaufen ist (Fig. 11 a), die sich aber dann zurückgebildet hat, weswegen der Dct. peril. sich weiter ausbilden konnte, zu einem Sacculus anschwoll und so den Raum der rückgebildeten Vene ausfüllte (Fig. 11 b). Da ferner die so verschlossene Öffnung unterhalb des Vorhoffensters gelagert ist, seien Hasse und Clason dazu verleitet worden, dieselbe als ein Analogon des For. rot. der Säugetiere anzusehen und sie so zu benennen. Wolle man nun bei den Lacertilien von einem For. rot. und einer Membrana tympani secundaria sprechen, so müsse man dabei im Auge behalten, daß diese Vorrichtung unabhängig von derjenigen der Vögel und Säugetiere entstanden ist. Seines Erachtens aber müsse man den Cheloniern, Ophidiern und Sauriern, ebenso wie auch den Amphibien den Besitz eines For. rot. nebst seiner Membran

absprechen. Wie sich dagegen die Entwicklung des For. rot.
bei den Vögeln und Säugern erklären läßt, darüber wollen wir
bei den betreffenden Kapiteln berichten.

Die häutigen Labyrinthteile schließen sich in bezug auf ihre
Kommunikationswege denjenigen Verhältnissen an, wie wir sie
bei den Cheloniern gesehen haben. Sacculus und Cochlea kommunizieren durch eine schmale, schräg gestellte schlitzförmige
Öffnung, welche im Dach der Schnecke gelegen ist. Der in
seiner Größe wechselnde Otolith füllt das Sacculusvolumen fast
völlig aus, so daß man sagen könnte, die Form des Sacculus
paßt sich derjenigen seines Inhalts, des Otolithen, an.

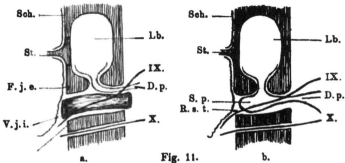

a.   Fig. 11.   b.

Schema von Lage und Verlauf des Duct. perilymph. nach Versluys.

a. — Stammform der Saurier.
b. — Lacerten.

St. — Stapes.   D. p. — Ductus perilymphaticus.
Lb. — Labyrinthhöhle.   S. p. — Saccus perilymphaticus.
Sch. — Schleimhaut der Paukenhöhle. R. s. t. — Recessus scalae tympani.
V. j. i. — Vena jug. int.   IX. — Nerv. Glossophar.
F. j. e. — Foramen jug. ext.   X. — Nerv. Vagus.

Über das Hörvermögen der Saurier finden sich nur spärliche
Angaben, denn auch Brehm geht über diesen Punkt mit wenigen Bemerkungen hinweg, die aber alle zu Gunsten einer guten
Funktion des Gehörorgans ausfallen. Er bezeichnet das Gehör
bei der großen Mehrzahl der Eidechsen als fein, das geringste
Geräusch genüge, ihre Aufmerksamkeit zu erregen. Auch der
Blindschleiche schreibt er ein ziemlich gutes Hörvermögen zu,
wovon man sich durch Versuche an Gefangenen leicht überführen könne. In betreff der Stimme als Criterium für die Annahme
der Hörperzeption ist zu bemerken, daß nur wenige Schuppen-
eidechsen eine solche besitzen, die meisten aber nur ein fauchen-
des Zischen oder Blasen meist im Zorn von sich zu geben ver-

mögen. Einzelne Familien, besonders die nächtlich lebenden wie z. B. die Geckonen, lassen dagegen, wie „Gekko" klingende, Laute hören. Wenn also vielleicht des letzten Punktes wegen Zweifel bestehen könnten, so ist es doch leicht möglich, in warmen Ländern, wo sich überall am Wege, an jedem einigermaßen sonnigen Plätzchen die flinken Tiere finden, sich von der Richtigkeit der Brehmschen Annahme zu überzeugen. Inbetreff des dritten Punktes, der Ausbildung des Gehörorgans, wissen wir aber, daß dasselbe seiner Entwicklung nach wiederum bedeutend fortgeschritten ist, und wollen zusehen, inwieweit auch das Mittelohr als geeignet für eine gute Schallwahrnehmung aufgefaßt werden kann.

Aus denselben Gründen, nämlich der anatomischen Anlage, muß auch bei den Sauriern ebenso wie bei den bisher durchmusterten Tiergattungen die Secchi-Kleinschmidsche Theorie als eine Unmöglichkeit betrachtet werden. In gleicher Weise läßt sich überhaupt die Luftkapseltheorie wegen Mangels einer veritablen Paukenhöhle ausschließen. Bei keiner der bisher behandelten Tierklassen haben wir so weitgehende Varianten in der ganzen Anlage des Mittelohres vorgefunden, wie bei den Sauriern. So haben wir bei ihnen folgende Verschiedenheiten des Mittelohres gesehen; Trommelfell und Gehörknöchelchen ohne Paukenhöhle, Gehörknöchelchen und Paukenhöhle ohne Trommelfell, und schließlich Gehörknöchelchen ohne Paukenhöhle und ohne Trommelfell, Befunde, welche für die Erklärungen fast aller Formen der Schalleitungstheorien mit Ausnahme der Kopfknochenleitung die größte Schwierigkeit bieten.

Wir wollen die weiteren Schalleitungsfragen bei denjenigen Saurierfamilien behandeln, welche ein dem menschlichen Trommelfell wenn auch nicht gleichwertiges, so doch ähnliches Gebilde besitzen. Gehen wir daher zunächst wieder von der molaren Leitung aus. Das verhältnismäßig große zwischen dem Quadratbein, dem Unterkiefer und den Muskeln ausgespannte Trommelfell könnte als ein auf Schallwellen wenn auch nur beschränkt reagierendes Medium aufgefaßt werden. Ein gewisser Grad von Spannung ist der Membran eigen, doch fehlt, wie wir auseinandergesetzt haben, ein diese Spannung beeinflussender Muskelapparat. Da die Stellung des Quadratbeins beim Öffnen und Schließen des Maules durch den Unterkieferfortsatz beeinflußt wird, so könnte vielleicht dasselbe einigen Einfluß auf den Spannungsgrad der Membran im Sinne der Erschlaffung der-

selben ausüben. Die Verschiebung der das Trommelfell umgebenden Teile ist jedoch sehr gering, und somit würde eher eine Art
von Schutzvorrichtung in dieser Bewegung zu sehen sein, als
ein Einfluß auf die Hörreaktion.

Anders liegen die Verhältnisse bei den Gekkonen, bei welchen, wie erwähnt, ein kleiner von der Endplatte des Zungenbeins entspringender Muskel nach vorn und medianwärts zieht
und sich an dem accessorischen Fortsatz der Extracolumella inseriert. Letztere und ebenso die Pars superior wird durch Kontraktion desselben wie Versluys beschreibt, dem Zungenboden genähert, und dabei lateralwärts gezogen. Infolgedessen muß das
Ende der Pars inf. der Extracolumella und damit zugleich die Mitte
des Trommelfells nach innen verlagert und dadurch die Spannung
desselben verringert werden. Der Muskel würde also einem Laxator tympani gleichkommen. Da der Stiel mit dem ganzen Insertionsteil durch einen dünnen Knorpelstreifen schwer beweglich verbunden ist, und ferner

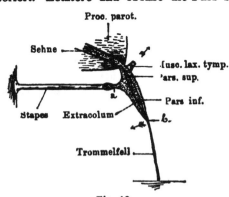

Fig. 12.
Gecko verticillatus.

Rechte Columella, schematisch nach Versluys.
Bewegung der Extracolumella bei Kontraktion
des Muskels.

a. — dünnste, sehr biegsame Stelle der Extrac.
b. — Mitte des Trommelfells.
    Die Pfeile geben die Bewegungsrichtung der
    Enden des Insertionsteils an.
Wird die Pars sup. lateralwärts gezogen, so
geht die Pars inf. medialwärts wegen a und
    damit auch b.

durch die Schleimhautfalten sowie seine Verbindung mit dem
Stapes in seiner Lage gehalten wird, wird er dieser Bewegung
nicht folgen. Es würden also nur diese Tiere über einen, die
Spannung ihres Trommelfells modifizierenden Mechanismus verfügen (Fig. 12).

Meistens ist das Trommelfell aber völlig plan und von
äußerster Feinheit. Solche Membranen können durch rhythmische
Schallwellen in erzwungene Schwingungen versetzt werden.
Ihrer Gestalt und kaum wechselnder Spannung wegen würde
dieses aber nur bei ihrem Eigenton oder einem vielfachen des-

selben möglich sein. Sie könnten somit nur eine sehr beschränkte Zahl von Tönen wiedergeben. Als weiterer Nachteil
wäre auch der Umstand anzusehen, daß die minimale Belastung
des Trommelfells durch die schmalen feinen Fortsätze des Insertionsteils der Extracolumella kaum genügen könnte, um
Nachschwingungen des Trommelfells zu verhindern. Somit
scheint das Trommelfell der Saurier wenig dafür geeignet zu
sein, auf Schallwellen durch entsprechendes Mitschwingen zu
reagieren, aber auch die Columella ist für diese Form der
Schalleitung wenig günstig angelegt (Fig. 9). Mag die Befestigungsart des Insertionsteils innerhalb des oberen Trommelfellquadranten genügen, etwaige Schwingungen der Membran auf
den knöchernen Stapesstiel und die Platte zu übertragen, so
wird eine exakte Bewegung der ganzen Columella infolge ihrer
mehrfachen Fixationen sehr erschwert oder gar direkt verhindert. Durch die knorplige Verbindung, welche der Proc. int.
mit dem Quadratbein eingeht, ferner durch die Einbettung des
knöchernen Columellastiels in bindegewebige Adhäsionen und
Schleimhautfalten am oberen Dach des Recessus der Rachenhöhle, und schließlich durch die Verknüpfung der beiden Fortsätze des Insertionsteils mit dem Proc. parot. durch die Sehne
der Extracolumella kann eine derartige Exkursionsfähigkeit der
Columella, wie sie für die Annahme der molaren Fortleitungs-
theorie notwendig wäre, unmöglich zustande kommen. Schließlich ist auch noch die Einfügung der Stapesplatte im Vorhoffenster eine derartige, daß ihre Bewegungsmöglichkeit nur sehr
gering eingeschätzt werden kann. In Anbetracht dieser Momente
dürfte die molare Fortpflanzung der Schallwellen beim Sauriermittelohr wenig Wahrscheinlichkeit besitzen.

Auch für eine Annahme der molekularen Schallübertragung
finden sich Bedenken. Einerseits ist die Oberfläche, welche sich
den Luftoszillationen in der Pars inf. der Extracolumella an dem
papierdünnen Trommelfell darbietet, nur minimal. Ferner könnte
durch den am Quadratbein fixierten Proc. int. eine Ableitung
der molekularen Wellen von der dieselben doch konzentrieren
sollenden Columella erfolgen, und schließlich käme auch die
außerordentliche Länge des knöchernen Stapesstiel, die bis zu
$1/5$ oder $1/4$ der ganzen Kopflänge betragen kann, hinzu. Zu
alledem ist fast regelmäßig die Stapesfußplatte bei den Sauriern
stark reduziert und besteht nur aus einer verdickten Anschwellung des Stiels oder einer kleinen flachen Platte (Fig. 8). Anguis

fragilis allein besitzt eine größere gewölbte Stapesplatte, welche
eine vestibuläre Trichteraushöhlung hat, die mit dem Markraum
des Stiels in Verbindung steht. Wollten wir also den Krause-
schen Schlüssen folgend die Hörfähigkeit der Saurier einschätzen,
so müßten wir dieselbe aus dem Bau der Columella, der minimalen flachen Endplatte und des langen dünnen Stiels nur für
höchst mittelmäßig halten. Daß aber die Saurier mit Ausnahme
der wenigen Erdwühler zu den schlechten Hörern zu rechnen
wären, dagegen spricht die tägliche Erfahrung.

Die vierte Anschauung der Fortpflanzung erledigt sich durch
Fortfall der beiden ersten gleichfalls, und es bliebe als nächstes
zu prüfen, ob die Secchi-Kleinschmidsche Theorie sich beim
Sauriermittelohr vertreten ließe. Dabei sind zwei Erfordernisse
zu berücksichtigen, das Vorhandensein einer Paukenhöhle und
einer zum häutigen Labyrinth führenden Schädelkapselöffnung.
Die erste Forderung ist nicht erfüllt, denn eine abgeschlossene
Paukenhöhle besitzen nur die Chamäleonten, denen aber wiederum ein Trommelfell fehlt (Fig. 10). Bei der ganzen großen Zahl
der übrigen Saurier ist dagegen der einer Paukenhöhle entsprechende Raum nur eine Ausbuchtung der Rachenhöhle, der
also niemals eine Funktion derart, wie sie Kleinschmid für
die lufthaltige Paukenhöhle der Säuger annimmt, zukommen kann
(Fig. 9.). Eine im Mittelohr eingeschlossene Luftsäule, welche als
Übertragungsmittel der Töne auf das Labyrinth durch eine membranös verschlossene Öffnung desselben wirken könnte, ist also
bei den Saurier nicht vorhanden. Aber auch für das die Stelle
des For. rot. vertretende For. jug., welches von der Schleimhaut
der Paukenhöhle überzogen und den häutigen Sacc. peril. ber-
gend einer derartigen Öffnung gleich käme, ist mangels des abgeschlossenen Paukenhöhlenraums die Funktion, welche Secchi
für das Schneckenfenster fordert, nicht anzunehmen (Fig. 11).
Auch die dritte Theorie versagt also hier auf Grund der anatomischen Anlage, und es bliebe somit nur die Kopfknochenleitung
übrig, vermittels derer die Schallwellen zu den nervösen Endapparaten des Labyrinths gelangen könnten. Im Sinne der
Zimmermannschen Ansicht könnte aber diese Knochenleitung
auch hier bei den Sauriern nicht erfolgen, denn ein die Schallwellen besonders gut fortleitendes Promontorium fehlt, und die
kleine Cochlea ist auch hier medianwärts und unterhalb des
Sacculus gelagert.

Sehen wir dann aber wiederum in dem Columellastab und

Trommelfell einen Balancierungsapparat zur Regulierung des intralabyrinthären Druckes, so könnte zweierlei zu Gunsten dieser Annahme sprechen. Bei vielen Sauriern besteht noch eine gelenkige Verbindung zwischen dem Stapes und der Extracolumella, die quer zur Längsrichtung derselben verläuft. Für die Übertragung der Schallwellen von außen vom Trommelfell her wäre dieses Gelenk sowohl bei der molaren wie bei der molekularen Leitung infolge der Fixation der Columella ein Hindernis, oder wenigstens eine ungünstige Anlage. Für eine Federwirkung von innen her dagegen ein Unterstützungsmoment. Bei der Verdünnung nun, welche das Trommelfell, da irgendwelche Druckbelastung durch eine Paukenluftsäule fortfällt, besitzt, ist auch die gelenkige Verbindung in dem Columellastiel unnötig geworden und ankylosiert. Die papierdünne Membran, welche einem völlig atrophischen menschlichen Trommelfell gleichkommt, genügt nunmehr für die leichten Druckschwankungen, welche auf sie von der kleinen Endplatte ausgeübt werden. Als zweites kommt in Betracht, daß die einzige muskuläre Anlage, welche auf die Spannung des Trommelfells zu wirken vermag, derartig ist, daß sie eine Erschlaffung der Membran herbeiführt, was einer Schutzwirkung günstig, einer Schallvermittlung aber nur ungünstig wäre (Fig. 12). Den Ausführungen Versluys zufolge führt aber bei der Erschlaffung der Membran der Columellastiel eine Einwärtsbewegung nicht aus, daß also nur der auf ihn wirkende Druck des Trommelfells beseitigt wird. Dieses wiederum käme nur einer Entspannung des intralabyrinthären Druckes gleich.

Krokodile. Eine gesonderte Stellung in bezug auf die weitere Bildung des mittleren Ohres nimmt die letzte Unterordnung der großen Klasse der Saurier ein, die Hydrosaurier, die Krokodile. Bei ihnen weist das Mittelohr schon besondere Fortschritte auf. Es zeigt bedeutende Anlehnung an die Form desselben bei den höheren Wirbeltieren, besonders den Vögeln, und zwar durch die Bildung eines äußeren Gehörgangs und einer veritablen Paukenhöhle. Am äußeren Ohr tritt die Andeutung einer Ohrklappe zutage, die aus zwei starken Integumentfälten gebildet wird, von denen die obere als sichelförmige, schwer bewegliche Hautklappe herunterhängt und auf der unteren, bedeutend kleineren dreieckigen ruht. Diese Deckel verschließen den hier in der Tierreihe zum ersten Male auftretenden Gehörgang, welcher einen etwa dreikantigen Spaltraum besitzt, dessen

scharfe Kante nach unten zu gelagert ist. Schräg von oben
innen nach unten außen steht darin an der medialen Wand das
runde, am hinteren äußeren Ende leicht konvexe Trommelfell,
ausgespannt in einem knöchernen Rahmen, der sich am Quadratbein befestigt.

Blickt man nach Entfernung des oberen Paukendaches in
die geöffnete Paukenhöhle hinein, so sieht man eine Anzahl
kleiner oder größerer Divertikel der Höhle und die dieselben

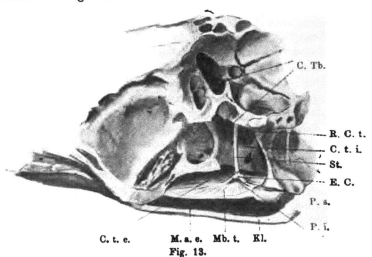

C. t. e.   M. a. e. Mb. t. Kl.
Fig. 13.

Mittelohr von Alligator mississippiensis. Von oben nach Entfernung des
Paukendaches gesehen.

Kl. — Ohrklappe.
M. a. e. — Meat. audit ext.
Mb. t. — Membr. tymp.
C. t e. — Cavum tymp. ext.
C. t. i. — Cavum tymp. int.
R. C. t. — Recessus cavi tymp.

C. Tb. — Canalis Tubae.
St. — Stapes.
E. C. — Extra Columella.
P. s. — Pars super. } derselben.
P. i. — Pars infer. }

trennenden Knochenbälkchen (Fig. 13). Nach hinten führt von
der Paukenhöhle aus ein Gang zu einem unterhalb des Occipitale
befindlichen Raume, welcher in gleicher Weise mit der Paukenhöhle der anderen Seite kommuniziert und einem Antrum mastoideum vergleichbar ist. Der Paukenhöhlenraum selbst teilt
sich in zwei Abteilungen, in eine äußere flache, muldenförmige,
und eine innere tiefere zerklüftete. Zwei verschiedene Öffnungen führen von dem vorderen zu dem hinteren Raum. Durch
die größere hintere zieht die Columella, und die vordere kleine
führt zu einer ovalen, durch eine scharfkantige Knochenwand

von der Innenbucht gesonderten Höhle. Auch die innere Paukenhöhle hat wiederum zwei Räume. Der obere flache ist der sogenannte Recessus cavi tympani, ein unter einem überhängen-
den Knochenbälkchen liegender vertiefter Raum, in dessen
Grunde sich das For. vestibul. befindet. Die zweite längliche,
tiefere ist der Beginn des knöchernen Tubenkanals. Dieser führt
in einer Krümmung zu einem Hohlraum, in welchem sich in
gleicher Weise der Tubenkanal der anderen Seite öffnet. Von
letzterem Sinus geht ein kurzer Kanal aus, der mit einer medialen Höhle in Verbindung steht, die wiederum mit einer einzigen Öffnung in der Mundhöhle unterhalb der geteilten Choanen-
öffnung ausmündet. Diese letztere Öffnung hat wulstige, sehnige
Ränder und ist der einzige membranöse Teil der Tube. Man
könnte also schließen, daß die Tube, da sie fast überall knöcherne
Kanäle besitzt, offen steht, was insofern von Wichtigkeit wäre,
als dann beim Tauchen im Wasser keine Gefahr für Perforation
des Trommelfells bestände.

In betreff der Gestalt des Gehörstäbchen der Krokodile geben
die Ansichten auseinander, besonders ob es sich hier um ein einheitliches Gebilde oder um zwei Knöchelchen handelt. Die erste
Ansicht wurde von Cuvier, Windischmann, Huxley und
Hasse vertreten, die zweite hauptsächlich von Peters, Gadow
und Versluys. Retzius neigt sich mehr der letzten Ansicht
zu und bezeichnet die Columella aus einem inneren knöchernen
und einem äußeren knorpligen Teil zusammengesetzt, die mittels
eines dünnen Halses zusammenhängen, vermöge dessen sie leicht
gegeneinander gebogen werden können. Der Columellabau der
Krokodile kann ziemlich gleichartig demjenigen der anderen
Saurier angesehen werden. Wie bei diesen wäre daran das innere Stück, der knöcherne Stapes, und der äußere Teil, die
knorplige Extracolumella zu unterscheiden. Das bei der Mehrzahl der Saurier zwischen beiden Stücken der Columella beobachtete Gelenk ist nach Ansicht von Versluys auch bei den
Krokodilen vorhanden. Gaupp spricht sogar davon, daß der
kurze Stiel der Extracolumella mit einem Kopfstück in einer
Gelenkpfanne der knöchernen Columella artikulieren soll. Kilian
erwähnt dagegen nichts von diesem Gelenk. Wenn ich auch die
Gauppsche Beobachtung an den von mir zur Verfügung stehenden Präparaten nicht in vollem Umfang bestätigen konnte, so
muß ich doch bemerken, daß die Abgrenzung zwischen dem lateralen Ende des feinen knöchernen Stäbchens und dem knorp-

ligen Halsstück eine äußerst scharfe ist, die viel Ahnlichkeit mit
einem Gelenk besitzt. Außerdem ist die Beweglichkeit in diesem
dünnen knorpligen Teil eine sehr beträchtliche, wovon man sich
bei künstlichen Trommelfellbewegungen überzeugen kann. Als
eine gelenkige Verbindung möchte ich aber dieselbe trotz ihrer
Beweglichkeit nicht auffassen. Regelmäßig bricht nämlich auch
beim feuchten Präparat, beim Versuch, die beiden Stücke zu
trennen, eher das feine Stäbchen als eine Lösung zwischen den
Teilen möglich ist.

Interessant gebaut ist die Extracolumella, das knorplige

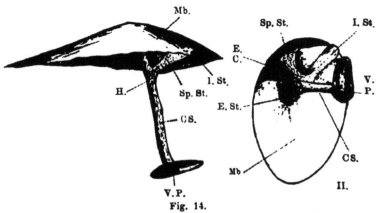

Fig. 14.

Membrana tympani dextra von Alligator mississipiensis. Nach Retzius.

I. Von oben gesehen. — II. Von innen oben gesehen.

Mb. — Memb. tymp.	E. St. — Extra Stapediale.
C S. — Columellastiel.	Sp. St. — Supra Stapediale.
V P. — Verschlußplatte.	I. St. — Infra Stapediale.
E. C. — Extra Columella.	H. — Hals der Extra Columella.

äußere Stück, welches auch die mannigfachsten Deutungen erfahren hat (Fig. 14). Am treffendsten schildert es wohl Retzius.
„Die äußere knorplige Partie besteht größtenteils aus einer
dünnen dreieckigen Platte, deren vorderer, ungefähr in der Richtung des knöchernen Teils sich fortsetzender, oder ein wenig
nach vorn gebogener Rand, etwas dicker und wulstiger ist, und
gegen die Mitte der Membrana tymp. zu zieht, um dieselbe her-
vorwölbend an ihr befestigt zu werden; von diesem Punkt nach
hinten hinziehend zeigt er schon an der Außenseite des Trommelfells eine weißlich schimmernde hervorragende Firste. Diese
wird von dem äußeren Rande der dreieckigen Knorpelplatte gebildet, welche also am Trommelfell befestigt ist und dasselbe her-

vorschiebt. Der dritte Rand der Platte ist frei, nach innen gerichtet und dünn. In der Nähe des Halses der Platte geht aber noch ein knorpliger Vorsprung aus. Derselbe ist ziemlich schmal, platt und geht nach innen oben hinten, um sich mit etwas verbreitertem Ansatz in der Nähe des oberen Randes der hinteren größeren Öffnung an der Grenze zwischen der äußeren und inneren Abteilung der Paukenhöhle zu befestigen." Diese drei Fortsätze bezeichnet Huxley als supra-, extra- und infrastapediale, und ihre Form und Anordnung käme der von Versluys bei den Sauriern eingeführten Bezeichnung Pars superior, Pars inferior und Processus internus gleich. Anstatt des letzteren wäre es aber das suprastapediale oder die Pars superior, welche sich an der Unterfläche des Proc. parot. anlegend mit seinem vorderen Rande auch am Quadratum befestigt. Sehr beachtenswert ist die Kiliansche Bemerkung, daß dieser Fortsatz, sowie das infrastapediale sich zurückbilden können, sodaß sie nur wie Schleimhautfalten am Trommelfell erscheinen. Die gleiche Beobachtung konnte ich an einem Präparat vom Alligator machen, bei welchem diese beiden Fortsätze jedenfalls nicht knorplig und wenn auch nicht wie Schleimhautfalten, so doch nur wie ligamentöse Verbindungen erschienen. Kilian beschreibt auch einen kleinen Muskel, den er als Stapedius bezeichnet. Nach ihm entspringt derselbe oben und hinten vom Trommelfell, um sich an dem entsprechenden Quadranten und dem beweglichen Limbus desselben zu inserieren. In diesem Bezirke habe ich auch stets eine feine Falte gefunden, von der ich aber nicht entscheiden konnte, ob es sich um ein Band oder einen Muskel handelt.

Die feine, dünne, knöcherne Columella weist öfters eine leichte Biegung in ihrem medialen Abschnitt auf. Sie endet mit einer schmalen länglichen, ovalen Knochenplatte in dem am Boden des Rec. cavi tymp. befindlichen Vorhoffenster. Mit der knöchernen Umrandung des letzteren ist diese Platte durch ein feines Ligament rings verbunden. Die Platte selbst ähnelt in ihrer Form derjenigen des menschlichen Stapes, nur daß sie schmaler ist und daß ihr unterer Rand gerade verläuft und nicht die Krümmung hat. Das feine, dünne, rundliche Trommelfell besitzt infolge der Anordnung seiner radiären Faserelemente und infolge der die Peripherie umkreisenden zirkulären Fasern eine Art von elastischer Spannung. Betrachtet man das Trommelfell von der äußeren Ohröffnung aus, so würde die vorschimmernde Leiste an demselben im Vergleich zum menschlichen Trommelfell etwa dem Hammergriff entsprechen, und der Ansatzpunkt selbst dem Proc. brev., nur muß man sich dann das menschliche Trommelfell mit seinem obersten Pol um etwa 90⁰ nach hinten gedreht vorstellen.

Die Richtung des Vorfensters ist schief von hinten oben nach unten vorn und seine Ebene zur Horizontale etwa in einem Winkel von 45⁰ geneigt. Von seinem unteren Rande, durch ein Knochenbälkchen getrennt, liegt, wie Hasse schreibt, das nach hinten unten und auswärts gewandte Foramen rot. In betreff des Verschlusses desselben gehen die Ansichten von Hasse und Retzius auseinander. Während nämlich ersterer meint, daß sich das Fenster zu einer nach hinten gelegenen Abteilung, dem Rec. scal. tymp. öffne, und nur durch die Schleimhaut der Hinterwand der Paukenhöhle abgeschieden werde, spricht Retzius von dem häutig verschlossenen Foram. rot. Windischmann und Ibsen beschreiben gleichfalls an der Öffnung des Foram. rot. einen häutigen Verschluß, den sie direkt als Memb. tymp. secund. bezeichnen. Auch betreffs des Duct. peril. herrscht keine Einigung. Nach Hasse ist die Anlage folgendermaßen. Der Duct. peril. erweitert sich infolge der Ausdehnung der Pars basilaris und nimmt die Gestalt eines Trichters an, dessen Basis sich über die Pars basilaris ausdehnt und dessen abgestutzte Spitze an der Peripherie˙ des Foram. rot. liegt. Nachdem die Membran des Ductus, mit einer periostalen Hülle versehen, durch das Foram. rot. getreten ist, erweitert er sich wieder zu einem Sacc. peril., der innerhalb des Rec. scal. tymp., an der membranösen Hinterwand der Paukenhöhle durch das Foram. jugul. einen Fortsatz zur Hirnhöhle schickt und so mit dem Cavum epicerebrale kommuniziert. Dem gegenüber entwickelt Retzius die Trennung des perilymphatischen Raumes in eine mediale Abteilung der Cochlea, die Scala vestibuli, und in eine vom unteren Lagenaumfang an der lateralen Seite der Pars basilaris emporsteigende Abteilung, die Scala tympani, welch' letztere sich mit einem großen ovalen Loch in den Rec. scal. tymp. öffne. Der Sack dieses Recessus stelle eine rundliche, ovale, dünnhäutige Blase dar, welche in dem knöchernen Recessus gelegen sei, und von welcher nach oben hin an der Wand das häutig geschlossene Foram. rot. liege. Durch das Foram. jugul. stehe der häutige Recessus mit der weichen Hirnhaut in Zusammenhang.

Fassen wir die beiden Beschreibungen zusammen und behandeln wir nach der Versluysschen Darstellung die Frage nach Lage, Form und Verschluß des sogenannten For. rot., so würde die Anordnung bei den Krokodilen fast analog der bei den Sauriern aufzufassen sein. Die Öffnung der Schädelkapsel wäre danach das Loch des alten Jugularkanals und der Verschluß desselben käme durch Anlagerung der Paukenhöhlenschleimhaut und durch die Wand des häutigen Sacc. peril. zustande.

Inbetreff der Hörfunktion der Krokodile und Alligatoren herrscht nur eine Ansicht bei allen denjenigen Forschern, welche viel Gelegenheit hatten, die Tiere in ihren Lebensgewohnheiten zu beobachten. Alle halten ihr Gehör für auffallend fein, jedenfalls feiner als das der meisten übrigen Kriechtiere. Noch weiter geht Salomon Müller in der Beurteilung der Hörfähigkeit der Krokodile, da er sich über die Leistungen derselben folgendermaßen äußert: „Die Schärfe seines Gehörs, welches bei allen Krokodilen der am meisten bevorzugte Sinn zu sein scheint, setzt es in Stand, selbst auf größere Entfernung unter dem Wasser zu vernehmen, was außerhalb desselben vorgeht. Es nähert sich bei einem Geräusch gewöhnlich sofort dem Ufer." Diese Schilderung von der bedeutenden Hörfähigkeit der Krokodile muß entschieden als zu weitgehend aufgefaßt werden. Denn wenn auch die Leitung der Schallwellen im Wasser eine außerordentlich gute ist, jedenfalls die der Luft um ein bedeutendes übertrifft, so ist dagegen der Übergang der Schallwellen aus der Luft zum Wasser ein um so geringerer, wie die Beobachtungen von Beer mit Evidenz bewiesen haben. Auch Duccschi zeigt in seinen Versuchen, daß Leute unter Wasser nur bis zu einer Tiefe von fünf Metern zugerufene Worte verstanden, bis zu sechs Meter wohl noch einen Pfiff, die Töne einer Trompete oder Glasglocke vernahmen, unter dieser Tiefe aber nur unsichere Angaben über etwaige Schallwahrnehmungen machen konnten. Allerdings käme für die Leitung und Perzeption der im Wasser laufenden Schallwellen für die Krokodile ein günstiger Faktor in Betracht, daß nämlich infolge der großen, zahlreichen Nebenhöhlen der Paukenhöhle und der vielen Zellen des Schädelknochens ein leichteres Schwingen der in denselben eingeschlossenen Luftteilchen erfolgen könnte. Daß diese Verstärkung, wie von Beneden annimmt, durch Übertragung der Luftschwingungen auf das Trommelfell erfolge, scheint mir auf

Grund der späteren Auseinandersetzungen nur wenig wahrscheinlich.

Immerhin sind wir berechtigt, der auf vielfachen Erfahrungen und Beobachtungen gegründeten Annahme von der großen Hörschärfe der Krokodile, die auch in Reisebeschreibungen stets erwähnt wird, unbedingten Glauben zu schenken. Als ein zugunsten dieser Ansicht sprechender Umstand wäre dann noch anzuführen, daß auch die Stimme dieser Tiere weiter fortgebildet erscheint, da sie dumpf brüllende Laute auszustoßen vermögen, was sie besonders bei großer Aufregung tun.

Betrachten wir nun die anatomische Anordnung des Mittelohres von dem uns vornehmlich interessierenden Gesichtspunkt der Schallüberleitung aus. Wir haben es hier mit einer Anlage zu tun, die infolge ihrer höheren Entwicklung schon einen direkten Vergleich mit den anatomischen Verhältnissen des menschlichen Ohres gestattet. Zwei anatomische Momente sind es, wie erwähnt, welche diese Tierklasse vor den bisher beschriebenen auszeichnen. Zunächst die Ohrmuschel, welcher allerdings eine funktionelle Bedeutung für das Gehör kaum zukommen wird, da sie wohl vielmehr nur eine Schutzklappe bei dem schnellen Druckwechsel, welchem diese Tiere bei ihrem temporären Aufenthalte im Wasser unterworfen sind, bildet. Die zweite wichtigere Erscheinung am Mittelohr der Tiere besteht dagegen in dem Auftreten einer völlig abgeschlossenen und durch eine knöcherne Tube mit der Außenluft kommunizierenden Paukenhöhle. Bemerkenswert ist auch die Stellung des Trommelfells, das eigentlich direkt umgekehrt wie das menschliche Trommelfell steht. Seine Ebene ist nämlich von der äußeren Ohröffnung abgeneigt und diese Inklination beträgt etwa 38—40°. Die Deklination dagegen, die Abweichung von der Medianlinie ist verschwindend klein. Dem dünnen, durchsichtigen Trommelfell mangelt nicht ein gewisser Grad von höherer Spannung, als ihn sonst das Trommelfell der Saurier besitzt. Allerdings kann diese Spannung keinem beträchtlichen Wechsel unterworfen sein, da ein besonderer Muskelapparat mit Ausnahme des Kilianschen Stapedius fehlt. Dieser würde seiner Lage und Insertionsart zufolge dem Laxator tympani der Gekkonen entsprechen und also auch annähernd die gleiche Wirkungsweise haben. Auch die Andeutung einer Trichterform ist am Trommelfell vorhanden, allerdings nur in sehr geringem Grade und im umgekehrten Sinne wie beim menschlichen Trommelfell. Das hintere obere Segment zeigt nämlich durch Anlagerung der Knorpelepiphyse den vorher beschriebenen feinen First, welcher nun diese Trommelfellpartie nach dem äußeren Gehörgang hin strichförmig vorbuchtet und derselben dadurch eine leicht konische Form verleiht. Daß diese Art der Krümmung nach außen gegen die einfallenden Schallwellen sich in bezug auf die Schallleitung ebenso verhält wie eine solche nach innen, hat Politzer nachgewiesen. Die Schallverstärkung solcher Membran ist gleich intensiv, gleichviel ob die Membran gegen den auffallenden Strahl konvex oder konkav gekrümmt.

Dieses so geartete Trommelfell könnte mithin geeignet sein, auf Schallwellen durch Schwingungen zu reagieren, besonders da durch die Anhäufung der radiären Fasern ein Vergleich mit dem System gespannter Saiten in beschränktem Sinne anwendbar wäre. Auch der Knochenrahmen, in welchem die Membran befestigt ist, könnte einen gewissen Zug auf sie ausüben, da beim Wegbrechen des oberen Randes des Annulus sich die Membran in horizontale Falten legt. Es wäre also durch die Form des Trommelfells, wie durch die lufthaltige Paukenhöhle die Bedingungen für die Annahme der molaren Schallübertragung gegeben. Betrachten wir nun die Columellaanlage, inwieweit diese den Anforderungen hierfür gerecht wird. Zunächst handelt es sich dabei um die Frage wie bei etwaigen Trommelfellschwingungen derart die direkte Übertragung auf den knöchernen Columellastiel und die ovale Platte erfolgen könnte.

Die Befestigungsart der knorpligen, sogenannten Extracolumella ist stark exzentrisch, da ihre am Trommelfell haftende Knorpelleiste, wie schon hervorgehoben, nur den hinteren oberen Quadranten desselben trifft (Fig. 14). Die Verbindung ist ferner nur strichförmig, wie es ja schließlich beim menschlichen Hammergriff auch der Fall ist, der aber im Gegensatz hierzu das Trommelfell bis zur Hälfte seiner ganzen Größe radienartig durchsetzt und mit ihm innig verbunden ist. Um die Totalschwingungen des Trommelfells auf diesen kleinen beschränkten hinteren Teil zu konzentrieren und so erfolgreich auf den Columellastiel zu wirken, müßten die Schallwellen diesen Abschnitt vornehmlich erreichen können. Das wäre möglich, da die größte Breite des einerseits durch die Ohrplatte, und andererseits durch das Trommelfell gebildeten Gehörgangs, dessen Querschnitt etwa einem gleichschenkligen Dreieck entspricht, gerade diesen hin-

teren Abschnitt betrifft. Nehmen wir dann also an, daß dieser
Teil der Membran in Massenschwingen versetzt würde, die sich
auf die knorplige Extracolumella mit ungeschwächter Kraft fortsetzen, so bietet sich aber bei der weiteren Fortleitung der
Schwingungen hier dieselbe Schwierigkeit dar, wie wir sie immer
gefunden haben, nur hier in noch potenziertem Grade. Denn
wenn wir an der Verbindungsstelle des knöchernen Stiels und
des knorpligen lateralen Stückes auch keine gelenkige Verbindung angenommen haben, wie sie aber beschrieben wird, so ist
doch infolge des dünnen Halses eine Biegung der beiden Teile
gegeneinander leicht möglich. Das müßte nun aber bei der
leichten Beweglichkeit dieser Teile jedesmal bei einer Massen-
schwingung des Trommelfells, welche die knorplige Epiphyse
zur Einwärtsbewegung bringt, erfolgen. Es wäre dann nicht
zu verstehen, warum bei einer für die Fortleitung periodischer
Wellen an sich günstig gestalteten Anlage durch Ausbildung
einer solchen federnden Stelle der ganze Vorteil wieder aufgehoben und dadurch die Kraft der Massenschwingungen des
Trommelfells, und noch besonders derjenigen der Verschlußplatte
stark gemindert werden sollte. Hiermit träte nämlich ein
Umstand ein, der als eine direkte Beeinträchtigung der Hörfähigkeit anzunehmen wäre. Anstatt daß nämlich Schallwellen
von großer Amplitude und geringer Kraft in eine Bewegung
von geringer Amplitude und größerer Kraft umgesetzt würden,
wie es beim menschlichen Mittelohrapparat der Fall sein soll,
wäre durch die Anordnung des Übertragungsstiels bei den
Krokodilen gerade eine Verminderung der Bewegungskraft und
eine Vergrößerung der Amplitude die Folge. Denn die Einknickung zwischen der langen knöchernen Columella und dem
kurzen, knorpligen Extracolumellastiel würde einer Hebelanlage
entsprechen, deren kürzerer Arm an der Seite der einwirkenden
Kraft liegt, die wiederum durch den langen Arm auf die Endplatte übertragen werden müßte.

Ferner ist das Ligamentum annulare, welches sich zwischen
der knöchernen Verschlußplatte und dem Rande des Vorhoffensters ausspannt, äußerst dünn und ziemlich breit, und daher
die Beweglichkeit der Platte sehr fein und leicht. Selbst am
trockenen Präparat bleibt die Platte bewegungsfähig und reagiert noch auf künstliche Trommelfellbewegung. Ihre Bewegung ist nach beiden Seiten, nach innen und außen, gleich er-
giebig. Für die letztere Bewegungsart der Platte wäre dann

aber die Anlage einer federnden Stelle in dem nach außen strebenden Führungsstab ganz zweckmäßig, da vermöge derselben feine Exkursionen der Platte durch Druckschwankungen vom Innenraume her ermöglicht würden. Dieser feine Bewegungsmechanismus würde für einen Druckregulierungsapparat geeigneter erscheinen wie für einen Schallübertragungsstab. Ich möchte daher im Anschluß an die bisherigen Betrachtungen, die uns zu der Annahme einer solchen Funktion der Mittelohranlage der bisher betrachteten Tiere geführt haben, auch in demjenigen der Krokodile einen in diesem Sinne hauptsächlich wirkenden Apparat erblicken.

Inwieweit die molekulare Übertragung der Schallwellen durch Trommelfell und Gehörknöchelchen der Krokodile anzunehmen wäre, darüber möchte ich auf das bei den Sauriern Gesagte verweisen. Was schließlich die Anwendung der Secchi-Kleinschmidschen Theorie auf das Mittelohr dieser Tiere betrifft, so will ich später bei der Besprechung der Beziehungen dieser Theorie zu der Anlage bei den Schwimmvögeln darauf zurückkommen, da sich hier fast die gleichen Verhältnisse wiederfinden, wie wir sie bei den Krokodilen beschrieben haben.

Vögel. Dem Mittelohr der Krokodile steht in Form und Ausbildung dasjenige der Vögel sehr nahe. Ein äußerer, fibröser Gehörgang, den man hier schon so bezeichnen kann, ist stets vorhanden und durchweg tiefer wie die erste Anlage beim Krokodil. Er markiert sich vielfach äußerlich durch ring- oder kranzförmig gestellte Federn. Am kürzesten ist er wohl bei den Schwimmvögeln, bei welchem auch die äußere, meist rundliche Ohröffnung nur klein und von Federn verdeckt ist. Die untere Hälfte des Gehörgangs ist meistens eng und fast schlitzförmig. Man trifft die äußere Ohröffnung, wenn man den unteren Rand des Oberschnabels nach hinten zu verlängert. Bei den Raubvögeln sah ich dagegen meist geräumige, weite Ohröffnungen und mehr verlängerte Gehörgänge. Ganz besonders weist die äußere Ohröffnung der einzelnen Eulenarten eine große Weite auf, doch wird die untere Wand derselben regelmäßig durch Hautwülste und angelagerte Muskulatur vorgebuchtet, so daß nach innen zu die eigentliche Öffnung wieder schmal und eng wird. Es besteht hierbei eine Art von äußerer Ohrklappe, die faltig und gebuchtet nicht so kompakt wie beim Krokodil aus dünnen gebogenen Knorpelplatten besteht. In dieser ganzen

Anlage können wir auch hier nur eine Schutzvorrichtung gegen
äußere Insulte erblicken, denn für akustische Zwecke kämen
weder der kurze Gehörgang, noch die äußeren Knorpel wesentlich
in Betracht.

Das Trommelfell steht bei den Vögeln durchschnittlich von
außen hinten nach innen vorn, also umgekehrt wie beim Menschen. Bei den Schwimmvögeln zeigt es nur geringe Deklination von der Sagitalebene und die Inklination beträgt auch nur
etwa 60⁰. Bei den Fliegern ist die Deklination dagegen beträchtlich, die Inklination aber fast die gleiche. Auch bei den
Vögeln ist das Trommelfell in einem Annulus tympanicus ausgespannt, der einen hohlen Rand besitzt, dessen Tiefe bei einzelnen Arten wechselt. Dieser ringförmige Annulus ist entsprechend der höheren Entwicklung bei den Fliegern völlig in
sich geschlossen, bei den Schwimmvögeln aber, deren Mittelohr
mehr demjenigen der Krokodile ähnelt, erreicht er nur dadurch
einen vollständigen Ringschluß, daß sich das Quadratbein daran
beteiligt. In diesem Falle bildet der letztere Knochen den untersten Teil des Ringes, und von diesem Stück zieht ein keulen-
förmiger Fortsatz nach oben, der mit einem gleichartig geformten des Flügelbeins in Verbindung tritt. Die Aneinanderfügung
beider Knochen geschieht derart, daß der Processus des Quadratbeins sich in denjenigen des Flügelbeins hineinschiebt, und
so die Anlehnung teils in der Mitte des ganzen Knochenstücks
mit einer horizontal verlaufenen Fläche, teils seitwärts mit einer
längs vertikal von oben nach unten gehenden Furche geschieht.
Da diese Verbindung keine feste ist, so vermögen wohl noch
Bewegungen des Quadratbeins auf die Spannung des Trommelfells einzuwirken. Durch diesen, im Innern der Paukenhöhle
vom Boden nach der Spitze zu verlaufenden Knochenfirst erscheint das Trommelfell bei Betrachtung von außen wie halbiert,
da die ganze Spange bis dicht an die Membran heranreicht, ja
an der prominentesten Stelle die etwa von der Höhe der horizontalen Anlehnung beider Fortsätze liegt, sie fast berührt.
Bei den anderen Vogelarten, bei welchen das Quadratbein
sich nicht an der Bildung des Annulus beteiligt, schimmert
der Flügelbeindurchsatz wohl auch durch die dünne Membran
hindurch, doch da der Zwischenraum zwischen ihm und der
Membran ein weiterer ist, erscheint das Trommelfell einheit-
licher (Fig. 15).

Ein wenig lateralwärts von der prominenten Stelle des

Flügelbeinfortsatzes und dicht vom Rande des Annulus schräg herabziehend, springt ein kleiner, feiner First, der, wie wir später sehen, ein Teil des knorpligen Außenstücks der Columella ist, nach dem Gehörgang zu hervor und wölbt das Trommelfell in diesem Bezirke nach außen. Da dieser Knorpelfirst einerseits hinsichtlich der Länge sehr variiert, z. B. bei einzelnen Vogelarten fast bis zur Mitte des Trommelfells reicht, bei anderen dagegen nur ein ganz kurzes Stück vom Rande abgeht, andererseits

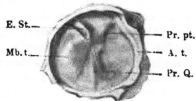

Fig. 15.

Membrana tympani von Otus vulgaris, von außen gesehen.

Mb. t. — Membrana tympani.
At. — Annulus tympani.
E. St. — Extra-Stapediale.
Pr. Q. — Proc. Quadrati.
Pr. pt — Proc. Pterygoid.

auch der Grad seiner Prominenz ein verschiedener ist, so resultieren daraus mannigfache Variationen in betreff der konischen Form des Trommelfells. Mitunter ist dieselbe sehr gering und das Trommelfell erscheint fast plan nur mit dem kleinen Eckfirst, mitunter dagegen ist das Trommelfell stark vorgebuchtet. Durchweg ist die Membran von äußerster Feinheit, sehr dünn und zerreißlich.

Die Columella besteht, wie wir es bisher immer gefunden haben, aus einem inneren, knöchernen, langen Teil, der sich aus Stiel und Verschlußplatte zusammensetzt, und aus dem äußeren, knorpligen, kürzeren Außenstück, das seine Befestigung am Trommelfell hat. Im großen und ganzen ist die Form der letzteren ähnlich dem nämlichen bei den Krokodilen, nur zarter und weniger plump gebaut. Von einer besonderen dreieckigen Knorpelplatte, die meistens bei der Beschreibung der Columella der Vögel erwähnt wird, und von der die entsprechenden Fortsätze ausgehen, kann man meines Erachtens kaum sprechen. Bei allen Vögeln, deren Trommelfell ich untersuchte, schienen mir die drei Fortsätze im leichten Bogen aufsteigend sich in dem kurzen knorpligen Halse zu vereinen, von dem dann der knöcherne Stiel der Columella abgeht. Dadurch erscheint der mittlere Teil kompakter und sieht wie eine eigene Knorpelplatte aus. Die Fortsätze, das Extra-, Infra- und Suprastapediale sind messerklingenartige Leisten, die, auf die schmale Kante gestellt, sich so vereinen, daß sie zwischen sich Winkel von etwa 60⁰ fassen (Fig. 16). Am festesten und derbsten ist durchschnittlich das Extrastapediale auch das einzige, welches eine innige Verbindung mit dem Trommelfell eingeht. Mit seinem gebogenen Außenteil senkt es sich in die Substanz des Trommelfells, dasselbe nach außen vorwölbend, so daß der schon oben beschriebene First äußerlich sichtbar wird. Letzterer verläuft fast regelmäßig horizontal von hinten nach vorn, entgegengesetzt also im Vergleich zum Verlauf des Hammergriffs im menschlichen Trommelfell. Wie vom Umbo des letzteren strahlen auch hier die radiären Fasern nach allen Seiten aus.

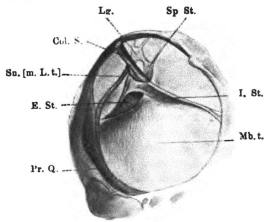

Fig. 16.
Membrana tympani, von Corvus frugilegus, von innen, der Paukenhöhle
her gesehen.

Mb. t. — Membrana tympani.   E. St. — Extra-Stapediale.
Col. S. — Columella-Stiel (knöchern)   Sp. St. — Supra-Stapediale.
Sn. — Sehne des Muscul. Laxat. tymp. I. St. — Infra-Stapediale.
Pr. Q. — Processus Quadrati.   Lg. — Ligament des E. St. zum Sp. St.

Der längste Fortsatz ist das Infrastapediale, das auf dem Trommelfell leicht aufgesetzt erscheint, eine schmale Kante besitzt und in einem Bogen seitwärts zieht. Es wird von der Mitte nach dem Rande zu allmählich schmäler und befestigt sich am knöchernen Annulus. Mitunter ist der Fortsatz so schmal und dünn, daß er nur bandartig erscheint und eine direkte Befestigung am knöchernen Ringe nicht mehr sichtbar ist. Es hat dann den Anschein, als ob dieses feine Band allmählich in die Substanz des Trommelfelles übergehe. Niemals habe ich diesen Fortsatz frei in die Trommelhöhle ragend gefunden, wie Huxley es angibt. Ein ganz kurzes, kaum noch knorplig erscheinendes Band ist das Suprastapediale, das schräg nach oben bis zum

Annulusrand geht. Das Extrastapediale sendet noch ein kleines, über den kurzen Hals herausreichendes Knorpelstückchen seitwärts aus, mit welchem das darüber gelagerte Suprastapediale durch ein quergespanntes Band oder Knorpelstreifchen verbunden ist. Da ferner das Suprastapediale nicht senkrecht auf dem Trommelfell steht, sondern eine Drehung derart erfahren hat, daß seine Fläche mehr nach dem knöchernen Stiel sieht, und schließlich das erwähnte Ligament sich nur mit einem kurzen Ende an ihm befestigt, entsteht eine kleine rundliche Lücke zwischen beiden, die Huxley als Fenster im Extrastapediale beschrieben hat. Vielfach ist dieses Verbindungsband so fein und schmal und markiert sich an seiner Vereinigungsstelle mit dem Suprastapediale so deutlich, daß beide Gebilde deutlich von einander gesondert anzusehen sind (Fig. 16).

Direkt an der Verbindungsstelle des knorpligen Halses mit dem knöchernen Stiele inseriert sich stets ein feines fadenförmiges Gebilde, das isoliert, straff gezogen, zu dem gegenüberliegenden knöchernen Rande geht. Seiner Lage und Stellung nach müßte es das von Huxley angegebene Band des Suprastapediale sein, aber verfolgt man den dünnen Faden weiter oder sucht ihn am frischen Präparat darzustellen, so ergibt sich, daß es sich hier um einen Muskel handelt. Das feine Gebilde, das bei oberflächlicher Betrachtung wie ein Nerv erscheint, und das man seiner Lage nach für die Chorda halten könnte, ist die lange dünne Sehne desselben. Diese zieht zu dem gegenüberliegenden Flügelbeinfortsatz, verläuft entlang desselben in gleicher Feinheit bis zum unteren Rande des Annulus, von wo an es allmählich anschwillt und zu einem dünnen langgestreckten Muskel wird, der, in einer Rinne gelegen, die Paukenhöhle durch ein besonderes Loch verläßt. Es handelt sich hier wohl um den mehrfach beschriebenen, verschieden gedeuteten Muskel den z. B. Breschet für einen Laxator, Gadow dagegen für einen Tensor tympani hielt. Mitunter scheint er in einer besonderen Rinne in dem Flügelbeinfortsatz zu verlaufen, da seine Fortsetzung innerhalb der Paukenhöhle sich nicht auffinden ließ. Seine Insertion ist aber ständig an dem knorpligen Halse und niemals in der Substanz des Trommelfells. Seiner Richtung nach müßte bei seiner Funktion eine Einwärtsbewegung des Trommelfells erfolgen.

Sehr variabel ist die Länge des Columellastiels und damit der ganzen Columella. Durchschnittlich kurz ist dieselbe bei

allen Schwimmvögeln, bei denen überhaupt das ganze Gehörorgan, besonders aber noch die Bogengänge, einen viel kompak-
teren Eindruck machen, wie die gracilen, leicht geschwungenen
Bogengänge der guten Flieger. Diese Beobachtung stimmt ungefähr mit derjenigen von Panse überein, der das gleiche bei
Fischen und Amphibien hervorgehoben und mit der Beweglichkeit und Lebhaftigkeit der Tiere in Beziehung gebracht hat.
Das Endstück der Columella, die Fußplatte, ist rundlich, eiför-
mig oder oval, mit einem erhöhten Saum an der Außenseite.
Die Innenfläche ist sehr verschiedenartig gebaut, wie Krause
auf seinen Tafeln instruktiv darstellt. Von planen Oberflächen
bis zu halbkuglig vorgetriebenen, gibt es die reichsten Modifikationen. Der Übergang des knöchernen Stiels in die Platte ist
entweder ein solider, direkter, oder er erfolgt durch Aufteilung
des Stiels in mehrere Knochenbrückchen, die einen kleinen
kegelförmigen Hohlraum zwischen sich fassen. Je feiner diese
Knochenbrückchen, um so größer wird der Hohlraum, und um
so mehr gewinnt das ganze Ähnlichkeit mit den Schenkeln des
Stapes der Säuger. Die Hohlräume bezeichnet Krause als
Schallöcher, und erteilt ihnen eine besondere akustische Funktion. Ganz besonders muß noch die Stellung der Columella betont werden. Betrachtet man das Trommelfell von innen der
Paukenhöhlenseite aus, so erscheint dasselbe, wie erwähnt, durch
die beiden zusammenstoßenden Fortsätze des Flügel- und Quadratbeins direkt halbiert (Fig. 15). Wie wir gesehen haben, ist
diese Teilung nur scheinbar, da noch ein schmaler Zwischenraum zwischen der knöchernen Spange und der Membran verbleibt. Aus dem Winkel, welchen die hintere obere Fläche des
Flügelbeinfortsatzes mit dem hinteren oberen Rande des Annulus
bildet, steigt dann die Columella schräg hervor, von oben außen
vorne, nach unten hinten verlaufend. Es ist also vornehmlich
die hintere Hälfte des Trommelfells, deren Schwingungen sich
auf die Columella übertragen müßten.

(Fortsetzung folgt.)

XVI.

Besprechungen.

5.

Fr. Pontoppidan: Die otogenen Abszesse im kleinen
Hirn und ihre operative Behandlung. Abhandlung für
die Doktorwürde. Gyldendals Buchhandlung, Nordischer Verlag. 1906. 200 Seiten.

Besprochen von
Professor Dr. Holger Mygind (Kopenhagen).

Der Verfasser stellt sich in dieser Abhandlung die Aufgabe,
eine monographische Darstellung der durch Ohreneiterungen
hervorgerufenen Abszesse im Cerebellum mit besonderer Berücksichtigung der chirurgischen Behandlung derselben zu liefern.

Diese Aufgabe versucht Dr. P. zu lösen erstens durch eine
Bearbeitung dessen, was in der Literatur über dieses Thema
vorliegt; zweitens bezieht der Verfasser sich auf 20 Fälle aus
verschiedenen Hospitälern und Kliniken in Dänemark (viele derselben sind schon früher veröffentlicht worden, werden aber
dennoch in der Abhandlung in extenso referiert), und endlich
hat Verf. selbst mit glücklichem Erfolg einen Fall behandelt.
Schließlich hat der Verf. über gewisse Einzelheiten, die unten
Erwähnung finden werden, selbständige Untersuchungen angestellt.

Was die Benutzung der vorliegenden Literatur betrifft, so
ergibt sich aus dem 226 Werke umfassenden Literaturverzeichnis
am Schlusse des Buches, das dem Verf. eine ziemlich reich-
haltige Literaturquelle zu Gebote stand, und die der Abhandlung zu Grunde liegende Kasuistik umfaßt nicht weniger als
157 Fälle. Es läßt sich aber nicht entscheiden, welche unter
diesen Fällen der Verf. für seine Arbeit benutzt hat; denn
nirgends gibt der Verf. an, welche Fälle er benutzte, und welche
er ausschied. Derjenige Teil des Materials mithin, auf dem die
Arbeit beruht, und das ist obendrein der wichtigere Teil, ent-

Archiv f. Ohrenheilkunde. 72. Bd.

zieht sich jeglicher Kontrolle. Geht man davon aus, daß sämtliche Fälle, die der Verf. benutzte, in den literarischen Arbeiten, die in dem Literaturverzeichnis Aufnahme gefunden, veröffentlicht worden seien, so ergibt eine nähere Betrachtung des Verzeichnisses, daß mehrere, sogar sehr ausführliche und für die Beleuchtung der Frage wichtige kasuistische Mitteilungen fehlen. Beispielsweise sei erwähnt, daß aus der Ohrenklinik zu Halle eine ganze Reihe Fälle von otogenem Cerebellarabszeß in den Jahresberichten der Klinik im Archiv für Ohrenheilkunde, Bd. 54, 57 und 62 veröffentlicht worden ist mit sehr ausführlichen Krankengeschichten, und keinen einzigen von diesen Berichten findet man im Literaturverzeichnis erwähnt. Dieses Verhältnis muß notwendig das Vertrauen abschwächen, welches man auf des Verfassers Benutzung des literarischen Materials, des Eckpfeilers seiner ganzen Arbeit setzt, und nicht selten bei der Durcharbeitung seiner Abhandlung fragt man sich, ob der Verf., wenn er das vorliegende literarische Material gründlicher benützt hätte, nicht andere und zwar mehr positive Resultate gewonnen hätte.

Was nun die einzelnen Abschnitte der Abhandlung betrifft, so gibt die Arbeit zuerst eine Übersicht über die Häufigkeit und das Auftreten des otogenen Cerebellarabszesses. Sehr interessant ist in diesem Abschnitt eine Aufzählung der seit dem Jahre 1895 im Sektionszimmer des Kommunehospitals zu Kopenhagen ‚beobachteten otogenen, endokraniellen Komplikationen; mit dem obigen Jahre schließt Kr. Poulsens bekannte Arbeit über die durch Mittelohreiterung hervorgerufenen cerebralen Krankheiten ab. Verf. fand 59 otogene intrakranielle Komplikationen bei 6000 vorgenommenen Sektionen; diese Zahl ist größer als die von Kr. Poulsen gefundene, wenngleich das Material dieses Verfassers mehr als doppelt so viele Sektionen umfaßt. Es läßt sich dies am natürlichsten auf die Weise erklären, daß die Abhängigkeit der entzündlichen endokraniellen Krankheiten von Ohreneiterungen heutzutage weit häufiger als früher erkannt wird. Unter den erwähnten Komplikationen fanden sich 5 otogene Cerebellarabszesse (und 13 Cerebralabszesse).

Darnach wird das Auftreten der otogenen Cerebellarabszesse innerhalb der verschiedenen Altersklassen berührt. Auf Grundlage seiner eigenen Statistik weist Verf. nach, daß diese Abszesse weit seltener bei Kindern auftreten, und er gibt an, daß sein Resultat mit dem von Körner gefundenen übereinstimme.

Dem ist jedoch nicht so; denn Körner gibt an, daß die Cerebellarabszesse im ersten Dezennium des Lebens weit seltener auftreten, und gerade dies geht auch aus den Aufzählungen des Verf. hervor. Betrachtet man dagegen, wie dies allgemein der Fall ist, das 15. Lebensjahr als die Grenze des Kindesalters, so geht aus der eigenen Statistik des Verf. hervor, daß die otogenen Cerebellarabszesse nicht auffallend selten im Kindesalter auftreten. Den Verf. zu korrigieren ist jedoch nicht möglich, weil bei nicht weniger als 3 unter den 21 Fällen, welche die ganze Statistik bildet, die Angaben über das Lebensalter der Patienten fehlen; außerdem ist, was Verf. selber gesteht, die Statistik wegen der kleinen Anzahl von Fällen ziemlich wertlos sowohl in Bezug auf die Frage vom Alter, wie auch mit Rücksicht auf das Geschlecht und auf die Hirnseite, an welcher die Erkrankung sich lokalisiert.

In einem neuen Abschnitt findet nun ein Teil von der Pathogenese der otogenen Cerebellarabszesse Erwähnung, und diesen Abschnitt bezeichnet der Verf., dem es leider hier und auch an andern Stellen in der Abhandlung, mit Ausnahme des letzten Abschnitts, an einer stringenten und logischen Ausdrucksweise gebricht, als die „Gruppierung der Fälle nach der Pathogenese"; andere Teile der Pathogenese dagegen finden ihre Erwähnung in den folgenden Abschnitten: „Sitz und Größe der otogenen Cerebellarabszesse sowie das Verhalten derselben den Umgebungen gegenüber" und „Inhalt der Abszesse und die Art der Infektion." Im ersten dieser Abschnitte findet man die folgende merkwürdige Definition eines otogenen Cerebellarabszesses: Derselbe ist „ein Abszeß im Cerebellum, der auf irgend eine Weise von einer Eiterung im Mittelohr metastasiert worden ist" (S. 12). Nach dieser Definition wäre mithin ein Abszeß, der durch direkte Fortpflanzung einer Ohreneiterung nach dem Hirn im Cerebellum hervorgerufen wird, nicht unter die otogenen Cerebellarabszesse zu zählen! Diese falsche Definition ist dadurch entstanden, daß der Verf., wie verschiedentlich aus seiner Arbeit hervorgeht, eine fehlerhafte ˙Auffassung dessen hat, was man in der Pathologie unter dem Begriffe Metastase versteht. Dies geht u. a. daraus hervor, daß er auf S. 15 eine direkte Fortpflanzung des Entzündungsprozesses als eine „direkte Metastasierung" bezeichnet. Überhaupt scheint seine Kenntnis der allgemeinen Pathologie und der pathologischen Anatomie stellenweise noch recht oberflächlich zu sein.

Die vom Verf. vorgenommene „Gruppierung der Fälle nach
der Pathogenese" gestaltet sich folgendermaßen: In die erste
Gruppe rechnet er „die nicht komplizierten oder direkt auftretenden Fälle", in die zweite Gruppe die mit Sinusphlebitis
komplizierten; in die dritte Gruppe die mit Labyrintheiterung
und in die vierte Gruppe die mit Epiduralabszeß komplizierten
Fälle. Es ist zwar nicht immer leicht, in den Gedankengang
des Verfs. einzudringen, denn seine Ausdrucksweise ist häufig
unklar; bei der obigen „Gruppierung nach der Pathogenese"
hat er jedoch scheinbar folgenden Gedankengang verfolgt: Wenn
gleichzeitig mit dem otogenen Cerebellarabszeß entweder eine
Sinusphlebitis, oder eine Labyrintheiterung oder ein Epiduralabszeß auftritt, so bildet die eine oder die andere von diesen Komplikationen immer das Verbindungsglied zwischen dem Ohren- und
dem Hirnleiden. Hier kann indes natürlich die Einwendung
gemacht werden, daß es, selbst bei postmortaler Untersuchung,
häufig unmöglich ist, den Weg der Eiterung vom Ohre nach
dem Hirn zu verfolgen. Verf. scheint garnicht die Möglichkeit
ins Auge gefaßt zu haben, daß gleichzeitig vorhandene otogene
endokranielle Komplikationen der Ausdruck dessen sein können,
daß eine besonders intensive und bösartige Infektion im Mittelohr sich gleichzeitig nach verschiedenen Teilen des Kranium-
inhalts fortpflanzt; ebenfalls kann selbstverständlich sehr wohl
z. B. eine Sinusphlebitis entstehen, nachdem vorher ein Hirnabszeß sich gebildet hat. Aus der „Gruppierung der Fälle nach
der Pathogenese" wird auf diese Weise eigentlich nur eine
Gruppierung nach der Komplikation oder Nichtkomplikation des
Cerebellarabszesses mit den erwähnten 3 Leiden, und der Verf.
bedient sich denn auch vielfach dieses Ausdruckes. Eine Gruppierung nach Komplikationen ist jedoch nur teilweise durchgeführt; denn die Komplikation mit Meningitis paßt so schlecht
in den künstlichen Rahmen des Verfs., daß er genötigt wird,
sie als eine Unterabteilung in die Reihe der unkomplizierten
Fälle hineinzupressen (S. 29)!

Im 4. Abschnitt finden der Sitz und die Größe der otogenen
Cerebellarabszesse und ihr Verhalten zu den Umgebungen ihre
Erwähnung. Verf. gelangt zu dem Resultat, daß der Sitz der
Abszesse von der Stelle in der hintern Hirngrube abhängt, wo
die Infektion in das Organ eingedrungen ist; der Sitz wird mithin davon bestimmt, ob die Infektion sich vom Mittelohr aus
auf direktem Wege durch die Pars mastoidea nach dem kleinen

Hirn fortgepflanzt hat, oder ob die Fortpflanzung mittelbar durch
eine Sinusphlebitis, eine Labyrintheiterung oder einen Epiduralabszeß geschehen ist. Daß dies Verhältnis indes nicht so einfach ist, wie es dem Verf. erscheint, geht schon zur Genüge
aus der vom Verf. in seiner Abhandlung gelieferten Übersicht
über die in der Literatur beschriebenen, nur mit Sinusphlebitis
komplizierten Fälle hervor. Es ergibt sich nämlich, daß in den
11 Fällen, bei welchen die Lage des Abszesses näher angegeben
wird, derselbe 7 mal in der vorderen äußeren Ecke des kleinen
Hirns, 4 mal aber an anderer Stelle seinen Sitz hatte.

Um Auskunft darüber zu erhalten, welche Teile des Cerebellum beeinflußt werden können, wenn ein otogener Abszeß
in die Tiefe wächst, unternahm der Verf. einige topographische
Untersuchungen am Kadaver, und er findet u. a., daß ein in
der Gegend der Fossa sigmoidea liegender Abszeß, wenn er in
die Tiefe wächst, entweder auf den oberen Teil der Medulla
oblongata stoßen oder die Wandung des vierten Ventrikes perforieren wird; die klinische Erfahrung lehrt uns jedoch, daß
letzteres selten geschieht.

Der Inhalt der Abszesse und die Art der Infektion ist das
Thema des 5. Abschnitts; derselbe ist sehr kurz, denn wie es
scheint, liegen in der Literatur noch sehr wenige positive Auf-
klärungen vor zur Beleuchtung dieser Verhältnisse.

Sehr eingehend beschäftigt der Verf. sich im folgenden Abschnitt mit den Symptomen und dem Verlauf der otogenen
Cerebellarabszesse; neues bringt er aber nicht an den Tag. Auch
nicht bei der Besprechung der Diagnose, die sonderbar genug
mit der Behandlung sich in einen siebenten und letzten Abschnitt teilen muß, führt der Verf. neue Momente vor, ja er ist
sogar so wenig up to date, daß er bei der Besprechung der
Differentialdiagnose zwischen dem Hirnabszeß und der Meningitis
die Untersuchung der durch Lumbalpunktion ausgeleerten
Cerebrospinalflüssigkeit garnicht erwähnt.

Der letzte Teil der Abhandlung bespricht die Behandlung
der otogenen Cerebellarabszesse. An dieser Stelle findet man
auch eine Darstellung der hier in Betracht kommenden anatomischen Verhältnisse, die der Verf. augenscheinlich an verschiedenen Präparaten sehr gründlich studiert hat. Die Haupt-
frage ist die: Soll man in der Regel den Abszeß vor oder hinter
dem Sinus transversus suchen? Durch Bearbeitung der in der
Literatur vorliegenden Statistik kommt der Verf. zu dem Re-

sultat, daß das Aufsuchen des Abszesses hinter dem Sinus
transversus nur 33 Proz. Heilungen herbeiführte, während dagegen das Aufsuchen vor dem Sinus 60 Proz. Heilungen erzielte.
Außerdem führt der Verf. noch mehrere Gründe an, die dafür
sprechen, daß man beim Aufsuchen eines otogenen Cerebellarabszesses am sichersten geht, wenn man sich den Weg nach
dem Cerebellum v o r dem absteigenden Teile des Sinus transversus bahnt, und er redet der „transmastoidalen" Operationsmethode sehr energisch das Wort. Nur in 3 Fällen kann der
Verf. sich denken, daß man diese Methode verlassen müßte,
nämlich 1. in dem sehr selten vorkommenden Falle, wo der
Sinus transversus so weit nach vorne und so oberflächlich liegt,
daß er an die hintere Wand des Gehörganges grenzt, 2. wo
eine in die hintere Hirngrube führende Fistel sich hinter dem
Sinus findet, und 3. wo eine eiterige Sinusthrombose vorhanden
ist; in letzterem Falle wird man nach der Beseitigung der
Thrombose sich den Weg durch die mediale Sinuswand bahnen
können. Verf. hat unzweifelhaft recht, wenn er die großen
Vorteile hervorhebt, die damit verbunden sind, wenn man bei
otogenen Cerebellarabszessen sich den Weg in das Kleinhirn
vor dem Sinus transversus bahnt; er unterschätzt aber sicher
die Schwierigkeiten, welche sich diesem Verfahren in nicht
wenigen Fällen entgegenstellen können. Ich denke hier an die
Fälle, wo der Abstand zwischen dem vorderen Rande des Sinus
transversus und der Kuppel des hinteren Bogenganges so gering
ist, daß man ein zu schmales Operationsfeld am Knochen erhält, wenn man in die Fossa cranii posterior eindringen will,
und wo man deshalb in Gefahr steht, den Sinus oder das
Labyrinth zu lädieren.

Den ganzen Abschnitt über die Behandlung der otogenen
Cerebellarabszesse, in welchem der Verf. auch auf die Behandlung der otogenen intrakraniellen Komplikationen Rücksicht
nimmt, liest man mit großem Interesse; denn der Verf. hat sich
offenbar in das Studium dieses Abschnittes seines Themas besonders vertieft. Fast überall kann man sich seinen Betrachtungen anschließen; man wundert sich indes doch, wenn man
sieht, daß der Verf., der nicht nur ein tüchtiger, sondern auch
ein mutiger Operateur zu sein scheint, das Vorhandensein einer
diffusen Meningitis als eine absolute Kontraindikation für den
operativen Eingriff betrachtet. Es scheint der Aufmerksamkeit
des Verf. entgangen zu sein, daß in den letztverflossenen Jahren

mehrfach Fälle von otogener, diffuser Meningitis veröffentlicht wurden, die mit gutem Erfolg durch Operation behandelt wurden. Auch die lebhafte und klare Darstellungsweise trägt dazu bei, daß man diesen Abschnitt, der die übrigen Abschnitte der Abhandlung weit überflügelt, mit großem Interesse liest.

6.

Die Anatomie der Taubstummheit. Im Auftrage der Deutschen otologischen Gesellschaft herausgegeben von Prof. Dr. A. Denker. Vierte Lieferung mit 5 Tafeln. Wiesbaden, J. F. Bergmann. 1907.

Besprochen von

Dr. F. Isemer, Halle a. S.

Die vorliegende vierte Lieferung dieses Werkes enthält zwei Arbeiten:

I. Denker, Zur Anatomie der kongenitalen Taubstummheit (Untersuchung zweier Taubstummenschläfenbeine). Mit 15 Abbildungen.

Zur Untersuchung kamen die Schläfenbeine eines 40jährigen taubstummen Fabrikarbeiters, der wegen Apoplexie in das Krankenhaus aufgenommen worden war. Näheres über die Frage, ob die Taubstummheit erworben oder kongenital war, konnte nicht ermittelt werden. Die klinische Diagnose des Krankenhauses lautete: Fünf Tage alte Apoplexie, große Blutung in der linken Gehirnhemisphäre mit Durchbruch in die Ventrikel, rechtsseitige hypostatische Pneumonie, Nephrose (?).

Die pathologisch-anatomische Untersuchung des Gehirns konnte aus äußeren Gründen nicht vorgenommen werden; die Sektion der übrigen Organe ergab im Wesentlichen: Sklerose der Basisgefäße, Pneumonie, indurierende Tuberkulose beider Oberlappen, Veränderungen des Herzmuskels und Perikards, Schrumpfniere, Stauungsleber.

Die beiden Schläfenbeine wurden 12 Stunden post mortem in Müller-Formollösung gebracht, blieben dort mehrere Monate, wurden hierauf in Alkohol nachgehärtet und in 6 proz. Salpetersäurelösung entkalkt, darauf zwei Tage lang gewässert, in Celloidin eingebettet und in Serienschnitte (15—25 μ) senkrecht zur Pyramidenachse zerlegt.

Bei der makroskopischen Untersuchung der Schläfenbeine wurden, abgesehen von einem im rechten inneren Gehörgang

sichtbaren Bluterguß, keine pathologischen Veränderungen gefunden.

Das Ergebnis der mikroskopischen Untersuchung war im
Wesentlichen folgendes: Das Mittelohr war, abgesehen von einer
geringen Atrophie des Musc. tensor tympani, ohne Veränderungen,
ebenso der Stamm des Nervus acustico-facialis. Die pathologischen Veränderungen, welche die Taubstummheit bedingten, betrafen das innere Ohr, und zwar waren sie an drei Stellen lokalisiert, erstens im Verlauf des Nervus cochlearis innerhalb der
Schnecke, zweitens in den Ganglien des Canalis spiralis Rosen-
thalii und schließlich im Ductus cochlearis. „Die Veränderungen
im Nervus cochlearis dokumentierten sich als Verminderung der
Nervenfaserzahl in dem Verlauf bis zum Spiralganglion und in
Atrophie bis zum vollständigen Fehlen der Fasern in dem Nerven-
kanal der Lamina spiralis ossea. Desgleichen handelte es sich
um eine starke Verminderung und Hypoplasie der Ganglienzellen im Spiralkanal, der an einzelnen Stellen vollkommen
leer war.

Im Ductus cochlearis waren die Veränderungen rechts stärker ausgeprägt als links; dort war außer dem Kollaps der Reiß-
nerschen Membran, der stellenweise fast zur Obliteration des
Ductus cochlearis führte, und dem vollständigen Fehlen der
Cortischen Membran, vor allem der gänzliche Defekt oder eine
hochgradige Metaplasie, resp. Atrophie des Cortischen Organs
zu konstatieren. Links dagegen war stellenweise die Cortische
Membran und ebenfalls ein zwar stark verändertes Cortisches
Organ vorhanden; nur in der Kuppelwindung fanden sich annähernd normale Verhältnisse.“

Denker schließt aus dem Ergebnis der histologischen Untersuchung, daß der Patient rechts total taub war, daß links jedoch
möglicherweise noch Hörreste in den untersten Oktaven der Skala
vorhanden waren.

Entscheidend für die Frage, ob im vorliegenden die Taubstummheit angeboren ist oder erworben, hält Verfasser entsprechend
den neusten Untersuchungen von Manasse, den Befund am
Stamm des Nervus acustico-facialis; da hier derselbe ohne pathologische Veränderungen gefunden wurde, so nimmt Verfasser
an, daß es sich um einen Fall von angeborener Taubstummheit
handele, und daß sich die Veränderungen, welche die
Taubstummheit bedingten lediglich beschränken auf

den Verlauf des Nervus cochlearis in der Schnecke und auf den Ductus cochlearis.

Beigefügt sind der überaus lesenswerten Arbeit 3 Tafeln mit instruktiven Abbildungen von Schnitten der Schnecke.

————

II. Schwabach-Berlin, Beitrag zur Anatomie der Taubstummheit. Mit 13 Abbildungen.

Die zur Untersuchung verwendeten beiden Schläfenbeine entstammen einem 45 Jahre alten taubstummen Manne, der an Carcinoma ventriculi zugrunde gegangen war. Die Anamnese ergab keine sicheren Anhaltspunkte darüber, ob die Taubstummheit angeboren oder erworben war.

Die Präparate wurden in Formol-Müller gehärtet, in 10 proz. Salpetersäurelösung entkalkt, in Alkohol nachgehärtet und nach Celloidineinbettung in Serienschnitte senkrecht zur Felsenbeinlängsachse zerlegt; gefärbt wurden sie teils in Hämatoxylin mit und ohne Eosin, teils nach Weigert oder van Gieson.

Von den zahlreichen Veränderungen, welche die mikroskopische Untersuchung ergab, sei hier nur auf solche hingewiesen, die für die Genese der Taubstummheit in Betracht kommen. Bemerkenswert waren die Veränderungen zunächst am Nervus acusticus; der Stamm desselben zeigte eigentümliche Herde, die das Aussehen von längs- und querdurchschnittenen Drüsen hatten und als Metastasen eines Adeno-Carcinoms (primärer Herd im Magen) anzusehen waren. Weitere Veränderungen waren an der Eintrittsstelle des Nerven in den Meatus acusticus internus; hier wurden bei Weigert'scher wie auch bei Hämatoxylinfärbung hellbleibende, von zahlreichen Corpora amylacea durchsetzte Partien gefunden, die Verfasser, der Ansicht Nagers entsprechend, für postmortale Artefakte hält und sonach als ursächliches Moment der Taubstummheit im vorliegenden Falle ausschließt.

Bedeutungsvoller für die Genese der Taubstummheit sind die vom Verfasser ausführlich beschriebenen Veränderungen im Ganglion spirale und im Ductus cochlearis, auf die hier nur hingewiesen sei. Infolge Fehlens irgend welcher entzündlichen Prozesse, namentlich von Bindegewebsneubildung im Verlaufe des Acusticusstammes, der feinen Nervenverzweigungen im Tractus spiralis foraminosus wie auch in der Schnecke selbst hält Verfasser die Annahme für berechtigt, daß diese Veränderungen auf Entwicklungshemmungen zurückzuführen seien, und daß demnach die Ursache der Taubstummheit in dem hier mitgeteilten Falle durch

kong. Veränderungen bedingt sei. Beigefügt sind auch dieser
höchst interessanten Mitteilung zwei Tafeln mit übersichtlichen
Abbildungen mikroskopischer Schnitte der Schnecke.

7.

**A. Schoenemann, Atlas des menschlichen Gehörorganes
mit besonderer Berücksichtigung der topographischen
und chirurgischen Anatomie des Schläfenbeines.** Verlag von G. Fischer, Jena 1907. Preis 45 M.

Besprochen von
Dr. Fritz Isemer, Halle a. S.

Der vorliegende Atlas des menschlichen Gehörorganes ist
das Ergebnis einer vieljährigen, mühsamen Arbeit des Verfassers
und bringt eine übersichtliche Sammlung von Lichtdrucktafeln
mit ausführlichem erläuternden Text. Das Werk ist aufgebaut
auf die beiden an anderer Stelle dieses Archivs bereits besprochenen Monographien des Verfassers: Die Topographie des
menschlichen Gehörorganes mit besonderer Berücksichtigung der
Korrosions- und Rekonstruktionsanatomie des Schläfenbeines,
und ferner: Schläfenbein und Schädelbasis.

Verfasser hat es meisterhaft verstanden, die Fortschritte der
Lichtbildkunst in den Dienst seines Werkes zu stellen und dadurch einen Atlas der topographischen Anatomie des Gehörorganes
geschaffen, der für den otologischen Unterricht und weitere Forschungen ein wertvolles Hilfsmittel sein wird.

Die Einteilung der Tafeln ist folgende: I. Abteilung: Mittleres und äußeres Ohr (Knochen- und Weichteilpräparate; Ver-
tikal- und Horizontalschnitte). II. Abteilung: Das knöcherne
Labyrinth. III. Abteilung: Das knöcherne und häutige Labyrinth, Rekonstruktionsmodelle. IV. Abteilung: Mikroskopische
Präparate.

XVII.

Wissenschaftliche Rundschau.

39.

Möller, Jörgen: Über die Otosklerose mit besonderer Rücksicht auf pathologische Anatomie und Diagnose. Nordiskt medicinskt Arkiv, 1905, Abt. 1, Heft 2.

Nachdem der Verf. der pathologischen Anatomie und der Symptomatologie der Otosklerose ausführliche Erwähnung geschenkt hat, stellt er die Resultate dar, die bei den akustischen Funktionsprüfungen gewonnen wurden, welche an 26 Patienten aus der Ohren- und Halsklinik des Kommunehospitals und an 10 Patienten aus der privaten Praxis des Verf. angestellt wurden. Der Webersche Versuch hatte sehr wechselnde Verhältnisse aufzuweisen. In 23 Fällen war die Knochenleitung wesentlich verkürzt. Rinnes Versuch war häufiger positiv als negativ. Gellés Versuch gab für die Knochenleitung in der überwiegenden Anzahl von Fällen ein negatives Resultat, und gleiches war am häufigsten auch bei der Luftleitung der Fall. Eine Erhöhung der unteren Tongrenze wurde bei den meisten Patienten nachgewiesen, aber im allgemeinen war die Erhöhung doch nicht so bedeutend wie bei Patienten mit allgemeinen Mittelohraffektionen. Bei 31 Patienten war die obere Tongrenze herabgesetzt, und dieses Verhältnis wird in der obengenannten Klinik als eins der wichtigsten funktionellen Zeichen der Otosklerose angesehen. In Bezug auf die Bedeutung der Paracusis Willisii für die Diagnose der Otosklerose sei hervorgehoben, daß diese Erscheinung nur in 8 Fällen auftrat. Die Abhandlung schließt mit einer Besprechung der Therapie ab.   Holger Mygind.

40.

Schmiegelow, E.: Mitteilungen aus der oto-laryngologischen Abteilung des St. Joseph-Hospitals (1905). Kopenhagen 1906.

Im Laufe des Jahres 1905 wurden aus der oto-laryngologischen Abteilung des St. Joseph-Hospitals 345 Patienten entlassen. Es wurden 60 Totalaufmeißelungen des Mittelohrs und 26 Aufmeißelungen nach Schwartzes Methode unternommen. 3 Patienten starben an otogenen intrakraniellen Komplikationen. Bei einem 64jährigen Manne stellte sich am 7. Tage nach einfacher Aufmeißelung des Proc. mastoideus eine diffuse eiterige Leptomeningitis ein; kein Eiter längs den N. acusticus und facialis, kein Eiter im Labyrinth. Ein 41jähriger Mann litt bei der Aufnahme an rechtsseitiger cholesteatomatöser Mittelohreiterung und an Cerebralia (Kopfschmerz, Übelsein, Erbrechen, Schläfrigkeit, langsamer Puls); nach Totalaufmeißelung des Mittelohrs wurde Punktur des Cerebrum und des Cerebellum mit negativem Resultat unternommen; bei der Sektion fand man einen großen stinkenden Abszeß, der die ganze hintere Partie des rechten Frontallappens erfüllte. Schließlich wird in Kürze die Krankengeschichte einer 24jährigen Frau mitgeteilt, die an linksseitiger akuter Mittelohreiterung litt, welche eine diffuse Leptomeningitis herbeigeführt hatte.

        Holger Mygind.

41.

Nielsen, Edv. (Kolding, Dänemark): Otogener Hirnabszeß. Operation. Ugeskrift for Läger, 1906, S. 534·

Bei einem 11jährigen Knaben mit doppelseitiger chronischer Mittelohreiterung, die im Laufe der letztverflossenen Monate links stinkend geworden war, entwickelten sich Anfälle von Kopfschmerz in Verbindung mit Schwindel und Erbrechen und mit zwischenliegenden Perioden von Stumpfheit; während der Anfälle Gesichtsschwäche mit Doppeltsehen. Es wird zuerst Totalaufmeißelung des Mittelohrs unternommen; der Zustand besteht aber unverändert fort, und das Vorhandensein einer Retinitis und einer linksseitigen Abducensparalyse wird nachgewiesen, weshalb die ossöse Operationswunde nach oben hin verlängert wird, und die Dura wird in einer Ausdehnung von 4 □ cm entblößt. Das Hirngewebe ist emolliert, bei den in verschiedenen Richtungen geführten Inzisionen wurde aber kein Eiter gefunden. Nun verbessert sich der Zustand bedeutend und Patient kann das Bett verlassen; etwa 3 Wochen nach der Operation stellen sich die Anfälle wieder ein, und es entwickelt sich völlige Blindheit. Es trat Hirnprolaps ein, der auch unmittelbar nach der Operation aufgetreten war, und es sickerte eine beträchtliche Menge Cerebrospinalflüssigkeit heraus. Patient starb unter Koma. Bei der Sektion stellte sich heraus, daß der linke Frontallappen vollständig in eine breiige Masse umgebildet war, in welcher einige eiterige Partien; die Ventrikel waren sehr dilatiert, der linke setzte sich bis in den Prolapsus fort.	Holger Mygind.

42.

Pontoppidan, Fr. (Randers, Dänemark): Ein Fall von eiteriger Sinusthrombose mit Epiduralabszeß und Subduralabszeß in der hinteren Hirngrube nebst einigen Bemerkungen über die Behandlung der Sinusthrombose. Hospitals-Tidende, 1906, S. 285.

Eine 42jährige Frau litt seit einem Monat an Ohrensausen am linken Ohre und Schmerzen in der linken Kopfhälfte, zuletzt auch an Schwindel, Schlaflosigkeit und Appetitmangel. Die Otoskopie weist nur Rötung und Schwellung der Membrana flaccida nach; das Gehör war nicht wesentlich herabgesetzt. Bei der Aufmeißelung des Proc. mastoideus nach Schwartzes Methode findet man im Antrum etwas Eiter. Die Temperatur, bei der Operation 40°, sinkt während einiger Tage; da indes fortwährend pyämische Fieber mit Schüttelfrösten und Stasepapille vorhanden sind, findet eine neue Operation statt, bei welcher ein Epiduralabszeß in der Fossa cranii posterior und eine eiterige Sinusthrombose nachgewiesen werden. Die Vena jugularis wird unterbunden. Da der Zustand fortwährend auf das Vorhandensein einer intrakraniellen Komplikation deutete, wurde die Punktur des Cerebellum mit negativem Resultat unternommen. Bei erneuter Untersuchung fand man in der Fossa cranii post. hinter der Fossa sigmoidea einen kleinen epiduralen Eiterfocus. Da der Zustand sich trotzdem immer verschlimmerte und Gefahr drohte (heftige Unruhe, vorübergehende Unklarheit, Steifheit der Nacken- und Rückenmuskulatur, Doppeltsehen), so wurde wieder eine Punktur des Cerebellum und des Temporallappens versucht, aber mit negativem Resultat; bei der fortgesetzten Untersuchung fand man endlich an der Basis des Cerebellum eine kleine Eiteransammlung; hiernach stellte sich nach und nach Heilung ein.	Holger Mygind.

43.

Mahler, L.: Über Ohrenkrebs. Ugeskrift for Läger, 1906, S. 35 u. 36.

Verfasser berichtet über einen Fall von primärer Carcinoma auris, die sich bei einer 58jährigen, seit etwa 1 Jahr an Mittelohreiterung leidenden Frau entwickelte. Die hervortretenden Symptome waren Schmerzen, stinkender Ausfluß und Facialisparese; die letztere Erscheinung stellte sich verhältnismäßig spät ein. Den Ausgangspunkt des Tumors bildete vermutlich

der innere Teil der hinteren Wand des Gehörganges oder die äußere Wand
der Paukenhöhle. Bei der Operation stellte sich heraus, daß der Tumor in
die Paukenhöhle und den Processus mastoideus hineingewachsen war; die
Integumente des Proc. mast. waren rot und geschwollen. Patientin starb
kachektisch. Holger Mygind.

44.

Christensen, R. E.: Bemerkungen über Caries des Hammers und
Ambosses auf Grundlage von 50 Totalaufmeißelungen des
Mittelohrs. Ugeskrift for Läger, 1906, S. 577.

Sämtliche Patienten wurden in der oto-laryngologischen Abteilung des
St. Joseph-Hospitals operiert; da indes bei einem Patienten früher eine Aufmeißelung unternommen war und ein Pat. an Carcinom litt, so bleiben 48
Pat. übrig. Bei 26 unter diesen Pat. fanden sich sowohl Hammer wie Amboß, bei 8 Pat. war nur der Hammer, bei 6 Pat. nur der Amboß vorhanden,
und bei 8 Pat. fehlten beide Knochen. Bei 4 unter den obigen 26 Pat.
waren beide Knochen gesund, bei 8 Pat. war der Hammer gesund und der
Amboß angegriffen, und bei 14 Pat. waren beide Knochen angegriffen. Bei
keinem Pat. fand man einen kranken Hammer gleichzeitig mit einem gesunden Amboß. Nur bei einem unter den 8 Pat., bei welchen bei der Operation der Hammer allein gefunden wurde, war der Knochen gesund. In
sämtlichen Fällen, wo der Amboß allein vorhanden war, war dieser Knochen
angegriffen. In Bezug auf den Sitz des kariösen Prozesses wurden folgende
Verhältnisse nachgewiesen: Am Hammer 11 mal am Manubrium, 5 mal am
Proc. brevis, 8 mal am Collum, 9 mal am Caput; 4 mal war der Hammer fast
völlig verschwunden. Der Proc. brevis war in keinem Falle isoliert angegriffen, und auch das Collum war sehr selten von isoliertem Caries angegriffen. Holger Mygind.

45.

Kramm: Was können wir bei chronischen Eiterungen der Stirnhöhle, des Siebbeins und der Keilbeinhöhle mit der intranasalen Therapie leisten? (Aus der Ohrenklinik und -poliklinik
der Kgl. Charité zu Berlin.) Zeitschrift für Ohrenheilkunde Band LII, 1
und 2, S. 76—90.

Die obenstehende Frage hat Verfasser durch etwa 200 an der Leiche
vorgenommene Operationen zu klären gesucht, und er hat deren Resultate
auch bei mehreren Operationen am Lebenden bestätigt gefunden. Die
Killiansche Operation darf nach ihm nur in Betracht kommen, wenn die
intranasale Behandlung erschöpft oder aussichtslos ist, oder wenn lebensgefährliche Symptome ein sofortiges energisches Einschreiten erheischen.
Die vom Verfasser geübten und für am zweckmäßigsten erkannten Operationsverfahren werden genau beschrieben; sie bestehen bei den chronischen
Eiterungen der Stirnhöhle und der vorderen Siebbeinzellen manchmal nur
in der Resektion des vorderen Endes der mittleren Muschel oder, wenn
dieses nicht ausreicht, in der Beseitigung der vorderen Siebbeinzellen und
der Erweiterung des Ductus naso-frontalis, bei den kombinierten chronischen Eiterungen der Stirnhöhle, des Siebbeinlabyrinths und der Keilbeinhöhle in der möglichst gründlichen Ausräumung dieser Teile, wobei es notwendig ist, daß einerseits der das Dach der Siebbeinzellen bildende Stirn-
beinabschnitt freigelegt, andererseits die Lamina papyracea erreicht und
von den Siebbeinzellen befreit wird. Über die Leistungsfähigkeit der radikalen intranasalen Therapie der chronischen Nebenhöhleneiterungen äußert
sich Verfasser dahin, daß man mit ihr gewöhnlich, wenn auch nicht immer,
einen weiten Zugang zur Stirnhöhle schaffen und letztere teilweise auskratzen, ferner die vorderen Siebbeinzellen zum großen Teil, die mittleren
und hinteren fast gänzlich entfernen und eine breite, dauernde Öffnung der
Keilbeinhöhle herstellen kann. Die intranasale Therapie leistet mithin
gerade für die gefährlichsten Abschnitte der Nebenhöhlen, besonders die
der Lamina cribrosa angrenzenden Teile, nahezu das gleiche wie die

Killiansche Operation. Dagegen ist letztere für orbitale Siebbeinzellen allein anwendbar. Aber selbst, wenn die intranasale Behandlung zur Beseitigung der Beschwerden nicht ausgereicht hat, wird durch sie die nun vorzunehmende Killiansche Operation wesentlich vereinfacht.
                                                                        Blau.

_____

46.

Kirchner (Würzburg): Apparat zu Operationsübungen am Schläfenbein. Ebenda S. 90—95.

Der Inhalt obiger Arbeit ist bereits in diesem Archiv Bd. LXIX, 3 und 4 S. 254 gelegentlich des Berichtes über die 15. Versammlung der Deutschen otologischen Gesellschaft wiedergegeben worden.   Blau.

_____

47.

Hinsberg (Breslau): I. Über die Bedeutung des Operationsbefundes bei Freilegung der Mittelohrräume für die Diagnose der Labyrintheiterung. II. Indikationen zur Eröffnung des eitrig erkrankten Labyrinthes. Ebenda S. 95—109.

I. Um Labyrintheiterungen exakt diagnostizieren zu können, muß neben einer genauen Funktionsprüfung vor der Mittelohroperation stets auch bei letzterer eine sorgfältige Untersuchung der Labyrinthwand vorgenommen werden. Von den hier vornehmlich in Betracht kommenden Teilen entzieht sich das runde Fenster der Besichtigung, während am ovalen Fenster sich häufig mit bloßem Auge oder durch vorsichtiges Sondieren feststellen läßt, ob der Steigbügel vorhanden oder zugrunde gegangen ist. Fisteln am Promontorium lassen sich in der Regel gut erkennen und mit der Sonde auf ihren Tiefgang abschätzen; ebenso ist bei einem Durchbruch in der Gegend des horizontalen Bogenganges die Diagnose manchmal leicht, manchmal indessen schwierig, wenn es sich nämlich um eine ausgedehntere Zerstörung des nicht mehr deutlich erkennbaren Bogengangwulstes oder um eine an ihm ganz nach vorn oder hinten gelegene Fistel handelt. Schwer nachweisbar sind meist auch die Durchbrüche im hinteren oder oberen Bogengang. Was die aus den erhobenen Befunden zu ziehenden Folgerungen auf die Ausdehnung der Eiterung im Labyrinth betrifft, so läßt ein Durchbruch durch die Fenster oder das Promontorium fast ausnahmslos eine diffus verbreitete Labyrintherkrankung annehmen, besonders, wenn die Untersuchung vor der Operation noch außerdem Taubheit und deutliche Gleichgewichtsstörungen (gleichgültig, ob Reiz- oder Ausfallerscheinungen) ergeben hat. Fisteln im horizontalen Bogengang finden sich ebenfalls häufig neben einer ausgebreiteten Labyrintherkrankung, und zwar darf man eine solche mit Bestimmtheit bei Vorhandensein noch anderweitiger Labyrinthfisteln und deutlich nachweisbarer funktioneller Störungen annehmen. Unzweifelhaft aber gibt es, entgegen Friedrich, auch Fälle, in denen von der Bogengangfistel aus nur eine Infektion der nächsten Umgebung zustande gekommen ist. Befunde, welche dieses beweisen, sind sowohl an der Leiche als am Lebenden (einzelne vom Verfasser selbst) erhoben worden; ihre Seltenheit erklärt sich vielleicht dadurch, daß die zirkumskripten, auf den Bogengang beschränkten Labyrintheiterungen an sich niemals zum Tode führen.

II. Die operative Labyrintheröffnung ist nach Verfasser jedesmal angezeigt, wenn auf Grund einer genauen Funktionsprüfung (Taubheit und deutliche Reiz- oder Ausfallerscheinungen von seiten des Vorhofbogengangapparates) und des Befundes bei der Freilegung der Mittelohrräume eine ausgedehnte eitrige Erkrankung des Labyrinths angenommen werden kann. Spricht der Befund bei Funktionsprüfung und Operation für eine zirkumskripte Erkrankung des Bogengangs, oder läßt sich eine Labyrinthfistel bei der Operation nicht bestimmt nachweisen, so soll man zunächst abwartend verfahren, um auch hier sekundär zur Labyrintheröffnung zu schreiten, wenn vor der Operation vorhandene Reizsymptome nicht schnell, bezw. nach

Lockerung des Tampons in der Paukenhöhle verschwinden, oder wenn sich solche erst nach der Mittelohroperation einstellen. Der Verdacht einer vorhandenen oder drohenden intrakraniellen Komplikation indiziert stets die Eröffnung des erkrankten Labyrinths. Die Fälle mit Sequesterbildung im Labyrinth sind im allgemeinen den diffusen Labyrintheiterungen gleichzustellen. Zufällige operative Luxation des Steigbügels läßt vielleicht schon an sich, unbedingt aber, wenn danach Reizsymptome auftreten, die breite Labyrintheröffnung indiziert erscheinen. Blau.

48.

Zalewski: Experimentelle Untersuchungen über die Resistenz-fähigkeit des Trommelfells. (Aus dem physiologischen Institute der Universität in Lemberg.) Ebenda S. 109—129.

Es wurden 232 Versuche an frisch der Leiche entnommenen menschlichen Gehörorganen und 10 an solchen von Hunden ausgeführt, und zwar mit bezug auf die Resistenzfähigkeit des Trommelfells gegenüber allmählich wachsender Luftverdichtung im äußeren Gehörgang. Als Resultat ergab sich folgendes. Das normale Trommelfell reißt in 65,76 Proz. der Fälle bei einer Druckhöhe von 77—152 ccm Quecksilber oder 1—2 Atmosphären Luft; einen Druck über 2 Atmosphären hält es in 23,4 Proz. der Fälle aus, bei einem Drucke unter 1 Atmosphäre reißt es in 10,8 Proz. Der größte Druck, bei dem die Trommelfellruptur erfolgte, betrug 228 ccm oder 5 Atmosphären, der niedrigste 28 ccm. Narben, Verdünnung des Trommelfells und entzündliche Prozesse verursachen eine Verminderung der Resistenzfähigkeit (22,08 bezw. 42,83 und 78,55 ccm), bindegewebige Verdickungen erhöhen sie (160,3 ccm). Durch Verkalkung kann das Trommelfell sehr widerstandsfähig werden. Das Geschlecht und ebenso im allgemeinen die Körperseite zeigen keine Unterschiede, wohl aber kann bei demselben Individuum die Resistenzfähigkeit beider Trommelfelle sehr verschieden sein (um 2—79 ccm). Mit dem Alter nimmt die Resistenzfähigkeit des Trommelfells ab; sie ist am größten bei Neugeborenen und in dem ersten Dezennium, desgleichen scheint sie beim Fötus, wenigstens in den letzten Monaten des intrauterinen Lebens, ziemlich hoch zu sein. Entfernung der Gehörknöchelchen am Präparate vermindert die Resistenzfähigkeit. Die Trommelfellruptur erfolgt fast regelmäßig in der Pars tensa, selten in der Membrana flaccida, und ist gewöhnlich einzeln, selten doppelt. Ihre Form pflegt die einer nicht großen Spalte zu sein, die schräg vom Hammer zum Annulus tympanicus verläuft, meist aber beide nicht erreicht. Bei hohem Druck entstandene Rupturen sind gewöhnlich größer als bei niedrigem Druck entstandene. Die Ruptur findet sich häufiger in der vorderen als in der hinteren Trommelfellhälfte, und zwar besitzen diejenigen Trommelfelle, welche in der vorderen Hälfte einreißen, eine größere Resistenzfähigkeit. Bei der Begutachtung der Trommelfellrupturen ist zu berücksichtigen, daß es makroskopisch normal aussehende Trommelfelle mit sehr geringer Resistenzfähigkeit gibt; das Fehlen makroskopischer Veränderungen gestattet daher an sich noch keinen Schluß auf eine angewandte große Gewalt. Die Untersuchung durch den Ohrtrichter vermag wegen der Schiefstellung und Wölbung des Trommelfells nicht immer einen richtigen Begriff von der Form und Größe der Öffnung zu geben. Auch, wenn das Ohr in Ruhe gelassen wird, kann bei einer indirekten Trommelfellruptur dadurch eine Entzündung entstehen, daß angesammelte Massen von Epidermis und Cerumen aus dem Gehörgang in das Mittelohr gelangen. Blau.

49.

A. Blau (Görlitz): Kasuistischer Beitrag zur Meningo-Encephalitis serosa. Ebenda S. 129—135.

Die mitgeteilte Beobachtung ist besonders deshalb bemerkenswert, weil sie die anatomischen Veränderungen bei unkomplizierter seröser Meningitis (Meningitis serosa interna, ventriculorum) veranschaulicht. Die $2^3/4$

Jahre alte Patientin war unter meningitischen Erscheinungen zugrunde gegangen, die sich an ein durch Masern hervorgerufenes Rezidiv einer rechtsseitigen Otitis media angeschlossen hatten. Bei der Operation war innerhalb der Schädelhöhle nirgends Eiter aufgedeckt worden, wohl aber hatte
ein sehr reichlicher Abfluß wasserklarer seröser Flüssigkeit stattgefunden.
Die Autopsie ergab vollständige Abwesenheit jeder Andeutung von eitriger
Meningitis oder von Residuen solcher, von Verdickung oder Trübung des
Ventrikelependyms, von Abszeß, Tuberkeln, Geschwulstbildung oder Gefäßveränderungen. Die eingelegten Tampons von wässeriger Flüssigkeit völlig
durchtränkt. Dura mater mäßig injiziert, stark gespannt. Weiche Hirnhäute klar durchsichtig, leicht anämisch, Hirnwindungen sehr stark abgeplattet, Hirnsubstanz von mäßig fester Konsistenz, stark durchfeuchtet.
Sämtliche Ventrikel mit völlig wasserklarer Flüssigkeit gefüllt und erweitert,
die beiden Seitenventrikel, die noch je 1½ Eßlöffel Flüssigkeit enthielten,
in dem Grade, daß etwa ¾ einer kleinen Kinderfaust in jedem von ihnen
bequem Platz fand, und daß der Daumen des Sezierenden leicht in das erweiterte Unter- und Seitenhorn eindringen konnte.   Blau.

50.

Schoenemann (Bern): Zur klinischen Pathologie der adenoiden
    Rachenmandelhyperplasie. Zeitschrift für Ohrenheilkunde Bd. LII,
    3, S. 185—232.

Verfasser sucht durch seine Arbeit die Frage nach der physiologischen
Bedeutung der adenoiden Rachenmandelhyperplasie der Lösung näherzu-
bringen. Für die normale Rachenmandel darf als ziemlich sichergestellt
angenommen werden, daß ihr wesentlicher, d. h. funktionell wichtigster Bestandteil durch das lymphadenoide follikelhaltige Gewebe dargestellt wird,
und daß als hauptsächlichste Funktion dieses Gewebes sich die Produktion
von Lymphozyten ansehen läßt In der Vergrößerung der Rachenmandel
aber ist nach Verfasser nichts als eine genuine, homoplastische Hyperplasie
des in seiner physiologischen Größe außerordentlich wechselnden normalen
Organs zu erblicken, die ohne jede Mithilfe einer von der Oberfläche her
ausgehenden Entzündung zustande· kommt, und der naturgemäß eine vermehrte spezifische Tätigkeit, also eine reichlichere Lymphozytenbildung,
entsprechen muß. Die Untersuchungen des Verfassers erstreckten sich auf
etwa 30 von ihm selbst operativ abgetragene hyperplastische Rachenmandeln
und waren bestimmt zu prüfen, ob im Einklang mit der gesteigerten Binnen-
leistung des Organs auch für eine vermehrte Abfuhrgelegenheit gesorgt ist.
Diese Frage wird im negativen Sinne entschieden. Es zeigte sich nämlich,
daß die auch in der normalen Rachenmandel vorhandenen Lakunen und
Spalten sich in der adenoid hyperplasierten weder wesentlich vermehrt noch
absolut vertieft vorfinden, und daß eine scheinbare Vertiefung der Spalten
lediglich in einem Höherwerden der zwischenliegenden Gewebsteile ihre Ursache hat. Ferner werden die Lumina der Lakunen, besonders deren tiefer
gelegene Abschnitte, nicht allein auffallend oft leer, d h. ohne eine erhebliche Ansammlung von ausgewanderten Lymphozyten, angetroffen, sondern
diese aus der Tiefe des lymphadenoiden Gewebes an die Oberfläche der
Mandel führenden Kanalsysteme obliterieren auch sehr oft (eventuell unter
Zystenbildung), so daß im Gegenteil sogar eine teilweise Zerstörung der gegebenen Abflußwege zustande kommt. Ein großer Teil des hyperplastischen
Tonsillengewebes, nämlich die ganze Basis, entbehrt überhaupt jeder Gelegenheit der Drainage durch an die Oberfläche führende epitheliale Kanäle.
Ebenso wie mit den Gewebsspalten verhält es sich mit den Drüsenaus-
führungsgängen, indem auch diese gewöhnlich keine nennenswerten Mengen
von Lymphozyten enthalten und außerdem zum großen Teil unter der Mitwirkung des lymphadenoiden Gewebes der Zerstörung anheimfallen. An den
Drüsen der hyperplastischen Rachentonsille hat Verfasser beobachtet,
daß das lymphadenoide Gewebe in die Zwischenräume der einzelnen Drü-
senläppchen hineinwuchern kann, und daß damit zusammenhängend die einzelnen Drüsenelemente deutliche Zeichen des Schwundes und der regressiven

Metamorphose aufweisen. Aus seinen Gesamtbefunden zieht er den Schluß
auf die Nichtgültigkeit der Brieger-Stöhrschen Ansicht von der Funktion
der hyperplastischen Rachenmandel als eines Lymphozyten sezernierenden
Organs. Daran wird auch nichts durch die stellenweise sich zeigende
massenhafte Durchwanderung der Lymphozyten an die Epitheloberfläche
der Mandel geändert, da sich diese einfach in der Weise erklärt, daß an
den betreffenden Orten die Lymphozyten zufällig gerade unter Epithelzellen
der Oberfläche liegen und letztere dann angreifen, bezw. durchwandern.
Die wahre Funktion der normalen, sowie der hyperplasierten Rachenmandel
ist derjenigen anderer peripherer Lymphdrüsen gleichzusetzen, sie liegt in
der Resorptionstätigkeit gegenüber infektiösen Stoffen, und hierfür ist die
Rachenmandel durch ihre topographische Lage besonders geeignet, da sie
sich gewissermaßen an einem Knotenpunkt der Blut- und Lymphgefäße der
Nasenrachen- und Mundhöhle befindet. Trotzdem soll die hyperplasierte
Rachenmandel entfernt werden, sobald von ihr irgendwelche Störungen ausgehen. Blau.

<hr />

51.

Brühl (Berlin): Beiträge zur pathologischen Anatomie des Gehörorgans. V. Serie. Ebenda S. 232—246.

Die mitgeteilten Beobachtungen sind folgende:

1. Nervöse Taubheit bei Tabes. Beginn ^{1}/$_2$ Jahr nach den ersten
Zeichen der Rückenmarkserkrankung mit Abnahme des Gehörs und „furcht-
barem" Ohrensausen (helle Töne, Glockenklingen, Musik), vollständige Er-
taubung im Laufe eines Jahres. Die Sektion (3^1/$_2$ Jahre später) ergab:
Intaktsein des Mittelohrs, der Endigungen des Ram. cochlearis und vestibularis n. acustici, der Maculae acusticae und des Cortischen Organs in
allen Schneckenwindungen, fast vollständiges Fehlen der Ganglienzellen im
gesamten Ganglion spirale, Fehlen markhaltiger Nervenfasern im Rosenthalschen Kanal, starken Schwund der Nervenfasern im Modiolus der Schnecke.
Der im inneren Gehörgang gelegene Akustikusabschnitt war am Präparat
nicht erhalten, dagegen zeigten die beiden extramedullären Wurzeln einen
deutlichen Faserausfall, der sich an den Nerv. cochleares bis zu ihren ven-
tralen Kernen, an den Nerv. vestibulares bis zu ihrem Eintritt in den dreieckigen und den großzelligen (Deitersschen) Kern verfolgen ließ. Die Kerne
selbst und die zentralen Cochlearissysteme (Stria acustica, Corpus trapezoi-
deum, laterale Schleife) normal. Ihren Ausgang hatte die Erkrankung
wahrscheinlich im Ganglion spirale genommen.

2. Rechts Verkalkung und trockene Perforation. Links Trommelfell
stark getrübt, Membrana flaccida Shrapnelli eingesunken. Kuppelraum mit
derbem Bindegewebe ausgefüllt, in letzterem eingebettet der durch ein
rauhes Anhängsel (Amboßrudiment) nach hinten verdickte Hammerkopf, vom
Amboß sonst nichts zu finden. Steigbügel durch einige kurze, dicke und
straffe, zu den Schenkeln ziehende Fäden fixiert. Nische des runden
Fensters durch die sehr hoch heraufragende Bulla jugularis stark eingeengt
und von derbfaserigem, zellarmem und zystenhaltigem Bindegewebe ausgefüllt,
durch welches an einer Stelle noch eine die vordere und hintere Nischen-
wand verbindende kompakte Knochenspange zog. Inneres Ohr normal bis
auf Zellarmut im basalen Abschnitt des Spiralganglion der Schnecke. Die
links gefundenen Veränderungen waren jedenfalls desgleichen Residuen eines
Eiterungsprozesses.

3. Nervöse Schwerhörigkeit während des Lebens diagnostiziert. Bei
der Autopsie wurde Zellarmut der unteren Hälfte des Spiralganglion und
Faserschwund des im Modiolus verlaufenden Teiles des Ram. cochlearis gefunden. Der Nervenstamm verhielt sich anscheinend normal, brauchte deshalb allerdings nicht frei von Atrophie zu sein. Als Ursache wird der bei
der Patientin aufgetretene Altersschwund des nervösen Zentralorgans angenommen. Die von Nager beschriebene traumatische Degeneration des
Akustikus hat Verfasser an seinen Präparaten nicht gesehen; man kann
sich vor Irrtümern durch sie leicht bewahren, wenn man nach der Fixa-

tion das hell gefärbte Ende des Hörnerven entfernt und nicht mituntersucht.

4. Nervöse Schwerhörigkeit bei einem seit circa 30 Jahren als Grobschmied tätig gewesenen Manne. Die Diagnose wurde auch hier während des Lebens gestellt. Sektionsbefund: Völliges Fehlen des Cortischen Organs im Basalteil der Schnecke, Fehlen der entsprechenden Nervenfäden zwischen den beiden Lamellen der Lamina spiralis ossea, hochgradige Atrophie des dazu gehörigen Spiralganglion und der in dieses eintretenden Nervenfasern.

Blau.

52.

Cohn: Adenoide Vegetationen und Schwerhörigkeit. (Aus d. Kgl. Universitäts-Poliklinik für Hals- und Rachenkranke zu Königsberg i. Pr.) Ebenda S. 246—249.

Unter 1573 auf ihr Hörvermögen untersuchten Schülern einiger Königsberger Volksschulen wurden 315 gleich 18 Proz. mehr oder minder schwerhörig gefunden; unter diesen war die Verschlechterung des Gehörs 153 mal durch adenoide Vegetationen allein und 12 mal durch Folgeerkrankungen solcher bedingt. Es würde demnach die Häufigkeit der adenoiden Vegetationen als Ursache der Schwerhörigkeit bei Schulkindern zum mindesten 52,4 Proz. betragen. Bemerkenswert war, daß bei einer großen Anzahl der Schüler weder ihnen selbst noch den Lehrern das mangelhafte Hörvermögen aufgefallen war. Es wird daher regelmäßige Untersuchung aller Kinder zu Beginn des Schuljahres auf Hörfähigkeit, Trommelfell usw. gefordert; als Mindestmaß für die Schulkinder wäre eine Hörweite beiderseits von 2 m für Flüstersprache (Bezold) anzusehen.

Blau.

53.

Daae (Christiania): Primäre Ohrendiphtherie. Ebenda S. 249—253.

Knabe, 11 Jahre alt, erkrankte mit starken Schmerzen im rechten Ohr und Fieber bis zu 40°. Trommelfell gerötet und vorgewölbt. Bei der Parazentese keine Eiterentleerung, vielmehr wurde in den nächsten Tagen nur eine dünne blutig-seröse Flüssigkeit nebst einigen grauweißen Fetzen im Gehörgang gefunden. Einspritzungen von Diphtherieserum hatten wohl auf die Schmerzen, nicht aber auf das Fieber Einfluß. Die Untersuchung eines im Gehörgang entstandenen weißen zusammenhängenden Belages ergab Kokken und Diphtheriebazillen, diejenige eines etwas später erschienenen fleckigen, weißen, oberflächlichen Belages auf beiden Tonsillen nur Streptokokken. In der Folge mußte noch der Warzenfortsatz wegen Schwellung und großer Empfindlichkeit aufgemeißelt werden; seine Zellen von Eiter und zerfetzten Membranen erfüllt, der in Fünfpfennigstückgröße freigelegte vorgelagerte Sinus anscheinend normal. Trotzdem trat eine embolische Lungenaffektion und zweitägiger fast vollständiger Verlust der Sehkraft auf dem rechten Auge ein. Schließlich Heilung mit zurückbleibender nierenförmiger Trommelfellperforation. Es wird angenommen, daß die zur Einwirkung gelangten Diphtheriebazillen zu wenig virulent gewesen waren, um sich auf den gröberen Schleimhäuten der Nase, des Nasenrachenraums oder der Tuba entwickeln zu können, und daß sie erst an der zarten Mittelohrschleimhaut einen günstigen Boden gefunden hatten.

Blau.

54.

A. Fröse (Hannover), Über die Behandlung der akuten Mastoiditis mit Stauungshyperämie nach Bier. (Mediz. Klinik 1907. Nr. 27.)

Auf Grund seiner Arbeit: „Behandlung der Otitis mit Stauungshyperämie", die sich auf die Beobachtung von 20 Fällen aus der Halleschen Ohrenklinik stützt, gibt der Verfasser eine Art von Autoreferat, welches in ausgiebiger Weise die Hypothese der Stauungswirkung bei akuter Mastoiditis behandelt. Wohl mehr für den allgemeine Praxis treibenden Arzt geschrieben warnt der Aufsatz in anerkennenswerter Weise vor der kritiklosen Anwendung der Stauungsbehandlung, und verweist die sorgfältig ausgewählten Fälle der spezialistischen Kontrolle im Krankenhause. In richtiger Erwägung der wichtigen Frage kommt der Verfasser zu dem Schluß, daß es weiterer eingehender Beobachtungen — natürlich im Krankenhause — bedarf, um eine zuverlässige Indikation für Stauungsbehandlung stellen zu können. Bis jetzt sind jedenfalls noch teilweise recht wenig ermutigende Resultate erzielt worden. Im übrigen gibt die Arbeit für den Ohrenarzt keine neuen Gesichtspunkte. Küstner.

Personal- und Fachnachrichten.

Dr. Rudolf Panse in Dresden erhielt den Titel eines Kgl. sächsischen Sanitätsrates.

Der Direktor der Universitäts-Ohrenklinik in Jena, Hofrat Prof. Dr.

Johannes Kessel

ist nach längerer Krankheit infolge eines Mediastinaltumors am 22. September 1907 im 68. Lebensjahre gestorben. Das Archiv verliert an ihm einen langjährigen treuen Mitarbeiter, unsere Wissenschaft einen hervorragenden Förderer und reich begabten Forscher.

In Selzen (Hessen) am 14. Februar 1839 geboren, absolvierte er in Darmstadt das Gymnasium, studierte in Gießen und Würzburg von 1857 bis 1865, promovierte 1866 in Gießen und erwarb ebendaselbst seine Approbation als Arzt (1866). Die folgenden 10 Jahre widmete er fortgesetzt seinem Studium in Würzburg, Wien (Institut für experimentelle Pathologie) und Prag (beim Physiker E. Mach), bis er sich endlich 1876 in Graz als Privatdozent für Ohrenheilkunde habilitierte. Dort wirkte er 10 Jahre, bis er 1886 als Professor extraordinarius nach Jena berufen wurde. Hier fand er die Möglichkeit zur Entfaltung einer erfolgreichen klinischen Lehrtätigkeit und hatte die Genugtuung, daß ihm 1900 ein neues, vortrefflich eingerichtetes Institut zur Verfügung gestellt wurde, welches seinen Wünschen entsprechend eingerichtet wurde. Hierin arbeitete er bis zu seinem Lebensende unaufhörlich, abgeschieden von der Welt und seinen Freunden, ließ aber leider nichts von dem Gegenstande und dem Resultate seiner Arbeiten mehr verlauten. Nach einer Mitteilung seines Sohnes soll es sich dabei um eine unfertig gebliebene umfassende Arbeit „über das Gehörorgan und das Hören" gehandelt haben. Seine letzte Publikation stammt vom Jahre 1900. Nachfolgendes Verzeichnis seiner Arbeiten beweist die Vielseitigkeit seiner Leistungen, deren Schwerpunkt wohl in den anatomischen und physiologischen Artikeln zu suchen ist. —

Dissertation: „Fälle von Otitis interna mit Vereiterung der Zellen des Warzenfortsatzes u. Sinusthrombose" 1866. — A. f. O. Bd. III, 1867: „Vorläufige Mitteilungen über einige anatomischen Verhältnisse des Mittelohres." — A. f. O. Bd. IV, 1868: „Über Ohrpolypen." — Centralblatt f. d. medizin. Wissenschaft 1869, Nr. 57: „Beitrag zur Anatomie der Paukenschleimhaut und der Zellen des Warzenfortsatzes." — (Aus d. Institut f. experimentelle Pathologie zu Wien.) Centralbl. f. d. med. W. 1870, Nr. 6: „Beitrag zum Baue der Paukenschleimhaut des Hundes und der Katze." — Centralbl. f. d. med. W. 1869, Nr. 23 u. 24: „Nerven unh Lymphgefäße des menschlichen Trommelfelles." — „Zur Myringitis villosa." Wien 1870. — „Über Form-

21*

und Lageverhältnis eigentümlicher an der Schleimhaut des menschlichen Mittel-
ohres vorkommender Organe." Wien 1870. — Strickers Handbuch der
Gewebelehre: 1870 „Das äußere und mittlere Ohr." — K. K. Akademie der
Wissensch. Bd. 66, 1872: „Versuche über die Akkomodation des Ohres" von
E. Mach u. J. Kessel. — Ebda. Bd. 66: „Die Funktion der Trommelböhle
und der Tuba Eustachii" von E. Mach u. J. Kessel. — Ebda. Bd. 69,
1874: „Beiträge zur Topographie und Mechanik des Mittelohres" von E,
Mach u. J. Kessel. — A. f. O. Bd. VIII, 1873: „Über den Einfluß der
Binnenmuskeln der Paukenhöhle auf die Bewegungen und Schwingungen am
toten Ohre." — A. f. O. Bd. XI, 1876: Über die Durchschneidung des Steig-
bügelmuskels beim Menschen und über die Extraktion des Steigbügels, resp.
der Columella bei Tieren". — Wien. mediz. Presse, 1878, Nr. 51: „Über die
Bedeutung der Erkrankung des Nasenrachenraumes." — Österr. Ärztl. Ver-
einszeitung 1879: „Über das Ausschneiden des Trommelfelles und Mobilisieren des Steigbügels." — A. f. O. Bd. 18: 1. „Über die Funktion der Ohrmuschel bei den Raumwahrnehmungen." 2. „Über die Verschiedenheit der
Intensität eines linearerregten Schalles in den verschiedenen Richtungen."
3. „Über das Hören von Tönen u. Geräuschen " — Correspondenz-Blätter
d. Allgem. ärztl. Vereins f. Thüringen 1887: „Über die Behandlung d. chron.
eitrigen Mittelohrentzündung." — Ebda. 1888: „Über die chron. Katarrhe
d. Mittelohres u. ihre Behandlung." — Ebda. 1889: „Über die Exostosen
des äußeren Gehörganges." — Ebda. 1890: „Über die Fremdkörper im Ohre."
— A. f. O. 1890 (Bd. 31): „Über die vordere Tenotomie." — Cor.espond.-Bl.
d. ärztl. Vereins f. Thüringen 1891: „Einiges über die Bedeutung und die
Untersuchungsmethoden der Nasenhöhle und des Nasenrachenraumes." —
Schwartze's Handbuch der Ohrenheilkunde I. Bd.: „Die Histologie der
Ohrmuschel, des äußeren Gehörganges, Trommelfells und Mittelohres." —
„Über die vordere Tenotomie, Mobilisierung und Extraktion d. Steigbügels."
Verlag von G. Fischer, Jena. 1894. (Referat A. f. O. Bd. 42, S. 57.) —
A. f. O. Bd. 57, S. 177: Rede zur feierlichen Eröffnung der neuen Universi-
täts-Ohrenklinik in Jena am 14. Dezember 1900.

Am 1. Oktober 1907 trat Hofrat Professor Dr. A. Politzer nach
Vollendung seines 72. Lebensjahres und nach Absolvierung seines akademischen Ehrenjahres als Lehrer der Ohrenheilkunde, den österreichischen
Universitätsgesetzen entsprechend, von der Leitung der Klinik für Otiatrie
zurück.

Die für diesen Tag von einem internationalen Komitee geplant gewesene
große akademische Feier mußte auf ausdrücklichen Wunsch Politzers
unterbleiben; seinen Intentionen entsprechend erfolgte nur die Überreichung
der von Teles (Budapest) ausgeführten Plaquette Politzers und die Übergabe einer Adresse mit den Namen aller an der Ehrung Politzers sich
beteiligenden Kollegen und Schüler in allen Weltteilen.

In dem mit Blumen festlich geschmückten Hörsaale der Ohrenklinik
waren zur Feier erschienen: Vertreter des Unterrichts-Ministeriums und der
Statthalterei, die meisten Professoren und Privatdozenten der Wiener medi-
zinischen Fakultät, der Direktor und viele Primarärzte des K. K. allgemeinen
Krankenhauses, zahlreiche Freunde, Schüler und Verehrer Politzers, alle
Herren der Ohrenklinik und alle früheren und aktiven Assistenten der
Wiener Ohrenklinik.

Die bei dieser Feier gehaltenen Ansprachen und die Abschiedsrede des
Gefeierten sollen ausführlich später mitgeteilt werden.   Schwartze.

Berichtigung zu Band 72.

S. 14, Zeile 8 von oben, muß es heißen statt „direktem" indirektem.
S. 16, Zeile 3 von unten, muß es heißen 1891—1905 statt 1891—1895.
S. 17, Zeile 9 von oben, muß es heißen 1905 (1. 10.) — 1907 (15. 2.)
statt 1905 (10. bis 15. 2.) — 1907.

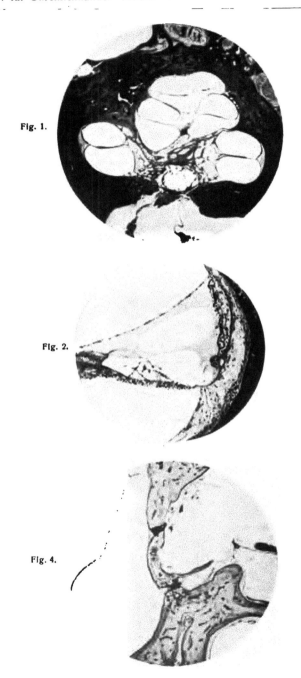

Fig. 1.

Fig. 2.

Fig. 4.

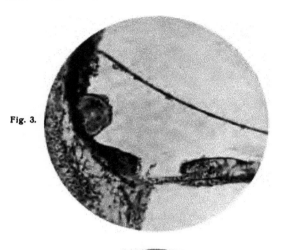

Fig. 3.

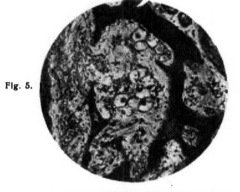

Fig. 5.

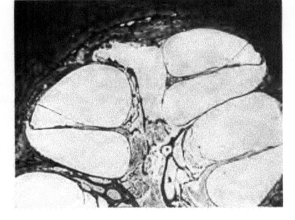

Fig. 6.

Vogel in Leipzig.   Druck von Richard Hahn (H. Otto), Leipzig.

Prof. H. Schwartze

ARCHIV

OHRENHEILKUNDE

FESTSCHRIFT

DR. HERMANN SCHWARTZE

Prof. W. Schwartze

ARCHIV
FÜR
OHRENHEILKUNDE

73. BAND.

BEGRÜNDET 1864

VON

DR. A. v. TRÖLTSCH
WEILAND PROF. IN WÜRZBURG.

DR. ADAM POLITZER
IN WIEN.

UND

DR. HERMANN SCHWARTZE
IN HALLE A. S.

— — — — —

FESTSCHRIFT

HERRN
GEHEIMEN MEDIZINALRAT PROFESSOR

DR. HERMANN SCHWARTZE

ZU

SEINEM 70. GEBURTSTAGE

GEWIDMET.

———

I. TEIL.
MIT 1 HELIOGRAVÜRE UND 8 ABBILDUNGEN IM TEXT.

HERAUSGEGEBEN VON PROF. F. KRETSCHMANN
IN MAGDEBURG.

— — — — —

LEIPZIG,
VERLAG VON F. C. W. VOGEL
1907.

HERRN

GEHEIMEN MEDIZINALRAT PROFESSOR

Dr. HERMANN SCHWARTZE

ZU SEINEM 70. GEBURTSTAGE

GEWIDMET

VON KOLLEGEN, FREUNDEN UND SCHÜLERN.

Inhalt des dreiundsiebzigsten Bandes.
Festschrift.

Die Beiträge sind in der Reihenfolge ihres Eingangs aufgenommen.

I.

Gruſs an den Jubilar zum siebzigsten Geburtstage.

Von

August Lucae

———

In meiner Familie waltet seit langen Jahren das verhängnisvolle Gesetz, daß die Männer es kaum bis zum fünfzigsten Lebensjahre bringen. Ein gütiges Geschick hat mit mir eine Ausnahme gemacht und gestattet mir, meinem lieben Freunde Hermann Schwartze den Dank für die freundlichen Worte darzubringen, mit denen er in der mir vor zwei Jahren zu meinem siebzigsten Geburtstag gewidmeten Festschrift meiner gedacht hat.

Ich kann dies wohl nicht besser tun, als daß ich an dieser Stelle eine kurze Skizze seines wissenschaftlichen Werdeganges und der Entwickelung seiner so markanten Persönlichkeit bringe.

Drei Momente sind es, welche hierfür von wesentlichem Einfluß waren. Zunächst, daß er von Anfang an auf eigenen Füssen stand, ferner, daß er in rebus otologicis vollständig Autodidakt war und endlich, daß sein Leben vielfach durch Krankheit und Schicksalsschläge getrübt wurde, was ihn jedoch bei seinem energischen Charakter nicht hinderte, die hohe Stellung zu erreichen, von der er heute mit um so größerer Genugtuung und als self made man im besten Sinne auf seinen langen Lebensweg zurückschauen kann.

Wer nur seine Schriften liest, der kennt eben nur den mit Recht selbstbewußten Autodidakten und nicht selten etwas scharfen Kritiker und hat keine Ahnung von dem warmen Herzen das unter dieser rauhen Außenseite schlägt. —

Begleiten wir ihn auf seinem Studiengange in Berlin und Würzburg, so war namentlich Würzburg für seine ganze Laufbahn wesentlich bestimmend. Hier war es, wo er als Assistent des pathologischen Anatomen Förster einen ausgezeichneten Grund für seine späteren wissenschaftlichen Arbeiten legte, wo bei ihm durch die Bekanntschaft mit v. Troeltsch zuerst das Interesse für die Ohrenheilkunde geweckt wurde und wo er schon als Student seine spätere Gattin kennen lernte.

Nach der 1860 erlangten Approbation und absolviertem Dienstjahr als einjährig-freiwilliger Arzt bewogen ihn äußere Umstände, auf seine Niederlassung in seiner Vaterstadt Berlin zu verzichten und — wie er selbst in meiner Festschrift sagte — zunächst „den mühsameren Weg zu gehen durch die vorbereitende Schulung der allgemeinen Praxis", die er zwei Jahre lang in der kleinen Landstadt Düben betrieb. Bereits im Jahre 1862 finden wir ihn dort verheiratet. Neben allgemeiner Praxis beschäftigte er sich besonders mit Ohrenheilkunde und verdiente sich durch seine für Schmidts Jahrbücher gelieferten otiatrischen Referate die ersten literarischen Sporen.

Eine sehr wichtige Wendung seiner Laufbahn brachte ihm das Jahr 1863, nämlich die Uebersiedelung nach Halle a./S. und seine Habilitation als Privatdozent an dortiger Universität unter den Auspizien von Prof. Th. Weber. Letzterer stellte ihm auch seine poliklinischen Räume zur ambulatorischen Behandlung von Ohrenkranken zur Verfügung. Bereits im Jahre 1868 zum außerordentlichen Professor ernannt, gelang ihm erst viele Jahre später die Gründung einer eigenen Universitäts-Ohrenklinik. Den Schluss seiner äusseren Erfolge bildete die Ernennung zum ordentlichen Professor der medizinischen Fakultät am 8. April 1903, welche Ehrung ihm als ersten Otologen auf einer preußischen Universität zu Teil wurde. —

Komme ich zu seinen wissenschaftlichen Verdiensten, von denen ich hier nur die Hauptpunkte verzeichnen kann, so ist gleich seine erste Habilitations-Schrift „observationes quaedam de otologia practica" [1] für alle seine späteren Arbeiten charakteristisch. Er bringt in derselben eine Reihe eigener praktischer Beobachtungen, mit speziellem Hinblick auf die Therapie, darunter bereits die Paracentese des Trommelfelles, über die er später (Halle 1868) eine besondere Abhandlung publizierte. Mit kritischem Scharfblick

---

[1] Als selbständige Arbeit in deutscher Sprache 1864 in Würzburg erschienen.

stellte er die rationellen Indikationen für diese Operation wieder
her: Vor allem die Entleerung von Exsudaten in der Trommelhöhle, namentlich zur Heilung der gefahrdrohenden Fälle von
eitriger akuter Mittelohrentzündung. Um dies voll zu würdigen,
muß man bedenken, daß dieser Eingriff seit Astley Cooper fast
in Vergessenheit geraten war, der denselben anfangs mit großem
Erfolge bei angeblichem Verschluss der Tube E., später jedoch
in den verschiedensten Formen von Schwerhörigkeit ohne jeden
Nutzen ausgeführt hatte. Schwartze verdankte seine Erfolge
auf diesem Gebiete wesentlich der Einführung des Reflektors durch
v. Troeltsoh und der hierdurch erst möglichen genauen Feststellung des Trommelfell-Befundes. Wie kläglich es früher hiermit stand, kann man daraus ersehen, daß Astley Cooper noch
im Jahre 1800 einen Trommelfelldefekt mittels des Flackerns einer
Kerze beim Valsalvaschen Versuche diagnostierte und die Größe
der Perforation durch Sondenuntersuchung zu bestimmen suchte.

Bei dem in den sechziger Jahren des 19. Jahrhundert noch
wenig entwickelten Interesse für die moderne, auf die neue
Ohrenspiegel-Untersuchung aufgebaute Ohrenheilkunde war es
erklärlich, daß die Paracentese des Trommelfelles sich durch die
Arbeit Schwartze's erst allmählich einführte und von den älteren
Otologen einfach abgelehnt wurde. So erzählte mir Schwartze
einmal die von ihm erlittene Enttäuschung, daß ihn William
Wilde, dem er seine Abhandlung mit einem besonderen, englisch
abgefaßten Schreiben zugesandt hatte, keiner Antwort würdigte.

Auch in technischer Hinsicht hat Schwartze das Verdienst,
an Stelle der früher zur Paracentese meist angewandten bohrer-
und troicarartiger Instrumente die einfache Lanzennadel wieder
eingeführt zu haben, die heutzutage in dem Instrumentarium
keines Otologen fehlend großen therapeutischen Nutzen stiftet.

Einige Jahre später tat Schwartze einen noch bedeut-
sameren Schritt, dessen spätere durchgreifende Folgen für die
praktische Ohrenheilkunde und für die allgemeine Medizin er
selbst wohl kaum damals vermuten konnte. Es war dies die
Wiederbelebung der operativen Eröffnung des Warzenfortsatzes,
welche bereits ein Jahrhundert früher von J. L. Petit gegen
Ohreiterung mit Caries in die Chirurgie eingeführt und mit
lebensrettendem Erfolge vorgenommen war. Die Operation geriet jedoch später in Mißkredit, weil sie meist unter falschen
Indikationen vorgenommen vielfach von Mißerfolgen begleitet war
und schließlich ihren Ruf vollständig einbüßte durch den tödlichen

Ausgang einer Anbohrung des Warzenfortsatzes, welche im Jahre
1791 an dem Kgl. dänischen Leibarzte v. Berger lediglich
gegen Schwerhörigkeit und subjektive Ohrgeräusche vollzogen
wurde.

Als der Jubilar mit seinem damaligen Assistenten Dr. Eysell
seine ersten Erfahrungen über diese Operation in Bd. VII dieses
Archivs im Jahre 1873 publizierte, bestand bei den Chirurgen ein so
großes Vorurteil gegen dieselbe, daß ein Bernhard v. Langen-
beck noch in dem demselben Jahre sie für lebensgefährlich erklärte.
Er tat dies mir gegenüber als Vorsitzender der Berliner medizinischen Gesellschaft, als ich in einem Vortrage über die Gefahren des Cholesteatoms des Felsenbeins auf die Wichtigkeit
aufmerksam gemacht, bei den ersten drohenden Erscheinungen
den Warzenfortsatz sofort zur Entleerung des Cholesteatoms breit
zu eröffnen und zur Warnung den Fall eines jungen Mädchens
erwähnt hatte, in dem ich zu spät zugezogen und es mir wegen
bereits eingetretener schwerster pyämischer Erscheinunger nicht
mehr möglich war, durch die Eröffnung des Warzenfortsatzes
den Exitus letalis zu verhüten.

Diese Mitteilung schien mir wichtig, um zu zeigen, wie langsam und schwer diese segensreiche Operation allgemeine Verbreitung fand, die heute von Otologen und Chirurgen als etwas
Selbstverständliches täglich vorgenommen wird.

Ich brauche an dieser Stelle nicht besonders darauf hinzuweisen, wie durch Wiedereinführung dieser Operation die Hirn-
Chirurgie und die operative Behandlung der otogenen intrakraniellen
Erkrankungen, unter hervorragender Beteiligung Schwartzes
und der Halleschen Schule, gefördert wurde und wie sich
schließlich aus der verhältnismäßig einfachen Eröffnung des
Warzenfortsatzes, bei der Schwartze jedoch zuerst zielbewußt
zum Antrum eindrang, die Radikal- resp. Totaloperation entwickelte
und zur Heilung hartnäckiger chronischer Ohreiterungen weiter
ausgebaut wurde. Wie vorsichtig und konservativ Schwartze
seinen Weg verfolgte, zeigt auch seine kaustische Behandlung
der chronischen Ohreiterungen, die heutzutage fast vergessen ist.
Sehr mit Unrecht! Bewährt sie sich doch dem mit ruhiger Überlegung handelnden Otologen häufig noch erfolgreich, wo Mancher
heute sofort zum Messer und Meißel greift.

Soviel in Kurzem über seine wissenschaftlichen Hauptarbeiten,
Zieht man das Facit aus denselben, so ist für ihn charakteristisch,
daß er von Anfang an seiner Vorliebe für den chirurgisch-prak-

tischen Teil der Ohrenheilkunde treu blieb und, abgesehen von seinen bedeutenden Verdiensten um die pathologische Anatomie des Gehörorgans [1]) den rein theoretischen Fragen der Otologie meist fern blieb. So ist es z. B. sehr bezeichnend, daß er sein Lehrbuch der Ohrenheilkunde (Stuttgart, 1885) „die chirurgischen Krankheiten des Ohrs" nannte. Diese weise Beschränkung ist es, der er vorzugsweise seine großen Erfolge und nicht zum geringsten auf dem edelsten Gebiete unserer Wissenschaft, in der Therapie zu verdanken hat. So bewährt sich auch an ihm das Wort Goethes:

„In der Beschränkung zeigt sich erst der Meister.".

---

1) Vgl. die zahlreichen Beiträge in diesem Archiv und seine vortreffliche „Pathologische Anatomie des Ohres" im Klebsschen Handbuch der pathologischen Anatomie (Berlin 1878).

II.

Gruss und Glückwunsch dem Leiter des Archivs.

Von

Prof. **Kretschmann**.

————

Hochzuverehrender Herr Geheimrat!

An dem Tage, an welchem Sie Ihr 70. Lebensjahr vollendet
haben, an welchem Ihnen Glückwünsche und Ehrungen von fern
und nah in reichem Maße zugehen, an diesem Tage kann und
will auch das Archiv für Ohrenheilkunde in der Reihe der Glück-
wünschenden nicht fehlen. Ins Leben gerufen wurde das Archiv,
wie ich Ihren eigenen Worten [1]) entnehme, von dem Vater der
deutschen Ohrenheilkunde, dem genialen v. Tröltsch, welcher
auf anhaltendes Drängen Politzers mit einem gewissen Zagen
sich 1864 zu der Herausgabe einer separaten deutschen Zeitschrift
für Ohrenheilkunde entschloss, aber nur unter der Bedingung,
daß auch Sie sich an dem Unternehmen beteiligten. Die Bedenken
v. Tröltschs, daß die dauernde Existenz einer solchen Zeitschrift wegen ungenügender Zahl von Mitarbeitern und Abnehmern
zweifelhaft sei, waren nicht ganz unberechtigt zu einer Zeit, wo
eine rationelle, wissenschaftliche Ohrenheilkunde noch in den
ersten Anfängen begriffen war, wo in der großen Allgemeinheit
die Ansicht vorhanden war, „daß das Gebiet der Otologie gänzlich
hoffnungslos und steril sei, daß man auf ihm nichts erreichen,
nichts bessern könne, und wo im Reiche der Ohrenheilkunde
meist nur Hypothese und Raisonnement herrschten." Diese Bedenken zerstreut zu haben, dankt das Archiv Ihrem tatkräftigen

————

[1]) A. f. O. Bd. 31. S. 11.

Eintreten. So wurde die Zeitschrift ins Leben gerufen, welche als erste und längere Zeit als einzige deutsche Zeitschrift für Ohrenheilkunde die Förderung des jungen Faches sich zur Aufgabe machte, und deren Name und Titel untrennbar verbunden ist mit dem Namen seiner drei Begründer: Anton v. Tröltsch, Adam Politzer und Hermann Schwartze.

Die Zeitschrift erschien zuerst im Verlage der Stahlschen Buchhandlung in Würzburg eingeleitet durch eine Arbeit von Ihnen: „Die wissenschaftliche Entwicklung der Ohrenheilkunde im letzten Dezennium."

Die ersten Bände erfolgten unregelmäßig und schleppend, so daß bis zum Jahre 1873, also innerhalb 9 Jahren, nur 6 Bände erscheinen konnten. Von 1873 ab übernahmen Sie die Leitung des Archivs, das gleichzeitig in den Verlag der Firma F. C. W. Vogel in Leipzig überging. Durch den geregelten Geschäftsbetrieb des neuen Verlegers, durch zahlreicheres Eingehen von Beiträgen wurde ein schnelleres Erscheinen und dadurch eine weitere Verbreitung des Archivs erreicht. Von Jahr zu Jahr, von Band zu Band mehrte sich die Zahl der Autoren, wuchs der Leserkreis; und bedurfte im Anfang die Herstellung von 6 Bänden 9 Jahre, so konnten in letzterer Zeit 3 Bände jährlich erscheinen. Wahrlich, ein Aufschwung, der Sie mit Stolz und Freude erfüllen muß. Von einem zarten Pflänzchen, dessen Leben im Anfang zuweilen bedroht erschien, hat sich das Archiv dank Ihrer unermüdlichen und rastlosen Fürsorge und Tätigkeit zu einem Baum ausgewachsen, dessen Wipfel hoch ragt und dessen Zweige weithin schatten. Wohl kaum ein Band findet sich, in dem nicht Ihre Arbeiten, teils als Originalaufsätze, teils als Besprechungen, Kritiken, Referate dem Leser vor Augen führen, was Sie literarisch geleistet haben und immerwährend leisten. Was aber an latenter Arbeit und Mühewaltung in den 65 Bänden enthalten ist, die den Zeitraum von 34 Jahren umfassen, während dessen Sie die redaktionelle Leitung des Archivs inne haben, das kann nur einigermaßen der ermessen, der sich in ähnlicher Arbeit versucht hat. Und der Lohn für diese Summe stiller und nicht sichtbarer Mühen und Anstrengungen? Wenig Dank und viel Verdruß. Wahrlich, das Archiv kann Ihnen nicht genug danken für die stille, lautlose aber sorgenvolle und schwere Redaktionsarbeit.

Zweifelsohne ist für den Wert und die Bedeutung einer Zeitschrift maßgebend der Redakteur. Einen gewichtigen Faktor bildet aber auch der Verleger. Es ist ein glücklicher Umstand

gewesen, daß das Archiv in der Firma F. C. W. Vogel einen
so rührigen, tatkräftigen Verleger gewonnen hat, dessen Geschäfts-
führung und Betrieb stets eine schnelle Erledigung des einge-
lieferten Materials gewährleistete und dadurch das prompte Erscheinen der einzelnen Hefte ermöglichte. Dem bereitwilligen
Entgegenkommen des Verlegers, an dem es nie gefehlt hat, ist
es auch zuzuschreiben, daß das Archiv Raum zur Verfügung gestellt hat für eine Festschrift, die Ihnen zu Ihrem 70. Geburts-
tage gewidmet ist. Für dieses Entgegenkommen gebührt dem
Verleger voller Dank der Mitarbeiter an dieser Festschrift.

In den langen Jahren Ihrer lehrenden, wissenschaftlichen und
praktischen Tätigkeit ist die Förderung der Ohrenheilkunde das
Ziel Ihres Strebens gewesen. Ihre Arbeiten haben befruchtend
und anregend gewirkt auf allen Gebieten der Otologie. Wenn
Ihnen an dem Tage, welcher für Sie einen wichtigen Lebens-
abschnitt bedeutet, Fachgenossen, Freunde und Schüler in Anerkennung Ihrer hohen Verdienste um die Ohrenheilkunde eine
Ehrung erweisen möchten, so war der Weg, auf dem dies zu geschehen hatte, vorgeschrieben. Dem Manne der Wissenschaft
konnte eine solche Ehrung nur erwiesen werden durch Wissenschaft, dem Otologen nur durch Arbeiten auf diesem Gebiete.
Und so ist denn dieser Festband entstanden durch Sammlung
einer Reihe Arbeiten otologischen Inhaltes. Dadurch, daß diese
Festschrift einen Teil des Archivs, Ihres Archivs, bilden wird,
ist gleichzeitig für das Archiv die willkommene Gelegenheit gegeben, Ihnen seinen Dank abzustatten, den Dank, den es schuldet
seinem Mitbegründer, dessen wirksames Eintreten sein Entstehen
ermöglicht hat, seinem hervorragenden Mitarbeiter, dessen grund-
legende Arbeiten den Wert des Archivs zu einem bleibenden
machen, seinem verantwortlichen Leiter, der unbeeinflußt von der
Parteien Haß und Gunst das Archiv von kleinen Anfängen zu
seiner heutigen Bedeutung geführt hat. Möge es Ihnen von
einem gütigen Geschick beschieden sein, noch viele weitere Jahre
die Leitung des Archivs in bewährter Hand zu halten, der Zeitschrift zu Nutz, der Ohrenheilkunde zum Gewinn.

III.

Congratulations from America
on the Occasion of the Seventieth Birthday

of

Geh. Rat Prof. Hermann Schwartze.

———

The seventieth birthday of Hermann Schwartze is a most
appropriate occasion to celebrate and to take a retrospective
glance into the past to see what has been accomplished since
the time when the „Altmeister der Ohrenheilkunde" went forth
alone, a pioneer in the then unknown field of aural surgery,
braving the adverse criticism of the general surgeons of the day
to promulgate the teachings, which his keen grasp of Otology
had already discerned to be correct, and which are today the
accepted doctrine the world over.

After Schwartze had led the way and opened up the path
through the primeval wilderness, it was easier for others to follow,
and so the development of aural surgery progressed through the
efforts of Küster, Zaufal, Stacke, and others, until there
came the final triumph of Grunert, with his „Ausräumung des
Bulbus Venae Jugularis." In Grunerts brilliant achievement,
emanating, as it did, from the Hallenser clinic, may be traced
again the guiding hand of his chief. Thus the progress of
ear-surgery passes rapidly in review, and we realize what
Schwartze has contributed to the Science of Otology and to
humanity. But an adequate appreciation of the value and im-
portance of Schwartzes work can only be had when one con-
siders how many suffering victims of aural disease have been

relieved, and how many lives have been rescued through the inauguration of the surgical treatment of Otitis Media Suppurativa.

In no quarter of the globe, however, has the influence of Schwartzes teachings borne richer fruit than in America, and such men as Gruening, Blake, Mackernon, Whiting were not slow in applying with most encouraging results the methods of the Hallenser clinic. And hence we, on this side of the Atlantic, in most grateful recognition of the debt we owe to Schwartze and his School join in most sincere and hearty congratulations on this memorable occasion, — particularly those of us who have been privileged to study at the feet of the „Altmeister“, and to learn from his own lips the words of truth. He has led us onward and upward, and inspired us with humanity and science as our precepts and watch-words. He has illumined ways that were in utter darkness, and on a barren field of Science has made the flowers blossom forth. We bend in reverence and acknowledge him our master.

Palmam qui meruit ferrat.

Dr. J. M. West, Baltimore, U. St. A.

IV.

Ein Fall von rechtsseitigem Schläfenlappenabszefs combiniert mit Labyrinthfistel mit Ausgang in Heilung.

Von

Dr. **Paul Konietzko**, Ohrenarzt in Bremen.

———

Wenn ich der großen Zahl der bereits veröffentlichten geheilten Fälle von Hirnabszeß noch einen neuen beifüge, so bestimmt mich der Umstand dazu, daß sich die trotz ungewöhnlicher Größe des Abszesses anfangs verhältnismäßig geringfügigen Hirn- und Lokalsymptome desselben mit den Symptomen einer akuten Labyrinthfistel kombinierten.

Frau Doris L. aus A., 31 Jahre alt, kam am 3. Nov. 1906 in meine Behandlung; sie wurde am 12. Januar 1907 geheilt entlassen.

Anamnese: Patientin leidet seit ihrem 6. Jahre an Eiterung aus dem rechten Ohre. Der Eiter war bald dickflüssig, in geringer Menge aufgetreten, bald dünnflüssiger und profuser, die Haut des Gehörganges und der Ohrmuschel mazerierend. Den Angehörigen fiel in den letzten 3 bis 4 Monaten ihr launisches Wesen, Mißstimmung und große Reizbarkeit auf; während der letzten Woche klagte sie über starke Schmerzen im erkrankten rechten Ohre, seit 3 Tagen über rechtsseitige Kopfschmerzen, über Schwindel, der rapid zunahm und auch beim Liegen sich bemerkbar machte, Erbrechen bei nüchternem Magen, Schläfrigkeit und Benommenheit. Sie klagt ferner über Appetitlosigkeit, Verdauungsbeschwerden und Schwerhörigkeit auf dem rechten Ohre. Außerdem ist Schwangerschaft im 3. Monat vorhanden.

Status präsens: Mittelkräftige Frau. Herz und Lungen gesund. Temp. 36.8. Puls 76 etwas hart. Sensorium benommen, Pat. gibt nur auf wiederholtes Fragen Antwort und muß wegen Schwindel und Gleichgewichtsstörung, sowohl beim Gehen wie beim Sitzen gestützt werden. Sehnen- und Muskelreflexe normal, Lähmungserscheinungen und Gefühlsstörungen sind nicht nachweisbar. Lichtreaktion träge, Pupillen etwas verengt, rechte Pupille etwas enger als die linke, Augenhintergrund normal, geringer Nystagmus in der Horizontalen nach der gesunden Seite zu. Schmerzen in der rechten Stirngegend. Keine Nackenschmerzen und -steifigkeit.

Umgebung des Ohres: ohne Besonderheiten, keine Schmerzempfindung bei Druck auf die Spitze des Proc. mast. und auf das Planum, ebensowenig bei Beklopfen der rechten Schädelhälfte.

Gehörgang und Trommelfellbefund: Aus dem rechten Gehörgang Ausfluß von übelriechendem, gelben Eiter: in der Tiefe sind polypöse Granulationen sichtbar. die den Gehörgang völlig ausfüllen und den Hintergrund verdecken. Links normal.

Hörprüfung: Genaue Hörprüfung war bei dem Zustand des Sensoriums nicht ausführbar. Flüstersp. r = 0. —

Am linken Unterarm in der Handwurzelfalte eine ca. 1 cm lange Wunde mit schmierig-eitrigem Belag, von dieser ausgehend Lympfgefäßentzündung und Rötung der Haut der Beugeseite bis zum Oberarm. Schmerzhafte Anschwellung der Lymphdrüsen am Oberarm und in der Achselhöhle. Sofortige ergiebige Spaltung der Wunde und des kleinen darunterliegenden Abszesses, Lysol- und Alkoholverband, Hochlagerung. Nach Einholung der Einwilligung des Mannes am Abend desselben Tages

Totalaufmeißelung rechts: Weichteile und Corticalis normal, Knochen stark sklerotisch. Bei Eröffnung des Antrum quillt stinkender, grüngelber Eiter hervor, im Antrum und Aditus außerdem zerfallende Cholesteatommassen. Paukenhöhle von polypösen Granulationen vollständig ausgefüllt. Dura liegt über Aditus und Kuppelraum in Bohnengröße frei und ist mit graugefärbten Granulationen bedeckt; weitere Freilegung derselben. Hammer fehlt, vom Amboskörper nur ein kleines Rudiment vorhanden. An der unteren knöchernen Gehörgangswand wird eine kariöse Stelle weggemeißelt. Entfernung polypöser Granulationen aus dem Boden der Paukenhöhle, unberührt bleibt die Steigbügelgegend. Spaltung der Gehörgangswand; wegen freiliegender Dura wird nur unterer Lappen gebildet.

4. Nov. Temp. 36,8, Puls 76. Kopfschmerzen, Schwindel, Erbrechen und Nystagmus geschwunden, Sensorium frei, allgemeines Wohlbefinden.

6. Nov. Temp. normal, Puls etwas unregelmäßig, geringe Pupillendifferenz noch vorhanden, ebenso Verlangsamung der Reaktion auf Lichteinfall, etwas Lichtscheu auf dem rechten Auge. Kein Schwindel und Nystagmus. Geringe Schmerzempfindung in der rechten Schläfegegend, bei Perkussion mit dem Finger nicht erhöht. Appetit gut. Stuhlverstopfung. Lymphgefäßentzündung am linken Unterarm zurückgegangen, Wunde gereinigt.

8. Nov. Temp. und Puls normal, keine Kopfschmerzen, Appetit gut, Befinden vorzüglich. Erster Verbandswechsel. Wunde sieht gut aus, Entfernung der Nähte.

10. Nov. Bisweilen ziehende Schmerzen in der rechten Schläfegegend, Pupillen reagieren gleichmäßig, erscheinen gleich groß, jedoch etwas verengt. Lichtscheu. Temp. und Puls normal.

12. Nov. Verbandwechsel. Wunde sieht vortrefflich aus, die verfärbten Granulationen auf der Dura reinigen sich. Wohlbefinden. Stuhlverstopfung.

13. Nov. Temp. normal, Puls 64, gleichmäßig voll und weich. Morgens und mittags bei Nahrungsaufnahme Erbrechen, rechtsseitige Kopfschmerzen; Sensorium normal, kein Schwindel. — Patientin hatte am Tage vorher 4 Besuche empfangen, mitgebrachten, schwerverdaulichen Kuchen lebhaft zugesprochen, war abends gegen Vorschrift aufgestanden, zudem Schwangerschaft Ende des 3. Monats. Abends Temperatur 37, Puls 68.

14. Nov. Temp. und Puls normal. Verbandwechsel. Wunde gut, Dura mit frischen Granulationen bedeckt, geringe rechtsseitige Kopfschmerzen.

16. Nov. Kopfschmerzen in der rechten Schläfegegend stärker. Puls 62. Temp. 36,5. Lichtscheu. Pupillen etwas eng, reagieren gleichmäßig. Müdigkeit

17. Nov. Temp. 36,4. Puls 62, etwas schwach; rechtsseitige Kopfschmerzen verstärkt, Schmerzen in der Tiefe des rechten Bulbus, Licht-

scheu, große Schläfrigkeit, Pat. gibt erst auf wiederholtes Fragen Antwort. Patellarreflexe etwas herabgesetzt, ebenso Gefühlswahrnehmungen auf der linken Körperhälfte und Muskelkraft. Appetitlosigkeit, Foetor ex ore, belegte Zunge, Stuhlverstopfung. Augenuntersuchung (Prof. C. Grunert): rechte Pupille etwas enger als linke, Augenhintergrund normal. Verbandwechsel. Wunde sieht vortrefflich aus, die freiliegende Dura ist mit frischen Granulationen bedeckt.

18 Nov. Temp. 36,3, Puls 72, gleichmäßig voll und weich. Nachts geringe Kopfschmerzen und Unruhe, am Tage Schläfrigkeit Pat. beantwortet alle Fragen richtig, nur etwas langsam. Druck der linken Hand heute verstärkt. Pupillenreaktion gleichmäßig und etwas lebhafter. Stuhlverstopfung.

19. Nov. Puls 82, voll und weich. Temp. 36,6, keine Kopfschmerzen. Pat. ist geistig regsamer und frischer, geht lebhaft vom Bett durchs Zimmer. Pupillen gleich weit. Zunge hat sich gereinigt. Appetit gebessert. Patellarreflexe normal. Schlaf ruhig. Verbandwechsel. Wunde sieht gut aus. Geringe Senkung der freiliegenden Dura.

20. Nov. Temp. und Puls normal. Nachts exazerbierende Kopfschmerzen, Müdigkeit, Appetit genug, Zunge belegt. Durasenkung etwas stärker.

21. Nov. Temp. 34, Puls 64. Pat. konnte in der Nacht heftiger Kopfschmerzen wegen nicht schlafen. Am Tage große Müdigkeit. Dura ist stärker vorgewölbt. Punction. Bei längerem Beobachten ist in der Tiefe der Wunde von Punctionsstelle her das Hervortreten eines kleinen Eitertröpfchens wahrnehmbar. Nachmittags ist der lockere Verband ganz mit Eiter durchtränkt, nach Entfernung desselben Eiterabfluß, ca. 4—5 Eßlöffel, grüngelblich und übelriechend. Die Dura wird im Narkose weiter freigelegt, besonders nach vorne bis zum Ostium tympanicum der Tube. Spalten der Dura kreuzweis mit dem geknöpften Messer, wobei sich die auffallende Stärke der mit der Abszeßmembran verwachsenen Dura bemerkbar und die Trennung mit dem kleinen Messer Schwierigkeiten macht. Eingehn und Dehnung mit Kornzange. Tamponade mit Jodoformgaze. Abends Temp. 36,8, Puls 72.

22. Nov. Temp. 36,6, Puls 84. Pat. hat gut geschlafen, nur morgens noch geringe Kopfschmerzen. Verbandwechsel. Nach Entfernung des Tampons aus der Abszeßhöhle und Erweiterung der Inzizisonsöffnung mit Kornzange, fließen etwa 4—5 Eßlöffel stinkender Eiter ab. Höhendurchmesser des Abszesses ca. 4½—5 cm. Einlegen eines losen Jodoformgazestreifens in die Abszeßöffnung. Abends nochmaliger Verbandswechsel, Abfluß von 1½ Eßlöffel Eiter. Reinigung der Wundhöhle, deren Granulationen jetzt verfärbt sind, mit Perhydrol.

23. Nov. Temp. 36,5, Puls 72, voll und weich. Keine Kopfschmerzen, Schlaf gut und fest, Appetit rege, Wohlbefinden. Bei Verbandwechsel Abfluß von ca. 1 Eßlöffel Eiter.

24. Nov. Temp. normal, Puls 82, geringe Kopfschmerzen. Bei Dehnung der Abszeßöffnung, die sich bei der Stärke der Abszeßmembran immer wieder verengt. Abfluß von ca. 2 Eßlöffel Eiter. Einlegen eines Drainrohres durch den äußeren Gehörgang in den Abszeß. Das Rohr läßt sich noch ca. 4½—5 cm tief einschieben, wird aber nur bis über die Abszeßmembran hinaus eingelegt. Abends nochmaliger Verbandwechsel, kein nachfließender Eiter, Abstoßung eines nekrotischen Gewebsfetzens. Weitere Spaltung der Abszeßöffnung mit großem geknöpften Messer und Drainage. Muskelkraft links normal, Gefühlsstörungen geschwunden.

25. Nov. Temp. 36,4, Puls 88. Keine Kopfschmerzen. Schlaf und Appetit gut, Wohlbefinden. Eiterung nur gering, nicht mehr übelriechend. Drainage Pupillen gleich groß, reagieren normal.

26. Nov. Bei Verbandwechsel nur wenig Eiter, pulsierender Lichtreflex in der Gegend des ovalen Fensters bemerkbar, in der Tiefe der Wunde etwas klare Flüssigkeit. Appetit rege, Stuhlgang normal.

28. Nov. Nur wenig Eiterabfluß, jedoch Spuren von Liquorabfluß noch vorhanden. Pat. fühlt sich kräftig, geht ohne Schwankung allein durchs Zimmer.

30. Nov. Temp. 36,4, Puls 96. Pulsierender Lichtreflex und Liquorabfluß noch immer sichtbar. Eiterabfluß aus Abszeß nur gering. Wunde
sieht gut aus.
1. Dez. Temp. 36, Puls 88. Appetit und Verdauung gut, Wohlbefinden. Wenig Liquorabfluß, geringe Eiterung.
3. Dez. Temp. normal, Puls 98. Wenig Eiter, bei Sondierung ergibt
sich jedoch noch eine Höhe des Abszesses von ca. 3^1/$_2$—4 cm. Appetit vorzüglich. Pat. geht auch mit geschlossenen Augen sicher umher.
5. Dez. Pulsation in der Gegend des ovalen Fensters nicht mehr sichtbar, Liquorabfluß läßt sich nicht mehr feststellen. Ätzung der Wundränder
mit Arg. nitr.
7. Dez. Puls und Temp. normal. Pupillen gleich groß, reagieren gleichmäßig und normal, keine Lichtscheu. Eiterabfluß nur gering, Tiefe der Abszeßhöhle ca. 3 cm. Ausspritzung mit warmer Borsäurelösung, darauf mit
0,5 Proz. Arg. nitr.-Lösung und Nachspülung mit Borlösung. Drainage.
10. Dez. Abszeßhöhle hat sich verkleinert. Eiterabfluß gering.
15. Dez. Das Drainrohr wird fortgelassen, dafür Jodoformgazestreifen
eingelegt.
24. Dez. Äußere Wunde hinter dem Ohre granuliert zu. Wundhöhle
ist fast vollständig epidermisiert, Abszeßhöhle verkleinert sich langsam, Allgemeinbefinden vorzüglich.
4. Jan. 07. Pat. wird aus der Klinik entlassen. Abszeßhöhle etwa
haselnußgroß. Ausspülen derselben mit warmer Borlösung.
10. Jan. Tampon wird fortgelassen, Durafistel sehr eng.
12. Jan. Fistel geschlossen, Wundhöhle vollständig epidermisiert und
trocken, äußere Wunde fast ganz zugeheilt. Bei Kontrol-Untersuchung am
21. Jan. ist die Wundhöhle vollkommen trocken, Paukenhöhle durch Senkung der Dura etwas verengt. Wunde hinter dem Ohre vernarbt.
Hörprüfung: Nachdem die verklebte Tube durch Luftdusche noch
durchgängig gemacht ist, wird Flüstersprache, die vorher nur auf 4 cm
Entfernung gehört wurde, auf ^{1}/$_2$ m gehört.
C$_1$ lateralisiert nach rechts.
Fis$_4$ +.
Uhr angeblich vor und hinter dem Ohre gleich.
Untere Tongrenze heraufgerückt.

Epikrise.

Das geschilderte schwere Krankheitsbild bei der Aufnahme
der Patientin erweckte gleich Verdacht auf Hirnkomplikation.
Da Fieber, Nackensteifigkeit und -schmerzen, Symptome, die für
Meningitis gesprochen hätten, nicht vorhanden waren, so
dachte ich an Hirnabszeß, um so mehr als ich bei der Totalaufmeißlung die Dura freiliegend und mit verfärbten Granulationen bedeckt fand. Die auffallende Besserung im Befinden
der Kranken sofort nach der Operation, das Schwinden aller Hirndrucksymptome, ließen anfangs vermuten, daß für das Auftreten
derselben toxische Einflüsse verantwortlich zu machen seien, die
jedoch nach Eliminierung des Eiterherds geschwunden waren.
Hierzu kam noch die Abstoßung und Reinigung der verfärbten Granulationen der freigelegten Dura, ferner auch der Umstand, daß eine Senkung der letzteren anfangs nicht festzustellen
war. 12 Tage lang, bis zum 16. Nov., waren die Symptome
des noch latenten, fast apfelgroßen, im Durchmesser ca. 5 cm

messenden Schläfenlappenabszesses nur sehr geringe; bisweilen nur auftretende leichte Kopfschmerzen, Lichtscheu und geringe Pupillenenge. Das am 13. November sich einstellende Erbrechen welches jedoch während der Nahrungsaufnahme, nicht bei nüchternem Magen, auftrat, kann leicht auf die erwähnten Diätfehler und Schwangerschaft zurückgeführt werden. Mit dem 17. Nov. setzten plötzlich bedenklicherere Erscheinungen ein, die im Laufe der Zeit einen ausgeprägten, für Hirnabszeß sprechenden Symptomenkomplex bildeten, aber nicht gleichmäßig und anhaltend auftraten, sondern z. T. fortwährenden Schwankungen ausgesetzt waren. Zunehmende, nachts exacerbierende Kopfschmerzen in der rechten Schädelhälfte, Verlangsammung des Pulses bis auf 62 Schläge, Appetitlosigkeit, Foetor ex ore, Stuhlverstopfung, Müdigkeit, häufiges Gähnen, Benommenheit, vermehrte Lichtscheu, Pupillendifferenz und -Verengung, Schmerzen in der Tiefe des Bulbus, Herabsetzung der Patellarreflexe und der Empfindung auf der linken Körperhälfte nebst Verminderung der Muskelkraft und zuletzt Senkung der Dura. Daß diese Senkung bei der Größe des Abszesses und weiter Freilegung der Dura erst so spät erfolgte, ist wohl auf die auffällige Stärke der Abszeßmembran zurückzuführen. Diese, wie auch die anfangs so geringen symptomatischen Druckerscheinungen und Störungen, lassen auf ein langsames Wachstum, — wohl durch geringe Virulenz der Infektionsträger bedingt, — und wahrscheinlich bereits langes Bestehn des Abszesses schließen. Sind doch die monatelang beobachtete Mißstimmung, das launische Wesen und die große Reizbarkeit als Symptome des bereits vorhandenen Abszesses zu betrachten. Ihrer jetzigen Aussage nach, hätte Patientin derartige Wutanfälle gehabt, daß ihr „ein Todschlag ein leichtes gewesen wäre". Die Stärke der Abszeßmembran, und das langsame Wachstum, hat wohl auch, trotz der Größe des Abszesses, einen Durchbruch in den Seitenventrikel verhindert und war wohl auch die Ursache, daß bei dem geradezu stinkenden Eiter Fieber nie aufgetreten war. Auffallend war es, daß sich keine Störungen am Augenhintergrund und keine lokale Percussionsempfindlichkeit des Schädels auf der erkrankten Seite, trotz wiederholter Untersuchung daraufhin, feststellen ließen. Die anfangs bei der Aufnahme sich so in den Vordergrund drängenden Erscheinungen, wie Gleichgewichtsstörungen, Schwindel, auch beim Liegen, bei offenen und geschlossenen Augen, Erbrechen und Nystagmus, sind trotz zunehmender, auf Hirndruck und toxische Einwirkungen zurückzuführender Symptome, nach der ersten Operation nicht wieder aufgetreten. Die erst später zur Feststellung gelangte Labyrinthfistel gibt die Erklärung dafür. Sie waren anscheinend Folgeerscheinungen einer akut aufgetretenen Perforation der Stapesplatte oder des Ligamentum annulare oder vielleicht schon vor dem gänzlichen Durchbruch von hier aus in das Labyrinth und weiter in den Blutkreislauf gelangter Toxine. Es waren reine Labyrinthsymptome. Nach Ausräumung des Eiterherdes, des Cholesteatoms aus den Mittelohrräumen, schwanden diese, ebenso wie die andern schweren Erscheinungen wie Erbrechen, Benommenheit, Schwindel, Nystagmus; es ließen die Kopfschmerzen nach, selbst ein vorübergehendes Schwinden der Pupillendifferenz und -Verengung war festzustellen. Durch Ausschaltung des Eiterherds wurde ferner eine bisher noch nicht erfolgte Infektion und Vereiterung des Labyrinths verhindert; es fand wohl, begünstigt durch den Druck der Tamponade auf die in der Steigbügelgegend wuchernden polypösen Granulationen, von denen nach Schwartze'scher strikter Anweisung scharfer Löffel und Pinzette fernblieben, eine Verklebung statt, die sich erst nach gänzlichem Abstoßen der Polypen etwas öffnete und so Abfluß von Labyrintflüssigkeit für cr. 8 Tage gestattete, dann jedoch völlig verheilte.

Als früherem Assistenten der Halle'schen Ohrenklinik gewährt es mir eine große Genugtuung, meinem hochverehrten ehemaligen Chef, Herrn Geheimrat Schwartze, an diesem seinem Ehrentage nochmals meinen Dank und meine größte Hochachtung aussprechen zu dürfen.

V.

Pathologische Schallverstärkung bei Erkrankungen des schalleitenden Apparates.

Von

A. Barth, Leipzig.

Die eigentümliche Erscheinung der Autophonie, d. h. das verstärkte Hineinschallen der Stimme in das eigene Ohr wurde erklärt, durch das Offenstehen der Tube, welche den im Nasenrachenraum zusammengehaltenen und hier wohl auch durch Resonanz noch verstärkten Schallwellen den direkten Zugang zum Mittelohr gestattete. Dann wurden Fälle bekannt, wo die Erscheinung auch beobachtet worden war bei offenbar entzündlichen Schwellungszuständen im Nasenrachenraum und zum mindesten auch an der Tubenöffnung, sodaß die Autophonie auch bei pathologischem Tubenverschluß zu Stande gekommen sein mußte. Man suchte sie in diesen Fällen dadurch zu erklären, daß durch die Schwellung des Gewebes günstigere Bedingungen für die Schallüberleitung in den Weichteilen geschaffen seien. Mir schien diese Hypothese nicht nur unbewiesen, sondern auch nicht recht glaubhaft, und ich stellte deswegen die Gegenbehauptung auf, daß unter gewissen Bedingungen die Tube, wenn auch im ganzen verengt, gerade durch submuköse Schwellung der Wände zum Klaffen des Lumens gebracht werden könnte. Auf diese Weise würde die Erklärung wieder eine einheitliche.

So liegt die Frage noch heute, und obwohl ich vor allem auch über den zuletzt erwähnten Punkt noch die gleiche Ansicht habe wie früher, so befriedigte mich doch die Lösung noch nicht recht. Ich beobachtete weiter und bin allmählich zu folgender Anschauung gekommen:

Wir können zwei verschiedene Veränderungen unterscheiden, welche ein verstärktes Hineinschallen der eigenen Stimme in das

Ohr zur Folge haben. Ob es noch weitere gibt, lasse ich dahingestellt. Wir brauchen während des Sprechens nur ab und zu ein Ohr zu verschließen und werden in ihm sofort den Schall unserer Stimme verstärkt wahrnehmen. Das Gleiche, nur unter Umständen in wesentlich erhöhtem Grade, stellt sich ein bei Erkrankungen der Tube und der Paukenhöhle und verdankt seine Entstehung genau den gleichen Ursachen, wie die des Rinne'schen und des Weber'schen Versuches, und findet dieselbe Erklärung, wie diese.

Die zweite Art der Schallverstärkung ist das heftige Hineinklingen der eigenen Stimme bei Offenstehen der Tube. Jeder, wer die beiden Arten der Schallverstärkung einmal an sich selbst wahrgenommen und damit Gelegenheit zu einer Vergleichung gehabt hat, wird sich wundern, wie ich überhaupt diese zweite Form, die unbestritten viel lautere und mehr belästigende und, die bisher wohl allein als Autophonie bezeichnete nebeneinander mit der zuerst genannten in Vergleich stellen kann, welche ja so außerordentlich häufig und für jeden Arzt etwas Selbstverständliches ist, der über die Erscheinungen der Hörprüfung bei Luft- und Knochenleitung Bescheid weiß.

Aber ich wende ein: beide Formen der Schallverstärkung sind etwas rein Subjektives. Und mit dem subjektiven Wahrnehmen und Empfinden hat es sein Bedenken.

Die gleichen subjektiven Geräusche lassen den Einen, der gleichmütig und wohl auch bis zu einem gewissen Grade indolent ist, völlig gleichgültig. Er geht ruhig seiner Beschäftigung nach und schläft ungestört. Den Andern regen sie auf und verleiden ihm das Dasein bis zum Lebensüberdruß. Wie weit solche subjektiven Vorstellungen führen, haben wir erst vor kurzem ein Beispiel gehabt, wo ein junger Mann, dem die äußere Form seiner, nicht einmal syphilitischen Sattelnase nicht gefiel, einen, allerdings mißglückten Selbstmordversuch machte. Es hat sich mir im Laufe der Zeit die Überzeugung aufgedrängt, daß nicht selten Patienten mit den verschiedenen Formen von Ohrerkrankung über subjektive Störungen klagen, bei deren fachmännischer Beurteilung sich die Überzeugung aufdrängte, daß die subjektiven Empfindungen in Wirklichkeit nicht so hochgradig sein könnten, daß ihre starke Belästigung vielmehr aus dem psychischen Verhalten der Kranken zu erklären sei. Eine solche Übertreibung der Kranken ist garnicht so verwunderlich, wenn man bedenkt, wie außerordentlich reizbar manche Patienten mit Ohrenleiden oft sind. Ob auch umgekehrt wesentlich stärkere autophonische Erscheinungen von mehr indolenten Menschen, so gut wie ignoriert werden, kann ich nicht sagen. Nur soviel steht fest, daß wir aus den rein subjektiven Wahrnehmungen und Angaben der Kranken nicht in der Lage sind die verschiedenen Formen pathologischer Schallverstärkung diagnostisch auseinander halten zu können. Wir müssen nach objektiven, oder wenigstens objektiveren Merkzeichen suchen. Nun besitzen wir ja zwar schon einige soche Zeichen. So bei offen stehender Tube die sichtbaren Atembewegungen eines schlaffen Trommelfelles. Oder bei der anderen Form die verschlossene Tube, auch für Katheterismus und Bougie nicht oder erschwert durchgängig; oder den verstopften Gehörgang, nach dessen Freimachung die vordem vorhandene Verstärkung der eigenen Sprache sofort verschwunden ist, u. a. m. Da diese Erscheinungen aber nicht für jeden Fall anwendbar sind, se möchte ich noch ein unterscheidendes Merkmal anführen, das ich bei meinen Vorlesungen schon seit Jahren demonstriere: Bei der ersten Form, also bei Tubenverlegung, den verschiedenen Formen ven Mittelohrerkrankung, Gehörgangsverstopfung ist die Verstärkung der eigenen Sprache — ausgeschlossen natürlich das hierbei vorkommende wirklich verstärkte Sprechen — wirklich rein subjektiv, d. h. objektiv bisher auf keine Art nachweisbar. Bei der Autophonie, bedingt durch Offenstehen der Tube, hört man die Verstärkung auch objektiv, wenn man das kranke Ohr des Patienten durch einen Hörschlauch mit dem Ohr des Untersuchenden verbindet. Am auffallendsten ist die Erscheinung, wenn man je ein Ohr des Kranken mit je einem Ohr des Untersuchenden gleichzeitig in Verbindung bringt und nun den Kranken sprechen, oder noch besser summen läßt. Der Untersuchende hört dann aus dem erkrankten Ohr das Brummen außerordentlich verstärkt durch das Otoskop. Diese Beobachtung spricht dafür, daß bei dieser Form der Autophonie das verstärkte Hören bedingt ist durch wirklichen stärkeren Klang (im physikalischen Sinne) in der Paukenhöhle, was bei der anderen Form des subjektiven stärker Hörens nicht der Fall ist.

Subjektiv verstärkt erscheint der Schall bei beiden Formen Die Empfindung hat man aber bei Offenstehen der Tube mehr in der Tiefe des Ohres, während sie bei Verschließen des Gehörganges mehr nach der äußeren Ohröffnung hin rückt. Wie bei noch anderen Veränderungen im schalleitenden Apparat dieser Vergleich ausfält, kann ich nicht sagen. Diagnostische Verwertung wird er auch kaum finden können.

Der vom Scheitel aus auf das Ohr übergeleitete und bei Offenstehen der Tube verstärkt erscheinende Ton einer Stimmgabel klingt noch mehr verstärkt, wenn man nun, während die Tube offen bleibt, das Ohr verschließt, und rückt dabei in der subjektiven Beurteilung mehr nach außen. Diese Versuche sprechen für die Annahme, daß beim Weber'schen und Rinne'schen Versuche die Verstärkung des Tones dadurch eintritt, daß der Abfluß des Schalles aus dem Mittelohr durch die gestörte Schallleitung behindert ist, daß an dem verschließenden Finger vielleicht eine Reflexion des Schalles, und damit eine subjektive Verstärkung statt hat. Aber die auch durch einfaches Offenstehen der Tube ohne gleichzeitigen Verschluß des Gehörganges eintretende Verstärkung des Schalles einer auf den Scheitel aufgesetzten Stimmgabel spricht dafür, daß dies nicht die einzige Erklärung für die Erscheinung des Weber'schen und Rinne'schen Versuches sein darf. Denn bei im übrigen normalem Ohr fließt doch ein Teil der Schallwellen umso leichter ab, wenn noch die Tube offen steht. Durch diese gelangen sie nach dem Nasenrachenraum, von wo aus sie, wahrscheinlich noch resonatorisch verstärkt, durch die offene Tube auf das Ohr zurückwirken.

Stellt man bei Autophonie den Weber'schen Versuch mit Stimmgabeln an und sucht die Tonverstärkung wie vorher bei der Sprache objektiv mit Hörschläuchen zu kontrollieren, so ist bei verschlossener Tube durch den Schlauch eine Verstärkung nicht wahrzunehmen. Aber auch bei offener Tube ist sie so wenig auffallend, daß sie öfter nicht bemerkt wird. Es ist also diese Art zu untersuchen für die Praxis nicht zu empfehlen.

Krankhafte Autophonie bei offener Tube ist nach meiner Ansicht ein selteneres Vorkommnis, als man bisher allgemein annimmt. Vor allem aber darf man nie aus den Augen verlieren, daß die Autophonie ein Krankheitssymptom, nicht aber eine Krankheit bedeutet.

Die angeführten Beobachtungen über Autopohonie bei offener Tube sind an mir selbst angestellt, da ich willkürlich die Tuben öffnen und längere Zeit offen halten kann. Hoffentlich finden sie von anderen Seiten Bestätigung und Erweiterung.

VI

Über interne Behandlung des chronischen Mittelohrkatarrhes.

Von

Martin Sugár in Budapest.

Grunert, dessen frühzeitigen Heimgang wir Alle beklagen, trat bereits im Jahre 1903 auf der 75. Versammlung deutscher Naturforscher und Ärzte für die Anschauung ein, daß die Zukunft der Therapie des chronischen Mittelohrkatarrhes in dessen interner Behandlung liegt. Noch präziser spricht er sich diesbezüglich in seinem gemeinschaftlich mit Schwartze bearbeiteten klassischen Buche „Grundriß der Otologie" aus, indem er einerseits von einem möglichen Erfolg der medikamentösen Therapie in den Anfängen der Erkrankung spricht, in denen die anatomische Untersuchung nur das Vorhandensein von Herden vaskulöser Ostitis nachgewiesen hat, andererseits aber hervorhebt, daß Angriffspunkte für eine rationelle Palliativtherapie nur durch die sorgfältigste Untersuchung des ganzen Körpers zu gewinnen seien und allein der tüchtige, universell geschulte Arzt ist in der Lage dieselben zu finden.

Die von Grunert betonten Prinzipien leiten mich seit 2 Jahrzehnten, seit meiner Assistentenzeit an der Abteilung meines verehrten Lehrers Prof. Victor Urbantschitsch in Wien, bei der Behandlung des chronischen Mittelohrkatarrhes und habe ich denselben meine bescheidenen therapeutischen Erfolge in meiner Heimat, ja selbst im Auslande zu danken. War es mir doch unter anderem gegönnt, mein Verfahren infolge konsultativer Berufung, selbst in der Hauptstadt Gallien's zu erproben und so auch die Aufmerksamkeit französischer Kollegen wachzurufen,

Im nachstehenden will ich es daher unternehmen, die medikamentöse Therapie der Otosklerose wenigstens in groben Zügen zu entwerfen.

Im LVII. Bande dieses Archivs habe ich über die Thiosinaminbehandlung des chronischen Mittelohrkatarrhes berichtet und
obwohl der meine Erfahrungen alsbald bestätigende Wiesbadener
Ohrenarzt L. Hirschland hervorhebt, daß bereits der Amerikaner
Sinclair Tousey einen durch Thiosinaminbehandlung erheblich
gebesserten Fall von Schwerhörigkeit schon im Jahre 1897 beschrieb, blieb mir, wie vielen Anderen, diese Beobachtung vollkommen unbekannt, Beweis dessen, daß man sich fachärztlich
diesem Mittel erst in neuerer Zeit infolge meiner Empfehlung im
Jahre 1904 zuwandte. Über günstige Erfahrungen mit Thiosinamin
berichteten bisher außer dem zitierten Hirschland, Cullough
in New-York, Karl Kassel in Posen, Löwensohn in St. Petersburg, Tapia in Madrid, André Horeau, ferner Lermoyez und
Mahu in Paris, Lucae in Berlin, Ernst Urbantschitsch in
Wien und Török in Budapest, durchwegs Autoren, die eine sorgfältige Auswahl der Fälle vornahmen und die subkutanen oder intravenösen Injektionen mit der mechanischen Behandlung kombinierten,
wie ich dies in meiner obenerwähnten Arbeit deutlich angab. Am
lehrreichsten sind die Beobachtungen des Kollegen Ernst Urbantschitsch, der das Mittel an der Ohrenabteilung seines Vaters erprobte, die Injektionen nach meiner ursprünglichen Angabe subkutan unter die Haut des Oberarms vornahm, von der Anfangsdosis
0,3 Fibrolysin, am nächsten Tage 0,6, allmählich auf 1,0—1,5,
schließlich auf die volle Dosis von 2.3 (Eine ganze Ampulle) empor-
stieg und bei nach 8—10 Injektionen sich äußernderBesserung, dreimal wöchentlich appliziert, bis zu 20—50 Injektionen anwandte.
Auch ich bevorzuge schon seit geraumer Zeit die von E. Urbantschitsch geübte forcierte Anwendung des Fibrolysins Merck, das in
braunen zugeschmolzenen Ampullen à 2,3 cm^3 entsprechend 0,2 Thiosinamin in dem Handel ist, verwende aber nicht gern Reste der
Flüssigkeit aus den Ampullen, da das Thiosinamin beim längerem
Stehenlassen in Form eines weißen Pulvers ausfällt und sich nur
durch Erwärmung wieder löst.

Klar und deutlich spricht sich E. Urbantschitsch dahin aus,
daß nur ausgesprochene Fälle von chronischem Mittelohrkatarrh
und beginnender Sklerose geeignet sind, daß die Wirkungsweise
des Fibrolysins in der Erweichung des pathol. Gewebes zu suchen
ist und die hiemit in Kombination anzuwendende mechanische
Behandlung die Verwertung der erfolgten Dehnbarkeit des pathologischen Gewebes anzustreben hat.

Daß das Thiosinamin, besser Fibrolysin, keineswegs als

Spezifikum zu betrachten ist, sondern nur als wirksamer Behelf sämtlicher mechanischer Behandlungsmethoden (Katheter, Bougie, Vibrations- resp. Friktionsmassage mit Letzterer, Pneumomassage mittelst Elektromotor, Musehold'scher Sirene, Delstanche Masseur) habe ich in einer in ungarischer Sprache abgefaßten· Arbeit über die Fortschritte auf dem Gebiete der Ohrenheilkunde bereits Ende 1906 genau und deutlich präzisiert. E. Urbantschitsch kommt zu dem berechtigten Schlusse, daß uns mit dem Thiosinamin tatsächlich ein Mittel in die Hand gegeben ist, das im Stande ist, die durch den chronisch katarrhalischen Prozeß hervorgerufenen pathologischen Veränderungen in der Paukenhöhle günstig zu beeinflussen.

Ausführlicher muß ich noch der Arbeit des hiesigen Ohrenarztes Spitalsordinarius Török gedenken. Er wandte reines Thiosinamin in 15 prozentiger Lösung mit Wasser und Spiritus vini rectificatus an, applizierte subkutan in die Oberarmgegend dreimal wöchentlich je 1 cm³, sah bei inveterierten Fällen, insbesondere mit Hypaesthesie des Acusticus, daher conform mit meiner Angabe, keinen Erfolg, doch umsomehr bei chronisch katarrhalischen Prozessen, Strikturen der Tube, posttraumatischen Adhaesivprozessen, beginnender Sklerose des einen Ohres bei stärkerer ausgesprochener Affektion des anderen bereits unheilbaren Ohres, und hält somit das Thiosinamin auch in der Ohrenheilkunde für ein sehr wertvolles Medikament, das in den indizierten Fällen sehr gute Dienste zu leisten berufen erscheint. Schließlich bemängelt er das Fibrolysin wegen seines hohen Preises, obwohl nach meinem Dafürhalten viel Mißerfolge mit der wässrig-akoholischen Lösung des Thiosinamin lediglich der leichten Zersetzlichkeit desselben zuzuschreiben sind und das Fribolysin (Merck) gerade in dieser Richtung volle Gewähr zu leisten im Stande ist. Wenn Török weiter behauptet, wir hätten keine Prüfungsmethoden zur Verfügung, mit denen wir eine Initialsclerose als solche zu diagnostizieren im Stande wären, erinnere ich an das Schwartze'sche Symptom, an die durch ein auffallend zartes Trommelfell hindurchscheinende charakteristische violette Labyrinthyperämie, ferner muß ich mit Hirschland hervorheben, daß die Fibrolysininjektionen indiziert sind in allen Fällen, in denen mit dem Gellé'-schen Versuch eine Fixation des Stapes nachzuweisen ist (Gellé negativ) und in denen auch ohne dieses Symptom der Rinne'sche Versuch bis zur kleingestrichenen Octave negativ blieb. Weitere Anhaltspunkte für die möglichst frühzeitige Diagnose der Otos-

klerose bieten das Herabrücken der oberen Grenze, was nach
Jörgen Möller ein Hauptmerkmal ist, besser die Bezold'sche
Triade (Rinne excessiv negativ, Verlängerung der Kopfknochenleitung, starkes Hinaufrücken der unteren Tongrenze), welche die
meisten Autoren als charakteristisches Symptom akzeptieren.
Allerdings decken sich diese Kriterien mit jenem der Stapes-
ankylose und diese in ihrer reinen Form, oder in Kombination
mit Spongiosierungsprozessen in der Labyrinthkapsel, stellt die
Erkrankungsform dar, welche wir dem Vorgange Bezold's gemäß
als Otosklerose bezeichnen. Der klinische Begriff der Otosklerose
deckt sich aber nicht immer mit dem pathologisch-anatomischen
Substrat der Steigbügelfixation, so daß nach Katz die beiden
Erkrankungen zu trennen wären. Es gibt nach diesem Autor
Fälle mit intakten Ringband, jedoch Kombination von Osteoporose
mit deutlicher partieller Nervendegeneration (N. cochleae, Ganglienzellen, Corti'sche Zellen) und Erkrankungen mit reiner Stapes-
ankylose zu Beginn des Krankheitsprozesses. Da die richtige
Auswahl der Fälle bei der Fibrolysinbehandlung sehr wichtig ist
und ohne genaue Sichtung der verschiedenen Formen der Otosklerose kein Erfolg zu erwarten ist, muß ich auf die Differentialdiagnostischen Merkmale des Näheren eingehen.

Unsere derzeitigen Kennzeichen zur Unterscheidung dieser
Fälle sind die folgenden.

Ist der Prozeß auf die Labyrinthkapsel im Sinne Siebe-
mann's ausgedehnt, mit oder ohne Erkrankung der nervösen
Elemente im inneren Ohre, so ist die untere Tongrenze ebenfalls
heraufgerückt, die Knochenleitung ist aber nicht verlängert, Rinne
positiv oder zeitlich verkürzt. Weber wird nicht verstärkt nach
dem schlechter hörenden Ohre lateralisiert und die Perzeption
der höheren Töne (fis 4) durch die Luftleitung ist herabgesetzt.

Nicht vollkommen verläßlich erschien mir aber wiederholt
das von Gradenigo für Akustikusaffektionen als charakteristisch
angesprochene Symptom: Herabsetzung für Töne mittlerer Höhe,
sowie exzessive funktionelle Erschöpfbarkeit des kranken Nerven-
stamms.

Ist die Erkrankung der knöchernen Labyrinthkapsel die primäre Läsion, so überwiegen Hörstörungen, die den Prozeß als im
Labyrinthe lokalisiert erkennen lassen.

Die auf dem Boden vorausgegangener sekretorischer Mittel-
ohrkatarrhe (Adhäsivprozesse Politzers) entstandenen Fälle eignen
sich durchwegs für die mit mechanischer Behandlung kombinierte

Thiosinaminbehandlung. Die von der Labyrinthkapsel ausgehenden sogenannten reinen Fälle von Otosklerosis, die klinisch oft bis auf eine geringe Transparenz in der Gegend des Promontoriums jede objektive Veränderung des Trommelfells vermissen lassen, jedoch nur im Anfangsstadium und allenfalls eher für die Phosphorbehandlung im Sinne Siebenmanns, mit der ich mich in meiner diesbezüglichen Arbeit (dieses Archiv Bd. LXVI) gesondert beschäftigte.

Sehr geeignet für die Fibrolysinbehandlung erschienen mir stets Fälle von juveniler Sklerose, weniger die kongestiven mit durchscheinender Röthe des Trommelfells, am wenigsten die arteriosklerotischen, da das Thiosinamin auf dem Wege der Blutbahn seröse Durchtränkung der Adventitia sämtlicher Blutgefäße zu machen imstande ist, was durch temporäre Erweiterung der Blutbahnen zu Hirnkongestionen führen kann.

Die Beobachtung Maupetits würde nns hierbei sehr gut zustatten kommen, daß die Mehrzahl der mit hereditärer Otosklerose behafteten Patienten eine Erhöhung des arteriellen Druckes aufweisen, wie Arteriosklerotiker, während bei atypischer Sklerose der normale Druck vorhanden ist, weshalb dieser Autor blutdruckherabsetzende Mittel bei der Behandlung empfiehlt. Leider konnte Mengotti die enge Beziehung zwischen Blutdruck und Sklerose nicht bestätigen.

An dieser Stelle muß ich betonen, daß in jedem Falle von Sklerose eingehende Blut- und Harnuntersuchung vorzunehmen ist, was ich den Fachkollegen, nebst genauer somatischer Untersuchung, besonders empfehle.

Wir müssen uns vergegenwärtigen, das der N. acusticus im Sinne des Altmeisters der Physiologie Johannes Müller ein „Nerv spezifischer Sinnesenergie" ist und daher auf jede Schädlichkeit, auch die konstitutioneller Art, mit Sausen und Schwerhörigkeit antwortet.

Durch die Harnuntersuchung können wir diejenigen Störungen des Hörorgans ausschließen, die durch Nephritis und Diabetes hervorgerufen werden, eventuell durch rationelles Regime dem Vorschreiten der Höraffektion Einhalt gebieten. Hierher gehört die Beobachtung Lermoyez's, der in einem Fall von durch muskulären Krampf bedingtem heftigem Ohrensausen durch das gegen den vorhandenen Morbus Brighti eingeleitete salzlose Regime nach Widal (Déchloruration, Régime sans sel.) Heilung erzielen konnte.

Die Blutuntersuchung führt uns zur Erkennung von post-
puerperaler Anämie, perniziöser Anämie, Chlorose, Leukämie und
von dadurch hervorgerufenen Hörstörungen.

Die genaue somatische Untersuchung ermöglicht die Diagnose
von hyperämischen Labyrinthleiden bei Herzerkrankungen, ple-
thorischen Zuständen, chronischer Obstipation, Arteriosklerose,
von funktionellen Hörstörungen bei Hysterie, Neurasthenie, bei
Intoxikationstaubheit (Salizyl, Chinin, Aspirin, Alkohol-Nikotin-
Blei-Arsen, Quecksilber, Gelbsucht, Carcinom, Arthritis), bei
Syphilis, Influenza, Mumps, eventuell die Erkennung von retro-
labyrinthären neuritischen Veränderungen bei intaktem Mittelohr
im Verlaufe von allgemeiner Tuberkulose.

Wir müssen uns endlich gewöhnen, das Bild des chronischen
Mittelohrkatarrhes, resp. das der Otosklerose auf seine Kompo-
nente zu zerlegen, da wir es keineswegs mit einem einheitlichen
Krankheitsbilde zu tun haben. Diesen Standpunkt scheint auch
Lucae zu teilen, indem er in der Berliner otolog. Gesellschaft
anläßlich einer Diskussion betonte, daß die Erfolge teils mit Thiosinamin, teils mit Pilokarpin für verschiedene Ursachen der Otosklerose sprächen. Ich selber fand wiederholt, daß in vielen
vielen Fällen die nervöse Schwerhörigkeit bei Otosklerose nur
eine funktionelle, auf toxischer Basis entstandene Neuritis ist.

Um die Erfahrungen bei Anwendung des Thiosinamins zu erschöpfen, muß ich noch erwähnen, daß Lermoyez und Mahu in
Paris anfangs die 15 prozentige alkoholische Lösung von Thiosinamin
in Form von täglichen Ohrenbädern in der Dauer von 10 Minuten
bei nebenheriger Anwendung des Masseur Delstanche rühmten.
Daß diese Art der Anwendung wegen minimaler Resorption von
der Haut des Gehörganges und des Trommelfells nicht gerade
zweckmäßig ist, geht aus der einfachen Überlegung hervor, daß
wir selbst den verschiedenen Anästheticis Karbolsäure mit der
Absicht hinzufügen, eine Erosion am Trommelfelle zu setzen, um
dadurch eine Tiefenwirkung zu erzielen. Ich muß endlich der
Arbeit André Horeau's gedenken, einer 68 Seiten umfassenden
Monographie, die als „Thèse de Paris" mit dem Titel „Traitement
de l'otite adhésive par la thiosinamie" (Editeur G. Steinheil) erschienen ist. Horeau verwendet, wie die Schule Lermoyez's
neuestens, die 15 prozentige Lösung von Thiosinamin gemischt
mit Antipyrin: Pp. Thiosinamini 15,0, Antipyrin 7,5, Aq. destill.
100,0 in Form von Ohrenbäder und vorwiegend zur Einspritzung
in die Tube per cathetram, nebstbei zweimal die Woche Massage

des Trommelfells. Den sehr günstigen Bericht Horeau's will ich wörtlich zitieren: „Ce traitement est indiqué dans tous les cas où l'appareil de transmission des sons ne functionne plus et ou le labyrinth est intact. Il s'agit alors d'otite adhèsive dans laquelle le tympan et les osselets sont plus on moins immobilisés par des bridres cicatricielles. Ce traitement simple et sans danger si l'on a soin de s'entourer de certaines prècautions.“ Horeau anerkennt meine Bemühungen um die Thiosinamin-behandlung, vergißt aber anzuführen, daß das Gemenge von Thiosinamin mit Antipyrin behufs Erzielung einer schmerzlosen Injektion bereits von deutschen Autoren auf anderen Gebieten der Therapie früher empfohlen wurde. Auch Lermoyez ver-wendet neuestens Injektionen in die Paukenhöhle, die ich bereits in meiner ersten Arbeit aus dem Jahre 1904 in Anwendung brachte.

In 30 Fällen von Otitis adhaesiva des narbigen katarrhalischen und akzidentellen Typus, welche an Taubheit und Ohrensausen litten, erzielte er Besserung (Societé franç. de Laryngol, Otol. et Rhinologie, Klin.-therap. Wochenschrift 1907, 8. Juli, Nr. 27).

Ich stelle übrigens derzeit Versuche mit einem neuen Thio-sinaminpräparat, genannt Tiodine an, eine Verbindung des Thio-sinamin mit Jodäthyl, das gleichfalls subkutan, intravenös, eventuell intramuskulär, auch in Pillenform zu verwenden ist. Es soll durch die Kombination von Thiosinamin und Jod metasyphi-litische Prozesse des Nervensystems (Tabes, Paralysis progressiva) günstig beeinflussen, und da die Otosklerose von vielen Autoren als parasyphilitische Erscheinung aufgefaßt wird, ist die Anwen-dung wissenschaftlich gerechtfertigt. Zur subkutanen Injektion werden 10—20 Proz.-Lösungen verwendet (1 ccm) und in den injektionsfreien Tagen werden zwei Pillen zu 0,1 g verabreicht sowie mechanische Behandlung des Ohres vorgenommen. Das Mittel wird neuestens in Ampullen zu 0,2 g und in Pillenform von der Wiener k. k. Feldapotheke in den Handel gebracht.

Bisher habe ich aber keinen begründeten Anlaß gefunden, das erprobte Fibrolysin Mercks zu verlassen, ja ich finde, daß dasselbe analog der vom Dozenten H. Neumann in Wien für Lokalanästhesie in der Otochirurgie empfohlenen Methode, mittels Punktionsnadel bis unter die obere knöcherne Gehörgangswand, eventuell unter das Periost des Warzenfortsatzes zu bringen ist so daß nebst der rascheren elektiven Wirkung durch das Blut

ein lokaler Effekt in der Nähe des kranken Hörorgans erzielt
werden kann.

Bei der Behandlung des chronischen Mittelohrkatarrhes
wandte sich seit jeher die Aufmerksamkeit der Kollegen derlei
lokalen, selbst verdauend wirkenden Stoffen zu. Ich erinnere
nur an die direkte Anwendung des Pepsins in Form von Einspritzungen in die Paukenhöhle, die zuletzt von Treitel erprobt,
als wirkungslos verworfen wurde.

Ich selber experimentierte früher mit Papain Reus resp.
Papayotin, das neuestens, seitdem Leyden in der Konferenz für
Krebsforschung die auflösende Wirkung des Trypsins auf die
Krebszelle konstatierte, von mehreren Autoren, insbesondere
E. Bouchut, in der Therapie des Carcinoms empfohlen wurde.
Tatsächlich fand ich in der physiologisch-chemischen Literatur
eine Angabe, laut welcher bei der Papayotinwirkung reichliche
Mengen der gleichen krystallinischen Spaltungsprodukte wie bei
der Trypsinverdauung entstehen. Das Papain, übrigens das
wirksame Prinzip einer Pflanze, Erica papaya, wurde auch zur
Lösung diphtheritischer Membranen empfohlen; es erzeugt, in die
Paukenhöhle injiziert, heftige Schmerzen und Temperatursteigerung, und vertragen all diese Mittel nicht den Vergleich
mit dem Thiosinamin resp. Fibrolysin Merck's, dem eben eine
ausgesprochene elektive Wirkung auf das Narbengewebe zukommt.

Auch mit dem Adrenalin stellte ich Versuche an, von
dessen Einbringung in die Paukenhöhle Hartmann bei hyperämischen Formen der Otosklerose eine günstige Wirkung auf
die Geräusche gefunden haben will. Von einer günstigen Wirkung
konnte ich mich nicht überzeugen, während die subcutane Anwendung des Adrenalin in größerer Menge wegen eintretendem
Nebennierendiabetes gefährlich ist. Die Funktion der Nebennieren
hat allerdings zu dem Knochenwachstum Beziehung, so daß wir
an eine Beeinflussung des bei der Otosklerose statthabenden osteo-
porotischen Prozesses denken könnten. Empfiehlt doch der
Gynaeologe Bossi bei Osteomalacie täglich subkutane Injektionen
von $1/2 - 1$ centigr der $1^0/_{00}$ Adrenalinlösung und Katz faßt gewisse Formen der Osteoporose bei der Sklerose als direkt osteomalacische auf. Die bei Adrenalininjektionen konstant eintretende
Glycosurie, die Gefahr bei gelegentlich unbeabsichtigter intra-
venöser Injektion (rapide Abmagerung, neben vasomotorischer
Wirkung starkes Herzgift) contraindicieren die subkutane Anwendung dieses heroisch wirkenden Mittels. —

Trotz mancher Widersprüche in der Literatur, wende ich bei der somatischen Untersuchung der Schilddrüsengegend besondere Aufmerksamkeit zu, da ich das von Bloch begründete Krankheitsbild von dysthyrer Schwerhörigkeit, obwohl dies Siebenmann erst jüngst leugnete, für wissenschaftlich begründet erachte. Der Einfluß der Schilddrüse auf die Entwicklung des häutigen Labyrinthes ist noch nicht exakt widerlegt und wie die Diskussion auf dem 23. Kongresse für interne Medizin in München (April 1906) beweist, ist die Beziehung der Schilddrüse zum allgemeinen Haushalt des Organismus weder in der Physiologie, noch in der Pathologie vollständig aufgeklärt. Hoenike in Greifwald wies experimentell nach, daß die Osteomalacie der Überschwemmung des Körpers mit übergroßen Mengen sonst normalen Schilddrüsensaftes zuzuschreiben ist und finden wir bei der Osteomalacie häufig als Komplikation einen Kropf. Wie oben erwähnt, faßt Katz gewisse Formen der Osteoporose bei der Otosklerose als direkt osteomalacische auf. Bloch betont wörtlich, daß wir in der Regel nicht darauf angewiesen sind, die Diagnose der doppelseitigen Schwerhörigkeit nur aus der Gegenwart einer Struma allein zu stellen, doch genügt diese, wenn andere Ursachen für die durch die Untersuchung festgestellte nervöse Hörstörung fehlen. Die Funktion der Schildrüse ist selbst bei nur mäßiger Volumenveränderung nicht normal, ebenso wie die einer geschwollenen Leber oder Milz und die feinen Methoden sinnesphysiologischer Funktionsprüfungen können schon früher geringfügige Alterationen aufdecken, noch ehe sie dem Kranken selbst fühlbar werden. In Fällen von endemischer Dysthyreose, finden wir stets Struma oder Aplasie der Schilddrüse und die Hörstörungen bei Myxoedem und Cretins, gleichgültig ob durch toxische Akusticussneuritis oder Druckwirkung auf die großen Halsgefäße bedingt, sind durch Schilddrüsentabletten zur Ausheilung zu bringen. Wir geben 2 Merck'sche Thyreoidintabletten (à 0.1), oder 2 Tabletten Tyroiden Knoll, event. englische Thyroidtabloids (1—3 Stück langsam ansteigend) bei Erwachsenen zu 0.3 pro Stück, bei Jugendlichen zu 0,1 des Tages. Nach Einnahme von 100 Stück Tabletten größere Pause, zurückgehen auf 1 Stück per Tag, event. aussetzen, wenn Herzklopfen, Atembeklemmung, Schwäche oder zu starke Abmagerung uns Warnungszeichen geben.

In den Fällen doppelseitiger Schwerhörigkeit fand Bloch stets Herabsetzung der oberen Grenze der höheren Tonskala und

demgemäß Störungen der Laute, in unkomplizierten Fällen Verminderung der Hördauer der auf den Scheitel aufgesetzten schwingenden Stimmgabel.

Die Erfolge, über die Eitelberg, Brühl und Ich mit Anwendung des Thyreoidin berichteten, gehören hieher und halte
ich daran fest, die Schilddrüsenpräparate in geeigneten Fällen zu
versuchen. Die Wirkung derselben ist wahrscheinlich auf das
an organische Stoffe in der Schilddrüse gebundene Jod zurückzuführen, weshalb die Firma Friedr. Bayer in Elberfeld das
sog. Thyrojodin in reiner Form zur Darstellung brachte. Und
damit wären wir bei der Jodanwendung angelangt, die seit jeher
sich vieler Anhänger in der Therapie der Otosklerose erfreut. Selbstverständlich habe ich mich den neuern Jodpräparaten zugewandt,
die bedeutende Vorteile über die alte Medikation mit Jodalkalien
bieten. Was zunächst das Jothion betrifft, chemisch Jodwasser-
stoffsäureester mit 70 Proz. Jodgehalt, soll es als 10 proz. Jothion-
vaselin bohnengroß auf die Warzenfortsatzgegend eingerieben, im
Sinne einer laienhaften Empfehlung von Berliner in Breslau,
gegen Ohrensausen bei Sklerose wirken. Äußerlich kann es als
20—50 prozentige Salbe mit Vaselin verwendet werden, von welcher
ein Theelöffel voll nach Art der Schmierkur mit Quecksilber und
im gleichen Turnus verrieben, zur Verwendung kommt. Die vollkommene Schonung des Verdauungstraktes bietet allenfalls einen
großen Vorteil. Lockert einesteils die Fibrolysinbehandlung abnorme bindegewebige Stränge im Mittelohr, so ermöglicht die
forcierte Jodkur andererseits die rasche Resorption derselben.

Ernster müssen wir uns mit dem Sajodin befassen, das
chemisch ein Calciumsalz der Monojodbehensäure, ein geruch- und
geschmackloses weißes Pulver ist und nur 26 Proz. Jod enthält.
Es wird in Dosen von 1—3 gr. des Tages nach den Hauptmahl-
zeiten oder in Tabletten à $^1/_2$ gr., dreimal des Tages stets 2
Tabletten angewandt, löst absolut keine unangenehmen Magen-
erscheinungen aus, weil es im Magen unverändert bleibt und erst
im alkalischen Darmsafte zur Spaltung gelangt. Bei einer durch
Wochen oder Monate indizierten Jodmedikation, wie z. B. bei
Otosklerose auf arteriosklerotischer Basis, ist das Sajodin, das
drei Mal weniger Jod enthält als das Jodkali und daher weniger
Gelegenheit bietet zum Ausbruch des Jodismus, als Fortschritt
der Jodtherapie zu bezeichnen. Durch die mildere Jodmedikation
scheint der Organismus eben eine größere Toleranz gegen Jodpräparate gewinnen zu können.

Endlich das Jodipin hat den Vorzug subkutan einverleibt werden zu können, wodurch es nur allmählich zur Resorption gelangt und ist nach Lesser von den vielen neuen Jodeiweiß- und Jodfettpräparaten das Einzige, welches keinen Jodismus erzeugt. Man injiziert nach Pinkus in den Rücken beiderseits neben der Wirbelsäule oder in das Gesäß Anfangs 1 ccm der 10 prozentigen Lösung zweimal wöchentlich bis täglich, steigt bis auf 2—5—10—20 ccm des stärkeren (25 Proz.) Präparates. Die größeren Ölquanten werden mit einer 20 ccm fassenden Ultz- mann'schen Spritze eingeführt, auf die eine Stahlkanüle von dem Kaliber der für Serumeinspritzungen paßt. Das dickflüssige stärkere Präparat muß kurze Zeit vor der Benutzung in warmes Wasser gestellt werden, wodurch es dünner und leichter injizier- bar wird. Eventuell können wir uns des von Pelizaeus an- gegebenen, durch Evers und Pistor in Cassel konstruierten Erwärmungsapparates bedienen, oder die von Strauß beschriebene Federdruckspritze zur Injektion verwenden.

Die Jodpräparate verdienen bei Otosklerosen auf arterio- sklerotischer Basis ausgedehnte Anwendung. Vertrauen verdient noch bei diesen Formen der Sklerose, das insbesondere von fran- zösischen Autoren gerühmte Mittel Truneczek's, ein anorganisches Serum bestehend aus einem Gemisch mehrerer Alkalisalze, die normaler Weise im Blutserum vorkommen. Die Injektionen da- mit werden subkutan am Oberarm mit ¹/₃ Pravaz gemacht, man wiederholt die Einspritzung nach 2—7 Tagen, steigert die Dosis jedesmal um 0.5—1.0 ccm und bleibt bei 5 ccm stehen. Pariser Ärzte geben das Mittel auch intern. Rp. Natr. chlor. 10.0, Natr. sulfur. 1.0, Calc. phosphor. 0.4, Magn. phosphor, Natr. carbon. ana 0.4, Natr. phosphor. 0.3 Div. in partes = No. 12. Täglich 1—3 Pulver 2—3 Wochen zu nehmen. Auch bei dieser Be- handlung werden wir der mechanischen Prozeduren nicht ent- raten können.

Bei konstatierter rheumatischer Diathese verwende ich Einreibungen mit Mesotan (ein Salicylester) 10.0 auf 30.0 Vaselin flav. oder mit Olivenöl (1 : 2) gemischt und öfterem Wechsel der Applikationsstelle, event. warme Solbbäder, Trinkquellen in Carlsbad, Salzschlirf, Wiesbaden, in Ungarn: Szovata, Vizakna, Bázna, in allen Fällen Gebirgsaufenthalt.

Bei luëtischer Grundlage verdient zunächst wegen ihres Vor- zuges der Reinlichkeit und Unauffälligkeit aus Gründen diskreter Behandlungsweise das farblose, nicht schmutzende Ung. Heyden, eine mit 45 Proz. Calomelöl und Zusatz von 2 Proz. metallischem Quecksilber hergestellte Salbe, in der üblichen Dosis von 6 gr. pro die als Schmierkur den Vorzug. Als Nachbehandlung event. die Ricord'sche Mischung, vereinfacht von Penzoldt: Rp. Hydrarg. bijodat. 0.1—0.2, Kali jodat. 10.0, Aq. destill. ad 300.0 MDS. dreimal tägl. 1 Eßlöffel mehrere Wochen lang zu nehmen. Bei Syphilis hereditaria tarda das sehr praktische Rezept von Lieven: Rp. Kalii jodati 30.0, ferri citr. ammonii 4.0, Strychnin nitr. 0.02, Elaeosacch. menth. piper. 5.0, aq. flor. aurant. ad. 120.0 MSt. 1 Theelöffel (= 1.0 Jodkali) dreimal tägl. in Wasser zu nehmen. — Zur subkutanen Behandlung luëtischer Höraffektionen eignet sich das Rezept von F. Pincus: Rp. Hydrarg. cyanat 1.0, Cocaïn mur. 0.6, aq. destill. ad. 100.0 S. Injektionen 1—2 ccm. pro Tag, selten mehr.

Vollkommen schmerzlose Injektionen sichert die Kombination Th. Mayers aus Lassars Klinik: Rp. Hydrarg. cyanat 1.0 solve leni calore in aq. rec. destill. cont. Acid. boric. 1 % refrigera adde: Acoini (Heyden) 0.4 solve in aq. destill. frigid. cont. Acid. boric. 1 % 70.0 MD. in vitr. fusco S. 2 resp. 1 ccm zu injizieren (in das lockere Bindegewebe beiderseits neben der Wirbelsäule oder intramuskulär in stets wechselnden Stellen der gluteälen Muskulatur).

Bei allen diesen Injektionen ist peinlichste Sauberkeit der Nadel durch Aufheben in Paraffinum liquidum enthaltener Soyka'scher Schale und nach jeder Anwendung Durchspritzung der Nadel mit Paraffin notwendig, eventuell Auskochen der Nadel in einer Eprouvette über dem Spiritusbrenner. Bei Beachtung dieser Kautelen und Reinigung der Hautstelle mit Seife, Rasiermesser, Spiritus, Sublimat, Äther nacheinander, sind die von E. Urbantschitsch bei Fibrolysininjektionen beobachteten lokalen Komplikationen leicht zu vermeiden. Größere Infiltrate nach der Injektion verlieren sich unter Anwendung feuchter 50 %iger Spiritusverbände. Bei subkutanen Injektionen soll übrigens die Nadel zur Vermeidung eines geraden Stichkanales mit ein r gewissen seitlichen Verschiebung herausgezogen werden, die Stelle leicht gerieben, passive Bewegungen ausgeübt und der Einstichsort mit einem Zinkpflaster bedeckt werden, damit die Flüssigkeit nicht wieder herausfließt.

Bei Otosklerose auf leukämischer Basis werden wir schließlich das Atoxyl, ein Metaarsensäureanilid, das 20 Mal weniger giftig ist als die arsenige Säure, in Form subkutaner oder intramuskulöser Einspritzung (Interscapulargegend resp. Nates) anwenden und zwar jeden zweiten Tag 0.2, später zweimal wöchentlich dieselbe Dosis. Gleichwohl ist das Mittel nur unter steter Kontrolle anzuwenden, da der Fall Bornemanns von Sehnervenatrophie nach Atoxylgebrauch, wohl infolge Summation der Reize von Arsen und Anilin beim Medikament, zur Vorsicht mahnt. Die längere Darreichung von Phosphor gegen Otosklerose, insbesondere in den von Sporleder gerühmten hohen Gaben, werden wir auf Grund meiner obzitierten Arbeit vermeiden und lieber Phytin, das derzeit reichste organische Phosphorpräparat darreichen. Wenn Katz, wohl im Anschlusse an meine Anregungen erklärt, daß er das an organischen Phosphorverbindungen reiche deutsche Präparat „Sanatogen" für zweckmäßig hält, glaube ich erwidern zu müssen, daß bei der Empfehlung eines Mittels nationale Gründe nicht lediglich ausschlaggebend sein können.

Ich muß endlich noch auf einige symptomatisch wirkende Mittel hinweisen. Die Empfehlung von Knopf in Frankfurt a. M. Valyl 3—9 Kapseln zu 0.125 Grm. täglich gegen das Sausen zu verordnen, hat nur zur Folge, daß die Verdauung arg geschädigt wird. Besser wird das von Riedel in Berlin in den Handel gebrachte Bornyval vertragen, das ebenfalls ein Baldrianpräparat, Isovaleriansäureester des Borneols ist, jedoch nur gegen den Schwindel und der bei Otosklerotikern oft vorhandenen psychischen Depression wirksam erscheint.

Gegen das Sausen wirkt oft das Bromipinum solidum saccharatum in Tablettenform von Merck; sie enthalten pro Stück 1.2 Grm. 33 1/3 Brom, entsprechend 0.4 Grm. Brom oder einen Teelöffel 10 % öligen Bromipin, welch letzteres wegen seines Geschmackes vielen widersteht. Wenn wir mit der Fibrolysinbehandlung die Sistierung des Sausens nicht erzielen, leistet die interne Therapie mit Bromipintabletten gute Dienste, worauf ich bereits in meiner ersten Arbeit über Thiosinaminbehandlung in diesem Archive hinwies. Nur nebstbei will ich noch bemerken, daß ich mich betreff der letzteren ebensowenig in Prioritätsstreitigkeiten einlassen will, wie mit Gerber, der in seiner Beobachtung über Encephalitis et Otitis grippalis in diesem Archive meine ebenda erschienene vollständig analoge auf Jahre zurückdatierbare Arbeit „Über Erkrankung des Hörorganes bei Influenza cerebralis" übersah, oder mit Hermann, der ein Referat über den Ménière'schen Symptomenkomplex liefert und sich über meine vorausgegangene Arbeit in geringschätzender

Weise ausläßt, wohl weil ich in dieser seine vorherigen Ausführungen als „wortreiche Schlüsse" bezeichnete, worin übrigens
meinerseits nur eine objektive Kritik gelegen ist. Es genügt mir
eben, daß die Tatsachen für mich sprechen.

Es erübrigt mir noch, auf die interne Behandlung jener besonders vorgeschrittenen Fälle von Otosklerose zurückzukommen,
die bereits ausgesprochene Akustikusanästhesie zeigen.

Sollen wir den weiblichen Nachkommen dieser unglücklichen
Patienten im Sinne der Vererbungstheorie Körners die Ehe
verbieten oder etwa ihren Opfermut anrufen, daß sie wie die
Mädchen von Tenna in Graubünden, wo die Hämophilie endemisch
vorkam, den Kampf freiwillig aufnehmen und der Ehe in der
Absicht die Krankheit auszurotten, entsagen? Keineswegs, doch
werden wir in solchen Familien allenfalls prophylaktisch zu
wirken haben, durch Verbot prolongierten Stillens, Vermeidung
von abundanten Blutungen bei Geburten, sorgfältige Behandlung
von Nasenaffectionen, frühe Behandlung der Initialfälle und den
übrigen bekannten Maßnahmen. In Fällen von ausgesprochenen
Degenerationen und Atrophien des Hörnerven und seiner Zellelemente im schallempfindenden Apparate, wie sie Manasse und
Alexander bei chronischer progressiver Taubheit beschrieben,
werden wir auch nicht weiter, etwa wie die Oculisten bei Sehnervenatrophie mit Strychnininjektionen und Elektrizität ex-
perimentieren dürfen, sondern uns die ethisch warmempfundenen
Worte des erblindeten, jüngst erst durch intercurrente Krankheit
verstorbenen berühmten Pariser Oculisten Emile Javal vor
Augen halten, die er in ergreifender Weise in seinem Werke
„Entre Aveugles" (Im Reiche der Blinden) den Ärzten an das
Herz legt: „Viele Blinde erheben bittere Klage über die ärztliche
Behandlung, deren sie zu teil werden. Mit flehender Stimme
wende ich mich an meine Kollegen, der Versuchung zu wider-
stehen und nicht jenes human genannte, doch im Wesen
barbarische Verfahren zu befolgen: eitle Hoffnung bei diesen
blinden an Sehnervenatrophie leidenden Patienten zu erwecken,
sie mit Strychnineinspritzungen hinzuhalten, zu vertrösten, denn
wenn wir ihnen Heilung versprechen, verhindern wir, daß sich
ihre Lebensweise, ihr Organismus, je eher dem tristen Fait accompli
der Erblindung anpasse. ... Auch mir wäre es lieber gewesen, wenn
man mich sofort in mein trauriges Schicksal eingeweiht hätte."

Möchten doch diese schönen Worte auch bei unseren Fachkollegen endlich Widerhall finden!

Literatur:

Grunert, Münchner med. Wochenschrift 1904 Nr. 4 u. Archiv f. Ohrenheilkunde 1903.

Grunert-Schwartze, „Grundriß der Otologie" 1905, Leipzig, S. 344.

Sugár, Archiv f. Ohrenheilkunde LVII. Band 1904.

Hirschland, Archiv f. Ohrenheilkunde LXIV. Band.

Cullough, Internat. Zentralbl. f. Ohrenheilkunde Bd. III, Nr. 7, S. 265.

Kassel, Zeitschrift f. Ohrenheilkunde L. Band, 1. Heft.

Lucae, Monatsschrift f. Ohrenheilkunde 1906, 8. Heft (Sitzung der Berliner otol. Gesellsch. 13. Febr. 1906.

Tapia, Resultats de la thiosinamine dans le traitement de l'otitite sclereuse Revue hebd. de laryngol. Faris 1906 à 701—707.

J. Löwensohn, Jeshemesjatschrift uschnych, gorlowych i nossowych bolesny 1906, Nr. 2, Archiv f. Ohrenheilk., 71. Band, 1—2. Heft, S. 135.

E. Urbantschitsch: Klinisch-ther. Wochenschrift 1907, Nr. 6 und Monatsschrift f. Ohrenheilk. 1907, Nr. 2.

Török, Jelentés fülgyógyászati rendeléseiről 1903—1905, Orvosi Hetilap 1906 (ungarisch).

Jörgen-Möller, Internat. Zentralbl. f. Ohrenheilkunde Bd. IV, Heft 7; Sugár, „Orvosi Zsebnaptár és Kèzikönyv 1907.

Katz, Archiv f. Ohrenh. Bd. LXVIII. Sog. Otosclerose der Katze.

Denker, Die Otosclerose, Wiesbaden bei Bergmann. Die Ohrenheilkunde der Gegenwart etc. IV.

Sugár, Archiv f. Ohrenheilkunde: „Über Phosphorbehandlg. der Otosclerose Bd. LXVI

A. E. Maupetit, Thèse de Bordeaux 1906, zitiert bei Möller, Internat. Zentralblatt f. O. Bd. IV, Heft 7.

Mengotti zitiert bei Möller ibidem; Archiv Ital. di otol. Band 17, S. 151, 1905.

Lermoyez, Annales des Maladies de l'oreille et du Larynx, Novembre 1906.

Lermoyez-Mahu, ibidem, September 1906, Tome XXXII.

Max Weiss, Wiener med. Wochenschrift 1907, 7: „Über eine neue org. Jodverbindung — Tiodine.

H. Neumann, Deutsche med. Wochenschrift 1906, Nr. 15, S. 571 und Archiv f. O. Bd. 64, Zeitschrift f. O. Bd. 51.

Treitel, Archiv f. Ohrenheilkunde XLIII 2 u. 3 p. 201, 1897. Deutsche otol. Gesellsch. 1897.

Leyden, Internat. Confer. für Krebsforsch. 1906, 25.—27. September. — Deutsche med. Wochenschrift 1906, 41, S. 1683.

Kutscher u. Lohmann, Zur Kenntnis der Papayotinwirkung, Zeitschrift f. phys. Chemie Bd. XLVI.

E. Bouchut, Klinisch-ther. Wochenschrift 1906, Nr. 32, S. 801.

Hartmann, zitiert bei Voss: „Schwerhörigkeit", Deutsche Klinik 1905, VIII, S. 1097.

Bossi, Wiener klin. Wochenschrift 1907, Nr. 8, S. 240.

Bloch, Deutsches Archiv f. klin. Medizin Bd. 87, S. 178.

Siebenmann, Zeitschrift f. O. L., III. Band, 1. Heft, Archiv f. O. 70. Band, 1.—2. Heft.

Hoenike, zitiert bei Krokiewitz: „Myxoedema fruste", Klinisch-ther.-Wochenschrift 1907, Nr. 8.

Brühl. Monatsschrift f. O. 1897, XXXI, 1, p. 6; Eitelberg, Wiener med. Presse XXX, 29, 1899.

Sugár, Ungar. med. Presse IV, 34, 35, 1899 und Gyógyászat (ung.) 1899 mehrere Nummern.

Joseph und Schwarzschild, „Über das Jothion", Deutsche med. Wochenschrift 1905, Nr. 24.

Lesser, Fr., „Zur Kenntnis und Verhütung des Jodismus", Deutsche med. Wochenschrift 1903, 46.

Pinkus, F., Technik der Jodipinjektionen, Med. Klinik 1905, Nr. 8.

Mayer aus Prof. O. Lassars Klinik: „Über Sajodin", Dermat. Zeitschrift Nr. 3, 1906.

Pelizaeus, Technik der Jodipininjektionen, Deutsche med. Wochenschrift 1905, Nr. 16.

Strauss, Münchner med. Wochenschrift 1904, S. 1519.

Truneczek, Wiener med. Wochenschr. 1905, 22—24; Schober, „Pariser Brief", Deutsche med. Wochenschrift 1902, Vereinsbeilage S. 236.

Pinkus, „Die spezielle Behandlung der Syphilis", Deutsche Klinik Bd. 10, S. 573.

Th. Mayer (Lassars Klinik): „Über schmerzlose Injektion löslicher Quecksilbersalze", Deutsche med. Wochenschrift 1906, Nr. 41, S. 1167.

Bornemann, „Ein Fall von Erblind. nach Atoxylinjektion", Münchner med. Wochenschsift 1904, Nr. 22, S. 1040.

Katz, locus citat. Arch. f. O. Bd. 68 u. Monatsschrift f. O. 1906, 8. Heft.

Knopf, Münchner med. Wochenschrift 1906. 53. Jahrg., Nr. 17.

Gerber, Archiv f. O. 66. Band, 1.—2. Heft; Sugár, Archiv f. O., XLIX. Band.

Hermann, Internat. Zentralblatt f. Ohrenheilk. Bd. IV, Heft 9.

Sugár, Archiv f. Ohrenheilkunde LXIII. Band. Heermann, Bresgeus Sammlung Bd. V, H. 3, 10—12 und Bd. VII, Heft 1—2.

Körner, Zeitschrift f. Ohrenheilk. Bd. L, 1, S. 99.

Manasse, Versamml. der Deutsch. otol. Gesellsch. in Homburg v. d. Höhe Juni 1905, Deutsche med. Wochenschrift 1905, Nr. 27, S. 1094.

Alexander, Archiv f. Ohrenheilkunde Bd. 69, S. 95: „Zur Frage der progressiven Schwerhörigkeit etc.".

Jawal, „Entre Aveugles" Paris 1906.

VII.

Die ausbleibende Granulationsbildung nach der Aufmeisslung des Warzenfortsatzes.

Von

weil. Dr. **Zeroni**, Karlsruhe.[1]

Die Aufmeißlung des Warzenfortsatzes, eine Operation, deren Einführung in die ohrenärztliche Praxis eines der hervorragendsten Verdienste unseres verehrten Jubilars und Meisters S c h w a r t z e ist, hat heute eine Verbreitung erlangt, die wohl der Erfinder selbst früher nicht vermutet hat. Dieser Eingriff ist bei akuten Mastoiditiden ein eminent segensreicher geworden und nimmt den gefährlichen rapid verlaufenden Mittelohreiterungen ein gut Teil ihrer Schrecken, sowohl rasch und sicher die Schmerzen der Patienten lindernd, als auch die Gefahr der intrakraniellen Komplikationen behebend und endlich die Wiederherstellung der normalen Funktion fast gewährleistend. Durch diese Operation sind wir aber auch in der Erkenntnis der Pathologie der Otitis bedeutend fortgeschritten und dies ist wieder auf die Anwendung der Operation nicht ohne Folgen geblieben. Im Vergleich zu damals entschließen wir uns heute nicht nur häufiger, sondern auch leichter und in früheren Stadien der Erkrankung zur Aufmeißlung, die anfangs der vermeintlichen damit verbundenen Gefahren halber nur für ganz schwere Fälle aufgespart wurde, nachdem wir gelernt haben, die Gefahren zu umgehen, und es gelingt oft durch rechtzeitige Erkennung und Beseitigung gefahr-

---

1) A n m. Die Arbeit des inzwischen verstorbenen Verfassers ging ein am 31. März, kurze Zeit vor seinem Tode, den er dem Nachruf im Band 71 S. 319 zufolge gesucht und gefunden hat.

drohender pathologischer Prozesse die weitere Ausbreitung der Entzündung zu verhindern und schwere Erkrankungen zu verhüten.
Während nun die Indikationen zur Operation allmählich bedeutende
Erweiterungen gegen früher erfahren haben, ist die Operationstechnik diesselbe geblieben. Bis auf den heutigen Tag wird die
Operation überall im Wesentlichen in derselben Weise ausgeführt,
wie sie Schwartze bereits in seinen ersten Veröffentlichungen [1]
und in seinem weitverbreiteten Lehrbuch in mustergültiger Darstellung angegeben hat. Dagegen ist eine natürliche Folge der
häufigeren Ausführung der Operation, daß deren Resultate kritischer
beurteilt werden. Während früher, als ·fast nur in ganz schweren
Fällen oder erst bei indicatio vitalis zum Meißel gegriffen wurde,
der Erfolg der Operation in kosmetischer Beziehung ganz in den
Hintergrund trat, legen wir heute Wert darauf, auch in letzterer
Beziehung befriedigende Resultate zu erreichen. Während man
sonst eine breite tiefe Narbe, ja selbst eine permanente trockene
retroaurikuläre Öffnung, leichter mit in den Kauf nahm, richten
wir heute, wo wir auch leichtere Fälle operieren als früher, viel
mehr unser Augenmerk darauf, mit der Heilung den normalen
Verhältnissen möglichst nahe zu kommen, wozu auch gehört, daß
von dem Eingriff späterhin wenig oder gar nichts mehr zu sehen
sein soll. Es muß nun gleich bemerkt werden, daß die dahin
gehenden Bestrebungen recht wenig Fortschritte gezeitigt haben.
Wie die Technik der Operation, so ist auch die der Nachbehandlung im Wesentlichen dieselbe geblieben. Erhebliche Verbesserungen
hat die lange Zeit operativer Erfahrung nicht hervorgebracht und
die Resultate sind infolgedessen in jeder Beziehung die gleichen
geblieben, wie früher und wesentlich vom Zufall abhängig. In
der neueren Zeit ist sogar über Fälle berichtet worden, in denen
die Erfolge in vieler Hinsicht nicht allein in Bezug auf die
Kosmetik sondern auch auf die vollständige Heilung hinter den
früher verlangten und erreichten Resultaten zurückblieben. Ich
habe dabei die Fälle im Auge die Hofmann, Winkler, Gerber,
mitgeteilt haben, (Literaturangabe S. 41 u. 42), bei denen die Operationswunde wenig oder gar keine Heilungstendenz zeigte und
schließlich offen blieb.

Ich bin in der Lage diesen Fällen weitere aus meiner Praxis
hinzufügen zu können. Es seien hier die Krankengeschichten in
aller Kürze mitgeteilt:

---

1) Schwartze u. Eysell A. f. O. 7, S. 171. Schwartze, Kasuistik d.
chir. Eröffnung des Warzenfortsatzes A. f. O. Bd. 10—14. `

Fall 1. Ein 13jähriges gesundes Mädchen erkrankte nach Angina an rechtsseitiger Otitis media. Nach 2 Tagen Durchbruch des Trommelfells. Profuse Sekretion. In den folgenden Tagen noch leichte Temperaturerhöhungen, Druckempfindlichkeit des Warzenfortsatzes, zunehmendes Ödem. 18 Tage nach dem Durchbruch A u f m e i ß e l u n g, da die Symptome der Mastoiditis zunahmen. Eiteransammlung in den hinteren oberen Zellen und in der Spitze. Knochen gegen das Antrum zu stark erweicht und z. T schon zerstört. Ausgedehnte Ausschabung. Nur Näthe in den untersten Wundwinkel, die Knochenwunde bleibt weit offen. Tamponade.

In den folgenden Tagen sistierte die Sekretion aus dem Gehörgang vollständig. Die Trommelfellperforation schloß sich nach ungefähr 8 Tagen. Der Knochen bedeckte sich innerhalb der ersten 8 Tage mit schönen roten Granulationen. Die Sekretion aus der Wundhöhle nahm rasch ab Doch zeigte die Granulationsbildung fast keinen Fortschritt. Nach 4 Wochen lag die Wundhöhle noch so frei, wie beim ersten Verbandwechsel, die Dicke der Granulationsschicht hatte nicht zugenommen und auch an Seiten der Wundränder fehlte jegliche Granulationsbildung. Nach 2 Monaten versiegte die Sekretion aus der Wundhöhle fast ganz, ohne daß eine wesentliche Veränderung eintrat. Die Epidermis wanderte an den Wundrändern her langsam in die Tiefe des weit offenen Knochentrichters. Es wurde nun versucht durch Einstreuen von Itrol die Granulationsbildung in Gang zu bringen; dies hatte auch einen gewissen Einfluss, so dass sich danach wenigstens in dem oberen und unteren Wundwinkel etwas Granulationspolster entwickelte. Die Itrolbehandlung hatte aber auch eine Zunahme der Sekretion zur Folge. Die Sekretion war indes immer serös-schleimig, nie eitrig. Nach 3 Monaten war der Befund folgender: Nach außen hin sind die Ränder der Knochenhöhle mit Epidermis bekleidet, die fast direkt dem Knochen aufliegt und sich so etwa bis in Mitte der Höhle fortsetzt. Hier spannt sich nach Art eines Diaphragma eine dünne Schicht Epidermis über den tiefsten Teil des Wundtrichters, diesen so nach außen abschließend. In der Mitte dieser Diaphragmas befindet sich eine erbsengroße Öffnung, durch die man in eine weite Höhle sieht. In dieser Höhle bildeten sich mannigfache fibröse Stränge, die von Zeit zu Zeit mit Lapis zerstört wurden. Die Menge des Sekretes, das sich aus der Öffnung entleerte, schwankte je nach der jeweiligen Behandlung, war aber nie bedeutend. Das Sekret war stets hell, fadenziehend. Die Paukenhöhle blieb stets ganz unbeteiligt, das Gehör normal.

Dieser Zustand blieb längere Zeit konstant. Dann wurde von einem auswärtigen Kollegen, in der Annahme, daß noch kranker Knochen in der Tiefe vorhanden sei, das Diaphragma eingeschnitten, die Tiefe des Wundtrichters ausgekratzt und mit der Freise etwas Knochen entfernt. Das Resultat war, daß sich die Epidermis noch tiefer in die Wundhöhle hineinlegte, so daß nun fast die ganze Operationshöhle mit Epidermis ausgekleidet frei zutage liegt. Im Grunde des Trichters, gegen das Antrum zu, blieb eine leicht sezernierende Fistel bestehen.

Fall 2. Ein 5jähriges Mädchen hat kürzlich Pneumonie unh Pleuritis durchgemacht und sich einer Rippenresektion unterziehen müssen, die noch im Heilungsstadium ist. Das Kind erkrankte an linksseitiger Otitis nach Angina. Sofort Symptome von Beteiligung des Warzenfortsatzes. Zunehmendes Ödem, hohes Fieber, starke Schmerzanfälle, Erbrechen, Appetitlosigkeit. Nach 8 Tagen A u f m e i ß l u n g. Es fand sich ein Durchbruch über der Linea temporalis, Eiteransammlung hier zwischen Periost und Knochen. Eiter in den oberhalb des Antrums und in der oberen Gehörgangswand gelegenen Zellen. In den Spitzenzellen seröses Sekret. Im Antrum granulöse Schleimhaut. Ausgedehnte Freilegung und Ausschabung. Nath des obersten Wundwinkels. Die Sekretion aus dem Gehörgang versiegte erst nach 3 Wochen. Das Sekret aus der Wunde blieb längere Zeit sehr profus, nahm aber späterhin allmählich ab. Indes es trat keine ordentliche Granulationsbildung auf. Die Epidermis schob sich über die Wundränder und es blieb schließlich ein tiefer Trichter bestehen, dessen innerster Teil mit glatten roten Granulationen ausgekleidet ist und dessen Spitze in das weit offene Antrum führt. Der äußere Teil des Trichters ist mit Epidermis

bekleidet und läßt die knöchernen Ränder der Operationshöhle gut erkennen.
Die Sekretion aus dem Antrum ist spärlich, hell, fadenziehend, schwankt
für gewöhnlich in geringen Grenzen. In Anschluß an Erkältungen ist die
Sekretion mitunter stärker und führt leicht zu Entzündungen der in die Wundhöhle eingewanderten Epidermis, geht aber bald wieder zur Norm zurück.

Den folgenden Fall habe ich nicht von Anfang an behandelt.
Hier habe ich den Versuch gemacht, die Höhle operativ zu schließen.

Fall 3. Ein 9jähriges Mädchen, sonst stets gesund, ist im 3. Lebensjahre von einem Kollegen wegen linksseitigem retroaurikulärem Abszeß
aufgemeißelt worden. Die Wunde heilte nicht, obwohl das Kind stets in
Behandlung blieb. Es wurden 4 Mal in Narkose Auskratzungen ohne
Erfolg vorgenommen. Nach Angabe der Eltern soll das Loch hinter dem
Ohre nach jeder Operation größer geworden sein. Das Resultat war folgender Befund, den ich bei meiner ersten Untersuchung feststellte. Hinter
dem linken Ohr eine große tiefe Höhle, deren Umfang einer ausgedehnten
Aufmeißlungswunde entspricht. Der Rand der Höhle ist nach außen von
eingewandertem Epithel bedeckt, in der Tiefe sind glatte rote Granulationen.
Das Antrum, im tiefsten Ende des Trichters liegend, ist weit offen. Von
hier kommt ziemlich reichlich Eiter. Die knöcherne hintere Gehörgangswand ist vollständig erhalten, in der Tiefe auf Sondierung schmerzhaft.
Hörweite für Flüstersprache: 0,50 m. Trommelfell intakt.

Ich vermutete hier der noch bestehenden stärkeren Eiterung wegen,
daß pathologische Prozesse in der Umgebung des Antrum vorhanden seien,
und entschloß mich zur vollständigen Wegnahme der hinteren Gehörgangswand und daran anschließend zum plastischen Verschluß des Defektes. Das
Trommelfell und die Gehörknöchelchen wollte ich womöglich erhalten.
Letzteres gelang nicht, da durch eine unvorsichtige Bewegung des assistierenden Kollegen der Ambos luxiert wurde. Ich nahm deshalb auch den
Hammer heraus. Die hintere Gehörgangswand wurde vollständig entfernt,
ohne daß sich irgendwo eine sichtbar erkrankte Knochenpartie zeigte. Nach
vollständiger Freilegung wie bei der Totalaufmeißlung Ausschabung und
Plastik aus der hinteren Gehörgangswand nach Panse. Dann wurde die
Ränder der retroaurikulären Wunde losgelöst, angefrischt und vernäht. Im
untersten Wundwinkel blieb eine kleine Öffnung zur Drainage. Die letztere
war sehr notwendig gewesen, da die Sekretion in der ersten Zeit nach der
Operation eine sehr starke war. Erst nach 6 Wochen wurde die retroaurikuläre Drainage entbehrlich. Das Resultat war kein ganz befriedigen-
des. Die Überhäutung der Wundhöhle gelang nicht vollständig, Paukenhöhle und aditus blieben ohne Epidermis und sezernierten noch etwas.
Die Drainageöffnung verheilte nicht ganz und wanderte merkwürdigerweise
vom untersten Wundwinkel, in dem sie angelegt war, langsam nach oben,
so daß schließlich etwa in der Mitte der sonst fest und glatt gewordenen
Narbe, die übrigens im Niveau der umgebenden Partien blieb und nicht
einsank, eine etwa erbsengroße Perforation bestehen blieb. Trotzdem ist
das Resultat in kosmetischer Hinsicht im Vergleich mit dem früheren Stande
ein ganz zufriedenstellendes.

Diese Fälle zeigen sämtlich die merkwürdige Erscheinung,
daß eine Neigung zum Verschluß der Wunde, welcher Vorgang
normaler Weise durch Granulationswucherung vor sich geht, nicht
vorhanden war. Und ich möchte vor allem betonen und voraus-
schicken, daß dies die fundamentale Eigentümlichkeit ist, die diese
Fälle von anderen unterscheidet. Denn wir müssen diese Fälle
streng von den sonstigen nicht heilenden Knochenwunden getrennt halten, wie sie jeder, der schon viel operiert hat, zweifellos
schon öfters erlebt hat, bei denen die Ursache der ausbleibenden

Heilung ausschliesslich in zurürckgebliebenen Krankheitsherden, entweder infizierten Knochenpartien oder nichtexstirpierten kranken Zellen liegt. Daß wir es mit zwei ganz verschiedenen Prozessen zu tun haben, lehrt die oberflächlichste Vergleichung solcher Fälle mit den eben beschriebenen auf den ersten Blick. Dort starke Eiterung und gewöhnlich stark vermehrte Granulationsbildung, sogar entschiedene Tendenz der Wunde zum Verschluß, dem entgegen gearbeitet werden muß, die Wunde schließt sich auch öfters und bricht dann wieder auf, das Resultat eine feine Fistel die auf den Krankheitsherd führt, — hier spärliche Sekretion, deren Abfluß aus der weit offenen Höhle in keiner Weise behindert ist, und kein Wachstum der Granulationen, auch nicht nach Weglassung der Tamponade. Und das wichtigste Unterscheidungsmerkmal, im ersten Falle tritt nach Entfernung des kranken Herdes oft nach einmaliger leichter Ausschabung schnell Heilung und Verschluß der Wunde ein, im anderen Falle wird durch solche Eingriffe das Uebel nur größer, die Granulationsbildung geht nicht besser vor sich, als früher und je mehr Knochen man wegnimmt, um so mehr vergrößert sich die Höhle. Die Epidermis wächst mangels einer geeigneten Unterlage nicht über die Wunde, sondern in dieselbe hinein. Was wir bei der Totalaufmeißlung erzielen und mit aller Mühe oft nur erreichen, tritt hier gegen unseren Willen von selbst ein, ein dünner Epidermisüberzug bedeckt den freiligenden Knochen. Oft gelangt auch die Epidermis nicht ganz bis in die Tiefe, es bleibt ein rotes Granulationspolster unbedeckt und von außen sichtbar, und die natürliche Folge ist eine bleibende geringe Sekretabsonderung, die wenn auch das Antrum nach außen zu offen bleibt, wie in allen unseren Fällen, dadurch noch vermehrt wird. Das Endresultat ist auf jeden Fall für den Patienten ein sehr ungünstiges, schon der Entstellung halber, besonders aber auch deshab, weil die Wunde stets secerniert, durch einen kleinen Verband ständig bedeckt werden muß und trotzdem der Gefahr einer Neuinfektion von außen ausgesetzt bleibt.

Diese mangelhafte Heilung durch ausbleibende Granulationsbildung scheint nun etwas äußerst Seltenes zu sein. In der Literatur finden wir nur ganz vereinzelte Berichte darüber. Ich kann nur die von H o f m a n n [1]), W i n k l e r, [2])

---

1) H o f m a n n, Über das Zurückbleiben von offenen epithelisierten Knochenhöhlen nach der Trepanation des Warzenfortsatzes. Deutsche med. Wochenschrift 1892, Nr. 6.

2) W i n k l e r, Verh d. Deutsch. otol. Ges. 1904 S. 133.

Gerber[1]), beschriebenen Fälle, die mit den meinigen Ähnlich-
keiten haben, namhaft machen. Ich selbst habe außer den erwähnten drei Fällen keine gesehen und es ist mir besonders aus
meiner langjährigen Assistentenzeit an der Hallenser Klinik kein
derartiger Fall in Erinnerung.

In Körners[2]) Werk, in dem die operative Technik und
Nachbehandlung in erschöpfender Weise dargestellt sind, findet sich
keine Andeutung von dem Vorkommen einer solchen Abnormität,
auch Heine[3]), der in der neusten Auflage seiner Operationslehre
die Störungen der Heilung und die Ursachen deren Verzögerung
eingehend bespricht, kennt keinen ähnlichen Fall. Die gewöhnliche Ursache solcher literarischen Seltenheiten, die geringe Neigung der Autoren zur Veröffentlichung wenig erfreulicher Opera-
tionsresultate, kann hierbei nicht allein die Schuld tragen. Die
große Seltenheit solcher Vorkommnisse ist zwar auffallend, aber
tatsächlich vorhanden, sehen wir doch, daß diese Fälle, in einzelnen großen Beobachtungskreisen anscheinend vollständig fehlen.
Dies überraschende Ergebnis regt um so mehr an, nach der Ursache zu forschen und zum Ausgangspunkt der Untersuchung ist
es notwendig, den normalen Vorgang der Heilung unserer operativ
gesetzten Knochendefekte einer genauen Betrachtung zu unterziehen.

Es ist ein Irrtum von Seiten Gerber's gewesen, anzunehmen,
daß es sich in seinem Falle um mangelhafte Knochenneubildung
handle, wenigstens geht es aus seiner Darstellung hervor, als ob
er der Meinung sei, es bilde sich gewöhnlich neuer Knochen anstelle des Defektes. Der Titel seiner Arbeit kann dagegen als
durchaus zutreffend bezeichnet werden, insofern als Gerber von
Ausbleiben des Knochenersatzes spricht. Dieser Knochenersatz
besteht für gewöhnlich aus anfänglich weichem massigen Granulationsgewebe, das die Wunde zunächst ausfüllt und das in weiterer
Folge eine Umwandlung in immer derber werdendes, zuletzt manchmal ganz hartes fibröses Bindegewebe durchmacht, den Typus
des Narbengewebes. Es sind nun zwei zweifellose Fälle von vollständiger Regeneration des Knochens bei operativen Defekten der
Schädelkapsel beschrieben worden, dem gegenüber stehen aber
recht zahlreiche Beobachtungen über negative Befunde, in denen

---

1) Gerber, Ausbleiben des Knochenersatzes am operierten Schläfenbein. Arch. f. O. Bd. 63, S. 134.

2) Körner, Die eitrigen Erkrankungrn des Schläfenbeins. Wiesbaden
1899.

3) Heine, Operationen am Ohr. II. Aufl. Berlin 1906.

die Ausfüllung der Defekte lediglich durch festes Bindegewebe erfolgte [1]). Die Erfahrungen dagegen, die bei Operationen am Warzenfortsatz gemacht wurden, gehen übereinstimmend dahin, daß eine Regeneration des Knochens fast nie eintritt. Die geringste Neigung zur Regeneration hat hier der spongiöse Knochen. Nach Jahr und Tag noch zeigt die Operationshöhle nach der Total-aufmeißlung die Gestalt, die ihr die Operation gegeben, und wir sind sehr froh, daß das so ist. Daß geringe Knochenneubildungen an einzelnen Stellen vorkommen können, habe ich selbst beobachtet nnd mitgeteilt (dieses Archiv Bd. 63. S. 192), doch von einer ausgedehnten Ausfüllung der Höhle mit Knochen ist noch nie berichtet worden. Je nach der Beschaffenheit des Knochens und der Wachstumsenergie des betreffenden Gewebes verschieden und wesentlich abhängig von der Nachbehandlung ist dagegen die Dicke der den Knochen bedeckenden Granulationsschicht, der späteren Bindegewebeschicht, die unter Umständen zu erheblicher Stärke gelangen und eine bedeutende Verkleinerung, selbst eine vollständige Ausfüllung der Wundhöhle herbeiführen kann.

Knöcherne Ausfüllung eines größeren operativen Defektes der Kortikalis habe ich nur ein einziges Mal gesehen. Bei einem dreijährigen Kinde nahm ich wegen fortschreitender tuberkulöser Karies zuerst die einfache Aufmeißelung und ein halbes Jahr darauf die Totalaufmeißelung vor. Bei der ersten Operation fanden sich ausgedehnte nekrotische Knochenpartien an der Schuppe, die durch Ausmeißelung mit ausgedehnter Freilegung der Dura entfernt wurden. Bei der folgenden Totalaufmeißelung ging ich deshalb zu Anfang sehr vorsichtig vor, um eine Dura-verletzung zu vermeiden, fand aber zu meinem Erstaunen keinen Schädeldefekt mehr vor, nicht einmal die Stelle war mehr zu sehen, wo damals die große Knochenpartie entfernt war, überall fand sich normal aussehender glatter Knochen. Dagegen habe ich sonst immer, wenn ich in die Lage kam, zum zweiten Male operieren zu müssen, die bei der ersten Operation entstandenen Defekte annähernd so wiedergefunden, wie sie im Operations-protokoll beschrieben waren, auch nach längerer Zeit noch; besonders gilt das von den Defekten am Sinus und am Tegmen, auf die naturgemäß am meisten geachtet wurde. Ich habe erst kürzlich eine Nachoperation an einem Kinde vorgenommen, das

---

1) Siehe v. Bergmann, Lehre von den Kopfverletzungen 1880 S. 556. Derselbe, Chirurgie des Kopfes im Handb. d. prakt. Chir. Bd. I S. 359.

etwa ein Jahr vorher von einem Kollegen aufgemeißelt worden
war, und fand einen Operationsdefekt mit freiliegender Dura an
der Schuppe, der so genau noch seine ursprüngliche Gestalt behalten hatte, daß ich die Form und Breite des von dem ersten
Operateur benutzten Meißels auf das genaueste hätte bestimmen
können.

Wie auch Gerber bemerkt, ist die Bildung neuen Knochens
vom Periost abhängig und wird es also hier von großer Wichtigkeit sein, ob es gelingt, den Defekt mit Periost zu bedecken.
Dies gelingt wohl manchmal bei außen an der Schädeloberfläche
gelegenen Operationsstellen, fast nie ist es aber möglich bei den
tiefen Knochenpartien, dem Tegmen tympani und antri. Wie unsicher aber auch bei gelungener Bedeckung des Defektes mit
Periost die Knochenregeneration ist, geht aus den oben angeführten Arbeiten v. Bergmanns zur Genüge hervor.

Wir können demnach bei der Aufmeißelung des Warzenfortsatzes in keiner Weise auf einen knöchernen Schluß der
Wundhöhle rechnen, wir müssen vielmehr selbst bei Eröffnung
der Schädelhöhle von außen darauf gefaßt sein, daß sich dort
kein neuer Knochen bildet; die Ausnahmen darin sind zu selten,
als daß ihnen praktische Bedeutung beigelegt werden könnte.

Nun geht in normalen Fällen die Ausfüllung der Wundhöhle
mit Granulationsgewebe sehr rasch vor sich, und es bildet sich
bald nach der Heilung daraus ein festes fibröses Polster, das als
Ersatz des Knochens vollkommen genügt und besonders den
tiefer gelegenen etwa freigelegten Durapartien gegen äußere Insulte einen hinreichenden Schutz gewährt. Dieses Granulationspolster nimmt nun, wie man sich an jeder in normaler Heilung
begriffenen Warzenfortsatzwunde überzeugen kann, nicht nur vom
Knochen selbst, sondern auch von den Rändern der Hautbedeckung
seinen Ursprung. Je nachdem, ob eine oder die andere Partie
an der Produktion des neuen Gewebes überwiegenden Anteil
hat, kann man geradezu zwei Typen der Heilung unterscheiden.
In einem Falle sehen wir eine starke dicke Zunahme der Ränder
der Schnittwunde, die Granulationen entwickeln sich von hier
aus mit großer Macht, treten meist sogar über das Niveau der
äußeren Haut hinaus, zu gleicher Zeit geht in den tieferen Haut-
schichten der gleiche Prozeß vor sich. Von beiden Seiten wächst
das neugebildete Gewebe sich entgegen, legt sich in die Höhle
hinein; sobald die gegenüberliegenden Partien sich erreicht haben,
vereinigen sie sich, und auf diese Weise nähern sich die anfangs

klaffenden Wundränder immer mehr, bis sie zuletzt, wenn die trennende Tamponade wegbleibt, sich ganz aneinander legen und verwachsen. Es bildet sich eine schöne feste, schmale Narbe, die durchaus solid und widerstandsfähig ist und die nach einiger Zeit oft nicht mehr auffällt. Im anderen Falle dagegen sehen wir die Granulationen mehr von innen nach außen zu wachsen. Die Ausfüllung der Höhle geht in konzentrischer Weise von den Knochenwänden her vor sich. Die Hautränder bleiben dünn und verharren in der Lage, in der sie nach der Operation belassen wurden. Erst nachdem die aus der Tiefe kommende Granulationswucherung eine solche Stärke erreicht hat, daß sich außen ein Polster von genügender Dicke zeigt, beteiligt sich die Haut auch an der Heilung durch Aussendung einer dünnen Epidermisschicht, das Resultat ist in solchen Fällen fast stets eine mehr oder weniger tiefe Mulde über dem Warzenfortsatz, da die Granulationswucherung selten das Niveau der äußeren Haut erreicht, auch deswegen, weil in der neugebildeten Narbe die Subkutis fehlt, die in den Narben des ersten Modus vorhanden ist. Die Haut über einer solchen Mulde bleibt dünn und deshalb in der ersten Zeit leicht empfindlich; es kommt nicht selten vor, daß die Epidermis wieder zugrunde geht und eine Zeitlang ein oberflächliches Geschwür entsteht. In der späteren Zeit, wenn die Unterlage fester wird, tritt in letzterer Beziehung Besserung ein, oft wird aber dann infolge von Schrumpfung des Bindegewebes die Mulde noch tiefer.

Im Rahmen dieser beiden als extreme Beispiele geschilderten Heilungstypen kommen natürlich die mannigfachsten Variationen vor, je nachdem die zwei Momente der Granulationsbildung wechselseitig in Erscheinung treten. Oft sind beide Momente an dem Heilungsprozeß gleichmäßig beteiligt, manchmal tritt eines allein so in den Vordergrund, daß wir ihm den überwiegenden Anteil zuschreiben müssen.

Den erstgenannten Heilungstypus sehen wir am häufigsten bei kleinen Wundhöhlen, bei wenig klaffenden Schnittwunden, den zweiten mehr bei größeren Eingriffen, bei Freilegung extraduraler und perisinuöser Eiteransammlungen, wobei eine ausgedehntere Resektion der Kortikalis erforderlich war und auch die Wundränder des notwendigen unbehinderten Sekretabflusses. wie der genauen Kontrolle der eiternden Stellen wegen längere Zeit weit voneinander getrennt gehalten werden müssen. Gleichwohl kann auch in ersterem Falle einmal die Heilung mehr

durch Knochengranulationen erfolgen, wie umgekehrt auch im
zweiten Falle manchmal die vorwiegende Beteiligung der Weichteilbedeckung an der Narbenbildung vorkommt. Unter lebhafter
Granulationsbildung nähern sich die stark klaffenden Wundränder
allmählich und können sich schließlich noch aneinander legen
und eine schmale glatte Narbe bilden. Nur sehen wir in letzterem Falle öfters auch nach anfänglicher guter Proliferation vonseiten der Wundränder plötzlich ein deutliches Nachlassen der
Heilungsenergie, in der äußeren Wunde tritt Stillstand ein, sie
bleibt weit offen, und die Vernarbung erfolgt durch Epidermisierung der aus der Tiefe wuchernden Granulationen.

Fragen wir nun, welcher Art der Granulationsbildung die
wichtigste Rolle bei der Heilung zufällt, so läßt sich das nicht
so leicht entscheiden. Beide Faktoren müssen sich gegenseitig
unterstützen. Eine gewisse Beruhigung gewährt es zu wissen,
daß vom Knochen allein noch der Verschluß der Höhle zustande
kommen kann, wenn uns die Weichteilgranulationen im Stiche
lassen. Sind wir doch manchmal durch die Notwendigkeit, die
Wunde längere Zeit weit offen zu halten, gezwungen, auf die
äußere Granulationsbildung mehr zu verzichten und uns fast
ganz auf die Knochengranulationen zu verlassen. Hat man aber
die Wahl, so wird man zweifellos dem Verschluß durch die
Wucherung der Hautbedeckung den Vorzug geben, nicht nur erreichen wir hierdurch eine größere Festigkeit der Narbe und ein
besseres kosmetisches Resultat, sondern auch der Verlauf der
Heilung ist in diesem Falle ein wesentlich schnellerer.

Nun ist ja im allgemeinen die Tendenz zur Granulationsbildung in normalen Fällen in hohem Maße vorhanden. Meist
ist es sogar ein zu starkes Wachstum der Granulationen, mit dem
wir zu kämpfen haben, und seit den ersten Berichten über die
Operationsmethode bis auf die neueste Zeit stehen im Vordergrunde der Anleitung zur Technik der Nachbehandlung die Methode, die Granulationsbildung in Schranken zu halten, um den
Abfluß des Sekretes zu sichern. Schwartze war aus diesem
Grunde sogar zu dem heroischen Mittel des Bleinagels gekommen.
Um das Gegenteil zu erreichen, die zu schwache Granulationsbildung anzuregen, hat man für gewöhnlich gar keine Veranlassung. Und es muß nochmals betont werden, daß geringe
Granulationsbildung vom Knochen her mit der Vollkommenheit
der Operation resp. mit zurückgebliebenen Krankheitsherden gar
nichts zu tun hat. Im Gegenteil sieht man gerade in letzt-

genannten Fällen keineswegs eine verminderte, zumeist eher eine vermehrte Wucherung, und es wäre darum auch nicht einzusehen, weshalb früher, als man sicher nicht allgemein so radikal und zielbewußt bei den Aufmeißelungen vorging, wie heutzutage, nicht öfters solche Beobachtungen gemacht wurden.

Dagegen sind natürlich Unterschiede in der Stärke der Granulationsbildung häufiger zu bemerken. Wie bei jedem Regenerationsvorgang ist das Wachstum in verschiedenen Fällen ungleich. Vor allem läßt sich das hier bei der Hautbedeckung beobachten, bei der wir auch am häufigsten ein Versagen konstatieren können. Die Gründe sind, wie oben bereits angedeutet, in der Regel ein allzu weites Klaffen der Wundränder, doch spielen dabei sicher auch individuelle Dispositionen eine Rolle mit. Anders steht es mit der Proliferationskraft des Knochens. Diese läßt zwar weniger individuelle Verschiedenheiten erkennen, ist aber von sich aus nie sehr stark, auf keinen Fall hält sie den Vergleich mit der Wachstumsenergie stark wuchernder Weichteile aus. Wir können das zur Genüge und auf das genaueste bei der Totalaufmeißelung beobachten, wo eine nicht allzu feste Tamponade genügt, um die Granulationen auf einen dünnen Überzug über den Knochen zu beschränken, und selbst die Tamponade ist nicht immer notwendig. Hierbei sehen wir auch am besten, daß die Geringfügigkeit der Granulationsbildung durchaus nicht im Zurückbleiben kranken Knochens ihre Ursache hat; denn wo letzteres der Fall ist, haben wir regelmäßig mit stärkeren unregelmäßig wachsenden Granulationen zu kämpfen, abgesehen natürlich von den ganz granulationsfreien, bloßliegenden Knochenstellen, die bald nekrotisieren und sich abstoßen, deren Umgebung sich aber gewöhnlich durch besonders starke Granulation auszeichnet.

Bei der einfachen Aufmeißelung lassen wir die Granulationsbildung im Knochen ungehindert vonstatten gehen, indem wir nur im Anfang darauf achten, daß das Antrum nicht verlegt wird. Sobald die Tamponade des letzteren nicht mehr notwendig ist, schließt sich die Öffnung in der Tiefe in normalen Fällen sofort. Doch läßt die Leichtigkeit, mit der es gelingt, das Antrum beliebig lange offen zu halten, erkennen, wie gering die Macht der Knochengranulationen ist. Wo wir nach der einfachen Aufmeißelung mit allzu starker Wucherung zu kämpfen haben, sind das regelmäßig von den Weichteilen ausgehende Granulationen.

Manchmal schließt sich auch das Antrum nach der Weglassung der Tamponade nicht sofort, die Granulationsbildung ist offenbar nicht stark genug, einen Verschluß von genügender Stärke, hervorzubringen. Dann bleibt der Wundtrichter bis in die Tiefe offen, bis die äußeren Granulationen so weit fortgeschritten sind, daß sie sich darüber legen und die Heilung vollenden können. Auf diese Weise entsteht manchmal über der Narbe ein größerer persistierender Hohlraum. Immerhin genügt die Granulationsbildung des Knochens fast stets um eine mäßige Ausfüllung der Höhle und einen Verschluß des Antrums nach außen zu stande zu bringen, wo sie zu gering ist, wird sie von der Subkutis unterstützt.

Können wir Abweichungen vom normalen Gange der Granulationsbildung in der eben beschriebenen Weise nun auch häufiger beobachten, so muß doch ein vollständiges Ausbleiben derselben bis zu dem Grade, daß die Wundhöhle bis in die Tiefe offen bleibt, als äußerst selten bezeichnet werden, und die Frage nach der Ursache dieser Erscheinung muß mit der Frage nach der Ursache der Seltenheit beginnen.

Daß heute nach so vielen Erfahrungen über die Operation nur so wenige dahin lautende Beobachtungen vorliegen, ist im höchsten Grade auffallend und die Lösung der Frage erscheint grade durch die Spärlichkeit des vorliegenden Materials besonders erschwert. Die auffallende Seltenheit kann ich mir vorläufig nur dadurch erklären, daß, wie wir gesehen haben, zwei verschiedene Gewebe bei der Heilung der Warzenfortsatzwunde in Tätigkeit treten. Alternierend tritt bald die eine, bald die andere Granulationsquelle in den Vordergrund. Und was auch immer der Grund sein mag, daß die Granulationsbildung das eine mal stärker, das andere mal schwächer vor sich geht, auf jeden Fall sind die beiden Faktoren darin unabhängig von einander. Bei stärkster Wucherung von seiten des Knochens kann die Weichteilgranulierung minimal sein, und umgekehrt. Die Seltenheit unserer Fälle wäre demnach dadurch bedingt, daß es sich hier um das unglückliche Zusammentreffen zweier ungünstiger Momente handelt, nähmlich Fehlen der Wachstumsenergie in beiden Geweben, sowohl im Knochen, als auch in den Weichteilen.

Die wichtigste Frage ist nun die nach der wahrscheinlichsten Ursache dieser Wachstumshemmung. Von den Autoren, die bisher dieser Frage ihre Aufmerksamkeit zugewandt haben, ist vor Allem Hofmann[1] zu nennen. Dieser nimmt als Grund der Heilungs-

---

1) l. c.

störung Hineinwachsen von Epithel in die Wundhöhle an, und zwar sowohl des Antrumepithels von innen her, als auch der Epidermis von außen her. Das ist zweifellos eine Erklärung, die der Beachtung wert ist. Daß das Hinüberwachsen des Epithels über Granulationen letztere zum Stillstand bringt, ist eine allgemeine Erfahrung. Die Fälle Hofmann's waren für Epithel-Einwanderung besonders disponiert, da in allen eine Verbindung der Wundhöhle mit dem äußeren Gehörgang bestand. Trotzdem kann ich Bedenken gegen die Ansicht Hofmann's nicht verhehlen. Die Möglichkeit der Einwanderung des Epithels ist ja in jedem Falle vorhanden; daß sie nur in wenigen Fällen eintritt, scheint mir eben eine Folge der mangelhaften Granulationsbildung zu sein. Auch Defekte des häutigen Gehörgangs sehen wir ja sonst anstandslos vernarben, ohne Einwanderung des Gehörgangs-epithels in die Wundhöhle, wenn wir die Epithelisierung nicht absichtlich erreichen wollen und die Granulationsbildung in Schranken halten. Ich möchte deshalb vielmehr sagen, das Epithel wandert nur deshalb ein, weil die Granulationen zu schwach sind um ihm Hindernisse zu bereiten. Das Gleiche können wir ja auch künstlich durch Niederhalten der Granulationen erzielen.

Dann ist noch eine Notiz Briegers[1]) zu erwähnen, der Fälle, die den unsrigen etwas ähneln beschreibt, und als Ursache Tuberkulose angibt. Brieger konnte in seinen Fällen den exakten Beweis für diese Behauptung erbringen. Auch in Briegers Fällen blieb das Antrum offen, doch weichen seine Befunde in einem wesentlichen Punkte von den charakteristischen Merkmalen unserer Fälle ab. Brieger spricht ausdrücklich von einer permanenten Fistel bei sonst vollkommener Füllung der Wundhöhle, also das wesentlichste, die allgemein zurückbleibende Granulations-bildung ist hier nicht vorhanden gewesen. Ich hielt aber trotzdem Brieger's Mitteilung anzuführen für nötig, um dem naheliegenden Einwand zu begegnen, daß auch in unseren Fällen eine tuberkulöse Ursache zu Grunde liege. Was meine Fälle anbelangt, so habe ich im zweiten und dritten öfters die Granulationen untersucht und nie etwas Verdächtiges gefunden. Sonstige Zeichen von Tuberkulose waren in keinem meiner Fälle nachzuweisen, auch in Gerber's Fall nicht. Hofmann's dritter Fall ist als tuberkulöse Karies bezeichnet. Doch ist zu bedenken, daß nachweisbar tuberkulöse Mastoiditiden meist ein vollständig andres

1) Brieger, Zur Klinik der Mittelohrtuberkulose. Festschrift für Lucae 1905, S. 271.

Bild zeigen, sich eher durch vermehrte Granulationen auszeichnen
und, wie es Brieger beschrieben, zur Bildung enger Fisteln.
tendieren. Als ausgeschlossen ist es natürlich nicht hinzustellen,
daß nicht eine tuberkulöse Erkrankung auch einmal unter dem
Bilde der ausbleibenden Granulationsbildung verläuft, dagegen
möchte ich die hauptsächlichste oder alleinige Abhängigkeit dieser
Abnormität von der Tuberkulose als durchaus unbewiesen und
unwahrscheinlich bezeichnen.

Auf die Frage der Tuberkulose war deshalb genauer einzugehen, weil die Ursache doch aller Wahrscheinlichkeit nach
in einer konstitutionellen Disposition zu suchen ist. Doch läßt sich
eine solche allgemeiner Natur nach den bisherigen Erfahrungen
noch nicht mit Bestimmtheit eruieren. Die bis jetzt vorliegenden
Fälle betreffen mit Ausnahme der beiden ersten von Hofmann
Kinder im Alter von 3 bis 13 Jahren, die sonst gesund sind. Man
muß deshalb zur Erklärung wohl auf eine lokale Disposition
zurückgreifen, auf eine von vornherein mangelhafte Heilungstendenz
der in Frage kommenden Gewebe. Und zwar scheint diese lokale
Disposition nur auf bestimmte Körperstellen beschränkt zu sein.
In meinem Fall 2 kam eine gleichzeitige ausgedehnte Rippenresektion anstandslos zur Heilung und auch in den übrigen Fällen war
über sonstige mangelhafte Heilungen „schlechte Heilhaut“ u. s. w.
nichts zu eruieren. Das spricht ebenfalls gegen die Annahme allgemeiner konstitutionellen Anomalie, wie gegen Tuberkulose.

Von welchen Momenten diese lokale Disposition abhängig ist,
muß allerdings eine offene Frage bleiben. Doch möchte ich darauf
aufmerksam machen, ob nicht auch klimatische Einflüße eine Rolle
dabei spielen könnten. Auf diesen Gedanken brachte mich vor
allem die Tatsache, daß in dem großen Material einzelner Kliniken
diese Fälle vollständig zu fehlen scheinen, während ich in meiner
kurzen hiesigen Tätigkeit bereits über drei Fälle berichten kann,
besonders aber auch die Vergleichung meiner eigenen Erfahrungen
über die operative Tätigkeit in zwei verschiedenen Orten, in Halle
und in Karlsruhe. In letzter Stadt habe ich entschieden die Beobachtung gemacht, daß die Granulation vom Knochen weniger
lebhaft vor sich geht als in Halle, bei völlig gleicher Methode
der Operation und Nachbehandlung. Diese Eigentümlichkeit tritt
bei der Totalaufmeißlung vielleicht noch mehr hervor, wobei die
Nachbehandlung deshalb viel weniger Mühe macht als es in Halle
der Fall war, aber auch bei der einfachen Aufmeißlung ist dieser
Unterschied fühlbar. Es wäre sehr wünschenswert, wenn einmal

unter diesem Gesichtspunkt Vergleichungen über die Heilungen in verschiedenen Orten angestellt würden. Die Unterschiede in der Dauer der Nachbehandlung sind z. B. bei verschiedenen Kliniken recht groß und günstige Ziffern werden bis jetzt von den Statistikern mit Vorliebe als das Resultat einer bestimmten Operationsmethode bezeichnet. Es wäre sehr interessant zu erfahren, ob nicht auch klimatische Verhältnisse hierbei beteiligt sind.

Es fragt sich nun, ob und wie wir solchen schlechten Operationsresultaten vorbeugen können. Bei völligem Versagen der Heilungstendenz, dürfte ja keine Methode ausreichen, indes bis zu einem gewissen Grade läßt sich doch wohl die mangelhafte Wachstumsenergie kompensieren. Im Vordergrund müssen selbstverständlich, nachdem wir gesehen haben, welche wichtige Rolle der Hautbedeckung für den Wundverschluß zufällt, die Methoden stehen, die der äußeren Wunde die Narbenbildung erleichtern. Die primäre vollständige Nath wäre also in dieser Hinsicht das Idealste. Da wir diese aber nie vornehmen können, so möchte ich doch eine so weit als irgend möglich durchgeführten Nath der Hautwunde das Wort reden. Das gleiche Verfahren ist nach Piffl [1]) in der Zaufalschen Klinik mit gutem Erfolge im Gebrauch. Ich weiß wohl, daß die Nachbehandlung bei breitem Klaffen der Wundränder sehr erleichtert ist, ich weiß aber auch, daß man unter Zuhilfenahme der indirekten Beleuchtung auch von einer kleinen Öffnung aus selbst recht große Wundhöhlen noch gut und vollständig übersehen und für die Nachbehandlung zugängig erhalten kann. Im schlimmsten Falle, wenn es eben nicht geht, ist durch nachträgliche Entfernung einiger Näthe dem Übel sehr bald abgeholfen, und auch dann ist durch die vorherige Nath eine größere Annäherung der Wundränder erzielt worden, als wenn man die dieselben im status post operationen belassen hätte. Sobald die Erkrankung eine größere Wegnahme der Kortikalis erforderlich macht, besonders also bei Sinusoperationen, ist unbedingt zur Anlegung eines T Schnittes zu raten, um die Wundränder nicht allzuweit von einander entfernt halten zu müssen. Ich habe z. B. den Eindruck, daß im Falle Gerber's, in dem, wie ich nur aus der Abbildung schließe, die Freilegung des Sinus von dem gewöhnlichen Hautschnitt aus vorgenommen worden ist, durch Anlegung eines T Schnittes das Resultat wenigstens etwas besser

---

[1]) Piffl, Über Aufmeißelung d. Warzenfortsatzes bei Komplikation der Mastoiditis. A. f. O. Bd. 51 S. 129.

4*

geworden wäre. Ferner lege ich Wert darauf, daß nach der Operation die Weichteile in ihrem dem Knochen aufliegenden Partien
die Ränder der Knochenwunde überragen; denn den tiefsten Teilen
der Subkutis scheint mir die wichtigste Aufgabe bei der Füllung
der Knochenhöhle zuzufallen. Um ein allzuweites Zurückweichen
des Periostes zu verhindern, empfiehlt es sich vor dem Zurückschieben starke Seidenfäden durch dasselbe zu ziehen, die während
der Operation liegen bleiben und später das Zurückbringen des
Periostes sehr erleichtern. Ich glaube, daß auch das Periost für
die Heilung einen wichtigen Faktor darstellt. Auf jeden Fall
sollen die oberflächlichen freigelegten Stellen der Kortikalis durch
tiefgreifende Näthe wieder vollständig mit Periost bedeckt werden,
weshalb ich mich mit den in neuester Zeit viel angewandten
Michel'schen Klammern, die nur die oberste Haut fassen, nicht
befreunden kann.

Die Wichtigkeit der Weichteilbedeckung für die Heilung der
Warzenfortsatzwunde ist schon von Andern erkannt worden, und
daraus resultiert wohl das Bestreben, bei der Operation die
Weichteile möglichst in die Höhle selbst hineinzulegen. So hat
Winkler[1]) ein Verfahren angegeben, bei dem unter Wegnahme
fast der ganzen hinteren knöchernen Gehörgangswand der häutige
Gehörgang mit zur Deckung der Knochenwunde benutzt wird,
während Siebenmann nach der Mitteilung Nagers[2]) durch Ab-
schrägung der Knochenränder die Weichteile in die Wundhöhle
hineinlegt. Beide Methoden setzen voraus, daß keine möglicherweise kranken Stellen mehr im äußeren Teil der Wunde liegen,
die sonst durch die Weichteillappen bedeckt zu nachträglichen
Komplikationen Veranlassung geben könnten. Diese Vorschläge
sind wohl der Erfahrung entsprungen, daß auf Knochengranulationen kein sicherer Verlaß ist. Um letztere hervorzubringen oder anzuregen, wo sie in mangelhafter Weise auftreten,
haben wir kein sicheres Mittel, zumal alle granulationsbefördern-
den Substanzen nicht angewandt werden können, da sie die freiliegende Antrumschleimhaut in Reizungszzustand versetzen und
zu stärkerer Sekretion veranlassen, wodurch wieder ein anderes
Moment der Heilungsstörung entsteht.

------

1) Winkler, Über Aufmeißelung des Warzenfortsatzes und Eröffnung
des Antrums mit folgender Gehörgangsplastik. Verhandl. d. otol. Ges. 1904
S. 133.

2) Nager, Zeitschr. f. O. Bd. 53, S. 154.

Er ist schon früher von Heßler [1]), dann auch von Hof-mann [2]), von letzterem gerade im Anschluß an seine oben er-wähnten Mitteilungen vorgeschlagen worden, das Antrum gar nicht zu eröffnen. Dieser Vorschlag hat aber wenig Anklang gefunden, schon deshalb nicht, weil in der Mehrzahl der Fälle eben das Antrum der Ausgangspunkt und der wesentlichste Herd der Erkrankung ist. Auch habe ich schon oben dargelegt, daß die Idee Hoffmanns, die mangelhafte Granulationsbildung habe ihren Grund in dem Heraustreten des Antrumepithels in die Wundhöhle eine irrige sein dürfte. Wenn im letzten Stadium der Heilung der Verschluß des Antrum durch Fortdauer der Sekretion aus dem Mittelohr sich verzögert, so genügt meist Weglassung aller reizenden Substanzen, wozu auch die Jodoform-gaze gehört, um das Sekret bald zum Versiegen zu bringen. Oft hat mir eine kurze Anwendung von essigsaurer Tonerde oder Einstäuben von Xeroform ausgezeichnete Dienste hierbei geleistet. Die Hauptsache ist aber, daß nach dem Versiegen der Sekretion die Granulationen rasch das Antrum nach außen abschließen, sonst sehen wir denselben Vorgang, wie bei einer nicht heilenden Trommelfellperforation, wo der Ausfluß der Perforation wegen fortdauert und die Perforation des Ausflusses wegen sich nicht schließen kann.

In der neusten Zeit ist von Politzer, Brühl, Hölscher, und zwar mit gutem Erfolg in einigen Fällen bald nach der Operation die Ausfüllung der Höhle mit Paraffin und darauf Nath der ganzen Hautwunde vorgenommen worden. Aber auch diese Methode setzt voraus, daß das Antrum wenigstens schon geschlossen ist, sie dürfte also nur in wenigen Fällen anwendbar sein und gerade in denjenigen, wo die Granulationsbildung am schwächsten ist und sie infolgedessen am meisten am Platze wäre, sich von selbst verbieten.

Wenn aber die normale Granulationsbildung ausbleibt und die Wundhöhle, wie in unseren Fällen offen bleibt, so ist es völlig unnütz durch Auskratzung und Wiederanfrischung der Knochen-wunde die fehlenden Granulationen hervorrufen zu wollen. Das macht das Übel nur noch schlimmer, die Höhle wird noch größer und die Granulationsbildung fehlt wie zuvor. Hier kann nur mittelst der Weichteilbedeckung noch ein Verschluß zustande ge-bracht werden, und Winkler hat ganz richtig diesen Weg,

1) Hessler, Arch. f. O. Bd. 27, S. 165.
2) Hofmann, l. c.

den der Plastik schon klar vorgezeichnet. Seine Idee, durch
Wegnahme des knöchernen Teils der hinteren Gehörgangswand
die Ohrmuschel zu mobilisieren und nach hinten zu verlegen,
scheint mir eine äußerst glückliche zu sein und wird in solchen
Fällen, wie er und wir sie erlebt haben, wohl meist zum Ziele
führen. Bei größeren, weit nach hinten zu sich ausdehnenden
Defekten käme eventuell noch eine Unterstützung durch plastische
Lappen vom Occiput oder vom Nacken her in Frage, eventuell
auch die Transplantation eines Periostknochenlappens. Doch
für die meisten Fälle dürfte die Winkler'sche Plastik ausreichen.

Winkler hat seinen Vorschlag an den in Frage stehenden
Patienten seiner Beobachtung nicht zur Ausführung bringen
können. Mir ist es in den ersten beiden oben mitgeteilten Fällen
auch nicht möglich gewesen, die Winkler'sche Operation zu
erproben. Der erste Fall entzog sich meiner Behandlung, im
Fall 2 gaben zwar die Eltern anfangs ihre Zustimmung, aus verschiedenen Gründen wurde indes die Operation mehrmals verschoben und die Eltern sind inzwischen wieder schwankend geworden. In Fall 3, wo allerdings die Totalaufmeißlung gemacht
wurde, war das Resultat zwar nicht vollkommen, aber doch
einigermaßen zufriedenstellend.

Zum Schluß möchte ich noch auf den Ausblick hinweisen,
der sich uns gelegentlich meiner Vermutung, daß klimatische
Einflüsse auf den Heilungsvorgang einwirken könnten, eröffnet.
Es wäre doch in Erwägung zu ziehen, ob nicht vielleicht die
Klimatotherapie auch in der Otologie eine Rolle zu spielen be-
rufen sei.

VIII.

Über Ohrenstörungen bei den Erkrankungen des Urogenitalapparates. [1)]

Von

Dr. J. Sendziak, Warschau.

— · —

Die Ohrenstörungen im Verlaufe der Krankheiten des Urogenitalapparates wurden speziell erst in den letzten 15 Jahren bearbeitet.

So widmete Haug, damals Dozent und jetziger Professor der Ohrenheilkunde in München, in seinem vortrefflichen Lehrbuche („Die Krankheiten des Ohres in ihrer Beziehung zu den Allgemeinerkrankungen" 1893 p. 185) einen ganzen Abschnitt den Ohrenstörungen im Verlaufe der Krankheiten des Urogenitalapparates.

Im Jahre 1899 ist eine der besten Monographien erschienen, nämlich von Friedrich, damals Dozent in Leipzig, jetzt Professor in Kiel, betitelt „Rhinologie, Laryngologie und Otologie in ihrer Bedeutung für die allgemeine Medizin" Leipzig bei F. C. W. Vogel, in welcher der Verfasser den Ohrenstörungen bei den Erkrankungen des Urogenitalapparates ebenfalls spezielle Abteilungen widmete (p. 177—183).

Außerdem existiert eine ganze Reihe von speziellen resp. kasuistischen Arbeiten, welche die Darstellung des Zusammen-

---

1) Das ist ein Teil der umfangreichen Monographie über die Nasen-, Rachen-, Kehlkopf- und Ohrenstörungen bei den Allgemeinerkrankungen. Der erste Teil, umfassend diese Störungen im Verlaufe der akuten Infektionskrankheiten, wurde im Jahre 1900 in polnischer Sprache (Nowiny Lekarskie) und bei den Krankheiten des Zirkulationsapparates (Herz, Gefäße) in Monatsschrift für Ohrenheilkunde 1906 H. 12 veröffentlicht.

hanges zwischen Ohrenstörungen einerseits und den Erkrankungen
des Urogenitalapparates andererseits zum Ziel haben.

Diese Arbeiten werden später im Text berücksichtigt. Ohrenstörungen im Verlaufe der Erkrankungen des Uro — besonders
aber weiblichen — Genitalapparates gehören zu den außerordentlich häufigen Erscheinungen.

Was die ersten d. h. Ohrenstörungen bei den Krankheiten der
Nieren betrifft, so geben vor allem den Anlaß zu diesen Störungen
die chronischen parenchymatösen Entzündungen der Nieren, so
wie Nephritis scarlatinosa.

Bürckner[1]) konstatierte auf 150 Fälle der Entzündungen
des mittleren Ohres zweimal als die Ursache Nierenentzündung
(Morbus Brighti), also ziemlich selten.

Andererseits notierte Pissot[2]) viel öfters Ohrenstörungen bei
Nephritis chr. (nämlich auf 37 Fälle 18 Mal).

Morf[3]) gelang es, aus der Literatur 22 Fälle dieser Art
(von denen 3 eigene) zu sammeln.

Die häufigste Form der Ohrenerkrankungen im Verlaufe der
Nierenentzündungen ist Otitis media acuta haemorrhagica) Fälle
von Schwartze[4]), Trautmann[5]) und Buck[6])), welche sich
durch Ecchymosen auf dem Trommelfelle oder durch dessen Vorwölbung, welche von der Füllung der Paukenhöhle mit Blut
bedingt ist, charakterisieren, wobei Schmerzen sowie mehr oder
weniger bedeutende, gewöhnlich mit Geräuschen verbundene Gehörstörungen vorkommen.

Außer dieser häufigsten Form der Entzündung des mittleren
Ohres gibt es noch gewöhnliche Otitis media acuta (Roosa[7]),
Bürkner) mit gewöhnlichem Verlaufe oder mit Exacerbationen
(Hedinger[8])).

Eine sehr wichtige Komplikation der Nephritis scarlatinosa
ist die Entzündung des mittleren Ohres, welcher Voss, Haug,
Moos[9]), Morf, endlich Gunowitz[10]) eine große Bedeutung besonders für die Prognose geben: nämlich vermehrte Ohreneiterung

---

1) Arch. f. Ohrenheilk. XXII p. 197.
2) Thèse-Paris, 1878.
3) Zeit. f. Ohrenheilk. XXX. 4.
4) 5) 6) Arch. f. Ohrenheilk. IV p. 12, XIV p. 91; VI p. 301.
7) Trans. of the amer. Otil. Society 1887-5/IV.
8) Zeit. f. Ohrenheilk. XVII p. 237.
9) Schwartze's Handbuch der Ohrenheilk. I p. 538.
10) Berl. Klin. Woch. 1880 No. 42.

bei der Verschlimmerung des Zustandes der Nierenentzündung und vice versa.

In Haugs Falle traten die Symptome der Nierenentzündung nach der Aufmeißelung des Processus mastoideus zurück, kamen aber mit ganzer Kraft wieder wegen der Stagnation des Eiters, welche durch die Bildung der Granulationen verursacht wurde.

Morf betrachtet als charakteristisch für Ohrenstörungen im Verlaufe von Nephritis scarlatinosa: Otitis necrotica im mittleren Ohre und Processus mastoideus. Nur ausnahmsweise ist das innere Ohr im Verlaufe der Nierenentzündung resp. uraemia (Taubheit, Geräusche) alteriert, was Friedrich von den sekundären Veränderungen in den Gefäßen abhängig macht.

In Schwartzes Falle waren beide Labyrinthe mit Ecchymosen gefüllt, in Morfs und Rosenheims[1]) Fällen (Gehörstörungen im Verlaufe nephritidis acutae et intermittentis), existierte wahrscheinlich eine Schwellung der Ohrennerven, wobei diese Störungen im innigen Zusammenhange mit allgemeinen Ödemen standen; bei der Verminderung der letzteren verbesserte sich das Gehör und vice versa.

Endlich wurde in Dieulafoys[2]) und Pissots Fällen infolge des Morbus Brighti Anaesthesia acustica konstatiert.

Wie ich schon erwähnt habe, kommen die Ohrstörungen im Verlaufe der Erkrankungen des Genitalapparates, besonders des weiblichen, außerordentlich oft vor und das sowohl bei physiologischen als auch pathologischen Zuständen.

Verhältnismäßig am seltensten ist das äußere Ohr, öfters das mittlere, am häufigsten jedoch das innere affiziert.

So klagen die Kranken manchmal vor jeder Menstruation sowie Schwangerschaft und Climacterium über Sensation von Brennen, oft unerträglichem Jucken in der Gegend der Ohrmuschel, sowie des äußeren Gehörganges. In einem Falle, welcher eine 45jährige verheiratete Kranke betraf, beobachtete ich die erysipelatöse Entzündung der Ohrmuschel in der Periode der eventuellen Menstruation (sogenannte: „erysipèle cataméniale", französischer Verfasser). Während des Climacteriums beobachtete ich oft außerordentlich hartnäckige Entzündungen des äußeren Gehörganges entweder circumscripte (sogenannte Furunkel) oder

---

1) Nervenkrankheiten. 4. Auflage 1894 p. 260.
2) La France médicale. 1877.

diffuse, worauf Urbantschitsch zuerst die Aufmerksamkeit lenkte, sowie auch Eczema et Herpes auriculae (Graen[1])).

Verhältnismäßig ziemlich häufig kommen Ohrenblutungen vor, welche der Menstruation vorangehen, oder sie vertreten (menstruationes vicariae). Fälle dieser Art wurden von Stepanus[2]), Eitelberg[3]), Gradenigo[4]), Bürkner[5]), Jacobson[6]), Koll[7]). Hensinger[8]) etc. beschrieben. Puech[9]) notierte auf 200 Fälle Menstruationis vicariae, aus der Literatur gesammelt, 6 Mal Ohrenblutungen. Einen interessanten Fall, welcher unzweifelhaft den kausalen Zusammenhang zwischen den Erkrankungen des Gehörorgans einerseits und Störungen in der genitalen Sphäre andererseits bestätigt, gibt Baratona[10]): nach jedesmaliger Operation der Ohrpolypen trat die Blutung an den Genitalorganen auf.

Diese Blutungen begleitet gewöhnlich eine „Aura" in der Form von Kopfschmerz, Geräusch und Schwindel.

Gewöhnlich ist die Blutung unilateral, die Quantität des Blutes verschieden (von einigen Tropfen bis zu der Quantität, welche den Blutungen der Genitalorgane entsprechend ist). Der Lokalisation nach wird betroffen am meisten das Trommelfell (Ecchymosen, [Eitelberg]) sowie der äußere Gehörgang — nämlich die Öffnungen der Ceruminaldrüsen —, seltener das mittlere Ohr, wenn eine eitrige Absonderung mit Granulationsbildung vorliegt, ausnahmsweise nur das innere Ohr (Jacobson und Koll).

Ähnlich wie im Pharynx prädisponieren hier auch die physiologischen Zustände, besonders bei Frauen (Menstruation, Graviditas, Klimakterium) zu den akuten endzündlichen Prozessen (Otitis media acuta), wie es unter anderem in einem meiner Fälle war, welcher eine 40jährige Kranke betraf. Während des Klimakteriums trat außer anderen Störungen (Tonsillitis follicularis, Epistaxis, Tonsillitis pharyngealis abscedens, Empyema Antri Highmori) akute eitrige Entzündung des mittleren Ohres auf.[10])

Ebenfalls unterliegen häufig die existierenden pathologischen Prozesse im Gehörapparate (Eiterungen) in diesen Fällen be-

1) Americ. Journ. of Otol. III. 2.

2) Monat. f. Ohrenheilk. 1885, N. 11.

3) citiert bei Friedrich (l. c.).

4) 5) 6) 7) Arch f. Ohrenheilk. B. 28 p. 82, B. 15 p. 221, B. 21 p. 280 B. 25, p. 88.

8) 9) loco citato.

10) Nowiny Lekarskie 1902 N. 2.

deutender Verschlimmerung, wie es Bezold[1]) zeigte, welcher in dieser Richtung spezielle Untersuchungen machte (auf 190 Fälle der Gehöreiterungen notierte er in 17,9 % Verschlimmerung, welche von den funktionellen Störungen bei Frauen abhängig waren).

Wie ich schon erwähnt habe, ist in diesen Fällen d. h. während der Menstruation, Klimakterium und Schwangerschaft das innere Ohr afficiert, wovon die subjektiven Geräusche, sowie die mehr oder weniger bedeutende Verminderung des Gehörs zeugen; diese letztere kommt in diesen Fällen langsam zu Stande und wird wenig beeinflußt durch die Behandlung.

Besonders die Schwangerschaft event. Geburt haben zuweilen einen ungünstigen Einfluß auf die Funktionen des Gehörapparates. Die etwa vorhandenen pathologischen Prozesse des Ohres unterliegen in diesen Fällen bedeutender Verschlimmerung. Ausnahmsweise nur wurden umgekehrt Verbesserungen des Gehörs, sowie Verminderung der Ohrgeräusche nach der Geburt notiert (Urbantschitsch[2]), Schmaltz,[3]) Morland[4]). Otalgie vor und während der Menstruation, welche sich nach der Kokainisierung der Nasenmuschel verminderten und nach der Kauterisation der letzteren zurücktraten, beobachtete bei uns (Polen) A. Herman[5]).

Ebenfalls geben die pathologischen Prozesse der weiblichen Geschlechtsorgane (Endo-et Parametritis, Salpingitis, Neoplasma etc.) oft Anlass zu Ohrenstörungen, wovon die Fälle von Wolf[6]), Weber-Liel[7]) (Taubheit), sowie Pagenstecher[8]) (Otalgie) zeugen.

Eine interessante Beobachtung machte Scanzoni[9]): nach der Applizierung von Blutegeln an dem vaginalen Teil des Uterus trat vorübergehende Taubheit ein.

Von den anderen Uteruskrankheiten sah Habermann[10])

---

1) Arch. f. Ohrenheilk. B. 25 p. 225.
2) zitiert bei Haug (l. c).
3) Gehör- und Sprechkunde 1846 p. 53.
4) Arch. f. Ohrenheilk. B. 5 p. 313.
5) Gazeta lekarska 1903 Nr. 38.
6) Bericht über die Naturforscherversammlung, Wiesbaden 1887.
7) Monat. für Ohrenheilk. 1883 Nr. 9.
8) Deutsche Klin. 1863 Nr. 41—43.
9) Würzburger med. Zeit. v. 1860 Nr. 1.
10) Zeit. f. Heilkunde 1887. VIII.

bei Neoplasmen (Krebs), sowie Febris puerperalis Metastasen im Gehörorgane.

Während der Masturbation wurden bei beiden Geschlechtern subjektive Gehörgeräusche, sowie hyperaestesia, seltener anaesthesia acustica (Behrend[1]) beobachtet.

Eine interessante Beobachtung, welche den kausalen Zusammenhang zwischen Ohrenstörungen einerseits und denen der genitalen Sphäre andererseits dartun, machte Urbantschitsch[2]: Ohrenpolyp mit unerträglichem Jucken im äußeren Gehörorgane, dessen Irritation (Kratzen mit dem Finger) jedesmal „Ejaculatio" ohne Erectio des penis herbeiführte.

Zwei anologe Fälle beobachtete ebenfalls Haug.[3]

_____

[1] Jahrb. f. Kinderkrankh. 1860. 22 p. 321.

[2] zitiert bei Haug (l. c.).

[3] loco citato.

IX

Über Ohrenkrankheiten bei Studenten.

Von

Prof. **K. Bürkner** in Göttingen.

Am 1. Oktober 1901 ist an der Universität Göttingen — und vermutlich auch an den übrigen preußischen Universitäten — eine Neuregelung des akademischen Krankenpflegeinstitutes in Kraft getreten, auf Grund deren jedem akut erkrankten Studierenden, welcher sich über das Belegen von Vorlesungen ausweist, gegen einen obligatorischen Semesterbeitrag von 2 M. unentgeltliche Behandlung vonseiten der medizinischen Professoren und Dozenten oder eines dafür angestellten praktischen Arztes sowie in geeigneten Fällen freier Aufenthalt in den Kliniken gewährleistet wird.

Dieser Einrichtung verdanke ich einen recht erheblichen Zuspruch von Studenten in meinen Sprechstunden: ich habe in den elf Semestern seit dem Bestehen des Institutes in seiner gegenwärtigen Form bis zum 31. März 1907 574 Kommilitonen in 3025 einzelnen Konsultationen behandelt.

Allerdings hatte ich es schon von Beginn meiner praktischen Tätigkeit an als ein nobile officium meiner akademischen Stellung betrachtet, den Studierenden unserer Hochschule meine Hülfe unentgeltlich zur Verfügung zu stellen; doch belief sich die Zahl der bis zum 1. Oktober 1901 im Laufe von 23 Jahren privatim von mir behandelten Kommilitonen nur auf 161, und etwa die doppelte Zahl mag sich wohl an die von mir geleitete Poliklinik gewendet haben.

Wenn nach den Satzungen die Hülfe des akademischen Krankenpflegeinstitutes ausschließlich auf die Fälle von akuter Erkrankung beschränkt bleiben soll, so gehe ich nun allerdings, was meine persönliche Hülfeleistung anbelangt, erheblich weiter, indem ich diese meinem von jeher geübten Gebrauche getreu auch chronisch erkrankten Studierenden zuteil werden lasse. Damit das Institut nicht geschädigt werde, müssen solche sich dann freilich Medikamente und Verbandzeug auf ihre eigene Rechnung beschaffen.

Nun schien es mir nicht uninteressant, einmal zu untersuchen, ob sich bei einem so einheitlichen Krankenmateriale, wie die Tätigkeit für das akademische Krankenpflegeinstitut es darbietet, eine Disposition zu bestimmten Krankheiten oder Krankheitsgruppen nachweisen lasse; und in dieser Erwägung habe ich meine Krankenjournale statistisch zu verwerten gesucht.

Es standen zur Verfügung:

a. Patienten aus den früheren Jahren } 161, nämlich 16 Theol., 49 Jurist., 26 Mediz., 70 Philos.

b. Pat. des Krankenpflegeinstitutes } 574, „ 38 „ 176 „ 86 „ 274 „

Sa.: 735, nämlich 54 Theol., 225 Jurist., 112 Mediz., 344 Philos.

Die Zahl der bei diesen 735 Patienten beobachteten Erkrankungsformen betrug 925. Von diesen scheiden für die Berücksichtigung in dieser Betrachtung aus 266 Erkrankungsfälle, welche die Nase und den Rachen betrafen, während 659 Erkrankungsfälle von Ohraffektionen übrig bleiben. Ihre Verteilung war folgende:

Krankheitsbezeichnung	Summa	Theologen	Jurist.	Mediziner	Philosophen
Angebor. Deformität (Fistula aur. cong.)	1	—	—	—	1
Accumulatio ceruminis	105	6	25	13	61
Ekzem	12	1	5	—	6
Otitis externa circumscripta	33	2	8	3	20
Aspergillus-Mykose	3	—	2	—	1
Exostosen im Gehörgange	22	2	5	3	12
Corpus alienum	1	—	1	—	—
Trommelfellruptur	5	—	2	1	2
Krankheiten des äußeren Ohres:	182	11	48	20	103
Otitis media simplex acuta	130	16	32	27	55
Otitis media exsudativa acuta	38	4	10	5	19
Otitis media simplex chronica	67	4	34	6	23
Otitis media sclerotica	21	1	8	1	11
Otitis media purulenta acuta	50	9	18	7	16
Otitis media purulenta chronica	51	5	14	6	26
Caries und Nekrose	15	2	4	4	5
Residuen von Mittelohreiterung	57	8	12	10	27
Krankheiten des Mittelohres:	429	49	132	66	182
Nervöse Schwerhörigkeit	16	1	5	—	10
Sausen ohne Befund	32	2	14	6	10
Krankheiten des inneren Ohres:	48	3	19	6	20
Summe der Ohrenkrankheiten	659	63	199	92	305
Summe der Nasen- u. Rachenkrankheiten	266	33	72	38	123
Gesamtzahl	925	96	271	130	428

In dieser Zusammenstellung muß ohne weiteres auffallen die Häufigkeit des Vorkommens von Exostosen des Gehörganges und von Sausen ohne Befund. Ein Vergleich mit den Zahlen, welche ich in Prozenten ausgedrückt für den fünfundzwanzigjährigen Durchschnitt des Göttinger poliklinischen Materials [1]) gefunden habe, beweist dieses Mißverhältnis schlagend. Man vergleiche in folgender Zusammenstellung die Werte, welche die Reihe I enthält, mit denen der Reihe III und ferner die Zahlen der Reihe II mit denen der Reihe III. Reihe II gibt die entsprechenden Werte wieder, welche ich an dem poliklinischen Materiale nur für männliche Patienten im Alter von über 15 Jahren festgestellt habe.

	I. Durchschnittszahlen d. Göttinger poliklin. Materials in 25 Jahren	II. Erwachsene männliche Patienten aus d. Göttinger Poliklinik in 25 Jahren	III. Entsprechende Werte der Studentenpraxis
Accumulatio ceruminis . . .	13,40 Proz.	24,58 Proz.	15,93 Proz.
Ekzem	2,80 „	1,73 „	1,82 „
Furunkel	3,91 „	3,77 „	5,01 „
Exostosen	0,05 „	0,11 „	3,34 „
Trommelfellruptur	0,39 „	0,63 „	0,76 „
Äußeres Ohr:	26,79 Proz.	34,44 Proz.	27,64 Proz.
Otitis media simplex acuta .	11,51 Proz.	8,76 Proz.	19,71 Proz.
Otitis media exsudativa acuta	5,29 „	2,07 „	5,76 „
Otitis media simplex chronica	11,93 „	14,91 „	10,17 „
Otitis media sclerotica . . .	8,74 „	6,79 „	3,34 „
Otitis media purulenta acuta .	11,06 „	4,85 „	7,58 „
Otitis media purulenta chronica	11,35 „	11,00 „	10,00 „
Residuen v. Mittelohreiterungen	8,83 „	9,41 „	8,65 „
Mittelohr:	68,91 Proz.	58,52 Proz.	65,09 Proz.
Nervöse Schwerhörigkeit . .	3,13 Proz.	1,11 Proz.	2,43 Proz.
Sausen ohne Befund	0,34 „	0,45 „	4,85 „
Inneres Ohr:	4,30 Proz.	7,03 Proz.	7,27 Proz.

Es ist klar, daß es unstatthaft sein würde, zwischen diesen Reihen, obwohl sie nicht nur hinsichtlich des Befallenseins der einzelnen Ohrabschnitte, sondern auch hinsichtlich der prozentualen Häufigkeit der meisten Krankheiten recht gut übereinstimmen, ohne weiteres Vergleiche anzustellen, denn in Reihe I sind Kranke beider Geschlechter und jedes Alters, in Reihe II nur erwachsene Männer von 15 bis über 80 Jahren, unter den in Reihe III rubrizierten Studenten aber nur junge Männer von 18

Archiv f. Ohrenhlkde. LIX. pag. 27 ff.

bis 25 Jahren vertreten: die Differenz der Zahlen für Exostosen und für Sausen ohne Befund ist aber doch so erheblich, daß man ihre Erklärung in der Eigenart des Krankenmaterials suchen möchte.

Sonst fällt ein wesentlicher Unterschied nur noch bei der Otitis media simplex acuta auf, bei welcher die Prozentzahl in der Studentenrubrik erheblich hervortritt; doch gleicht sich diese Differenz ziemlich aus, wenn man die für die akuten Erkrankungsformen des Mittelohres gefundenen Zahlen in den drei Reihen addiert, bevor man sie vergleicht. Die hohe Zahl, welche dann in Reihe I resultiert, erklärt sich dadurch, daß hier die Kinder mit vertreten sind, die ja das Hauptkontingent für diese Krankheiten stellen.

Was nun zunächst die Exostosen anbelangt, so kann ich eine Erklärung für ihr überraschend häufiges Vorkommen bei meinen studentischen Patienten nicht geben. Man ist gewöhnt anzunehmen, daß sie nur bei älteren Personen, vorwiegend männlichen Geschlechts, oft gefunden werden, und auch ich habe dies sonst bestätigt gefunden, kann auch nur feststellen, daß ich dieser Veränderung des knöchernen Gehörganges in keinem anderen Kreise jugendlicher Leute öfters begegnet bin; z. B. auch nicht bei Soldaten, deren ich im Laufe der Zeit eine große Zahl untersucht habe.

Die Exostosen waren in fast sämtlichen Fällen nur gelegentliche Befunde: am häufigsten bei solchen, welche an chronischen Mittelohreiterungen oder an Mittelohrsklerose litten, und wahrscheinlich doch auch in ursächlichem Zusammenhange mit diesen Krankheiten der Paukenhöhle. Auch bei älteren Leuten finden sich ja Exostosen mit Vorliebe neben den erwähnten Veränderungen des Mittelohres vor, und es liegt nahe, dieses häufige Zusammentreffen als ein kausales aufzufassen.

Von den 22 Fällen waren 12 einseitig, 10 beiderseitig; nur in 5 Fällen fand sich eine einzige Exostose, in den übrigen Fällen waren 2 oder 3 nebeneinander vorhanden. Einmal handelte es sich um jene bekannten flachen Gebilde zu beiden Seiten des Processus Brevis, deren knöcherne Beschaffenheit hier auf beiden Ohren über jeden Zweifel erhaben war; in allen übrigen Fällen lagen buckelige Auswüchse vor, die, meist in der Mitte des inneren Ohrkanales saßen und fast regelmäßig von der hinteren und von der vorderen Wand ausgingen. Wo drei Exostosen vorhanden waren, entsprang die dritte der oberen Wand.

Eine wirklich erhebliche Einengung des Gehörgangslumens habe ich in keinem der in Rede stehenden Fälle gefunden: niemals wäre in absehbarer Zeit eine operative Behandlung in Frage gekommen. Auch habe ich in keinem Falle eine nach- weisbare Neigung zur Vergrößerung der Neubildungen gefunden, obwohl ich einige der Patienten jahrelang habe beobachten können. In zwei Fällen waren die Erhabenheiten so flach, daß ich sie wohl ganz übersehen hätte, wenn nicht der äußerst hef- tige Schmerz bei ihrer Berührung mich aufmerksam gemacht hätte. Diese große Empfindlichkeit, die ja für die Exostosen im Ohre charakteristisch ist, hat in keinem einzigen Falle gefehlt. Im übrigen beschränkten sich die Folgen darauf, daß hier und da eine Retention von Haut- und Cerumenschollen verursacht wurde, welche bei einigen Patienten im Laufe der Zeit mehrmals Abhilfe forderte; bei Eiterungen erwuchsen in den 3 Fällen, in welchen Exostosen bei noch bestehender Otorrhoe beobachtet wur- den, keinerlei Störungen.

Nur ein einziges Mal führte das Vorhandensein von Exostosen zu erheblichen Schwierigkeiten. Es handelte sich um einen Fall, in welchem bei der Reinigung des Ohres ein Stück des benutzten Zahnstochers in der Tiefe stecken geblieben war. Die Unter- suchung ergab, daß von hinten-oben und von vorn-unten her je ein flacher Knochenauswuchs zu einer Einengung des Lumens und zu einer Retention einer kleinen in die Tiefe gedrängten Cerumenmasse führte. Der Fremdkörper war zunächst nicht zu sehen, wohl aber eine Exkoriation der stark geröteten Haut auf der hinteren Exostose, welche zu besonderer Vorsicht bei der Be- handlung aufforderte. Nachdem die Cerumenscholle durch mehr- maliges Ausspritzen beseitigt war, kam jenseits der Stenose der eigentliche Fremdkörper zum Vorschein. Da er festgespießt war, war er der Spritzflüssigkeit nicht gefolgt und mußte mit einer Zange entfernt werden. Diese kleine Operation aber war bei der Enge des Kanals und bei der ungemein großen Empfindlichkeit der Exostosen gar nicht leicht ausführbar, zumal da zu jener Zeit die Lokalanästhesie noch in den Kinderschuhen steckte. Der junge Mann hat später nie wieder einen Zahnstocher zur Reini- gung des Ohres benutzt und es vorgezogen, die öfters wieder auftretenden Ansammlungen durch Ausspritzungen beseitigen zu lassen.

Kann ich, zumal da verantwortlich zu machende chronische Entzündungsprozesse im Mittelohr oder im Gehörgange der studen-

tischen Patienten keineswegs ungewöhnlich häufig zur Beobachtung
kamen, eine befriedigende Erklärung für das zahlreiche Vorkommen
von Exostosen nicht geben, so ist eine solche eher möglich für
die bereits erwähnte zweite Krankheitsform, welcher ich bei unseren
Studierenden so oft begegnet bin: für das rein nervöse Ohrensausen ohne Hörverschlechterung.

Schon bei einer anderen Gelegenheit [1]) habe ich darauf aufmerksam gemacht, daß dieses quälende Leiden, von dem ja geistig
Arbeitende oft befallen werden, bei Examenskandidaten besonders
häufig zu sein scheint, und ich habe schon damals die Juristen
als diejenigen bezeichnet, unter denen das „Sausen ohne Befund"
geradezu in typischer Form auffallend verbreitet ist. Unzweifelhaft
haben wir es hier in den meisten Fällen mit einer Teilerscheinung
allgemeiner Neurasthenie zu tun, unter welcher ja gerade unsere
Examenskandidaten so vielfach zu leiden haben.

Daß unter den 32 von mir beobachteten Fällen, in welchen
ein subjektives Geräusch der einzige Gegenstand der Behandlung
war, 14 Fälle waren, welche Juristen betrafen, halte ich nicht
für einen Zufall. Ich weiß zwar sehr wohl, daß auch unsere
juristischen Studenten heutzutage im Durchschnitte nicht mehr,
wie man ihnen es früher nachsagte, semesterlang ihre Studien
vernachlässigen, aber es ist mir auch ebensowohl bekannt, daß
selbst die fleissigsten unter ihnen, welche ihre Vorlesungen und
Übungen regelmäßig besucht und sogar auch zu Hause gewissenhaft gearbeitet haben, es doch für notwendig erachten, in ihrem
letzten Semester Repetitorien über die Hauptfächer ihrer Disziplin
zu hören, welche sie zu einer sehr intensiven und in ihrer Art doch
meist ungewohnten Arbeit nötigen, wenn sie in wenigen Monaten
das höchst umfangreiche Pensum bewältigen wollen. Noch viel
mehr aber müssen sich natürlich diejenigen anstrengen, für
die das Repetitorium überhaupt den eigentlichen Anfang des
Studiums bedeutet. So treten denn die jungen Leute oft schon
erschöpft in ihre eigentliche Examensvorbereitung ein, und auch
die fleißigsten werden jetzt nur all zu oft von steter Furcht vor
dem Ausgange der Prüfung gequält. Dazu kommt dann bei sehr
vielen noch der Abusus von Alkokol und namentlich von Tabak,
durch welchen das Nervensystem noch weiter geschädigt wird.

Daß meine Erklärung für das häufige Auftreten des nervösen
Sausens bei Examenskandidaten und insbesondere bei den juristischen

---

1) Über die Behandlung der nervösen Ohrerkrankungen. Deutsche
mediz. Wochenschrift 1905 No. 3.

richtig sein muß, wird auch durch eine weitere Beobachtung aus meiner Studentenpraxis erhärtet: unter den ältesten Semestern kommt auch Heufieber auffallend oft vor; und auch bei dieser zum guten Teile auf neurasthenischer Basis zur Entwicklung kommenden Krankheit, die ich übrigens selten mit Ohrerscheinungen verknüpft gefunden habe, stellen die Juristen das Hauptkontingent.

Außerdem war in einzelnen Fällen, welche jüngere Semester betrafen, mit großer Wahrscheinlichkeit die unregelmäßige Lebensweise, insbesondere übermäßiger Tabak- und Alkoholgenuss für das Ohrensausen verantwortlich zu machen; auch ließ es sich wiederholt feststellen, das die subjektiven Geräusche nach jeder Kneiperei an Intensität zunahmen.

Um auf die nervösen Geräusche etwas näher einzugehen, so will ich noch erwähnen, daß es sich meist um hohe Töne: „Klingen", „Pfeifen", „Quietschen" handelte und daß diese Sensationen entweder kontinuierlich waren oder auch vorwiegend nur bei der Arbeit auftraten, bei der sie in fast sämtlichen Fällen in erheblichem Maße an Jntensität zunahmen. Meist waren beide Ohren befallen oder wurde das Geräusch im ganzen Kopfe wahrgenommen; jedenfalls gehörte einseitiges Sausen zu den Ausnahmen. Natürlich zähle ich in der Rubrik des nervösen Sausens nur diejenigen Fälle, in welchen objektiv und funktionell an den Gehörorganen keine Veränderungen nachweisbar waren; diese aber waren bestimmt zu mindestens Dreivierteln neurasthenischer Natur, und ein erheblicher Teil der Kranken stand auch gleichzeitig in Behandlung der medizinischen oder der psychiatrisch-neurologischen Klinik.

Kurz erwähnen möchte ich noch, daß bei den Ohrerkrankungen der Studenten die Syphilis nach meinen Erfahrungen eine geringe Rolle spielt. Ich habe nur 17 Fälle gesehen, in welcher mit mehr oder weniger Sicherheit eine Mittelohraffektion oder eine Krankheit des inneren Ohres auf eine spezifische Jnfektion zurückgeführt werden konnte; unter ihnen auch zwei Fälle von nervösem Sausen. Auch unter den Nasen- und Rachenpatienten waren verhältnismäßig wenige von Lues befallen. Öfters kamen Jünglinge zur Untersuchung durch ihr schlechtes Gewissen getrieben, wenn eine harmlose Angina die ärgsten Befürchtungen in ihnen erweckt hatte.

Zum Schlusse habe ich noch der bei Mittelohreiterungen beobachteten Komplikationen zu gedenken.

Letal verlief nur ein Fall, aber auch dieser nicht infolge der Otitis, sondern infolge von Typhus. Hingegen habe ich zwei

5*

Fälle von intrakraniellen Komplikationen — und mehr habe ich bei Studenten überhaupt nicht beobachtet — heilen sehen. Beide fielen noch in die Zeit, in welcher Eingriffe in die Schädelhöhle bei otitischen Komplikationen noch unbekannt waren. In dem einen Falle bestand eine schwere otitische Meningitis, noch akuter Mittelohreiterung ohne äußerlich erkennbare Beteiligung des Warzenfortsatzes. Die Meningitis bestand noch fort, als die Mittelohrentzündung bereits geheilt war; aber auch sie hat üble Folgen meines Wissens nicht hinterlassen, denn der damalige Patient ist schon längst Professor. Im zweiten Falle kam es auf Grund einer früher von mir behandelten chronischen Otitis media zu Sinusphlebitis und Pyaemie. Ich sah den Kranken in diesem Zustande nur einmal im Wohnorte seiner Eltern und hatte später die Freude mich zu überzeugen, daß meine relativ nicht ungünstig gestellte Prognose sich bewährt hat. Auch die nach meinen Vorschriften sorgfältig behandelte Ohreiterung war ausgeheilt.

X.

Ein Fall von otogenem extraduralem Abszess.

Von

Prof. A. Trifiletti in Neapel.

Unter den vielen veröffentlichten Fällen dieser Erkrankungsform dürfte folgender, aus meiner Privatklinik stammender, durch
den bei der Operation aufgedeckten Befund auf einiges Interesse
Anspruch machen.

Ein erwachsener Patient, Soldat, sonst gesund und ohne erwähnenswerte
Belastung, erkrankte am 10. Dezember 1905 mit Ohrenschmerzen rechts und
bald darauf eingetretenem Ohrenfluß; ohne nachweisbaren Grund nahmen
die Schmerzen in den nächsten Tagen an Heftigkeit zu. Die Therapie bestand in reichlichen Auswaschungen und häufiger Anwendung von
Valsalvas und Politzers Verfahren. Ich untersuchte P. zum ersten
Male am 24. Februar 1906 und fand das rechte Trommelfell leicht gerötet,
trüb, eine kleine Perforation am untersten Segmente, woselbst Sekret angesammelt war; Warzenfortsatz beim Druck leicht empfindlich. Patient
gibt heftige spontane Schmerzen an, in der Tiefe des Ohres. Sonst leichte
Fieberbewegung vorhanden, kein bedenkliches Aussehen, keine nachweisbaren Gleichgewichtsstörungen. Die Schmerzen standen in keinem Verhältnisse zu dem aufgenommenen Befunde, und ich dachte an das Vorhandensein der gewöhnlichsten Komplikation, d. i. Mastoiditis, zu deren Entstehen
vielleicht die befolgte Therapie (Lufteintreibungen), vielleicht auch eine schon
bestehende Verdickung des Trommelfelles beigetragen haben mochte. — Von
einer Erweiterung der Perforation konnte man sich nicht viel versprechen und
ich riet zu Mastoidotomie. Inzwischen Ausschluß der Lufteintreibungen,
trockene Ohrbehandlung (Jodoformgaze), Kokaineinträufelungen während
der Schmerzanfälle. Letztere nahmen in den nächsten Tagen etwas ab,
wurden aber am 4. Tage nach der Behandlung wieder sehr heftig und traten
anfallsweise auf; zugleich wurde die Eiterung sehr kopiös und nahm eine
krümelige Beschaffenheit und graue Färbung an, wie bei Knochenabszessen.
Warzenfortsatz unverändert, Körpertemperatur eher subnormal. — Der
Widerspruch in den Erscheinungen ließen den Verdacht an einen extraduralen Abszeß aufkommen, wiewohl die Möglichkeit offen stand, es
handle sich doch nur um eine Antrumentzündung mit leichter gewordenem
Ausflusse durch den Aditus, wie solche faktisch, ohne äußere Erscheinungen, häufig vorkommen. Endlich entschloß sich Patient. am
13. März zur Operation und zwar nachdem in der vorhergehenden Nacht
eine diffuse Schwellung hinter und oberhalb der Ohrmuschel sich ge-

zeigt hatte. Der Sitz der Schwellung, ihr spätes Auftreten bekräftigten den Verdacht an eine exstradurale Eitersammlung in der mittleren Schädelgrube. 14. März: Operation. Chloroformnarkose. Weichteile stark infiltriert, Periost blutreich, kein Eiter daselbst; Meißeloperation am Orte der Wahl; Kortikalis sehr hart, von kleinen Zellen durchsetzt, die wohl blutreich aber nicht eitrig belegt waren. Antrum tief liegend und klein, enthält einige Tropfen Eiter, der dünnflüssiger als das Sekret im Gehörgange sich zeigt. Dieser Umstand deutete auf einen zweiten tieferen Eiterherd, und so drangen wir vorsichtig mit scharfen Löffeln weiter vor nach oben und hinten und eröffneten an zwei Stellen die Kortikalis interna, aus welchen sehr reichlich weißlicher, lufthaltiger Eiter unter Druck herausfloß. Nach Erweiterung der Knochenlücke und Abtupfung des Sekrets konnte man die rotbläulich glänzende Dura in der Tiefe pulsieren sehen, und die vorsichtig tastende Sonde konnte ziemlich weit herumgeführt werden. Da wurde Patient apnoisch' und wir mußten eiligst die Operation schließen, und zwar nach Reinigung der Dura mit Jodoformtupfern und lockerer Tamponade, die das Antrum nach innen nicht überragte. Nach 24 Stunden, beim Verbandwechsel, fanden wir zu unserer Verwunderung wieder viel Eiter aus der Tiefe hervorquellend, jedoch weniger weiß und dicklicher als am Operationstage, was die Annahme bekräftigte, es handle sich immer um dieselbe Eiterhöhle, deren Sekret günstig beeinflußt werde; zugleich fanden wir aber am Seitenwandbeinhöcker eine phlegmonöse Stelle. Am nächsten Tage, als wir durch letztere Erscheinung bestimmt, alle Vorbereitungen zu einem zweiten Eingriffe getroffen hatten, fanden wir die Operationshöhle rein und ohne Sekret. Wir beschränkten uns daher auf Spaltung der Parietalschwellung, die aus einer umschriebenen subperiostalen Eiteransammlung bestand.

Der weitere Verlauf entsprach unserer Erwartung; die umschriebene Phlegmone verheilte rasch. Nach zwei Monaten war der Kranke geheilt und blieb auch so.

Daß unser Verhalten in den verschiedenen Momenten des Krankheitsverlaufes gerechtfertigt war, geht aus dem Ganzen ohne weiteres hervor; wir wollen jedoch anknüpfend einige allgemeine Betrachtungen zusammenfassen, ohne jedoch bindende Schlüsse ziehen zu wollen:

1. Wir glauben in unserem Falle ist der extradurale Abszeß nicht als Nebenerscheinung im Vergleiche zu dem sonstigen Befunde, wie er sich gewöhnlich gestaltet, aufzufassen; vielmehr war derselbe prädominierend und gleichsam primär mit der Otitis media pur. verlaufend, was vielleicht durch die unzeitig angewendeten mechanischen therap. Maßnahmen bedingt war.

2. Zugegeben die schwierige Diagnose von derlei Abszessen, ist in unserem Falle durch genaue Erwägung der Krankheitserscheinungen die Möglichkeit erwiesen, daß man sich der Diagnose nähern kann.

3. Wenn es auch richtig ist, daß das einzuschlagende Verfahren von dem Operationsbefunde abhängt, so ist es gewiß erfreulich, durch die wenig eingreifende, segensreiche Schwartze'sche Operation eine so gefährliche Komplikation bewältigt zu haben.

XI.

Über den Verlauf der peripheren Fasern des Nervus cochleae im Tunnelraum.

Vorläufiger Bericht

von

Prof. K. Klshl,

Prof. a. d. med. Hochschule zu Tachoku auf Formosa (Japan).

———

Während andere Teile feiner Struktur am Cortischen Organ mehrfach Bearbeiter gefunden haben, hat die Forschung dem Verlauf der peripheren Fasern des Nervus cochleae im Tunnelraum seit langem keine Beachtung mehr zuteil werden lassen. Viele Autoren, die sich mit diesem Gegenstand beschäftigten, schlossen sich eng der Auffassung des um die Anatomie des Gehörorgans hochverdienten Forschers Retzius an; schon vor diesem hatten Deiters, Loewenberg, Gottstein, Nuel, Hensen und Lavdowsky den peripheren Verlauf des Nervus cochleae untersucht; er war aber der erste, der ihn richtig erkannte und eingehend beschrieb.

Nach Retzius[1] verläuft der Tunnelstrang an der äußeren Fläche der inneren Pfeilerzellen, nahe an deren Fuß, dicht über dem Kern, und von diesem Strang gehen die radialen Tunnelfasern· sich etwas hebend und fast gerade nach außen zwischen die äußeren Pfeilerzellen ab. Außerdem fand Retzius bei der Katze Faserzüge, die sich von dem Tunnelstrang aus zum Tunnelboden senken und sich etwa an der Grenze der Fußplatten der inneren und äußeren Pfeilerzellen anheften, hier zuweilen ent-

---

1) Retzius, Das Gehörorgan der Wirbeltiere. Bd. II. Stockholm 1884.

weder den ganzen oder einen akzessorisch spiralen Zug bilden und sich dann wieder heben, um zwischen den äußeren Pfeilerzellen radial zu den Deiterschen Zellen zu treten.

Genauer wurden dieselben Nervenfasern schon einmal von mir [1] untersucht. Ich sagte damals: „die Form und Größe des Tunnelstrangs ist nicht nur bei den verschiedenen Tieren etwas voneinander verschieden, sondern auch in der Gegend der Schneckenwindung eines und desselben Tieres oft ungleich. Ich fand auch bei Hunden und Kaninchen zuweilen noch einige kleine Züge, die unterhalb des großen Hauptzuges lagen. Über die radialen Tunnelfasern schrieb ich folgendes: „Diese Fasern laufen bei Kaninchen und Meerschweinchen gewöhnlich ein kleines Bündel bildend durch den Tunnelraum gerade nach außen, oder indem sie sich etwas erheben, zu den Spalten zwischen den äußeren Pfeilerzellen. Nicht häufig laufen sie, wie bei anderen Tieren, z. B. Hund und Katze, absteigend nach dem Tunnelboden, oder nach der Fußplatte der äußeren Pfeilerzellen. Ferner findet sich bei Hund und Katze am Boden des Tunnels, wie Fig. 3 und 5 T. b. S. zeigt, ein spiraler Zug, den Retzius schon bei der Katze zuerst beschrieben hat."

Unsere Kenntnis des Tunnelstrangs und der radialen Tunnelfasern steht also seit Deiters noch auf schwankendem Boden. In der Literatur zeigen die Endnervenfasern im Tunnelraum bei den verschiedenen abgebildeten und beschriebenen Präparaten stets ein verschiedenes Bild. Unsere Ermittelungen über den Grund dieser Abweichungen haben mich, nachdem ich alle Fixierungsmethoden, die bisher zur Anwendung gelangt waren, ausprobiert hatte, zu der Überzeugung geführt, daß diese Abweichungen nur auf dem Unterschied der angewendeten Fixierungsmittel zurückzuführen sind. Im Tunnelraum können überhaupt sogenannte radiale Tunnelfasern nicht vorhanden sein, und die Endnervenfasern des Nervus cochleae müssen im Tunnelraum immer auf dem Tunnelboden entlang verlaufen. Die bisher von verschiedenen Autoren beschriebenen oder gezeichneten radialen Tunnelfasern sind nichts anderes als ein Kunstprodukt, hervorgerufen durch Schrumpfung und Ablösung der Nervenfaserschicht vom Tunnelboden. Faserzüge auf dem Tunnelboden, wie sie von

---

[1] Kishi, Über den peripheren Verlauf und die Endigung des Nervus cochleae. Archiv für mikroskopische Anatomie und Entwickelungsgeschichte. Bd. 59. 1901.

Retzius und von mir beschrieben worden sind, habe ich jetzt noch bei manchen Präparaten gefunden. Die sogenannten radialen Tunnelfasern bestehen zuweilen nur aus einigen Fäserchen, und zwischen diesen und dem Tunnelboden sind feine Nervenfasern spinnengewebeartig ausgespannt. Nicht selten auch habe ich bei gut gelungenen Präparaten gefunden, daß in einer Strecke der Schneckenwindung keine sogenannten radialen Tunnelfasern zu finden sind, auf dem Tunnelboden dagegen sich eine deutlich sichtbare Nervenfaserschicht befindet. Ich glaube demnach behaupten zu dürfen, daß im Tunnelraum die peripheren Nervenfasern des Nervus cochleae nur am Tunnelboden entlang verlaufen, nie frei im Tunnelraum, und daß die sogenannten radialen Tunnelfasern nur durch die Ablösung der Nervenfasern vom Tunnelboden entstehen können.

Eine weitere eingehende Mitteilung hierüber wird später in einer erschöpfenden Darstellung gemacht werden.

XII.

Aus der Kgl. Universitäts-Ohrenpoliklinik in München
(Prof. Dr. Haug).

Beiträge zur Kasuistik und patholog. Anatomie der Neubildungen des äusseren Ohres.

Von

Rud. Haug in München.

Im Anschlusse an meine früheren teils im Archiv für Ohrenheilkunde, teils in Zieglers Beiträgen zur pathologischen Anatomie erschienenen größeren Arbeiten möchte ich hier kurz über einige von mir im Laufe der letzten Zeit beobachtete Fälle berichten.

I. Angio-myxom des Meatus.

Ein 36 jähriger Mann stellt sich vor mit der Angabe, er fühle seit ca. einem halben Jahre bei dem Versuche der Reinigung des Ohres linkerseits einen vorher nicht dagewesenen Widerstand; die Berührung sei zwar nicht gerade schmerzhaft, doch immerhin unangenehm. Hie und da blute auch das Ohr leicht, allerdings nur vorübergehend und meistens bei mechanischer Reinigung. Auch sei das Hören gegen früher etwas beeinträchtigt. Erst sei blos ein kleines Knöpfchen gewesen; im letzten Monate sei das „Pinkerl" schnell gewachsen; so daß es seinem Inhaber Unruhe verursachte. Ohrenkrank sei er vorher niemals gewesen.

Die Untersuchung ergibt den linken Gehörgang nahezu völlig ausgefüllt am Eingange mit einer prall gespannten, stark succulenten, glänzenden, rosaroten, mäßig derben, consistenten, an keiner Stelle Fluctuation aufweisenden Geschwulst. Sie sitzt offenbar an der untern und hintern Wand auf und läßt sich an der vorderen und oberen Wand mit der Sonde wegdrücken; ihre Basis ist keine gestielte, sondern eine mehr breite. Besondere Empfindlichkeit weist sie nicht auf. Die Form ist ungefähr die einer Bohne. Die functionelle Prüfung ergab eine sehr leichte Herabsetzung der Hörfähigkeit, beruhend auf einer Affection des Schalleitungsapparates.

Die Geschwulst wird mit der kalten Schlinge nach Anästhesierung des Gehörganges durch Injection mit Novocain-Suprarenin abgetragen und es gelingt, sie in intoto herauszubekommen. Die Blutung ist eine verhältnismäßig recht erhebliche und erfordert eine allerdings nur kurze Zeit dauernde Tamponade.

Nach Sistierung derselben kann die Ursprungsstelle genau besichtigt werden; es ist nun die ganze Hautlage des knorpeligen Meatus an der hinteren und unteren Wand bis auf den Knorpel hinein abgeschnitten.

Auf einfache trockene Gazeeinlage heilt der Defekt innerhalb 10 Tagen völlig tadellos aus, so daß an Stelle der Geschwulst nurmehr ein leicht roter frischer Narbenfleck zu bemerken ist.

Das nun gut zu übersehende Trommelfell ist normal. Die damaligen leichten Störungen sind total verschwunden.

Makroskopischer Befund:

Der kleine Tumor von der Größe und Form einer gut mittelgroßen Bohne weist auf seiner ganzen Oberfläche eine äußerst verdünnte zarte Oberhaut auf, ähnlich der, wie sie sich bei den Exostosen findet. Er fühlt sich mäßig weich an. Auf dem Durchschnitt ist er lebhaft rot, mit gelblich rötlichen oder weißlichen Stellen untermischt; er schneidet sich mittelweich und gibt auf der Schnittfläche relativ viel sero-sanguinolente Flüssigkeit ab.

Mikroskopischer Befund:

(Fixierung und Härtung in Formol; Färbung mit Hämatoxylincarmin.)

Die Geschwulst erweist sich zunächst allenthalben von einer dünnen Hautlage überzogen, in der man noch die Reste atrophisch gewordener Ceruminaldrüsen stellenweise finden kann. Die Papillarlage weist keinerlei dendritische Verzweigungen auf.

An sie schließt sich dann ein ausgedehntes Hohlraumsystem, das zum größten Teil aus ziemlich dünnwandigen neuen Gefäßen besteht; sie sind zum Teil stark erweitert. Zwischen diese Gefäßpartien ziehen bindegewebige Scheidewände, teils schmal, teils breiter.

Imm großen und ganzen ist dieses Septumgewebe nichts anderes als einfache gewöhnliche Bindesubstanz.

An zwei breiteren, ziemlich mächtigen und auch an etlichen kleinen Bindegewebestreifen jedoch läßt sich eine myxomatöse Degeneration nachweisen. Es ist nicht allein die Bindesubstanz gequollen, sondern wir sehen auch eine ziemliche Anzahl großer schöner, vielfach verzweigter, zum Teil mit peitschenähnlichen Fortsätzen versehener Zellen.

Wir werden also von diesem histologischen Bilde anzunehmen haben, daß es sich um ein Angiom im wesentlichen handelt mit partieller myxomatöser Veränderung des interstitiellen Bindegewebes.

II. Papilloma dendriticum meatus.

Ein 22 jähriges Mädchen stellt sich vor mit der Angabe, sie empfinde seit etwa einem Jahre etwas hartes im Gehörgange, das sie oft zum Kratzen und Jucken veranlasse, worauf dann leichtes Bluten und hinterher Schmerzen, wenn auch nicht hochgradig, aufträten. Früher sei Ohreiterung vorhanden gewesen, seit ³/₄ Jahren sei nichts mehr bemerkt worden.

Die objektive Untersuchung ergibt:

Der Meatus des linken Ohres ist zum großen Teil verlegt durch ein eigentümliches graurötliches Gebilde, das sich, einer kleinen Koralle ähnlich, in dem knorpeligen Abschnitt befindet und in seiner Hauptsache gestielt aufsitzend auf zwei Stämmen, von der untern Wand auszugehen scheint. Die Berührung ist kaum empfindlich, jedoch blutet das Gebilde leicht. In die Tiefe läßt sich z. Z. noch nicht deutlich vorblicken, jedoch kann man alten eingedickten vertrockneten Eiter wahrnehmen.

Die Hörfunktion ist wesentlich vermindert, indem die Flüstersprache bloß auf 10 cm vernommen wird. Die Stimmgabelprüfungen ergeben ein reines Schalleitungshindernis. Beim Politzern ein breites Perforationsgeräusch, aber trocken, ohne Secretbeiklang.

Da Patientin dringend um Erleichterung ihres Zustandes, der ihr sehr unangenehm zu sein scheint, bittet, wird sofort die Abtragung der kleinen Neubildung mittels der kalten Schlinge vorgenommen. Es gelingt zunächst leicht den einen größeren Teil abzuschnüren; jedoch ist die Blutung darauf eine relativ recht bedeutende, so daß erst nach einer Viertelstunde, während tamponiert und mit Suprarenin vorgegangen worden war, wieder an das zweite Stück herangegangen werden kann. Dies hat sich nun aber durch die Tamponade etwas verlagert und kann nur mit ziemlicher Mühe nach verschiedenen Versuchen schlingengerecht fest gelegt und extrahiert werden. Die Blutung ist hier eine geringere. Vorläufig wird bloß auf 24 Stunden tamponirt, nach dem man sich überzeugt hatte, daß alles Kranke tatsächlich entfernt worden war. Bei der Tags nach dem Eingriff vorgenommenen Untersuchung konnten zunächst am Trommelfell die Residuen einer abgelaufenen chronischen Mittelohreiterung nachgewiesen werden, in dem in der vorderen unteren Partie eine ca. halblinsengroße rundliche, mit verdickten Rändern versehene, trockene Perforation konstatiert wurde; außerdem waren noch Kalkflecke weiter oben zu sehen.

Des weiteren ließen sich z. T. die Ansatzstellen der Geschwülste deutlich entdecken; es sind zwei kleine, rundliche ca. 3—4 mm im Durchmesser habende, noch leicht über das Niveau herausragende, bei Berührung wieder blutende Stellen. Sie werden sofort einer gründlichen Vorätzung mit Trichloressigsäure unterzogen.

Der weitere Verlauf war ein völlig glatter, indem sich nach Abstoßung des Schorfes am 10. Tage alles schön vernarbt zeigte. Patientin war von dem Erfolge sehr befriedigt, da sie nunmehr keinerlei Unannehmlichkeiten hatte.

Die makroskopische Untersuchung der zwei entfernten kleinen Tumoren ließ sie als graurötliche, ganz eigenartig wie Korallen oder Baumzweige sich verästigende, sich mäßig derb anzufühlende, an der Oberfläche leicht drusig gerauht anzusehende Exkreszenzen erkennen.

Bei dem Durchschnitt ergibt sich eine ziemlich derbe Resistenz; Gewebeflüssigkeit gering. An der Peripherie ist die Farbe eine dunklere, graurötliche bis graue, in den mittleren Partien weißrötlich.

Mikroskopische Untersuchung.

(Fixierung in Alkohol mit Eisessig; Härtung in Alkohol; Färbung mit Hämatoxylincarmin; Lithioncarmin mit Pikrinalkohol.)

Zunächst finden wir an der Peripherie eine starke Entwickelung des Oberhautlagers, indem sich die Papillen als sehr lange und tiefe, dabei aber zumeist nicht breite Zapfenstreifen in die Tiefe senken, selten einfach verlaufend, sondern zumeist vielfach oder mehrfach verzweigt, dendritisch. Dadurch entsteht nicht selten eine Art eines tieflappigen Baues.

Die dunkleren Partien ergeben sich als starke pigmentierte Retezellen, die fast regelmäßig laufend, einen ganzen Saum bilden.

Zwischen den Papillen schieben sich verhältnismäßig zahlreiche und große Gefäße durch und das Bindegewebe ergibt sich als eine größtenteils fibrilläre, mäßig zahlreiche Bindesubstanz ohne irgendwelche Besonderheit.

Diesem mikroskopischen Befund gemäß werden wir berechtigt sein, die vorliegende Neubildung als ein Papilloma dendriticum des Meatus anzusprechen, das vorläufig noch nicht die Tendenz der Malignität trägt, immerhin aber, bei längerem Bestande, möglicherweise eine Metapasie ins Carcinomatöse hätte erreichen können. Eigentümlich ist auch die an diesem Orte nicht gewöhnliche Pigmenteinlagerung.

Bezüglich des Entstehens des kleinen Neoplasmas dürfte die eiterige chronische Mittelohreiterung durch den seinerzeitigen permanenten Reiz der Gehörgangswandung ätiologisch wirksam gewesen sein. Vielleicht wäre auch denkbar, daß, von der Patientin bisher unbeachtet, ein kleiner naevusähnlicher Fleck an der Wand saß, von dem aus durch die Reizung die Bildung ihren Anstoß nahm; am ehesten würde sich dadurch zwanglos auch das Vorhandensein der pigmentierten Zellen erklären lassen. Anamnestisch war aber, wie gesagt, nichts in dieser Beziehung zu eruieren.

Daß trotz der relativen Dicke der Hautlager so leicht Blutungen auftraten bei mechanischer Läsion, hat möglicherweise seinen Grund darin, daß die einzelnen kleinen Sprossen leicht abgerissen oder wenigstens eingerissen werden konnten und so zu den Gefäßen den Zutritt gaben.

XIII.

Labyrintherscheinungen während der Ohroperationen.

Von

Rudolf Panse in Dresden-Neustadt.

Die Frage der vom Ohre ausgehenden Gleichgewichtsstörungen ist durch eine unendliche Fülle von Tierversuchen, die von Stein bis zum Jahre 1893 zusammenstellte, durchforscht worden. Erst viel später fing man an die Beobachtungen an Kranken zur Klärung der schwierigen Verhältnisse planmäßig zu benutzen. Als ich im Jahre 1901 über den Gegenstand auf der Versammlung der deutschen otologischen Gesellschaft sprach fand ich nur wenig Teilnahme. Seitdem ist er nicht wieder aus den Fachschriften und Versammlungen verschwunden. Es ist aber aus einer Quelle wichtigster Erkenntnis bisher nur ganz wenig geschöpft worden, das ist die Beobachtung der Kranken während der Operation.

Ich habe 5 Fälle von Labyrinthbeteiligung, während der Freilegung der Mittelohrräume, beobachtet, allerdings die ersten nicht mit der Genauigkeit wie die letzten. Zweck dieser Zeilen ist auch die Aufmerksamkeit der Halleschen Klinik auf diesen Punkt zu lenken.

1. Robert S. 1./2. 94. 24 Jahre alt. Aufmeißelung links. Kolossale Weichteilblutung, Knochen hart und sehr blutreich, linea temporalis sehr stark ausgeprägt, ebenso laterale Kuppelwand. Aufmeißelung von vorn, sehr kleines Antrum. Amboß cariös, am langen Schenkel reichliche Granulationen, in der Pauke Plattenepithel von weißer Farbe. In der Stapesgegend werden die Granulationen gelassen. Beim Freilegen der hinteren Höhle springt ein etwa ½ cm großes Knochenstück mit einem rinnenförmigen Teil des äußeren Bogenganges ab, die Richtung ist etwa 60° zur wagerechten. Er ist außergewönlich weit nach außen gewölbt, mit sehr dünner Knochenschale versehen. Beim ersten Verbandwechsel wird der Kranke plötzlich mit großer Kraft auf die rechte Seite geworfen; er empfindet Drehung des Bettes nach der linken Seite. Beim Blick nach rechts stets Nystagmus derart, daß der Augapfel schnell von links nach

rechts zuckt und langsam nach links zurückgeht, etwa 2 mal in der Sekunde.

2. Hermann H., 30 Jahre. 19./6. 00. Rechts normale Weichteile, etwas erweiterte Gefäßlöcher, Durchbruch der Hinterwand, verkästes Cholesteatom mit Granulationen wird ausgeräumt. Eine Fistel von etwa Linsengröße wird freigelegt mit käsigem Cholesteatom drin. Stärkerer Druck mit einem spitzen Wattetampon stellt den Bulbus etwa eine Minute lang in den nasalen Winkel. Bei ganz leichtem Tupfen Nystagmus wie tags vorher bei Druck auf den Tragus, schnell zuckend nach rechts, langsam nach links zurückkehrend.

3. 23./6. 01. 12jähriger. Aufmeißelung rechts. Normale Weichteile. Nach wenigen Schlägen Fistel in der Kortikalis freigelegt, die in eine Höhle mit entsetzlich stinkendem Cholesteatom und Eiter führt. Der äußere Bogengang liegt weit frei, beim Abtragen der Hinterwand (mit flachem geraden Meißel, also wohl mit dessen Ecke) wird ein Stück aus dem Bogengang herausgeschlagen. Es ist fraglich, ob eine Fistel da war, da ganz nahe dabei Granulationen und mehrere rundliche Höhlen in der Richtung des äußeren Bogenganges vorhanden waren von Hanfkorngröße mit Cholesteatom darin. Sinus und Dura nirgends frei, von Gehörknochen nichts mehr da. Sofort nachdem der Defekt im Bogengang bemerkt wurde, Nystagmus, auch am folgenden Tage mit schnellen Schlägen nach links, langsamen nach rechts.

4. Ludwig F. 10./12. 04. 67 J. 29./10. Influenzeiterung links, 9./12. Schwindel, 10. sehr stark und Erbrechen. Normale Weichteile, erweiterte Gefäßlöcher. Beim ersten Meißelschnitt quillt unter Druck Eiter hervor. Knochen sehr weich, ein etwa 5 Pfennigstück großes, zackiges, lockeres Knochenstück mit matschen Granulationen wird entfernt. Beim Tupfen in der Gegend des absteigenden Schenkels des äußeren Bogenganges tritt der Bulbus jedesmal langsam in die Stellung nach rechts und bleibt dort stehen solange der Druck dauert. Hört dieser auf, so geht er langsam ohne Zucken wieder zurück. Eine, soweit das Blut gestattet, als glasigschleimig, nur undeutlich erkennbare Stelle scheint der geöffnete Bogengang zu sein. Lockere Jodoformborsäure — Gaze — Tamponade.

5. Hans A. 2./10. 05. 13 Jahre. Bei akuter Eiterung links 1./10. Erbrechen, Schwindel: Umgebung geht rechts und links, ab und zu. Weichteile normal, Knochen weich, stark blutend. Zellen erstrecken sich nach dem Hinterhaupt zu. Beim Sondieren in den Gehörgang und im Antrum gehen die Augäpfel wie der Sonde geschoben nach rechts weg und kommen beim Wegnehmen zurück. Dabei bleibt oft der rechte Bulbus stehen, sodaß beide in äußerster Divergenz sind. Pupillenspiel unsicher. Auch keine deutlichen Bewegungen nach unten und oben. Starke Blutung des Knochens verhindert deutlich zu sehen, ob Fenster oder Bogengang offen war. Adrenalin absichtlich nicht verwendet. Überall im aditus matsche Granulationen und Eiter. Granulationen und einige Sequester aus dem zu Walnußgröße ausgehöhlten Warzenfortsatz entfernt. Sonde in den aditus geschoben und alles lateral davon befindliche weggenommen fast ohne Meißel nur mit der Knochenzange; Dura freiliegend. Nystagmus tritt bei Druck auf den Amboß oder dessen Gegend auf. Ganz lockere Tamponade. Danach steht der linke Bulbus nach außen, der rechte normal in der Mitte und nach oben.

Die wenigen Fälle beweisen, welche fesselnde Erscheinungen wir bei der Freilegung der Mittelohrräume beobachten können; bei Druck auf den Bogengang meist Abweichen der Augäpfel nach der gesunden Seite, aber in ganz verschiedener Weise, bald zuckend, bald langsam, bald hart in die Ecke eingestellt, bald beide Augäpfel verschieden. Beobachtungen aller dieser Erscheinungen werden uns in der Kenntnis der Labyrinthverrichtungen fördern und, wenn genau beobachtet vor gefährlichen Verletzungen bis zu einem gewissen Grade schützen. Sie treten eben so sicher ein wie Zucken des Gesichtsnerven bei seiner Berührung.

XIV

Über subjektive echoartige Gehörserscheinungen (Doppelthören, Diplakusis, Diplakusis echotica).[1]

Von

Victor Urbantschitsch in Wien.

Die Erscheinung, daß sich ein Gehörseindruck unmittelbar nach seiner Erregung subjektiv wiederholen kann, ist längst bekannt. Sie wurde in den bisher beobachteten vereinzelten Fällen zumeist auf Veränderungen in der Schalleitung bezogen. In meiner Abhandlung: Über das An- und Abklingen akustischer Empfindungen [2] habe ich angenommen, daß ein verspätetes Anklingen akustischer Empfindungen am schwerhörigen Ohre eine verspätete Schallempfindung und dadurch eine echoartige Erscheinung bedingen könne; auch Kayser betrachtet eine verzögerte Gehörsempfindung als Ursache der Diplakusis echotica am erkrankten Ohre. Wie ich jedoch erneuten Untersuchungen entnehme, werden subjektive echoartige Gehörserscheinungen sowohl am schwerhörigen, als auch am gesunden Ohre keineswegs selten angetroffen, jedoch gewöhnlich nicht beachtet und erst dann wahrgenommen, wenn die Aufmerksamkeit darauf gerichtet wurde oder wiederholte Versuche stattgefunden haben. Selbstverständlich hat man sich dabei vor jeder suggestiven Einwirkung zu hüten. Dem Phaenomen des subjektiven Wiederhörens liegt, meiner Untersuchung zufolge, ein psycho-physiologischer Vorgang zu Grunde, der den akustischen Gedächtnisbildern beizuzählen ist. Es entspricht dies der optischen Erscheinung, daß ein unmittelbar vorausgegangener Gesichtseindruck,

---

1) Kayser, Intern. medizin. Kongreß, Berlin 1890.
2) Pflügers Archiv 1881, Bd. 25. S. 325.

nach Verschluß der Augen, oder im dunklen Raume subjektiv wiederauftreten kann. Wie die Erfahrung lehrt, können die verschiedenen pathologischen Zustände des Ohres, vielleicht durch Veränderung des Gehöreindruckes, durch Ausschaltung anderer störender Gehörseindrücke, hie und da echoartige Erscheinungen auffällig hervortreten lassen und da die genannte Erscheinung bisher nur in solchen Fällen zur Beobachtung gelangte, wurde sie überhaupt für pathologisch aufgefaßt, während, meiner Ansicht nach, nur das besonders starke Auftreten der echoartigen Erscheinung und nicht diese selbst als ein besonderes Phaenomen anzusprechen ist, sowie in ähnlicher Weise die von Nussbaumer[1]), von Bleuler und Lehmann[2]) sowie vielen Andern beschriebenen subjektiven Farbenempfindungen bei Erregung anderer Sinnesempfindungen, meinen[3]) Untersuchungen zufolge als physiologische Erscheinung aufzufassen sind, wobei nicht das Auftreten von Photismen überhaupt, sondern nur das auffällige Hervortreten einer bestimmten Farbe als ein besonderes Phaenomen zu betrachten ist.

Die echoartigen Erscheinungen zeigen in der Art und Weise ihres Auftretens mannigfache Verschiedenheiten, wie sich dies aus den im Nachtrage angeführten 10 Fällen meiner Beobachtung ersehen läßt. Manche Personen, die am Beginn des Versuches keine echoartige Erscheinung aufweisen, beobachten eine solche nach wiederholten Versuchen; ein andermal wieder ist die Erscheinung anfänglich nur auf einzelne Buchstaben, besonders auf Zischlaute oder Vokale (Fall 7 und 9) beschränkt, tritt aber später auch bei Wörtern ein. Zuweilen erregt das einmalige Hören eines Wortes für dieses kein Gedächtnisbild, während ein solches stattfindet, wenn dasselbe Wort öfters, rasch nacheinander vorgesprochen, wird, (s. Fall 9). In gleicher Weise bedarf auch ein optisches Gedächtnisbild zu seiner Entstehung nicht selten einer wiederholten Gesichtserregung. Zuweilen bleibt die echoartige Erscheinung auf Teile des vorsgeprochenen Wortes, besonders auf die Endsilbe beschränkt, so ergab im Falle 4a das Wort „Nase" nur für „se" die echoartige Erscheinung, das Wort „Licht" nur für „cht", die Wörter „Tisch" oder „Fisch" nur für „sch" (4c und 10). Es kann dabei auch eine Änderung des Wortes selbst erfolgen, wie im Falle 4c wo „Strasse" als „Rasse" subjektiv wiedergehört wurde.

1) Mitteil. d. ärztl. Ver. in Wien, 1873, No. 5.

2) „Zwangsmäßige Lichtempf. durch Schall" etc. Leipzig 1881.

3) „Über den Einfluß einer Sinneserregung auf die übrigen Sinnesempfindungen", Pflügers Archiv 1888, Bd. 42.

Von einem zweisilbigen Worte erscheint mitunter die erste Silbe
an dem einen Ohre, die zweite an dem anderen Ohr subjektiv
wieder. Im Falle ergab das Wort „Polster" [am [linken Ohre
„polst" als echoartige Erscheinung, am rechten Ohre dagegen
„ster"; bei einem 2. Versuch vernahm das linke Ohr zuerst „pols",
dann „polster" subjektiv wieder. Auch im Falle 3 wurde die
1. Silbe des Wortes rechts, die 2. links wiedergehört.

Versuche mit ganzen Sätzen ergeben bald ein den vollständigen
Satz umfassendes Gedächtnisbild, bald wieder ist dieses auf ein
einzelnes Wort, gewöhnlich auf das letzte Wort beschränkt. Bei
der echoartigen Erscheinung des ganzen Satzes, kann dieser auf
dem einen oder anderem Ohr wieder auftreten (s. Fall 6), oder
aber die einzelnen Worte werden abwechselnd mit dem rechten
oder linken Ohre, zuweilen auch mit beiden Ohren gleichzeitig
gehört. In diesem letzten Falle ertönt das eine Wort gleichzeitig
im rechten und linken Ohr subjektiv wieder, oder es zeigt sich für
dieses Wort ein im Kopfe gelegenes subjektives Hörfeld, eine Erscheinung, die auf ein diotisches Hören bezogen werden kann [1]).
Im Falle 4 e wurden von den drei Worten eines Satzes das 1. Wort
am linken Ohr wieder gehört, das 2. Wort mit beiden Ohren,
das 3. am rechten Ohre; im Falle 7 b das 1. Wort rechts, das
2. in der Mitte des Kopfes, das 3. Wort links. Dabei gelangen
die einzelnen Worte nicht immer rasch nacheinander ins Gedächtnisbild, sondern sie folgen in einem Zeitraum von mehreren Sekunden
aufeinander. Dies zeigt sich manchmal auch in solchen Fällen,
wo mehrere Worte an demselben Ohr subjektiv wiedergehört werden.
Im Falle 4 a gelangten von den Worten „die Lampe" das Wort
„die" binnen 1 bis 2 Sekunden ins Gedächtnisbild, das Wort „Lampe"
dagegen erst nach 10 bis 15 Sekunden. Die echoartige Erscheinung
bleibt häufig auf die einmalige Wiederholung einer Silbe, eines
Wortes oder Satzes beschränkt, kann jedoch in einzelnen Fällen
mehreremal hintereinander auftreten. In den Fällen 3 und 4a erfolgte die echoartige Erscheinung zweimal nacheinander; ich habe
aber bei einigen Personen eine häufige Wiederholung dieser Erscheinung vorgefunden. Dabei tritt die Wiederholung entweder an
demselben Ohre auf, oder am anderen Ohr, oder aber das Echo
wird aus weiter Entfernung vernommen.

Die echoartigen Erscheinungen betreffen bei beiderseits gleichem
Gehör, bei den wiederholt angestellten Versuchen bald beide Ohren,

---

1) Siehe darüber: Über das subjektive Hörfeld, Pflüg. Arch. 1861, B. 24
und: Über die Lokalisation der Tonempfindungen, ibid. 1904, B. 101.

bald mehr das rechte oder linke Ohr. Bei ungleicher Hörfähigkeit findet sich das akustische Gedächtnisbild entweder vorzugsweise oder ausschließlich am besserhörenden (2, 5, 6), oder am
schlechterhörenden Ohre (6, 7 b) vor, oder aber abwechselnd auf
dem einen und anderen Ohre. Sind beide Ohren an der echoartigen
Erscheinung beteiligt, so erfolgt das subjektive Wiederhören des
Wortes oder eines Teiles dieses, bald auf dem einen, bald auf
dem anderen Ohre, doch kann die Erscheinung auch an beiden
Ohren zugleich auftreten. Im Falle 1a wurde das ausgesprochene
Wort noch einige Sekunden in der Weise subjektiv wieder gehört, daß es in beiden Ohren gleichzeitig auftrat und hierauf vom
Ohr gegen die Stirne lokalisiert wurde, wo es für beide Ohren
gemeinschaftlich ausklang. — Findet die Schallzuleitung nur zu
einem Ohre statt, so gibt sich die echoartige Erscheinung bald
nur auf diesem Ohre zu erkennen (2, 3, 4a, 4b, 6, 8), bald auf
beiden Ohren (1a, 2, 4c), bald auf dem entgegengesetzten Ohre
(1b, 2, 3, 4b, 4c, 4d). Wenn im Falle 4b und 7c in das schlecht-
hörende Ohr ein Satz gesprochen wurde, blieb das akustische Gedächtnisbild auf dieses Ohr beschränkt, während vom guthörenden
Ohre aus, wie früher angeführt wurde, ein Überwandern in das
andere Ohr erfolgte. Das gekreuzte Auftreten der echoartigen Erscheinung am entgegengesetzten Ohr fand sich in einigen Fällen
auffällig ausgeprägt vor (1, 2, 4d). Wenn von zwei verschiedenen
Worten das eine ins rechte und gleichzeitig das andere ins linke
Ohr gerufen wurden, so fand die Lokalisation der echoartigen Erscheinung für das ins rechte Ohr gerufene Wort in der linken
Kopfhälfte, für das in linke Ohr gerufene, in der rechten statt.
Es zeigte sich bei diesen Versuchen zu wiederholtenmalen, daß
die bei gleichzeitigem Hineinsprechen in beide Ohren nicht ver-
standenen Wörter erst im Gedächtnisbilde erkannt wurden, wie in
ähnlicher Weise zwei dem Ohre gleichzeitig zugeführte unharmo-
nische Töne, die als konfuses Tongewirr gehört werden, in der
Nachempfindung getrennt auftreten können und damit erst nachträglich bestimmbar sind. [1])

Vergleichsweise Prüfungen mit Sprach- und musikalischen
Tönen ergaben betreffs der akustischen Gedächtnisbilder nicht
immer übereinstimmende Erscheinungen. Während die Sprach- und
musikalischen Töne in manchen Fällen an demselben Ohr subjektiv wiederauftreten (1, 3, 6, 7b), erweist sich deren Lokalisation

---

1) Pflügers Arch. 1881, B. 24.

ein andermal verschieden, so daß die Sprachtöne vorzugsweise oder ausschließlich an dem einen Ohr, die musikalischen Töne dagegen am anderen Ohr subjektiv wiedergehört werden (1, 3). Im Falle 4c wurden sogar die echoartige Erscheinung oder verschiedene Arten von musikalischen Tönen ungleich lokalisiert u. zw. vernahm das rechte Ohr Stimmgabeltöne und die Töne angeschlagener Metallstäbe subjektiv wieder, nicht aber die Töne der Galtonpfeife, die regelmäßig nur am linken Ohre wiederauftraten. Im Falle 2 erfolgte die echoartige Erscheinung für Sprachtöne regelmäßig zuerst am linken, dann am rechten Ohre, hingegen für musikalische Töne umgekehrt zuerst rechts, dann links. Auch die Lokalisation des Gedächtnisbildes im Ohr oder im Kopf kann sich verschieden verhalten; beispielsweise wurde die echoartige Erscheinung im Falle 7b, bei der Schallzuleitung zum linken Ohr, für Sprachlaute ins linke Ohr verlegt, für musikalische Töne in die linke Scheitelgegend, während bei der Schallzuleitung zum rechten Ohre bald dieselbe Verschiedenheit in der Lokalisation, wie auf der linken Seite bestand, bald wieder auch die musikalischen Töne ins rechte Ohr lokalisiert wurden.

Das echoartige Wiederhören eines Wortes kann von einer diesem Worte zukommenden Mitbewegung der Artikulations-Muskeln begleitet sein. So teilte mir Herr Professor Sigmund Exner mit daß er seit seiner Jugend die letzten Worte eines gehörten Satzes subjektiv wieder höre, dabei aber regelmäßig eine Mitbewegung jener Sprachmuskeln beobachte, die zum Aussprechen der betreffenden Worte dienen.

1. Frau Lukschitsch. a) Ein laut gesprochener Satz oder ein Wort wird nach 2—5 Sekunden echoartig wiedergehört und zwar hat die Versuchsperson dabei die Empfindung, als ob das Gesprochene gleichzeitig von beiden Ohren ausginge und sich von den Ohren gegen die Stirne erstrecke. Dieselbe Erscheinung zeigt sich, wenn der Versuch nur mit einem Ohre angestellt wird; auch hierbei beteiligt sich nämlich auch das andere Ohr an dem subjektiven echoartigen Hören. Dieses erfolgt nur einmal. — b) An einem anderen Versuchstage zeigt sich bei offenen oder geschlossenen Augen nach dem Hören eines Wortes mit beiden Ohren ein echoartiges Nachhören, das abermals von beiden Ohren gegen die Stirn empfunden wird. Beim Sprechen eines Wortes in das eine Ohr tritt die Echoerscheinung regelmäßig am anderen Ohre auf. Wenn zwei Personen gleichzeitig verschiedene Worte ins Ohr sprechen, die eine Person ein Wort ins rechte Ohr, die andere ein anderes Wort ins linke Ohr, so tritt, gleich nach dem Hören der beiden Worte eine Echo-Erscheinung in gekreuzter Richtung ein, so daß das rechte Ohr das dem linken Ohre vorgesprochene Wort echoartig wiederhört, und umgekehrt. Dieselbe Erscheinung besteht für verschieden tönende Stimmgabeln. Vergleichsweise Prüfung mit Sprach- und musikalischen Tönen ergeben bei Stellung der Schallquelle vor der Versuchsperson, daß die Echoerscheinung bald für Sprachtöne auf dem einen, für musikalische Töne auf dem anderen Ohre stattfindet, bald wieder für beide Arten der Toneinwirkung auf demselben Ohre, meistens auf dem besserhörenden rechten.

2. Herr Pann. Ein vor beiden Ohren vorgesprochenes Wort wird nach einigen Sekunden mit dem linken, gleich danach mit dem rechten Ohre echoartig gehört, so auch ein gegen das Hinterhaupt gesprochenes Wort. Steht der Sprechende dem rechten Ohre der Versuchsperson gegenüber, so ertönt das gesprochene Wort subjektiv wieder, bald in beiden Ohren gleichzeitig, bald zuerst im rechten, gleich darauf im linken Ohre, bald im rechten Ohr allein; ein gegen das linke Ohr gesprochenes Wort wird gleich danach mit dem linken Ohre und daran anschließend, mit dem rechten Ohre wiedergehört. Ein hoher oder tiefer Stimmgabelton dem linken oder rechten Ohre zugeführt, wird als fortgesetzte subjektive Empfindung zumeist nur am rechten Ohre noch durch einige Sekunden gehört; nur einmal vernimmt das linke Ohr, nach Entfernung des Stimmgabeltones vom linken Ohr, noch durch eine Sekunde den Ton subjektiv in geringer Stärke, hierauf das rechte Ohr in viel bedeutenderer Intensität. Wird in das rechte Ohr ein Wort und gleichzeitig ins linke Ohr ein anderes Wort gerufen, so entsteht eine gekreuzte echoartige Erscheinung und zwar wird das ins rechte Ohr gerufene Wort, unmittelbar danach im linken Ohre leise gehört und so das ins linke Ohr gerufene, rechts. Dieselbe Erscheinung findet sich für zwei verschiedene Stimmgabeltöne vor, von denen der eine Ton auf das rechte, der andere auf das linke Ohr einwirken.

Vergleichsweise Versuche mit Sprach- und musikalischen Tönen ergeben regelmäßig, daß bei Einwirkung der Schallquelle vor beiden Ohren, Wörter oder Sätze zuerst am linken, gleich danach am rechten Ohre eine Echoerscheinung hervorrufen, musikalische Töne dagegen zuerst am rechten und erst dann am linken Ohr.

3. Fräulein Standuar. Das jedesmal vorgesprochene Wort wird nach 1—2 Sekunden bald mit dem rechten, bald mit dem linken Ohre echoartig wiedergehört. Bei einem dieser Versuche vernimmt das rechte Ohr die erste Silbe, das linke Ohr die zweite subjektiv wieder. An einem andern Tage zeigt sich die echoartige Erscheinung an dem Ohre, in das gesprochen wurde, stets zweimal hintereinander, dann wieder zuerst auf dem einen, hierauf auf dem anderen Ohr. Von zwei ins rechte und linke Ohr gleichzeitig gerufenen Wörtern tritt die Erscheinung niemals gekreuzt auf. Dasselbe zeigt sich für verschiedene Töne.

Musik- oder Sprachtöne, beiden Ohren gleichzeitig zugeführt, werden bald am besser hörenden, rechten Ohr allein echoartig wieder gehört, bald die Sprachtöne am linken, die musikalischen am rechten Ohr allein. Die Versuchsperson hat die Empfindung, als ob das Echo bei Sprachtönen allmählich in die Ferne rücke, dagegen bei musikalischen Tönen dem Ohre sich nähere.

4. Fräulein Windhager. a) das vorgesprochene Wort ertönt nach 5—7 Sekunden in beiden Ohren subjektiv wieder. Die Versuchsperson hat dabei den Eindruck, als ob das betreffende Wort aus großer Entfernung gesprochen würde. Von zwei Worten, wie z. B. „die Lampe", erfolgt die Wiederholung des ersten Wortes „die" gewöhnlich unmittelbar nach dem Vorsprechen, während das 2. Wort „Lampe" mitunter erst 10—15 Sekunden später wieder auftritt, mitunter erscheint das erste Wort 5—7 Sekunden nach erfolgter Gehörseinwirkung, das zweite Wort 5—7 Sekunden später. Beim Hineinsprechen ins Ohr tritt die echoartige Erscheinung zumeist nur auf dem betreffenden Ohre auf. Manchmal ertönt anfänglich nur ein Teil des Wortes wieder, später das ganze Wort; so hörte die Versuchsperson einmal nach dem Vorsagen des Wortes: „Nase", 5 Sekunden später die Silbe „se", nach weiteren 10 Sekunden das ganze Wort: „Nase", ein andermal beim Worte: „Licht", zuerst „icht", dann zweimal „Licht". Die einzelnen Silben können auch am rechten oder linken Ohre getrennt auftreten: vom Worte „Polster" wurde am linken Ohre anfänglich die Silbe „polst", am rechten „ster" wieder gehört, worauf das linke Ohr „pols—polster" vernahm. b) An einem anderen Tage wird in das rechte Ohr das Wort „Straße" gerufen, gleichzeitig von einer anderen Person ins linke Ohr „Wagen". Die Versuchsperson hat keines der beiden Wörter verstanden. Nach einigen Sekunden hört sie mit dem rechten Ohre „gen", mit dem

linken: „stra—straße", hierauf links: „straße", rechts: „wagen", also das einzelne Wort auf der entgegengesetzten Seite. Bei Wiederholung dieser Versuche erscheint die echoartige Erscheinung bald in gekreuzter Richtung, bald wieder wird das Wort mit dem Ohre nachträglich gehört, in das es hineingesprochen wurde. Werden dem einen Ohr ein tiefer, dem anderen ein hoher Stimmgabelton gleichzeitig zugeführt, so erscheint die Wiederholung des einzelnen Tones bald nur links, bald gekreuzt, bald jeder Ton auf der entsprechenden Seite. Werden ein hoher und tiefer Ton dem linken Ohre zugeführt, so tritt das nachträgliche Hören vorerst nur links auf, dann bleibt der hohe Ton fortwährend links und von Zeit zu Zeit tritt im rechten Ohre der tiefe Ton hinzu; bei wiederholtem Versuche werden beide Töne rechts gehört, dann wandert der tiefe Ton nach links, während der hohe rechts bleibt; später erfolgt ein Austausch der Töne, indem der hohe Ton links, der tiefe rechts gehört wird. Beide Töne werden dem rechten Ohre zugeleitet: nach einigen Sekunden hört das linke Ohr den hohen, hierauf auch den tiefen Ton; hierauf wandert der hohe Ton von links nach rechts; die Versuchsperson, deren Augen geschlossen sind, meint, daß die betreffende Stimmgabel vom linken Ohre, bei dem Gesichte vorbei, nach rechts bewegt werde. Der tiefe Stimmgabelton verschwindet links, während der hohe Ton rechts noch forttönt. c) Das ins linke Ohr gerufene Wort „Lampe" wird nach einigen Sekunden aus der Entfernung diotisch leise wieder gehört. Das ins rechte Ohr gesprochene Wort „Blume" ertönt im linken Ohre leise wieder, gleich danach auch im rechten Ohre, einige Sekunden später leise, wie aus der Entfernung (diotisch). Nach einigen Sekunden ertönt links das Wort „Blume", rechts „Lampe", zuerst rasch nacheinander, ein zweitesmal gleichzeitig, so daß die Versuchsperson das einzelne Wort nicht zu unterscheiden vermag. Das Wort „Klavier" wird von vorne her beiden Ohren zugeleitet Die echoartige Erscheinung zeigt sich nur links, das erstemal laut, das zweitemal, wie aus der Entfernung; einige Sekunden später hört das rechte Ohr: „vier", hierauf das linke „Kla", das rechte, kurz darauf, „vier". d) An einem anderen Versuchstage tritt bei einer Schalleinwirkung auf das eine Ohr am anderen Ohre die Echoerscheinung auf. e) Von einem vorgesprochenen Satze wird das erste Wort regelmäßig mit dem linken Ohre wiedergehört, das letzte Wort mit dem rechten Ohre; manchmal entsteht für die mittleren Worte oder für den ganzen Satz eine Echoerscheinung aus der Entfernung. Stimmgabel- und angeschlagene Töne vernimmt nur das rechte Ohr wieder, dagegen den hohen Pfiff der Galton-Pfeife nur das linke Ohr.

5. Herr Alfred W., 19 Jahre alt, rechts ertaubt. Sprach- und musikalische Töne ergeben stets nur am hörenden linken Ohre eine Echoerscheinung.

6. Fräulein Jaksic. Das rechte, am Mittelohr operierte Ohr ist hochgradig schwerhörig. Laut gesprochene Worte werden nach 5—7 Sekunden leise wiedergehört, gewöhnlich am linken Ohre, doch zuweilen auch rechts. Spricht man in das Ohr hinein, so findet nach 5—7 Sekunden die Wiederholung des Wortes an dem Ohre statt, in das hineingesprochen wurde. Die echoartige Erscheinung betrifft auch ganze Sätze.

7. Herr Kratki. Laut gegen das rechte oder linke Ohr gesprochene ein- oder zweisilbige Wörter ergeben anfänglich keinen Nachhall, dagegen tritt für die Vokale eine deutliche echoartige Erscheinung auf, sowohl am rechten als auch am linken Ohre. Von zweisilbigen Wörtern vernimmt die Versuchsperson nunmehr deutlich die Endsilbe echoartig, vom Worte „Tisch", jedesmal deutlich das „sch". Beim Hineinsprechen ins rechte oder linke Ohr erfolgt keine echoartige Erscheinung.

Einige Wochen später wird der Versuchsperson der Satz zugerufen: „Heute ist ein kalter Tag". Einige Sekunden später erfolgt die Echoerscheinung am schwerhörigen linken Ohr. Der Satz: „Morgen ist Donnerstag" dem rechten Ohre zugerufen wird als Echo anfänglich rechts gehört, doch rückt die Lokalisation des Wortes „ist" gegen die Mitte des Kopfes und von „Donnerstag" wird „tag" nur links subjektiv gehört. So zeigt sich für den Satz: „Heute ist ein kalter Tag" die Echoerscheinung für „heute ist ein" rechts, „kalter" in der Mitte des Kopfes, „Tag" links. Spricht man gegen das linke Ohr, so bleibt die Echoerscheinung auf dieses Ohr beschränkt. Musikalische Töne, dem linken Ohre zugeführt, erregen eine an dem Scheitel lokalisierte Echoerscheinung; dem rechten Ohre zugeführt, bald im rechten Ohre, bald am Scheitel.

8. Frau Fr. U. Verschiedene, von vorne her gesprochene Worte werden mit dem linken Ohre echoartig wiedergehört; das Wort „Strasse" als „Rasse". Geflüsterte Worte ergeben keine Echoerscheinung. Ins rechte Ohr Gesprochenes erregt am rechten Ohr eine Echoerscheinung.

9. Herr Rudolf Renner hört scharfe Flüstertöne nur beim Hineinsprechen ins Ohr. Vorgesprochene Wörter werden nicht echoartig wiedergehört, dagegen ergibt das wiederholte Vorsprechen eines Wortes nach 5—7 Sekunden an beiden Ohren eine Echoerscheinung. Vokale werden nach 5—7 Sekunden ebenfalls wiedergehört.

10. Minna Herdina, an beiden Ohren hochgradig schwerhörig, besonders linkerseits. Die verschiedenen Vokale und Wörter ergeben keine Echoerscheinung, dagegen zeigt sich eine solche am linken Ohre für „sch" bei den auf ṣch auslautenden Wörtern (Tisch, Fisch).

XV

Die Ohrenentzündungen in ihren abhängigen Beziehungen zu Nachbarorganen.

Eine Skizze

von

L. Grünwald (Bad Reichenhall-München).

Verehrter Altmeister!

Nicht weit noch liegt die Zeit zurück, da eine Ohreneiterung nicht viel mehr denn einen unangenehmen „Fluß" bedeutete.

Ihr Verdienst ist es, der rein chirurgischen Auffassung der Ohrenentzündungen Bahn gebrochen zu haben, als deren letzte Stufe unsere heutige Erkenntnis dasteht, daß bei endocraniellen septischen Prozessen in erster Linie die Beschaffenheit des Ohres kontrolliert werden muß.

Der so geschaffene Vorstellungskreis teilt aber mit allen menschlichen Assoziationsgebieten die Gefahr, zu weit zu reichen, zuviel zu decken.

Die Gefahr ist, ich werde das in den folgenden eigenen und fremden Erfahrungen nachweisen, nicht imaginär; sie ist mitunter sogar groß, weil der irrtümlich als vorwiegend oder allein vorhanden angesehene Ohrprozeß andere, sogar letale Grunderkrankungen zu verdecken imstande ist.

Auch in dieser Richtung den Ohrenerkrankungen ihren chirurgisch richtigen Platz anzuweisen, ist sicher in Ihrem Sinne, verehrter Altmeister, gehandelt.

A. Durchbruch von Eiter aus Nachbarorganen.

Es ist bekannt, daß otitische extradurale und Hirnabszesse durch das Ohr ihren Abfluß finden können. Diese Ereignisse interessieren uns hier weniger: meist wird es früher oder später gelingen, das Bestehen des endocephalen Herdes nachzuweisen, an dessen Ausheilung außerdem die Behandlung der Ohreneiterung einen integrierenden Bestandteil darstellt. Anders jene, allerdings überaus seltenen Fälle von

I. Abfluß nicht otitischer endocephaler Abszesse durch das Ohr.

1. **Le Blanc** (1). Nach einem Schlag auf den Kopf entstand nach vorübergehender Bewußtlosigkeit ein sich stetig steigernder intensiver Kopfschmerz, zu welchem sich nach ca. 8 Tagen klonische und tonische (allgemeine?) Krämpfe und Schlaflosigkeit gesellten. Nach vorübergehender Besserung, vom 15.—30. Tage, lokalisierte sich wiederum ein enormes Druckgefühl in der Gegend zwischen Pfeilnaht und linkem Ohr, bis in der Nacht zum 56. Tage nach vorgängigem Schmerznachlaß der äußerst heruntergekommene Kranke einschlief und beim Erwachen, nach einer halben Stunde, das Kopfkissen von noch in reinem anhaltenden feinen Strahl aus dem linken Ohr sich entleerenden Eiter durchtränkt fand; der Ausfluß hielt dann, vermindert, noch einige Wochen an, während deren neue Schmerzen auf der rechten Seite auftraten, bis auch aus dem rechten Ohr am 86. Tage Eiter austrat. Intermittierend auftretende Gesichtszuckungen verschwanden, jedesmal nach Abfluß einiger Eitertropfen aus dem linken Ohr. — Nach einer kleinen Verschlechterung von kürzerer Dauer (Entstehung einer Geschwulst hinter dem linken Ohr, welche nach reichlicherem Ausfluß wieder verschwand), kehrten nach ca. 3¼ Jahren plötzlich die Kopfschmerzen, begleitet von Übelbefinden, Schnupfen, Anosmie und Appetitlosigkeit etc. wieder, bis eines Nachts eine große Menge über die Maßen stinkenden Eiters aus dem Nasenrachenraum per os entleert wurde, worauf rasch dauernde Genesung eintrat.

Eine nähere Charakterisierung des Prozesses, ob cerebral, subdural oder extradural, ist kaum möglich, sicher wird er nur, durch Erscheinungen und Verlauf, als endocephal gekennzeichnet; ein Fortkriechen unter der Schädelbasis würde andere Symptome hervorrufen.

2. **Rust** (2): Nach einem Sturz (vom Pferd) auf den Kopf stellte sich sich ein periodisches halbseitiges Kopfweh von solcher Intensität ein, daß die geistige Beschäftigung (welche die Anfälle hervorzurufen schien), aufgegeben werden mußte. Nach einem neuerlichen Sturz (13 Jahre später), zeigte sich aus dem linken Ohre ein Abfluß von Blut und „klarem Eiter", der einige Tage anhielt, mehrere Unzen (à 30 ccm) betrug und nach dessen Aufhören dauernde volle Genesung eintrat.

Wahrscheinlich traumatischer Extraduralabszeß, durch eine Basisfissur beim zweiten Sturz eröffnet.

3. **Gama** (3): Hufschlag auf den hinteren Rand des rechten Scheitelbeins nebst Sturz auf den Kopf. Nach vorübergehendem Bewußtseinsverlust am 9. Tage bei der Aufnahme: Somnolenz, Blässe des Gesichtes und Lähmung des linken Gesichtes und Armes: mühsame Atmung, Puls beschleunigt; am nächsten Tage tiefes Coma.

Erst am 16. Tage kehrte das Bewußtsein, sowie die volle Motilität wieder.

Am 29. Tage schmerzhafte „Otitis" rechts, vom 32.—34. Tage überaus reichlicher Ausfluß von wässrigem, sehr stinkendem Eiter aus dem Ohr, der dann rasch nachließ und mit voller Genesung (Entleerung am 45. Tage) endete.

Der Verlauf in den ersten zwei Wochen ist nur unter der Annahme eines Hirndruckes durch ein langsam entstandenes Extravasat zu erklären. Ob dieses durch eine interkurrente Otitis auf dem Wege einer minimalen Fissur infiziert wurde oder, primär auf ebensolche Weise vereitert, beim Durchbruch in das Ohr erst die Erscheinung einer Otitis hervorgerufen hat, ist nicht entscheidbar, aber auch gleichgültig: an der endocephalen Bildung der Flüssigkeitsansammlung läßt sich kaum zweifeln.

Ein weiterer Fall ähnlicher Art ist derjenige von

4) M. 'Leod, den Barr (4), allerdings sehr kurz, referiert:

Ein traumatisch entstandener Vorderlappenabszeß kroch an der Schädelbasis entlang und brach im äußeren Gehörgang durch.

Endlich die sehr instruktive Beobachtung von

5. Panas (5): Ein 21jähriger Mann erkrankte im Gefolge eines Erysipels an rechtsseitiger Orbitalphlegmone. Ca. 6 Wochen nach Beginn des Erysipels entstanden Schmerzen im rechten Ohr, Perforation und anhaltende Eiterung. Nachdem bald darauf einige epileptische Anfälle aufgetreten waren, stellte sich eine allmählich bis zur Fluktuation gedeihende Schwellung über der Schuppen-Schläfengegend ein, die nach der Inzision zwei Perforationen des Knochens enthüllte. Nach dem, im 6. Monate der Erkrankung, im Coma eingetretenen Tode fand sich bei der Sektion der ganze „Keilbeinlappen" („corne sphénoidal") in einen Eiterbrei verwandelt, die Meningen in der ganzen fossa sphenoïdalis adhärent, die Dura intakt, aber außer den 2 Löchern im Schuppenteil noch ein weiteres im tegmen tympani. Meningitis der Vorderlappenbasis bis zum Bulbus nach vorne reichend.

Hier liegt also wiederum Durchbruch einer Hirneiterung vor. im Anschluß aber ist eine echte sekundäre Otitis entstanden.

II. Beteiligung des Ohres an suboccipitalen Abszessen.

1. Eigener Fall. Aus der a. a. O. (6) ausführlich wiedergegebenen Krankengeschichte hebe ich nur folgendes, hier interessierende hervor:

Der durch Vereiterung einer abnorm gelegenen Keilbeinhöhle entstandene intravertebrale Abszeß an den beiden ersten Halswirbeln trat zunächst in Gestalt einer akuten Ohren-Warzenfortsatzeiterung zutage, welche allerdings in ihren Erscheinungen: profusester Absonderung trotz allen Freilegungsversuchen, Schwellung in der Gegend des emissarium Santorini, Kopfsperre, Trigeminus- und Cervicalneuralgie, sowie besonders in der Stelle des Eiterabflusses (am Boden) usw. verdächtige Abweichungen vom Typus darbot, sodass zunächst an Fortkriechen eines otitisch entstandenen perisinuösen Abszesses durch das emissarium gedacht wurde (s. auch u. 11, 12) Der Durchbruch des suboccipitalen Abszesses erfolgte hier im recessus infratympanicus. Zur näheren Instruktion muß ich auf die Originalmitteilung verweisen.

2. Das „malum suboccipitale", auf tuberkulösen Entzündungen der Atlanto-occipitalgelenke beruhend, löst, besonders im Anfang, mitunter Erscheinungen von Otitis aus, die einer Verschleierung des wahren Prozesses dienlich sind:

E. v. Bergmann (7) berichtet über zwei solcher Fälle, in deren erstem die durch Lucae vorgenommene Parazentese die im Vordergrunde des Bildes stehenden Ohrenschmerzen verminderte, während der Abszeß seinen Ausweg retropharyngeal suchte; im zweiten entstand sogar eine vorübergehende Eiterung des Ohres und bald darauf eine faustgroße retroaurikulare Schwellung, die jedoch in ihren kausalen Beziehungen richtig erkannt wurde. Diese beiden letzteren Fälle sind natürlich nur als Korrelate zu den eigentlichen Durchbruchsprozessen und mehr im Sinne der weiter unten zu besprechenden konsensuellen Entzündungen aufzufassen.

III. Durchbruch von Parotis- und Kieferabszessen.

Für diese Eventualität stehen mir keine Einzelbeispiele zur Verfügung. Nur soviel:

Parotitische Phlegmonen bedrohen den äußeren Gehörgang und können durch die daselbst zunächst auftretende Anschwellung und das Macerationsekzem täuschende Bilder erzeugen.

Über Kiefergelenkentzündungen äußert sich Hyrtl (8) dahin, daß der Eiter durch die fissura Glaseri oder die nicht selten offene Dehiszenz in der vorderen Wand des äußeren Gehörganges in die Trommelhöhle gelange.

Dentale Parulitiden vermögen denselben Weg, eventuell auch durch die fossa pterygo-palatina hindurch, einzuschlagen. —

Für alle Fälle der Gruppe A gilt folgendes:

Erstens muß das Bestehen der als eigentlicher Eiterherd anzusprechenden Erkrankung durch deutliche, für sich sprechende Symptome resp. Befunde erwiesen sein. Diese hier zu erörtern, verbietet der Raum. Bezüglich der suboccipitalen Entzündungen verweise ich speziell auf meine letzte Publikation (9).

Zweitens muß der zeitliche Verlauf sowohl als die Möglichkeit kausaler Verknüpfung einerseits der Ohrenerkrankung, andererseits dem Nachbarherd den richtigen Platz anzuweisen gestatten. In dieser Beziehung ist daran zu erinnern, daß so wie Hirnabszesse gewöhnlicher durch Ohreneiterungen hervorgerufen zu werden pflegen, als umgekehrt, letztere, allerdings seltener, ebensogut ihrerseits in suboccipitalen Entzündungen resp. periartikulären Eiterungen zu enden vermögen. Am klärendsten wird da zunächst die genaue zeitliche Kontrolle der Einzelerscheinungen einzusetzen haben.

Diese Kontrolle wird besonders dann Klarheit zu schaffen vermögen, wenn einer der seltenen Fälle otogener Entstehung eines suboccipitalen Abszesses, speziell auf phlebitischem Wege, in Frage steht.

Auch ist an dieser Stelle daran zu erinnern, daß sogar der Umweg über das Hirn resp. den Extraduralraum seitens otitischer und andersartig entstandener Herde beschritten werden kann, um vermittels Durchbruches oder durch vorgebildete Wege (foramen condyloideum, emissarium etc.) im Nacken zu erscheinen (10, 11).

Endlich sollten, bei zunächst isolierten oder doch im Vordergrunde des Bildes stehenden Ohreneiterungen, abnorme Reichlichkeit und Hartnäckigkeit der Sekretion, besonders aber jedes nicht ganz gewöhnliche Symptom auf die Möglichkeit anderer Substrate aufmerksam machen. Hier nenne ich speziell abnorm lokalisierte Schmerzen, auffallende Lokalisationen von Schwellungen, ebensolche Bewegungsbehinderungen (Kiefer- oder Kopfsperre), endlich gewisse motorische Lähmungserscheinungen, speziell im Bereiche des n. abducens, occulomotorius, trigeminus, accessorius und hypoglossus.

B. Consensuelle und sekundäre Ohreiterungen.

Der Einfluß benachbarter Erkrankungen braucht sich nicht bis zum Durchbruch der Eiterung zu erstrecken; Infektion, auf verschiedenen Wegen vermittelt, kann neben der ursprünglichen Erkrankung einen Reizzustand, ja mehr als das, eine bis zur Eiterung gehende Entzündung im Ohr vermitteln, deren Abhängigkeit von jenen, also rein sekundäre Bedeutung, im Verlaufe erkannt werden kann und, genau wie bei Durchbrüchen, dahin zu würdigen ist, daß die Ohrenerkrankung ohne Beseitigung des primären Herdes keine Heilungsaussichten bietet, daß sie ferner diesen Herd zu verdecken und dadurch die Heilungsmaßnahmen von der richtigen Bahn abzulenken imstande ist, endlich daß die konsensuelle Form nach Ausschaltung des primären Herdes ohne weiteres von selbst verschwindet. Für all diese Eventualitäten bieten die folgenden Fälle Belege:

1. Finlag (12): Bei einem 16jährigen Jüngling bestand seit mehreren Wochen linksseitige Ohreneiterung, seit zwei Tagen heftige Schmerzen daselbst, Die Eiterung schwankte stark in der Menge, war zeitweise profus. Status: Halbcoma mit Delirien, T. 39,9, P. 120. Links kleine Perforation, wenig Eiter, links Abducenslähmung; Augenhintergrund normal.

Während der Narkose bemerkte man eine parallel dem linken oberen Orbitalrand, etwas unterhalb, verlaufende blutegelförmige Anschwellung und stellte die richtige Diagnose auf Phlebitis des sinus cavernosus. Trotzdem wurde nur auf das Ohr vorgegangen: Im Antrum und Mittelohr fanden sich nur winzige Mengen von Eiter; der Knochen, ebenso der sinus transversus, die Dura und das Hirn erwiesen sich als intakt. Am nächsten Morgen Exitus.

Bei der Sektion fanden sich die Ohrräume eiterfrei, die Dura an der Basis dickplastisch infiltriert, in den sinus cavernosus und circularis ein „eitriges Blutcoagulum", bis in die linke v. ophthalm. (sup.) reichend, Keilbein- und Siebbeinzellen mit dickem gelbem Eiter gefüllt.

F. erkennt nachträglich selbst die rein sekundäre Bedeutung der Ohrenaffektion an, hält es jedoch, in Anbetracht der tatsächlich bestandenen Otitis, trotz den auf den sinus cavernosus hindeutenden Symptomen für unmöglich, anders zu handeln.

Ob diese Annahme, allein schon gegenüber der von uns prinzipiell erhobenen Forderung, jeden Ohrenfall auch in der Nase zu untersuchen, aufrecht erhalten werden könnte?

2. Uchermann (13): Einem 19jährigen Mädchen war vor 4 Jahren ein Abszeß des Zahnfleisches in den rechten Gehörgang durchgebrochen, dann waren Drüsenabszesse, erst links und dann unter dem rechten Ohr gefolgt, jedoch alles geheilt.

Wenige Tage vor der Aufnahme entstand unter Schüttelfrost eine schmerzhafte Anschwellung hinter dem linken Kopfnickeransatz; Trommelfell nur leicht gerötet, Warzenfortsatz etwas druckempfindlich, kein Ohrenfluß.

Die Operation enthüllte einen nach der Schädelbasis zu gelegenen Abszeß hinter und unter dem proc. mast. Die Schleimhaut in letzterem hyperämisch, an der Spitze einige vereiterte Zellen. Sinus transv. frei.

Neue Schüttelfröste und Temperaturanstieg bis zu 41,6° veranlaßten zu weiterer Freilegung des sin. transv. und der v. jugul., ohne Ergebnis. — Tod nach 2 Tagen.

Bei der Sektion fand sich der sinus occipitalis, bis zum confluens hin, samt den Cervical(Occipital?)venen thrombosiert. Hirnödem.

U. sieht in dieser Erkrankung die Folge einer Infektion seitens der periphersten Zellen.

Wenn man aber seinen Gesichtskreis nicht nur vom otologischen Standpunkt aus übersieht, so stellt sich der wahrscheinliche Verlauf (ohne weitere Ausdehnung der Sektion läßt sich keine größere Gewißheit erlangen) folgendermaßen dar:

Eine dem ursprünglichen Herd nahegelegene oder mit ihm identische Infektionsquelle in der Nachbarschaft der fossa pterygo-palatina (Zähne, Nebenhöhlen usw.) hat über den plexus pterygoideus zu einer abszedierenden Phlebitis der Occipitalvenen geführt; die Verbindungen der v. facial. post. mit den Paukenwarzenfortsatzvenen vermittelten eine rein syndromatische Beteiligung der Warzenfortsatzspitze, während andererseits die Infektion ihren Hauptweg weiter zum sinus occipitalis nahm.

Die Ohrenoperation konnte an sich weder diesen Verlauf enthüllen noch unterbrechen; ihr negatives Ergebnis hätte aber

auf die Möglichkeit anderweitiger Zusammenhänge hinweisen
müssen, wenn nicht schon die Anamnese und der eigentümliche
Befund auf eine solche aufmerksam gemacht hätten. —

Klinischen Schwierigkeiten durch raschen tödlichen Verlauf
enthoben, bietet der Fall von

3. Konietzko-Isemer (14), dessen ausführlichem interessanten Bericht ich nur die hier wichtigsten Schlagworte entnehme, umsomehr des fraglos Belehrenden:

Alte Eiterung der linken Kieferhöhle mit Ausgang in Nekrose. Perforation einerseits zum harten Gaumen, andererseits in der hinteren oberen
Wand zur fossa pterygo-palatina. Gangrän der Weichteile daselbst sowie
des perivaskulären Gewebes in canalis carotid., des peritubären Gewebes und
des m. tensor tymp., endlich der Schleimhaut um den Steigbügel.

Arrosion des Hinterhauptbeins bis über den linken prozessus condyloid.
hinaus uud bis über die Mittellinie nach rechts.

Die Wände der vena und des bulbus jugul. bereits verfärbt, die Gefäße
innen noch intakt; einzelne Drüsenpakete am Halse verfärbt, ihre Umgebung
sulzig infiltriert.

Eiter in der Paukenhöhle, die Gehörknöchelchen von Granulationen
umgeben, auf deren Frische gegenüber den nekrotischen, primär erkrankten
Partien die Autoren ausdrücklich hinweisen, um daran selbst die rein sekundäre Bedeutung der Otitis zu erläutern.

4. Eigener Fall (15). Aus der Krankengeschichte, deren
ausführliche Lektüre zur Würdigung der diagnostisch entscheidenden
Momente des Falles unerläßlich ist, hebe ich nur folgende Daten
kurz hervor:

Exacerbation eines alten Kieferhöhlenkatarrhs. Breite Eröffnung vom
unteren Nasengange aus. 14 Tage später neuerliche Infektion (Erkältung).
Fortschreiten der Entzündung durch die Hinterwand der Kieferhöhle auf das
Gewebe der fossa pterygopalatina und auf das suboccipitale Gewebe, gleichzeitig, wahrscheinlich auf dem Lymphwege, zum Ohr. Profuse Mittelohreiterung mit hoher Empfindlichkeit der Warzenfortsatzspitze. Diagnose eines
beginnenden suboccipitalen Abscesses auf Anamnese, leichte Kiefersperre,
tiefes Nackeninfiltrat. Kopfsperre und Neuralgie der 2. und 3. Trigeminusastes begründet.

Operation des Abscesses mit Freilegung der hinteren, ganz gesund
aussehenden Warzenfortsatzfläche.

Nach Entfernung des Wundtampons am 4. Tage, Versiegen
der bis dahin profus andauernden Ohreneiterung innerhalb
weniger Stunden.

In diesem Falle hätte in Anbetracht der fünf Wochen langen
Dauer der profusen Ohreneiterung und der Schmerzhaftigkeit des
processus nichts näher gelegen, als die pneumatischen Räume zu
eröffnen, die sicher auch, zur Befriedigung des Operateurs, Eiter-
inhalt gezeigt haben würden. Ich habe, entgegen begründeten
Einwänden sachkundiger Kollegen, fest auf der Auffassung einer
nur sekundären Bedeutung der Ohreneiterung bestanden und der
postoperative Verlauf hat dem recht gegeben. Es ist dies der
erste Fall, in dem es gelang, unter Abstraktion von den täuschen-

den Ohrenerscheinungen sofort auf den richtigen Herd loszugehen.

In einem, viel früher, von mir ebenfalls als nicht otitisch begutachteten Falle ist von anderer Seite operiert worden. Darüber weiter unten.

Es existieren noch einige, meiner Ansicht nach hierhergehörige Fälle in der Literatur, speziell einer von J a n s e n (16), auf die ich aber nicht eingehen kann, weil die ausführliche, zu der erforderlichen kritischen Würdigung unerläßliche Wiedergabe hier zu viel Platz beanspruchen würde. In anderem Zusammenhange werde ich dieselben ohnedies noch zu besprechen haben.

Nur einen möchte ich, des besonderen Interesses halber, kurz erwähnen, denjenigen von

2. Neumann (17): Nach einer Nasenoperation setzte eine acute Otitis ein, die am 6. Tage duich Schüttelfrost und hohes Fieber kompliziert wurde, aber keine anderen subjektiven Zeichen von objektiven Zeichen von Mastoiditis darbot. Trotzdem wurde die Aufmeißelung vorgenommen, „die aber keine Aufklärung brachte", weiter noch die jugularis unterbunden und der Bulbus freigelegt, ebenfalls ohne positiven Befund; speziell kein obturierender Thrombus.

Nach der Operation hörten die Schüttelfröste auf und sank die Temperatur lytisch ab.

N. nimmt an, daß eine wandständige, bei der starken Blutung nicht sichtbare Thrombose des Querleiters vorgelegen habe.

Allerdings ist das Vorhandensein einer Otitis geeignet, dieser Auffassung eine Stütze zu leihen.

Trotzdem ist dieselbe abzuweisen. Der absolut negative Ausfall der Operationen verlangt das; die Entzündung beschränkte sich ja auch nur auf die Paukenhöhle.

Höchstwahrscheinlich saß der Thrombus in einem der sinus petrosi, vielleicht auch nur im plexus pterygoideus. Die Iugularis-unterbindung unterbrach die Blutverschleppung weiteren septischen Materials, konnte aber nicht verhindern, daß von dem noch bestehenden, jedenfalls sehr kleinen Herde aus noch septische Stoffe resorbiert wurden, weshalb das Fieber nicht sofort, sondern nur lytisch abfiel.

Die Phlebitis war zweifellos direkt nasalen Ursprungs, die Otitis ein Syndrom.

Ihre Entstehung zu erörtern, ist im knappen Rahmen dieser Skizze nicht möglich; unzweifelhaft ist nur, daß auch hier, wie in mehreren der bereits erörterten Fälle, der Inhalt der fossa pterygo-palatina und insbesondere der plexus pterygoideus eine ausschlaggebende Vermittlerrolle spielt, deren **prinzipielle Bedeutung** usw. zurzeit von mir ausführlichen Untersuchungen unterzogen wird.

Eine eigentümliche und nur durch Anwendung aller einschlägigen Untersuchungsmethoden, insbesondere wieder durch systematische Nasenuntersuchung vermeidbare Fehlerquelle besteht in der

C. Gleichzeitigkeit von Ohreneiterungen und andersartigen Schädeleiterungen.

1. K o e b e l (18): Bei einem 39 jährigen Manne, der von Jugend auf mit Naseneiterung behaftet war, trat ein Recidiv einer 15 Jahre vorher entstandenen rechtsseitigen Ohreneiterung auf. In der rechten Nase wurden Granulationen geätzt; 14 Tage darauf entstand plötzlich unter Fieber ein heftiger Schmerz in der Stirn und beiden Schläfen neben allgemeinem Verfall, schwankendem Gang, (wie in Betrunkenheit), Erbrechen, Unruhe und, einige Tage später, Zuckungen in der linken Hand und Arm. Stirn nicht druckempfindlich.

Die Totalaufmeißelung ergab keine Knochenerkrankung, auch nicht der ossicula; Eiter im Antrum.

In anhaltendem Sopor trat bald der Tod ein.

Bei der S e k t i o n fand sich eine Perforation in der Hinterwand der rechten Stirnhöhle (beide, auch die linke, von Eiter und Granulationen erfüllt) und ein hühnereigroßes Abszess im V o r d e r l a p p e n.

Daß die Ohreneiterung die Dignität des gleichzeitigen Nasenprozesses stark zu verhüllen geeignet war, ist klar. Die Druckunempfindlichkeit der Stirn konnte umsomehr zur Täuschung beitragen, als, entgegen meinen wohlbegründeten Warnungen (23), seit der K u h n tschen Arbeit, diesem Symptom ein viel zu weitgehendes Gewicht beigelegt wird; das einzige, auf den Vorderlappen hinweisende Symptom der „frontalen Ataxie" ist nicht auffällig genug, um seine Vernachlässigung nicht begreiflich zu finden.

Trotzdem oder vielmehr gerade darum bietet der Fall erneuten Anlaß, unsere Mahnung zu noch größerer Aufmerksamkeit auf die Nase usw. zu wiederholen. Gerade solche Fälle mit unklaren, aber doch auf endocephale Vorgänge hinweisenden Symptomen, müssen zur Erschöpfung aller Möglichkeiten durch Anwendung weitgehender Untersuchungen führen und speziell zur Anwendung der Erkenntnis, daß latente Nebenhöhleneiterungen häufig nur den intensivsten diagnostischen Bemühungen zugängig sind.

2. In S t e n g e r's (19) Fall beherrschte die Stirnhöhleneiterung, da sie bald im Anfange zu einem Lidabszess führte, von vornherein die ebenfalls durch eine subakute Ohreneiterung komplizierte Lage. Demgemäß wurde auf der richtigen Linie vorgegangen, allerdings nicht weit genug: der unentdeckte Stirnlappenabszess führt zum Tode.

Wenn in der Koebelschen Beobachtung die Gleichzeitigkeit. der Ohrenaffektion mit der tödlichen Stirnhöhleneiterung die Täuschung über den wahren Sachverhalt in vivo noch verständlicher machte, umsomehr als auch die Lokalhirnsymptome geradeso gut von einem Schläfenlappenabszeß ausgelöst sein konnten, so hätte in dem folgenden Fall von

3. Jansen (20) die Möglichkeit einer anderen Auffassung, wenigstens post mortem, nahegelegen:

In der rechten Nase eines mit alter linksseitiger desquamativer Ohreneiterung behafteten Mannes wurde galvanokaustisch gebrannt. Allgemein septische Erscheinungen traten auf und veranlaßten die linksseitige Aufmeißelung, führten aber 2 Tage später zum Tod.

Bei der Sektion fandeu sich sämtliche Blutleiter frei, nur in dem rechten sinus petros inf. ein eitrig zerfallender, grünlich verfärbter Pfropf, ebenso in der sella turcica mißfarbige zerfallene Massen, am clivus der Knochen grünlich verfärbt. — Keine Nebenhöhlensektion.

Daß die linksseitige Ohreneiterung diese rechtsseitige Basiserkrankung, unvermittelt noch dazu, herbeigeführt haben sollte, ist absolut von der Hand zu weisen. Die Entstehung, im Anschluß an die Galvanokaustik, weist in ganz typischer Weise wieder auf eine nasale Entstehung der Phlebitis hin.

Immerhin, auch in diesem letzten Falle lag doch wenigstens noch eine manifeste Ohreneiterung, wenn auch der anderen Seite, vor.

Es bleibt uns aber noch übrig, eine Gruppe von Fällen zu besprechen, in denen überhaupt keine Otitis bestand, sondern nur durch lokale oder allgemeine Symptome, welche bei Ohreneiterungen wohl vorkommen, aber auch anderen weniger bekannten Erkrankungen eigentümlich sind, vorgespiegelt wurde.

D. Vortäuschung nicht vorhandener Ohreneiterungen.

In dem ersten der einschlägigen Vorkommnisse schöpfte der Operateur wenigstens aus dem Umstande, daß eine Ohreneiterung relativ kurze Zeit vorhergegangen war, einige Berechtigung für seine Auffassung:

1. Eigener Fall (21): Geheilte Kopfverletzung vor 6 Jahren; vor einem halben Jahre linksseitige, rasch geheilte Ohreneiterung.

Heftige Schmerzen hinter dem linken Ohr und Beschränkung der Kopfbeweglichkeit führten den behandelnden Arzt dazu, mir den Patienten als der Simulation verdächtig (Unfallrente) vorzustellen.

Ich konnte absolut keine objektiven Veränderungen, auch nicht am Ohre, feststellen und lehnte jedes Einschreiten, aber auch ein definitives Urteil ab.

Das Anhalten der Beschwerden und eine occipitale Schwellung veranlaßte den Kollegen, den Warzenfortsatz aufzumeißeln, der sich als nicht erkrankt erwies, aber auf dem plauum eine alte Fissur mit eingeklemmter Fascie zeigte.

Einen Monat später wieder zugezogen, war ich in der Lage, den Proceß als einen rein suboccipitalen (es fand später noch eine retropharyngeale Senkung etc. statt) anzusprechen und zu operieren. Die akute Otitis war selbst geheilt, hatte aber durch die, jedenfalls auch auf die Innenseite des processus reichende Fissur, die Infektion sub. occipital geleitet.

Bezüglich der Einzelheiten verweise ich auf die Original. mitteilung.

Die Täuschungsmöglichkeit in diesem Falle war groß und wohlbegründet.

Im Gegensatz hierzu müssen wir auf die Notwendigkeit, schon im klinischen Verlauf andere Möglichkeiten in Erwägung zu ziehen, für folgende Fälle hinweisen:

2. Biehl (22): Im Gefolge einer Nasenoperation entstanden Ohrenschmerzen, die zu fünfmaliger, immer vergeblicher Paracentese Anlaß gaben. Da abendliche Temperatursteigerungen, einmal sogar Schüttelfrost auftraten, wurde weiter vorgegangen, immer in der Richtung auf das Ohr: der Warzenfortsatz aufgemeißelt und leer befunden; endlich fand sich ein kirschkerngroßer Abszess am Übergang des sinus transversus zum sinus sigmoideus.

In einem zweiten Fall führten ebenfalls nach einem Naseneingriff aufgetretene Ohrenschmerzen zur ergebnislosen Ohrenoperation, die aber wiederum die Freilegung eines Sinusabszesses ermöglichte.

Auch epikritisch beharrt B. auf der Auffassung otitischen Ursprungs dieser Abszesse, obgleich es doch sehr schwer ersichtlich ist, wie eine erweislich nicht existierende Ohrenentzündung Folgeerscheinungen hervorrufen soll.

Berechtigt scheint mir wiederum nur eine Erklärung, daß ähnlich wie in den oben erörterten Fällen durch den Naseneingriff eine infektiöse Phlebitis der vena nasalis posterior veranlaßt und vermittels des plexus pterygoideus zu einem sin. petrosus und durch diesen zum sinus sigmoideus geleitet wurde.

(Bei dieser Gelegenheit möchte es nicht unwichtig sein, darauf hinzuweisen, daß Sinusthrombosen im Gefolge akuter Erkrankung an sich schon den Verdacht auf einen anderen als otitischen Ursprung hinzulenken geeignet sind; nach akuten Ohrenerkrankungen kommen sie weitaus seltener zur Beobachtung; sehr erklärlich durch die fast unerläßliche Notwendigkeit vermittelnder Knochenprozesse, wenn es sich um das Ohr handelt.)

Das einzige wirklich oder vielmehr scheinbar auf die Ohren hindeutende Symptom, der Ohrenschmerz ist ferner genau so trügerisch, wie jede andere spontane Schmerzlokalisation.

Auf die Hinfälligkeit aller aus diesen Lokalisationen gezogenen Schlußfolgerungen habe ich schon vielfach hingewiesen (23) und stehe damit ja nicht allein da (24).

Was speziell den Ohrenschmerz und dessen unberechtigte Würdigung anbelangt, verweise ich auch auf eine jüngst erfolgte Zusammenstellung von komplizierenden Erkrankungen bei Keilbeinhöhleneiterung, durch St. Clair Thomson (25), aus welcher ersichtlich ist, daß Schmerzen hinter dem Ohr in einem, im Ohr selbst in 5 Fällen letzterer Art geklagt wurden und zwar so ausgesprochen, daß dreimal (vergeblich) der Warzenfortsatz eröffnet wurde und zwar von „geschickten Otologen." Sogar der sinus sigm. wurde unnötig zweimal eröffnet.

Th. weist in diesem Zusammenhang auch auf das oben erörterte gleichzeitige und unabhängige Vorkommen von Ohreneiterung hin: „it is to be remembered, that otitis may coincidently be present."

Ich bin am Schlusse, dieser heißt:

Grenzgebiete berühren sich einerseits durch die gegenseitige Beeinflussung ihrer Zustände, andrerseits durch die häufige Gleichartigkeit oder täuschende Ähnlichkeit der Symptome ihrer Erkrankungen. Nur genaueste Kenntnis jedes dieser Gebiete ist imstande, vorkommende Grenzüberschreitungen bald als solche festzustellen, so daß die vorliegende Erkrankung nach dem Orte ihrer Entstehung, nicht nach dem ihrer Erscheinung gewürdigt und behandelt werden kann.

Literatur:

1. Journal de médicine, chirurgie, pharmacie etc. par Roux, Paris 1762, T. 17. S. 455.

2. Handbuch der Chirurgie, Bd. 1. S. 133.

3. Traité des plaies de tête et de l'encéphalite. Paris 1835. S. 488. (Diese drei Zitate sind dem Handbuch der Chirurgie von V. Bruns, 1. Abteilung; Tübingen 1854; S. 976—978 entnommen.)

4. Brit. med. Journal, 1887, I. S. 725.

5. Bulletin de la société de chirurgie. 1873. S. 507.

6. Archiv für Laryngologie, 1901.

7. Volkmanns klinische Vorträge. Neue Folge. Heft 1.

8. Handbuch der topographischen Anatomie. S. 300.

9. Berliner klinische Wochenschrift, 1907.

10. Macewen, die infektiös-eitrigen Erkrankungen des Gehirns etc. S. 112.

11. Zeller, zit. bei Oppenheim (24) S. 189.

12. Zeitschrift für Ohrenheilkunde, 1904. S. 227.

13. Revue hebdomad. de laryngol. etc. 1905. 15. Ref. Zentralbl. für Chir. 1906. 36. S. 978.

14. Archiv für Ohrenheilkunde, 1905. Bd. 64. S. 92.

15. cf. 9, Fall V.

16. Archiv für Ohrenheilkunde, Bd. 35. S. 279. Fall XII.
17. Monatsschr. für Ohrenheilkunde etc., 1905. S. 557.
18. Beiträge zur klin. Chirurgie. 1899. S. 526.! Bd. 25.
19. Berl. klin. Wochenschrift, 1901. S. 639.
20. cf. 16, S. 89.
21. cf. 9, Fall III.
22. cf. 17, Diskussion.
23. Lehre von den Naseneiterungen, 2. Aufl. S. 257 und S. 110.
24. Oppenheim, die Encephalitis und der Hirnabszeß. S. 136.
25. Brit. med. Journal, 1906. II. S. 768.

XVI

Ein Beitrag zur Kasuistik der Konkrementbildungen im äusseren Gehörgang.

Von

Dr. med. **Schwidop** in Karlsruhe (Baden).

(Mit 3 Abbildungen im Text.)

———

Die Angaben in der Literatur über die Konkrementbildungen im äußeren Gehörgang sind äußerst spärliche. Lincke macht in seinem Handbuch der Ohrenheilkunde darüber einige Angaben, die wohl nur mehr ein historisches Interesse zu beanspruchen haben. Er sagt in dem „pathologische Anatomie der äußeren Abteilung des Gehörorgans" betitelten Abschnitt in Bd. I: „Einer besonderen Erwähnung verdienen die steinigen Konkretionen, welche man einige Male im Gehörgang gefunden hat. Die älteren Schriftsteller standen in dem Wahne, daß das Ohrenschmalz der Galle an Eigenschaft gleiche und wie diese der Versteinerung fähig sei. Bartholin erzählt von einer Frau, daß diese lange Zeit einen Schmerz um das Ohr gehabt habe, der zuletzt durch eine Entladung kleiner Steine aus dem Gehörgang gelindert wurde. Garmann beschreibt ein steinhartes Konkrement, von der Größe und Gestalt einer Erbse, welches aus verhärtetem Ohrenschmalz bestand. Du Verney erzählt, daß er bei der Untersuchung des rechten Ohres einer verstorbenen Person, die in den letzten Jahren ihres Lebens auf dieser Seite taub gewesen war, zwei Linien weit von dem Trommelfell eine sehr dicke und schlaffe Haut, und vor dieser eine ziemlich ansehnliche Menge gipsartiger Materie gefunden habe. Müller gedenkt eines Mannes, dem nach lange Zeit hindurch währenden Kopfschmerzen auf der linken Seite mehrere spitzige und harte Steinchen, mit Blut und Eiter vermischt, aus dem linken Ohr abgingen. Nach Collomb litt ein Mann mehrere Jahre hindurch an vagen Schmerzen, die oft den Kopf einnahmen

und heftige Ohrenflüsse verursachten. Nach und nach nahm sein
Gehör ab, und er wurde ganz taub. Als man seine Ohren untersuchte, traf man einen harten Körper in beiden Ohren, der jedoch
im linken mehr hervorstand als im rechten. Man zog ihn heraus,
und es ergab sich, daß er eine gipsartige, harte und unregelmäßig geformte Masse von der Länge und Dicke einer gewöhnlichen Schminkbohne bildete. Neuere Beobachtungen von steinartigen Konkretionen im Gehörgang und chemische Analysen derselben fehlen."

Und in Bd. II. heißt es in einem besonderen Kapitel: „Die
Ohrsteine oder steinartigen Konkremente im Gehörorgan, Otolithi,
Otolithiasis" — „manchmal bilden sich im Gehörgang, in der
Trommelhöhle und im Warzenfortsatz unorganische Konkremente
von verschiedener Härte und Dichtigkeit. . . . Diese Konkremente bestehen wahrscheinlich aus phosphorsaurem und kohlensaurem Kalk und aus tierischer, dem Ohrenschmalz und Schleim
analoger Substanz. . . — Die Steinbildung setzt immer eine gewisse krankhafte Veränderung des Gehörorgans voraus, infolge
deren die Absonderung der Schmalzdrüsen und der Schleimhäute
alteriert ist. Vor allem muß aber ein Individuum eine solche Anlage haben und es muß eine Stimmung obwalten, welche die
Steinbildung begünstigt. Schon mehrere ältere Ärzte vermuteten
nicht ohne Grund, daß die Neigung zu derselben von einer
gichtischen Anlage herrühren müsse." —

Nirgends in der neueren Literatur findet sich ein Hinweis
auf diese doch recht ausführlichen Darlegungen Lincke's.

Tröltsch, Jacobson, Eitelberg, Hartmann u. a. erwähnen die Möglichkeit des Vorkommens von Konkrementbildungen
überhaupt nicht; auch in der pathologischen Anatomie von Ziegler
findet sich keine Notiz darüber. In der Realencyklopädie von
Eulenburg wird das Vorkommen von Otolithen nur ganz kurz
erwähnt. Brühl spricht davon, daß in Cerumenpfröpfen neben
Cholestearinkrystallen, pathologischen Mikroorganismen mitunter
auch kleine Fremdkörper und Kalk (Otolithen) gefunden wurden.
Vohsen in der Encyklopädie der Ohrenheilkunde kennt Konkrementbildungen, die mit Cerumen und Epidermismassen vermengt sind
und deren Entstehen er durch die Beschäftigung der Träger mit
dem Baugewerbe erklärt, daneben aber auch solche aus kohlen-
und phosphorsaurem Kalk, deren Ursprung unbekannt ist. In dem
Handbuch von Schwartze finden wir die Angabe, daß Otolithen
von Voltolini, Courtes und Bezold beschrieben wurden, daß

es aber nie gelungen sei, einen zentralen Kern nachzuweisen, wie bei fast allen Nasensteinen.

Barth erwähnt in der Monatsschrift für Ohrenheilkunde 1897 einen Fall von Konkrementbildung an der Außenseite eines bei chronischer Mittelohreiterung lange Zeit im Gehörgang belassenen Wattepfropfes. Bezold allein spricht sich über das Vorkommen von Kalkkonkretionen im Gehörgang ausführlicher aus und erwähnt die beiden von ihm beobachteten Fälle. — Während bei den wenigen sonst in der Literatur vorliegenden Beobachtungen gleichzeitig eine chronische Mittelohrentzündung bestand, fand Bezold in seinen beiden Fällen Trommelfell und Gehörgang intakt, die Kalkkonkremente saßen innerhalb dicker Epidermisschichten, die in ihrer Mitte verkäst waren. Die gleichzeitige Anwesenheit reichlicher, in Form von Zooglöamassen angesammelter Kokken macht es ihm wahrscheinlich, daß es, ebenso wie bei der Bildung des Zahnsteines, der Tränensteine und der Rhinolithen eine besondere Bakterienart ist, die eine vermittelnde Rolle auch bei ihrer ausnahmsweisen Entstehung im Gehörgang spielt. In beiden Fällen bestand fötide Sekretion im Gehörgang, in dem einen auch infolge der Reizung durch die scharfen Ecken und Kanten des Fremdkörpers und die vielfachen Manipulationen seitens der Trägerin eine zapfenförmige Wucherung im Gehörgang. Beide Male wurde teils mit der Spritze, teils mit Löffel und Zange eine größere Anzahl von sehr unregelmäßigen z. T. bis zu $1/2$ cm langen harten Partikeln entfernt, welche ihrer Farbe und Rauhigkeit, sowie ihrer vielfach durchlöcherten und aus Balkenwerk zusammengesetzten Oberfläche nach kariösem Knochen vollständig glichen. Ein Zusatz von Salzsäure unter dem Mikroskop ergab reichliche Gasentwickelung und erwies ihre teilweise Zusammensetzung aus kohlensaurem Kalk. Die große äußere Ähnlichkeit der Otolithen mit spongiösen Knochensequestern könnte insbesondere bei gleichzeitiger Anwesenheit einer größeren Zerstörung des Trommelfells leicht die Veranlassung zu einer Verwechslung mit Caries necrotica des Schläfenbeins geben.

Barth l. c. spricht auch davon, daß er in erster Linie an einen Sequester der Schnecke dachte und von dem Befund ganz überrascht war; er nahm sogar an, daß er als erster diese Konkrementbildung, wie er sie nannte, beschrieben habe.

Der eine Fall von Bezold wurde durch Waldeyer genauer untersucht. Es fanden sich neben den Kalkkonkrementen reichlich Detritus, Fettsäurekrystalle und Bakterien.

In dem von Barth beschriebenen Falle fanden sich bei der
Analyse „geringe Mengen kohlensauren und relativ größere Mengen
fettsauren Kalks".

Einen den Bezold'schen ähnlichen Fall berichtet Secchi.
Schmulansky, Referat-Arch. f. Ohrenheilkunde Bd. 44.,
machte eine analoge Beobachtung wie Barth. Auch hier handelte
es sich um einen in den lateralen Schichten mit harten Konkrementen durchsetzten Wattepfropf bei chronischer Mittelohreiterung
die als Niederschläge von dem Eiter entstammenden Kalksalzen
gedeutet wurden.

Kretschmann berichtete auf der 12. Versammlung der
Deutschen otologischen Gesellschaft über einen von ihm beobachteten
Fall von Neubildung in der 'Paukenhöhle. Er fand bei einem
elfjährigen Knaben, der seit frühester Kindheit an chronischer
Mittelohreiterung litt und bei dem sich verschiedene Narben rund
um das Ohr, herrührend von mehrfachen spontan durchbrochenen
Abszessen, fanden, eine in Granulationsmassen eingebettete weißgelbliche Masse, die sich als harter, nicht eindrückbarer Körper
von Erbsengröße erwies. Die Struktur desselben war keine gleichmäßige. Kretschmann fand nach Entkalkung neben geschichteten
Cholesteatommassen ein als Knochen sich erweisendes Balkenwerk
und nimmt an, daß sich im Verlaufe der Eiterung ein Knochensequester gebildet hat, der in der Paukenhöhle liegen blieb und
hier, umgeben von Epidermismassen zur Ablagerungsstätte von
Kalksalzen wurde. Hier, wie auch in den beiden Fällen von
Bezold, in denen sich die Kalkkonkremente in Epidermismassen
eingebettet fanden, hat das Gerüstmaterial, aus Geweben des
Körpers bestanden, während in den Fällen von Barth und
Schmulansky ein Fremdkörper — Wattepfropf — zum Gerüst
für die Konkrementbildung wurde, die sich Kretschmann ähnlich vorstellt, wie die Ablagerung der Salze in den Gradierwerken
infolge von Verdunstung. Die Annahme von Bezold, daß Mikroorganismen die Rolle der Kalkablagerer spielen, läßt Kretschmann ebenfalls gelten, doch vermag ihm weder diese noch die
andere Erklärung für das Zustandekommen der Konkremente im
Gehörorgan zu genügen, da die in den erwähnten Fällen vorhandenen Verhältnisse — Fremdkörper, Sequester, Epidermisschollen evtl. mit Anwesenheit von Zooglöa überaus häufig vorkommen und doch die Beobachtungen von Kalkkonkrementen im
Ohr sehr selten sind.

Diese nach allem außerordentliche Seltenheit der Otolithiasis dürfte es rechtfertigen, eine von mir gemachte Beobachtung ausführlicher zu berichten, die in vielem von den obigen Bildern abweicht und in keinem der Fälle ein Analogon findet.

Frida F., 18 Jahre alt. ein gesundes und kräftiges Mädchen vom Lande, stets gesund bis auf die im ersten Lebensjahrzehnt überstandenen Kinderkrankheiten, von gesunden Eltern, ist bisher nie ohrenkrank gewesen. Seit April 1905 öfters auftretende Ohrenschmerzen rechts, die stets nach wenigen Minuten wieder vorübergingen, nie Ausfluß. Mitte Mai empfand Patientin außer einem nicht sehr intensiven Schmerzgefühl ein Gefühl von Druck im rechten Ohr, keine Geräusche, aber zunehmende Schwerhörigkeit. Auch jetzt wieder kein Ausfluß. Natürlich wurde der vis medicatrix naturae vertraut, im wohltuenden Gegensatz aber zu der sonst üblichen Polypragmasie der Laien nichts unternommen, keine Ausspülungen, keine Dämpfe, keine Einträufelungen usw. Am 13. Juli 1905, also ein Vierteljahr nach dem Auftreten der ersten Erscheinungen kam Patientin wegen des ihr lästigen Druckgefühls, gelegentlicher interkurrenter Schmerzen und der Schwerhörigkeit zu mir.

Der Stimmgabelbefund war der für obturierende unkomplizierte einseitige Cerumenpfröpfe charakteristische, das Gehör für Flüsterzahlen total aufgehoben, für halblaute Sprache am Ohr erhalten. Druck auf den Tragus war nicht schmerzhaft, ebensowenig ausgiebige Bewegungen des Kiefergelenks. Der Gehörgang normal weit wie auf der anderen Seite, wo das Trommelfell vollständig frei lag.

Nirgends eine Spur von Cerumen, keine Epidermisfetzen, kein Sekret, keine Rötung oder Schwellung, keine Granulationen. Ganz in der Tiefe, das Trommelfell total verdeckend und nirgends eine Lücke lassend, war ein rauher, nicht höckeriger Fremdkörper sichtbar, der ganz und gar das Aussehen eines Kieselsteins von grauer bis gelber Farbe hatte. Die Sonde rechtfertigte die Annahme, daß es sich um einen Stein bzgl. steinähnliches Gebilde handelte. An einen Sequester habe ich bei dem negativen Befund im Gehörgang nicht einen Augenblick gedacht. — Nach der Anamnese war ein Hineingelangen des Steines in den letzten Monaten oder Jahren ganz ausgeschlossen. Was nun? Zuerst die Spritze, in der Hoffnung, daß doch noch irgendwo eine nicht sichtbare Lücke zwischen Stein und Gehörgangswand sich fände. Vergebliche Mühe! So griff ich zum Hebel und es gelang mir einige kleine Partikelchen, die am oberen hinteren Rande des Steines abgebrochen wurden, herauszufördern. Die Masse war ziemlich hart, ließ sich nicht mit den Fingern, wohl aber leicht mit dem Griffende des Hebels zerdrücken und machte einen kreide- bis sandartigen Eindruck. Erneutes Eingehen blieb erfolglos, nirgends eine Möglichkeit mit dem Hebel oder einem Haken den Stein anzugreifen. Zudem war der Versuch für die Patientin ziemlich schmerzhaft, obwohl eine Verletzung der Gehörgangswand nicht gesetzt war.

So entschloß ich mich zur Narkose, die am 20. Juli unter Assistenz des Herrn Geh. Medizinalrat Klehe-Bruchsal eingeleitet wurde. Aber auch jetzt war es trotz mehrfacher Versuche unmöglich den Stein zu lockern. Es blieb nun nur übrig, die Ohrmuschel abzulösen. Nach Durchschneidung der hinteren Gehörgangswand war der Fremdkörper frei zugänglich da. Es erforderte aber auch jetzt noch einige Mühe, mit dem Hebel an der Stelle, wo bei den ersten Versuchen vor 8 Tagen die kleinen Partikelchen losgelöst wurden, zwischen Gehörgangswand und Stein einzudringen, wobei nun freilich die Gehörgangswand eine kleine Verletzung davontrug. Ein Druck auf den Hebel und mit einem kleinen krachenden Geräusch war die obere Hälfte des Steines in zwei ungleich großen Teilen abgesprengt. Nach Entfernung der „Schuttmassen" und Stillung der geringen aus der erwähnten Verletzung der Gehörgangswand herrührenden Blutung war das Bild folgendes: Das Trommelfell lag in den oberen Partien frei da, natürlich stark gerötet durch Gefäßinjektion, die untere Hälfte war durch den Rest des Steines, der fest in den Recessus des Gehörgangs eingekeilt saß, verdeckt.

Unter großer Mühe und Vorsicht gelang es auch diesen Teil des Steines und
zwar in toto aus seiner Lage abzubringen und dann mit der Hakenpinzette
leicht herauszuheben. Das Trommelfell war vollständig intakt. An der
hinteren knöchernen Gehörgangswandung wurde mit einigen leichten Meißelschlägen die Corticalis angefrischt, die Ohrmuschel wieder angenäht und der
Gehörgang fest tamponiert, um ihn zum Anlegen an die angefrischte Corticalis zu bringen. Der Verlauf der Heilung ließ nichts zu wünschen übrig;
kleine mehrfach aufschießende Granulationsknöpfchen an den Wundstellen
des Gehörgangs wurden mit Argentum nitric. geätzt. Die Schnittwunde
hinter dem Ohre heilte per primam. Am 14. August konnte Patientin geheilt entlassen werden.

Das Trommelfell war in toto etwas getrübt, ohne Lichtreflex,
unterschied sich aber in nichts von dem des anderen Ohres. Die
Hörfähigkeit für Flüsterzahlen betrug bei Tageslärm in belebter
Straße auf beiden Ohren 5 m; auch der Stimmgabelbefund ergab
keinen Anhalt für eine Benachteiligung des rechten Ohres. Noch
nach 6 Monaten konnte ich denselben Befund erheben.

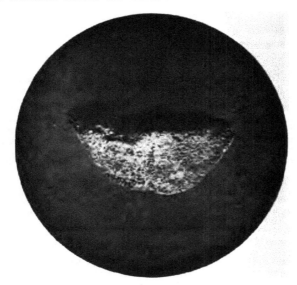

Fig. 1.

Der zuletzt entfernte größere Teil des Steines hatte keilförmige Gestalt und maß an der dicksten Stelle 3,6 mm bei
einem Durchmesser von 8,6 mm.

Von den vergrößerten Abbildungen dieser unteren Hälfte des
Steines, die ich der Liebenswürdigkeit des Herrn Dr. phil.
Dienstbach-Karlsruhe verdanke, zeigt Fig. 1 die laterale, im
Gehörgange sichtbare Fläche. Fig. 2 gibt den Stein von der
unteren Kante gesehen wieder. Der in dem Recessus des Gehör-

ganges nach vorn gelegene Teil, die scharfe Kante, entspricht der heller beleuchteten Partie, während die dunklere, dem hinteren unteren Teile des Gehörganges aufgelegene Partie deutlich ein dreieckiges Feld zeigt. a bezeichnet die laterale Seite (Fig. 1).

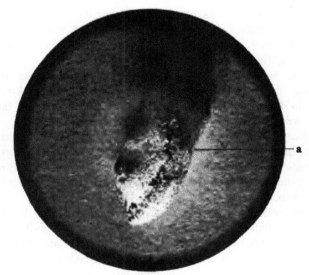

Fig. 2.

Die in Fig. 3 wiedergegebene Skizze veranschaulicht die ungefähre Lage des Fragments in situ.

Dadurch, daß die zuerst entfernten kleineren Stücke durch Zufall verloren gingen, war es leider nicht möglich festzustellen, ob sich der proc. brevis des Hammers in seinen Konturen abgedrückt hatte, wie es auf festen Cerumenpfröpfen öfters zu sehen ist.

Die von Herrn Hofapotheker Dr. Stroebe-Karlsruhe vollständig durchgeführte Analyse ergab, daß der Stein zum größten Teil aus Zinkoxyd und Zinkkarbonat bestand. Kleinere Mengen von Calciumhydroxyd und Calcium-chlorid waren nachweisbar, desgleichen eine äußerst geringe Menge von Calciumhypochlorid oder Chlorat. Das Bild der Analyse ist also folgendes:

Reaktion: alkalisch.

Gefundene Säuren: Kohlensäure viel, Salzsäure wenig.

Gefundene Basen: Zink viel, Calcium wenig.

Gefundene Halogene: Chlor, jedoch in sehr geringer Menge.

Das dem vorliegenden Falle von Otolithiasis Eigentümliche und im Verhältnis zu fast sämtlichen in der Literatur bekannten Fällen Gegensätzliche ist, daß es sich um eine für sich ganz allein bestehende Konkrementbildung handelt, ohne Fremdkörper, ohne begleitende Eiterung, ohne Beimischung von Cerumen oder Epidermis usw., für deren Entstehung sich keine befriedigende Erklärung finden läßt.

Die von Kretschmann gegebene Erklärung der Entstehung durch Verdunstung und Auskristallisierung kommt gar nicht in Betracht, da sich keine Spur von Sekretion fand und auch wohl nie eine bestanden hatte.

Auch die von Bezold vertretene Ansicht, wonach die Kalkablagerungen mit dem Vorhandensein von Mikroorganismen in ursächlichen Zusammenhang zu bringen wären, würde aus dem gleichen Grunde zur Aufklärung der Steinbildung nicht ausreichen.

Des weiteren hat auch eine andere Auffassung Kretschmanns, daß nämlich die Ausscheidung von Kalksalzen aus dem Säftestrom, wie sie als diffuse Trübungen oder Kalkinfiltrate im Trommelfell, als Ablagerung von Kalksalzen in der Mucosa bei Sklerose so häufig beobachtet wird, zur Bildung von Konkrementen führen könne, nicht große Wahrscheinlichkeit im vorliegenden Falle für sich. Die Möglichkeit dieser Art der Entstehung muß immerhin zugegeben werden, würde aber auch noch nicht vollständig zur Aufklärung ausreichen.

Auch von der Gicht als Ursache kann hier keine Rede sein. Das Zustandekommen von Konkrementbildungen im Gehörgang durch die Gicht kann im übrigen nicht einfach von der Hand gewiesen werden, obwohl sich nirgends ein Analogon dafür finden läßt, daß durch die intakte Epidermis hindurch eine Ausscheidung von gichtischen Ablagerungen stattfindet.

Bleibt noch die Möglichkeit, daß, wie Lincke meint, und wie auch Kretschmann zugibt, die Ceruminaldrüsen bei gestörtem Chemismus durch Absonderung anfangs gelöster Kalksalze zur Bildung des Otolithen Anlaß gegeben haben.

Aber auch die Analyse bietet ein abweichendes Bild. Während sonst von allen Autoren nur das Vorkommen von kohlen- und phosphorsaurem Kalk neben Cholestearinkristallen, Fremdkörpern, Mikroorganismen usw. erwähnt wird, finden sich hier reichlich Zinkverbindungen. Hätte die Anamnese nicht ein in dieser Hinsicht absolut negatives Resultat ergeben, so könnte sehr wohl daran gedacht werden, daß das Zink etwa durch Zinksalze enthaltende Ohrtropfen zugeführt worden wäre. Immerhin glaube ich einen unaufgeklärten Zufall für das Vorkommen der Zinksalze verantwortlich machen zu müssen, bis anderweitige Untersuchungen solcher Konkremente ebenfalls das Vorkommen von Zink vermelden.

Alles in allem ist die Entstehung der Konkremente an und für sich noch in tiefes Dunkel gehüllt, ganz besonders aber im vorliegenden Falle, wo fast alle Theorien total im Stiche lassen. So bleibt nur zu wünschen, daß vorkommendenfalls ausführliche chemische und mikroskopische Untersuchungen angestellt werden in der Hoffnung, dadurch zu einer auch für diesen Fall ausreichenden Erklärung der Konkrementbildung zu gelangen.

XVII.

Elf Jahre Nachbehandlung der Totalaufmeisselungen ohne Tamponade.

Von

Dr. med. A. von zur Mühlen in Riga.

———

Seit nunmehr 11 Jahren habe ich die Nachbehandlung der Totalaufmeißelungen sowohl bei den einfachen chronischen Prozessen, als auch bei dem Cholesteatom ohne die sonst übliche feste Tamponade durchgeführt. Es dürfte daher wohl an der Zeit sein, über die Resultate Bericht zu erstatten. Ich tue dieses nun um so lieber, als mir eine diesbezügliche schriftliche Aufforderung Herrn Geheimrats Schwartze vorliegt, in welcher er sagt „daß es erwünscht wäre zu erfahren, wie sich die Resultate der Nachbehandlung nach meiner Methode nach 5—10 Jahren gestellt haben".

Es hat in der Tat lange Zeit gedauert, ehe sich diese Methode, deren Vorteile so sehr ins Auge springen, Bahn gebrochen hat, obgleich ich sie nicht nur in meiner ersten Publikation,[1] sondern vielfach auch im persönlichen Verkehr den Fachkollegen auf das Wärmste empfohlen habe. Die Furcht vor den gelegentlich etwas stärker wuchernden Granulationen war zu sehr eingewurzelt, als daß sie bald hätte beseitigt werden können.

Dem Wunsche Herrn Geheimrats Schwartze, über die vor 5—10 Jahren operierten Fälle Bericht zu erstatten, kann ich leider nur in beschränktem Maße nachkommen, denn es dürfte fast zur Unmöglichkeit gehören, in dem weiten Gebiete des Reiches, aus dem sich ein großer Teil meiner Patienten in Riga rekrutiert erfolgreich Nachfrage zu halten; auch die örtliche Bevölkerung der Stadt trägt einen derart fluktuierenden Charakter, daß in den seltensten Fällen ein Patient nach vielen Jahren wieder auf-

———

[1] Z. f. O. Bd. 39.

gefunden werden kann. Er hat Wohnung und Ort gewechselt, und Niemand ist imstande, über ihn Auskunft zu geben. Doch will ich nicht versäumen, wenigstens die Fälle, welche mir augenblicklich zur Disposition stehen, zu publizieren, sie dürften wohl genügen, um den Beweis der Brauchbarkeit der Methode zu bringen. Im Allgemeinen kann ich nur sagen, daß ich bei allen meinen operierten Patienten, deren Zahl keine ganz kleine ist, auch bei einer langjährigen Kontrolle keine Nachteile habe erwachsen sehen, welche der Methode der Nachbehandlung hätten zur Last gelegt werden können. Der Verlauf der Wundheilung und das Verhalten nach vollendeter Epidermisierung entsprachen vollkommen den angeführten Fällen, weswegen diese als Paradigmata genügen können.

Als ich im Jahre 1901 meine Methode publizierte, war es mir entgangen, daß Zarniko[1]) im Jahre 1898 auf dem Verein Hamburger Ärzte einen Fall vorgestellt hatte, bei welchem er gleichfalls die Tamponade fortgelassen, und dieselbe durch Boreinblasungen ersetzt hatte. Dadurch war dann Stein[2])-Königsberg i. Pr. zu der irrtümlichen Auffassung gelangt, daß ich, auf der Empfehlung Zarniko's fußend, diese Methode begonnen, an einem größeren Materiale erprobt und sodann warm empfohlen hätte. In meiner „Bemerkung zur Arbeit des Herrn Dr. Stein"[3]) habe ich diesen Irrtum Stein's zurecht gestellt, und will dazu noch erwähnen, daß Stein mir brieflich seine irrtümliche Auffassung zugegeben hat.

Wie ich in meinen „Bemerkungen etc." schon hervorgehoben habe, hat Zarniko anstelle des Tampons die Borsäure gesetzt, er spricht direkt von einem „Pulververband," in dem er die ganze Wundhöhle mit Borsäurepulver anfüllt, während die äußere Ohröffnung sodann mit etwas Watte abgeschlossen wird, die der Operierte selbst nach Bedarf wechselt. Es ist die Bezoldsche Borsäuretherapie bei chronischen Mittelohreiterungen, welche Zarniko auch auf die Totalaufmeißelungen ausdehnt, wie er selbst angibt. Mich dagegen haben die langjährigen Erfahrungen meiner chirurgischen Tätigkeit dazu geführt, die Tamponade in der Ausdehnung, wie sie von den Ohrenärzten ganz allgemein geübt wird, überhaupt nie anzuwenden; denn auch der aseptische Tampon ist

---

1) Deutsch. med. W. 1898. Vereinsbeilage S. 255.
2) A. f. O. Bd. 70. S. 271.
3) A. f. O. Bd. 70. S. 271.

ein Fremdkörper, dessen längeres Verbleiben in der Wunde diese
nur reizt und die Heilung verzögert. Darum hatte ich auch den
Tampon nie durch die Borsäure ersetzt, denn auch die Borsäure
ist ein Fremdkörper, wenn ich auch gewiß gern zugeben will, daß
sie nur eine geringe chemische Reizwirkung ausübt. Daß die Bor-
säurebehandlung übrigens nicht selten schwer zu entfernende Krusten
bildet, welche Eiterretention bedingen können, gibt E e m a n n,[1]
der Z a r n i k o folgt, selbst zu. Er empfiehlt in den ersten zwei
Wochen täglich alle Buchten der Wundhöhle, sodann diese selbst
und zum Schluß den ganzen Gehörgang mit Borsäurepulver an-
zufüllen. Später wird die Pulvermenge herabgesetzt. E e m a n n
schließen sich C a b o c h e, D e l s a u x und L e r m o y e z an, auch
B o e n n i n g h a u s[2] empfiehlt diese Nachbehandlung, da sie reiz-
loser sei.

Die Indikation zur B e z o l d'schen Borsäuretherapie ist,
meinen Erfahrungen nach, gegeben in den Fällen, wo nach vollendeter Epidermisierung der Knochenhöhle eine pathologische
Sekretion der Schleimhaut fortbesteht. Das Ohr befindet sich dann
in dem Zustande, wie eine chronische Otitis med. perf. mit großem
Trommelfelldefekt; ohne Knochenkaries. Erst dann ist, meinen Erfahrungen nach, die Borsäure wieder an ihrem Platze, und nicht
früher. Auch würde ich mich nicht entschließen können, gleich
Z a r n i k o, den aseptischen Occlusivverband so bald fortzulassen,
um es dem Patienten anheimzustellen, den vorgelegten Wattepfropf
nach eigenem Ermessen zu wechseln.

Ich glaube, Z a r n i k o unterschätzt die Nachteile der durch
diese Manipulationen fraglos geförderten Mischinfektion. Wenngleich eine granulierende Wunde neu hinzutretenden Infektionen
einen gewißen Widerstand entgegensetzt, so wird doch diese Grenze
schließlich überschritten. Die Gewebsneubildung und Epidermisierung kann darunter sehr leiden. Abgesehen von Totalaufmeißelungen
wende ich, wenn irgend möglich, den aseptischen Occlusivverband
bei jeder Form von Otorrhoe an, und kann ihn nur bestens
empfehlen.

Auf die Vorzüge der tamponlosen Nachbehandlung, darin
bestehend, daß die Epidermisierung rascher von statten geht, und
daß auch die ganze Nachbehandlung für den Arzt, hauptsächlich
aber für den Patienten bedeutend leichter wird, habe ich schon

---

1) Zitiert A. f. O. Bd. 58. S. 298.
2) Z. f. O. Bd. 49. S. 379.

in meiner ersten Arbeit hingewiesen, und wird dieses auch von anderen Autoren (Gerber, Stein, Zarniko) bestätigt. Auf diesen Punkt brauche ich daher kaum mehr einzugehen.

Es ist jedoch noch ein anderer Punkt, auf den, meiner Meinung nach, im Allgemeinen noch zu wenig Rücksicht genommen wird, und zwar betrifft dieser die physiologische Funktion des kranken Ohres. Ich meine, abgesehen von dem Wunsche, den Kranken durch die Totalaufmeißelung aus einer sein Leben in höherem oder geringerem Grade bedrohenden Lage zu befreien, sollen wir es auch erstreben, durch die Operation einen Zustand zu schaffen, der sich den normalen anatomischen und physiologischen Verhältnissen nach Möglichkeit nähert. Nicht nur werden wir dann die größte Befriedigung finden, sondern auch der Patient wird das Gefühl der „Heilung" haben, d. h. das funktionsunfähige Organ hat wieder einen größeren oder geringeren Teil seiner normalen Funktion übernommen.

Es ergibt sich von selbst, daß wir diese relative Restitutio ad integrum nur bei einem Teile der Fälle werden erreichen können, und zwar bei denjenigen, bei welchen die spezifischen Endapparate durch den chronischen Entzündungsprozeß nicht zu sehr gelitten haben. Ist der primäre Krankheitsherd geheilt, und bilden sich die Entzündungszustände in der Umgebung desselben zurück, so wird noch manch schönes Resultat erreicht werden können, wie man es bei den ersten Untersuchungen kaum zu erwarten hoffte. Eine bedeutsame Rolle beim Hörakt spielt die Schleimhaut, narbige Degeneration und Schrumpfung werden das Gehör in größerem oder geringerem Grade herabsetzen, entsprechend der dadurch bedingten Bewegungsbeschränkung der Steigbügelplatte. Es darf nun wohl angenommen werden, daß die durch eine längere Zeit hindurch fortgesetzte subtile Tamponade auf die vielleicht noch regenerationsfähige Schleimhaut schädigend eingewirkt hat, und daß die funktionellen Resultate besser sein werden, wenn die Schleimhaut durch die Tampons nicht gereizt und dadurch in ihrer Rückkehr zum normalen Zustande gehindert wird. Vergleichende Untersuchungen nach dieser Richtung hin stehen mir nicht zu Gebote, da ich, wie schon hervorgehoben, nur ganz am Anfange meiner Tätigkeit mit gelegentlich lockerer Tamponade behandelt, die feste aber nie angewandt habe. Diejenigen Operateure, die bis jetzt tamponiert haben, werden sich eher ein diesbezügliches Urteil verschaffen können, wenn sie nunmehr die Tamponade fortlassen. Den Wunsch, die Tube von der

operierten Höhle abzuschließen der nach Gerber,[1]) gewiß bei
jedem Operateur, ein lebhafter ist, habe ich nicht gehabt, auch
würde ich, aus oben angeführten Gründen, keine Thierschen
·Läppchen[2]) auf die tympanale Tubenöffnung setzen. Eine Epidermisierung der Paukenschleimhaut von der Peripherie aus zu verhindern, sind wir, wie die Verhältnisse nach der Operation liegen,
nicht in der Lage, vom Zentrum aus sie durch Transplantationen
noch zu fördern, halte ich für unnötig. Die Gefahr der Tuben-
sekretion wird, scheint mir, überschätzt. Auch Gerber[3]) erscheint
es sehr fraglich, ob das Tubensekret, wenn die Wundhöhle mit
fester Epidermis bekleidet ist, dieser noch viel anhaben kann, da
es ja durchaus nicht immer ein eitriges ist. Eine Epidermisierung der Schleimhaut wird aber gleichfalls geeignet sein,
die physiologische Funktion des Ohres zu beeinträchtigen. Ein
fraglicher Nachteil soll daher mit einem Vorteil ausgeschaltet
werden.

Damit das operierte Ohr sich nach Möglichkeit wieder den
anatomischen Verhältnissen nähern kann, halte ich es für richtig,
bei der Operation konservativ vorzugehen, und nicht mehr vom
Knochen zu entfernen, als unbedingt erforderlich ist, um den
Krankheitsherd freizulegen und günstige Heilungsbedingungen zu
verschaffen. Ich glaube, daß häufig die Neigung besteht, des
Guten zu viel zu tun. Je steiler die Ränder der Operationshöhle
abfallen, um so weniger hat der Organismus später an neuem
Gewebe aufzubauen, um so rascher kann die Epidermisierung
erfolgen, um so mehr nähert sich später alles dem Ursprünglichen.

Aus demselben Grunde ¡kann ich die Resektion der oberen
hinteren Gehörgangswand, mit Einschluß der angrenzenden Teile
der Concha, wie sie von Caboche[1]) empfohlen wird, nicht
richtig finden. Ein Einrollen des Gehörgangslappens habe ich
nicht erlebt, auch nicht in den Fällen, wo ich bis in die Concha
hinein spaltete, um die äußere Öffnung zu vergrößern. An
mangelnder Übersicht bei der Operation und Nachbehandlung
habe ich mich gleichfalls nie zu beklagen gehabt.

Gelegentlich bildet sich, der Insertion des Trommelfelles
entsprechend, eine Membran aus, was ich nur als Vorteil ansprechen kann.

1) A. f. O. Bd. 70. S. 211 u. 268.
2) A. f. O. Bd. 70. S. 212.
3) cf. Z. f. O. Bd. 49. S. 378.

Dieser neue membranöse Abschluß des Mittelohres nach außen hin kann auch ein absoluter sein, meist jedoch ist er nur ein partieller.

Alfred Zederström 17 a. n. Seit dem 7. Jahre Ohrenfluß nach Scharlach.

8. Jan. 1898. Typische Totalaufmeißelung. Letzte Kontrolle 30. April 1907. Absoluter Verschluß des äußeren Gehörganges durch eine grauweiße derbe Membran. Konversationssprache am Ohr. Beschwerden von seiten des Ohres haben seit der Operation nicht mehr bestanden.

Alexander Maschurin 12 a. n. Längere Zeit Ohrenfluß rechts. Gelegentlich heftige Schmerzen hinter dem Ohre und Schwindel.

16. April 1901. Vollkommener Trommelfelldefekt. Hammer cariös. Schleimhaut injiciert, nicht verdickt. Druckempfindlichkeit auf dem Proc. mast.

4. Mai. 01. Totalaufmeißelung Eröffnung des grossen mit Eiter und Granulation angefüllten Antrums. Der freigelegte Sinus ist gesund. Gehörknöchel nur in kariösen Resten vorhanden. Im übrigen typische Beendigung der Operation mit Spaltung des Gehörganges und primärer Naht.

4. Juni. Epidermisierung beendet. Granulationsbildung war gering.

25. Mai 1907. Das Ohr ist immer vollkommen trocken gewesen. Nach hinten und oben sieht man in eine große mit einer glänzenden Membran ausgekleideten Höhle, welche über den Facialissporn hinweg mit dem breit freiliegenden trockenem Recessus epitympanicus zusammenhängt. Etwa in der Höhe, wo sich normaliter der obere Trommelfellfalz befindet, hat sich eine halbmondförmige, wallartige Erhebung der obersten Promontorialwand gebildet, welche sich vom Facialissporn zur vorderen Gehörgangswand erstreckt. Diese, zusammen mit der vorderen und unteren Gehörgangswand und der korrespondierenden Partie des Facialisspornes bildet einen zusammenhängenden Rahmen, innerhalb welcher sich eine graue, feste Membran ausspannt. Durch diese wird das Mittelohr nach außen hin abgeschlossen, genau wie durch ein Trommelfell. Auch nicht die kleinste Kommunikationsöffnung läßt sich nachweisen. Gehör für Fl. Sp. ca. ¼ Meter.

Unter den noch vorhandenen Karten des Roten Kreuzes finde ich aus der Zeit bis 1902 ganz vereinzelte Fälle von Ausbildung eines membranösen Abschlusses des Mittelohres, so

A. W. 13 a. n. operiert am 16. Oktober 1900, letzte Kontrolle am 17. Mai 1901; es hat sich eine zarte, dem Promontorium nahe liegende Membran gebildet, Gehör gegen früher verbessert (2—4 Meter.) Des weiteren liegt die Karte von Fritz Stepping vor, mit dem letzten Befunde vom 10. September 1899, wo ich gleichfalls notiert finde, daß sich eine neue, dem Trommelfell entsprechende Membran gebildet hat. Auch hier ist das Gehör gegen früher verbessert.

Ich erinnere mich nicht, diese beiden Fälle später noch gesehen zu haben, so daß ich über ihr weiteres Schicksal keine Auskunft geben kann.

Absoluten membranösen Abschluß der Paukenhöhle habe ich, wie schon hervorgehoben, nur selten beobachtet. In beiden ersten Fällen ist das Gehör stark herabgesetzt, in den beiden letzten gegen früher verbessert.

Findet nach Helmholtz die Schallübertragung vom Trommelfell auf das innere Ohr durch die Kette der Gehörknöchel statt, so muß Fehlen derselben bei vorhandenem membranösen Abschluß

8*

des Mittelohres Taubheit, zum mindesten aber sehr bedeutende
Schwerhörigkeit im Gefolge haben. Was anderes ist es, wenn
nach Kleinschmidt[1]) die „Paukenluftsäule" die Überleitung des Schalles auf das innere Ohr übernimmt. Da kann
durch die neue Membran das Hören bis zu einem gewissen Grade
vielleicht auch gebessert werden. Auf die theoretische Seite dieser
Frage näher einzugehen, ist hier nicht der Ort. Immerhin muß die
Möglichkeit zugegeben werden, daß vorhandene noch so kleine
Kommunikationsöffnungen den Schallwellen Zutritt in das Mittelohr gestattet haben, und daß dadurch in den beiden letzten Fällen
eine Hörverbesserung zustande gekommen ist.

In meiner ersten Arbeit habe ich 3 Fälle angeführt, bei
welchen sich nach der Operation eine konische Verengerung des
Gehörganges ausgebildet hatte. Über zwei dieser Fälle, denen
ich einen dritten hinzufüge, bin ich im Stande, jetzt noch Angaben
machen zu können.

Baronesse A. St., operiert am 17. Oktober 1900. Es bestand vollkommener Trommelfelldefekt, Durchbruch der Membrana Shrapnelli und
Caries der Gehörknöchelchen. Gehör: Fl. Spr. 1 Meter.

Es bildete sich in diesem Falle eine ganz erhebliche Stenose des Gehörgangs in der Tiefe, etwa in der Trommelfellgegend aus. Nach vollendeter
Epidermisierung war jedoch das Ohr vollkommen trocken und das Gehör
auf ca. 3—4 Meter für Fl. Spr. gestiegen. Im Laufe der Jahre hat sich
dann die Stenose ein wenig erweitert, das Ohr blieb trocken und das Gehör
unverändert gut. Soeben schreibt mir der behandelnde Arzt, daß das Ohr
in vollkommen gutem Zustande ist, eine Behandlung ist nie erforderlich gewesen, das Gehör ist gut. (Auf dem anderen, nicht operierten Ohre ist die
Dame fast taub).

Herr Kosch-Kurland. Totalaufmeißelung wegen Cholesteatom rechts
am 11. Dezember 1899, links am 8. Dezember 1900.

Auf dem linken Ohre bildete sich eine geringe postoperative Stenose
aus. Befund am 28. April 1907. Mittelohr und nußgroße glattwandige
Cholesteatomhöhle sind mit einer silbergrauen, glänzenden Membran ausgekleidet, vollkommen trocken und rein. Zwischen beiden Höhlen befindet
sich eine wallartige Erhebung, die jedoch so niedrig ist, daß die freie Übersichtlichkeit absolut nicht behindert wird. Von einer Stenose des Gehörganges ist keine Spur mehr vorhanden.

Moritz von Gl. 15 a. n. Ohrenfluß links seit der Kindheit. — Vollkommener Trommelfelldefekt, Fehlen der Gehörknöchelchen. Auf dem
Promontorium eine oberflächliche weiße Nekrose.

30. Jan. 1901. Totalaufmeißelung. Keine Besonderheiten. Primäre Naht.

28. März. Normaler Heilungsverlauf; Gehörgang in der Tiefe etwas
verengert. Gehör besser.

26. Febr. 1904. Ohr unverändert gut. trocken, Gehör besser als auf
dem anderen Ohre woselbst es abnimmt. Stenose kaum mehr zu bemerken.

15. Mai 1907. Laut brieflicher Nachricht ist das Ohr in Ordnung.
Gehör unverändert.

Wir sehen also, daß eine, auch unerwünschte Stenosen-
bildung offenbar nicht die Gefahren in sich trägt, die man zu

---

1) Z. f. O. Bd. 39. S. 200.

glauben geneigt war, und daß die Stenosen die Neigung haben, sich später von selbst mehr oder weniger zu erweitern. Der feste Knochenring, in welchem die Narbe angeheftet ist, gibt eben dem Zuge des Narbengewebes nicht nach, wie es bei den Weichteilen, z. B. in der Urethra oder im Darm geschieht. Die Narbenschrumpfung führt daher zu keiner Verengerung, sondern Erweiterung des Lumens. Fall 27 aus der Kasuistik von S t e i n bietet dieselben Verhältnisse.

Die hauptsächlichsten Einwände, welche gegen die tamponlose Nachbehandlung der Totalaufmeißelungen erhoben worden sind, wiesen e r s t e n s auf die Möglichkeit von Cholesteatomrezidiven infolge von Überwucherung von Cholesteatomkeimen durch die Granulationen, z w e i t e n s auf unliebsame Verwachsungen und Membranbildungen hin.

Daß beide Befürchtungen in der Tat unbegründet sind, glaube ich, werden meine angeführten Fälle erweisen. Cholesteatomrezidive habe ich nie gesehen, Membranbildungen dagegen kommen gelegentlich vor. Wenn sich aber nicht zufällig Detritusmassen hinter der Membran ansammeln, wie im Falle 25 bei S t e i n, so sehe ich keinen Grund ein, warum man sie besonders fürchten soll. Bleibt die Höhle trocken, so bildet diese membranöse Vorlagerung einen gewissen Schutz nach außen, sezerniert sie dagegen, so kann die Membran leicht exzidiert werden, wie es ja auch S t e i n gemacht hat. Es mag ein Zufall sein, daß ich bis jetzt noch nicht in der Lage gewesen bin, dieses tun zu müssen. Daß andererseits auch ausgedehnte Membranen sich spontan zurückbilden können, lehrt der Fall M e t a V o l k m a n n.

Ich lasse nunmehr meine Fälle, soweit sie nicht schon angeführt sind, in chronologischer Reihe folgen:

Oscar Sommer 5 a. n. 31. Okt. 1896. Seit 4½ Jahren Ohrenfluß rechts. Aetiologie unbekannt. Seit einigen Wochen Fistelbildung hinter dem Ohre. Gehörgang spaltförmig verengt, stark foetide bräunliche Massen in ihm. Uhr 1 Fuß weit gehört.

1. Nov. 1906. Totalaufmeißelung. Dünne, zum teil necrotische Knochendecke schließt eine glattwandige fast den ganzen Proc. mast. mit Cholesteatommasseu ausgefüllte Höhle ein. Bogengang intakt, Gehörknöchel fehlend, hintere knöcherne Gehörgangswand zerstört. Dura und Sinus liegen nicht frei. Lappenbildung. Naht

1. Nov. 1907. Höhle bis auf eine kleine Fläche in der Umgebung der Tube vollkommen epidermisiret.

10. Nov. 1907. Mächtige epidermisierte Höhle, mit bräunlichen, weichen, leicht zu entfernenden Massen locker angefüllt. Die Höhle ist frei übersichtlich. Paukenschleimhaut sezerniert, nicht epidermisiret.

Benson Otto, 1 Jahr 3 Monat. 19. Dez. 1907. Scharlach vor 2 Monaten, darnach Ohrenlaufen rechts. Schwellung der Weichteile und Fistelbildung hinter dem Ohre. Gehörgang absolut verengt.

23. Dez. 1897. Totalaufmeißelung. In einer Ausdehnung eines 10 Pfg.-Stückes ist der Knochen zerstört, Sinus und hintere Schädelgrube liegen frei, sind aber, nach Entfernung der Granulationen normal.

30. Dez. 1897. Von einer rationellen Nachbehandlung kann keine Rede sein, da das Kind ganz unregelmäßig, meist in Pausen von vielen Wochen zum Verbande kommt. Hinter dem Ohre alles verheilt, doch fließt das Ohr in letzter Zeit stärker. Durch das Ohr wird ein ziemlich großer Sequester entfernt.

15. Dez. 1905. Typische, trockene Höhle.

5. Mai 1907. Laut mündlicher Nachrichten geht es dem Knaben gut. Das Ohr ist vollkommen trocken.

K o s c h , 31 a. n. 22. Okt. 1893. Als vierjähriges Kind Scharlach, seit der Zeit Ohrenfluß bds.

r. Totaler Defekt von Trommelfell und Gehörknöchel. Foetide Sekretmassen im Kuppelraum und Mittelohr.

8. Nov. 1899. Totalaufmeißelung rechts. Knochen sklerotisch, Antrum nußgroß mit schmierigen Massen angefüllt; nach Beendigung der Knochenoperation resultiert eine sehr große Höhle. Übliche Spaltung. Primäre Naht.

Die Epidermisierung geht auffallend rasch, ohne irgendwelche Granulationsbildung von statten; nach 4 Wochen war die Wunde ausgeheilt. Pat. wird entlassen und stellt sich alle 3—4 Monate, später etwa einmal jährlich vor. Gehör ganz bedeutend besser.

4. Mai 1907. Die große Wundhöhle vollkommen trocken. Es hat nie Sekretion oder Ansammlung von Massen bestanden.

K o s c h . Totalaufmeißelung links. 11. Dez. 1900.

cf. oben.

A l e x a n d e r U k r a h 18 a. n. Ohreiterung seit der Kindheit bds., Cholesteatom bds.; Totalaufmeißelung bds. 25. Oktober 1897 links; 18. November 1898 rechts.

Die Karte des Roten Kreuzes beim Umbau abhanden gekommen. Zum letzten Male untersucht vor 8 Jahren Beide Ohren sind immer trocken gewesen. Untersuchung am 25. April 1907.

Ohr r. vollkommen trocken, frei übersichtlich, mit glänzender grauer Narbe ausgekleidet. Über den Facialiswulst sieht man in die etwa bohnengroße trockene Cholesteatomhöhle.

Ohr l. ebenfalls trocken und vollkommen frei übersichtlich, nur ist die Cholesteatomhöhle hier bedeutend größer, etwa wie eine Nuß.

W i k u t k e , J o h a n n , 5 Jahr 8 Monate. 2. Januar 1900. Ohrenfluß seit 4 ½ Jahren bds. nach Scharlach. Seit 2 Wochen fühlt sich das Kind schlecht und klagt über Schmerzen rechts. Schwerhörig.

Ohr r. Vollkommener Defekt von Trommelfell und Gehörknöchelchen.

5. Jan. 1900. Totalaufmeißelung r. Mittelohr und Antrum mit Granulationen angefüllt, Antrum sehr groß, buchtig. Sinus wird freigelegt. ist jedoch normal. Sehr große Operationshöhle.

12. März 1909. Höhle vollkommen epidermisiert. Paukenschleimhaut normal.

15. Mai 1905. Vollkommen freiliegende große Höhle, die oben allseitig epidermisiert Die Schleimhaut sezerniert noch.

A d m a n n , M i n n a 25. 24. Febr. 1902. Vor 16 Jahren Scharlach. Seit der Zeit Ohrenfluß bds. und taub.

Ohr r. Trommelfell defekt. Hinten oben Cholesteatamhöhle.

25. Febr. 1902. Totalaufmeißelung. Nußgroße Cholesteatomhöhle.

28. April 1902. Vollkommen epidermisiert

21. April 1907. Die ganze Höhle und Mittelohr von einer perlgrauen, glänzenden Membran ausgekleidet, vollkommen frei übersichtlich und trocken. Kein angetrocknetes Sekret.

Fasse ich die Resultate der tamponlosen Nachbehandlung der Totalaufmeißelungen zusammen und verwende sie mit zur Indikationsstellung für eine vorzunehmende Operation, so hat sich für mich ergeben, daß ich die Indikationsstellung etwas weiter glaube fassen zu können, als es im allgemeinen wohl noch üblich ist. Die Operation an sich muß als eine gefahrlose bezeichnet werden, zugleich ist die Nachbehandlung eine leichte und einfache und irritiert den Patienten nur wenig. Daher darf sie, meiner Meinung nach, nicht nur dort empfohlen und vorgenommen werden, wo die üblichen konservativen Methoden versagt oder nur einen begrenzten Erfolg gehabt haben, sondern es muß auch im Auge behalten werden, daß eine langdauernde Eiterung die physiologischen Funktionen des Ohres nur zu sehr, oft auch unwiederbringlich zu beeinträchtigen geeignet ist. Je früher wir daher operieren, um so besser und auch für den Patienten befriedigender wird das funktionelle Resultat sein.

XVIII.

Ein Fall asthenischer Pyohämie.

Von

Dr. med. **Erwin Jürgens** in Warschau.

Die verschiedenen Formen, unter denen die Pyohämie resp. die Septicämie, oder wie wir sie am häufigsten auftreten sehen, die Septicopyohämie sich äußert, können immer noch durch Einzelbeobachtungen ergänzt werden. Wohlverständlich sind uns die Formen, die unter hohen und typischen Fiebererscheinungen, Metastasen usw. verlaufen. Rätselhaft erscheinen die sehr seltenen, bekannt gewordenen Fälle, wo die ganze schwere Krankheit ohne alle stürmischen Erscheinungen selbst ohne Fieber verläuft und wie in diesem Falle selbst zum Tode führt.

Der Soldat P. S., Tartar, 22 Jahre alt, trat am 6. Juni 1906 in die Ohrenabteilung des Ujasdowschen Militärhospitals in Warschau ein.

Stat. praes. Die untere und Hinterwand des r. äußeren Gehörganges sind gerötet, geschwollen, leicht excoriiert. Das r. Trommelfell, rotgetrübt, hat in der hinteren Hälfte eine kleine runde Perforation, aus der sich mäßiger schleimiger Eiter entleert. Das linke Ohr ist normal, Gehör links mäßig für tiefe Töne herabgesetzt. Sonst keinerlei Klagen. Temperatur 37,4, Puls 80, regelmäßig.

Anamnestisch läßt sich wenig ernieren, Patient will etwa 3 Tage krank sein, woher das Ohrübel gekommen, weiß er nicht, er meint: Erkältung. (Diesen Angaben kann erfahrungsgemäß kein Wert beigemessen werden, vielmehr sprechen die Reizungserscheinungen im Gehörgange für Manipulationen in selbstverstümmlerischer Absicht zum Zweck der Befreiung vom Dienste.)

Am 1. Tage der Erkrankung ist die Temperatur 38° gewesen, nachher waren keine erhöhten Temperaturen mehr vorhanden.

Die nächsten 25 Tage bis zum 2. Juli betrug die höchste Temperatur 37,2°, die niedrigste 36,5, die größte Schwankung zwischen Morgen- und Abendtemperatur betrug nur 0,7°. Die Ohreiterung war die ganze Zeit über schleimigeitrig, niemals sehr reichlich. Der Warzenfortsatz zeigte keinerlei subjektive noch objektive Erscheinungen, weder Schmerz- noch Druckempfindlichkeit noch Schwellung. Kopfschmerzen oder Schwindelerscheinungen fehlten, ebenso Schüttelfröste. Das Bewußtsein des Kranken war die ganze Zeit über ungestört, der Kräfteverfall ein augenscheinlicher, sehr rasch fortschreitender. An den inneren Organen wurde die ganze Zeit über keine wesentliche Veränderung entdeckt; die Milz schien etwas vergrößert, Nervensystem und Augen boten nichts Außergewöhnliches dar, ebenso die Halsvenen. Die Hautdecken waren fahl, aschgrau. Der Kranke bot die ganze Zeit über ein eigentümlich apathisches ermüdetes Aussehen, lag viel, aß aber im ganzen mit gutem Appetit. 6 Stunden vor dem Tode am 2. Juli traten ganz plötzlich stürmische Erscheinungen ein, zuerst ein Schüttelfrost, dann heftiges Erbrechen, Pulsanstieg von 80 pro Min. auf 140, Pupillenstarre, Unbesinnlichkeit und Tod.

Am 3. Juli erfolgte die Sektion, die vom Prosektor des Hospitals, Dr. Bedrekowski, vorgenommen wurde. — Ich lasse das Protokoll der Sektion in Kürze folgen:

Die Dura mater ist blutreich, gespannt, die pia mater zeigt an der Basis ein wenig Eiter. Die Hirnsubstanz ist ziemlich blutreich, die Lungen sind blutüberfüllt. Der Herzmuskel ist schlaff, auf der Schnittfläche graugelb, trübe. Der linke Ventrikel ist stark ausgedehnt, leer, der rechte schlaff, enthält ein wenig flüssiges, schwarzes Blut. Die Leber ist vergrößert, trübe auf der Schnittfläche, dunkelrot; die Milz um die Hälfte vergrößert, schlaff, ihr Gewebe aufgelockert, auf der Schnittfläche dunkelrot. Die linke Niere ist etwas vergrößert, schlaff, auf der Schnittfläche dunkelrot Die Dünndarmschleimhaut ist blaß, der Darm von Gasen aufgetrieben.

Die Blutuntersuchung aus der Milz und dem Ventrikelblute ergab Streptokokken.

Die Sinus sigmoid. und Ven. jugular. enthielen keine Thromben, der r. Warzenfortsatz war kleinzellulär. Kariöse Stellen am Tegmen wurden nicht entdeckt, eine direkte Eiterstraße vom Ohre nach dem Gehirn nicht gefunden.

E p i k r i s e. Die nächstliegende Ursache der Erkrankung war das Ohrübel, das in kurzer Zeit zur Sepsis führte. Klinisch waren die einzigen auch für Sepsis in Betracht kommenden Erscheinungen die Mattigkeit, Milzschwellung und namentlich die Verfärbung der Hautdecken, während gerade die Kardinalsymptome, hohe schwankende Temperaturen (Metastasenbildungen und Erscheinungen am Warzenfortsatz und Ingularvenen) ganz fehlten. Wie läßt sich das nach dem Sektionsbefunde erklären? Durch den Blutbefund (Streptokokken) ist die septische Allgemeinerkrankung erwiesen, daß es trotzdem aber nicht im Verlaufe der Krankheit zu erhöhten Temperaturen oder Metastasenbildung noch anderen stürmischen Erscheinungen kam, ist, wie ich dem Prosektor Dr. B. beistimmen möchte, wohl größtenteils auf die kolossale Erschlaffung und Degeneration des Herzmuskels zurückzuführen, deren Anlage wohl vorgelegen haben mag, die aber im Verlaufe der Erkrankung augenscheinlich rapide Fortschritte gemacht hat. Die beginnende Meningitis, die die stürmischen Erscheinungen kurz vor dem Tode hervorrief, ist wohl als erste und letzte pyämische Metastase im Verlaufe der Krankheit aufzufassen, da eine direkte Eiterstraße vom Ohre nach dem Gehirn nicht nachzuweisen war.

Es drängt sich in diesem Falle die Frage auf, ob durch

irgendwelche spezifische therapeutische Maßnahmen das Leben des Kranken hätte gerettet werden können.

Von uns wurden allgemein kräftigende Mittel, sorgfältige Pflege und Borbehandlung für das Ohr angewandt. Serum wurde nicht eingespritzt. Wir meinen, daß eine Streptokokken-serumbehandlung vielleicht hätte nützen können, wenn nicht die kolossale Erschlaffung und Degeneration des Herzmuskels, die bei der Sektion konstatiert wurde, jegliche Therapie von vorn-herein aussichtslos hätte erscheinen lassen.

XIX

Zur Kasuistik der otogenen Hirnabszesse.

Von

Dr. med. **Hanns Just**, Ohren-, Nasen-, Halsarzt in Dresden.

Die Diagnose der otitischen Hirnabszesse ist nach Körner[1] in der Regel schwer, häufig unmöglich. Ausnahmen bilden nur die Fälle, in denen erkrankte Stellen an der Dura oder Fisteln im Knochen bei der Aufmeißelung oder während der Nachbehandlung eines aufgemeißelten Warzenfortsatzes direkt zu dem encephalitischen Herde führen, oder charakteristische Herdsymptome den Sitz des Abszesses verraten. Wie aber die Durchsicht der Literatur lehrt, sind die Fälle sehr häufig, in denen drohende Hirndruckerscheinungen zum Aufsuchen des raumbeschränkenden Abszesses zu einer Zeit zwingen, in der sich die Entscheidung, ob es sich um Kleinhirn- oder Großhirnabszeß handelt, nicht treffen läßt. Es ist dann Glückssache, ob man gleich beim ersten explorativen Eingehen den erkrankten Hirnteil trifft.

Noch komplizierter wird die Diagnose, wenn beim Eintreten manifester Symptome von Hirnabszeß die veranlassende Ohreiterung bereits abgeheilt ist, und eine profuse Nasennebenhöhleneiterung derselben Seite die Aufmerksamkeit auf sich lenkt und das Vorhandensein eines Frontallappenabszesses in den Bereich der Möglichkeit rückt.

Über einen derartigen Fall, den ich im Winter 1906 zu beobachten Gelegenheit hatte, möchte ich kurz berichten.

Am 7. Nov. 1906 wurde ich von Dr. R. zu dem 50 jährigen Techniker B gerufen Die Anamnese ergab: Vor 2 Jahren Influenza. Daran anschließend eiteriger Ausfluß aus der Nase und dumpfer Kopfschmerz. Lange fortgesetzte, konservative Behandlung führte zu keinem Resultat. Vor vier Wochen gelegentlich einer Exacerbation der Naseneiterung acute Otitis media dextra Trotz sofortiger sachgemäßer Behandlung geht die Ohreiterung nicht

---

1) Lehrbuch der Ohrenheilkunde und ihrer Grenzgebiete 1906 S. 213.

zurück. Der sehr energische Patient versieht seinen Beruf weiter, bis sich unter Fieber, Hinfälligkeit und starken Kopfschmerzen 3 Wochen nach Beginn der Otitis — Anfang November — eine Mastoiditis entwickelt.

Status: Über mittelgroßer, kräftiger Mann. Auffallend bleiche, fahle Gesichtsfarbe. matter Blick, langsame, zögernde Antworten. Patient macht schwerkranken Eindruck. Zunge stark belegt, Fötor ex ore. Puls 60—70. Temperatur früh 37°, mittag 38,5, abend 38,2.

Ohrbefund rechts reichlich dickflüssiger, gelber Eiter im Gehörgang. Perforation hinten oben, aus der Eiter pulsierend hervorquillt. Trommelfell verdickt, stark gerötet, Einzelheiten nicht erkennbar. Hinten oben Gehörgangswand gesenkt. Planum und besonders Spitze des Warzenfortsatzes auf Druck schmerzhaft, Gegend des Emissariums ebenfalls. Weichteile hinter der Ohrmuschel leicht infiltriert.

Links abgesehen von Trübung und leichter Einziehung des Trommelfells normale Verhältnisse.

Weber unbestimmt, Rinne links +, rechts —, Hörfähigkeit für Flüstersprache links > 6 m, rechts am Ohre. Knochenleitung nicht verkürzt. Obere Tongrenze beiderseits gut erhalten.

Nase: Beiderseits Eiter und Polypen im mittleren Nasengang, mittlere Muschel beiderseits hypertrophisch. Rechte Stirnhöhlengegend bei Klopfen empfindlich.

Im Rachen und Nasenrachenraum viel Eiter. Schwindel nicht nachweisbar. Kein Erbrechen oder Schüttelfrost beobachtet, dagegen völlige Appetitlosigkeit und starke Obstipation.

Verordnung: Bettruhe und Prießnitzumschläge aufs rechte Ohr. Eis wird nicht gut vertragen.

8. Sept. Keine Änderung. Allgemeinbefinden schlecht. Puls 65. Temp. bis 38,4. Pat. schläft tagsüber viel, ist nachts sehr unruhig. Rechtsseitige starke Kopfschmerzen. Reichlicher und unbehinderter Eiterabfluß aus dem Mittelohr. Urin frei von Eiweiß und Zucker.

Aufnahme in die Klinik zur Operation.

9. Nov. Eröffnung des Warzenfortsatzes rechts in Äther. — Chloroformnarkose. Processus mast. stark zellreich. Überall verdickte, infiltrierte Schleimhaut und Eiter in den Zellen. Die Erkrankung hat die ganze Spitze ergriffen, die bis auf geringe Reste reseziert werden muß. Antrum geräumig. voll Eiter. Sinus in Erbsengröße frei gelegt, gesund. Dura der mittleren Schädelgrube über dem Antrum in Fünfpfennigstückgröße freigelegt, erscheint normal. Ausgiebige Parazentese. Xeroformgazeverband.

10. Nov. Völliges Wohlbefinden, freier Kopf. Temperatur zur Norm herabgesunken.

13. Nov. 1. Verbandswechsel. Operationshöhle sieht gut aus.

15. Nov. 2. Verbandswechsel. Gehörgang trocken, trockene Perforation. Flüsterspr. rechts 4 m.

16. Nov. Da sich Patient ausgezeichnet fühlt, darf er 1 Stunde aufstehen.

17. Nov. Heute Kopfschmerzen. Abends 37,8. Wieder vollständige Bettruhe angeordnet.

18. Nov. Heftiger rechtsseitiger Kopfschmerz. Brechneigung. Patient getraut sich nicht zu essen. Die Granulationen in der Wundhöhle sehen schlaff aus, doch weist weder die Sinusgegend noch die Dura der mittleren Schädelgrube etwas Verdächtiges auf. Unterhalb des Sinus mehr nach der Spitze zu ist eine schwärzlich verfärbte Stelle am Knochen. Klagen über verstopfte Nase. Der Eiterausfluß aus Nase und Rachen sistiert. Temper. Nachmittag 4 Uhr 38,4.

19. und 20. Nov. Das Befinden bessert sich zusehends, die Kopfschmerzen nehmen ab, der Appetit nimmt zu. Die Wunde sieht frisch aus. Die schwärzliche Stelle an der Spitze reinigt sich. Temperatur normal.

30. Nov. Pat. wird mit gut granulierender Wundhöhle nach 3 Wochen aus der Klinik zu ambulanter Behandlung entlassen. Subjektives Befinden im Allgemeinen gut Nur die Nächte sind meist unruhig. Pat. schiebt dies auf Nervosität. Tagsüber Schlafbedürfnis. Stuhlgang nur noch nach Ab-

führmittel oder Klystier. Gehör rechts schwankt zwischen 3 und 4 m Flüster-sprache. Paukenhöhle trocken. Perforation geschlossen. Trommelfell blaß.

2.— 6. Dez. Patient kommt zum Verbinden uud geht zuweilen ins Geschäft, um dringliche Sachen . zu erledigen. Kopfarbeit verursacht ihm jedoch stets rechtsseitige Kopfschmerzen. Dauernd Obstipation. Temperatur immer normal oder subnormal. Die Wundheilung schreitet rasch fort. Derbe Granulationen, geringe Wundsekretion.

8.—10. Dez. Klagen über Stirnkopfschmerz. Viel Eiterausfluß aus der Nase. Wiederholte Durchleuchtung der Nebenhöhlen ergibt rechts Stirn-höhlenschatten. Sondierung der Stirnhöhle nicht ausführbar. Die Resektion des vorderen Endes der mittleren Muschel rechts wird bis zur Ausheilung der Ohrwunde aufgeschoben. Die Kieferhöhlen erweisen sich als gesund.

12. Dez. Besuch in der Wohnung. Seit gestern Erbrechen und rasender Stirn- und Schläfenkopfschmerz, der sich bei Bewegungen des Kopfes, Auf-und Niederlegen steigert. Druck von innen auf die Augenhöhlen. Nahrung wird verweigert, oder bald erbrochen. Puls klein, zwischen 50 und 60 i. d. Minute. Nach Erbrechen einmal 48 gezählt. Die Prostration ist so be-deutend, daß Patient kaum einige Schritte zu tun im Stande ist. Gang taumelnd. Neigung zum Fallen nach links. Kein Fieber.

Rechtes Mittelohr frei von entzündlichen Erscheinungen. Labyrinth intakt.

13.—16. Dez. Keine Besserung. Oft unerträglicher Kopfschmerz. Dabei nie Nackensteifigkeit. Quälender Schluckeu und viel Erbrechen. Patient kann sich nur mit Unterstützung erheben. Pulsverlangsamung. Temperatur 36—37. Augenhintergrund: Verwaschene Grenzen und Stauungspapille rechts.

Da ein Hirnabszeß als sicher vorhanden angenommen wird, Wieder-aufnahme in die Klinik. Sitz des cerebralen Eiterherdes unklar. Keinerlei Lähmungen. Weder Ptosis noch Mydriasis, Abducens und Facialis frei. Kein deutlicher Nystagmus. Bei dem apathischen Zustand läßt sich nicht kon-statieren, ob nicht Unaufmerksamkeit das mangelhafte Fixieren und häufige Abweichen des Blickes verschuldet. Somnolenz wechselt mit motorischer Unruhe. Psyche nicht ganz klar.

17. Dez. Nacht vom 16. zum 17. sehr unruhig. Pat. deckt sich un-ablässig auf. Als die Nachtwache auf kurze Zeit das Zimmer verläßt, steigt Pat. aus dem Bett und stürzt zu Boden. Temperatur afebril Puls 50—60. Singultus. Weder Hemiparesen, noch Hemianästhesie, noch Hemianopsie nachweisbar. Gehör auf der gekreuzten Seite gut. Reflexe normal. Keine meningitischen Erscheinungen. Pat. ist leicht benommen

Konzil mit Sanitätsrat Dr. Panse. Wegen ataktischer Symptome, Fallen nach der gesunden Seite, Schwindel bei Freibleiben des Labyrinths, und wegen Perkussionsempfindlichkeit über dem Cerebellum wird die Wahr-scheinlichkeits-Diagnose Abszeß im Cerebellum gestellt.

Abends Operation in Äthernarkose. Puls steigt im Beginn der Nar-kose auf 120—130 Schläge. Hintere Schädelgrube nach Auskratzen der mit derbem, gesunden Narbengewebe ausgefüllten Wundhöhle in Talergröße freigelegt. Nirgends Eiter oder Karies. Sinus vom oberen Knie bis zur Umbiegung in den Bulbus, Dura mater bis zur Grenze mit der mittleren Schädelgrube freigelegt, nirgends verfärbt. Medialwärts vom Sinus wird das Kleinhirn mit einer dicken Punktionskanüle 2 cm tief nach verschiedenen Richtungen hin punktiert, ohne daß sich Eiter entleert. Öffnung in der Dura mit der Kornzange erweitert. Es fließt nur klarer Liquor in reichlichen Mengen ab. Puls gut, 60—70. Inzisionswunde durch Jodoformgazestreifen offen gehalten.

Pat. fühlt sich nach der Operation etwas leichter im Kopfe. In der Nacht jedoch starke motorische Unruhe und Delirien. Pat. versucht beständig, den Verband abzureißen. Temperatur normal.

18. Dez. Früh ist Pat. ruhiger. Er weiß nicht, ob es Nacht oder Tag ist, und ist desorientiert. Geringe Nahrungsaufnahme ohne Erbrechen. Puls 50—60. Verband völlig durchtränkt mit Liquor.

Zum ersten Male wird heute ein vorübergehendes, leichtes Zittern im linken Bein und Arm beobachtet. Rohe Kraft jedoch gut erhalten. Händedruck rechts wie links schmerzhaft kräftig. Pat. gibt heute Nachmittag verworrene Antworten.

19. Dez. Während der letzten Nacht Jaktationen, so daß Pat. mehrfach aus dem Bett zu fallen droht und beständig gehalten werden muß. Rasender Stirnkopfschmerz rechts. Pat. reibt entweder mit der Hand die Stirn, oder kniet im Bett und bohrt den Kopf in die Kissen. Sensorium stark benommen. Reichlicher Eiterausfluß aus Nase und Rachen.

Der schwere Zustand erfordert dringend einen erneuten Eingriff zur Aufsuchung des Abszesses.

Abends 6 Uhr wird in Äthernarkose zunächst eine Probeeröffnung der rechten Stirnhöhle vorgenommen, um einen Frontallappenabszess auszuschließen. Die Stirnhöhle erweist sich als gesund. Von der vorgestrigen Einstichstelle der Dura des Kleinhirns wird dieses noch einmal mit einer gebogenen Knopfsonde abgesucht. Die Sonde läßt sich 4 cm tief nach hinten oben und unten einführen, ohne daß sich Eiter zeigt.

Nunmehr Verlängerung des alten retroaurikulären Schnittes nach vorn oben bis 2 cm vor die Concha. Nach Zurückschieben der Weichteile wird die Schuppe mit Meißel und Knochenzange in großer Ausdehnung entfernt, ebenso das Dach des Antrums und Aditus. Die Paukenhöhle bleibt unberührt. Bei Abkneifen des Daches des Aditus zeigt sich, daß die Dura hier mit dem Knochen fest verwachsen ist. Der Schläfenlappen ist schließlich vom hinteren Rande des M. tempor. bis zum Cerebellum hin übersichtlich freigelegt. Die Verwachsung wird stumpf gelöst und dicht dahinter die Dura mit dem Skalpell breit gespalten. Die zu Tage tretende Hirnpartie erscheint weder verfärbt noch matschig und pulsiert. Eine starke Punktionsnadel wird nach den verschiedensten Richtungen hin 2—3 cm tief eingeführt. Nirgends läßt sich mit der Spritze Eiter ansaugen. Reichlicher Abfluß von Liquor cerebrospinalis. Nunmehr Einschnitt mit dem Messer etwa 2 cm nach vorn und innen. Aus der Einflußöffnung quellen unmittelbar 3 bis 4 Eßlöffel dicker, grüngelber Eiter in pulsierenden Stößen hervor. Erweitern der Inzisionsöffnung nach vorn unten. Die Sonde dringt von der Dura an gerechnet etwa 5 cm nach vorn oben und 2 cm nach hinten oben ins Gehirn vor, ehe sie die Wände des Abszesses erreicht. Ausspülung der Höhle mit Collargollösung. Tamponade mit in Collargol getränkter Gaze. Puls nach der Operation 72, während er kurz vor der Operation nach ¹/₂ Pravazspritze Heroïn 48 zählte und öfters aussetzte.

20 Dez. Pat. fühlt sich nach dem Erwachen aus der Narkose freier und schläft ruhig bis früh gegen 5 Uhr. Dann leichte Unruhe, die auch den Tag über anhält.

Sensorium freier. Pat. nimmt wieder einige Nahrung zu sich, ohne zu erbrechen. Temperatur normal. Puls 60.

Die bakteriologische Untersuchung des Abszeßeiters durch Oberarzt Dr. Oppe ergab als Erreger Staphylokokken, Diplococcus lanceolatus, sowie ein plumpes, wohl nur als Begleitbakterium aufzufassendes Stäbchen.

Abends Verbandwechsel. Es entleeren sich wieder 2 Eßlöffel rahmigen Eiters. Einführen eines Gummidrains. Nach Verbandswechsel Puls 72.

21. Dez. Ruhige Nacht. Befinden auch subjektiv besser. Keine Unruhe mehr. Reger Appetit. Wenig Eiter im Gehirn. Sensorium jetzt ganz frei, doch scheinen die letzten beiden Wochen in der Erinnerung des Pat. ausgelöscht zu sein. Puls 68—72.

Von da an fortschreitende Besserung. Die Verkleinerung der großen Abszeßhöhle geht nur ganz allmählich vor sich. Von Zeit zu Zeit geringer Eiterverhalt. Erst am 17. Januar 1907, also nach 29 Tagen, kann das Drainröhrchen ganz weggelassen werden. Kein Hirnprolaps.

7. Febr. Der Pat. wird mit völlig ausgeheilter retroaurikulärer Wundhöhle aus der Klinik entlassen. Er hat seit der Operation 14 Pfund zugenommen und sieht blühend aus. Seitdem auch keine Obstipation mehr. Völliges Wohlbefinden. Gehör für Flüstersprache rechts 5—6 m.

Pat. wird wegen Empyems der vorderen und hinteren Siebbeinzellen beiderseits weiter behandelt.

Während der ganzen Beobachtungszeit (bis Ende Juni) fühlt sich der Pat. dauernd wohl, so daß er seinem Berufe als Techniker und Lehrer an der Gewerbeschule nachgehen kann.

Epikrise: Von vornherein machte der Kranke durch sein auffallend schlechtes Aussehen, durch eine gewisse psychische Trägheit, die sich in zögernd abgegebenen, leisen Antworten äußerte, den Eindruck, als bestände bei ihm eine intrakranielle Komplikation.

Der Befund an der Dura des Groß- und Kleinhirns bei der typischen Aufmeißelung am 9. November und das danach eintretende ausgesprochene Wohlbefinden ließen jedoch diesen Verdacht ungerechtfertigt erscheinen.

In mehr wie einer Beziehung zeigt ein von Hüttig[1]) in diesem Archiv veröffentlichter Fall von Großhirnabszeß bei einem 27jährigen Mädchen die größte Ähnlichkeit mit dem meinigen. Auch Hüttigs Kranke fühlte sich nach der Eröffnung des Antrums „wie erlöst", bis nach 8 Tagen, ebenso wie hier, unter mäßigen Fiebererscheinungen, Übelkeit, Erbrechen, Obstipation und Stirnkopfschmerz auftraten. Nach einigen Tagen klangen bei beiden Patienten diese stürmischen Erscheinungen ab und setzten nach 2—3 Wochen mit erneuter größerer Heftigkeit ein. Auch der spätere Verlauf und die glatte Heilung weisen noch viele Vergleichspunkte auf.

Ob in dem Falle meiner Beobachtung der Hirnabszeß schon vor der Aufmeißelung bestand, oder ob die 8 Tage später auftretenden Krankheitserscheinungen als Initialstadium aufzufassen sind, läßt sich mit Sicherheit natürlich nicht entscheiden. Daß der entzündliche Prozeß bereits vor der Antrumeröffnung die Dura ergriffen hatte, möchte ich deswegen für wahrscheinlicher annehmen, weil die Paukenhöhle bereits 5 Tage nach der Aufmeißelung frei von Eiter war, also jedenfalls nach diesem ersten Eingriff eine Eiterretention im Aditus und der Paukenhöhle nicht mehr stattgefunden haben wird.

Vom 11. Dezember an traten schwere Hirndruckerscheinungen auf, die keinen Zweifel mehr an der Diagnose Hirnabszeß zuließen. Eine Operation zur Entleerung des Abszesses wurde sofort ins Auge gefaßt, aber mangels aller und jeder Hinweise, wo der Eiter zu suchen sei, vorläufig noch aufgeschoben.

An und für sich wäre es wohl das Nächstliegende gewesen, an einen Schläfenlappenabszeß zu denken, der ja nach Körners

1) Archiv f. Ohrenheilk. Bd. 68 S. 247.

Erfahrungen und nach den umfangreichen statistischen Ermittelungen von Th. Heimann[1]) von den otitischen Hirnabszessen der häufigste ist, aber es waren nicht die geringsten Anhaltspunkte dafür vorhanden. Da es sich um eine rechtsseitige Ohreiterung handelte, konnte auch das Fehlen oder Vorhandensein der Aphasie differentialdiagnostisch nicht herangezogen werden.

Auffällig bleibt es, daß ein so großer Abszeß, der bei einem Längsdurchmesser von 6—7 cm als hühnereigroß bezeichnet werden kann, keine Lähmungen der an der Basis verlaufenden Hirnnerven hervorrief.

Nach Körner lähmen Schläfenlappenabszesse, wenn sie einigermaßen groß sind, fast stets den Oculomotorius der kranken Seite. Es kommt seiner Erfahrung nach zwar selten zu einer vollständigen Lähmung, aber in der Regel zu einer Parese der Pupillenfasern und des Hebers des oberen Augenlides. Nächst dem Oculomotorius werde am häufigsten der Abducens geschädigt.

Im vorliegenden Falle bestand aber weder Mydriasis noch Ptosis, noch eine Abducensparese.

Die weit nach unten und hinten sich erstreckende Erkrankung des zellreichen Warzenfortsatzes, die Ataxie, das Fallen nach der linken Seite, der starke Brechreiz bei Fehlen einer Labyrintherkrankung ließen mehr an Kleinhirnabszeß denken.

Nachdem die Trepanation auf das Kleinhirn zu keiner Aufklärung über den Sitz des Abszesses geführt hatte, glaubte ich zunächst, den Abszeß im Cerebellum nur verfehlt zu haben, bis ich angesichts des rasenden Stirnkopfschmerzes, der Klopfempfindlichkeit der Stirnhöhlengegend und des reichlichen Eiterausflusses mit der Möglichkeit eines rhinogenen, von einem Empyem des Sinus frontalis ausgehenden Hirnabszesses zu rechnen begann. Ich erinnerte mich eines von Koebel[2]) veröffentlichten Falles von Hirnabszeß, bei dem gleichfalls eine Kombination von Ohr- und Naseneiterung vorlag und vergeblich vom Ohre aus nach dem Abszeß gesucht worden war, der im Frontallappen saß.

Leider war eine exakte Untersuchung sämtlicher Nebenhöhlen im Anfang verschoben worden und jetzt bei dem schweren Zustande des Pat., bei seiner motorischen Unruhe ganz ausgeschlossen. Die Stirnhöhle ließ sich beiderseits nicht sondieren,

---

1) Archiv f. Ohrenheilk. Bd. 66 S. 251.
2) Beitr. z. klin. Chir. Bd. XXX Heft II.

eine Röntgendurchleuchtung erschien nicht tunlich. Die Durchleuchtung mittelst eines kleinen elektrischen Lämpchens ergab gegen links einen Schatten.

Die Symptomatologie der Frontallappenabszesse ist zur Zeit noch so wenig geklärt, daß man von differentialdiagnostischen Anzeichen nicht sprechen kann. Die bekannten Hirndrucksymptome treten hier genau so auf, wie bei den otitischen, und nach übereinstimmender Ansicht aller Autoren macht ein Abszeß im Stirnhirn im Allgemeinen keine Herdsymptome.

Hajek[1]) sagt darüber: Nur wenn die durch den Abszeß herbeigeführte Destruktion den hinteren Abschnitt der Frontalwindungen erreicht, kann eine Monoplegia brachialis oder facialis der entgegengesetzten Seite, bei linksseitigem Sitze auch Sprachstörung auftreten.

Nur Bruns spricht von einer frontalen Ataxie, bestehend in einer Gehstörung, welche auf einer Schwäche der Rumpfmuskulatur beruhen soll. Letztere soll ihr kortikales Zentrum in dem Gyrus marginalis in dem medialen Teile des Stirnhirns haben.

Nun trat am Tage nach der Trepanation des Kleinhirns zeitweise ein kleinschlägiger Tremor des linken Armes und Beines auf, ein Symptom, das als Reizung des hinteren Schenkels der inneren Kapsel gedeutet wurde. Dieser Tremor sprach zweifellos für Schläfenlappenabszeß. Daß aber Fernwirkungen auf die innere Kapsel nicht allein von Temporallappenabszessen, sondern unter Umständen auch von einem Abszeß in der Marksubstanz des Stirnhirns ausgehen, beweist die noch dazu durch Autopsie bestätigte Beobachtung von F. Cohen.[2]) Es wurden bei der Sektion außer dem durch Operation entleerten Abszeß im Frontallappen noch ein weiterer, gleichfalls im Stirnhirn gelegener Eiterherd von 5 cm Durchmesser gefunden.

Zu Lebzeiten des Pat. wurden sensorische und motorische Aphasie, Lähmung des rechten Armes und Beines und zunehmende Benommenheit beobachtet.

Die Gegend vor und hinter dem Sulcus centralis, in welcher von Cohen der zweite Eiterherd gesucht wurde, erwies sich als intakt.

Um nicht unnötig den Temporallappen zu punktieren, schickte ich der breiten Eröffnung der mittleren Schädelgrube eine Probe-

---

1) Pathol. u. Therapie d. entzündl. Erkrank. d. Nebenhöhlen. 1903.
2) Münchner Medizin. Woch. 1902 S. 1567.

eröffnung der rechten Stirnhöhle voraus. Die Schleimhaut des Sinus frontalis erwies sich als gesund und die Höhle lufthaltig, denn die Schleimhautauskleidung machte jede respiratorische Druckschwankung genau mit.

Bei der Punktion des Schläfenlappens versagte die Punktionskanüle, obwohl sie reichlich stark war, wegen der dicken, zähen Beschaffenheit des Eiters gänzlich. Erst Einschneiden der 1 cm starken intakten Rindenschicht gewährte dem Eiter Abfluß. Wiewohl der Abszeß nur an einer Stelle, die allerdings bei Rückenlage des Kranken die tiefste war, eröffnet wurde, war der Abfluß sehr gut und die Heilung erfolgte glatt ohne irgend welche erhebliche Retentionen, ein Beweis mehr, daß eine Gegenöffnung von der Schuppe aus, wie sie von den Chirurgen und vielen Otologen empfohlen wird, nicht unbedingt erforderlich ist.

Dadurch, daß die Paukenhöhle geschont werden konnte, gestaltete sich das Endresultat auch in bezug auf Erhaltung der Gehörsfunktion sehr günstig.

Es sind zwar seit der Operation erst 6 Monate verflossen, aber der Patient fühlt sich bis heute so außerordentlich wohl, daß man auf eine Dauerheilung wohl hoffen darf.*)

---

*) Nachtrag bei der Korrektur: Patient erfreut sich 8 Monate nach der Operation des besten Wohlseins.

XX.

Über ärztliche Fürsorge für Taubstumme nebst Vorschlägen zur Reorganisation des Taubstummenbildungswesens.

Von

Professor **Ostmann** in Marburg.

In einer Zeit, in der die soziale Fürsorge mehr wie je Staat und Gesellschaft beschäftigt, kann es nicht Wunder nehmen, daß der Fürsorge für die Taubstummen und ihrer Fortbildung ein erhöhtes Interesse sich zuwendet, und insbesondere auch diejenigen ärztlichen Kreise erfaßt, welche sich die Erkrankungen des Ohres und der Grenzgebiete zu ihrem besonderen Arbeitsfeld erkoren haben.

Bis zu der Zeit, wo man mit Hilfe einer geeigneten Lehrmethode die Bildungsfähigkeit der Taubstummen nachweisen konnte, kann von einer allgemeinen Fürsorge für dieselben nicht gesprochen worden; die Taubstummen wurden vor dem Gesetz den Blödsinnigen und Unmündigen gleich geachtet.

Mit dem methodischen Unterricht der Taustummen-Kinder war der erste große Schritt allgemeinerer Fürsorge getan. Politzer hat in seiner vortrefflichen Geschichte der Ohrenheilkunde[1] den Stand des Taubstummenunterrichts bis zum Ende des 18. Jahrhunderts und das Wirken derjenigen Männer geschildert, welche in aufopfernder Arbeit sich um die Förderung des Unterrichts und damit um die Hebung des geistigen Niveaus wie der bürgerlichen Stellung der Taubstummen innerhalb dieses Zeitraums verdient gemacht haben.

Mit Heinecke, welcher 1778 in Leipzig die erste Taubstummenanstalt gründete, beginnt in Deutschland ein zielbewußter Taubstummenunterricht.

---

[1] Bd. I S. 427 u. f.

9*

Mehr als ein Jahrhundert ist seit Heineckes Tode — im Jahre 1790 — verflossen, und trotz dieser langen Zeit, in welcher die Bildungsfähigkeit der Taubstummen voll erwiesen und von dem Gesetzgeber durch die veränderte Stellungnahme ihnen gegenüber anerkannt worden ist,[1]) mußte bei der Verhandlung über das Taubstummen-Bildungswesen der Abgeordnete Rzesnitzek im Preußischen Abgeordnetenhause feststellen,[2]) daß in den Taubstummenanstalten Schlesiens zu Ostern 1900 ungefähr 600 Schüler aufgenommen werden konnten, während etwa 500 unbeschult blieben. Da die Verhältnisse in anderen Provinzen wahrscheinlich ähnlich liegen, so bedarf es auf dem Gebiete der Beschulung unzweifelhaft einer verstärkten Fürsorge; denn es ist nicht einzusehen, weshalb gerade diejenigen Kinder, welche durch ein unheilbares Leiden in der schwersten Weise in ihrer Arbeits- und Erwerbsfähigkeit geschädigt worden sind, auch noch in dem Anspruch auf die Möglichkeit der Schulbildung hinter den vollsinnigen Kindern zurückstehen sollen. Wenn sich dieser Fürsorge dadurch Schwierigkeiten in den Weg stellen, daß die taubstummen Kinder untereinander hinsichtlich ihrer Bildungsfähigkeit vielleicht ungleichwertiger sind als die vollsinnigen, schulpflichtigen Kinder, so lassen sich doch die Schwierigkeiten mit wenig veränderten Einrichtungen und bei mäßiger Erhöhung der zur Zeit für das Taubstummenbildungswesen aufgewandten Mittel wohl überwinden.

Die Bereitstellung weiterer Mittel wird vielleicht auch dadurch erschwert, daß der Fernerstehende so wenig offensichtlichen Erfolg von der Aufwendung dieser Mittel sieht. Dieser Eindruck entspricht indes nicht den Tatsachen; denn wenn man den Eindruck, welchen taubstumme Kinder bei ihrem Eintritt und Austritt aus der Taubstummenschule machen, mit einander vergleicht, und in jahrelanger Beobachtung die ebenso mühevolle wie segensreiche, stille Arbeit der Taubstummenlehrer verfolgt, so kann man vom rein menschlichen wie vom ärztlichen Standpunkt aus nur dringend wünschen, daß einem jeden taubstummen Kinde, sofern es sich überhaupt als bildungsfähig erweist, die Möglichkeit der Beschulung geboten wird.

Aber für einen jeden, der nicht das taubstumme Kind in seiner gesammten körperlichen wie geistigen Entwicklung betrachtet,

1) P. Schlotter, Die Rechtsstellung und der Rechtsschutz der Taubstummen; Blätter für Taubstummenbildung XX. Jahrg. No. 8 S. 121. 1907.

2) Blätter für Taubstummenbildung XX. Jhrg. No. 8. 1907 S. 121. Stenographischer Bericht der Verhandlungen.

muß in nicht wenigen Fällen der Erfolg unserer heutigen Unterrichtsmethode als wenig befriedigend erscheinen, insbesondere soweit es sich um Verstehen und Verstandenwerden im Verkehr mit den Mitmenschen nach dem Verlassen der Anstalt handelt.

Es ist in den letzten Jahren von ärztlicher Seite mehrfach auf den unbefriedigenden Erfolg des Unterrichts gerade nach dieser Richtung hingewiesen worden, und es kann auch nach meinen Beobachtungen kein Zweifel bestehen, daß bei nicht wenigen Kindern nach der Entlassung aus der Taubstummenanstalt an die Stelle der mit unendlicher Mühe gelehrten und erlernten Sprache bald wieder die Gebärdesprache tritt.

Mit diesen Hinweisen, so möchte ich glauben, wünscht keiner einen Vorwurf gegen die Taubstummenlehrer und ihre Arbeitsfreudigkeit auszusprechen; es wird von ärztlicher Seite im wesentlichen nur das behauptet, was ein bekannter Taubstummenlehrer, A. Gutzmann, zu seinem Bedauern selbst zugeben muß, daß nicht „der Hälfte aller entlassenen Taubstummen Verstehen und Verstandenwerden im mündlichem Verkehr mit ihren hörenden Mitmenschen in genügendem Grade eignet."[1]

Auf Grund dieser Tatsachen den hohen Wert der deutschen Unterrichtsmethode an sich in Zweifel ziehen zu wollen, wäre unrichtig; denn m. E. verfügen wir über keine andere Methode, durch welche in gleicher oder besserer Weise die geistige Durchbildung des taubstummen Kindes gefördert werden könnte. Die Methode paßt nur nicht für alle Kinder; so in erster Linie nicht für diejenigen, welche so geringe geistige Anlagen besitzen, daß sie kaum als bildungsfähig bezeichnet werden können. Nach der andern Richtung darf man nun aber auch nicht von vornherein der Ansicht sein, daß die Methode sich nicht vielleicht für eine Minderheit der Kinder noch fruchtbringender als bisher gestalten ließe, indem man durch eine volle, methodische Auswertung ev. noch vorhandener Hörreste die Sprachentwicklung fördert.

Aus diesen Gesichtspunkten ergibt sich eine Dreiteilung der Taubstummen und somit auch der Taubstummenanstalten.

Von einer solchen sachgemäßen Scheidung der Taubstummen sind wir leider noch weit entfernt; es sind zunächst ganz vereinzelte Anfänge zur Bildung besonderer Hörklassen gemacht.

Eine Trennung der Hörlosen und der mit Hörresten versehenen Taubstummen ist aber sofort auf den energischen Wider-

---

1) Vor- und Fortbildung der Taubstummen. In zwanglosen Heften herausgegeben von A. Gutzmann, Berlin 1899. Heft 1, S. 15.

stand nicht weniger, alt erfahrener Taubstummenlehrer gestoßen,
da sich nach ihrer Ansicht nicht eine Scheidung der Taubstummen nach Hörresten, sondern allein nach der geistigen Begabung empfiehlt.

Meines Erachtens ist dieser letztere Standpunkt und eine ihm
entsprechende Gruppierung der Taubstummen in 3 Bildungsstufen
der richtigere; denn diese Einteilung läßt eine dem eigentlichen
Wesen des Unterrichts sehr viel mehr entsprechende, einheitlichere
Zusammenstellung des Kindermaterials zu.

Auch ist die Zahl der mit wirklich verwertbaren Hörresten
versehenen Kinder im Allgemeinen viel zu klein, als daß sich bei
der jetzigen Organisation des Taubstummenwesens in den einzelnen Anstalten eine Zusammenstellung von Hörklassen mit annähernd gleichaltrigen und somit gleich vorgebildeten Kindern
ermöglichen ließe. An einzelnen Stellen ist dann auch verhältnismäßig schnell der Versuch des Hörunterrichts wieder aufgegeben
worden.

Auf der 13. Versammlung der deutschen otologischen Gesellschaft zu Berlin im Jahre 1904 [1]) hat Denker als wichtiges
Ergebnis einer im Bayrischen Kultusministerium März 1904 statt-
gehabten Konferenz zur Beratung der weiteren Ausbildung des
Taubstummenunterrichts mitgeteilt, „daß überall da, wo die nötigen
Mittel bereit gestellt werden können, die in den einzelnen Klassen
vorhandenen, partiell Hörenden, sowie die später ertaubten und
noch Sprachreste besitzenden Zöglinge von den übrigen getrennt
in eigenen Klassen vereinigt und hier unter Anwendung einer
Methode, welche bei den ersteren Auge und Ohr gleichzeitg in
Anspruch nimmt, unterrichtet werden.

Denker erhoffte eine schnelle und befriedigende Lösung
der Geldfrage und sah in diesem Beschluß „einen glänzenden
Sieg der seit langen Jahren auf dieses Ziel gerichteten Bestrebungen Bezolds und seiner Freunde," gab der Überzeugung Ausdruck, daß mit diesem Beschluß ein hochbedeutsamer Schritt in
der Entwicklung des Taubstummen-Unterrichtswesens getan sei
und sprach den Wunsch aus, daß dem Beispiele Bayerns bald die
übrigen Bundesstaaten folgen möchten.

Ich vermag nicht anzugeben, wie sich für Bayern bis jetzt die
Geldfrage gelöst hat; ich kann nur mitteilen, wie weit die übrigen
deutschen Bundesstaaten der Anregung Bayerns gefolgt sind.

---

1) Verhandlungen S. 72.

Auf Grund des nicht ganz zutreffenden Verzeichnisses der deutschen Taubstummenanstalten in dem Lehrbuch von Koerner habe ich sämtliche deutsche Taubstummenanstalten mit Ausnahme derjenigen in München gebeten, mir über die Fragen Auskunft zu erteilen:

1, Werden die neu aufgenommenen Kinder mit der kontinuirlichen Tonreihe von einem Ohrenarzt untersucht; und

2. findet ein Sonder-Unterricht — Hörunterricht — der mit Hörresten versehenen Kinder statt?

Das Ergebnis dieser Umfrage dürfte nicht den von dieser oder jener Seite gehegten Erwartungen ganz entsprechen.

Von 78 Anstalten beantworteten die erste Frage 56 Anstalten mit „nein"; 18 fast ausschließlich süddeutsche Anstalten mit „ja"; 4 Anstalten dahin, daß eine derartige Untersuchung in beschränktem Umfange von den Lehrern ausgeführt werde. In einzelnen Anstalten war die Stimmgabelprüfung früher ausgeführt aber aufgegeben worden, weil sich dieselbe nach dem Urteil der Lehrer für den Unterricht und seine Gestaltung als wertlos gezeigt hatte.

Die zweite Frage, ob ein getrennter Unterricht der mit Hörresten versehenen Kinder — sog. Hörunterricht — stattfinde, beantworteten 70 Anstalten mit „nein"; darunter mehrere aus Bayern.

In einer mitteldeutschen Anstalt wird, so weit möglich, die Bildung von Sonderklassen angestrebt; in einer norddeutschen Anstalt wurde der Hörunterricht nach mehrjährigen Versuchen als undurchführbar und unzweckmäßig aufgegeben, weil die Trennung der Kinder nach ihrer geistigen Veranlagung bessere Unterrichtsresultate ergab; in einer dritten Anstalt befand man sich noch im Stadium des an sich wenig aussichtsreichen Versuches. 5 Anstalten endlich beantworteten die Frage mit „ja"; doch muß ich dahingestellt sein lassen, ob in den Hörklassen dieser Anstalten der Unterricht ausschließlich ein sog. Hörunterricht ist.

Es ist somit die Zahl derjenigen Anstalten, welche sich bisher überhaupt nur zu einem Versuch entschlossen haben, sehr klein und aus der Stimmung, die die Verhandlungen der Taubstummenlehrer auf ihren Versammlungen z. Teil erkennen lassen, wie aus den mir unaufgefordert zugegangenen Äußerungen möchte ich entnehmen, daß nach dem Abflauen der ersten Begeisterung sich eine immer stärker werdende Gegenströmung in den Kreisen der Taubstummenlehrer gegen die von vielen derselben nicht als neu anerkannte Methode des sog. Hörunterrichts geltend machen dürfte.

Diese Gegenströmung wird durch fehlgeschlagene Erwartungen und durch die in langjähriger, praktischer Erfahrung gewonnene Überzeugung, daß man die Kinder nach ihrer geistigen Begabung trennen müsse, sowie durch die betrübende Beobachtung getragen, daß die Frage des Hörunterrichts keine rein wissenschaftliche Frage mehr sei, sondern z. T. egoistischen Zwecken diene. Wenn ich mich nicht verpflichtet fühlte, gegenüber den freimütigen Äußerungen, die mir zugegangen sind, die strengste Diskretion zu wahren, so würde ich eigenartige Mitteilungen zu machen in der Lage sein.

Gegenüber einer solchen Stimmung bei einem, wie mir scheinen will, großen Teil der Taubstummenlehrer wird es vor allem richtig sein, wenn anders der gute und gesunde Kern der Bezold'schen Anregung nicht wieder verloren gehen soll, die Frage von jedem Strebertum frei zu halten, und das Taubstummenbildungswesen so zu reorganisieren, daß die Vereinigung gleichaltriger Kinder mit verwertbaren Hörresten zu Hörklassen unter prinzipiellem Festhalten der Teilung der Taubstummen nach ihrer geistigen Begabung möglich wird.

Die Schwierigkeiten, welche sich einer entsprechenden Reorganisation des Taubstummen-Bildungswesens entgegen stellen, liegen auf administrativem und finanziellem Gebiet; doch dürften dieselben, sobald die Notwendigkeit der Reorganisation erst erkannt ist, keineswegs schwer zu beseitigen sein.

Meine nachstehenden Ausführungen beziehen sich wesentlich auf Preußen, über dessen Taubstummenfürsorge ich einen gewissen Überblick habe.

Die Beschulung der Taubstummen ist Sache der Provinzialbehörden; es gibt nur ganz vereinzelte Anstalten, welche vom Staat, von Städten oder durch milde Stiftungen neben eigenem Erwerb oder Subventionen unterhalten werden. Es fehlt also eine einheitliche Zentralinstanz in engerem Sinne, was seine Nachteile aber auch den Vorteil hat, daß jede Provinz für sich oder im Zusammenschluß mit anderen die m. E. notwendige Reorganisation des Taubstummenbildungswesens durchführen kann.

Diese Reorganisation muß folgenden Forderungen gerecht werden:

1. Für jedes taubstumme Kind muß die Möglichkeit der Schulbildung gegeben sein.

2. Sämtliche taubstumme Kinder sind, sofern nicht Idiotie und damit völlige Bildungsunfähigkeit klar zu Tage liegt, nach vollendetem 6. Lebensjahr in Taubstummenvorschulen aufzunehmen,

welche in zwei Vorklassen gegliedert engsten Anschluß an die Taubstummenschulen haben und nach dem Vorbild der Berliner Taubstummenvorschule [1]) nach Art der Kindergärten ausgebildet werden.

3. In den Taubstummenvorschulen verbleiben die Kinder 2 Jahr bezw. nur so lange, bis sich ein sicheres Urteil über ihre Bildungsfähigkeit in den Taubstummenschulen nach Maßgabe des Lehrplans derselben abgeben läßt. Bei dieser Beurteilung haben Lehrer, Pflegerin und Arzt zusammenzuwirken. Diejenigen Kinder, welche sich als völlig bildungsunfähig erweisen, werden einer Anstalt für idiotische und schwachsinnige Kinder überwiesen oder in die häusliche Privatpflege zurückgegeben. Letzteres geschieht auch bei Kindern, deren ständiges Zusammenleben mit anderen taubstummen Kindern infolge körperlicher oder geistiger Gebrechen unzweckmäßig erscheint.

4. Die durch 2 jährige Beobachtung als bildungsfähig erkannten Taubstummen werden nach ihrer geistigen Begabung in 3 Gruppen geteilt, die ich als schwach (I. Gruppe), mittel (II. Gruppe) und gut (III. Gruppe) bildungsfähig bezeichne.

5. Dieser Gruppierung der Kinder in 3 Gruppen entspricht eine Dreiteilung der Taubstummenschulen je nach dem Lehrplan und der vorzugsweise angewandten Unterrichtsmethode.

Die erste Gruppe der Anstalten nimmt nach Beendigung der Vorschulklassen diejenigen Taubstummenzöglinge auf, welche als „schwach bildungsfähig" voraussichtlich nicht dazu gelangen, mit Hilfe der deutschen Unterrichtsmethode zu einer Lautsprache zu kommen, die einen mündlichen Verkehr in genügendem Grade mit einiger Sicherheit erwarten läßt. In diesen Anstalten tritt anstelle des Artikulationsunterrichtes die französiche Unterrichtsmethode, und es wird eine möglichst frühzeitige Heranbildung der Kinder zu handwerksmäßigen Arbeiten, insbesondere zur Feld- und Gartenarbeit angestrebt. Sofern die Kinder nach vollendeten Schuljahren zum selbständigen Erwerb nicht fähig und zu ihrer Unterhaltung verpflichtete Dritte nicht vorhanden sind, verbleiben sie in Heimstätten, welche diesen oder einigen dieser Taubstummenanstalten angegliedert sind, oder sie werden in Taubstummenheime überführt, sofern solche von den Provinzialvereinen zur Unterstützung und Pflege von Taubstummen errichtet sind.

---

1) Gutzmann, Vor- und Fortbildung der Taubstummen. 2. Heft.

Die zweite Gruppe von Anstalten nimmt die „mittel begabten" Kinder auf, also den weitaus größten Teil der jetzt in unseren Taubstummenanstalten befindlichen Zöglinge. In diesen Anstalten wird die deutsche Unterrichtsmethode in der bisherigen Weise dem Unterricht zu Grunde gelegt. Die bereits bisher bestehende Fürsorge für die schulentlassenen Zöglinge in materieller, geistiger und seelsorgerischer Hinsicht[1]) wird in den bisherigen Bahnen fort entwickelt und in soweit ergänzt, als ein systematischer Fortbildungsunterricht eingeführt wird, worüber an späterer Stelle zu handeln sein wird.

Die dritte Gruppe der Anstalten nimmt die besonders gut veranlagten Kinder auf; unter diesen haben wieder diejenigen den Vorzug, welche später ertaubt noch gute Sprachreste besitzen oder Hörreste aufweisen, welche eine wesentliche Förderung der Sprachentwickelung bei systematischer Auswertung dieser Hörreste erwarten lassen. In diesen Anstalten wird in Sonderstunden der partiell Hörenden dem Hörunterricht eine besondere Sorgfalt zugewandt, um die Sprachentwicklung der Kinder zu fördern. Dem gemeinsamen Unterricht liegt die deutsche Unterrichtsmethode zu Grunde.

Auf die zweite und dritte Gruppe der Taubstummenschulen baut sich die Fortbildungsschule auf, welche für einen größeren Bezirk an eine oder zwei regionär günstig gelegene Taubstummenschulen angeschlossen wird. Ihr Besuch ist fakultativ.

Der Lehrplan dieser Fortbildungsschulen lehnt sich eng an denjenigen der schon jetzt ganz vereinzelt bestehenden Fortbildungsschulen an, erfährt indes nach der Seite der sprachlichen Fortentwicklung der Zöglinge eine Erweiterung.

Der Sprung von der Taubstummenanstalt, zumal wenn es sich um ein Internat handelt, in das Getriebe des täglichen Lebens, von dem Verkehr mit dem Lehrer zu dem Umgang mit den verschiedensten Personen ist ein so ungeheurer, daß sehr viele Kinder sich nicht zurecht finden, im Gefühl ihrer sprachlichen Hilflosigkeit immer seltener von der Sprache Gebrauch machen und schließlich ganz von derselben Abstand nehmen. Diesen ungeheuren Sprung soll die Fortbildungsschule verkleinern; sie soll die Kinder von der Taubstummenanstalt in das Leben hinüberführen.

Zu diesem Zwecke hat der sprachliche Unterricht in den Fortbildungsschulen in der Weise eine Erweiterung zu erfahren,

---

1) Rundschau, Blätter für Taubstummenbildung, XX. Jhrg. No. 9. 1. Mai 1907.

daß derselbe nicht nur von Taubstummenlehrern, wie Gutzmann will, sondern auch von Volksschullehrern und den der Fortbildungsschule zur Sonderausbildung zu überweisenden, jungen Geistlichen erteilt wird. Bei der Verteilung des Unterrichts auf die 3 Kategorien von Lehrern soll im 1. und 2. Fortbildungskursus der Taubstummenlehrer; im 3. und 4. Kursus der Geistliche und Volksschullehrer die Mehrzahl der Stunden erteilen.

So würden die taubstummen Kinder mehr und mehr geübt, auch mit anderen Personen als nur den Taubstummenlehrern sprachlich zu verkehren und würden besser gerüstet als bisher in das Leben hinaustreten.

An die Fortbildungsschulen sind die Taubstummen-Lehrerbildungsanstalten anzuschließen.

Ich glaube, daß die Durchführung dieser Vorschläge das Taubstummenbildungswesen erheblich fördern würde. Nach der heutigen Organisation enthalten die Taubstummenanstalten nicht ganz wenige Kinder, die nicht nur keinen nennenswerten Nutzen von dem Unterricht ziehen, sondern denselben sogar nicht ganz selten stören; sie bleiben in den Anstalten, weil man nicht weiß, wo man sie unterbringen soll. Ich glaube, die Taubstummenlehrer würden nichts dagegen einzuwenden haben, wenn man diese Kinder als Gruppe I aussonderte und in einer besonderen Anstalt unterbrächte.

Ebenso dürfte von ihrer Seite kein Einspruch dagegen zu erheben sein, daß man die besonders begabten, taubstummen Kinder aus einem größeren Bezirk in einer Taubstummenanstalt vereinigt.

Es könnte nun scheinen, als ob zu der vorgeschlagenen Reorganisation des Taubstummenbildungswesens ganz besonders große Mittel erforderlich wären. Dies dürfte keineswegs der Fall sein, wie eine kurze Überlegung ergibt. Es bedarf nur des Zusammenschlusses zweier oder mehrerer Provinzen zu gemeinsamer Arbeit auf diesem Gebiet.

In einer Provinz finden sich kaum soviel Kinder, um eine, wenn auch nur kleine Anstalt von 30 bis 40 Kindern der I. und III. Gruppe zu bilden; denn die Hauptmasse der Taubstummen gehört in die II. Gruppe. Beim Zusammenschluß von 2 oder selbst 3 Provinzen würde sich dagegen meiner Schätzung nach sehr wohl je eine kleinere Anstalt der I. und III. Gruppe zusammenstellen lassen.

Die ganze zu lösende Aufgabe würde also darin bestehen, daß einerseits jede Provinz für sich an 1 oder 2 der bestehenden

Taubstummenanstalten eine zweiklassige Vorschule angliedert und
andererseits mit einer oder zwei benachbarten Provinzen ein
Übereinkommen 'dahin trifft, daß eine Anstalt alle in ihren Bezirken zur Gruppe I. und eine zweite Anstalt alle zur Gruppe III.
gehörenden Kinder aufnimmt. Alle Kinder der Gruppe II. verbleiben in der Fürsorge ihrer Heimatprovinz, wie auch die Errichtung der Fortbildungsschulen Sache jeder einzelnen Provinz
ist. Neue Taubstummenanstalten würden von jeder Provinz nur
insoweit zu errichten sein, als bisher für eine Anzahl der taubstummen Kinder die Möglichkeit der Beschulung überhaupt fehlte.

Diese ev. neu zu errichtenden Taubstummenanstalten müssen
Externate und nicht Internate sein und in kleinen Landstädten
mit vorwiegend Acker- und Gartenbau treibender Bevölkerung
errichtet werden; denn nach meinen Erfahrungen wirken der
ständige Verkehr mit vollsinnigen Personen, die mannigfache Gelegenheit zur Mitarbeit im Feld und Garten, die einfachen Verhältnisse der kleinen Stadt auf die geistige und körperliche Entwicklung der Kinder ungemein viel günstiger, als wenn sie in
Internaten von der Außenwelt abgeschlossen und wesentlich auf
den Verkehr untereinander angewiesen sind.

Es möchte scheinen, als ob uns die vorstehenden Ausführungen
zu einer nicht nur wünschenswerten, sondern m. E. dringend
notwendigen Reorganisation des Taubstummenbildungswesens weit
ab von der fürsorgenden Tätigkeit des Arztes für die taubstummen Kinder geführt habe. Dies ist jedoch nur scheinbar der
Fall; denn diese Vorschläge sind ja unter dem Gesichtspunkte
der fürsorgenden Tätigkeit des Arztes für die Sprachentwicklung,
Spracherhaltung und das Sprachverständnis der taubstummen
Kinder gemacht.

Die fürsorgende Tätigkeit des Arztes hat sich aber nicht
allein hierauf zu erstrecken, sondern weiter auf die Beseitigung
von Krankheitszuständen überhaupt wie insbesondere solcher des
Ohres, des Auges, der Nase, des Rachens wie des Kehlkopfes
und auf die Gesunderhaltung dieser Organe. Die Spezialärzte,
Augen- wie Ohrenärzte, sind indes nur relativ selten ständige Berater in den Taubstummenanstalten; nur bei der Untersuchung der
neu aufgenommenen Kinder werden sie in nicht wenigen Anstalten hinzugezogen. Der laufende ärzliche Dienst liegt dem Anstaltsarzt ob, nach dessen Entscheidung, wie es scheint, in der
Mehrzahl der Anstalten die Hilfe des Spezialarztes nachgesucht
wird.

Eine ministerielle Umfrage vom 7. September 1898 ergab „daß nur in seltenen Fällen die spezialärztliche Fürsorge dem Bedürfnis der Anstalten und dem gegenwärtigen Stande der medizinischen Wissenschaft entspricht" — Ministerielle Verfügung vom 23. April 1900 —, und führte zur Errichtung besonderer, fakultativer Unterrichtskurse für die Hausärzte über Taubstummenanstalten an der Königlichen Taubstummenanstalt zu Berlin. Die Untersuchung und Behandlung des Ohres, des Rachens, des Kehlkopfes wie des Auges bildeten neben der Physiologie, Psychologie und Pathologie der Sprache wie neben Vorträgen über Taubstummenbildung die hauptsächlichsten Unterrichtsgegenstände.

Hoffen wir, daß unsere Bemühungen auf dem Gebiete der ärztlichen Fürsorge für die taubstummen Kinder weiter auf fruchtbaren Boden fallen, und daß die hier gemachten Vorschläge einen neuen Anstoß geben zur Fortentwicklung des Taubstummenbildungswesens.

XXI.

Zur Chirurgie des Ohrlabyrinths.

Von

Dr. med. **Matte** in Köln.

Im März [1]) des vergangenen Jahres konnte ich im Allgemeinen ärztlichen Verein zu Köln einen von mir operierten und
im wesentlichen geheilten Kranken vorstellen, bei dem ich wegen
äußerst qualvoller Geräusche mich dazu entschlossen hatte, das
Ohrlabyrinth mit einem 3 mm Bohrer zu eröffnen und dann das
Vestibulum auszukratzen. Ich hatte dem Kranken, dessen Leiden
nach seiner eigenen und seiner Angehörigen Schilderung eine
furchtbare Höhe erreicht hatte, von vornherein erklärt, es bestände
die Hoffnung, daß er durch einen operativen Eingriff geheilt
werden könnte, allein ich machte ihn gleichzeitig darauf aufmerksam, daß er der erste derart zu operierende Fall überhaupt sei,
mit anderen Worten, daß meines Wissens wegen solcher Beschwerden noch kein Mensch einen derartigen tiefen Eingriff auf
sein inneres Ohr durchgemacht hätte. Trotz dieser gewiß nicht
ermutigenden Eröffnungen willigte der Kranke sofort ein mit der
Erklärung, er sei zu jeder Operation bereit, er könne das Leben
so nicht länger ertragen, er würde Hand an sich legen, wenn er
keine Hülfe fände.

Daß man im allgemeinen auf solche Selbstbedrohungen
keinen sonderlichen Wert zu legen braucht, ist bekannt. Wer
suicidium begehen will, der redet nicht erst lange vorher davon,
sondern überrascht die Menschen durch die Tat. Anders verhält es sich aber mit der Eröffnung meinerseits, daß er meines
Wissens der erste Kranke sein würde, der wegen qualvoller Geräusche einen derartigen Eingriff in sein Ohrlabyrinth ertragen
sollte. Vor mehreren Jahren nämlich untersuchte ich einen

---

1) Deutsche mediz. Wochenschrift 1906 No. 21.

Kranken, der über derartige heftige Ohrschwindelerscheinungen klagte, daß auch er am Leben verzweifeln wollte. Dieser Kranke lebte als Junggeselle in vorgerücktem Alter, hatte für niemand zu sorgen, war sonst ganz gesund, nur quälten ihn die Ohrschwindelerscheinungen derart heftig, daß er sich zur Zeit der Anfälle an seinem Schreibtische festhalten mußte, um nicht zu Boden zu stürzen. Er erhielt damals von mir dieselbe Aufklärung wie der zweite — und siehe da, sein ihn angeblich bis zum Lebensüberdrusse quälendes Ohrenleiden erträgt er noch heute! Der Gedanke, daß er als erster Mensch überhaupt einen endolabyrinthären Eingriff ertragen sollte, schreckte ihn ab, er konnte sich zur Operation nicht entschließen.

Wenn ich nun diesem Patienten einen derartigen Eingriff vorschlug, so tat ich es mit der auf Grund meiner wissenschaftlichen Ausbildung gewonnenen Überzeugung, daß ein operativer Eingriff ins Ohrlabyrinth als den Sitz dieser Krankheitserscheinungen nach der Theorie den gewünschten Erfolg haben mußte. Allerdings muß die Operation dann auch die diese Symptome auslösenden erkrankten Teile, und zwar nur diese mit Sicherheit zu treffen suchen. Wie weit das in den einzelnen Fällen erreichbar sein kann, darauf wollen wir später gelegentlich zurückkommen.

Wir wollen also vorläufig festhalten, daß

1. unerträgliche subjektive Geräusche und

2. unerträgliche Ohrschwindelerscheinungen

uns Ohrenärzten unter Umständen Indikationen geben können, unseren Kranken operative Eingriffe aufs Ohrlabyrinth vorzuschlagen, wo der Sitz dieser Krankheitserscheinungen zu suchen ist.

Mit beiden Symptomen wollen wir uns nun etwas näher befassen.

Was zunächst die subjektiven Geräusche anbetrifft, so möchte ich hier wiederholen, was ich bei Gelegenheit von Referaten resp. kritischen Besprechungen einschlägiger Literatur im Archiv betont habe: Wir Ohrenärzte müssen uns daran gewöhnen, den Ausdruck „Patient klagt über Ohrensausen" gänzlich als nicht der Höhe wissenschaftlicher Ausbildung entsprechend aus den Krankheitsberichten auszuschalten. „Sausen" und „Sausen" haben bekanntlich oft ganz gewaltige Unterschiede. Die Fälle, in denen über subjektive Gehörsempfindungen geklagt wird, müssen analysiert werden, indem wir die Kranken mehr zur Selbstbeobachtung erziehen. Wichtig ist es außerdem, daß wir die Kranken „ausreden" lassen. Sehr praktisch verfährt man außerdem dabei, daß man sie ihr subjektives Geräusch objektiv mit dem Munde wiedergeben läßt, oder daß man sie einen Vergleich mit bekannten objektiven Geräuschen ziehen läßt, oder, indem wir selbst ihnen objektive Geräusche erzeugen, wie wir es in der Jenenser Ohrenklinik z. B. mit Muschelresonatoren gemacht haben. Leider sind die hierher gehörigen, eminent wichtigen Arbeiten Kessels[1] teilweise in den wenig zugängigen Korrespondenzblättern des Allgemeinen ärztlichen Vereins von Thüringen erschienen. Ihre allgemeine Verbreitung ist dadurch erschwert worden. Jedenfalls haben sie die ihnen zukommende Beachtung nicht gefunden und doch sind sie für uns Ohrenärzte von der allergrößten Wichtigkeit.

Bei halbwegs intelligenten Kranken werden wir auf die oben angedeutete Weise manchen Anhaltspunkt gewinnen, ob wir ihre subjektiven Gehörsempfindungen richtig beurteilen. Zunächst gilt es also festzustellen, ob der Kranke wirklich ein subjektives Geräusch oder einen subjektiven Ton resp. Klang in seinem Gehörorgane wahrnimmt. Diese Entscheidung ist nach meinen Erfahrungen aus der Praxis für einen sehr großen Teil auch der nicht gerade als musikalisch zu bezeichnenden Kranken sofort möglich. Recht häufig treten auch beide Gehörsempfindungen gleichzeitig auf, wodurch die Analyse beträchtlich erschwert werden kann.

Ganz außer Betracht wollen wir hier alle die im Gehörgange oder im Mittelohre entstehenden oder alle sonstigen Gehörsempfindungen lassen, sondern uns lediglich mit den im Ohrlabyrinthe entstehenden beschäftigen.

Bekanntlich klagen die meisten derartigen Kranken über Geräusche, nicht über Ton- resp. Klangempfindungen. Nach Kessel unterscheiden wir auch an den Geräuschen die Stärke, die Höhe und die Klangfarbe (Resonanz).

Die Stärke wird nach dem Prinzip der Überdeckung gemessen. Eine recht gute objektive Schallquelle haben wir z. B. in einem Gasglühlichte, bei dem die Gaszufuhr gut reguliert

---

1) Über die chronischen Katarrhe des Mittelohres und ihre Behandlung. Korrespondenz-Blätter des Allg. ärztl. Vereins von Thüringen 1888. No. 7.
Über die vordere Tenotomie. Vortrag, gehalten auf dem internationalen Kongreß z. Berlin 1890. Archiv f. Ohrenheilk. 1890.

werden kann. Hier lassen sich eine ganze Reihe von Intensitäts-
änderungen erzeugen, bis wir gerade die dem subjektiven Geräusch des Kranken entsprechende Stärke ermittelt haben. Rückt
der Patient von der Flamme weiter ab, so wird er nur sein
eigenes Geräusch wahrnehmen, kommt er näher, so wird das
Flammengeräusch das eigene überdecken. Die Intensität des
subjektiven „Siedegeräusches" wird also ausgedrückt durch die
Entfernung des kranken Ohres von der Schallquelle in dem
Momente, wo eben die Überdeckung aufhört. [1]) Dieses „Sieden"
der Gasflamme entspricht zudem auffallend genau dem subjektiven
„Sieden", welches die ungemein häufigen chronischen Mittelohr-
katarrhe in den Anfangsstadien regelmäßig begleiten. Kessel
hat deshalb diese „Siedegeräusche" typische genannt, typisch,
weil sie einen typischen Verlauf zeigen, und führt ihre Entstehung
auf erhöhten Labyrinthdruck zurück.

Nach Kessel gehen diese „Siedegeräusche" im Verlaufe der
Erkrankung durch Abnahme der Höhe und durch Änderung der
Klangfarbe in tiefere Geräusche und schließlich in Töne resp.
Klänge über. Der Krankheitsprozeß verbreitet sich also vom
Vorhofe resp. von den Anfangsteilen der Gehörschnecke aus
hinein in die Schnecke bis zu ihrer Spitze hin, wo die tiefsten
Tonempfindungen liegen. Es scheint sich also dem anfänglich
wohl anzunehmenden erhöhten Labyrinthdruck außerdem ein
sekundärer schwerer Degenerationsprozeß anzuschließen, dem allmählich die ganze Schneckenskala verfällt. Eine zunehmende
Herabsetzung des Hörvermögens von der Konsonantentaubheit
an allmählich bis zur Vokaltaubheit ist die Folge. Dieser regelmäßig zu beobachtende klinische Verlauf entspricht also genau
der Theorie, wonach zunächst die dem Vorhofe anliegenden, den
höchsten Tonempfindungen entsprechenden Teile der Gehörschnecke
erkranken und funktionsunfähig werden, worauf der Prozeß zu
den den mittleren und den tiefen Tönen entsprechenden Teilen
der Schnecke vorschreitet —, also erst fallen die die höchsten

---

1) Anm.: Bei der Wichtigkeit gerade dieses subjektiven Geräusches
wäre eine exaktere Bestimmung zur allgemeinen Verständigung dringend
wünschenswert. Wir könnten z. B. bei den das brennende Gasglühlicht
begleitenden Flammengeräuschen 3 Intensitäten unterscheiden, die etwa
3 meßbaren Intensitäten der Leuchtkraft entsprächen — darüber vielleicht
später Ausführlicheres. — Eine andere objektive Schallquelle für „atypische"
Geräusche stellt ein laufender Wasserkrahn dar. Auch hier lassen sich eine
Reihe Intensitäten und Resonanzänderungen, je nach der Menge des aus-
fließenden Wassers und der Fallhöhe beobachten.

Schwingungszahlen umfassenden Konsonanten aus, dann absteigend die Vokale i, e, a, o, u, womit die Worttaubheit besiegelt ist.

Wir sehen hieraus, daß schon eine genauere, den Lehren von Hensen-Helmholtz entsprechende Anamnese wertvolle Aufschlüsse geben kann über den Sitz, über die Art und den Verlauf der Erkrankung.

In einer der jüngeren Arbeiten ist zu lesen: „bei zwei Fällen lag das Sausen bei c⁴ und c⁵..." (Panse) — hätte sich der Verf. die zur Bestimmung dieser Tonhöhe benutzten Stimmgabeln unbefangen an die Ohren gehalten, so hätte er niemals den Ausdruck „Sausen" gewählt, um die Tonhöhe zu bezeichnen. Die Gabeln c⁴ und c⁵ klingen. Wir wählen im Sprachgebrauche den Vokal i, um die Tonhöhe solcher Gabeln zu bezeichnen —, unsere tiefsten Gabeln brummen (also u!). Die deutsche Sprache ist ungemein reich an Wörtern, womit wir Gehörsempfindungen nach ihrer Tonhöhe bezeichnen können. Aus einem deutschen Sprachwörterbuche habe ich 16 mit u. 7 mit au, 4 mit äu bezw. eu, 2 mit ü, 11 mit o, 6 mit ö, 27 mit a, 9 mit ae, 2 mit e, 2 mit ei, 26 mit i gefunden. Aus dieser Fülle können wir mit einiger Genauigkeit diejenigen herausfinden, welche das subjektive Geräusch des Kranken annähernd treffend bezeichnen. Bemerkenswert ist die große Zahl derer mit u (16), mit a (27) und mit i (26) gebildeten. Als die bei Ohrenkranken im allgemeinen am häufigsten zu beobachtenden Ausdrücke mögen hier erwähnt werden:

brummen, glucksen, knurren, summen, surren, brausen, rauschen, sausen, säuseln, brodeln, donnern, kollern, pochen, rollen, dröhnen, knacken, knarren, knattern, platzen, rascheln, rasseln, plätschern, gischen, kicksen, knistern, knittern, piepsen, sieden, zirpen, zischen, zwitschern, ticken,

wobei natürlich auf ihre nosologische Bedeutung keine Rücksicht genommen ist.

Die allzu häufig gebrauchte Ausdrucksweise in den klinischen Krankheitsberichten: „Patient klagt über Ohrensausen" entspricht also absolut nicht der Höhe unserer wissenschaftlichen Anforderungen. —

Ganz ähnliche Vorwürfe müssen gegen die Redeweise: Patient klagt über „Schwindel" erhoben werden. Die Lehren der experimentellen Physiologie und Pathologie des Ohrlabyrinthes sowohl

als auch die Erfahrungen am Krankenbette beweisen zur Evidenz,
daß den in der Pars superior gelegenen nervösen Endapparaten
in den Ampullen der Bogengänge eine ganz andere funktionelle
Bedeutung zukommt, als den Bestandteilen der Pars inferior.
Die Experimente von Flourens (1824 und 1842) und später
von Goltz (1870), die bald von einer überaus großen Anzahl
von Autoren einer Nachprüfung unterzogen wurden, beweisen,
daß Verletzungen der Bogengänge und Ampullen mit den
schwersten, oft dauernd irreparablen Gleichgewichtsstörungen gefolgt sind.   Durch umfassendste Tierexperimente im physiologischen Institute in Halle[1]), in den Ohrenkliniken in Halle[2])
und in Jena und später in Köln[3]) hat Verf. diese Lehre von
den verschiedenen Funktionen dieser beiden Abschnitte des Ohrlabyrinthes begründen helfen.   Halten wir hier fest, was jederzeit
durch einwandfreie Tierexperimente gezeigt werden kann, daß
eine vollständige Herausnahme beider Gehörschnecken nicht die
geringsten Störungen in der Kopf- oder Körperhaltung nach sich
zieht, daß derartig operierte Tiere sich in ihrem Verhalten in
keiner Weise von gesunden Tieren unterscheiden bis auf ihre
nachweisbare Taubheit.   Wie ganz anders gestaltet sich das Bild
bei Verletzungen der Teile der Pars superior, besonders der
Bogengänge und der Ampullen! Werden derartige Versuche in
systematischer Weise angestellt, dann ergibt sich eine charakteristische Abhängigkeit der Störungen des Kopf- resp. des Körper-
gleichgewichts von der Lage der verletzten Teile. Alle diese
zuweilen äußerst heftigen Bewegungsstörungen, die den Charakter
von Reizerscheinungen tragen, zeigen die Merkmale des sogenannten
Drehschwindels.

Gehen wir auf Grund der experimentellen Erfahrungen zur
Untersuchung unserer Kranken über, so können diese uns Aufschluß geben über ihre Empfindungen. Wir erfahren dann, und
das gelingt auch bei der Mehrzahl ziemlich leicht, daß auch sie

---

1) Ein Beitrag zur Funktion der Bogengänge des Labyrinths. J. D.
Halle 1892.

Experimentelle Untersuchungeu über die Funktion des Ohrlabyrinths
der Tauben. Fortschritte d. Med. 1894, 4.

Experimenteller Beitrag zur Physiologie des Ohrlabyrinthes. Pflüg.
Arch. 57.

2) Ein Beitrag zur Frage nach dem Ursprung der Fasern des N. acust.
Arch. f. Ohr. 39.

3) Beiträge zur experimentellen Pathologie des Ohrlabyrinthes. Arch.
f. Ohr. 44.

Taubstummenanstalten eine zweiklassige Vorschule angliedert und andererseits mit einer oder zwei benachbarten Provinzen ein Übereinkommen 'dahin trifft, daß eine Anstalt alle in ihren Bezirken zur Gruppe I. und eine zweite Anstalt alle zur Gruppe III. gehörenden Kinder aufnimmt. Alle Kinder der Gruppe II. verbleiben in der Fürsorge ihrer Heimatprovinz, wie auch die Errichtung der Fortbildungsschulen Sache jeder einzelnen Provinz ist. Neue Taubstummenanstalten würden von jeder Provinz nur insoweit zu errichten sein, als bisher für eine Anzahl der taubstummen Kinder die Möglichkeit der Beschulung überhaupt fehlte.

Diese ev. neu zu errichtenden Taubstummenanstalten müssen Externate und nicht Internate sein und in kleinen Landstädten mit vorwiegend Acker- und Gartenbau treibender Bevölkerung errichtet werden; denn nach meinen Erfahrungen wirken der ständige Verkehr mit vollsinnigen Personen, die mannigfache Gelegenheit zur Mitarbeit im Feld und Garten, die einfachen Verhältnisse der kleinen Stadt auf die geistige und körperliche Entwicklung der Kinder ungemein viel günstiger, als wenn sie in Internaten von der Außenwelt abgeschlossen und wesentlich auf den Verkehr untereinander angewiesen sind.

Es möchte scheinen, als ob uns die vorstehenden Ausführungen zu einer nicht nur wünschenswerten, sondern m. E. dringend notwendigen Reorganisation des Taubstummenbildungswesens weit ab von der fürsorgenden Tätigkeit des Arztes für die taubstummen Kinder geführt habe. Dies ist jedoch nur scheinbar der Fall; denn diese Vorschläge sind ja unter dem Gesichtspunkte der fürsorgenden Tätigkeit des Arztes für die Sprachentwicklung, Spracherhaltung und das Sprachverständnis der taubstummen Kinder gemacht.

Die fürsorgende Tätigkeit des Arztes hat sich aber nicht allein hierauf zu erstrecken, sondern weiter auf die Beseitigung von Krankheitszuständen überhaupt wie insbesondere solcher des Ohres, des Auges, der Nase, des Rachens wie des Kehlkopfes und auf die Gesunderhaltung dieser Organe. Die Spezialärzte, Augen- wie Ohrenärzte, sind indes nur relativ selten ständige Berater in den Taubstummenanstalten; nur bei der Untersuchung der neu aufgenommenen Kinder werden sie in nicht wenigen Anstalten hinzugezogen. Der laufende ärzliche Dienst liegt dem Anstaltsarzt ob, nach dessen Entscheidung, wie es scheint, in der Mehrzahl der Anstalten die Hilfe des Spezialarztes nachgesucht wird.

Eine ministerielle Umfrage vom 7. September 1898 ergab „daß nur in seltenen Fällen die spezialärztliche Fürsorge dem Bedürfnis der Anstalten und dem gegenwärtigen Stande der medizinischen Wissenschaft entspricht" — Ministerielle Verfügung vom 23. April 1900 —, und führte zur Errichtung besonderer, fakultativer Unterrichtskurse für die Hausärzte über Taubstummenanstalten an der Königlichen Taubstummenanstalt zu Berlin. Die Untersuchung und Behandlung des Ohres, des Rachens, des Kehlkopfes wie des Auges bildeten neben der Physiologie, Psychologie und Pathologie der Sprache wie neben Vorträgen über Taubstummenbildung die hauptsächlichsten Unterrichtsgegenstände.

Hoffen wir, daß unsere Bemühungen auf dem Gebiete der ärztlichen Fürsorge für die taubstummen Kinder weiter auf fruchtbaren Boden fallen, und daß die hier gemachten Vorschläge einen neuen Anstoß geben zur Fortentwicklung des Taubstummenbildungswesens.

Taubstummenanstalten eine zweiklassige Vorschule angliedert und
andererseits mit einer oder zwei benachbarten Provinzen ein
Übereinkommen dahin trifft, daß eine Anstalt alle in ihren Bezirken zur Gruppe I. und eine zweite Anstalt alle zur Gruppe III.
gehörenden Kinder aufnimmt. Alle Kinder der Gruppe II. verbleiben in der Fürsorge ihrer Heimatprovinz, wie auch die Errichtung der Fortbildungsschulen Sache jeder einzelnen Provinz
ist. Neue Taubstummenanstalten würden von jeder Provinz nur
insoweit zu errichten sein, als bisher für eine Anzahl der taubstummen Kinder die Möglichkeit der Beschulung überhaupt fehlte.

Diese ev. neu zu errichtenden Taubstummenanstalten müssen
Externate und nicht Internate sein und in kleinen Landstädten
mit vorwiegend Acker- und Gartenbau treibender Bevölkerung
errichtet werden; denn nach meinen Erfahrungen wirken der
ständige Verkehr mit vollsinnigen Personen, die mannigfache Gelegenheit zur Mitarbeit im Feld und Garten, die einfachen Verhältnisse der kleinen Stadt auf die geistige und körperliche Entwicklung der Kinder ungemein viel günstiger, als wenn sie in
Internaten von der Außenwelt abgeschlossen und wesentlich auf
den Verkehr untereinander angewiesen sind.

Es möchte scheinen, als ob uns die vorstehenden Ausführungen
zu einer nicht nur wünschenswerten, sondern m. E. dringend
notwendigen Reorganisation des Taubstummenbildungswesens weit
ab von der fürsorgenden Tätigkeit des Arztes für die taubstummen Kinder geführt habe. Dies ist jedoch nur scheinbar der
Fall; denn diese Vorschläge sind ja unter dem Gesichtspunkte
der fürsorgenden Tätigkeit des Arztes für die Sprachentwicklung,
Spracherhaltung und das Sprachverständnis der taubstummen
Kinder gemacht.

Die fürsorgende Tätigkeit des Arztes hat sich aber nicht
allein hierauf zu erstrecken, sondern weiter auf die Beseitigung
von Krankheitszuständen überhaupt wie insbesondere solcher des
Ohres, des Auges, der Nase, des Rachens wie des Kehlkopfes
und auf die Gesunderhaltung dieser Organe. Die Spezialärzte,
Augen- wie Ohrenärzte, sind indes nur relativ selten ständige Berater in den Taubstummenanstalten; nur bei der Untersuchung der
neu aufgenommenen Kinder werden sie in nicht wenigen Anstalten hinzugezogen. Der laufende ärzliche Dienst liegt dem Anstaltsarzt ob, nach dessen Entscheidung, wie es scheint, in der
Mehrzahl der Anstalten die Hilfe des Spezialarztes nachgesucht
wird.

Eine ministerielle Umfrage vom 7. September 1898 ergab „daß nur in seltenen Fällen die spezialärztliche Fürsorge dem Bedürfnis der Anstalten und dem gegenwärtigen Stande der medizinischen Wissenschaft entspricht" — Ministerielle Verfügung vom 23. April 1900 —, und führte zur Errichtung besonderer, fakultativer Unterrichtskurse für die Hausärzte über Taubstummenanstalten an der Königlichen Taubstummenanstalt zu Berlin. Die Untersuchung und Behandlung des Ohres, des Rachens, des Kehlkopfes wie des Auges bildeten neben der Physiologie, Psychologie und Pathologie der Sprache wie neben Vorträgen über Taubstummenbildung die hauptsächlichsten Unterrichtsgegenstände.

Hoffen wir, daß unsere Bemühungen auf dem Gebiete der ärztlichen Fürsorge für die taubstummen Kinder weiter auf fruchtbaren Boden fallen, und daß die hier gemachten Vorschläge einen neuen Anstoß geben zur Fortentwicklung des Taubstummenbildungswesens.

Taubstummenanstalten eine zweiklassige Vorschule angliedert und andererseits mit einer oder zwei benachbarten Provinzen ein Übereinkommen 'dahin trifft, daß eine Anstalt alle in ihren Bezirken zur Gruppe I. und eine zweite Anstalt alle zur Gruppe III. gehörenden Kinder aufnimmt. Alle Kinder der Gruppe II. verbleiben in der Fürsorge ihrer Heimatprovinz, wie auch die Errichtung der Fortbildungsschulen Sache jeder einzelnen Provinz ist. Neue Taubstummenanstalten würden von jeder Provinz nur insoweit zu errichten sein, als bisher für eine Anzahl der taubstummen Kinder die Möglichkeit der Beschulung überhaupt fehlte.

Diese ev. neu zu errichtenden Taubstummenanstalten müssen Externate und nicht Internate sein und in kleinen Landstädten mit vorwiegend Acker- und Gartenbau treibender Bevölkerung errichtet werden; denn nach meinen Erfahrungen wirken der ständige Verkehr mit vollsinnigen Personen, die mannigfache Gelegenheit zur Mitarbeit im Feld und Garten, die einfachen Verhältnisse der kleinen Stadt auf die geistige und körperliche Entwicklung der Kinder ungemein viel günstiger, als wenn sie in Internaten von der Außenwelt abgeschlossen und wesentlich auf den Verkehr untereinander angewiesen sind.

Es möchte scheinen, als ob uns die vorstehenden Ausführungen zu einer nicht nur wünschenswerten, sondern m. E. dringend notwendigen Reorganisation des Taubstummenbildungswesens weit ab von der fürsorgenden Tätigkeit des Arztes für die taubstummen Kinder geführt habe. Dies ist jedoch nur scheinbar der Fall; denn diese Vorschläge sind ja unter dem Gesichtspunkte der fürsorgenden Tätigkeit des Arztes für die Sprachentwicklung, Spracherhaltung und das Sprachverständnis der taubstummen Kinder gemacht.

Die fürsorgende Tätigkeit des Arztes hat sich aber nicht allein hierauf zu erstrecken, sondern weiter auf die Beseitigung von Krankheitszuständen überhaupt wie insbesondere solcher des Ohres, des Auges, der Nase, des Rachens wie des Kehlkopfes und auf die Gesunderhaltung dieser Organe. Die Spezialärzte, Augen- wie Ohrenärzte, sind indes nur relativ selten ständige Berater in den Taubstummenanstalten; nur bei der Untersuchung der neu aufgenommenen Kinder werden sie in nicht wenigen Anstalten hinzugezogen. Der laufende ärzliche Dienst liegt dem Anstaltsarzt ob, nach dessen Entscheidung, wie es scheint, in der Mehrzahl der Anstalten die Hilfe des Spezialarztes nachgesucht wird.

Eine ministerielle Umfrage vom 7. September 1898 ergab „daß nur in seltenen Fällen die spezialärztliche Fürsorge dem Bedürfnis der Anstalten und dem gegenwärtigen Stande der medizinischen Wissenschaft entspricht" — Ministerielle Verfügung vom 23. April 1900 —, und führte zur Errichtung besonderer, fakultativer Unterrichtskurse für die Hausärzte über Taubstummenanstalten an der Königlichen Taubstummenanstalt zu Berlin. Die Untersuchung und Behandlung des Ohres, des Rachens, des Kehlkopfes wie des Auges bildeten neben der Physiologie, Psychologie und Pathologie der Sprache wie neben Vorträgen über Taubstummenbildung die hauptsächlichsten Unterrichtsgegenstände.

Hoffen wir, daß unsere Bemühungen auf dem Gebiete der ärztlichen Fürsorge für die taubstummen Kinder weiter auf fruchtbaren Boden fallen, und daß die hier gemachten Vorschläge einen neuen Anstoß geben zur Fortentwicklung des Taubstummenbildungswesens.

Gebilde herausbeförderte bei Gelegenheit klinischer Demonstrationen.

Über die Gefahren derartiger Eingriffe brauchen wir auch nicht allzu viele Worte zu verlieren. Selbstverständlich ist die peinlichste Sauberkeit absolut unerläßlich. Die vermeintlichen Gefahren einer Infektion von der Tube aus entstammen theoretischer Spekulation. Der zweite Eingriff soll erst nach vollkommener Ausheilung des ersten gemacht werden —, in der Zwischenzeit sorge man für ausreichenden Verschluß des Gehörganges mit steriler Gaze —, man hüte sich aber vor allen Zuvielmachen wollen! Das gesunde Aussehen des Promontoriums zeigt uns den Zeitpunkt an, wo die Labyrinthoperation erfolgen kann. Das Zustandekommen einer Infektion ist außerdem durch den vorhandenen Abfluß der Endolymphe erschwert, die mit einem gewissen, wenn auch geringen Drucke herausquillt —, für weiteren Abfluß sorgt außerdem eine lockere Gazedrainage.

Keineswegs soll damit aber gesagt sein, daß der Eingriff ein unbedeutender sei —, im Gegenteil hoffe ich in der bisherigen Darstellung zum Ausdruck gebracht zu haben, daß hier in jeder Beziehung die höchsten Anforderungen an die Gewandheit und Sicherheit des Operateurs zu stellen sind. Deshalb soll der operative Eingriff auch hier für die Fälle reserviert bleiben, in denen alle sonstigen therapeutischen Maßnahmen versagt haben und das Leiden eine furchtbare Höhe erreicht hat. Diese und zukünftige operative Erfahrungen werden uns hier mit Sicherheit weiter bringen, damit wir nicht gezwungen sind, unsere Kranken ihrem Schicksale zu überlassen.

XXII.

Über die Diplegia facialis mit besonderer Berücksichtigung ihrer Ätiologie.

Von

Dr. Fr. Röpke in Solingen.

————

Die Veranlassung zu Studien über die Diplegia facialis gab mir der folgende Fall, den ich am 21. April dieses Jahres in der Versammlung der Vereinigung Westdeutscher Hals- und Ohrenärzte vorzustellen die Ehre hatte:

Der 25jährige Fabrikarbeiter W. B. aus Höhscheid bei Solingen hat am 8. Oktober vorigen Jahres einen Unfall dadurch erlitten, daß er unter eine schwere Presse, welche er mit verschiedenen Arbeitskameraden zu transportieren hatte, geriet und vollständig von ihr begraben wurde. Der Patient wurde schwer verletzt in bewußtlosem Zustande in das städtische Krankenhaus in Solingen geschafft, wo zunächst eine Fraktur des linken Unterschenkels festgestellt wurde. Außerdem wurde eine Fraktur der Schädelbasis angenommen, weil Blutungen aus beiden Ohren, aus Mund und Nase stattfanden. Von äußeren Verletzungen wurden noch Quetschwunden auf dem rechten Warzenfortsatze und in der rechten Schläfe, außerdem auf der Mitte des Rückens festgestellt.

Am 5. Tage nach dem Unfall kam Patient wieder zum Bewußtsein. Einige Tage später wurde ich zur Untersuchung des mitverletzten Gehörorganes konsultiert. Der Befund war folgender: Patient war vollkommen klar, man merkte, daß er unsere Fragen, falls sie laut gestellt wurden, verstand. Er war auch bemüht, zu antworten, wir konnten ihn aber nicht verstehen. Bei näherer Betrachtung fiel die vollständige Unbeweglichkeit beider Gesichtshälften auf. Das Gesicht war starr, wie eine Maske. Er konnte die Oberlippe nicht bewegen, die Augen nicht schließen. Es bestand also eine doppelseitige Facialislähmung. Die Bewegungen des linken Bulbus waren normal, auf der rechten Seite bestand eine geringe Abduzenslähmung. Bei Blickrichtung nach der Seite trat Nystagmus auf. Andere Motilitätsstörungen waren nicht nachweisbar, auch war die Sensibilität im Gesicht und am Körper nirgendwo herabgesetzt.

Die Untersuchung des Ohres ergab Blutkrusten in der Tiefe beider Gehörgänge. Ich hielt es nicht für ratsam, irgend etwas an den Ohren zu tun, legte Gazestreifen in die Gehörgänge und machte zum Abschluß gegen Infektionen von außen noch einen Verband um beide Ohren. Eine genaue Funktionsprüfung war nach Lage der Dinge nicht möglich, ich stellte nur fest, daß die Flüstersprache beiderseits nicht verstanden wurde.

Ich sah dann den Patienten erst am 10. Januar dieses Jahres wieder, also 3 Monate nach dem Unfall, nachdem er aus dem Krankenhause entlassen worden war. Nach dem Berichte des Assistenzarztes des Kranken-

hauses hatten in der dritten Woche nach dem Unfall beide Ohren angefangen, zu eitern. Sonst hatte der Patient in der Hauptsache über folgendes
zu klagen: Er war hochgradig schwerhörig beiderseits, hatte starkes Rauschen
in beiden Ohren, litt an Überempfindlichkeit gegen Geräusche auf der rechten
Seite und war schwindelig. Er hatte Doppelbilder, die ihn besonders störten,
da er die Augen nicht schließen konnte. Auf der rechten Seite der Zunge
hatte er Geschmacksstörungen, er konnte nicht ordentlich sprechen, das
Kauen war ihm unmöglich, namentlich konnte er die Bissen nicht im Munde
hin und her schieben. Rechts hatte er keine Tränenabsonderung und schließlich litt er auch noch an Kopfschmerzen auf der rechten Seite. Die Ernährung des Patienten hatte große Schwierigkeiten, so daß er zusehends ab-
magerte, er wog schließlich nur noch 84 Pfund. Die elektrische Erregbarkeit
der beiden Faciales war schon in der zweiten Woche nach dem Unfall für
den faradischen Strom erloschen.

In der 7. Woche hatten die Doppelbilder nachgelassen, um dieselbe
Zeit war der Geschmack auf der rechten Zungenhälfte wieder zurückgekehrt,
auch hatte die Sekretion aus dem linken Ohre aufgehört. Sonst war der
Zustand unverändert, als ich den Patienten am 10. Januar sah. Nur hatte
sich sein Allgemeinzustand doch soweit gebessert, daß er sich mühsam eine
kurze Strecke fortbewegen konnte.

Der Ohrbefund war an dem erwähnten Tage folgender:

Links bestand eine Narbe im vorderen Abschnitte des Trommelfelles.
Flüstersprache wurde auf 30 cm gehört. Die Taschenuhr wurde vom Warzen-
fortsatz und von der Schläfe aus gehört. Sämtliche Töne wurden durch
Luftleitung perzipiert. Rinne war negativ.

Rechts bestanden Granulationen im Gehörgang und zwar gingen sie
von der vorderen Gehörgangswand aus; nach ihrer Abtragung sah man ein
verdicktes und gerötetes Trommelfell, in dessen unterem Abschnitte eine
Perforation war. Die granulierende Paukenschleimhaut ragte in die Perforation hinein. Flüstersprache wurde auf dieser Seite nicht gehört. Die
Taschenuhr wurde auch hier nicht vom Warzenfortsatz und von der Schläfe aus
gehört. Tiefe Töne von C_1 abwärts wurden durch Luftleitung nicht perzipiert.
Rinne stark negativ.

Patient hatte noch Singen und Klingen im rechten Ohr, ferner Nystagmus bei Blickrichtung nach den Seiten. Es bestand noch totale Facialislähmung beiderseits: Das Gesicht blieb vollkommen starr, die Oberlippe
stand nach vorn und war verdickt, die Gesichtsmuskulatur war stark
atrophisch. Bei Blickrichtung nach oben und nach unten trat Schwindelgefühl auf. Deutliches Bell'sches Phänomen. Das Gaumensegel stand
nicht schief.

Die weitere Behandlung des Patienten wurde mir dann von der Berufsgenossenschaft übertragen. Die Sekretion aus dem rechten Ohr blieb nach
wie vor fötid. Ende Januar stieß sich der kariöse Hammer ab, der anscheinend disloziert gewesen war. Die Abtragung der Granulationen hatte
gar keinen Erfolg, nach jeder Wegnahme überwucherten sie bald wieder
die Ränder der Perforation. Dem Patienten, der jeden zweiten Tag in
meine Sprechstunde kam, war es besonders unangenehm, wenn ihm Regen,
Schnee oder Staub ins Gesicht und in die Augen flog. Er hatte auch alle
Augenblicke Fremdkörper im Auge. Eine Schutzbrille schaffte nach dieser
Richtung hin Besserung.

Als auch die Schmerzen im Hinterkopf schlimmer wurden, schlug ich
dem Patienten und der Berufsgenossenschaft die Radikaloperation vor. Diese
Operation wurde am 9. März ausgeführt. Bemerken möchte ich, daß der
linke Facialis in den letzten Tagen vor der Operation angefangen hatte,
etwas zu funktionieren.

Nach Freilegung des Knochens sah man, daß der rechte Warzenfortsatz
bei der Verletzung frakturiert gewesen war. Es verlief eine tiefe Rinne von
hinten unten nach vorn oben über den Warzenfortsatz. Die Zellen des
Warzenfortsatzes waren eingedrückt worden. In dem mit Eiter und Granulationen angefüllten Hohlraume lagen nekrotische Knochenstücke. Dem
Hohlraum lag der mit Granulationen bedeckte Sinus an. Am Tegmen

tympani und antri bestanden Osteophytenbildungen, andere Anzeichen für die überstandene Fraktur des Felsenbeines waren nicht nachweisbar.

Nach der Operation trat zunächst einige Tage vermehrter Schwindel auf. Dann besserte sich das Allgemeinbefinden zusehends. Der linke Facialis erholte sich immer mehr, auch der untere Ast des rechten Facialis zeigte Spuren von Bewegung. Das Klingen im rechten Ohr verlor sich. Der Patient wiegt jetzt (Mitte Mai) 105 Pfund. Die Knochenhöhle epidermisiert sehr langsam, was bei dem immerhin noch schlechten Ernährungszustande nicht zu verwundern ist.

Wir haben in diesem Falle zwischen der Facialis-Läsion rechts und links einen Unterschied zu machen: Links ist der Nerv anscheinend im peripheren Teile des Canalis Fallopiae getroffen worden, wahrscheinlich hat es sich um eine Blutung in diesen Kanal gehandelt. Rechts deuten die schweren Hörstörungen, die Überempfindlichkeit gegen Geräusche, das Versiegen der Tränensekretion und die Geschmacksstörungen darauf hin, daß der Nerv zentralwärts vom Abgange des Nervus petrosus superficialis major am Ganglion Geniculi getroffen worden ist.

Bemerkenswert ist in diesem Falle noch die Versiegung der Tränensekretion, da man neuerdings zu der Ansicht neigt, daß der Facialis mit der Tränensekretion nichts zu tun hat.

Die ätiologischen Momente, welche zur Diplegia facialis führen können, sind so vielseitig, daß es mir nicht unfruchtbar erschien, sie einmal an dieser Stelle zusammenzustellen, zumal gerade wir Ohrenärzte doch so häufig mit dem gesunden sowohl, wie mit dem kranken Facialis in Berührung kommen. Wir haben zu unterscheiden zwischen der congenitalen und der erworbenen Diplegia facialis.

Die congenitale Form ist selten und ist in den wenigen in der Literatur bekannt gewordenen Fällen auf eine Verkümmerung oder auf einen vollständigen Mangel der Facialiskerne zurückgeführt worden. Diese Annahme wird gestützt durch eine Mitteilung Heubners (1), der bei der Sektion eines derartigen Falles, bei dem auch noch Lähmungen anderer Hirnnerven bestanden hatten, eine vollständige Aplasie der betreffenden motorischen Hirnnervenkerne fand.

In anderen Fällen waren neben der Diplegia facialis keine sonstigen Lähmungen vorhanden. So beobachtete Bernhardt (2) ein 10 Monate altes Kind, das mit Diplegia facialis auf die Welt gekommen war und sonst keine Defekt- oder Hemmungs-Bildungen aufwies. In wieder anderen Fällen waren mehrere Familienmitglieder mit dieser entstellenden Mißbildung auf die Welt gekommen, auch hatten andere Geschwister und Blutsverwandte andere angeborene

Defekte. Köster (3) sah Diplegia facialis bei zwei Brüdern, jegliche andere Störungen fehlten. Auch Thomas (4) stellte diese Affektion bei zwei Brüdern fest, welche sonst vollständig gesund waren. Die Mutter dieser beiden letzten Patienten hatte außerdem noch ein Kind mit verkrüppeltem Fuß geboren, ebenso hatte eine Verwandte ein Kind mit angeborener Verkrüppelung eines Fußes.

Bei Mißbildung des Gehörorganes hat man verschiedentlich einseitige Facialislähmung beobachtet. Ich habe in der Literatur aber keinen derartigen Fall gefunden, bei dem der Facialis doppelseitig gelähmt war.

Die erworbene Diplegia facialis wollen wir einteilen in die traumatische und nichttraumatische Form:

Bei Traumen des Schädes können die Faciales in ihrem ganzen Verlaufe mitlädiert werden. Beginnen wir ganz peripher, so ist es selbstverständlich, daß zufällig bei Verletzungen der Parotisgegend beiderseits auch eine beiderseitige Facialislähmung zustande kommen kann.

Eine einseitige Facialislähmung durch Zangendruck bei der Geburt ist nichts Seltenes, man hat aber auch allerdings nur in einem einzigen Falle (Bernhardt) (5) eine doppelseitige Facialislähmung auf dieser Grundlage beobachtet.

Am leichtesten können beide Faciales gleichzeitig in ihrem Verlaufe zwischen Foramen stylo-mastoideum und dem Eintritt in den Porus acusticus internus verletzt werden und dann in der Regel in Verbindung mit einer Fraktur der Schädelbasis.

Da bei derartigen Verletzungen stets das Gehörorgan in irgend einer Weise mit alteriert wird, so werden die Verletzungen dieses Teiles des Facialis meistens dem Ohrenarzte zu Gesicht kommen. Im Ganzen habe ich drei solcher Fälle in der Literatur auffinden können, zu denen als vierter mein oben beschriebener Fall hinzukommt.

Politzer (6) hat einen Fall gesehen, bei dem die Funktion beider Nerven vollständig wiederhergestellt wurde, er nimmt an daß es sich nur um eine Blutung in den Canalis Fallopiae gehandelt hat. In den beiden anderen Fällen von Lannois et Vacher (7) und von Kétli (8) bestand neben der kompletten Diplegia facialis eine totale Taubheit beiderseits. Beide Fälle waren irreparabel; hier lag nach Ansicht der Autoren eine Zerreißung der Faciales und der Acustici im Porus acusticus internus vor.

Daß auch durch beiderseitige operative Maßnahmen am Mittelohr oder in dem peripher vom Foramen stylo-mastoideum gelegenen Facialisgebiete gelegentlich eine Diplegia facialis erzeugt werden kann, muß hier erwähnt werden: Ein Fall von doppelseitiger Facialislähmung nach Warzenfortsatz-Aufmeißlung beiderseits ist, wir mir ein Kollege zuverlässig mitteilte, in Berlin Anfang der neunziger Jahre durch die Ohrenpolikliniken gewandert.

Wenn wir uns nun die Möglichkeiten vergegenwärtigen, durch die eine intrakranielle traumatische Diplegia facialis zustande kommen kann, so kommen hier zunächst Blutungen an der Schädelbasis in Betracht, welche eine Drucklähmung erzeugen können. Auch weiter zentralwärts können im Anschluß an schwere Schädelverletzungen die Bahnen der Faciales durch einen Bluterguß oder durch seröse Durchtränkung des Gehirns gleichzeitig so gedrückt werden, daß eine beiderseitige Lähmung eintritt.

Die Besprechung der Ätiologie der nichttraumatischen erworbenen Diplegia facialis nehmen wir auch wieder am zweckmäßigsten an der Hand des anatomischen Verlaufes des Nerven vor, und zwar, indem wir analog dem Vorhergehenden von seinem peripheren Ende bis zur zentralen Bahn vordringen:

Daß beide Faciales bei eventuellen beiderseitigen Affektionen der Parotis (Entzündungen, Eiterungen, Tumoren) oder bei den gleichen beiderseitigen Affektionen am Halse oder im Gesicht, entweder durch bloßen Druck oder durch direktes Mitergriffensein gelähmt werden können, ist wohl selbstverständlich. Eine häufigere Veranlassung zur Diplegia facialis bietet sich aber in Verbindung mit Affektionen des Mittelohres. Da der Facialiskanal bei manchen Individuen der Paukenhöhle entweder ganz offen oder nur unvollkommen geschlossen anliegt so können bei solchen Patienten Eiterungen des Mittelohres leicht auf den Facialiskanal übergreifen. Selbst bei akuten exsudativen Prozessen in der Paukenhöhle kann in solchen Fällen eine Drucklähmung der Faciales zustande kommen. Eine umfassende Arbeit über die Paralyse des Nervus facialis im Anschluß an Otitis media acuta stammt von Vogt(9) aus der Heidelberger Ohrenklinik. Eine doppelseitige Lähmung wird von diesem Autor nur bei einem Falle und zwar in Verbindung mit Lungentuberkulose im vorgeschrittenen Stadium angeführt. Der Fall ist von Ehrmann(10) beschrieben worden: Die Sektion ergab, daß die Wände des Facialiskanales im Mittelohr gesund und intakt waren. „Der

Nervus facialis bot keine makroskopischen Veränderungen dar,
die mikroskopische Untersuchung ergab eine eitrige Infiltration
unter dem Neurilemm.

Außer den tuberkulösen Mittelohreiterungen sind es von den
akuten Formen noch die bösartigen Scharlach- und Diphtherie-
Eiterungen, welche auch vor dem vollständig geschlossenen Facialis-
kanale keinen Halt machen. Eine Diplegia facialis im Anschluß
an eine Diphtherie-Mittelohreiterung haben Wreden(11) und
Konietzko(12) beobachtet.

Von den chronischen Eiterungen sind es wieder die tuberkulösen Formen, dann aber auch die Fälle mit Cholesteatom- oder
Polypenbildung im Mittelohr, bei welchen durch Eiterretention
eine Karies des Facialiskanales und in der Folge eine Lähmung
der Faciales eintreten kann. Grunert und Leutert(13) haben eine
beiderseitige Lähmung bei tuberkulöser chronischer Mittelohreiterung,
Tröltsch(14) bei Polypenbildung, Ludewig(15) bei Karies des
Felsenbeines und Max(16) bei Ausstoßung der Schnecke eintreten
sehen.

Im Anschluß an die otogene Facialislähmung ist die sogenannte recidivierende oder rheumatische Form zu be-
sprechen, welche, wenn auch selten, auf beiden Seiten gleichzeitig
auftreten kann. Die Ätiologie dieser peripheren Facialislähmung
ist noch dunkel. In einem Teil der dieser Rubrik zugezählten
Fälle dürfte es sich sicher um nicht erkannte Lähmungen otogenen
Ursprunges gehandelt haben, in anderen Fällen hat man dagegen
Affektionen des Mittelohres mit Sicherheit ausschließen können.
Man muß in diesen Fällen bei denen die pathologisch-anatomische
Unteruschung wiederholt den Befund der peripheren Neuritis
ergeben hat, wohl an einen infektiösen Prozeß denken. Näheres
siehe in den Arbeiten von Hoffmann(17), Hatschek(18),
Minkowski(19), Donath(20), Krüger(21), Steiger(22),
Fuchs(23).

Auch im Verlaufe einer Polyneuritis kann eine Diplegia
facialis auftreten: Unter den durch exogene Intoxikationen
bedingten Formen hat man einigemale bei der Polyneuritis
alkoholica doppelseitige Facialislähmung beobachtet, so z. B. in
einem von Sinigar(24) veröffentlichten Falle, bei dem es sich
um einen 45jährigen Trunkenbold handelte. Außer der Diplegia
facialis bestanden noch Augenmuskellähmungen.

Bei Arsen-, Blei-, Quecksilber-, Schwefelkohlenstoff-Polyneu-
ritiden sind doppelseitige Facialislähmungen nicht beobachtet worden.

Unter den durch Autointoxikation bedingten Polyneuritiden sind außer bei Tuberkulose und Lues auch bei Diabetes doppelseitige Facialislähmungen gesehen worden. Benedict(25) konnte den drei Fällen von Polyneuritis diabetica mit Diplegia facialis, welche er in der Literatur fand, einen selbst beobachteten vierten Fall hinzufügen. In diese Katogorie fällt auch die Polyneuritis leprosa, welche vielfach schon frühzeitig mit doppelseitiger Facialislähmung einhergeht.

Bei der Polyneuritis nach Infektionskrankheiten kommt nur sehr selten doppelseitige Facialislähmung vor: Maingauld(26) hat einen Fall im Anschluß an Diphtherie beobachtet, Hatschek(18) im Anschluß an Mumps.

Bemerkenswert ist, daß auch bei Tetanus einigemale Diplegia facialis aufgetreten ist und zwar bei Patienten, bei welchen die Wunde in der Mitte des Gesichts lag.

In einem Falle von Diplegia facialis, den Rigani (27) veröffentlicht hat, hatte der Patient wegen eines Hundebisses 15 Tage hindurch eine präventive antirabische Kur gebraucht, als sich die doppelseitige totale Facialislähmung zeigte. Ob die Annahme des Autors, daß die Lähmung durch das antirabische Toxin entstanden war, richtig ist, müssen wir dahingestellt sein lassen.

Bei Erkrankungen an der Schädelbasis kann selbstverständlich auch doppelseitige Facialislähmung eintreten. Wir nennen hier in erster Linie kariöse oder nekrotische Herde auf tuberkulöser oder luetischer Grundlage. Ferner können abnorme Flüssigkeitsansammlungen seröser oder eitriger Natur oder Tumoren an der Schädelbasis Drucklähmungen beider Faciales erzeugen.

In einem Falle von Meningitis serosa, die an der Basis lokalisiert war, beobachtete Cassels(28) z. B. neben Lähmungen der Sinnesorgane und der willkürlichen Muskeln auch doppelseitige Facialislähmung. Die Tumoren können entweder von den Schädelbasisknochen oder von den Meningen ausgehen. Von den in Betracht kommenden Tumoren sind besonders die Neurofibrome zu erwähnen, welche sich nicht so sehr selten in dem ponto-medullocerebellaren Raume entwickeln. Unter mehreren Neurofibrom-Fällen in dieser Gegend sahen Fraenkel und Hurt(29) auch einen, bei dem eine Diplegia facialis bestand.

Sämtliche Erkrankungen des Rückenmarks, die sich bis zur Medulla oblongata erstrecken und die Kerne des Facialis erreichen, können naturgemäß zu doppelseitiger Facialislähmung führen. Dabei ist zu bemerken, daß bei der Tabes nur äußerst selten eine Facialislähmung eintritt. Auch bei der Syringobulbie wird der Facialis selten und dann in der Regel nur einseitig mitergriffen. Dagegen kommen im Verlaufe der amyotrophischen Lateralsklerose und der amyotrophischen Bulbärparalyse doppelseitige Facialislähmungen häufiger vor.

Erkrankungen des Hirnstammes führen dann leicht zu Diplegia facialis, wenn die Affektion von der Mittellinie ihren Ursprung genommen hat. Eingehende Untersuchungen über die Schädigungen, welche die Tumoren dieser Gegend hervorrufen, verdanken wir u. A. Siebenmann (30). Daß bei Abscessen im Pons der Facialis doppelseitig gelähmt werden kann, wird von Körner(31) erwähnt. Auch luetische Herde in dieser Region kommen hier in Betracht. Phillips(32) sah einen solchen Fall: Außer der Diplegia facialis bestand beiderseits Taubheit. Der Autor nahm eine Affektion des Pons an. Durch antiluetische Kur wurde Besserung erzielt.

Ferner kommen bei der akuten bulbären Myelitis und bei der Encephalitis acuta doppelseitige Facialislähmungen vor, wie z. B. aus Fällen von Wolfe(33), Etter(34), Hoppe-Seyler (35). hervorgeht.

Schließlich ist hier noch ein eigenartiger Fall von Diplegia facialis einzureihen, der von den Franzosen Labadie-Lagrave et Boix(36) veröffentlicht worden ist: Eine 29 jährige Frau hatte im Anschluß an ein fieberhaftes Wochenbett einen schweren Herzfehler bekommen. Zugleich mit Schmerzen im Nacken stellte sich kurze Zeit darauf plötzlich eine Lähmung der linken und drei Tage später auch der rechten Gesichtshälfte ohne jegliche andere Lähmungserscheinungen ein. Die linksseitige Facialislähmung ging wieder zurück, die rechtsseitige blieb bestehen. Die Autoren glauben, daß eine Embolie der den Facialiskern versorgenden Gefäße den Grund zu der Lähmung abgegeben hatte.

Der Vollständigkeit halber muß noch erwähnt werden, daß eine zentrale Diplegia facialis auch bei etwaiger beiderseitiger Affektion (multiple Abscesse, Tumoren, luetische Herde) der Facialisbahn des Großhirns eintreten kann.

Interessant sind die Fälle von Diplegia facialis, bei denen die Lähmung der beiden Seiten aus verschiedenen Ursachen erfolgt ist. So kann es vorkommen, daß die Lähmung auf der einen Seite peripherer, auf der andern Seite dagegen zentraler Natur ist. Bernhardt(5) hat folgenden Fall gesehen: Ein Kind hatte im Verlaufe von Diphtherie durch einen Hirnherd eine Hemiplegie mit Facialislähmung erlitten. Während derselben Krankheit trat später eine otogene Facialislähmung auf der nicht hemiplegischen Seite auf. Ganz besonders interessant ist auch ein von Oppenheim beschriebener Fall, den Bernhardt an derselben Stelle zitiert: Ein luetischer Patient bekam ein Hemiplegie mit Facialislähmung. Später wurde der Facialis der anderen Seite peripher gelähmt und zwar durch eine basale gummöse Meningitis, welche auf derselben Seite entstanden war, wie der luetische Hirnherd, der zu der zentralen Facialislähmung geführt hatte.

In der Literatur sind noch einige Fälle von Diplegia facialis verzeichnet, bei denen für die Lähmung entweder einer oder auch beider Seiten eine hysterische Grundlage angenommen wurde: Bruck (37) stellte im vorigen Jahre in der Berliner Otologischen Gesellschaft eine hysterische Patientin vor, die im Anschluß an die Radikaloperation eine traumatische Facialislähmung auf der operierten Seite bekommen hatte, einige Zeit später stellte sich auf der anderen Seite auch eine Lähmung ein, die vom Vortragenden für eine hysterische gehalten wurde. Mc. Kernon (38) beobachtete folgenden Fall: Eine Woche nach einseitiger Stacke'scher Operation trat bei einer Patientin eine doppelseitige Facialislähmung ein, welche der Autor nur als hysterische deuten konnte. Ein dritter Fall stammt von Lukáks (39): Es handelte sich um ein 19 jähriges Mädchen, das zunächst eine rechtsseitige und ein halbes Jahr später auch eine linksseitige Gesichtslähmung bekam. Die Lähmung war nicht vollständig, auch wechselte der Grad der Lähmung durch seelische Einflüsse. Elektrische Veränderungen fehlten. Aus allen diesen Gründen nimmt der Verfasser Hysterie an.

Die Symptome der Diplegia facialis sind so markant, daß die Diagnose allgemeinhin leicht zu stellen ist: Die mimischen Bewegungen fehlen bei den Patienten vollständig, das Gesicht ist starr, wie eine Maske. Die Augen können nicht geschlossen werden, der Mund steht offen, die Oberlippe steht rüsselartig nach vorn. Die Sprache ist undeutlich, Lippenlaute können überhaupt nicht gebildet werden. Das Kauen und der Schluckakt sind erschwert. Während die genannten Symptome allen Fällen gemeinsam sind, können je nach dem Ort, an dem die Faciales getroffen sind, noch eine Reihe von anderen Symptomen auftreten (vergl. meinen oben beschriebenen Fall). Es ist hier nicht der Ort, die ganze aufs subtilste ausgearbeitete Diagnostik der Facialislähmungen aufzurollen, ich verweise dazu auf die neurologischen Lehrbücher. Im allgemeinen ist zu sagen, daß der Arzt, welcher die Anatomie des Facialis be-

herrscht, sich über den speziellen Sitz der Lähmung des ihm je-
weilig zu Gesicht kommenden Falles an der Hand der bestehenden
Symptome leicht orientieren kann. Selbstredend sind bei doppelseitiger Facialislähmung beide Seiten getrennt zu untersuchen, da,
wie bereits oben erwähnt worden ist, nicht allein der Grad,
sondern auch der Sitz der Lähmung für beide Seiten verschieden
sein kann.

Literatur:

1. **Heubner:** zit. bei Bernhardt: Die Lähmungen der peripherischen
Nerven (Die Deutsche Klinik. VI, 1).
2. **Bernhardt:** Über die angeborene Facialislähmung (Festschrift für
M. Jaffé. pag. 34. ref. Schmidt's Jahrbücher Bd. 273, S. 167).
3. **Köster:** Beiträge zur Lehre von der Lähmung des Nervus facialis
(Deutsches Archiv für klin. Medizin. 1900. S. 343).
4. **Thomas:** Congenital facial paralyses. (Journal of nerv. and mental
diseases. Aug. 1898.)
5. **Bernhardt:** Die Lähmungen der peripherischen Nerven. (siehe oben.)
6. **Politzer:** Sitzung der Österreichischen Otol. Ges. 26. Okt. 1897. (ref.
Zeitschrift f. Ohrenheilk. Bd. 32, S. 263.)
7. **Lannois et Vacher:** Surdité et diplégie faciale par fracture double
des rochers. (Annales des mal de l'oreille etc. 1902, Nr. 4.)
8. **Kőtli:** Wiener med. Presse 1875. zit. bei **Tomka:** Beziehungen
des Nerv. facialis zu den Erkrankungen des Gehörorganes. (Arch. f. Ohrenh.
Bd. 49, S. 4g.)
9. **Vogt:** Die Paralyse des Nervus facialis im Anschlusse an Otitis
media acuta. (Dissertation Heidelberg.)
10. **Ehrmann:** Remarques sur un cas de paralysie faciale double consécutive à une double otite. (Gaz. méd. de Strassbourg 1862, zit. bei **Vogt.**)
11. **Wreden:** Monatsschrift für Ohrenheilk. Bd. II, S. 10.)
12. **Konietzko:** Ein Fall von Otitis media diphtheritica. (75. Vers.
Deutscher Naturf. und Ärzte in Kassel 1905. Zeitschr. f. Ohr. Bd. 45, S. 303.)
13. **Grunert und Leutert:** Jahresbericht über die Tätigkeit der
Königlichen Universitäts-Ohrenklinik zu Halle vom 1. April 1894 bis 1. April
1895. (Arch. f. Ohr. Bd. 42, S. 243.)
14. **Tröltsch:** Grubers Lehrbuch für Ohrenkrankheiten (zit. bei
Tomka l. c.)
15. **Ludewig:** Arch. f. Ohrenh. Bd. XXI.
16. **Max:** Doppelseitige Nekrose der Schnecke mit consecutiver Meningitis und letalem Verlauf. (Wiener med. Wochenschr. 1891, Nr. 48.)
17. **Hoffmann J.:** Zur Lehre von der peripherischen Facialislähmung.
(Deutsche Zeitschrift für Nervenheilk. 1894, S. 72.)
18. **Hatschek:** Zur Kenntnis der Ätiologie der peripheren Faciali-
paralyse. (Jahrb. für Psychiatrie 1894. S. 37.)
19. **Minkowski:** Zur pathologischen Anatomie der rheumatischen
Facialislähmung. (Berl. klin. Wochenschrift 1891, Nr. 27.)
20. **Donath:** Über recidivierende Facialislähmung. (Wiener klin.
Wochenschrift 1894, S. 52.)
21. **Krüger:** Über einen Fall von doppelseitiger peripherischer Faciali-
lähmung. (Dissertation Berlin 1889.)
22. **Stenger:** Die rheumatische Facialisparalyse und ihre ätiologischen
Beziehungen zum Ohr. (Deutsches Arch. f. klin. Medizin 1904. S. 583.)
23. **Fuchs:** Die periphere Facialislähmung und ihre Behandlung. (Wiener
med. Presse 1907. Heft 6 u. 7.)
24. **Sinigar:** A case of ophthalmoplegia externa and paralysis of
both facial nerves (Brit. med. Journal 15. Juli 1899.)

25. Benedict: Diabetes mellitus mit Diplegia facialis. (Budapesti Orvosi Njság. 1904, Nr. 2. ref. Schmidt's Jahrb. Bd. 286, S 46.)

26. Maingauld: cit. bei Eichhorst. Lehrbuch der Nervenkrankheiten Seite 15.

27. Rigani: Ein Fall von Diplegia facialis. (Spitalul. XXIII, 8, S. 316.)

28. Cassels: Brit med. Journ. 1874. (ref. Arch. f. Ohrenh. Bd. XX.)

29. Fraenkel u. Hurt: Tumoren des ponto-medullo-cerebellaren Raumes. (Medical Record. 20. Dez. 1903. S. 1001. ref. Zeitschr. f. Ohrenh. Bd. 47, S. 411.)

30. Siebenmann: Über die zentrale Hörbahn und ihre Schädigungen durch die Geschwülste des Mittelhirns etc. (Zeitschr. f. Ohrenh. Bd. 29, S. 28.)

31. Körner: Die otitischen Erkrankungen des Gehirns etc. (J. F. Bergmann III. Aufl., S. 162.)

32. Phillips: Ein Fall von doppelseitiger Facialisparalyse auf spezifischer Basis. (New-Yorker Otol. Ges. 26. Mai 1903. Zeitschrift für Ohrenh. Bd. 47, S. 599.)

33. Wolfe: Poliencephalitis superior acuta. (Journ. of. Nerv. and mental diseases April 1894.)

34. Etter: Zwei Fälle von akuter Bulbärmyelitis. (Korrespondenzbl. für Schweiz. Ärzte. 1882. Nr. 23 u. 24.)

35. Hoppe-Seyler: zit. bei Oppenheim: Die Encephalitis und der Hirnabszess. (Wien 1897. Hölders Verlag.)

36. Labadie-Lagrave et Boix: Sur un cas de diplégie faciale totale d'origine artérielle. (Arch. gén. de Med. Jan. 1896. S. 23. ref. Schmidt's Jahrb. Bd. 251, S. 23.)

37. Bruck: Vorstellung eines Falles von doppelseitiger (traumatischer und hysterischer) Facialislähmung (Berl. otol. Ges. 13. Febr. 1906. Zeitschr. f. Ohrenh. Bd. 51, S.287.)

38. Mc. Kernon: Facialisparalyse beiderseits nach einseitiger Stacke'scher Operation. (Verf. der New-Yorker otol. Ges. 24. März 1903. Zeitschr. f. Ohrenh. Bd. 45, S. 178.)

39. Lukáks: Diplegia facialis hysterica. (Wiener klin. Wochenschr. 1901. XIV 6.)

XXIII

Kongenitale Facialislähmung mit angeborener Taubheit und Missbildung des äusseren Ohres.

Von

Prof. **Kretschmann**.

(Mit 2 Abbildungen.)

Mißbildungen der Ohrenmuschel größeren und geringeren Grades sind ein nicht gerade seltenes Vorkommnis, und Mißbildungen des Gehörganges und des Mittelohres finden sich häufig im Gefolge kongenitaler Ohrmuschelabnormitäten. Dagegen scheint eine gleichzeitige Verbildung auch des schallempfindenden Apparates ziemlich selten zu sein. Ein Fall, der kongenitale Störungen in allen drei Abteilungen des Gehörorgangs aufweist, würde aus diesem Grunde schon eine Beschreibung rechtfertigen. Das Interesse an ihm aber erhöht sich noch durch die Komplikation einer angeborenen Facialislähmung auf der gleichen Seite der Mißbildung. In diesem gleichzeitigen Zusammentreffen kongenitaler Mißbildung aller Abschnitte des Gehörorganes und angeborener Paralyse des Gesichtsnerven scheint mir der in Rede stehende Fall einzig dazustehen. Ich vermochte wenigstens einen andern ihm in allen Punkten entsprechenden in der Literatur nicht aufzufinden.

Friederike K. ist zurzeit 33 Jahr alt. Sie mißt in der Länge 145,5 cm. Der Vater ist im 54. Lebensjahr an den Folgen eines Nervenschlages in einer Irrenanstalt gestorben, die Mutter mit 64 Jahren im Siechenhaus. Von zehn Geschwistern, bei denen Mißbildungen nicht zu verzeichnen waren, sind 6 in den ersten Lebensjahren verstorben. Die vier Überlebenden, von denen unsere Patientin die jüngste ist, sind alle weiblichen Geschlechts und erfreuen sich, abgesehen von unserer Kranken, einer guten Gesundheit. Friederike K. ist ohne Kunsthilfe geboren. Während ihre Geschwister sämtlich die Mutterbrust erhalten haben, wurde sie mit der Flasche aufgezogen, da sie nicht im Stande war, an der Brust zu saugen. Gleich bei der Geburt wurde außer dem nahezu völligen Fehlen der r. Ohrmuschel eine Unbeweglichkeit der rechten Gesichtshälfte bemerkt. Laufen hat sie erst im dritten Lebensjahre gelernt. In den ersten Schuljahren bildete sich eine Rückgratverkrümmung aus. Außer den Kinderkrankheiten hat sie in den ersten Dezennien keine weiteren Erkrankungen durchgemacht. Erst in den letzten beiden Jahren stellte sich ein Lungenkatarrh ein und im Auswurf zeitweilig Koch'sche Bazillen.

Bei der Inspektion fällt in erster Linie das vollständige Fehlen der rechten Ohrmuschel auf, nur auf dem aufsteigenden Kieferast ungefähr an der Grenze zwischen oberem und mittlerem Drittel findet sich ein kleiner pyramidenförmiger Höcker, dessen Basis und Höhe ca. 8 mm betragen. Seine Form erinnert an den Tragus. Man fühlt deutlich einen knorpligen Kern, der sich leicht verschieben läßt. Eine Asymmetrie der beiden Unter-Kiefer-hälften ist nicht vorhanden Der M. sternocleido. ist deutlich sichtbar, der Proc. mastoid. fühlbar, letzterer ein Drittel so groß, wie derjenige der linken Seite. Zwischen aufsteigendem Kieferast Proc. mastoid. und oberem Ende des M. sternocleido. markiert sich eine tief eingezogene Grube, in welche man bequem das Daumenglied legen kann. Der palpierende Finger erhält den Eindruck, daß nur Weichteile den Grund dieser Grube bilden. Erst bei tieferem Eindrücken fühlt man einen walzenförmigen. nach unten spitz endenden Knochen, dessen Form dem proc. styloideus entspricht. Nach oben findet sich knöcherner Widerstand, ungefähr 2 cm oberhalb des deutlich fühlbaren Kiefergelenkkopfes.

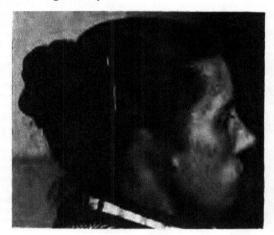

Fig. 1.

Das Naseninnere weist normale Verhältnisse auf, desgleichen der Nasen-rachenraum. Die Tubenostien sind nach Form und Lage symmetrisch. Der Kathedrismus gelingt leicht. Auskultiert man mittelst eines Otoscopes, dessen für den Kranken bestimmtes Ende einen Trichter von 4 cm Durch-messer hält, in der Weise, daß der Trichterrand auf die Temporalregion der zu untersuchenden Person aufgesetzt wird, so hört man ein schwaches, fernes Blasegeräusche, wie es bei undurchgängiger Tuba aufzutreten pflegt. Eine Bougie kann 30 mm weit über das Schnabelende des Katheders vorgeschoben werden und stößt dann auf unüberwindlichen Widerstand.

Flüsterworte werden bei fest verschlossenem gesunden Ohre nicht wahr-genommen. Ebensowenig die durch Luftleitung zugeführten Stimmgabel-töne von C_2 bis c^3. c^4 und c^5 werden bei starkem Anschlag gehört. Der Ton einer auf den Schädel aufgesetzten tönenden Stimmgabel wird an die Stelle des Aufsetzens verlegt, gleichgültig, ob das gesunde Ohr verschlossen oder offen ist.

Die Uhr wird per Luftleitung rechts nicht gehört, dagegen beim Anlegen an den Schädel. Patientin hat dabei den Eindruck, daß die Wahrnehmung mit dem linken, gesunden Ohre erfolge.

Die zweite in die Augen fallende Abnormität ist die mangelhafte zum Teil völlig aufgehobene Beweglichkeit der rechten Gesichtshälfte. Eine eigentliche Asymmetrie des Gesichtes in dem Sinne, daß die rechte Hälfte im Wachstum zurückgeblieben wäre, besteht nicht. Die rechte Nasolabialfalte ist weniger ausgesprochen als die linke. Rechterseits fehlen an der Stirn die Falten, welche sich links deutlich markieren. Das rechte Auge kann nicht geschlossen werden. Wird der Lidschluß intendiert, so dreht sich der Augapfel etwas nach oben und innen. Bei den unwillkürlichen Lidschlüssen beteiligt sich nur das linke Auge. Stirnrunzeln kann rechts weder in Längs- noch in Querfalten ausgeführt werden, während links diese Bewegung sich sehr deutlich ausprägt. Die Nasenlöcher sind gleich weit, beim Nasenrümpfen geht die Hebung des Nasenflügels rechts, wenn auch schwächer als links von statten. In der Ruhelage ist von einer Verzerrung des Mundes nichts zu bemerken, dagegen bleibt beim Sprechen und Lachen der rechte Mundwinkel auffallend zurück. Pfeifen und Mundspitzen kann anstandslos ausgeführt und ebenso der rechte Mundwinkel nach rechts verzogen werden. Für die Palpation zwischen zwei Fingern erscheint die rechte Wange dünner und mangelhafter entwickelt; trotzdem findet ein Aufblähen oder Flattern derselben beim Aussprechen von Labiaten nicht statt, ebensowenig sind beim Essen und Trinken Störungen vorhanden. Die Zunge wird im

Fig. 2.

wesentlichen gerade hervorgestreckt, zuweilen, aber keineswegs regelmäßig, findet ganz vorn an der Spitze eine leichte Abweichung nach links statt. Die Geschmacksempfindung ist auf der ganzen rechten Zungenhälfte ebenso normal und gut funktionierend, wie auf der linken und zwar für alle Geschmacksqualitäten, wie wiederholt ausgeführte Prüfungen ergaben. Das Zäpfchen und Gaumensegel steht in der Ruhelage gerade. Läßt man aber eine Schluckbewegung machen, so zieht sich die Raphe nach links den ihr sich nahenden Gaumenbögen entgegen, das Zäpfchen richtet sein freies Ende stark nach links. Während die linke Arkade der Gaumenbögen sich zusammenzieht bis fast zum völligen Verschwinden, wird die rechte infolge des fehlenden Nachrückens des rechten Arcus und des Abrückens des Zäpfchens von der Mittellinie immer größer. Die Sensibilität ist rechts wie links un-

versehrt. Vermehrte oder verminderte Schweißsekretion im Bereiche der rechten Gesichtshälfte ist nie bemerkt worden.

Die Pupillen sind gleich und reagieren auf Lichteinfall und Akkomodation in normaler Weise. Ablenkung der Augäpfel, die auf irgend eine Störung eines der Augenmuskeln deutete, ist bei der Prüfung in den verschiedensten Blickrichtungen nicht vorhanden. Bei extremer Blickrichtung nach rechts in der Horizontalen treten zuckende Bewegungen der Bulbi ein, bei anderen Blickrichtungen fehlen sie.

Die Bewegungen des Kopfes sind allseitig und gleichmäßig ausführbar, beim Seitwärtsdrehen nach rechts springt der M. sternocleidomastoideus der entgegengesetzten Seite sehr scharf strangförmig vor.

Das Spiegelbild des Kehlkopfes ergibt normale Verhältnisse. Die Stimmbänder sind in Abduktion und Adduktion gut beweglich und schließen beim Phonieren scharf in der Mittellinie.

Die elektrische Untersuchung der Nerven ergab auf der gelähmten Seite völliges Erlöschensein der Erregbarkeit sowohl für den galvanischen wie faradischen Strom. Nur die Zweige des dritten Astes, welche den M.

orbicularis oris und Levator menti versorgen, zeigten Erregbarkeit für beide Stromarten, wenn auch in stark herabgesetztem Maße. Von den Gesichtsmuskeln zeigten Zygomaticus, Orbicularis oris und Levator ment. leichte Zuckungen bei stärkeren Strömen; die übrigen Muskeln der r. Gesichtsseite und des Platysma waren nicht erregbar.

Fibrilläre Zuckungen finden sich auf der gelähmten Seite nicht, ebensowenig Kontrakturen.

Es zeigen sich in dem vorstehend beschriebenen Falle eine Reihe von Entwicklungstörungen, die sich auf einem räumlich nicht sehr ausgedehnten Gebiete abspielen. Wir fanden rechts ein Fehlen fast der ganzen Ohrmuschel, völlige Taubheit auf dieser Seite und eine Lähmung der meisten Gesichtsmukeln mit Ausnahme der die Bewegung des Mundwinkels und des Nasenflügels ausführenden. Dabei ist der Geschmacksinn völlig erhalten, die rechte Seite des weichen Gaumens und die Uvula dagegen gelähmt.

Wir dürfen annehmen aus der objektiven Untersuchung, daß nicht nur Ohrmuschel und äußerer Gehörgang, wie der Augenschein lehrt, fehlen, sondern auch die Paukenhöhle. Dafür spricht das Fehlen eines knöchernen Widerstandes bei der Palpation, der bei Vorhandensein eines os tympanicum sich finden müßte. Man wird hier erinnert an Verhältnisse wie sie Bezold[1]) in einem Fall von einseitiger, angeborener Atresie, der zur Obduktion kam, beschrieben hat. Als palpables knöchernes Gebilde findet sich in dem Raum zwischen Proc. mast. und Gelenkkopf des Unterkiefers erst ein Organ, das als Proc. styloideus angesprochen werden muß. Dieser Knochen entsteht aus einem eigenen Knochenkern, ist also unabhängig von den übrigen Knochen, welche die Paukenhöhle zu bilden bestimmt sind, Annulus tympanicus und Pyramide. Das Vorhandensein des Proc. styloi. erlaubt daher in keiner Weise den Schluß auf das Vorhandensein einer Paukenhöhle. Die Eustachische Tube ist auf der rechten Seite vorhanden, wie in der Krankengeschichte mitgeteilt wurde. An ihr sind keine Mißbildungen zu erkennen. Es ist also die Entwicklung der Vorderdarmausstülpung, welche zur Bildung der Tube führt ungestört verlaufen. Die Tube endet blind und besitzt mit 30 mm nicht die volle Länge, die nach Hyrtl 34 bis 45 betragen soll Es scheint demnach der tympanale Abschnitt der Tube nicht zur vollen Entwicklung gekommen zu sein. Es entwickelt sich[2]) bekanntlich der schalleitende Apparat aus einer von der äußeren Oberfläche her erfolgenden geringeren ectodermalen Einsenkung

---

1) Z. f. O. Bd. 48, S. 175.

2) Hoffmann-Schwalbe, Lehre von den Sinnesorganen. 1887. S. 293.

und einer stärker entwickelten jener entgegenkommenden entodermalen Tasche. Die die beiden Taschen trennende Membran zer-
reißt und führt zur Bildung der ersten Kiemenspalte. Der ventrale
Abschnitt der Kiemenspalte kommt zum Verschluß, der dorsale
bildet ein von außen nach dem Schlunddarm führendes Rohr,
das einen ektodermalen und entodermalen Abschnitt hat. An der
Grenze beider entsteht alsdann eine Verwachsung, an der sich
besonders das mittlere Keimblatt beteiligt. In dieser Trennungs
masse bilden sich aus dem Gebiet der ersten beiden Kiemenbogen
hervorgegangene Skelettstücke, die Gehörknöchelchen. Es muß
also eine Einstülpung des ektodermalen und entodermalen Blattes
erfolgt sein, wenn ein vollkommener schalleitender Apparat zustande kommen soll. In unserm Fall scheint die ektodermale Einstülpung ausgeblieben zu sein. Das entodermale Blatt hat seinen
Widerpart nicht gefunden und es ist daher wahrscheinlich, daß
auch das Mesoderm der ihm zufallenden Aufgabe der Bildung
des Trommelfelles und der Gehörknöchelchen nicht hat gerech
werden können. Mißbildungen der Ohrmuschel und Mißbildungen
des äußeren Gehörganges kommen häufig gleichzeitig vor, und
soweit in solchen Fällen anatomische Untersuchungen vorliegen,
pflegt dann auch das Mittelohr erhebliche Entwicklungsstörungen
aufzuweisen.

Wenn nun auch in unserm Falle ein völliges Fehlen des
Mittelohres mit großer Wahrscheinlichkeit angenommen werden
muß, so wäre doch durch einen derartigen Vorgang die Taubheit nicht erklärt. Dafür muß eine Läsion des schallempfindenden
Apparates in irgend einem seiner Teile verantwortlich gemacht
werden.

Das Labyrinth nimmt nach Steinbrügge[1] nur in seltenen
Fällen und auch dann zuweilen nur partiell an der Entwicklungs-
störung Teil. Unter 24 anatomisch untersuchten Fällen zeigte sich
dasselbe nur 3 Mal wesentlich beteiligt. Labyrinthäre Entwicklungsstörungen aus frühester Zeit, welche etwa das ektodermale La-
byrinthbläschen betroffen hätten, scheinen, nach demselben Autor[2]
selten vorzukommen, vielleicht infolge der gegen mechanische
Einwirkung geschützten Lage des Bläschens, sobald die Ab-
schnürung stattgefunden hat. Jedoch ist vollständiges Fehlen des
inneren Ohres und des Gehörnerven auf beiden Seiten bei einem
11 jährigen taubstummen Knaben anatomisch festgestellt worden

---

1) Lehrbuch der spec. path. Anatomie von Orth. Ergänzungsband. S. 1.
2) l. c. S. 6.

von Michel [1]) bei teilweisem Mangel des mittleren Ohres und normalem äußeren Ohr und äußeren Gehörgang. Die Proc. mastoid. fehlten in diesem Falle gänzlich. Die Felsenbeine hatten nicht die dreieckige Pyramidenform, welche mit zwei Flächen sonst der Schädelhöhle zugewandt sind, sondern waren oben flach und hatten nur 2 Flächen, nämlich eine nach der Schädelhöhle und die andere nach außen hinsehend. Der N. Facialis ging in dem Felsenbeim weiter bis zum foramen stylomastoideum, die Chorda tympani fehlte. Von einer Offnung für den Eintritt des N. acusticus keine Spur. Derselbe fehlte beiderseits gänzlich und wurde vergeblich bis in den vierten Ventrikel verfolgt. Marfan und Armand Delille [2]) berichten über einen Fall, bei dem das Felsenbein nur eine kleine Knochenmasse darstellt, in der mittleres und inneres Ohr, sowie Facialisstamm nicht nachzuweisen sind.

Daß bei unserer Kranken ein völliger Mangel des Labyrinthes vorliegen kann, ist nicht so ohne weiteres von der Hand zu weisen. Es wurde deshalb der Versuch gemacht, durch eine Röntgenaufnahme etwas mehr Klarheit zu gewinnen.

Die lichtempfindliche Platte befand sich am Hinterhaupt, die Röhre gegenüber der Stirn [3]). Auf der Platte lassen sich sehr deutlich die Gelenkfortsätze des Hinterhaupts erkennen. Ferner springen in die Augen die Process. mastoidei, deren Größendifferenz zu Ungunsten des rechten sich recht auffällig markiert. Der linke ist bei weitem dunkler als der rechte. Zu erkennen sind deutlich die Orbitae und die Choanen, was einigermaßen wichtig ist, da eine Orientierung von diesen Punkten aus leicht stattfinden kann. Die linke Ohrmuschel liefert einen sehr deutlichen Schatten. Von der Mitte der Muschel zieht ein Kontour nach dem Hinterhauptsloch. Dieser Kontour ist auf der rechten Seite nur schwach entwickelt und verläuft ungefähr 1 cm niedriger wie links. Er ist nicht wie auf der linken bis an die laterale Wand der Schädelkapsel zu verfolgen. Wenn man bedenkt, wie sich die Schatten der die Schädelbasis zusammensetzenden Gebilde auf der Platte in- und übereinander schieben müssen, so ist es klar, daß man aus dem Röntgenbilde nicht ein absolut klares Bild von der Konfiguration der Schädelbasis gewinnen kann, wie es bei anderen Körper-

---

1) Ref. A. f. O. Bd. 1, S. 353.
2) Ref. Z. f. O. Bd. 44, S. 304.
3) Auf eine Reproduktion wurde verzichtet, da die auf der Original-platte ohnehin schwachen Schatten bei einer Wiedergabe bis zur Unkenntlich-keit verlieren würden.

regionen möglich ist, immerhin spricht doch aber der deutliche
Unterschied in der Schattenfigur von links und rechts mit ziemlicher Wahrscheinlichkeit dafür, daß das rechte Felsenbein verkümmert ist, wie das ja bei dem Proc. mast. fraglos zutrifft, und
das in diesem verkümmerten Felsenbein sich ein verkümmertes
Labyrinth findet, oder daß dieses völlig fehlt. Das Labyrinth-
bläschen mit seinen Veränderungen ist ja doch das Gebilde,
welches die Felsenbeinpyramide erst schafft und sie zu der Form-
entwicklung führt, die uns die Anatomie lehrt. Wenn also ein
mangelhaftes Labyrinth vorhanden ist, oder wenn solches fehlt,
so wird die Pyramide verkümmert sein, und daraus läßt sich mit
einiger Berechtigung der Rückschluß ziehen, wenn die Pyramide
verkümmert ist, so ist es auch das Labyrinth.

Außer den Mißbildungen im Bereiche des Gehörorganes zeigt
unsere Patientin auch Defekte in der Innervation der Gesichtsmuskeln, die auf eine angeborene Läsion des Gesichtsnerven zurückzuführen sind. Es fallen rechterseits die Bewegungen der Stirn-
muskeln und der Augenschließer völlig aus. Dagegen sind aktive
Bewegungen möglich bei dem Heber des Nasenflügels und bei
den Muskeln, die den Mundwinkel versorgen, während das Platysma
wiederum ohne Bewegung ist. Im Gebiet der aktiven Bewegungsmöglichkeit ist die elektrische Erregbarkeit für galvanischen und
faradischen Strom erhalten, nur müssen größere Stromstärken angewendet werden, wie auf der gesunden Seite. Der weiche Gaumen
ist rechts gelähmt, dagegen der Geschmacksinn erhalten. Angeborene Facialislähmungen mit Mißbildungen des gleichseitigen
Gehörorgans sind mehrfach beschrieben Thomas [1]): Einkerbung
beider Ohrläppchen beiderseitige Facialislähmung und Taubheit,
Sousques und Heller [2]), Sugàr [3]), Neuenborn [4]). In letzteren
beiden Fällen finden sich Hörreste auf der Seite der mißbildeten
Hörorgane. Außerdem finden sich kongenitale Gesichtsnerven-
lähmungen isoliert oder kombiniert mit Lähmungen anderer Gehirnnerven mehrfach in der neurologischen Literatur verzeichnet.

So berichtet unter anderen Möbius [5]) über angeborene
doppelseitige Abducens-Facialislähmungen, ferner über angeborene
Lähmung aller motorischen Augenmuskelnerven in Begleitung von

1) Ref. Neurol. Zentralbl. 1900. S. 576.
2) Ref. Z. f. O. Bd. 44, S. 304.
3) A. f. O. Bd. 58, S. 216.
4) A. f. O. Bd. 63, S. 113.
5) Münch. med. Wochenschrift. 1888. S. 91 u. 108.

Facialisparalyse [1]), Bernhardt über angeborene einseitige Trigeminus Abducens-Facialislähmung [2]). Die angeborenen Facialislähmungen weisen die eigenartige Erscheinung auf, daß gewöhnlich nicht alle Muskeln des Gesichtes völlig gelähmt sind, sondern daß eine Gruppe wenn auch verminderte, so doch deutlich ausgesprochene aktive Bewegungsfähigkeit behalten hat. Der aktiven Beweglichlichkeit entspricht die elektrische, galvanische sowohl wie faradische, die wenn auch gegenüber der Norm herabgesetzt, so doch vorhanden ist. Mit einer ziemlichen Regelmäßigkeit sind es die Muskeln des Mundwinkels, des Kinnes, auch wohl das Platysma, welche eine aktive Beweglichkeit aufweisen. Während in dieser Region eine gewisse Konstanz in dem Verhalten der verschiedenen Muskelgruppen bei angeborener Facialislähmung vorzuliegen scheint, finden sich diametrale Gegensätze bezüglich der Gaumenmuskulatur und des Geschmackssinnes. Es spielen ja die Störungen in diesen beiden Gebieten eine Rolle, insofern durch sie der Sitz der Läsion des N. VII. festgestellt werden soll. Erhalten ist der Geschmack, wie Bernhardt[3]) und Sugàr (l. c.) berichten und wie es bei unserer Patientin der Fall war. Über Fehlen desselben auf dem vorderen Abschnitt der Zunge auf der gelähmten Seite berichten Kortum[4]) Neuenborn (l. c.) und andere.

Über die Wege, auf denen die Nervenfasern, welche die Geschmacksempfindungen vermitteln, ins Zentralorgan gelangen, herrscht keineswegs Einmütigkeit der Anschauungen. Man nimmt wohl ziemlich allgemein an, daß der N. Glossopharyngeus und der Lingualis vom dritten Ast des Trigeminus die Geschmacksfasern beherbergen. Die Geschmacksfasern, die dem Lingualisgebiet angehören, laufen nach weitverbreiteter Ansicht durch die Chorda tympani. Sie treten dadurch in räumliche Beziehungen zum Facialis indem die Chorda sich dem N. VII. in der Paukenhöhle zugesellt und sein Gefährte bleibt bis zum Ganglion geniculi. Wie die centripetalen Geschmacksfasern von dort weiter nach dem Zentralorgan ziehen, ob im Stamme des facialis oder durch den Petrosus superfic. major zum Ggl. sphenopalatinum und damit zum zweiten Ast der Trigeminus, fällt für unsere Frage weniger ins Gewicht. Zu berücksichtigen ist noch eine Möglichkeit des Verlaufes von Geschmacksfasern vom Lingualis des V. Dieser Weg führt vom

---

1) Münch. med. Wochenschrift. 1892. Nr. 2, 3, 4.
2) Neurol. Zentralbl. 1890. S. 419.
3) Neurol. Zentralbl. 1894. S. 1.
4) Neurol. Zentralbl. 1896. S. 259.

Ggl. oticum des dritten Quintusastes durch den N. petros superfic. minor biegt in den N. tympanicus s. Jacobsonii ein und gelangt, mittels desselben in das Ggl. petrosum des Glossopharyngeus und dann zentralwärts. Den letztbeschriebenen Weg wies Meissner[1] in seinen Vorlesungen den Geschmacksfasern zu, soweit sie nicht direkte Äste des glossopharyngeus waren. Carl[2] weist den Geschmacksfasern des Lingualis den gleichen Weg an, läßt aber dabei auch einen Teil der gustatorischen Fasern die Chorda passieren und diese durch Ggl. geniculatum und durch den Ramus communicans zum N. tympanicus gelangen. Daß im Nervus tympanicus (Iacobsonii) sensible Fasern vom Zungenrande herkommend verlaufen, ist nicht gut zu bezweifeln. Jedem Ohrenarzt ist zur Genüge die Tatsache bekannt, daß bei Sondenberührungen der medialen Paukenwand Empfindungen in dem gleichseitigen Zungenrande ausgelöst werden. Weswegen solten nicht auch die Geschmacksfasern diesen Weg nehmen?

E. Maier[3] ist auf Grund seiner Untersuchungen über Geschmacksstörungen bei Mittelohrerkrankungen zu dem Resultate gelangt, daß Glossopharyngeus und Lingualis, letzterer mittels der Chorda tympani vielleicht auch des Plexus tympanicus sich in die Versorgung der Zunge mit Geschmacksfasern teilen, daß aber diese Versorgung individuell in verschieden hohem Grade schwankt. Es kann in einzelnen Fällen der Glossopharyngeus, in andern die Chorda der einzige Geschmacksnerv sein.

Ein wesentlich differentes Verhalten bei angeborener Facialislähmung zeigt auch die Gaumenmuskulatur. Bei unserer Patientin konnte eine der Facialisparalyse entsprechende Lähmung des Gaumens festgestellt werden, die auf Rechnung des Levator und des gleichseitigen M. uvulae nach dem Schema von Max Mann[4] zu setzen ist. Über Lähmung der Gaumenmuskulatur bei angeborener Facialisparalyse berichten Sugar (l. c.): Tieferstehen des Gaumenbogen auf der erkrankten Seite, Neuenborn (l. c.): Uvula sinkt nach links. Bei anderen wird ausdrücklich betont, daß am Gaumen keine Störung vorliege (Bernhardt[5], Schultze[6]). Welcher Nerv die motorische Funktion der Gaumenmuskulatur übernimmt, ist zurzeit

1) weil. Physiologe in Göttingen.
2) A. f. O. Bd. 10. S. 172.
3) Z. f. O. Bd. 48. S. 178.
4) Z. f. O. Bd. 47. S. 1 ff.
5) Neurol. Zentralbl. 1894. S. 1.
6) Neurol. Zentralbl. 1892. Nr. 14.

noch eine umstrittene Frage. Im allgemeinen ist man geneigt, dem
n. Facialis die Innervation der Gaumenheber und der Uvula zu-
zuweisen, indem dieser vom Ggl. geniculi durch den n. Petrosus
superficialis major motorische Fasern zum Ggl. spheno-palatinum
s. nasale sendet, von wo aus sie in die betreffenden Muskeln ziehen.
Rethi[1]) hat in einer Reihe von Arbeiten nachzuweisen gesucht,
daß nicht der Facialis, sondern der Vagus der motorische Nerv
für den Gaumenheber sei und ihm stimmen darin bei Gradenigo[2])
u. a. Nach Henle, Luschka, Schwalbe[3]) ist eine doppelte
Innervation sehr wahrscheinlich. Nach dem Material, welches
Rethi vorbringt, kann es nicht gut bezweifelt werden, daß der
Plexus pharyngeus vagi die Innervation der Gaumenheber übernehmen kann. Ebenso liegen doch aber zahlreiche klinische
Tatsachen vor, welche unzweifelhaft dem Facialis die Rolle der
Innervation der Gaumenheber zuweisen. Unser Fall läßt bei
seiner ausgesprochenen Levator- und Azygoslähmung keine andere Deutung zu als die, daß der Ausfall der Fasern im Facialis,
der sich ja in der Gesichtslähmung so unzweifelhaft dokumentiert,
auch die Schuld an der Gaumenlähmung trägt. Es hieße doch den
Tatsachen Gewalt antun, wenn man im vorliegenden Falle eine
Lähmung von Vagusfasern, die den Levator veli versorgen, annehmen würde, während im übrigen keine weiteren Störungen
im Gebiete des Vagus nachweisbar sind. Das verschiedene Verhalten, welches die Gaumenmuskulatur bei Fällen von angeborener
Facialislähmung an den Tag legt, macht die Hypothese, daß die
Innervation der Gaumenheber eine doppelte sei, sehr wahrscheinlich. Sie läßt sich auf Grund dieses abweichenden Verhaltens
vielleicht noch dahin erweitern, daß in manchen Fällen der Vagus,
in anderen der Facialis der einzige motorische Nerv für den
Levator etc. ist. Es würde dies ein ähnliches Verhältnis sein,
wie es nach Maier zwischen Glossopharyngeus und Trigeminus
bei der Versorgung der Zunge mit Geschmacksfasern besteht.
    Es drängt sich nun die Frage auf: an welcher Stelle hat
man den Sitz der Läsion des Facialis zu suchen? Möbius
(l. c.) erblickt die Ursache in einem Schwund der Kerne und bezeichnet das von ihm entworfene Krankheitsbild geradezu als in-
fantilen Kernschwund. Bernhardt[4]) schließt sich ihm an und

---

1) Z. f. O. Bd. 50. S. 286.
2) Z. f. O. Bd. 51. S. 437.
3) Zitat in der Rethischen Arbeit.
4) Neurol. Zentralbl. 1894. S. 5.

ist der Ansicht, daß dabei nicht alle gangliösen Elemente und
die von ihnen entspringenden Fasern untergehen. Die erhaltene
Funktion einzelner Muskeln, wie der den Mundwinkel versorgenden, würde so ihre Erklärung finden, wenn man nicht den Ursprung der jene Muskeln versorgenden Nervenfasern aus dem
Hypoglossuskern annehmen will. Dieser Hypothese der mangelnden Kernentwickelung gegenüber spricht sich Schultze (l. c.)
dabin aus, daß er in seinem Falle von angeborener Facialislähmung eine periphere Läsion für nicht ganz ausgeschlossen
betrachten könne, da es leichter verständlich erscheint, daß dem
peripheren Nerven bei seinem Wachstum peripherwärts irgend
etwas zugestoßen ist, als daß in einem sonst ganz normalen
Zentralorgan ein einzelner Kern nicht ausgebildet sein sollte.
Zweifel an der Kernläsion bei Facialislähmung, die nicht alle
Gesichtsmuskeln betroffen hat, hegt auch Toby Cohn[1]). Nach
ihm spricht das Freibleiben einzelner Muskeln von der Lähmung
nicht ohne weiteres für Kernaffektion, da auch in andern Nervengebieten bei Stammlähmungen ein einzelner Muskel freibleiben
kann, z. B. der Supinator longus bei chronischen Radialis-
lähmungen, der Tibialis anticus bei Paralysen im Peroneusgebiet.

Das klinische Bild, welches die angeborene Facialisparalyse
aufweist, führt also nicht mit Sicherheit zur Auffindung des Sitzes
der Läsion, sondern läßt mehrfache Deutungen zu. Wenn wir
in unserem Falle von der Mißbildung des äußeren und mittleren
Ohres absehen, so läßt es die hier vorliegende Kombination:
Lähmung des Acusticus, vergesellschaftet mit Lähmung des
Facialis, als das Gewiesenste erscheinen, das Hemmnis dort zu
suchen, wo die beiden Nerven gemeinschaftlich verlaufen, also
auf der Strecke von ihrem Austritt aus dem verlängerten Marke
bis zu ihrem Eintritt in den Porus acusticus internus. Wenn die
oben auseinandergesetzte Annahme, daß in unserem Falle eine
mangelhafte Felsenbeinpyramide vorhanden sei, zutrifft, so wird
ein Labyrinth nur verkümmert da sein oder überhaupt fehlen.
In letzterem Falle kann der hirnwärts gelegene Abschnitt des
Acusticus keinen Anschluß an den peripheren Abschnitt finden
und ein gleiches Geschick würde dem Facialis beschieden sein.

Nur der Geruchs- und Sehnerv sind Ausstülpungen der Hirn-
blasen[2]), die übrigen Nerven, auch der Acusticus, wachsen nicht
aus dem Zentralorgan heraus, sondern bilden sich überall, wo

---

1) Neurol. Zentrabl. 1896. S. 972.

2) Vierordt. Grundriß der Physiologie des Menschen. 1871.

Organe und Gewebe sich differenzieren und kommen erst nachträglich mit dem Zentralorgan in Verbindung. Gehirn- und rückenmarklose Mißgeburten haben ebenfalls Nerven.

Die Störung würde also in unserem Falle darin zu suchen sein, daß der Zusammenschluß von peripheren Nerven und Zentralorgan nicht zustande gekommen ist. Daß ein solcher Vorgang vorkommen kann, beweist der eingangs (S. 169) angeführte Sektionsbericht von Marfan und Armand Delille, bei dem das Felsenbein nur eine kleine Knochenmasse darstellte, in der mittleres und inneres Ohr, sowie Facialisstamm nicht nachzuweisen waren. In dem Michelschen Falle (l. c.) fehlte nur der Acusticus, der Facialis war dagegen bis auf die Chorda tympani erhalten. Für unseren Fall möchte ich ähnliche Verhältnisse annehmen, wie sie dem Marfan und Delille'schen zugrunde lagen, über den leider klinische Beobachtungen nicht gemacht zu sein scheinen. Gegen eine solche Annahme spricht das Vorhandensein des Geschmackes keineswegs. In der Maierschen Arbeit (l. c.) wurde festgestellt, daß zuweilen der Glossopharyngeus die gesamte Geschmacksversorgung übernehmen kann, und das wird er in unserem Falle getan haben, da den Geschmacksfasern die Trigeminusbahn, welche durch das Gehörorgan führt (Chorda tympani und n. Jacobsonii), da sie fehlte, nicht zu Gebote gestanden haben wird. Schwieriger ist die Deutung der Motilität der Mundmuskeln. Daß dieselben bei Stammläsionen des Facialis in Tätigkeit bleiben können, hat unter anderm T. Cohn (l. c.) und Ludwig Mann[1] beobachtet. Die Deutung, daß die jene Muskeln versorgenden Fasern vielleicht widerstandsfähiger gegen Schädlichkeiten sein sollen, ist (L. Mann) nicht gerade sehr überzeugend. Die Annahme, daß die Fasern für die Mundmuskulatur dem Hypoglossuskern entstammen, würde für unseren Fall, indem wir eine Unterbrechung des Facialisstammes durch nicht zustande gekommenen Anschluß an das periphere Ende für wahrscheinlich halten, nicht in Betracht kommen.

Eine allseitig befriedigende Erklärung für die Funktion gewisser sonst zum Facialisgebiet gerechneter Muskeln bei zweifelloser Stammlähmung fehlt zurzeit noch, und es muß einstweilen lediglich mit der Tatsache gerechnet werden. Ob es vielleicht sich auch um eine doppelte Innervation, wie sie für den Geschmacksinn und mit Wahrscheinlichkeit auch für die Motilität

---

[1] Berl. Klin. Wochenschr. 1894. S. 53.

der Gaumenheber angenommen werden muß, handeln kann, ist eine noch offene Frage. Kortum (l. c.) hält es für nicht unwahrscheinlich, daß von der gesunden Seite her eine Regeneration der Nerven erfolgt, oder daß schon von vornherein, wenn auch nicht konstant, Anastomosen zwischen den Endverbreitungen der beiden Nn. faciales bestehen.

Die von verschiedenen Autoren bei angeborener Facialparalyse beobachteten nystagmusartigen Zuckungen bei extremer Blickrichtung nach außen fanden sich auch in unserem Falle. Irgendwelcher Zusammenhang mit der Gesichtslähmung ist nicht erweislich. Kortum findet die Zuckungen nicht so selten bei im übrigen normalem Körper- und Augenbefund, besonders bei nervös disponierten Personen. Die Tatsache ist für den Ohrenarzt, der ja auf Vorhandensein von Nystagmus Wert legen muß, nicht ohne Interesse, da sie zur Abschätzung der Bedeutung jenes Symptoms das ihrige beiträgt.

XXIV.

Die Freilegung des Facialis als Voroperation für einige Eingriffe in der Gegend der Mittelohrräume.

Von

Dr. Ernst Winckler in Bremen.

— —

Bei den Bestrebungen der modernen Otochirurgie, die Krankheitsprozeße, welche eine Aufmeißlung der Mittelohrräume erforderlich machen, möglichst gründlich zu beseitigen oder derart freizulegen, daß sie einer Ausheilung durch offene Wundbehandlung entgegengeführt werden können, wird heutzutage auch die Gegend des Facialkanales nicht mehr wie früher als ein ‚Noli me tangere' betrachtet. Erkrankungen seiner sichtbaren Wand in der Paukenhöhle müssen beseitigt werden, und betont bereits Stackel(1), daß man im Interesse einer radikalen Entfernung der Erkrankung sich nicht allzusehr vor einer Läsion des Nerven fürchten solle, da diese selten eine dauerude Lähmung zur Folge hätte. „Der Nervenstamm liegt in seinem Kanal wie in einer Schiene, und die sich neu bildenden Nervenfasern müssen sich treffen, auch wenn der Nerv ganz getrennt war". Die einfache Totalaufmeißlung der Mittelohrräume, zumal nach der Stackeschen Methode, die unter Benutzung seines Schützers wie „auf einer Sonde Kuppelraum und Antrum zu eröffnen gestattet, darf Meißelverletzungen des Gesichtsverven an der inneren Paukenhöhlenwand nie zustande bringen. Aber schon daß Bestreben zwecks besserer Übersicht und schnellerer Epidermisierung die Niveaudifferenzen zwischen Trommelhöhle und neu geschaffener Knochenhöhle im Warzenfortsatze so viel wie möglich auszugleichen, zwingen einmal einen höheren Sporn stehen zu lassen und gestatten im anderen Falle denselben so niedrig zugestalten, daß er kaum aus der inneren Paukenwand hervorragt. Abgesehen von den Labyrintheröffnungen an der inneren Paukenhöhlenwand, nötigen die exakte Freilegung

12*

des Kellerraumes, die Entfernung der Warzenfortsatzspitze und
das Verfolgen eines Krankheitsherdes in der Tiefe der Mastoidgegend zuweilen bis zur unteren Fläche des Felsenbeins, das
Vordringen gegen den Bulbus der Vena jugularis interna in einer
Nähe des Facialis zu arbeiten, die Läsionen des Nerven trotz
aller Vorsicht nicht ausschließen. Auch hier könnte man sich
damit beruhigen, daß die sich einstellende Gesichtslähmung in der
Regel eine vorübergehende ist. Doch wird die Folge der Läsion
ohne Berücksichtigung der Verhältnisse, welche bei dem Eingriff
vorgelegen haben, von Laien und wohlmeinenden Kollegen immer
als Kunstfehler aufgefaßt werden. Wenn Siebenmann(2) erklärt, „Varietäten im Verlauf des Facialis können als Ent-
schuldigung für seine Verletzung nicht vorgeschoben werden, da
solche in hunderten von Schläfenbeinen nicht einmal vorkommen,
so kann diese Behauptung sich lediglich auf die Freilegung des
Kuppelraumes beziehen und bedarf im übrigen einer Revision, da
in der Praxis die anatomischen Beschreibungen über den Verlauf
des Facialis nicht vor Überraschungen schützen, vielmehr häufig
bei Ausräumung tiefgehender Zerstörungen einen Konflikt mit dem
Gesichtsnerven zustande kommen lassen würden, wenn nicht
die praktische Erfahrung genügend gelehrt hätte, daß die bekannte
Topographie des Facialis wesentliche Abweichungen erleidet. Es
handelt sich hier nur um unvermutete Konflikte mit dem s. g.
vertikalen Teil des Facialisstammes, dessen Richtung nach dem
hinteren Rande des Trommelfellfalzes abgeschätzt werden soll.
Körner(3) fand, daß der vertikale Teil des Facialkanales vom
hinteren Rande des Sulcus tympanicus 1,5 bis 4,3 mm entfernt ist
und meist etwas weiter nach außen liegt als der Sulcus tympanicus 1 bis höchstens 3,7 mm, welche Zahlen jedoch nur für die
Mitte des hinteren Randes vom Sulcus tympanicus gelten, da
genau oberhalb der Mitte der Facialkanal auf die innere Paukenwand umbiegt. Nach Bezold(4) verläuft der vertikale Teil 3 mm
medial und rückwärts vom Sulcus tympanicus durch das Massiv
der Pars mastoidea zum Foramen stylomastoideum, also stets so
günstig daß man nur selten mit der Verkleinerung des Sporns
Schwierigkeiten haben kann. Jedenfalls ist aus diesen differenten
Angaben eine Konstanz des Verlaufes nicht anzunehmen.

Unter Berücksichtigung dieser Angaben liegt der Gedanke
sehr nahe, Eingriffen, die uns in unmittelbare Nähe des vertikalen
Teiles des Facialisstammes bringen müssen, eine Operation vor-
auszuschicken, durch welche nicht nur in jedem Falle die Richtung

und Lage des Facialis ermittelt, sondern auch die Möglichkeit verschafft werden kann, den bedrohten Gesichtsnerven durch temporäre Verlagerung aus dem Operationsfeld herauszubringen.

Derartige Eingriffe den Facialis vor der Eröffnung des Bulbus freizulegen sind bereits, wie aus einer Arbeit von Stenger(5) hervorgeht, s. Zt. in der Trautmannschen Klinik ausgeführt worden. Eine bestimmte Methode der Operation ist trotz ihrer praktischen Wichtigkeit leider nicht angegeben, auch hat Stenger jede Notiz unterlassen, ob der Facialis in der üblichen Weise von den Mittelohrräumen aus in seinem knöchernen Kanal freigelegt wurde oder nach der Kocherschen Methode, welche Kennedy(6) wie Manasse(7) bei ihren bekannten Implantationsversuchen in den Facialis benutzten, von der Austrittsöffnung des Nerven ausgehend.

Für komplizierte Eingriffe in der Mittelohrgegend scheint mir das Aufsuchen und ev. Freilegen des Gesichtsnerven als Voroperation durchaus indiziert zu sein, wenn tatsächlich der Verlauf des Facialis großen individuellen Schwankungen unterliegt. Da das Letztere noch vielfach bestritten wird, so möchte ich in Kürze hier auf einige anatomischen Details hinweisen, die ich durch eigene Untersuchungen an 40 Schädeln ergänzen kann.

Die deskriptive Anatomie unterscheidet, sobald der Facialkanal mit seinem oberen Knie zwischen Processus cochleariformis und Ampulle des horizontalen Bogenganges vor dem Vestibulum lateralrückwärts und zugleich abwärts auf die innere Paukenhöhlenwand umbiegt, einen mehr horizontalen Abschnitt mit dem Facialiswulst und einen vertikalen Abschnitt, der unterhalb oder im hinteren Teil des Facialwulstes beginnt und am Foramen stylomastoideum endet. Hier geht der weitere Verlauf hinter der Eminentia stapedii, lateral vom Sinus tympani und medial von der Knochenhülse unter der die Wurzel des Processus styloideus steckt. Spee(8).

Auch entwicklungsgeschichtlich sind beide Verlaufsrichtungen des Facialis zu trennen. Die horizontale entspricht der Rinne, die ursprünglich den an der lateralen Seite des knorplig präformierten Felsenbeines also außerhalb der Schädelhöhle liegenden Facialis aufnimmt, und die schließlich von der Substanz des Os petrosum zu einem zarten Kanal geschlossen wird, den wir an der innern Paukenhöhlenwand antreffen. Dieser Teil des Facialis behält von der Zeit der Fötalreife bis zur völligen Entwicklung des Schläfenbeins seine relative Läge, Größe und Form. Sobald der Facialkanal mit einer mehr rechtwinkligen Biegung an die hintere Wand

der Paukenhöhle tritt und seine Verlaufsrichtung zu einer abwärtssteigenden ändert, wird seine Hülle nicht mehr allein von
dem knorplig angelegten Felsenbein, sondern noch von neu nach
der Geburt hinzutretenden Deckknochen geliefert. Er gelangt bei
weiterem Wachstum des Schädels in die Tiefe des Warzenfortsatzes, an dessen Entwicklung sich die laterale hintere Partie des
Felsenbeins und der ihr anliegende Processus postauditorius der
Schuppe beteiligen. Da somit die Rinne des vertikalen Teiles des
Fallopischen Kanales in einen Knochenabschnitt fällt, dessen Ausbildung ganz besonders großen individuellen Schwankungen unterworfen ist, so müßte a priori angenommen werden, daß eine
Konstanz des Verlaufes an diesem Teil gegenüber dem horizontalen
nicht anzutreffen ist.

Am Schädel des Neugeborenen wird die abwärts steigende
Rinne des Facialkanals an der lateralen Seite des Felsenbeins
nach außen vom Annulus tympanicus geschlossen, an dessen
hinterem Rande unten das Foramen stylomasteidoum liegt während
sich etwas oberhalb die Öffnung für die Chorda tympani zeigt, welche
von ihrer Abzweigungsstelle an zunächst außerhalb des Schädels
liegt, um dann schräg unter dem Annulus tympanicus nach oben
gegen die Pauke zu verlaufen. Der Facialkanal liegt unten im
Niveau des Sulcus tympanicus. Der vertikale Teil ist im Verhältnis zum horizontalen Abschnitt an der inneren Trommelhöhlenwand sehr kurz. Das Foramen stylomastoideum liegt fast senkrecht unter dem Facialiswulst. Zu dieser Zeit hat der Annulus
mit dem Trommelfell eine fast horizontale Lage, da die Pauke
außerordentlich flach ist und kaum einen Boden aufweist. Der
absteigende Facialisabschnitt hat daher beim Neugeborenen eine
Richtung nach innen. Bei weiterer Entwicklung der Paukenhöhle
und ihres Bodens, bei weiterer Größenzunahme des Os petrosum
und Entwicklung des Warzenfortsatzes wie des schaufelförmig ge-
drehten Os tympanicum aus dem äußeren Rande des Annulus
ändert sich allmählich die Länge des vertikalen Teiles des Facialkanales, welche beim Neugeborenen etwa dasselbe Maß hat wie
der horizontale Teil. Ich fand am ausgewachsenen Schläfenbein
den vertikalen Teil c. 5 mm länger wie den horizontalen und erhielt bei diesem eine durchschnittliche Länge von 7—8, bei dem
vertikalen Teil dagegen von 12—13 mm.

An der Bildung des vertikalen Abschnittes des Fallopischen
Kanales partizipiert außer dem Felsenbein und dem neu hinzutretenden Warzenteil unten am Foramen stylomastoideum noch

das Os tympanicum. Die innere dem Felsenbein angehörende Wand wird von der Pauke aus durch den Sinus tympani in größerer oder geringerer Ausdehnung unterminiert. Die vordere Wand wird von der aus dem Paukenhöhlenboden entstehenden Hülle des Processus styloideus der Lamina vaginalis gebildet. Die laterale und hintere Wand fallen mehr oder weniger vollkommen in den neu hinzutretenden Warzenteil, dessen Zellen nach Körner jedoch stets durch eine 1—3 mm dicke Knochenschale eine Fortsetzung der Labyrinthkapsel, von dem Canalis facialis getrennt sind.

Das Os tympanicum mit dem Trommelfellfalz legt sich während seines Wachtums nur an den neugebildeten Kanal an, so daß es sich auch am ausgewachsenen Schläfenbein vollkommen ohne Zerstörung des Facialkanals von demselben nach 5 eigenen Präparaten absprengen ließ.

Komplizierter sind die Verhältnisse an der Austrittsöffnung des Facialis am Foramen stylomastoideum. Der Schädel des Neugeborenen zeigt das Foramen am unteren Drittel des hinteren Annulusrandes. Bei weiterem Wachstum der Mastoidgegend schiebt es sich schließlich so an die Schädelbasis, daß es in eine von der vorderen Wand des Warzenfortsatzes und der unteren Gehörgangswand mit dem ihr anliegenden Griffelfortsatz gebildete Nische hineingelangt, die nicht nur in ihrer Form, sondern auch in ihren Beziehungen zu benachbarten, praktisch wichtigen Spalten und Löchern sehr variabel angetroffen wird. Die Entwicklung, welche der vertikale Teil des Fallopischen Kanales zeigt, lehrt, daß seine Verlaufsrichtung unabhängig von der des horizontalen Abschnittes ist, da er im Gegensatz zu letzterem größtenteils in solche Bezirke fällt, deren spätere Gestaltung großen Differenzen unterliegt. Es dürfte daher zu unangenehmen Irrtümern Anlaß geben, aus dem Verlauf des Fallopischen Kanales an der medialen Trommelhöhlenwand den weiteren, nicht sichtbaren in der hinteren Paukenhöhlenwand oder dem medialsten Abschnitt der hinteren Gehörgangswand zu bestimmen.

S c h w a r t z e (9) unterscheidet für den abwärtssteigenden Facialabschnitt 3 Verlaufsarten: Steil-, Schräg- und Flachverlauf, je nachdem der Facialis in die Ebene des Sulcus tympanicus fällt oder sie unter einem größeren oder kleineren Winkel kreuzt. Demgegenüber behauptet R a n d a l l (10), daß die absteigende Partie des Facialkanales fast genau senkrecht gerichtet ist, und diese Richtung zu den konstantesten Befunden am Schläfenbein gehört.

Der Kanal soll nach Messungen dieses Autors, am Foramen stylomastoideum nicht im geringsten weiter nach außen abweichen als der Facialiswulst oberhalb des ovalen Fensters. Da die Neigung des Sulcus tympanicus derart ist, daß sein unterer Rand 6 mm näher der Mittellinie liegt als der obere, so liegt der Facialkanal, der hinter der hinteren Gehörgangswand in 2—4 mm Entfernung verläuft, immer lateral vom hinteren Rande des Trommelfalzes und zwar auch in 2—4 mm Entfernung.

Um eine eigene Anschauung zu gewinnen, habe ich an 15 Schläfenbeinpräparaten den Facialkanal vom Foramen stylomastoideum aus so eröffnet, daß ich sein Lageverhältnis zu denjenigen Teilen bestimmen konnte, die wir bei der Totalaufmeißlung als stets gleichbleibende zu Gesicht bekommen. Hierbei ergab sich, daß das Foramen stylomastoideum in derselben Sagittalebene mit dem Facialiswulst bei 4 Schläfenbeinen — 2 kindlichen und 2 ausgebildeten — angetroffen wurde. 7 Schläfenbeine, 2 kindliche und 5 entwickelte zeigten, daß die Prominenz des äußeren Bogenganges und das Foramen stylomastoideum vertikal übereinander lagen. In diesen 11 Schläfenbeinen war demnach ein Steilverlauf des Facialis in seinem unteren Teil vorhanden gewesen und zwar bei 4 kindlichen Schläfenbeinen. — Ein Schrägverlauf wurde 2 mal gefunden, beide Mal handelte es sich um noch in der Entwicklung begriffene Schädel. Hier lagen Foramen stylomastoideum und die Mitte des Tegmen tympani in der gleichen parallel der Medianlinie des Schädels verlaufenden Ebene. Zwei ausgewachsene Schläfenbeine zeigten einen Verlauf nach rückwärts und lateral derart, daß in dem einen Präparat der Facialkanal von der äußeren Wand des zum Gehörgange umbiegenden Warzenteils nur 10 mm entfernt war, während im Durchschnitt diese Entfernung 15—20 mm betrug. Eine durch das Foramen stylom. gelegte Frontalebene fiel in den vorderen Teil des Antrum einige Millimeter hinter der Prominenz des horizontalen Bogenganges. Eine Sagittalebene traf in dem einen die Mitte, in dem andern Falle den äußen Rand des Tegmen Antri.

In 6 Präparaten fand sich eine besonders stark entwickelte Lamina des Griffelfortsatzes und gleichzeitig eine stärkere Abweichung des Fallopischen Kanales aus dem Niveau der hinteren Gehörgangswand nach hinten gegen den Warzenfortsatz, 2 mal kombiniert mit ausgeprägtem Flachverkauf, während 4 mal der Sulcus tympanicus nur sehr wenig lateralwärts gekreuzt wurde.

An sämtlichen 4 kindlichen Schläfenbeinen mit Steilverlauf lag der Facialkanal genau oder fast genau im Niveau des Sulcus tympanicus. Eine vom For. stylom. aus eingelegte Sonde zeigte an diesen Präparaten eine Richtung nach hinten und medianwärts. Die kindlichen Schläfenbeine mit Schrägverlauf des Facialkanals wiesen einer vom Foramen stylom. aus eingeführten Sonde eine Richtung parallel der Medianebene des Schädels an. Auch bei ausgeprägtem Flachverkauf weicht die in den Fallopischen Kanal eingelegte Sonde wenig nach außen ab.

Am uneröffneten Kanal läst sich aus der Richtung einer in das Foramen stylom. gesteckten Sonde nur dann die Verlaufsrichtung des Kanals zur Medianebene angeben, wenn der Kanal an seiner Austrittsöffnung sehr eng ist. Hat derselbe eine Trichterform, so kann man der Sonde unbeabsichtigt beliebige Richtungen geben, die sichere Schlüße auf einen Steil- oder Flachverlauf nicht zulassen.

Deshalb sind die Messungen Randalls am uneröffneten Kanal nicht einwandsfrei.

Tomka(11) hat darauf hingewiesen, daß die Entfernung der Warzenfortsatzspitze zu Verletzungen des Facialis führen kann. Ich habe an 40 Schädeln die Distanz des tiefsten Punktes der Fossa mastoidea, der etwa der Mitte des Ansatzes der Warzenspitze entspricht, vom Foramen stylomastoideum gemessen und durchschnittlich einen Abstand von über 10 mm gefunden. In 3 Fällen mit großem, spongiösem Warzenteil betrug dieser Abstand jedoch nur 5 mm, die größte Entfernung waren 18 mm. — Je nach der Entwicklung des Warzenteils, namentlich der Ausbildung seiner Spitze zu einer schlanken oder mehr plumpen Form, wechselt ferner die Entfernung des Foramen stylomastoideum von dem vorderen Rande des Processus mastoideus. 15 mal war dieser Abstand-0, d. h. die vordere Processuswand lag dem Foramen unmittelbar an. Im Durchschnitt war sie 3—4 mm und in 3 Fällen sogar 10—12 mm hinter dem Foramen. Hier lag dasselbe in einer Fortsetzung der Rinne der Fossa mastoidea.

Daß die Fossa jugularis in unmittelbare Beziehung zu dem vertikalen Teil des Facialis treten kann, hat zuerst Zuckerkandl(12) erwähnt. Ich fand, daß durchschnittlich das untere Ende des Fallopischen Kanales 5 mm vom Foramen jugulare entfernt war. Als größter Abstand wurden in 4 Fällen 9—10 mm gemessen. Dagegen reichte 6 mal und zwar 5 mal auf der rechten Seite, daß Foramen jugulare dicht an die Austrittsöffnung des

Facialkanales heran. Zuckerkandl hat an dieser Stelle Dehiszenzen beobachtet, durch die dann der Facialis in direkte Berührung mit dem Bulbus kommt. In den von mir untersuchten
Präparaten war die Scheidewand kaum 1 mm dick, nicht dehis-
zent und ließ sich leicht aufbrechen.

Auch der Processus jugularis sive paramastoideus, dessen Beziehungen zu den Warzenzellen für die Verbreitung eitriger Prozesse
an der Schädelbasis bereits häufig hervorgehoben sind, muß bei
der Anatomie des Facialkanales erwähnt werden. In 5 Präparaten
trat er dicht an die mediale Seite des Foramen stylomasto-
deum heran, während er im allgemeinen nichts mit der Bildung
dieses Loches zu tun hat, vielmehr mindestens 6 mm medianwärts
desselben liegt.

Vom äußeren Rande der unteren Gehörgangswand bis zum
Foramen stylomastoideum maß ich 7—8 mm als Durchschnitts-
entfernung. An 3 älteren Schädeln war die Öffnung nur 3—4 mm
von der äußeren Gehörgangsöffnung entfernt, an 9 Schädeln —
6 jugendlichen — 5 mm, während als größte Entfernung 7 mal
12—13 mm gemessen wurden bei einer durchschnittlichen Dicke
der unteren Wand von 4—5 mm. Sehr oft springt von dem zur
unteren Gehörgangswand sich umbiegenden Os tympanicum eine
größere oder kleinere Knochenlippe vor und legt sich wie ein
Dach über die Nische, in der sich das Foramen stylomastoideum
befindet. In 19 Fällen fehlte jede Andeutung einer Lippe, und
war die ganze untere Fläche der unteren Gehörgangswand bis
zum Foramen stylomastoideum vollkommen eben.

Ich glaube, daß man Schwartze nur dankbar sein sollte,
daß er auf die wechselnde Richtung und Lage des vertikalen
Facialisabschnittes die Aufmerksamkeit gelenkt hat. Ein regel-
mäßiger Verlauf, wie ihn Bezold in seinem Lehrbuch für die
praktischen Ärzte akzeptiert hat, besteht nicht. Dies müßte gerade für den praktischen Arzt genügend hervorgehoben werden.
Daß die angedeuteten Differenzen in der Lage und Richtung des
absteigenden Facialkanals bei tiefgehenden Eiterungen der Mastoidgegend und bei den abwärts sich fortpflanzenden Entzündungen des Sinus von Bedeutung sein können, brauche ich hier
nicht auszuführen und verweise auf die Arbeit von Tomka.

Da uns sowohl an der äußeren Schädeloberfläche als auch
in den eröffneten Mittelohrräumen selbst sichere Merkmale für
die Lage des absteigenden Facialisstammes fehlen und wir nicht
nur bei günstigen, sondern auch ungünstigen Verlaufsrichtungen

desselben gezwungen werden können, zur Beseitigung eines Krankheitsherdes sehr tief in das Schläfenbein einzudringen, so dürfte eine Klarstellung der Richtung des Facialis vor Beginn der Knochenoperation eine Berechtigung haben.

Mit weiterer Verbesserung der Röntgentechnik wird es in manchen Fällen gelingen, auch den Fallopischen Kanal zur Anschauung zu bringen, zumal bei spongiösen Warzenteilen und jugendlichen Individuen. Mir liegt eine Platte vor, bei der man in einem spongiösen Warzenfortsatz den ganzen vertikalen Facialisabschnitt verfolgen kann. Indes wird jeder, welcher sich mit Röntgenaufnahmen des Schädels und namentlich solchen der Ohrgegend beschäftigt, einräumen müssen, daß uns gerade für diese Gegend noch jede Erfahrung fehlt, welche Röhrenbeschaffenheit und welche Stromstärke für den zu untersuchenden Fall in Anwendung kommen muß, um ein übersichtliches Bild zu erhalten. Daher versagen nicht selten die Röntgenaufnahmen gerade dort, wo man zur Orientierung ein gutes Bild sich wünscht, während in anderen Fällen der Zufall ausgezeichnete Bilder zustande kommen läßt. Die Dicke der Schädelknochen, die Beschaffenheit der ihm anliegenden Weichteile wie der Gehirnmasse ergeben nicht voraus zu berechnende Schwierigkeiten, welche vorläufig im Einzelfalle nur durch Versuche zu überwinden sind.

Den sichersten Aufschluß erhält man durch die operative Freilegung des Nerven. Wenn man den Verlauf des Gesichtsnervenstammes vor seiner Teilung in die Gesichtsäste bis zum Austritt an der Schädelbasis kennt, so ist es möglich, seine Lage und Richtung im hinteren Abschnitt des Gehörganges bezw. in der Pars mastoidea zu beurteilen.

Hueter (13) und Löbker (14) haben das Aufsuchen des Facialis am Foramen stylo mastoideum, wie es von den älteren Chirurgen Klein, Schuppert, Baum jun. ausgeübt wurde, verworfen, weil die Aufsuchung des Nerven etwas weiter vorn leichter und sicherer gelingt. In der Höhe des Ohrläppchens, also bereits in der Parotissubstanz spaltet sich der Facialis mit einem charakteristischen Winkel in einen stärkeren oberen, mehr horizontal verlaufenden und einen schwächeren unteren Ast, der nahe dem unteren Kieferrande einen nach vorn konkaven Bogen macht. Letzterer ist wegen seiner oberflächlichen Lage leicht zu finden. Hat man ihn im Parotisgewebe entdeckt, so muß man ihn nach oben verfolgen, kommt an die Teilungsstelle und kann von hier aus (Kaufmann [15]) nach rückwärts durch Ver-

längerung der Schnitte den Nervenstamm bis zum Foramen stylomastoideum freilegen, allerdings mit Durchschneidung des Parotis-
gewebes. Über dieses Verfahren konnte ich folgende Erfahrung
machen.

Bei einer s. g. Bezoldschen Mastoiditis hatte der Durchbruch
zu einer Schwellung unterhalb des Ohrläppchens geführt, so daß
der Prozeß von dem behandelnden Arzt als Parotitis aufgefaßt
wurde. Als der 6jährige Patient von mir übernommen wurde,
führte die Aufmeißelung des vereiterten Warzenfortsatzes nebst
Entfernung seiner Spitze in eine Eiterhöhle unterhalb des Gehörganges. Um dieselbe übersehen zu können, schob ich eine
Kochersche Kropfsonde in sie hinein und dehnte äußerst vorsichtig unter Beobachtung des Gesichtes die über ihr befindlichen
Weichteile nach dem Unterkiefer hin. Ohne vorausgegangene
Zuckungen der Gesichtsmuskulatur wurde nach Beendigung der
Operation schon beim Verbande eine totale Facialisparese und
am nächsten Tage eine vollkommene Lähmung festgestellt, die
nach völliger Ausheilung der Erkrankung bestehen blieb. Da
sich der Zustand trotz elektrischer Behandlung, Massage und
Dehnen der gelähmten Muskeln mit einer Holzkugel unter der
Wange nicht im geringsten besserte, so glaubte ich, daß für den
Fall eine Nerventransplantation indiziert sei. Nach Rücksprache
mit dem Chirurgen des Kinderkrankenhauses schlug letzterer
dazu den Hypoglossus vor und meinte, den Facialisstamm nach
Löbker-Hueter aufsuchen zu müssen, da das Narbengewebe
hinter der Ohrmuschel die Kochersche Methode nicht durchführen lassen würde. Es wurde demgemäß, 5 Monate nach der
ersten Operation, mit einem zirka 5 cm langen Schnitt von der
Insertion des Ohrläppchens beginnend dem hinteren Kieferrande
entlang die Wangenhaut, dann die Fascie und schließlich vorsichtig das Parotisgewebe schichtweise durchtrennt, indem die
Messerschneide gegen den hinteren Rand des Kiefers geführt
wurde. Der untere Facialisast fand sich nicht. Es wurden dann
vor und hinter diesem Schnitt Parallelschnitte angelegt unter genauester Prüfung der durchtrennten Parotissubstanz auf Nerven-
gebilde. Weder der untere noch der obere Ast kamen zum Vorschein, noch sonst irgend ein Gebilde, das mit einer Nervenfaser
Ähnlichkeit gehabt hätte. Nach vergeblichem einstündigen Ab-
suchen wurde dann die ganze Operation aufgegeben und die
Wunde geschlossen. Der Erfolg war der, daß sich etwa 6 Wochen
später eine geringe aktive Beweglichkeit am gelähmten Mund-

winkel einstellte und unter der wieder aufgenommenen elektrischen Behandlung und Massage dann die komplete Lähmung der Gesichtshälfte vollkommen zurückging — etwas über 4 Monate nach dem mißglückten Versuche der Nervennaht und 9 Monate nach der Verletzung des Facialis.

Nach mehreren Operationen an der Leiche schien mir die Hueter-Löbkersche Methode für otochirurgische Zwecke nicht geeignet zu sein. Dagegen gelang es mir stets, den Nervenstamm am Foramen stylomastoideum zu finden, wenn ich in folgender Weise vorging. Mit einem nur durch die Haut gehenden Schnitt umkreiste ich die Ohrmuschel derart, daß der Schnitt dicht unterhalb des Ohrläppchens am hinteren Rande des Unterkiefers endete. Nun präparierte ich stumpf die Ohrmuschel so weit ab, bis der Ansatz des häutigen Gehörganges oben, hinten und unten frei und übersichtlich zutage trat. Nach dieser Präparation palpiert man unter dem Gehörgange sofort die hintere Zirkumferenz der Parotis unter ihrer derben Fascie, welche in ihren oberflächlichen Schichten, soweit sie sich an die untere Gehörgangswand ansetzen, bei der Präparation bereits gelockert wurde. Dicht unter dem Gehörgange schlitzte ich die Fascie, schob sie nach oben und hinten zurück und kam nun in den Raum zwischen Ansatz des Sternocleidomastoideus, unterer Gehörgangswand und Parotis, in welchem ich in wechselnder Tiefe den Facialisstamm häufig von zwei Venen begleitet antraf. Er liegt hier in lockerem Gewebe und läßt sich bis zu seiner Austrittsöffnung gut isolieren.

In dieser Weise gelang es mir, auch am Lebenden in zwei Fällen den Nerv freizulegen. Der erste Fall betraf einen 14jähr. Knaben, der an einer chronischen Ohreiterung längere Zeit auswärts behandelt war und der dann plötzlich an Schüttelfrösten erkrankte und eine Anschwellung hinter dem linken Ohre bekam. Als der Knabe einige Tage später mit einer Temperatur von 38,6 in das Kinderkrankenhaus eingeliefert wurde, fiel außer einer Schwellung über dem ganzen Warzenteil und einer kleinen, verklebten Inzision am hinteren Rande des letzteren eine hochgradige Empfindlichkeit des linken Kopfnickers auf, welche eine schon fortgeleitete Infektion des Sinus wahrscheinlich machte. Nach Unterbindung der äußerlich normalen Jugularis wurde in der angegebenen Weise der Facialisstamm freigelegt und die Wunde locker tamponiert. Darauf wurden die Weichteile an dem Gehörgange bis auf den Knochen durchschnitten und nach Er-

öffnung des mit putridem Eiter angefüllten Processus wurde sofort der Sinus aufgesucht, der flüssigen Eiter beherbergte. Die
Sinuseiterung war am Knie zum Transversus durch soliden
Thrombus begrenzt. Nach unten zu konnte eine Sonde bis gegen
den Bulbus hin in den vereiterten Sinus vorgeschoben werden,
ohne eine Blutung hervorzurufen. Ich nahm nun den Tampon
am Facialis fort und entfernte mit einer Knochenzange den
unteren und hinteren Teil des Gehörganges, so daß der ganze
Verlauf des Gesichtsnerven bis zu seinem Eintritt in die hintere
Paukenhöhlenwand frei war. Unter leichten Zuckungen des
Mundwinkels der linken Seite wurde der Facialis mit einem
kleinen Häkchen nach vorn und oben gehalten und nun der
Bulbus durch Abkneifen seiner lateralen Wand vom Sinus aus
eröffnet. Kuppelraum und Pauke wurden dann noch nachträglich eröffnet. In einem zweiten Falle erforderten die nach der
Trepanation und Spaltung des thrombosierten Sinus sowie Unterbindung der Jugularis fortbestehenden pyämischen Erscheinungen
eine Kontrolle des Bulbus. Es wurde der Freilegung desselben
die Präparation des Facialis vorausgeschickt, welche hier etwas
schwieriger war, weil infolge der Entfernung der Warzenfortsatzspitze der Kopfnickeransatz seinen festen Standpunkt eingebüßt
hatte und die Weichteile verschoben waren. In beiden Fällen
zeigte dieser Versuch, daß die Freilegung des Facialis von seiner
Austrittsöffnung aus nicht nur eine Schonung des Gesichtsnerven,
sondern auch eine sehr gründliche Besichtigung des Bulbus von
der lateralen Seite her ermöglicht. Die Entfernung eines größeren
Teiles der unteren Gehörgangswand verbesserte namentlich die
Übersicht dadurch, daß den Raum beschränkende Knochenvor-
sprünge vom Os tympanicum fortfielen. Mit größeren Gefäßen
kam ich bei der Freilegung des Nerven nicht in Konflikt. Die
Pulsationen der Carotis sah man in der Tiefe der Wunde nur
fortgeleitet, das Gefäß selbst dagegen nicht.

Der dritte Versuch, den Facialis freizulegen, wurde bei einer
Bezold'schen Mastoiditis gemacht, die eine brettharte Infiltration
vom Ansatz des Kopfnickers bis zum Kinn aufwies und bei der
das Ohrläppchen stark nach oben und vorn gedrängt war. Das
Auffinden des Nerven an seinem Eintritt in die Parotis war relativ
leicht. Die weitere Freilegung des Nervenstammes nach der
Tiefe mußte aufgegeben werden, da durch plötzlich hervor-
quellenden Eiter jede genauere Kontrolle unmöglich wurde. Nach
Eröffnung des vereiterten Processus, Entfernung seiner Spitze und

einer Inzision am vorderen Rande des Sternocleidomastoideus konnte der Senkungsabszeß entleert werden und nekrotische Gewebsfetzen und Granulationen wurden mit dem scharfen Löffel ausgekratzt, da die Lage des Facialis vorher bekannt war. Ebenso ließ sich auch die Ausräumung vereiterter Zellen in der Tiefe des Warzenteils mit großer Sicherheit ausführen, die nach der Lage des freigelegten Nervenstammes taxiert gut 0,5 cm rückwärts von dem vertikalen Facialisabschnitt angetroffen wurden.

Ungefähr stimmt meine Schnittführung, die nachträglich kaum eine wesentliche Verlängerung der sonst hinter der Ohrmuschel zurückbleibenden Narbe zur Folge hat, mit der von Kocher (16) angegebenen überein, der den Hautschnitt in die obere Verlängerung seines Normalschnittes — vom vorderen Ende der Processusspitze bis zur Mitte des Zungenbeins — verlegt. Bei der Präparation in die Tiefe orientiert sich Kocher nach dem sehnigen Ansatz des Kopfnickers und dem vorderen Umfang des Warzenfortsatzes, während die älteren Chirurgen nach dem Griffelfortsatz fühlten, welcher dem Foramen stylomastoideum unmittelbar anliegt oder nur wenige, höchstens 5 mm von ihm entfernt ist, und den der Nerv, ehe er in die Parotis eintritt, von hinten her umschlingt. Nach meinen Versuchen scheint es mir namentlich für otochirurgische Zwecke sicherer zu sein, wenn man oben sofort die untere Gehörgangswand zur Orientierung benutzt und in dem von ihr und dem vorderen Processusrand gebildeten Winkel den Facialis aufsucht. Vom vorderen Rande des Warzenfortsatzes kann, wie meine Schädelmessungen ergeben haben, der Nerv über 1 cm entfernt sein und in vielen Fällen ihm wieder dicht anliegen. Von der unteren Gehörgangswand dagegen sind die durchschnittlichen Entfernungen weiter, so daß eine Läsion des Nerven während der Präparation nicht so leicht zu befürchten ist. Will man den Nerv in seinem Kanal freilegen, so kann dies mit Fortnahme der unteren und hinteren Gehörgangswand sogleich ausgeführt werden. Von der Hautoberfläche ist nach Kocher der Facialis 2,5 cm entfernt und reichlich 1 cm tiefer als der Vorderrand des Warzenfortsatzes und des Sternocleidomastoideus, Entfernungen, die nach meinen Leichenversuchen sehr variabel sind.

Die Freilegung des Facialisstammes am Foramen stylomastoideum kann nur dann indiziert sein, wenn die in seiner Nähe auszuführende Knochenoperation eine Läsion des Nerven befürchten läßt.

1. Bei der gewöhnlichen Totalaufmeißelung könnte sie nur in den höchst seltenen Fällen in Frage kommen, in denen der Fallopische Kanal durch kariöse Prozesse unterminiert ist und für deren operative Inangriffnahme eine temporäre Verlagerung des Nerven aus seinem Kanal wünschenswert wäre.

2. Können Eiterungen unterhalb der Spitze des Warzenfortsatzes, die sich bis an den hinteren Rand des Unterkiefers erstrecken, die Operation indizieren. Da bei der Freilegung derartiger Erkrankungen stets die Warzenfortsatzspitze entfernt werden muß, um die Fossa digastrica, in der der Durchbruch gewöhnlich erfolgt, in ganzer Ausdehnung übersehen zu können, so ist hierbei die sehr verschiedene Entfernung des Foramen stylomastoideum von der Fossa wie die sehr variable Gestalt der Fossa digastrica selbst zu berücksichtigen. In vielen Fällen zeigt letztere eine ausgesprochene konvexe Wölbung nach unten. Durchbrüche werden sich bei einer derartigen Gestaltung vorzugsweise unter dem Kopfnicker nach seinem hinteren Rande zu senken. In anderen Fällen besteht ein fast horizontaler Verlauf, so daß der tiefste Punkt der Fossa, welcher ungefähr medianwärts der Mitte der Warzenfortsatzspitze liegt, sich in derselben Horizontalebene mit dem Foramen stylomastoideum befindet. Hier ist dann eine seitliche Ausbreitung eines Senkungsabszesses nach dem vorderen Rande des Kopfnickers wie nach der Austrittsöffnung des Facialis hin leicht möglich, wobei auch die verschiedene Form der letzteren einen Einfluß haben dürfte. E. Barth (17) fand eine Bezoldsche Mastoiditis, kompliziert durch eine Facialislähmung, die nach der operativen Beseitigung der Eiterung sofort zurückging, und meint, daß ein Abszeß der Fossa digastrica den Facialis bei seinem Austritt leicht erreichen kann, bedürfe bei einem Blick auf ein Knochenpräparat des Schläfenbeins keiner weiteren Begründung. Zweifellos lehrt auch sein Fall, daß die Senkungsabszesse, die sich nach vorn ausdehnen, eine gewisse Gefahr für den Gesichtsnerv involvieren. Daher glaube ich, daß in derartigen Fällen die Freilegung des Facialis als Voroperation berechtigt sein kann.

3. Eine wesentliche Erleichterung verschafft man sich durch diese Voroperation, wenn man den Bulbus der Vena jugularis von der lateralen Seite her freizulegen gezwungen ist.

Literatur:

1. Stacke, Die operative Freilegung der Mittelohrräume etc.
2. Siebenmann. Mittelohr und Labyrinth-Anatomie pg. 281.
3. Körner. Unters. üb. einige topogr. Verhältn. am Schläfenbein. Zeitschr. f. Ohrenheilk. Bd. 22 pg. 190.
4. Bezold. Lehrbuch der Ohrenheilkunde. Wiesbaden, Verlag von Bergmann 1906 pg. 18.
5. Stenger. Zur Thrombose des Bulbus venae jugularis. Archiv für Ohrenheilkunde Bd. 54 pg. 222.
6. Kennedy. Glasgow Nov. 1900. Ref. Centralbl. Chirurgie 1901 pg. 253.
7. Manasse. Langenbecks Archiv Bd. LXII pg. 805.
8. Graf Spee. Skelettlehre. Kopf. pg. 148 ff.
9. Schwartze. Varietäten im Verlaufe des Facialis in ihrer Bedeutung für die Mastoidoperationen. Archiv für Ohrenheilkunde Bd. LVII pg. 96 ff.
10. Randall. Gibt es Abweichungen im Verlaufe d. Nerv. facialis, welche auf die Warzenfortsatz-Operation von Einfluß sind? Zeitschr. f. Ohrenheilk. Bd. 44 pg. 286 ff.
11. Tomka. Beziehungen des N. facialis zu den Erkrankungen des Gehörorgans. Archiv für Ohrenheilkunde Bd. 49 pg. 38.
12. Zuckerkandl. Makroskopische Anatomie. In Schwartzes Handbuch pg. 17.
13. Hueter. Chirurgie 1883. Bd. 2 pg. 239 ff.
14. Löbker. Chirurgische Operationslehre. pg. 317.
15. Kaufmann. Zit bei Löbker.
16. Kocher. Chirurgische Operationslehre 4. Auflage 1902 pg. 139.
17. E. Barth. Zur Kenntnis der Facialislähmung infolge Bezoldscher Mastoiditis. Zeitschrift für Ohrenheilkunde. Bd. 50 pg. 282.

XXV.

Über einen Fall von akuter Mittelohreiterung bei einem sporadischen Falle von übertragbarer Genickstarre.

Von

Prof. Hessler in Halle a. S.

(Mit 1 Kurve.)

————

So häufig und wohlbekannt die Fälle von einfacher Entzündung bis zur totalen Vereiterung des inneren Ohres sind, die erfahrungsgemäß die häufigste Ursache von früh erworbener Taubstummheit bei Kindern sind, so selten scheinen Mittelohraffektionen bei der früher sogenannten epidemischen Cerebrospinalmeningitis (übertragbare Genickstarre) vorzukommen. Wenigstens ist die Zahl der letzteren im Verhältnis zu den wohl beschriebenen Fällen der ersteren Art in der Literatur verschwindend klein geblieben. Da dieser Fall, den ich im Folgenden kurz beschreiben werde, noch eine ganze Reihe wissenschaftlich interessanter Einzelheiten bot, und mir persönlich wohl tat, daß er nach einer Reihe schlechter Fälle wieder einen unerwartet glücklichen Ausgang nahm, so ist er für den ganz besonderen persönlichen Zweck als Festgabe für meinen Lehrer so recht geeignet.

Margarethe W.. 4 1/2 Jahr alt, aus Pr., wurde mir am 5. März d. J. vorgestellt zur Entscheidung der Frage, ob vielleicht das Gehirnleiden, die Genickstarre eine Folge der linksseitigen subakuten Mittelohreiterung sein könne. Der Vater des Kindes hatte folgenden Bericht mitgeschickt: ein im 1. Lebensjahre entstandenes linksseitiges Ohrenlaufen war nach einer Auskratzung in B. im 2. Jahre vollständig geheilt worden. Am 11. Februar wurde das Kind während der Nacht, also ganz plötzlich sehr unruhig, fing an zu phantasieren; es wurden gleich darauf Zähneknirschen, Krampferscheinungen, Augenverdrehen, Erbrechen beobachtet. Am folgenden Morgen wurde ärztlicherseits Gehirnhautentzündung festgestellt und Eisbeutel verordnet. Dazu kamen Nackensteifigkeit, die sich rasch zur absoluten Nackenstarre steigerte und den Hals so stark nach vorn bog, daß die Athmung sehr beschwert wurde und absolute Bewußtlosigkeit. Dieser Zustand dauerte 3 Tage, darnach trat eine kleine Besserung ein und es kehrte der Verstand des Kindes wieder. Auffallend war der folgende Verlauf der Temperatur: des Morgens war dieselbe gering und schon gegen Mittag war 40° erreicht und blieb das Fieber so hoch bis nach Mitternacht. Das Kind klagte zuerst nur über Kopfschmerzen, Schmerzen im Leibe und in den Füßen, aber vom 6. Tage an schrie es laut und unaufhörlich: „mich friert, mich zudecken, mich friert." An diesem Tage wurde zum ersten Male links wieder Ohrenlaufen beobachtet, das manchmal blutig ausgesehen haben soll. Genossen wurde nur Milch und viel Wasser mit Limonade oder Citrone, ohne erbrochen zu werden; Suppen und feste Speisen wurden zurückgewiesen, weil sie infolge der Nackenstarre Schluckbeschwerden zu verursachen schienen. Gegen das Fieber war zweimal täglich ein warmes Bad, darnach warme Einpackungen für 1—2 Stunden und auch lauwarme Leibumschläge gemacht worden. Die gegen den früher normalen Stuhl recht abstechende Obstipation war leicht zu beheben gewesen und bereits nach 8 Tagen von selbst wieder fortgeblieben.

Das Kind zeigte bei meiner ersten Untersuchung noch eine stark ausgesprochene Nackenstarre, und wurde von der Mutter so getragen daß es mit dem Nacken auf der Schulter derselben zu liegen kam. Er war sehr unruhig und schrie ohne Unterbrechung, „mich friert, mich in den Mantel nehmen und zudecken, mich friert." Der Puls war sehr rasch, 136 in der Minute und sehr klein, das Gesicht ängstlich verzogen, jede Lageänderung des Körpers wurde wegen Bewegung des Nackens ängstlich vermieden und war sehr empfindlich. Die Pupillen waren ungleichmäßig, die rechte noch enger als die linke, aber deutlich reagierend. Unter diesen Umständen war die Untersuchung der Ohren eine sehr schwierige Sache für mich und eine sehr schmerzhafte für das Kind. Das linke Trommelfell zeigte eine frische, subakute Ohreiterung mit einer mehr rundlichen Öffnung in der vorderen Hälfte. Eine endzündliche Reizung des Knochens bestand sicher nicht. Als ich auch das rechte Ohr untersuchen wollte, bat mich die Mutter, von dieser Untersuchung absehen zu wollen, da das Kind ja doch gut höre, bisher nie über dasselbe geklagt und auch der Arzt zu Hause noch bei seiner letzten Untersuchung versichert habe, daß dasselbe nicht erkrankt sei. Zu Aller Überraschung fand ich aber rechts die sicheren Zeichen einer frischen Mittelohrentzündung. Das Trommelfell zeigte eine frische Injektion und seröse Durchtränkung, dabei noch eine Andeutung des Lichtreflexes, eine totale Aufrichtung, besonders in seiner hinteren Hälfte und ließ ein mehr seröses als eitriges Exsudat durchscheinen. Von dem Kinde selbst war absolut keine Auskunft etwa über Empfindlichkeit des rechten Warzenfortsatzes oder der Partien vor dem Ohre oder gar über eine Gehörprüfung zu erhalten, es schrie ohne Unterbrechung: „mich friert, ich will ins Bett, mich friert". Ich eröffnete nun zuerst der Mutter, daß die Genickstarre höchstwahrscheinlich nicht otogenen Ursprungs etwa vom linken Ohre sein würde, daß aber rechterseits die Paracentese des Trommelfells zur Entleerung der serös-eitrigen Exsudats hinter demselben nötig sei. Nunmehr kam die Mutter mit dem Zugeständnis heraus, daß auch ihr Hausarzt zuerst von der epidemischen Genickstarre gesprochen, aber nachher ihr mitgeteilt habe, daß diese ausgeschlossen sei. Er habe aber zu gleicher Zeit mit ihrem Kinde noch ein 2. Kind mit denselben Krankheitserscheinungen zu behandeln gehabt und sehr rasch verloren. Es war nicht leicht, die Mutter von der Notwendigkeit des Trommelfellschnitts rechts zu überzeugen. Es entleerte sich nun bei der Paracentese eine dünne, seröse, trübe, dünngallertige, graue Flüssigkeit, in kaum 5—7 Tropfen, die nach dem Aussehen sicher nur wenig Eiterkörperchen enthielt Bei der einmaligen Anwendung des Politzer'schen Verfahrens hörte man beiderseits ein breites, leichtes Perforationsgeräusch. Beiderseits hatte sich das Sekret in verhältnismäßig geringer Menge in den Gehörgang entleert; dasselbe war links ein einfach schleimig-eitriges, rechts ein mehr seröses. Eine wesentliche Änderung in dem ängstlichen, empfindlichen Krankheitszustande des Kindes war nicht zu bemerken. Verordnet wurden Fortsetzung im Auflegen eines nicht zu sehr gefüllten und durch seine Schwere den Kopf des Kindes bedrückenden Eisbeutels, sowie Milch und durststillende Flüssigkeit wie bisher. Der Zustand war am folgenden Morgen unverändert gegen früher; Patientin hatte nur sehr wenig und sehr unruhig geschlafen, immerzu laut gejammert und gerufen: „mich friert, mich zudecken, mich friert." Das Fieber war so hoch geblieben wie zu Hause.

Im rechten Ohre war nur eine sehr geringe Menge dünnen Sekrets. Aber es wollte mir so scheinen, als ob die Innenpartie des Warzenfortsatzes über seiner Spitze etwas druckempfindlicher geworden sei als gestern. Nun trat ganz unerwartet ein neues Symptom auf. Als ich gestern behufs Prüfung der Empfindlichkeit des rechten und linken Warzenfortsatzes denselben mit meinem rechten Mittelfinger perkutierte, hatte ich einen kleinen Unterschied im Perkussionsschall zwischen links und rechts feststellen zu können geglaubt. Während derselbe links mehr normal und leer war, klang er rechts etwas tympanitisch Und heute war derselbe links unverändert, aber rechts bot er deutlich das Geräusch eines gesprungenen Topfes; dasselbe war über dem Warzenfortsatz am deutlichsten und nahm in zunehmender Entfernung von ihm langsam ab; eine leichte Verstopfung des rechten Ohrs mit Watte hatte keine auffällige Veränderung des Geräusches zur Folge. Es gelang mir auch heute, die Frage zu entscheiden, ob das ununterbrochene Jammern des Kindes über das Frieren auf subjektives Kältegefühl oder auf Hyperästhesie der Haut zu beziehen sei. Auffallend war schon, daß es sehr bald ruhig wurde und den Eindruck des sich Besserbefindens machte, sowie es fest mit warmen Decken zugedeckt, und an die Füße eine Wärmeflasche gestellt wurde. Nun aber konnte ich unzweideutig feststellen, daß leichte Nadelstiche und Berührungen des Körpers bis zum leichten Kneifen nicht schmerzhafter als normal empfunden wurden. Eine hyperästhetische Haut, wie sie bei der Cerebrospinalmeningitis so häufig vorkommt, bestand demnach in unserem Falle nicht. Da nun eine Besserung im Zustande des Kindes nicht zu erhoffen war, schlug ich der Mutter die Aufmeißelung des rechten Warzenfortsatzes vor. Diese mußte von der Aussichtslosigkeit der bisherigen Behandlung zu sehr überzeugt sein, so unerwartet rasch entschied sie sich für die Operation, die noch an demselben Tage ausgeführt wurde.

Die Chloroformnarkose hatte auf die Genickstarre absolut keinen Einfluß, der Kopf des Kindes blieb unverändert stark nach hinten retrahiert und erschwerte die Operation. Zuerst wurde vom Herrn Kollegen F. die Lumbalpunktion gemacht: es entleerte sich eine Flüssigkeit zuerst rein und klar erscheinend, förmlich im Bogen herausspritzend, unter so starkem Drucke mußte sie im Rückenmarkskanale gestanden haben; es wurde nun 3 bis 4 ccm Lumbalflüssigkeit abgelassen; diese zeigte sich im Glase gleichmäßig leicht getrübt.

Bei der Aufmeißelung des Warzenfortsatzes selbst zeigte die Oberfläche des Knochens keine Veränderungen, aus denen man auf eine Mitbeteiligung desselben an der Mittelohreiterung hätte schließen können. Man sah noch deutlich als unregelmäßige Furche die Fissura petroso-mastoidea verlaufen. und diese war durch gefäßhaltiges Bindegewebe, das sich beim Zurückschieben des Periosts schwer lösen ließ, noch fester mit letzterem verbunden. Die Oberfläche des Warzenfortsatzes zeigte nicht die Wölbung, die man bei gut entwickelten Knochen findet, sondern mehr furchenförmige, unregelmäßige Vertiefungen; die Warzenfortsatzspitze war gleich wenig entwickelt. Beim Meißeln fühlte sich der Knochen weicher an, als man ihn sonst bei Kindern gleichen Alters findet. In der Tiefe von $1/2$ cm wurde er rötlichbräunlich verfärbt und weicher, und in der Tiefe von 1 cm und in der Gegend des Lateralsinus deutlich schwärzlich und noch weicher beim Meißeln. Der Sinus selbst brauchte nicht bloßgelegt zu werden. Relativ tief und weit nach vorn lag das Antrum mastoideum; dasselbe war sehr klein und enthielt keinen Eiter, wenigstens sah ich bei der Eröffnung desselben nur dünnes Blut heraustreten. Eine Kommunikation desselben mit dem Mittelohr bestand sicher nicht. Vollständige Entfernung aller verfärbten Knochenpartien, bis normal harter und aussehender Knochen vorlag. Einfacher Verband.

Auf meine Veranlassung wurde die Lumbalflüssigkeit und ein Stück des Warzenfortsatzknochens an das hiesige Hygienische Universitäts-Institut zur bakteriologischen Untersuchung übergeben. Es war mir der Unterschied zwischen der Stärke der Genick-

starre und dem relativen Freisein des Sensoriums des Kindes als
sehr abweichend von dem üblich mehr gleichen Grade derselben
bei der otogenen Meningitis und deshalb als mehr verdächtig
auf die übertragbare Genickstarre aufgefallen. Es war nicht leicht,
das Kind zu beruhigen, das immer nach der Mutter verlangte, die
stets an seinem Bette saß, und unaufhörlich sein „mich friert, mich
zudecken" wiederholte; gelang es aber, seine Aufmerksamkeit
hiervon abzulenken, konnte man sehen, wie klar sein Erinnerungs-
vermögen und sein Verstand waren gegenüber der Stärke der
Genickstarre; irgend ein, auch nur leichter Druck auf das Gehirn
durch irgend eines stärkere intrakranielle Affektion, als eine seröse
Meningitis mit sehr wenig Leukocytenbeimengung konnte kaum
vorliegen.

Es war mir noch am Wahrscheinlichsten, daß es sich um
einen leichten, prognostisch günstigen Fall von übertragbarer Genickstarre handeln möchte, der mit einer doppelseitigeu Mittelohreiterung kompliziert war. Da nun auch der Hausarzt zuerst unter
dem Einflusse des Anfanges, der Symptonengruppe und dem ersten
Verlaufe der Krankheit stehend von einer übertragbaren Genickstarre gesprochen, nach einigen Tagen aber dieselbe als ausgeschlossen den Eltern des Kindes hingestellt hatte, nahm ich an,
daß derselbe die Änderung seiner Diagnose auf Grund einer
etwaigen bakteriologischen Untersuchung von Blut oder Nasenrachenschleim der kleinen Patientin vorgenommen haben konnte.
Auf meine telephonische Anfrage noch an demselben Abende erfuhr
ich vom oben genannten Institute, daß allerdings das Blut unserer
Patientin bakteriologisch untersucht sei; aber mit negativem
Resultate.

Dieses negative Resultat der bakteriologischen Blutuntersuchung
auf die intrazellularen Diplokokken Weichselbaum's konnte durch
3 Umstände begründet sein: 1. konnten die Krankheitserreger in
dem zugesandten Blute nicht in genügender und sicher nachweisbarer Menge vorhanden gewesen sein; 2, konnten sie durch die
Art und die Dauer der Zusendung bis zur bakteriologischen Untersuchung zur Abtötung gekommen und dadurch nicht mehr nachweisbar geworden sein; und 3, sie fehlten überhaupt im Blute
des Kindes oder waren so wenig lebensfähig gewesen, daß sie
die Entnahme aus dem Körper nicht hatten überdauern können.
Es war also eine Nachkontrolle der ersten bakteriologischen Untersuchung meinerseits nicht unberechtigt.

Um nun noch eine Bestätigung des bisherigen Krankheits-

bildes und des Krankheitsverlaufs durch den behandelnden Arzt
zu erhalten, schrieb ich an den Herrn Kollegen und erhielt um-
gehend folgenden Bescheid:

Das Kind war unter den Erscheinungen eines akuten Magendarm-
darmkatarrhs erkrankt mit Erbrechen, Durchfall, Fieber; als Ursache war
„anscheinend schon verdorben gewesene Torte mit Schlagsahne" angesehen.
Die heftigen meningitischen Symptome hatten den Verdacht auf übertragbare
Genickstarre erweckt und einmal die amtliche Meldung des Falls als ver-
dächtig auf epidemische Genickstarre und andererseits die Entnahme des
Blutes des Kindes behufs bakteriologischer Untersuchung veranlaßt. Die
Lumbalpunktion war aus Mangel an nötiger persönlicher Übung unterlassen.
In der letzten Zeit hatten sich etwas Husten und katarrhalische bronchitische
Geräusche eingestellt. Ein auffälliger und besonderer Schnupfen zu Anfang
der Krankheit war nicht beobachtet worden. Am 10. Februar, also 1 Tag
vor Beginn der plötzlichen Erkrankung unseres Kleinen, wurde er zu dem
4jährigen Walter H. in das benachbarte G. geholt und konstatierte er
Bronchitis. 2 Tage später stellte sich auch bei diesem Patienten Erbrechen
ein, am 4. Tage Zähneknirschen, Pupillenstarre, klonische Krämpfe des
rechten Arms und Bewußtlosigkeit, die rasch eine absolute wurde. Es bestand keine ausgesprochene Nackensteifheit. Das Fieber war allmählich
gestiegen und die letzten Tage auf 40° und darüber geblieben. Der Puls
war zuletzt nicht mehr zu zählen gewesen. Die Untersuchung der Ohren
ergab negativen Befund. Die bakteriologische Untersuchung des Blutes im
schon mehrfach genannten Institute war gleichfalls negativ ausgefallen.
Tod unter den Erscheinungen der Herzparalyse am 4. Tage nach dem 1. Erbrechen und ungefähr am 8. Tage der Krankheit. Keine Sektion.

Im Orte selbst war die allgemeine Volksstimme, daß es sich
in diesen beiden Fällen um die richtige epidemische Genickstarre
handelte.

Der weitere Krankheitsverlauf bot nichts besonderes. In den ersten
3 Tagen war in dem Wesen des Kindes kein großer Unterschied zu merken.
Es schrie ebenso viel nach der Mutter, die am 3. Tage wieder abgereist
war, als es seine alten Klagen wiederholte „mich friert, mich zudecken,
mich friert", und zog sich dabei die Bettdecke so hoch über den Kopf,
daß man ihn kaum noch sehen konnte. Sonst lag es ruhig auf dem Rücken,
behielt seinen Eisbeutel auf dem Kopfe, verlangte und nahm Milch zu
trinken, ohne danach zu brechen, der Schlaf war nicht tiefer und mehr als
vor der Operation. Der Puls blieb gleich schnellend, dünn und schwanke
zwischen 128 des Morgens und 158 des Abends. Die Warzenfortsatzwunde
war absolut gut und die Sekretion aus dem rechten Mittelohre blieb eine
mehr seröse. Da kam es plötzlich nach dem 2. Verbandwechsel und am
4. Tage nach der Operation zu einem bedeutenden Abfall der Temperatur
(siehe beifolgende Kurve in dem Text) von 88,6 des Abends auf 37,2, und
seitdem blieb sie unverändert normal. Ebenso entschieden war die Besserung
des Allgemeinbefindens. Das Kind war viel ruhiger geworden, ließ sich
ruhig und, ohne daß es über Nackenschmerzen mehr klagte, auf eine Seite
legen, sodaß es von ferne dem Spiel seiner Mitkranken zusehen konnte, war
nicht mehr so abweisend gegen die Pflegerin, verlangte nicht mehr so viel
nach der Mutter, war also viel teilnehmender, und schlief auch in der Nacht
viel ruhiger und tiefer und nicht mehr immer in derselben Lage auf dem
Rücken. Verbandwechsel alle 2 Tage, dabei wurden jedesmal nur 1 Mal
mit dem Politzerschen Ballon beide Ohren von Sekret gereinigt. Beim
4. Verbandwechsel war rechts kein Perforationsgeräusch mehr zu hören, die
Paracentesenöffnung hatte sich geschlossen. Da nun auch im linken Ohre
die Sekretion, die eine an und für sich schon geringe Schleimeitersekretion
gewesen war, zusehends abnahm, habe ich seitdem nicht mehr gepolitzert.
Die Nackenstarre nahm langsam aber deutlich ab, und die Bewegungen des

Kopfes wurden ganz von selbst, und ohne daß man das Kind zu aktiven Bewegungen aufzufordern brauchte, schmerzfreier und leichter und größer. Am 18. März, also am 12. Tage nach der Aufmeißlung, stand das Kind zum 1. Male auf, konnte aber ohne Unterstützung nicht allein gehen, so abgemagert war es; sowie es sich aber mit jeder Hand an einem Finger der Krankenpflegerin festhalten konnte, ging es ohne Schwanken durchs Zimmer, war also frei von jedem Schwindel. Seit diesem Tage war auch der Schlaf absolut ruhig, tief und ohne jede Störung gewesen. Nach weiteren 8 Tagen war die Kleine so weit, daß sie nur ihre Mahlzeiten im Bette nahm und einen langen Mittagsschlaf machte, die übrige Zeit aber aufblieb und allmählich das Gehen wieder erlernte. Sprach sie vorher gar nicht, so fing sie jetzt von selbst an sich mit der Krankenpflegerin zu unterhalten und schließlich sprach und fragte sie mehr, als Zeit ihr zu antworten vorhanden war. Die Operationswunde verheilte nur sehr langsam und hielt gleichen Schritt mit der Zunahme des Körpergewichts, aber das Kind erholte sich nur langsam, und man hatte dadurch den bestimmten Eindruck, daß es eine schwere Krankheit durchzumachen gehabt hatte. Man konnte die Rückkehr zur Gesundheit am besten am Pulse verfolgen, der eine ganze Zeitlang um 120 in der Minute schwankte, später langsam auf 86—96 schwankend abnahm. Ich darf hier gleich vorbemerken, daß der Puls des Kindes auch bei seiner Entlassung am 10. Mai über 86 konstant blieb.

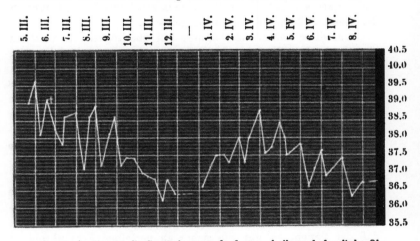

Am 1. April war die Operationswunde fast verheilt und das linke Ohr absolut trocken geworden. Es stieg von da ab die Temperatur stetig in die Höhe (s. beifolgende Tabelle) und erreichte am 3. April die höchste Höhe von 38,8. Das Wesen des Kindes war etwas verändert, es wollte wieder mehr zu Bett, sprach nicht so viel mehr, hatte keinen rechten Appetit, aber sonst keine Schmerzen. Die Mandeln waren beiderseits ebenso wie der weiche Gaumen hochrot und angeschwollen, die Halslymphdrüsen beiderseits deutlich vergrößert anzufühlen und bereits etwas schmerzhaft. An demselben Abend begann die Haut das Scharlachexanthem zu zeigen. Der Verlauf des Scharlachs war der Fieberkurve entsprechend ein relativ leichter. Die Schwellung der Mandeln und der Halslymphdrüsen nahmen erst von der Mitte der 2. Woche an wieder ab, dementsprechend hob sich von da ab das subjektive Wohlbefinden und erholte sich Patientin wieder. Inzwischen war die Operationswunde unter einem trockenen Schorfe von selbst geheilt. Das Gehör war gleich vom Beginne der 3. Woche der Behandlung so gut wieder geworden, daß man es ruhig als normal bezeichnen darf; eine eigentliche Gehörprüfung konnte nicht gemacht werden, da die

Kleine absolut nicht nachsprach. Eine Anfrage an den Vater zwecks Einwilligung zur Operation der Hals- und Rachenmandel seines Kindes wurde
ablehnend beantwortet, letzteres könne nicht halskrank sein, wie sie es
bisher nie gewesen sei. So wurde Patientin am 10. Mai geheilt entlassen.

Nun zur bakteriologischen Untersuchung des Falles. Das
mehrfach genannte Institut hatte am Tage nach der Zusendung
der Lumbalflüssigkeit und eines ausgemeißelten Knochenstückchens
vom Warzenfortsatze den Bescheid gegeben, daß es sich mit aller
Wahrscheinlichkeit um Meningitis cerebrospinalis epidemica handle,
daß aber erst das kulturelle Verhalten der gezüchteten Kokken
geprüft werden müsse. 5 Tage später wurde durch das Telephon
die Anzeige übermittelt, daß epidemische Genickstarre erwiesen sei. Die Jaeger-Weichselbaum'schen intracellulären Diplokokken hatten sich aber nur in der Lumbalflüssigkeit nachweisen
lassen, in dem Warzenfortsatzknochenstückchen waren keine zu
finden gewesen. Eine Notiz über eine mikroskopische Untersuchung
der Lumbalflüssigkeit war nicht gemacht.

Auf diese bakterielle Diagnose auf übertragbare Genickstarre
hin wurde das Kind ins Isolierhaus verlegt, wo es sich später
Scharlach geholt hat.

Daß die nachträgliche 2. bakteriologische Untersuchung des
Falles positiv beweisend ausgefallen war, hat zweifelsohne daran
gelegen, daß das I. Untersuchungsobjekt an und für sich zur
Untersuchung ungeeignet gewesen war. Das entspricht der allgemeinen Erfahrung, daß das Blut eines Patienten nicht so
vorteilhaft, geeignet und entscheidend ist als etwa die Lumbalflüssigkeit.

Wenn wir mit dieser Diagnose des Falles auf epidemische
Genickstarre nunmehr den 2. Krankheitsfall in seiner Symptomatologie und Verlaufsweise vergleichen, so hat man den Eindruck,
daß der Patient so gut wie sicher an derselben Erkrankung gestorben ist. So ist nachträglich der erste Verdacht des behandelnden
Arztes auf übertragbare Genickstarre in diesen beiden Fällen
durch die bakteriologische Untersuchung über allen Zweifel sicher
gestellt worden. Ich will hier gleich bemerken, daß diese 2 Fälle
die einzigen in Pr. geblieben sind, und daß ärztlicherseits die
Entstehung und Übertragung dieser sporadischen Form der übertragbaren Genickstarre haben nicht festgestellt werden können.

Wir kommen nun zur Diagnose der Ohreiterung unseres
Falles von sicher erwiesener übertragbarer Genickstarre. Es handelt
sich da um die Entscheidung der Frage, ist die Ohreiterung eine
symptomatische Teilerkrankung der letzteren, oder eine einfache

Komplikation derselben. Hätte die bakteriologische Untersuchung des Mittelohrsekrets stattgefunden, was leider versäumt worden ist, und hätte diese sowie diejenige des Warzenfortsatzknochenstückchens die Weichselbaum'schen intracellulären Diplokokken ergeben, so wäre die Diagnose symptomatische Otitis media bei übertragbarer Genickstarre sicher gestellt gewesen. So hat aber die bakteriologische Untersuchung des letzteren Objekts ein negatives Resultat ergeben. Es gibt nun zur Erklärung desselben 3 Möglichkeiten. Entweder ist das Knochenstückchen zu ungeeignet zur bakteriellen Untersuchung gewesen, oder es hat dasselbe überhaupt keine Weichselbaum'schen Diplokokken gehabt, oder 3, die letzten sind so wenig lebensfähig gewesen, daß sie bis zur Untersuchung selbst abgestorben gewesen sind. Deshalb ist in unserem Falle kein Beweis dafür erbracht, daß die Ohreiterung ein Symptom der Hauptkrankheit, der übertragbaren Genickstarre gewesen ist. Ohne Bedeutung für die Diagnose bleibt der Umstand, das links die Otorrhoe bereits am 6. Krankheitstage beobachtet worden war. Wenn man bedenkt, daß bei einer „Gehirnhautentzündung" weder der Arzt noch die Angehörigen des Kranken erfahrungsgemäß keine Veranlassung zu haben glauben, das Ohr zu untersuchen, zumal wenn wie in unserem Falle die Kranke nicht über Ohrschmerz klagt und die Angehörigen keine Schwerhörigkeit bemerkt haben wollen, wenn man weiter berücksichtigt, daß mindestens 2—3 Tage vergangen sein müssen, bis ein Ausfluß aus dem entzündeten Ohre bemerkt wird, so darf man für den vorliegenden Fall das als mit Sicherheit festgestellt annehmen, daß die Ohrenentzündung links gleich im Anfange der übertragbaren Genickstarre mit aufgetreten ist. Dieselbe blieb während des ganzen Verlaufs eine relativ einfache, wenig schleimig-eitrig sekretorische und kam leicht zur Wiederausheilung mit einer wahrscheinlich schon von früher her bestehenden persistenten Trommelfellöffnung.

Es ist deshalb der Schluß von dem leichten Verlaufe der linksseitigen Ohrentzündung auf die allerdings viel später erwiesene Mittelohrentzündung rechts wohl berechtigt, daß die letztere von allem Anfang an ungleich leichter, das Gehör nicht ganz auffällig störende gewesen ist. Die Möglichkeit ist nicht von der Hand zu weisen, daß auch die rechtsseitige Ohrentzündung wie die linksseitige von Anfang der Krankheit an bestanden hat. Es ist für den ungeübten Arzt wohl möglich, „bei der Ohrenspiegeluntersuchung keinen Befund" festzustellen, weil eben bei den einfachen mehr serösen als serös-eitrigen Tuben-Mittelohrkatarrhen

der otoskopische Befund am Trommelfelle ein· von dem normalen
nur wenig abweichender und deshalb leicht zu übersehender ist.

Nehme ich alle diese Umstände zusammen, so halte ich mich
zu der diagnostischen Annahme berechtigt, daß die doppelseitige Ohrentzündung in diesem Falle eine symptomatische Teilerkrankung der nachgewiesenen übertragbaren Genickstarre gewesen ist, und daß keine Veranlassung vorliegt, sie als genuine
Otitis media und als Komplikation des letzeren aufzufassen. Und
nach dem Befunde der bakteriologischen Untersuchung und hauptsächlich nach dem Krankheitsverlaufe glaube ich schließen zu
dürfen, daß die Infektion beider Mittelohre eine mehr leichte und
direkt durch die Tuben von der Nase und dem Nasenrachenraum
fortgeleitete gewesen ist, was den heutigen Anschauungen entspricht; daß ferner in Berücksichtigung des fast negativen anatomischen Befundes am operierten rechten Warzenfortsatz und der
stark von Anfang der Krankheit an und im späteren Verlaufe
derselben hervortretenden sogenannten meningitischen Symptome die
Infektion des Cerebrospinalraums eine schwerere und hämatogene
gewesen ist.

Nach dem im ganzen nicht besonders schwerkranken Aussehen des Kindes und vor allem nach dem verhältnismäßig
freien Sensorium desselben hatte ich für mich die Prognose des
Falles mehr günstig gestellt. Dem hatte der anatomische Befund
am rechten Warzenfortsatz nicht widersprochen. Ich mußte aber
nach 2 Richtungen nicht unbegründete Befürchtungen haben : War
die lokale Infektion rechts nicht bereits durch die Knochengefäße
hindurch und etwa auf den Lateralsinus übergegangen, und 2,
konnte nicht auch noch vom linken Ohr her eine intrakranielle
Sekundärinfektion erfolgt sein? Der weitere Verlauf des Falles
lehrte, daß beide Befürchtungen nicht zutrafen: pyämische Erscheinungen blieben aus und die Sekretion des linken Ohres ließ
sehr bald nach. Am 4. Tage nach der Aufmeißlung erfolgten der
Temperaturabfall und die zunehmende Genesung der Patientin.

So war der sichere Beweis geliefert, daß die fieberhafte Erkrankung, wegen welcher das Kind nach Halle gebracht worden
war, von einer Eiterung des rechten Ohres abhängig war. Wie schon
erwähnt, hatten die Mutter und der behandelnde Arzt keine Ahnung
von dem Bestehen desselben gehabt. Nur die pflicht- und ge-
wohnheitsgemäße Untersuchung beider Ohren meinerseits hatte
den Sitz der Krankheit richtig gefunden, und meine lokale Behandlung derselben noch rechtzeitig das Glück gehabt, das Leben

des Kindes zu retten. Diese alte Erfahrung kann selbst heutzutage
noch nicht oft und laut genug gepredigt werden. Gibt sie doch
die schönste Belohnung für unsere ärztliche Gewissenhaftigkeit
in der Möglichkeit, ein Menschenleben zu retten. Es muß für den
vorliegenden Fall die Möglichkeit zugegeben werden, daß bei
nicht rechtzeitiger Erkennung und operativer Behandlung der
rechtsseitigen Mittelohr-Warzenfortsatzeiterung der schließliche Ausgang derselben in dem Tod durch Gehirnentzündung erfolgt wäre.
Es erinnert unser Fall sehr an den von Loewenberg vor genau
35 Jahren in der Berliner Klinischen Wochenschrift 1872 Nr. 10.
S. 116 veröffentlichten Fall von Fremdkörper im Ohre. Hier war
bei einem Kinde in einem Ohre nach einem Fremdkörper mit
und ohne Instrumente ärztlicherseits mehrfach gesucht und mehrfache Zerstörungen im Gehörgang, Trommelfell und Mittelohr
gesetzt worden, während der Fremdkörper durch die altgewohnte
Sitte Loewenberg's stets beide Ohren zu untersuchen, im andern
Ohre nachgewiesen und dann schmerzlos entfernt wurde.

Das war die 1. Eigentümlichkeit unseres Falles, daß die
Krankheit nicht von dem bekannt erkrankten linken, sondern von
dem nicht bekannt erkrankten rechten Ohre herstammte.

Die 2. Eigentümlichkeit unseres Krankheitsfalles ist, daß er der
einzige blieb, daß Ansteckungen Anderer an übertragbarer Genickstarre nicht stattgefunden haben. Zur Erläuterung dieses Momentes
muß ich weiter ausholen und diejenigen wissenschaftlichen Erfahrungen anziehen, die gelegentlich der Epidemie von übertragbarer Genickstarre im Frühjahr 1905 in Oberschlesien gemacht
und von den verschiedensten Ärzten zusammen in dem Klinischen
Jahrbuche Band XV zusammengestellt sind. Diese liegen zu
Grunde der ministeriellen Verfügung vom 10. August 1906 die
als „II. Anweisung für die Bekämpfung der übertragbaren Genickstarre" als besondere Beilage zu Nr. 51 der Veröffentlichungen
des Kaiserlichen Gesundheitsamts im Jahre 1906 veröffentlicht ist.

Die Empfänglichkeit für die Krankheit ist am größten bei
Kindern bis zum 4. Lebensjahre, selbst bei Säuglingen, auch bei
älteren Kindern nicht selten vorhanden. Ein gehäuftes Auftreten
ist mehrfach in Massenquartieren beobachtet worden. Die Übertragung auf Gesunde kommt entweder durch den Verkehr mit
Kranken oder durch gesunde Personen zustande, welche mit
Kranken in Berührung gewesen sind, auch durch die Benutzung
von Gebrauchsgegenständen der an Genickstarre erkrankten Personen. Es ist für strengste Absonderung zu sorgen, bis die Krank-

heitserreger auch nicht mehr im Nasenrachenschleim nachweisbar
sind. Auch die gesunden Personen aus der Umgebung des Kranken
sollten sich prophylaktisch mehrmals täglich Mund und Nase mit
einem Desinfiziens ausspülen.

Nach Westenhöffer[1]) geschieht die Infektion mit dem
Meningokokkus durch Einatmung. Die Krankheitskeime passieren
unaufgehalten die vorderen Nasenabschnitte, oder gehen, wenn
sie dort liegen bleiben, zu Grunde. Sie setzen sich im lymphatischen
Rachenraum, speziell in der Rachentonsille fest, und infizieren von
hier aus die mit den hintersten Abschnitten der Nase in Verbindung stehenden Höhlen, das Ohr und die Keilbeinhöhle. Eine
Untersuchung auf die Krankheitserreger kann nur dann ein ein-
wandfreies Resultat erzielen, wenn das Rachensekret untersucht
wird, wenn die Entnahmesonde bis zum Rachen gelangt. . . Er
glaubt mit einem gewissen Rechte den Satz aufstellen zu können:
Die übertragbare Genickstarre befällt hauptsächlich Menschen
mit dem sog. Lymphatismus (mit Hyperplasie des lymphatischen
Systems). Wir wissen von Alters her, daß solche Menschen mehr
als andere zu Infektionskrankheiten neigen, unter denen an der
Spitze steht die Tuberkulose. Auch Scharlach befällt solche Leute
mehr als andere. Diesen Infektionskrankheiten reiht sich die Genickstarre an, ja man kann wohl sagen, daß bei keiner der anderen
diese Beziehung so deutlich zu Tage tritt, wie bei der Genickstarre. Damit soll natürlich nicht gesagt sein, daß nur solche
Menschen die Genickstarre bekommen können, oder daß dieser
Lymphatismus das einzige disponierende Moment ist. Es ist nur
eines derselben, die wir vorläufig sehen und mit dem wir rechnen
müssen. Wir würden darin auch eine ganz plausible Erklärung
für das eklektive Verhalten der Krankheit bei Kindern einer
Familie erhalten.

Demgegenüber behauptet v. Lingelsheim[2]), daß sich ihm
trotz Achtung darauf keine einigermaßen sicheren Anhaltspunkte
ergeben haben, daß der lymphatische Habitus zu der Krankheit
disponiere, und weiter sagt er: was die Übertragbarkeit der Genickstarre betrifft, so können wir sie uns nach allem nur von
Person zu Person vor sich gehend denken, und zwar sowohl auf
dem Wege des unmittelbaren Kontakts, wie durch feuchte

---

1) Phathologisch-anatomische Ergebnisse der oberschlesischen Genick-
starreepidemie von 1905. Klinisches Jahrbuch 1906. XV. S. 713 u. 726.

2) Die bakteriologischen Arbeiten der Kgl. Hygienischen Station zu
Beuthen O.-S., ebenda S. 486—488.

Tröpfchen, die beim Sprechen, Niesen, Husten ausgeschleudert werden (Flügge). Die scheinbar sprunghafte Verbreitung findet ihre Erklärung in der nachgewiesen leichten Übertragbarkeit der Racheninfektion einerseits und in der relativ geringen allgemeinen Disposition für die klinisch nachweisbare Meningitis andererseits. So können evtl. zwei an Genickstarre erkrankte Personen durch eine lange Kette infizierter, aber für die Entzündung der Hirnhäute nicht disponierter Individuen verbunden sein. Das dunkle Etwas der Disposition spielt jedenfalls bei der Genickstarre eine große Rolle.

Nun sagt aber Flügge[1]): „Vorläufig ist es geradezu noch zweifelhaft, ob die epidemisch auftretende Genickstarre vom Kranken aus übertragen wird und ob nicht mindestens die an leichter Angina erkrankten oder ganz gesunden „Kokkenträger" ungleich gefährlicher für die Verbreitung sind." So parodox diese Behauptung auch klingen mag, bleibt sie doch als äußerst beherzigens- und beachtenswert bestehen, da sie aus dem Munde einer solchen Autorität, wie Flügge ist, stammt.

Ebendort bestätigt auch Kirchner[2]) die höchst auffällige Tatsache, daß die sogenannte epidemische Genickstarre so überaus selten in epidemischer Verbreitung, sondern meist sporadisch auftrat. Freilich wurden in jedem Jahre Fälle beobachtet, in denen gleichzeitig oder kurz nacheinander Kinder in einer und derselben Familie oder in einem und demselben Hause an übertragbarer Genickstarre erkrankten, sie blieben aber stets in der Minderzahl. Sie ist zweifellos eine exquisite Kinderkrankheit und kommt in den höheren Lebensaltern nur in verhältnismäßig geringer Anzahl vor.

Was die „Bazillenträger" betrifft, so ist es nicht ganz leicht, sie unschädlich zu machen. Sie können nach v. Lingelsheim die Keime wochenlang in ihrem Rachen beherbergen, ohne selbst zu erkranken, und Ausspülungen führen nicht immer zum Ziele. Trotzdem wird man allen Personen in der Umgebung des Kranken raten müssen, sich Nase und Rachen häufig auszuspülen (an anderer Stelle, S. 738: Die Angehörigen des Kranken, die Ärzte und das Pflegepersonal werden sich der Möglichkeit der direkten Übertragbarkeit stets bewußt sein und regelmäßig darauf Bedacht

---

1) Flügge, Die im hygienischen Institut der Kg. Universität Breslau während der Genickstarre-Epidemie i. J. 1905 ausgeführten Untersuchungen. ebenda S. 371.

2) Kirchner, Die übertragbare Genickstarre in Preußen im Jahre 1905, ebenda S. 733 u. 739.

nehmen müssen, sich bei dem Verkehr mit dem Kranken so zu
stellen, daß sie von den Schleimpfröpfchen möglichst wenig getroffen werden. Auch werden sie sich möglichst nach jeder
Handreichung bei dem Kranken Gesicht und Hand desinfizieren
müssen). Dann aber sollten diese Personen nicht versäumen,
ihren Rachenschleim bakteriologisch untersuchen zu lassen. Diejenigen unter ihnen, in deren Rachenschleim sich die Krankheitserreger finden, sollten, solange sie im Besitze von solchen sich
-befinden, den Verkehr mit anderen Personen möglichst einschränken und ihre Wäsche und Gebrauchsgegenstände, namentlich ihre Taschentücher regelmäßig desinfizieren.

Wenden wir uns wieder zu unserem Falle zurück. Ich habe
schon oben erwähnt, daß in Pr. nur die beiden genannten Fälle
von übertragbarer Genickstarre beobachtet worden sind, ferner,
daß die Quelle der Infektion in Pr. nicht nachgewiesen werden
konnte. Das Kind kam also zu mir und gleich danach in die
Kinderabteilung eines Krankenhauses, die damals gerade gut besetzt war. Da übertragbare Genickstarre als ausgeschlossen galt,
wurden keine irgendwelche Absperrungen gegen die anderen
Kinder getroffen. Im Gegenteil, als die Mutter am dritten Tage
wieder abreiste, wurden dieselben angehalten, mit unserem Kinde
fleißig zu spielen, um ihm das Heimweh möglichst zu erleichtern
und es zu beruhigen. Als nun an demselben Tage der Bescheid vom hiesigen Hygienischen Institut kam, daß übertragbare
Genickstarre höchstwahrscheinlich vorhanden sei, wurde das Kind
insoweit isoliert, daß die Stationsschwester allein die Pflege desselben übernahm. Fünf Tage später kam der telephonische Bescheid: epidemische Genickstarre erwiesen. Daraufhin kam die
Kleine ins Isolierhaus, gerade an dem Tage, als die Temperatur
zum erstenmal ihren niedrigsten Stand, 36.2 erreicht hatte. Genau
drei Wochen später stieg die Temperatur wieder und es bekam
Scharlach, der dort gerade damals mehr als gewöhnlich in allen
Stadien und Graden gepflegt wurde.

Nun ist Tatsache, daß weder auf der Kinderstation noch im
Isolierhause irgend ein Kind oder eine Pflegerin die übertragbare
Genickstarre acquiriert hat.

Ob zu diesem glücklichen Resultate mehr die ganz selbst-
verständliche und peinlichste Reinlichkeit des Krankenhauses, die
ja während des Bestehens der Krankheit geboten ist, wie es in
den ärztl. Ratschlägen für die Bekämpfung der übertragbaren
Genickstarre (10) heißt (l. c.), oder der geringe Grad der Virulenz

der Weichselbaum'schen intracellulären Meningokokken, die eine Entwicklung derselben in dem neuen Menschenwirte nicht mehr ermöglichten, beigetragen hat, muß ich dahingestellt sein lassen. Ebensowenig wage ich aus denselben Gründen in Rücksicht auf den Verlauf unseres Falles die Frage dahin bejahend zu beantworten, daß Scharlach leichter übertragbar sei als die übertragbare Genickstarre.

Mit unserer Patientin brachte die Mutter noch eine zweite Tochter mit, die 8 Jahre alt war und schon von weitem die Diagnose auf Vergrößerung der Hals- und Rachenmandel gestattete. Am folgenden Tage habe ich letztere operiert, und sind beide Schwestern bis zum folgenden Nachmittage immer zusammengewesen. Aber auch diese Patientin hatte weder zuhause in Pr. noch hier bei uns irgend ein verdächtiges Krankheitssymptom gezeigt, und sie war doch wegen der Wunden nach der Tonsillotomie gerade zur Infektion mit den Krankheitserregern der Genickstarre mehr noch als alle Kinder der Kinderstation empfänglich gewesen, und auch nach ihrer Heimkehr ist sie immer gesund geblieben.

Zu unserem Glücke und unserer Beruhigung, daß etwa bis zur Isolierung der Kranken eine Infektion der Kinderstation mit Genickstarre stattgefunden haben könnte, kam kein weiterer Fall.

3. Weiter interessant ist unser Fall wegen des bruit du pot fêlé bei der Perkussion des Warzenfortsatzes. Wenn ich auf die Druckempfindlichkeit desselben untersuche und bei dem einfachen Drucke zu keinem bestimmten Resultate komme, pflege ich mit leichter Hand den Warzenfortsatz direkt zu perkutieren. Ich stelle mich dann hinter den Patienten, ziehe mit der linken Hand die Ohrmuschel ohne starken Zug etwas nach vorn und perkutiere mit dem Mittelfinger meiner rechten Hand. In unserem Falle trat das charakteristische Geräusch so deutlich auf, daß es auch der assistierenden Schwester auffiel. Diese bestätigte überrascht die Richtigkeit des Vergleichs des Perkussionstons mit dem eines gesprungenen Topfes. Dasselbe blieb immer gleich, wenn die Perkussion beim Liegen des Kindes auf dem Kopfkissen oder im Sitzen, so daß der Kopf ganz frei zwischen zwei Händen gehalten wurde, wenn mit starkem oder schwachem Schlage vorgenommen wurde. Mir kam es so vor, als ob eine leichte Verstopfung des Ohres mit Watte den Schall selbst mehr abdämpfte und als ob ein Übergang von dem mehr vollen zu einem mehr

leeren Perkussionsschall beim Zudrücken des Gehörganges ein-
träte.

Zur Erklärung dieser Eigentümlichkeit des Perkussions-
geräusches möchte ich den anatomischen Befund des Warzenfortsatzes heranziehen. Ich habe in der Krankengeschichte hervorgehoben, daß derselbe nicht solid, ein fester Knochen war,
sondern deutlich die Fissura petrosa mastoidea als noch nicht
geschlossen erkennen ließ, und daß er an der Knochenoberfläche
selbst deutliche Zeichen hatte, aus denen man auf eine mehr
verkümmerte Entwickelung des Knochens und seines Antrum
schließen durfte. Ich habe wiederholt bei so beschaffener
Knochenoberfläche ein relativ kleines Antrum mastoideum gefunden. So ist es ja auch hier gewesen. Die Perkussion des
Warzenfortsatzes hätte also bei der nicht knochenfesten Beschaffenheit seiner Struktur und der Kleinheit seiner Höhle einen mehr
leeren als vollen Schall geben müssen. Wie erklärt sich nun
aber der wirklich vorhandene bruit du pot fêlé. Zur Erklärung
dieser so seltenen Eigentümlichkeit glaube ich auch den Befund
im Mittelohre unserer Kleinen mit in Berechnung ziehen zu
sollen. Zuerst dürfte der Schluß nicht unberechtigt erscheinen,
daß der Knochen, der die Mittelohrhöhle umschließt, ebenso anatomisch beschaffen gewesen ist, wie es der Warzenfortsatz war,
sowie daß die Paukenhöhle selbst nicht besonders groß gewesen
ist, wie auch das eigentliche Antrum mastoideum relativ klein
war. Die Sekretion des Mittelohres war eine mehr seröse als
serösschleimige und nur eine so geringgradige, daß es sicher
war, daß selbst eine kleine Mittelohrhöhle niemals ganz von dem
Sekrete ausgefüllt war. Das Trommelfell war serös durchfeuchtet und hatte dadurch eine Verminderung seiner normalen
Elastizität erlitten; und noch veränderter war diese durch die
Parazentese geworden. Alle diese anatomischen Verhältnisse bedingen die Verschiedenheiten des Perkussionstones bei Perkussion
des Warzenfortsatzes. Und für den vorliegenden Fall glaube ich,
daß die nicht knochenharte Struktur des Felsenbeins, die Abge-
schlossenheit beider Mittelohrhöhlen voneinander, die Art und
Menge des Ohrsekrets, das die Paukenhöhle nur teilweise ausgefüllt hatte, die Elastizitätsbeschaffenheit des parazentesierten
Trommelfells, gemeinschaftlich mit dem Perkussionston des Gehörganges, die Entstehung des Geräusches des gesprungenen Topfes
ausgelöst haben. Mir erscheint dieser Erklärungsversuch, der
sich auf die Unregelmäßigkeit der Schwingungszahlen des ge-

samten Ohrs beim Perkutieren des Warzenfortsatzes stützt, sympathischer als derjenige von Sahli[1]). Derselbe bezeichnet es als ein Stenosengeräusch, das dadurch entsteht, wenn infolge des Perkussionsschalles Luft durch eine enge spaltförmige Öffnung rasch entweicht, und bespricht dort auch, wie es unter ganz normalen physiologischen Verhältnissen bei der Perkussion des Thorax wahrgenommen werden kann und faßt die Erscheinung weitaus am häufigsten als Kavernenerscheinung auf. Ferner erscheint mir die von mir gewählte Benennung für die Art des Perkussionstones unseres Falles als diejenige des gesprungenen Topfes natürlicher und bezeichnender zu sein als diejenige von Sahli des „Münzenklirrens". Ich glaube nicht, daß dieses so seltene Perkussionsphänomen des gesprungenen Topfes wissenschaftlich experimentell untersucht worden ist.

Ich habe den bruit du pot fêlé in der Praxis mehrfach gehört und mir nur als interessante Seltenheit gemerkt, ohne mir weiter Rechenschaft über seine etwaige Entstehung zu geben Es handelte sich einmal um einen Mann Ende der 40er Jahre, der an einer subakuten Mittelohreiterung mit sekundärer Mitbeteiligung des Warzenfortsatzes litt. Die Haut über dem letzteren war in keiner Weise geschwollen oder infiltriert, es bestand nur an einer flachen Stelle am vorderen Rande desselben eine leichte Druckempfindlichkeit. Als ich hier wie üblich mit einem Finger der rechten Hand perkutierte, entstand deutlich das Geräusch des gesprungenen Topfes. Dasselbe änderte weder durch Verstopfung des Gehörgangs noch durch Öffnen oder Schließen des Mundes seinen Charakter oder seine Schallhöhe. Bei der Aufmeißelung selbst zeigte sich auch hier ein mehr verkümmert entwickelter Warzenfortsatz, der mehr porös als hart war, mit braunroter Verfärbung des Knochenmarkes und einem relativ kleinen Antrum mastoideum, das mit dem Mittelohre kommunizierte. Der Inhalt des Antrums war mehr dünnflüssig, eitrig und floß nach Eröffnung des letzteren nur langsam ab, hatte also bis dahin unter keinem starken entzündlichen Druck gestanden. Die übrigen 4—5 Fälle betrafen Kinder im Alter von 6—8 Jahren, die später zur Aufmeißelung kamen; leider fehlen mir die entsprechenden Notizen dazu.

Wenn ich nun die Literatur durchgehe, die sich mit der

---

1) Sahli, Lehrbuch der klinischen Untersuchungsmethoden 1899. S. 157 und 217.

Perkussion des Warzenfortsatzes etwas eingehender beschäftigt [1]),
so finde ich das Symptom des bruit du pot fêlé nur an zwei
Stellen aufgeführt. Bei Thies heißt es: „Außerdem kommt
tympanitischer und ebenfalls wohl ein Anklang an das „bruit du
pot fêlé" vor, und bei Macewen: „Das Geräusch des gesprungenen Topfes hat der Autor beim Erwachsenen dreimal beobachtet. Man erhält dasselbe bei Perkussion des Kopfes, wenn
es sich um ausgedehnte Schädelfrakturen, die durch Fissuren
und Absplitterung großer Knochenstücke kompliziert sind, handelt.
In dem einen Falle bestand eine weitgehende Fraktur des Seiten-
wandbeins mit Impression der Knochenstücke und mit Fissuren,
von denen sich die eine bis zur Stirn, die andere nach der Basis
erstreckte — es waren basale Symptome vorhanden —, hier be-

---

1) 1874. Hagen, Die Perkussion des Schädels und deren Bedeutung
für die Diagnose von Exsudaten in der Paukenhöhle. Monatsschr. f. Ohrenh.
Nr. 10. S. 112.

1876. Michael, Die Auskultation des Warzenfortsatzes. Archiv für
Ohrenh. XI, S. 47.

1892. Körner u. v. Wild, Die Perkussion des Warzenfortsatzes nebst
Mitteilung eines neuen Falles von diabetischer Caries dieses Knochens. Zeitschrift f. Ohrenh. XXIII. S. 234.

1893. Moos, Über den diagnostischen Wert der Perkussion des Warzenfortsatzes. ebenda XXIV. S. 152.

1893. v. Wild, Zur Perkussion des Warzenfortsatzes nebst Bericht über
einen Fall von Pyämie bei akuter Erkrankung dieses Knochenteils. Archiv
für Ohrenh. XXXV. S. 123.

1894. Eulenstein, Die diagnostische Verwertbarkeit der Perkussion
des Warzenfortsatzes. Monatsschrif f. Ohrenh. XXVIII. S. 73.

1895. Weygandt, Perkussion und Auskultation des Ohrs. Dissertation
Marburg.

1898. Macewen, Die infektiös-eitrigen Erkrankungen des Gehirns und
Rückenmarks. Deutsch von Rudloff. S. 152.

1899. Eulenstein, Zur Perkussion des Warzenfortsatzes. Zeitschrift f.
Ohrenh. XXXIV. S. 312.

1899. Barth, Zur Perkussion des Warzenfortsatzes. Archiv f. Ohrenh
XLVIII. S. 107.

1900. Jürgens, Über den Wert der Perkussion zur Diagnose der Erkrankungen des Warzenfortsatzes. Monatsschr. für Ohrenhk. XXXIV. S. 405.

1901. Politzer, Lehrbuch der Ohrenheilkunde. 4. A. S. 419.

1901. Thies, Beiträge zur Perkussion des Warzenfortsatez. Dissertation.
Leipzig. S. 19.

1906. Koerner, Lehrbuch der Ohrenheilkunde und ihrer Grenzbezirke.
Seite 116.

1906. Kudinzew, Zur Frage über die frühzeitige Trepanation des
Warzenfortsatzes bei eitriger Mittelohrentzündung. Chirurgija März. ref. Zeitschrift f. Ohrenh. LIII. S. 361.

kam man bei der Perkussion des rasierten Kopfes das charak-
teristiche Geräusch des gesprungenen Topfes."

Das Vorhandensein des so seltenen Symptoms, des Geräusches des gesprungenen Topfes bei akuten Mittelohr-Warzen-
fortsatzentzündungen in meinem Falle gab mir Veranlassung, mich
über das Vorkommen und die wahrscheinliche Entstehung desselben zu äußern. Ich wiederhole, daß es bis jetzt am meisten
bei Kindern beobachtet ist, und ich glaube, daß es häufiger als
bisher gefunden werden möchte, wenn die Perkussion des Warzenfortsatzes in allen Fällen von akuten Mittelohr-Warzenfortsatz-
entzündungen vorgenommen wird. Wenn dann in einer größeren
Reihe und nach besserer Untersuchung der Fälle die anatomischen
Veränderungen des Knochens und des Inhaltes der Mittelohr- und
Warzenfortsatzhöhlen genauer festgestellt sind, ist die Möglichkeit
gegeben, die Frage zu erörtern, unter welchen Veränderungen das
Geräusch des gesprungenen Topfes begründet und zu erwarten
und ob weiter ein diagnostischer Schluß auf die Art und Ausdehnung der sekundären Entzündung im Warzenfortsatz erlaubt ist.
Ich möchte mir deshalb hier nur erlauben, die Kollegen auf dieses
neue, noch unbebaute Arbeitsfeld hinzuweisen.

4. Endlich ist unser Fall dadurch interessant, daß er die
geringe Zahl der in der ohrenärztlichen Literatur beschriebenen
Fälle von akuter Mittelohreiterung bei der übertragbaren Genickstarre vermehrt. Schon bei dem ersten Auftreten der letzteren in
Deutschland waren Fälle von absoluter doppelseitiger Taubheit
bei negativem Befunde am Trommelfelle und im Mittelohre bekannt geworden. Ebenso ist es Tatsache, daß die Zöglinge
unserer Taubstummenanstalten noch heute ihr Leiden in der
weitaus höchsten Prozentziffer auf die übertragbare sporadische
Genickstarre zurückführen, die sie in den ersten fünf Jahren
ihres Lebens glücklich überstanden haben. Auch bei der schon
genannten jüngsten größeren Epidemie derselben konnte Altmann[1]) folgendes mitteilen: Von den 193 behandelten Erkrankten
waren 130 gestorben und zwar 103 während der ersten 5 Tage
ihres Krankenhausaufenthaltes, 63 konnten entlassen werden — und
von diesen waren 12 taub geworden, „ohne daß das Mittelohr
beteiligt war", und 3 boten Zeichen leichten Schwachsinns.
Früher hatte man bei den Sektionen nur eine ausgeprägte, ausgedehnte, mehr oder weniger eitrige Gehirn- und Rückenmarks-

1) Altmann, Zur Prognose der übertragbaren Genickstarre. Klinisches
Jahrbuch XV. 1906. S. 635.

hauteiterung, am Felsenbein gewöhnlich nichts Krankhaftes, und
nach einfacher Eröffnung desselben eine der Meningitis konforme
Entzündung derart gefunden, daß man mit scheinbarem Recht
schließen konnte, daß die Entzündung im Ohrlabyrinth durch
den inneren Gehörgang vom Gehirn her fortgeleitet, also eine
sekundäre war. Da sich nun auch keine Mittelohreiterung bei den
wenigen Ohrsektionen, die überhaupt gemacht wurden, gewissermaßen von selbst vordrängte, da ferner früher eine Untersuchung der
Nase und ihrer Nebenhöhlen bei der epidemischen Genickstarre
überhaupt nicht gemacht wurde, fehlte folgegerecht jede Erklärung
dafür, daß die Infektion bei der Genickstarre sich ausschließlich als
primäre Entzündung der sonst nach außen abgeschlossenen Höhle
des Gehirns und Rückenmarks darstellte. Man behalf sich mit
der Annahme, daß bei der epidemischen Genickstarre die Infektion
eine hämatogene ist, mit einer lokalen Ausbreitung und Entwicklung der Infektionskeime in dem genannten Höhlenraum, ebenso wie
sich der Typhus besonders im Dünndarm entwickelt. Auch heute
sind hierüber die Akten noch nicht geschlossen. Westenhöffer
(l. c., S. 702) fand nämlich bei allen Sektionen von übertragbarer
Genickstarre eine durchweg gewaltige Hypertrophie, Rötung und
Hypersekretion der Rachentonsille und eine intensive Beteiligung
des gesamten Nasenrachens, dann (S. 707) fast stets die Keilbein
höhlen, und zwar vom ersten Beginn der Krankheit an erkrankt
mit einer akut entzündlichen Schwellung der Nacken- und Halslymphdrüsen. Er fand ferner (l. c., S. 705) von 30 Sektionen in
17 Fällen, also in 65,5 Proz. das Mittelohr erkrankt, zumeist aufsteigend durch die Tuba Eustachii. Es befand sich darunter
ganz auffallend nur ein einziger Erwachsener, und bei diesem
war die Erkrankung des linken Ohrs nur eine ganz geringe.
Er stellt demzufolge den Satz auf: bei Kindern mit epidemischer
Genickstarre findet sich stets eine Otitis media und zwar von
Beginn an. Er fand ferner, daß die Meningitis beginnt in der
Gegend des Chiasma optici, über der Hypophysis und unter dem
Tuber cinereum, also in der Cisterna chiasmatis, und daß sie von
dort sich nach vorn auf das Chiasma und die N. optici, und
nach der Seite auf den Schläfenlappen und nach hinten auf die
Brücke, das verlängerte Mark, und von da in den Rückenmarks-
kanal fortsetzt. Man sollte also eine direkte Überleitung der
Krankheitserreger durch die Nase und den Rachen auf das
Schädelinnere annehmen dürfen. Aber unerwartet anders fällt
sein Schlußsatz (l. c., S. 722) aus: Die Frage der Entstehung der

Meningitis kann meines Erachtens auf Grund des vorliegenden Materials noch nicht mit Sicherheit entschieden werden. So viel scheint mir indessen sicher, daß die Infektion in der Gegend des Chiasma geschieht. Allerdings muß ich zugeben, daß die Wagschale sich erheblich zugunsten der hämatogenen Infektion senkt. So ist selbst heute noch trotz mikroskopischer Untersuchungen die Frage nach der Entstehung der Meningitis bei der übertragbaren Genickstarre, ob auf direktem Blut- oder auf dem Lymphwege, nicht gelöst.

Ich komme wieder auf mein eigentliches Thema von der akuten Mittelohreiterung bei der übertragbaren Genickstarre zurück und will nunmehr die wenigen einschlagenden Fälle aus der Literatur, soweit sie mir zugängig war, in kurzen Referaten folgen lassen.

I. Ziemsen und Hess. Klinische Beobachtungen über Meningitis cerebrospinalis epidemica. Archiv für Heilkunde 1866. I. S. 390 (Fall 22).

Bei einem 16 jährigen plötzlicher Beginn mit Kopfschmerzen, Mattigkeit, Erbrechen, Bewußtlosigkeit. Am 2. Tage ausgesprochene Nackensteifigkeit und Rhachialgie, Hyperaesthesie der Extremitäten. Herpes vom 4. Tage ab. Kopf- und Wirbelschmerz, Aufregung, Delirien und Fieber exacerbieren in Form heftiger Anfälle, welche anfangs irregulär, später im Quotidiantypus wiederkehren. Bei reichlicher Urinsekretion Blasenbeschwerden. Vom 25. Tage an „Otitis interna" mit Perforation des Trommelfells am 36. Tage, mit raschem Nachlassen der Ohrschmerzen, entzündliche Anschwellung des rechten Warzenfortsatzes ohne Eiterung. Verschluß der Trommelfellöffnung und Gehörweite rechts schließlich „für Picken einer Taschenuhr bis 1½ Fuß Entfernung".

II. Heller,[1]) Zur anatomischen Begründung der Gehörstörungen bei Meningitis cerebrospinalis, Deutsches Archiv für Klin. Med. III. 1869. S. 486 und 487,

erachtet die eitrigen Entzündungen des inneren Ohrs als häufige Begleiter der C. M. und als Folge derselben die zurückbleibende Taubheit, während andererseits natürlich auch die entzündlichen Veränderungen der Trommelhöhle, die in seinen Fällen nachgewiesen werden konnten, nicht außer Acht zu lassen sind. Es können eben diese Gehörstörungen nicht nur in jedem einzelnen der zum Gehörorgan in Beziehung stehenden Teile, sondern auch in mehreren zugleich ihre anatomische Grundlage haben. Nach ihm ist anzunehmen, daß die eitrige Entzündung dem Verlauf des Neurilemma folgend in das Labyrinth eindringt, als auch, daß die pathologischen Veränderungen in Trommelhöhle und Labyrinth sich gleichzeitig neben den Veränderungen der Hirn- und Rückenmarkshäute, nicht nur als deren Fortsetzung entwickeln.

---

1) Die beiden von Moos in seiner Monographie über die Meningitis cer. spin. epidemica, 1881, S. 64 als 47. und S. 66 als 54. Fall aufgeführten Fälle von eitriger Trommelhöhlentzündung 12 bezw. 8 Wochen nach dem Eintritt der Krankheit mit Genickstarre will ich hier nur erwähnt haben, und muß es unentschieden lassen, ob und in welcher genetischer Beziehung beide Krankheiten zu einander zu bringen sind.

III. Jaffé. Boiträge zur Kenntnis der epidemischen Cerebrospinalmeningitis. Deutsches Archiv f. Klin. Med. XXX. 1882. S. 336.

27 jähriger Arbeiter erkrankt plötzlich mit Schüttelfrost, rechts Kniegelenksschmerzen, darnach Kopfschmerzen, Kopfretraktion, Herpes labialis, links Strabismus convergens und Pupillenerweiterung, später Delirien mit Fluchtversuchen, Koma, partielle Zuckungen. Vom 18. Krankheitstage an Patient völlig ruhig, klar, besonnen, eine Woche später Nachlassen der Nackenstarre. Ende der 4. Krankheitswoche rechtsseitiger Ohreiterausfluß „ohne subjektive Beschwerden". Im hinteren oberen Trommelfellquadranten ein halblinsengroßes Loch. Es besteht völlige Taubheit für Luft- und Knochenleitung, Doch kehrt schon nach 4 Wochen das Gehör allmählich zurück. Heilung nach 4 Mouaten.

IV. Leyden. Bemerkungen über die Cerebrospinalmeningitis und das Erbrechen bei fieberhaften Krankheiten. Zeitschrift f. Klin. Med. XII. und Die Mikrokokken der Cerebrospinalmeningitis. Zentralbl. f. Klin. Med. IV. 1883. Nr. 10.

56 jährige Frau erkrankt plötzlich während der Eisenbahnfahrt mit Erbrechen und Schwindel und fällt beim Aussteigen auf den Bahnsteig. Gleich rechtsseitige Ohreiterung, allgemeines Übelbefinden, Kopfschmerzen. Schwindel. Nach wesentlicher Besserung einen Monat lang wieder Verschlechterung mit Kopfschmerzen, Erbrechen, Benommenheit zuletzt in Koma übergehend, und Genickstarre. Meningitis nicht mehr zu bezweifeln. Tod.

Die Sektion bestätigte die Cerebrospinalmeningitis, ergab Vernarbung beider Trommelfelle und an den Gehörorganen keine merklichen Änderungen, insbesondere keine Karies, keine Eiteransammlung. L. hebt hervor, daß es sich um eine primäre sporadische Cerebrospinalmeningitis gehandelt hat, deren erst auffällige Symptome in einer doppelseitigen zur Perforation führenden Otitis bestand.[1]

V u. VI. Schwabach. Über Gehörstörungen bei Meningitis cerebrospinalis und ihre anatomische Begründung. Zeitschrift f. Klin. Med. XVIII. 1591.

1. Fall. S. 274. 32 jährige Frau bekommt plötzlich heftigen Schüttelfrost, Steifigkeit und Schmerzen im Nacken, nach 6 Tagen beiderseits sich steigerndes Sausen und Schwerhören beiderseits und neben viel Kopfschmerzen rechts Gesichtslähmung; gehört werden rechts nur laute Sprache, links Flüsterworte, dabei zeigen beide Trommelfelle nur in der hinteren Hälfte etwas Trübung und „Hervorwölbung" und „Hammergriff leicht gerötet". Ungefähr Ende der 3. Krankheitswoche doppelseitig Ohrzwang, die Paracentese entleert beiderseits „einige Tropfen Eiter". Mikroskopische Untersuchung ergiebt „Diplokokkon, ähnlich den A. Fraenkel'schen Pneumokokken". Tod Mitte der 6. Woche.

Bei der Sektion zeigte sich im innern Gehörgang rechts eine eitrige, links eine weißliche mikroskopisch nicht Eiter enthaltende Flüssigkeit, die Dura am Felsenbein ohne Veränderung leicht abziehbar. In beiden Paukenhöhlen kein freier Eiter. In linker Paukenhöhle außer geringem Blutextravasat in der Nische des ovalen Fensters, nichts Auffallendes, rechts fibrinös-

---

1) Diagnostisch interessant ist der nur deshalb hier zitierte Fall von Leichtenstern, Über epidemische Meningitis, Deutsch. med. Wochenschr. 1885. Nr. 31, S. 538. Es waren alle Symptome einer Basilarmeningitis vorhanden. und Patient hatte angegeben, ganz akut erkrankt und früher nie ohrenkrank gewesen zu sein. Die Krankheit zog sich nun gegen die Regel der Meningitis ex otitide über 4 Wochen in die Länge. L. hatte nun die damals in Coeln epidemisch auftretende Meningitis als das Primärleiden und den eitrigen Ohrfluß mit Trommelfellperforation als das Sekundäre von der ersten diagnostiziert. Die Sektion ergab aber, daß es sich um einen Fall alter Felsenbeincaries mit engumschriebener eitriger Meningitis und correspondierenden Kleinhirnabszess handelte.

eitriges Exsudat, sowohl in der Nische des runden, als auch der des ovalen Fensters: in letzterem massenhaftes Granulationsgewebe mit zahlreichen zartwandigen Blutgefäßen und ziemlich beträchtlichen Blutextravasaten. Zerstörung des Lig. annul. bas. staped. in seiner vorderen oberen Partie, Anfüllung mit Granulationsgewebe resp. fibrinöseitrigem Exsudat.

Schw. betont, daß die ersten Hörstörungen beiderseits bei der Patientin lange vor dem Eintreten der Mittelohrentzündung vorhanden, also von der Cerebralmeningitis abhängig waren; daß die Veränderungen in der rechten Paukenhöhle durch Fortpflanzung des Entzündungsprozesses vom Vestibulum aus unter teilweiser Zerstörung des Ligament. annul. bedingt waren, daß er die ärztlich behandelte doppelseitige Otitis media als einen durch direkte Invasion der Krankheitserreger der Meningitis cerebrospinalis in die Paukenhöhle veranlaßten Prozeß ansehen müsse, sowie, daß eine Otitis media auch als Initialsymptom einer Meningitis cerebrospinalis auftreten kann.

2. **Fall.** S. 288. 2½jähriges Mädchen erkrankt plötzlich mit Erbrechen und Nackenstarre mit den exquisiten Erscheinungen der Meningitis cerebrospinalis und **gleichzeitig** mit doppelseitiger Ohreiterung, 8 Tage später nach dem Nachlassen der Bewußtlosigkeit wird doppelseitige Taubheit festgestellt. Otorrhoe heilte nach 14 Tagen aus; Taubheit führte zur Taubstummheit.

VII. **Frohmann.** Zur Kenntnis der akuten primären Meningitis epidemica Sitzung des Ver. f. wissensch. Heilk., Königsberg. am 25. Januar 1897. ref. Deutsch. med. Wochenschr. 1897, Ver. Beil. S. 106 und Verhandlungen des Kongresses f. Innere Med. XV. 1897. S. 348.

5 Monate altes Kind wird mit „excessivem Opisthotonus und Fehlen jeglicher cerebraler Symptome" aufgenommen. Lumbalpunktion ergab klare, absolut sterile Flüssigkeit. Später entwickelt sich extremer Grad von Opisthotonus. Die 2. Lumbalpunktion einige Tage vor dem Tode ergab eitrige Flüssigkeit mit Meningokokken. „Bei der Sektion fand sich ganz unerwartet außer der diagnostizierten Meningitis eine doppelseitige Otitis media purulenta. Im Eiter konnte mikroskopisch und kulturell als einzige Mikroorganismenart gleichfalls der Diplokokkus intracellularis meningitidis konstatiert werden. Derselbe ist im Ohreiter bisher noch nicht nachgewiesen worden. Möglicherweise ist in diesem Falle das Ohr als Eingangspforte der Infektion anzusprechen."

VIII. **Alt,** Sitzung des Österr. Otol. Ges. v. 27. April 1897. ref. Monatsschr. f. Ohrenh. 31. B. S. 211.

sah einen 14jährigen Knaben mit M. cr. sp. epidemica, bei dem die Diagnose durch die Spinalpunktion sicher gestellt war. Am 12. Krankheitstage traten die ersten Ohrschmerzen links ein. Trommelfell gerötet, geschwellt, vorgewölbt. Die Weichselbaum'schen intracellulären Diplokokken fandeu sich sowohl im Nasensekret als auch im Ohrsekret nach dem späten Spontandurchbruch des Trommelfells, neben anderen Bakterien massenhaft." Die Ohreiterung heilte nach 17tägigem Bestand vollständig aus, es kam zu normalem Trommelfellbefund und annähernd normalem Hörvermögen.

Alt wahrt sich die Priorität, daß im Ohreiter der Krankheitserreger der M. csp. ep. nachgewiesen werden kounte.

Alt beschreibt denselben Fall in der Monatsschr. f. Ohrenhk Septbr. 1904 und in den Verhandlungen der Deutsch. Otol. Ge-

sellsch. Berlin 1904, S. 156: Die Beziehungen der Mittelohreiterung zur epidemischen und tuberkulösen Meningitis und
betont dort besonders, daß nach seiner Meinung bisher der Umstand zu wenig gewürdigt wurde, daß das Ohr als Eingangspforte
bezw. als Zwischenglied der Infektion bei der epidemischen Genickstarre zu betrachten sei. So lange schwere meningitische Erscheinungen bestehen, können die Kranken nicht durch Klagen über Ohrschmerzen die Aufmerksamkeit des Arztes auf dieses Organ lenken.
Der Otiater wird erst beigezogen, wenn eine profuse Otorrhoe aufgetreten ist oder wenn nach Besserung des Allgemeinbefindens die
Patienten über Ohrbeschwerden klagen. Die Folge hiervon ist, daß
die Otitis entweder ganz übersehen wird oder aber als erst im Verlaufe der Meningitis entstanden bezeichnet wird. Bei der Nekropsie
haben die Obduzenten keine Veranlassung, Ohrenbefunde zu erheben, wenn sie nicht auf eine Ohraffektion aufmerksam gemacht
werden, während sie es jetzt unterlassen, den Nasenrachenraum genau zu inspizieren, wobei sie fast regelmäßig im Sekrete den charakteristischen Krankheitserreger nachzuweisen in der Lage sind.

Denselben Fall hat auch beschrieben

Schiff. Über das Vorkommen des Meningokokkus intracellularis (Weichsel-
    baum) in der Nasenhöhle nicht meningitischer Individuen. Zentralblatt
    für Inn. Med. 1898. XIX. Nr. 22.
    Patient war mit vollentwickelter, akuter epidemischer Cerebrospinal-
meningitis (Fieber, Delirium, Nackensteifheit, Druckempfindlichkeit der
Wirbelsäule, hochgradiger Hyperästhesie, transitorischer Facialis- und Abducensparese) aufgenommen worden. In der 40 ccm messenden, stark getrübten Lumbalflüssigkeit massenhaft intracelluläre Weichselbaum'sche Kokken
in Reinkultur, ebensolche im Nasensekret und im Ohreiter des Kranken,
der in der 3. Woche eine Otitis media suppurativa mit spontanem Durchbruch acquiriert hatte.

IV. v. Stein, Ein Fall von Meningitis cerebrospinalis epidemica mit doppel-
    seitiger Otitis. Trepanation beider processus mastoidei mit Bloßlegung
    der Sinus transversi, Genesung. Zeitschr. f. Ohrenh. 32. B. 1898. S. 258,
beobachtete als erstes Symptom heftiges Nasenbluten, leichten Husten und
Schnupfen mit leichtem Fieber, am 4. Tage Delirium, kein Erbrechen; am
9. Milzvergrößerung, einige Roseolen auf dem Rücken und Leibe, zeitweise
soporösen Zustand; am 10. rechtsseitige spärliche Otorrhoe; am 11. auch linksseitig; nunmehr Steigen der Temperatur von 37,3 auf 40°. Am 12. Tage
Sistieren der Otorrhoe, Bewußtlosigkeit, Kopfretraktion, Pupillenerweiterung,
Hyperästhesie, krampfhafte Zuckungen des ganzen Körpers, zeitweise Cheyne-
Stokes'sches Atmen, Urininkontinenz, Decubitus. Keine Stauungspapille. Am
20. Tage doppelseitige Aufmeißelung des Warzenfortsatzes; die Narkose hat
auf Kopfretraktion gar keinen Einfluß; in beiden Warzenfortsatzhöhlen
heller, glasiger, klebriger Schleim, mit etwas Eiter gemischt; bei Bloßlegung
des Lateralsinus entleert sich eine glasige, klebrige, schleimige, in langen
Fäden ziehende Flüssigkeit. Punktion des Sinus ergab normale Blutzirkulation.
Nach 6 Tagen Besserung, wenn auch „vollständige Bewußtlosigkeit und
Nackenstarre noch andauern". Nackenstarre ist erst Anfang der 7. Woche
ganz geschwunden, gleichzeitig fängt Patient an zu sprechen. Darnach
rasche Besserung. Mitte der 9. Woche Heilung der Operationswunden.

„Gehör für Flüstersprache 12 m, die Perzeption für alle Töne erhalten. Die Trommelfelle leicht getrübt."
Diplokokkus intracellularis Weichselbaum war im Schleimausfluß aus den Ohren und Schädelhöhle nachzuweisen.
Der 4jährige Bruder erkrankte 1 Monat nach Beginn der Krankheit und starb am 5. Tage unter den typischen Erscheinungen einer Meningitis.

v. St. betont die Reihenfolge in der Wiederkehr der einzelnen Hirnfunktionen als besonders interessant: zuerst die Schmerzempfindung, dann die Bewegung der oberen, dann der unteren Extremitäten, dann Bewegung der Lippen, des Gesichts, der Augen, endlich der Geschmack, das Gehör, schließlich Verständnis für Wörter, ohne sie nachsprechen zu können, und zu allerletzt die Nackenstarre.

X. Albrecht und Ghon. Noch einmal der Meningokokkus intracellularis. Wien. med. Wochenschr. 1902. Nr. 46. S. 1222.

6 Monate, aufgenommen mit viel Fieber, hohem Pulse, Kopf nach hinten und zur Seite geneigt, Beine angezogen an den Leib, geringer Strabismus, Nystagmus, Lumbalpunktion negativ, da „keine Flüssigkeit austritt". Tod am folgenden Tage.
Sektion ergab: cerebrospinale eitrige Meningitis, kolossale Rhinitis, beiderseitige Otitis media acuta; besonders rechts, beginnende Lobulärpneumonie.
Bakteriologisch wurde der Meningokokkus intracellularis nachgewiesen.

XI. Weichselbaum und Ghon. Der Meningokokkus meningitidis cerebrospinalis als Erreger von Endocarditis, sowie sein Vorkommen in der Nasenhöhle Gesunder und Kranker. Wiener Klin. Wochschrift. 1905. XVIII. S. 627.

Mädchen, 9 Wochen alt, war nach 5wöchentlicher Krankheit an Meningitis cerebrospinalis gestorben. Es hatte außerdem linksseitige eitrige Mittelohrentzündung bestanden, daneben difuse eitrige Bronchitis und Lobulärpneumonie beiderseits u. s. w. Die intra vitam entnommene Lumbalflüssigkeit hatte den M. m. c. mikroskopisch und kulturell ergeben, derselbe fand sich auch bei mikroskopischer Untersuchung des Nasenrachensekrets.

XII. Fordan, Ein Fall von Meningitis cerebrospinalis mit Durchbruch des Eiters durch das Ohr. Dissertation. Erlangen 1906,

beobachtete bei einem Kinde von 2³/₄ Jahren, das einem Hause gegenüber gewohnt hatte, aus welchem vor ¹/₄ Jahr ein Kind an Meningitis cerebrospinalis erkrankt war, eine langsame, in 4 Wochen sich entwickelnde Cerebrospinalmeningitis mit Kopfschmerzen, Schlaflosigkeit, Aufschreien, Rücken- und Körperschmerzen, und langsam zum Koma sich steigernder Apathie. 4 Lumbalpunktionen: die 1. entleerte ca. 50 ccm Spinalflüssigkeit im Strahle, dicke, trübe, grünlich verfärbte, mikroskopisch Eiterkörperchen und „wie Eiterkörperchen gruppenweise beisammenliegende Diplokokken". Kernig'sches Symptom, linke Pupille weiter, Kopfbewegungen freier, Parese des linken Abducens; 4 Tage später 2. Lumbalpunktion: 20 ccm Flüssigkeit unter starkem Drucke entleert, viel heller als bei der 1., gelb, trübe, Eiweißgehalt und Diplokokkenzahl wie früher, Sediment geringer, gleich darnach „besseres Befinden". Ohruntersuchung ergibt das rechte Trommelfell diffus getrübt und Vorwölbung im hinteren oberen Quadranten: Anfang der 10. Krankheitswoche. Nunmehr Erbrechen, zunehmend, Zähneknirschen. 3. Lumbalpunktion 5 Tage nach der 2.: entleert werden nur tropfenweise 27 ccm trübe Flüssigkeit, die zwar bedeutend geringeres Sediment ergab, aber unverändert „viel Diplokokken, die wie früher außerhalb und innerhalb der Eiterkörperchen gelagert sind". Pupillenerweiterung und -trägheit, rechts mehr als links. Cheyne-Stokes'sche Athmung. Somnolenz, Collaps, im Bade Konvulsionen.

Nephritis Nachlaß aller Erscheinungen Anfang der 10. Krankheitswoche nach Eintritt der Otorrhoe links, mit Perforation im hinteren oberen Trommelfellquadranten. Die mikroskopische Ohreiteruntersuchung ergibt „Diplokokken von derselben Gestalt und Verteilung wie in der Spinalflüssigkeit". Rechts Papille verwaschen, plötzlich opisthosonischer Krampfanfall nach links, von neuem Abducensparese. Die linksseitige Otorrhoe hatte ungefähr 5 Wochen gedauert. 2 Narben im linken Trommelfell. 4. Lumbalpunktion Ausgangs des 3. Krankheitsmonats: Entleerung von 11 ccm wasserheller Flüssigkeit. die unter 23—27 cm Anfangsdruck abfließt, keine Eiterkörperchen, aber zahlreiche Diplokokken, teils nebeneinander, teils hintereinander liegend. Von da ab zunehmende Besserung, Endresultat nicht weiter verfolgt bezw. mitgeteilt.

Die bakteriologische Untersuchung des Ohreiters ergab: „intracellulare Diplokokken in Semmelform mit deutlicher Abplattung der einander zugekehrten Flächen. Eine Kapsel war nicht vorhanden. In Reinkulturen waren sie gram-negativ. Dieses Verhalten, sowie auch das mangelhafte Wachsen auf Nährböden spricht mit der größten Wahrscheinlichkeit dafür, daß es sich hier um den typischen Erreger der epidemischen Genickstarre handelte." [1]

Kümmel, Referat über die Bakteriologie der akuten Mittelohreiterung. Deutsch. Otolog. Gesellsch. 1907. S. 42,

hat zweimal bei der epidemischen Genickstarre Mittelohrentzündung gesehen. aber nicht bakteriologisch untersucht.

Von der mir nicht zugängigen Literatur führe ich an:

Councilmann, Mallory und Wright, Epidemic cerebrospinal Meningitis and its relation to other forms of meningitis 1898. ref. Zentralblatt f. Bakteriol. 1899. XXVI. S. 97.

die nach dem Referate von Albrecht und Ghon, Wien. Klin. Wochenschrift, 1901. Nr. 41 von 19 Fällen von Genickstarre die intracellulären Kokken 15 mal im Nasensekret, und von 5 Fällen von Genickstarre 3 mal im Ohreiter fanden, also in einer Reihe von Fällen durch den Diplokokkus intracellularis bedingte Zungen-, Ohren- und Nasensekretionen.

Gradwohl, Philadelphia monthly med. Journ. 1899. ref. Zentralblatt für Bakteriol. XXIX. S. 265,

der den Meningokokkus meningitidis intracellularis bei Otitis media mikroskopisch nachgewiesen hat und in einem Fall einen Hund mit dem Ohreiter einer Frau impfte und nach 2 Tagen sterben sah.

Airoldi, Die Ohraffektion bei der Meningitis cerebrospinalis. Il sordomuto 1892. ref. Zeitschr. f. Ohrenh. XXIV. S. 196.

---

1) Der von Menzer, Über einen bakteriologischen Befund bei Cerebrospinalmeningitis, Berl. klin. Wochenschr. 1901. Nr. 11. S. 283, beschriebene Fall, den Hasslauer in seinem Sammelreferat: die Bakteriologie der akuten und sekundären Mittelohrentzündung, Internationales Zentralblatt f. Ohrenh. II. Nr. 7. S. 297 im Abschnitt Meningokokkus intracellularis Weichselbaum-Jaeger anführt, gehört nicht sicher zu unserem Thema von der übertragbaren Genickstarre. M. schreibt direkt: „Es war von vornherein auszuschließen. daß es sich um einen Fall von epidemischer Cerebrospinalmeningitis handelt. da der Patient bereits sich fast 2 Monate in der Charité befand, und auf der betreffenden Station diese Krankheit weder vorher noch nachher zur Beobachtung gekommen war." Die bakteriologische Untersuchung der Lumbalflüssigkeit und post mortem des Meningitiseiters hatte vorwiegend „typisch intracellulär gelegene Streptokokken" ergeben.

Bei der geringen Zahl des vorstehenden kasuistischen Materials sollte man annehmen dürfen, daß akute Mittelohreiterung bei der übertragbaren Genickstarre relativ selten vorkommt. Wesentlich andere und geradezu entgegengesetzte Resultate hat aber die Beobachtung der großen Epidemie von übertragbarer Genickstarre in Oberschlesien 1905 erbracht. Ich wiederhole, daß nach Westenhöffer bei Kindern mit epidemischer Genickstarre sich stets eine Otitis media und zwar von Beginn an findet. Goeppert[1]) hat 87 Sektionen an Genickstarre-Kranken gemacht und 200 Fälle genauer untersuchen können. Von 48 Leichen zeigten 30 — 62 % Mittelohrerkrankungen. Die Zahl derselben ist fast so groß wie bei Westenhöffer, und da das Mittelohr die einzige Höhle ist, die schon im Säuglingsalter existiert, so könnte man geneigt sein, dem Befunde eine große Wichtigkeit für das Zustandekommen der Hirnhautentzündung beizumessen. Nun ist aber das Mittelohr im allgemeinen ein recht gut gegen den Körper abgeschlossenes Organ, und es muß fast stets zu gröbern Erkrankungen kommen, ehe dieser Schutz versagt. Diese bei Meningitis gefundene Entzündung aber zeigt selten erhebliche Gewebsreizung, ja das Trommelfell ist in einer großen Reihe von Fällen bei Patienten jeden Alters das uns von kachektischen Säuglingen so bekannte, nämlich auf trüber durch durchscheinenden Eiter schneeweiß gefärbter Membran vereinzelte radiäre Gefäße. Daher auch relativ selten Perforation, und auch diese erst in der 3., 4. Woche. Könnte man dies abweichende Verhalten durch die spezifische Eigentümlichkeit des Meningokokkus, geringe Gewebsreizungen hervorrufen, erklären, so lehrt ein Blick auf die folgende Tabelle, daß wir es höchst selten mit einer primären Erkrankung zu tun haben.

Verhalten des Mittelohrs im Leben:

	1. Woche	2.—3. Woche	4.—6. Woche	später	insges.	insges. Proz.
Normal	23	9	11	12	55	44
Ausgesprochene Erkrankung . .	10	17	12	8	47	} 50
Beginnende Erkrankung . . .	3	5	4	4	16	
Außerdem früher bestand. Ohrenleiden	3	1	1	2	7	5,6

Während also in der 1. Woche die Zahl der Ohrgesunden um das Doppelte die Zahl der Erkrankten überwiegt, ist in der

---

1) Goeppert, Zur Kenntnis der Meningitis cerebrospinalis epidemica mit besonderer Berücksichtigung des Kindesalters. Klin. Jahrb. XV. S. 529.

2.—3. Woche das Verhältnis umgekehrt und bessert sich wesentlich nach der 6. Woche. G. fand also in der 1. Woche 35 Proz.

2.—3. „ 70 „

4.—6. „ 59 „

und in den späteren Wochen 50 „

seiner Patienten an ein- oder beiderseitiger ausgesprochener oder eben beginnender Mittelohrentzündung erkrankt. Am 1. und 2. Tage wurde je 1 Mal im Leben und bei der Sektion eine beginnende Mittelohrerkrankung gefunden; die früheste ausgesprochene Mittelohreiterung sah G. am 3. Tage.

Weiter hat Kirchner[1]) zusammengestellt:

standesamtlich gemeldete Todesfälle an übertragbarer Genickstarre in Preußen in Sa.:

1889	1890	1891	1892	1893	1894	1895	1896	1897	1898	1899	1900	1901
301	236	231	203	237	241	258	447	358	283	250	224	225

und den Kreisärzten gemeldete Erkrankungen derselben (darunter mit Todesfällen)

1899	1900	1901	1902	1903	1904	1905
112	127 (86)	121 (81)	125 (88)	121 (70)	118 (79)	3673 (2044)

und im letzten Jahre kamen allein auf den Regierungsbezirk Oppeln, den Oberschlesischen Industriebezirk nicht weniger als 3102 Erkrankungen mit 1789 Todesfällen, während in den übrigen Regierungsbezirken Preußens noch 571 Fälle mit 255 Todesfällen gezählt wurden.

Weiter betrug nach den wöchentlichen Veröffentlichungen des Kaiserlichen Gesundheitsamts für das Jahr 1906 die Gesamtsumme an übertragbarer Genickstarre

2170[2]), darunter 996 Todesfälle, und für das

1. Halbjahr 1906 noch 1759, „ 802 „

Seit Juli 1906 ist zwar ein wesentlicher Nachlaß der Erkrankungsziffer eingetreten, doch dehnte sich Anfang dieses Jahres die Genickstarre hauptsächlich in dem Ruhr-Industriebezirke aus. Am 23. April fand auf Veranlassung des Kultusministers in Gelsenkirchen eine Beratung über den Gang und die Bekämpfung der Genickstarre statt. Nach den neuesten Feststellungen sind die Erkrankungen räumlich sehr ausgedehnt, aber leicht und nicht zahlreich.

---

1) Kirchner, Die übertragbare Genickstarre in Preußen im Jahre 1905. Klinisches Jahrbuch XV. 1906. S. 730.

2) Monat Dezember nach dem Durchschnitt des November gleich beziffert.

So ist neuerdings das als Tatsache erwiesen, daß nicht nur das innere, sondern auch das mittlere Ohr und vielleicht letzteres noch in größerem Prozentsatz bei der übertragbaren Genickstarre vorkommt. Andererseits ist bei der gegenwärtig zwar nicht besonders bösartigen, aber räumlich weit ausgebreiteten Epidemie derselben den verschiedensten Ohrenärzten Gelegenheit gegeben, bezügliche praktische und wissenschaftliche Beobachtungen zu machen. Und nur die Bekanntgabe eines großen, vielseitigen, gut beobachteten Materials kann dies Dunkel der Wissenschaft erhellen, das für uns noch bezüglich der Miterkrankung des Ohres bei der epidemischen Genickstarre besteht. Hierzu sollte die Veröffentlichung meines Falles mit Veranlassung geben.

In gleichem Sinne hatte Phillips in der Sitzung der New-Yorker Otologischen Gesellschaft vom 24. März 1904 die Aufmerksamkeit der Ohrenärzte auf die epidemieartige Zunahme der wöchentlichen Todesfälle von New-York an epidemischer Genickstarre mit einem Schwanken zwischen 50 bis 100 gelenkt.

In Halle sind nach den amtlichen Berichten des Kreisarztes in den letzten 6 Jahren im ganzen 15 Fälle von übertragbarer Genickstarre vorgekommen. Von diesen waren diagnostisch sicher 11, höchstwahrscheinlich 2 Fälle. Aus Halle selbst stammten nur 3 Fälle; diese betrafen sämtlich Kinder, verteilten sich auf verschiedene Jahre und Stadtteile und waren ohne Beteiligung des Ohres verlaufen.

Bezüglich der Behandlung der symptomatischen Ohrerkrankungen sowohl im Mittel- als im Innenohr bei der primären sporadischen übertragbaren Genickstarre kann ich mich kurz fassen. Sie fällt naturgemäß mit derjenigen der letzteren zusammen. Regierungsseitig ist für September eine Konferenz nach Bremen geplant, und auf dieser hat Flügge das Referat über die Verbreitung und Bekämpfung der Genickstarre übernommen. Von ihr dürfen wir auf gute Resultate hoffen. Andererseits sind die neuerdings veröffentlichten therapeutischen Resultate mit Seruminjektion bei der Genickstarre so günstig ausgefallen, daß auch wir Ohrenärzte für unsere Patienten hoffen dürfen, daß endlich die Zeit gekommen ist, die uns in dem Heilserum ein prophylaktisches Mittel wenigstens gegen die eine Grundkrankheit der Taubstummheit gebracht hat, wie sie die akute übertragbare Genickstarre seit ihrem ersten Auftreten gewesen ist.

XXVI.

Aus Dr. Herzfelds Klinik und Poliklinik.

I. Über einen bemerkenswerten Fall von Sinusthrombose mit Stauungspapille und Pulsverlangsamung bei akuter eitriger Mittelohrentzündung.

Von

Dr. J. Herzfeld.

Max Weltz, ein 15jähriger bisher stets gesunder und mit Krankheiten erblich nicht belasteter junger Mann, erkrankte ohne nachweisbare Ursache am 10. September 1906 mit Schmerzen im rechten Ohr und Ausfluß aus demselben. Beim Gehen und auch schon beim Stehen trat starker Schwindel auf, so daß Patient sich festhalten mußte. Nachdem er 8 Tage ohne Erfolg von seinem Arzt behandelt wurde, erfolgte seine Aufnahme in unsere Klinik. Der rechte Gehörgang war voll Eiter, das Trommelfell war stark geschwollen, der Processus über der Spitze und dem Antrum auf Druck sehr schmerzhaft. Schon am nächsten Tage entwickelte sich unterhalb des Processus eine starke Schwellung dem Sterno cleido mastoideus entlang. Patient hält den Kopf steif nach der gesunden Seite, ist aber auf Aufforderung im stande, ihn nach allen Seiten zu bewegen. Auf dem Stein'schen Goniometer fällt er bereits bei 3° Erhebung nach links. Patient macht einen schwer kranken Eindruck und klagt über sehr starke Kopfschmerzen. Temperatur am 20. Sept., früh 37,8, abends 40.8. An diesem Tage zwei Schüttelfröste von 15 Minuten langer Dauer. Die ophthalmoskopische Untersuchung (Augenarzt Dr. Seligsohn) ergab beiderseits das Bild der Stauungspapille; die Papillengrenzen beiderseits verwaschen, die Venen gestaut. Abends Operation in Äthernarkose. Nach den ersten Meißelschlägen quillt Eiter unter starkem Druck hervor, bald kommt auch der Sinus zum Vorschein, der weit nach vorn reicht. Die Sinuswand ist sehr verdickt, schmierig verändert und zeigt ein übererbsengroßes Loch, aus dem ein wenig nicht fötide riechender Eiter hervorquillt; im übrigen ist er an dieser Stelle frei von Thromben, die sich erst höher herauf und tiefer herunter zeigen. Die parietale Wand des Sinus wird mit einer Grünwald'schen, gut schneidenden Zange abgetragen, die viscerale sieht normal aus, erscheint aber stark vorgedrängt. Die Thromben werden nur teilweise entfernt, sodaß eine Blutung nicht eintritt. Infolge des weit nach vorn gelagerten Sinus kann das Antrum nicht aufgedeckt werden. 3 Stunden nach der Operation erfolgt noch ein Schüttelfrost.

22. Septbr. Erster Verband. Aus beiden Sinusenden eitriges Sekret; die Schwellung am Halse entlang der jugularis besteht noch und ist druckempfindlich. Bewegungen des Kopfes freier. Temperatur früh 38,6, abends 40. Nachmittags noch 2 Schüttelfröste, Puls 72—82.

24. Septbr. Zweiter Verband. Nur noch aus dem jugularen Ende Eiter. Temperatur früh 36,6, abends 37,6, Puls 60.

2. Oktober. Die Sekretion ist allmählich immer geringer geworden. Heute erscheint das jugulare Ende des Sinus verklebt. (In den letzten Tagen war die Flüssigkeit ganz serös geworden.) Die Temperatur schwankt zwischen 36 und 37,5, die Pulszahl ist immer sehr herabgesetzt, ca. 50 im Liegen, 60—64 beim Aufrichten.

Nun macht die Heilung der Wunde wie auch die Besserung des Allgemeinbefindens ziemlich schnelle Fortschritte. Nur die Stauungspapille ließ sich noch sehr lange konstatieren. Am 10. Oktober, also 20 Tage nach der Operation, ergab die ophthalmoskopische Untersuchung noch das Bild der doppelseitigen Stauungspapille, die aber rechts, also auf der kranken Seite, lange nicht so ausgeprägt war, wie auf der gesunden linken Seite Die Venen sind stark geschlängelt und geschwollen und zeigen in ihrem Verlauf starke Kaliberschwankungen, z. T. sind sie in ihrem Verlauf von weißen Exsudatstreifen begleitet, neben denen einzelne streif- und punktförmige Hämorrhagien liegen. Auch am 25. Oktober sind die Papillengrenzen immer noch etwas verwaschen, und zwar links immer mehr als rechts; die Venen sind im linken Auge gestaut und geschlängelt, rechts normal. Die Arterien sind beiderseits normal. Auch die Sehschärfe ist beiderseits normal mit korrigierendem Konkavglas. (Dr. Seligson.)

Am 25. Oktober ist die Wunde völlig verheilt, das Gehör normal. Auf dem Goniometer fällt Patient jetzt erst bei Erhebung von 30°.

Der Fall ist nach verschiedenen Seiten hin interessant. Erstens gehört es zur Ausnahme, daß der Sinus sich bereits 10 Tage nach begonnener Mittelohreiterung völlig obturiert und in seiner häutigen Wand durchbrochen erweist. Zweitens ist die außerordentliche Pulsverlangsamung bemerkenswert. Bei einer Temperatur von über 40° wurden oft nur 72 Schläge und später, als die Temperatur zwischen 37—38° schwankte, oft nur 50 Schläge gezählt. In einem in der hiesigen otologischen Gesellschaft[1]) vor 5 Jahren gehaltenen Vortrage berichtete ich über einen Fall von reiner Sinusthrombose ohne gleichzeitige Pyämie mit fast normaler Temperatur, bei dem der Puls bis 48 in der Minute heruntergegangen war. Man muß sich wundern, in der Literatur so selten Pulsverlangsamung bei Sinusthrombose angegeben zu finden. A priori sollte man bei herzwärts abschließendem Thrombus einen erhöhten Hirndruck und damit Pulsverlangsamung erwarten, ist, doch auch nach den Erfahrungen der Schwartze'schen Klinik bei Sinusphlebitis stets die Cerebrospinalflüssigkeit vermehrt.[2]) Es wird also die Pulsverlangsamung nicht immer, wie in dem Kessel'schen Falle auf Kompression des Vagus im Foramen jugulare zurückzuführen sein.

Die Veränderungen im Augenhintergrund sind bereits vorher beschrieben worden. Sind dieselben schon an sich bei Sinusthrom-

---

1) Verhdl. d. Berl. otol. Ges. 1901/02.
2) S. Körner. Die otitischen Erkrankungen des Hirns usw. 3. Aufl. p. 56.

bose selten, so verdient hier besonders hervorgehoben zu werden,
daß die Veränderungen im Augenhintergrund der ohre
gesunden Seite viel stärker, als auf dem der kranken
Seite ausgeprägt waren und auch noch fortbestanden-
als bereits fast völlige Heilung eingetreten war. Im
Übrigen glaube ich, ist das Auftreten der Stauungspapille, ebenso
wie die Pulsverlangsamung, wohl immer das Zeichen einer Komplikation der Thrombose, meist wohl mit Meningo-Encephalitis serosa.
Das hier eine solche bestand, kann wohl keinem Zweifel unterliegen. Hierfür spricht der Augenbefund, die Pulsverlangsamung,
die überaus heftigen Kopfschmerzen und schließlich die sehr
starke Hervorwölbung der visceralen Sinuswand, die sich erst
allmählich zurückbildete. In einem ähnlichen Falle, der dem,
nächst des Ausführlichen in einer Inaugural-Dissertation veröffentlicht wird, habe ich den direkten Nachweis von Liquor cerebrospinalis mittels Inzision in die viscerale Wand gebracht. Es
handelte sich ebenfalls um einen ganz jungen Burschen von nur
18 Jahren, der auch im Anschluß an eine akute Mittelohrentzündung bereits 3 Wochen nach begonneuer Eiterung an Sinusthrombose operiert werden mußte. Hier erwies sich nach der
Sinusoperation und Fortschneiden der parietalen Wand die viscerale Wand mächtig vorgewölbt und machte einen direkt
schwappenden Eindruck. Da Patient über starke Kopfschmerzen
klagte, seinen Kopf ganz steif hielt, die Processus spinosi der
Halswirbel auf Druck sehr empfindlich waren und das ganze
Krankheitsbild mit seinen hohen Temperaturen an Meningitis
denken ließ, entschloß ich mich, die vorgewölte viscerale Wand
zu inzidieren, worauf sich überaus große Mengen seröser Flüssigkeit entleerten, deren stärkeres Abfließen noch in den nächsten
Tagen einen mehrmaligen täglichen Verbandwechsel erforderte
Merkwürdigerweise hatte in diesem Falle, der auch zur Heilung
kam, mehrfache ophthalmoskopische Untersuchung immer normale Verhältnisse des Augenhintergrundes ergeben, während die
Pulsfrequenz auch nicht der Fieberhöhe entsprach.

Was den bakteriologischen Befund betrifft, so fanden sich
in dem steril entnommenen Sinusinhalt sehr virulente Streptokokken — eine geimpfte Maus stirbt nach 12 Stunden — im
Ohreiter hingegen, — beide Eiterproben am Operationstage gleichzeitig entnommen — Staphylokokkus pyogenes aureus (Bakteriolog.
Institut von Dr. Piorkowski).

II. Zur Kasuistik der Sarkome der Ohrmuschel

von

Dr. J. Herzfeld.

Tumoren, lediglich beschränkt auf die Ohrmuschel, gehören nicht zu den häufigen Beobachtungen. Senff[1]) konnte in seiner unter Bürkner im Jahre 1898 angefertigten Inaugural-Dissertation unter 71 450 gesammelten Fällen von Ohrerkrankungen nur 34 Tumoren der Ohrmuschel auffinden, nach welcher Statistik also auf 100 Erkrankungen nur 0,048 Tumoren kommen würden. Sämtliche Arten von Geschwülsten sind beobachtet worden, relativ selten das Sarkom. In der erwähnten Statistik sind nur 11 Fälle von Sarkom erwähnt, die ihren Ausgangspunkt an der Ohrmuschel hatten. Auch in der hierauf folgenden Literatur sind nur wenige Mitteilungen über Sarkome mit reinem Sitz an der Ohrmuschel zu finden. Ganz besonders selten aber nehmen sie den Lobulus ein. — In meinem Falle handelte es sich um einen in der Hauptmasse auf den Lobulus beschränkten Tumor bei einer 46 jährigen Landfrau. Dieselbe gibt an, beim ersten Entstehen des Tumors vor ca. 4 Jahren ein Brennen in der Gegend des des linken Ohrläppchens verspürt zu haben. Gleichzeitig wurde dasselbe etwas dicker. Eine Entzündung oder Ausschlag in der Gegend des Ohrringloches bestand nicht. Während die Geschwulst in den ersten 3 Jahren nur langsam wuchs, vergrößerte sie sich im letzten Jahr zusehends schnell. Zur Zeit der Menses wurde der Tumor immer stärker und nahm eine intensivere blaurote Farbe an. Seit 30 Jahren hat Pat. auch eine linksseitige Struma. — Der Lobulus der linken Ohrmuschel unterhalb des Ohrringloches, so daß dieses also nicht ätiologisch angeschuldigt werden darf, ist tumorartig um das Dreifache seines normalen Volumens verdickt, die Haut über demselben ist zwar dünn, aber erhalten und erscheint bläulichrot (cyanotisch) verfärbt. Die Submaxillardrüsen

---

1) 2 Fälle von Tumoren der Ohrmuschel nebst einer Abhandlung über die bisher veröffentlichten Fälle von Tumoren a. d. Ohrmuschel.

sind nicht vergrößert. Die Konsistenz des Tumors ist halb hart
Die tumorartige Verdickung setzt sich auf den freien Rand des
Helix in einer Ausdehnung von 1½ cm fort, sodaß die ganze
Geschwulst etwa eine Länge von 5 cm und an dickster Stelle
einen Durchmesser von 2 cm hat Das Innere des Ohres ist normal. Die ganze Ohrmuschel hingegen war livide gefärbt, sodaß
zunächst an eine Angiommischgeschwulst gedacht werden konnte.
Hiergegen sprach aber der Umstand, daß der Tumor auf Druck
weder seine Größe noch seine Farbe veränderte. Auch an Tuberkulose, wie sie Haug mehrfach als Knotentuberkulose beschrieben
hat, und wie ich selbst ebenfalls einen derartigen Fall am Lobulus
beobachtet habe, mußte gedacht werden. Die mikroskopische Untersuchung des sehr weichen und im Inneren mehrere Blutungen
zeigenden Tumors ergab aber keines von beiden, sondern ein ge-
mischtzelliges Rundzellensarkom. In einzelnen Partieen erscheint
das Zwischengewebe sehr locker, und in dem maschig aussehenden
Gewebe liegen sternförmige Zellen, welche Schleimzellen sehr
ähnlich aussehen. Diese Partien erinnern an Schleimgewebe, aus
denen der Schleim bei der Präparation extrahiert wurde.

Die Entfernung geschah in Anbetracht der großen Struma
unter lokaler Anästhesie durch Abtragung des Tumors innerhalb
der gesunden Zone. Die Blutung war sehr gering, die Wunde
heilte schnell, sodaß Pat. bereits nach 3 Wochen aus der Behandlung entlassen werden konnte.

XXVII.

Beiträge zur Indikation der Labyrintheröffnung bei komplizierter Mittelohreiterung und neue Vorschläge für die Labyrinthoperation.

Von

Dr. W. Uffenorde,

Privatdozent und Assistent der Kgl. Poliklinik für Ohren- und Nasenkranke
in Göttingen.

Seitdem die Ohrenheilkunde allmählich mehr durch klinisch und nekroskopisch gewonnene Erfahrungen als durch Ausbau von exakten physiologischen Untersuchungsmethoden einiges Licht in die Pathologie der Labyrintherkrankungen gebracht hat, ist man bestrebt gewesen, diesen sekundären und so oft besonders in funktioneller Hinsicht verderblichen Prozessen entgegen zu arbeiten.

Daß hier die frühzeitige Behandlung des primären Leidens, besonders der Mittelohreiterung, in allererster Linie Platz greifen muß, und daß dadurch eine günstige prophylaktische Wirkung sehr oft möglich ist, wird allerseits anerkannt. Haben wir aber das Bild der Labyrintherkrankungen bereits vor uns, so wird auch hier noch, wie genug bekannt ist, die operative Behandlung des Mittelohrleidens die Labyrinthentzündung in vielen Fällen günstig beeinflussen, so daß diese ohne direkten Eingriff heilt. In anderen ungünstigeren Fällen kommen wir mit einer Operation am Mittelohre allein nicht aus; jedenfalls wird dadurch der entzündliche Prozeß im Labyrinth nicht abgeschnitten, und die Meningitis wird oft nicht ausbleiben.

Naturgemäß liegt hier, besonders angesichts des glänzenden Ausbaues der otochirurgischen Technik, der operative Weg sehr nahe.

Die operative Inangriffnahme der labyrinthären Teile als solche wird prognostisch sehr verschieden beurteilt. Gegenüber Heine, Friedrich, Zeroni u. a. glaubt Hinsberg den Ein-

15*

griff günstiger auffassen zu müssen. Seine Statistik (Verhandl. der Deutschen otologischen Gesellschaft, Wien 1906) von 67 operativ geheilten Fällen von Labyrintheiterung gegenüber 3 Todesfällen spricht zweifellos sehr zugunsten der Operation, doch möchte ich keineswegs so weitgehende Schlüsse daraus ziehen, wie Hinsberg es tut. Daß solche Statistiken mit einer gewissen Vorsicht bewertet werden müssen, ist bereits von anderer Seite hervorgehoben worden. Doch glaube ich, daß die Gefahr der operativen Freilegung des Labyrinthes bei dringender Indikation, die wir noch besprechen wollen, in keinem Verhältnis zu der Gefahr steht, die dem Patienten bei Unterlassung der Operation droht. Bei genügender Beobachtung der allgemeinen chirurgischen Regeln, besonders bei genügender Technik und anatomischer Vorstellung werden hier die dankbarsten Erfolge nicht auf sich warten lassen, wie auch unsere beiden unten mitzuteilenden Fälle zeigen. Dagegen sind auf der anderen Seite besonders zwei schwerwiegende Momente aufzuführen. Einmal hat uns, wie schon angedeutet, die physiologische Forschung noch keine exakten Untersuchungsmethoden an die Hand geben können, welche nach physikalischen Gesetzen, wie z. B. in der Augenheilkunde, sichere Schlüsse über den Zustand der betreffenden Teile gestatten könnten. Alle die zum Teil mit viel Fleiß und Mühe gefundenen Erkenntnisse, die als neue Bausteine für die Konstruktion der Diagnose im ersten Moment von der otiatrischen Welt so dankbar aufgenommen sind, werden allmählich kritischer betrachtet, da sie sich bei unbeeinflußter und allgemeinerer Nachprüfung seitens der Fachkollegen doch nicht als so stichhaltig und verwertbar erweisen, wie der betreffende Autor annehmen zu müssen glaubte.

Alle die Symptome, die durch verschiedene Hilfsmittel bei der Labyrintheiterung beobachtet werden, z. B. Fehlen des Nystagmus bei Rotation, bei Einspritzen von kaltem Wasser usw., die charakteristischen Störungen des Gleichgewichtssinnes, besonders bei Hüpf- und Sprungversuchen, lassen uns im einzelnen oft im Stiche, oder aber es sind die Untersuchungen, wie so häufig bei den bestehenden Verhältnissen, überhaupt nicht ausführbar. Nach unseren Erfahrungen erscheint es uns z. B. in vielen Fällen geradezu unmöglich, durch die v. Stein schen Versuche etwas Sicheres zu erreichen. Gymnastisch ungeübte Menschen können oft überhaupt nicht auf einem Bein stehen, geschweige mit geschlossenen Augen rückwärts hüpfen und dergl. Daß die Versuche an geeigneten Individuen positiven Anhalt geben, soll durchaus nicht bestritten werden, ebensowenig wie daß die weitere Forschung in dieser Hinsicht unsere Pflicht ist (Kümmel), wenn man auch im allgemeinen damit in der Praxis noch nicht viel anfangen kann. Ebenso würden wir uns nur in ausgesprochenen Fällen getrauen, den kalorischen Nystagmus (Bárany) zu verwerten und zwar nur dann, wenn er sich in den übrigen, meist nur lückenhaften Symptomkomplex einfügen läßt. Bei der Nachprüfung haben wir oft einander widersprechende Erfahrungen damit gemacht. Fast alle diese Hilfsmomente, ja alle die einzelnen Labyrinthsymptome können für sich keine Entscheidung bringen; sie können nur das Symptomenbild vervollständigen.

Für den Arzt wird immer die große Schwierigkeit bestehen bleiben, die einzelnen Momente sorgfältig gegeneinander abzuwägen und, unterstützt durch die gesammelte Erfahrung, seine Schlüsse zu ziehen. In zweiter Hinsicht wissen wir aus klinischen Beobachtungen, daß die Symptome der Labyrinthentzündung nicht nur an Grad, Zahl und Dauer sehr wechselnd sind, sondern daß auch viele davon — der vollständige Symptomenkomplex ist ja bei den Labyrinthentzündungen fast nie vertreten — bei allgemeinen Erkrankungen auftreten können, — bemerkenswert ist z. B,, daß bei Retroflexio uteri, bei Menstruationsstörungen fast das komplette Labyrinthsymptomenbild auftreten kann —, ja daß sie auch mittelbar von dem fast immer primär eitrig erkrankten Mittelohr aus durch mechanische, toxische u. a. Reizung des benachbarten Labyrinthes in vielen Fällen ausgelöst werden können. Diese Fälle werden dann durch operative und auch konservative Behandlung der Mittelohreiterung meist geheilt werden. Und wiederum gibt es Fälle von entzündlichen Labyrintherkrankungen, die vielleicht nur zufällig bei der Operation, wozu wir einen interessanten Beitrag liefern können, oder bei der Sektion aufgedeckt werden.

Die Schwierigkeit für die genaue klinische Untersuchung des inneren Ohres liegt wohl darin begründet, daß es, in geschützter und entsprechend schwer zugänglicher Lage eingefügt, zwei wichtige Funktionsapparate in innigster Beziehung zueinander enthält, welche zum Teil ihrerseits sehr wechselvolle und vielseitige Verbindungen mit dem übrigen Körper und in erster Linie dem Gehirn unterhalten, die leider ebenfalls durchaus nicht genügend erforscht sind.

Auch hier kann uns nur die histologische Untersuchung von klinisch gut beobachteten Fällen weiterbringen.

Vorläufig ist es nicht abzusehen, woher der Scheinwerfer kommen soll, der sein aufklärendes Licht in jedem Fall in diese versteckten Teile schicken könnte. Schon über die Schwierigkeit der innigen Wechselbeziehungen unter den einzelnen in Frage kommenden Teilen werden wir vielleicht nie ganz hinwegkommen.

Aber trotz dieser Unzulänglichkeiten in der Frage der Labyrintherkrankungen sind dank der Forschung sichere und große Fortschritte zu verzeichnen, die auch von dankbaren Erfolgen gekrönt sind; und so ist eine weitere Pionierarbeit angebahnt. Es ist durchaus nicht der Zweck dieser Zeilen, auf alle die in Frage kommenden Momente einzugehen.

Die schwebende Frage ist heute noch immer und wird es auch wohl noch längere Zeit bleiben: wann müssen wir bei. durch eine Beteiligung des Labyrinthes komplizierter, Mittelohreiterung nach totaler Freilegung der Mittelohrräume auch das Labyrinth eröffnen? Diese Frage beschäftigt schon seit geraumer Zeit die Otiater, sie ist ganz besonders akut geworden durch ihre Besprechung auf dem vorjährigen Otologenkongreß in Wien.

Die Indikationsstellung zur Eröffnung der Labyrinthkapsel muß von verschiedenen Leitpunkten geführt werden. In erster Linie ist m. E. nicht zu vergessen, daß die in der Labyrinthkapsel verborgenen beiden Sinnesorgane zwar in engstem Zusammenhange stehen, aber doch auch wieder mehr oder weniger isoliert erkranken können. Das Gehör sowohl wie der statische Sinnesapparat bilden nicht nur für den Erwerbsmenschen, sondern auch für jeden anderen einen sehr notwendigen Besitz. Dieses müssen wir als Ohrenärzte in allererster Linie berücksichtigen. Auch die glänzenden Erfolge unserer operativen Tätigkeit sollten uns nicht die sorgfältigste Beobachtung der Gehörfunktion versäumen lassen. So glaube ich auch, daß bei der Nachbehandlung der Totalaufmeißelungshöhle die besondere Berücksichtigung der medialen Paukenwand, die doch in allererster Linie für die spätere Funktion in Frage kommt, noch öfter ein besseres Resultat herbeiführen ließe.

Je dicker das Granulationspolster auf der Labyrinthwand, einschließlich der Attikusgegend, bleibt, um so stärker und ungünstiger die spätere Bindegewebsschicht, um so schlechter die Funktion. Schon aus diesem Grunde erscheint die jüngst von Stein wieder empfohlene Nachbehandlungsmethode ohne Tam-

ponade, die von zur Mühlen und Zarniko schon früher angewandt worden ist, so generell gefordert unzweckmäßig.

So lange wesentliche Hörreste vorhanden sind, werden wir genau abwägen müssen, ob der Eingriff ins Labyrinth dringend nötig,
oder ob nicht mindestens ein Abwarten erlaubt ist. Dabei ist zu bedenken, daß jeder Eingriff am Vestibulum direkt oder indirekt
auch die cochlearen Teile schädigen wird.

In zweiter Hinsicht zeigt die klinische Erfahrung, durch die
pathologisch·anatomische Untersuchung unterstützt, daß entsprechend den engen und komplizierten Verhältnissen in der
Labyrinthkapsel bei umschriebener Karies oder Usurbildung infolge der eitrig entzündlichen Prozesse in den Mittelohrräumen
mit Fistelbildung bald Adhäsionen und Verklebungen sich bilden
können, welche das weitere Fortschreiten der Entzündung aufhalten. Sicher heilen so die größte Zahl der Fälle, nachdem die
Prozesse in den Mittelohrräumen zur Heilung gebracht sind.
Diese umschriebenen Entzündungen des Labyrinths, die sich besonders am lateralen Bogengang etablieren, sind ja sicher nachgewiesen. Aber die Erfahrung lehrt, daß sich solche Schutzwälle
auch tiefer im Labyrinth bilden können, die dem Fortschreiten
des eitrigen Prozesses gegen das Cranium Halt gebieten.

Ja weiter kennen wir eine größere Reihe von Fällen aus
der Literatur (Zeroni, Arch. f. Ohrenheilkd. 65), in denen durch
die operative Freilegung der Mittelohrräume der tödliche Ausgang
heraufbeschworen wurde, wo also irgend ein Insult die mehr
oder weniger abgeschlossene Labyrintheiterung zum Aufflackern
brachte und den tödlich endenden endokraniellen Prozeß einleitete.
Ich glaube jedoch nicht mit Zeroni, daß in den Fällen der
tödliche Ausgang auch ohne Eingriff sicher war. Dem widerspricht doch die Erfahrung. Dagegen möchte ich ihm darin
ganz zustimmen, daß weniger die Meißelerschütterung als das
Tupfen, Schaben in der Pauke usw. an den veränderten Stellen
der Labyrinthkapsel bedenklich und für die Folgeerscheinung
anzuschuldigen ist. Wenn Hinsberg verlangt, daß man in
allen fraglichen Fällen, in denen eine Labyrinthkomplikation
anzunehmen ist, sorgfältig nach einer Labyrinthfistel suchen,
die Paukenhöhle dazu frei machen, von Granulationen säubern
müsse, so ist das m. E. geradezu gefährlich. Mit Recht hält
Friedrich es in vielen Fällen für unmöglich, sich an der
medialen Paukenwand auszukennen. Es ist mir nicht ersichtlich,
wie man hier in Fällen von stärkerer Schwellung der medialen

Paukenwandschleimhaut, wie sie doch so häufig vorliegt, ohne
große Gefahr die Verhältnisse am Stapes und an den fraglichen
Teilen eruieren will. Wäre man aus den klinischen Untersuchungen vor der Operation genau unterrichtet, so wäre bei er-
kannter Notwendigkeit des Vorgehens gegen das Labyrinth dieser
Vorschlag ohne weiteres einleuchtend. Aber da wir nicht nur die
Unzulänglichkeit unserer Untersuchungsmethoden für viele Fälle
kennen, sondern auch wissen, daß bei einer sehr großen Reihe
von Fällen die Totalaufmeißelung der Mittelohrräume alle Erscheinungen seitens des Labyrinths abortiv zum Schwinden bringt,
so sind wir wohl keineswegs berechtigt, angesichts der Gefahr
irgendwie eine Explorierung der medialen Paukenwand zu er-
zwingen, wenn nicht ganz dringende Momente dazu auffordern.
Auch Hinsberg hat über schwere Folgeerscheinungen berichtet.
Meines Erachtens kann die von Zeroni wiederholte Mahnung
nicht genug beherzigt werden, in allen Fällen von Labyrinth-
komplikationen die größte Vorsicht gegenüber der lateralen Wand
der Labyrinthkapsel walten zu lassen, sie als ein Noli me tangere
zu betrachten, so lange nicht ganz bestimmte Indikationen die
Eröffnung des Labyrinths erheischen. Darauf kommen wir noch
zurück. Daß durch Ausschabung mit dem scharfen Löffel, durch
Sondierung mit der Hakensonde und dergl. leicht ein drohender
Durchbruch ins Labyrinth eingeleitet werden kann, ist ja ohne
weiteres einleuchtend und oft betont worden. Dasselbe gilt natürlich auch von den Fisteln an den Bogengängen (Politzer). Auch
hier soll in allen den Fällen, in welchen nicht aus bestimmten
Gründen ein Vorgehen gegen das Labyrinth erforderlich ist,
größte Vorsicht walten; sowohl der scharfe Löffel wie die Sonde
sollte nur möglichst schonend oder gar nicht angewandt werden,
Friedrich hat einleuchtend dargetan, daß man nicht ohne
weiteres aus dem Befunde schließen kann, ob wir schon eine
Fistel vor uns haben oder nur eine oberflächliche Usur oder Defekt.
Fast jeder kennt wohl Fälle, bei welchen man von diesen Defekten
aus durch Druck mit der Sonde u. a. leicht Schwindel, Übelkeit,
Erbrechen, Nystagmus auslösen kann. Mit anderen Worten: man
hat hier den häutigen, im wesentlichen intakten Bogengang mehr
oder weniger freiliegend vor sich, und man wird selbstverständlich hier die sorgfältigste Schonung walten lassen.

  Die Verhältnisse an der Prominenz des lateralen Bogenganges
sind schon öfter diskutiert worden. Danach erscheint es nicht so
einfach, den Defekt, die Fistel festzustellen. Während die einen

u. a. Jansen, die Fistel am lateralen Bogengang relativ oft konstatiert haben und wir müssen uns diesen Erfahrungen durchaus anschließen, haben andere sie seltener beobachtet. Daß man in vielen Fällen nur oberflächliche Defekte nachweisen kann (Friedrich), die das Bogenganglumen, die perilymphatischen Räume nicht eröffnen, ist sicher. In allen Fällen, wo man aber mit der vorsichtig angewandten Hakensonde auf dem sonst glatten Knochenwulst ganz einhakt, muß man doch eine Fistel annehmen, besonders wenn Reizungserscheinungen seitens des Vestibularapparates auftreten.

Hinsichtlich der Frage der Gefäßanastomosen zwischen Labyrinth und Mittelohr möchte ich nebenbei eine Beobachtung erwähnen, die ich nirgends erwähnt finde, die sich uns aber in mehreren Fällen bei der Operation darbot. In diesen Fällen sah man auf der Kuppe der sonst ganz glatten Bogengangsprominenz ein relativ stark blutendes Gefäß. Zweifellos handelt es sich um einen durch den entzündlichen Prozeß erweiterten Gefäßkanal, wie er jederzeit dabei gebildet werden kann; doch mögen hier wohl präformierte Wege bestehen. Es ist wohl als Ausdruck der entzündlichen Hyperämie im Bogenganginnern anzusehen. Wir sahen diese erweiterten Gefäßlöcher gerade in Fällen mit heftigen Reizerscheinungen seitens des Labyrinths.

Wann soll man nun ein Labyrinth eröffnen und wie soll man es tun?

Wie wir schon gesehen haben, stehen sich zwei Ansichten einander gegenüber. Die einen glauben angesichts der großen Gefahr, die eine Labyrintheiterung nun einmal zweifellos für das Leben des Patienten in sich birgt, und andererseits angesichts der ziemlich günstigen Statistik von bereits operierten Fällen (Hinsberg u. a.) für die Eröffnung des Labyrinths in allen Fällen von nachgewiesener ausgedehnterer Labyrintheiterung eintreten zu können. Denen stehen viele gegenüber, welche die Labyrintheröffnung nur als ganz vitale Indikation gelten lassen, die sozusagen als ultimum refugium gilt (Friedrich, Zeroni, Heine u. a.). Diese Autoren können gegenüber Hinsberg eine ganze Reihe von Fällen aufweisen, wo nicht nur durch die operative Eröffnung des Labyrinths (Jansen), sondern auch durch die des Mittelohrs und seiner Nebenräume der letale Ausgang gezeitigt ist, mag nun die Erschütterung durch den Meißel (Schwartze, Brieger u. a.) oder die Insulte durch die Kurette, Tupfer, Sonde u. a. (Zeroni) oder beides den bestandenen Schutz-

wall zerstört haben. Politzer hält die Fälle von Schnecken-
eiterungen für besonders gefährlich wegen der Gefahr des Durchbruchs von der Basalwindung der Schnecke gegen den inneren
Gehörgang (Körner, Manaße). Während man die einfachen
Bogengangfisteln ganz in Ruhe lassen soll, ist nach ihm eine
nekrotische Promontorialwand abzutragen, weitere Kurettements
in der Labyrinthhöhle aber zu unterlassen.

Wenn man möglichst unbefangen die Entwicklung der Frage
der Labyrintheiterung chronologisch bis heute zu verfolgen sucht,
so liegt der wunde Punkt doch in erster Linie in der Schwierigkeit der ausreichend genauen Diagnosestellung Wir haben
eben noch keine Methoden, die uns eine einigermaßen genaue
Differentialdiagnose ermöglichen. Wir können fast genau wie
im Gehirn noch nicht genügend zwischen Ausfalls- und Reizerscheinungen und Fernwirkungen differenzieren. Während wir
aber bei den eitrigen Entzündungen des Gehirns durch die Lumbalpunktion und die Punctio cerebri wertvolle Hilfsmittel haben, von
denen auch die letztere unter der wenn auch wenig wohllautenden,
so doch oft beherzigenswerten Devise: „Auf mehr Zeichen warten,
heißt auf mehr Leichen warten" oft unklare und differentialdiagnostisch schwer abgrenzbare Verhältnisse zu klären vermag.
Diese fehlen aber gänzlich beim Labyrinth. Hier würde eine
derartige Probeexploration bei der eitrigen Entzündung der Umgebung unmöglich und aussichtslos sein.

Wenn ich kurz die Hauptpunkte hervorheben darf, die uns
bei dem heutigen Standpunkte als maßgebend erscheinen, so
kommen hier in erster Linie die Fälle von Labyrintheiterung in
Betracht, zu denen sich endokranielle Komplikationen hinzu-
gesellen. In allen Fällen von Meningitis serosa, welche man auf
eine Labyrintheiterung zurückführen kann, mag diese auch nur
bei Ausschluß von anderen Ursachen durch irgend eine Kon-
tinuitätstrennung der Labyrinthkapsel nachweisbar sein, muß eine
ausgiebige Eröffnung des Labyrinths vorgenommen werden. Für
die Meningitis serosa kann auch ein tiefsitzender Extraduralabszeß
an der hinteren Felsenbeinpyramidenwand die vermittelnde Rolle
spielen, ebenso ein Empyem des Saccus endolymphaticus oder
beide, hier würde dasselbe Prinzip erforderlich sein. Dasselbe
trifft natürlich auch zu, wenn von einer Labyrintheiterung aus
nach Durchbruch der hinteren Pyramidenfläche vom Saccus-
empyem aus — diese Annahme gebietet eine große Vorsicht
(Wagener) — oder von einem tiefsitzenden Extraduralabszeß aus

oder durch Fortkriechen der Entzündung am Nerven entlang u. a.
ein cerebellarer Abszeß entstanden ist; auch hier würde zweifellos
die Eröffnung des Labyrinths ohne weiteres erforderlich werden.
Die Kasuistik der Fälle von konsekutiven endokraniellen
Prozessen nach Labyrintheiterung kann ja, wie wir wissen, sehr
vielseitig sein, wie die Infektion auch die verschiedensten Wege
einschlagen kann, um in das Cranium zu gelangen. Darauf kann
hier nicht weiter eingegangen werden.

Daß auch umgekehrt von einem tiefsitzenden Extraduralabszeß
aus durch Arrosion der hinteren Pyramidenfläche ein Einbruch
in die Labyrinthräume eintreten kann, ist ebenfalls ev. zu berücksichtigen und sei deshalb kurz erwähnt.

Ebenso rückhaltlos wie bei den endokraniellen Komplikationen
bedarf es wohl der breiten Eröffnung des Labyrinths in den
Fällen, wo das Cholesteatom der Mittelohrräume in jenes eingedrungen ist. Daneben sei gleich die zweithäufigste Ätiologie
der Labyrinthkomplikation, die Tuberkulose, genannt. Bei beiden
kann nur die gründliche Eliminierung des Krankheitsherdes den Tod
des betreffenden Individuums abwehren. Diese Punkte stimmen
im wesentlichen mit dem von H e i n e (Operationen am Ohr,
Berlin 1904) Gesagten überein.

Wie weit man in den übrigen Fällen von chronischer Eiterung
mit Labyrintherscheinungen, gegen dieses vorgehen soll, muß
meines Erachtens in erster Linie von dem Ergebnis der funktionellen
Prüfung (W a n n e r, Verh. d. Deutsch. ot. Ges. 1903, S. 23)
und dem Operationsbefunde abhängig ·gemacht werden. Also
wenn man bei sehr geringen Hörresten, wie sie nach B e z o l d
auch bei den Taubstummen meist erhalten sind, schwerere
Veränderungen an der Labyrinthkapsel findet, besonders wenn
man Eiter aus den Fisteln hervorkommen sieht, dann würde
ich das Labyrinth breit nach unserer unten zu beschreibenden Methode eröffnen. Wenn jedoch noch ein größerer Hörrest, und besonders wenn nur einfache Fisteln, ev. mit Granulationen darin vorhanden sind, würde ich erst den Erfolg der
Totalaufmeißelung abwarten, und nur bei Fortbestehen oder Pro-
gredienz der Erscheinungen noch das Labyrinth angreifen, wie es
z. B. in dem L i n d t'schen Falle geschah. Im übrigen ist in
jedem einzelnen Falle zu entscheiden. In den weitaus meisten
Fällen wird man keine Nachoperation nötig haben. Wir wissen
ja aus der klinischen Erfahrung, daß meistens die Fälle auch so
heilen, auch die Verhältnisse bei vielen Taubstummen sprechen

dafür. Ich glaube nicht, daß man wie Jansen von vornherein
die Schwere der Erscheinungen seitens des Labyrinths in erster
Linie erwägen muß, wir wissen, daß die schwersten Labyrintherscheinungen nach Ausführung der Totalaufmeißelung verschwinden können (Jsemer, Münchner Medizin. Wochenschrift,
1907, Nr. 1, S. 23).

Recht beherzigenswert erscheint mir die Mahnung Zeroni's,
daß es gerade in diesen Fällen wichtig ist, daß der Operateur,
wie es in der Hallenser Klinik üblich ist, sich selbst das Operationsfeld freitupft, da der Assistent leicht durch unzweckmäßiges
Tupfen Schaden stiften könnte. Bei diesen zuletzt erwähnten
Fällen von Labyrintheiterung heißt es meines Erachtens ganz
besonders: entweder — oder, man muß das Labyrinth eröffnen,
dann breit, und möglichst vollkommen, oder man will sich exspek-
tativ verhalten, dann ist aber größte Schonung nötig.

Daß auch so ungünstig verlaufende Fälle vorkommen werden,
ist nicht zu bezweifeln, das ist bei den komplizierten Verhältnissen
gar nicht anders zu erwarten.

Nun kommen noch Fälle von Labyrintheiterung hinzu, die
einer besonderen Erwähnung bedürfen.

Durch Scheibe (Verhandl. deutsch. otolog. Gesellschaft 1898,
S. 123) ist besonders die Gefahr der Labyrinthitis nach Scharlach hervorgehoben. Diese Komplikation von akuter Mittelohreiterung scheint nach seinen Mitteilungen ganz besonders bösartig
zu sein, von 4 Fällen starben drei. Die Bösartigkeit dieser Strepto-
kokkeninfektion kennen· wir ja genügend von der Behandlung
der einfachen Mittelohreiterung her. Wie man schon bei dieser
bei auftretender Komplikation nicht lange mit einem operativen
Eingriffe zu zögern pflegt, so scheint man auch zweckmäßig bei
nachgewiesenem Durchbruch der Eiterung ins Labyrinth hier
besonders dem großen Einschmelzungsvermögen des Scharlach-
erregers Rechnung tragen zu sollen. Doch bleiben weitere Erfahrungen hierüber noch abzuwarten. Erfahrungsmäßig schließt
gerade hier die Entzündung öfter mit Sequestration und Ausstoßung von Labyrinthteilen ab.

Das sind mit wenigen Worten die Fälle, wo wir einen Eingriff am Labyrinth empfehlen würden, wie es auch dem bisher
in dieser Hinsicht Mitgeteilten m. E. entsprechen würde.

Wir möchten nun entgegen Heine, Friedrich, Zeroni u. a.
darin Hinsberg zustimmen, daß die Eröffnung des Labyrinthes
an sich nicht so große Gefahren in sich birgt, vorausgesetzt daß

sie ausreichend vorgenommen wird. Daß es sich um einen harm-
losen Eingriff dabei handele, soll nicht im mindesten gesagt sein.
Aber ich glaube, daß man in Fällen von schweren Labyrintheiterungen, vor allem, wenn bereits Folgeerscheinungen vorliegen,
getrost an die operative Freilegung des Labyrinthes herangehen
kann, ja muß, und man auch herrliche Erfolge sehen wird. Ja
noch mehr, falls einmal eine sichere Diagnosestellung möglich
sein wird — das möge die Zukunft bringen, — wird man wohl bei
der Indikationstellung in Fällen von Taubheit noch mehr der Gefahr der konsekutiven endokraniellen Prozesse Rechnung tragen
können, indem man das Labyrinth operativ freilegt.

Als Methoden zur Eröffnung des Labyrinthes gelten heute
im wesentlichen die von Jansen, (Blau, Encyklopädie der
Ohrenheilkd. S. 205), Hinsberg (Zeitschr. f. Ohrenheilkd. Bd. 40)
und Neumann (Sitzung. der Österr. Gesellschaft 27. Febr. 1905.
Ref. A. f. O. Bd. XXXIX Nr. 10).

Es sind natürlich den jeweiligen Verhältnissen entsprechend
Modifikationen des Operationsweges möglich, und auch Kom-
binationen der angegebenen Methoden angewandt.

Während Jansen von dem hinteren Schenkel des horizontalen Bogenganges und Neumann von dem hinterem Teile
der medialen Antrumfläche aus vorgehen und keilförmig Schale
auf Schale von der hinteren Pyramidenfläche abschlagen, den
hinteren Teil des oberen Bogenganges, den hinteren vertikalen
Bogengang, die hintere Hälfte der lateralen, das Vestbulum eröffnen und je nach den Verhältnissen in die Tiefe durch Vergrößerung des Keiles vordringen, geht Hinsberg in erster Linie
von der medialen Paukenwand aus vor, indem er das ovale
Fenster erweitert und von da aus das Vestibulum sondiert und
den vorderen Schenkel des lateralen Bogenganges öffnet.

Die topographischen Verhältnisse, vor allem die Beziehung
der Labyrinthteile zum Facialkanal, sind sehr eingehend von
Bourguet (Anatomie chirurgicale du labyrinthe. Thèse de Toulouse, 1905 und Annales des maladies de l'oreille, Tom. XXXI)
studiert, worauf ich auch für die weiteren Ausführungen verweisen
möchte, (eingehend zit. bei Hinsberg, Verhand. der Deutschen
otolog. Verhandl. 1906 Wien).

Ich will hier nicht weiter darauf eingehen, sondern gleich
auf die Beschreibung meiner Methode kommen.

Wenn man einmal soweit gekommen ist, die Indikation zur
Eröffnung des Labyrinthes zu stellen, so muß nach meiner An-

sicht diejenige Methode die beste sein, die eine möglichst ausgiebige Freilegung der vestibulocochlearen Räume gewährleistet.

Je offener die labyrinthären Räume werden, um so sicherer kann
die Drainage erreicht, um so mehr die Retention von Sekreten und
somit die Propagation in die Schädelhöhle hintenangehalten werden.

Ich glaube, daß bei der Erfüllung dieser Forderung vieles
von der Gefahr verschwindet, die man bislang für diesen Eingriff
annimmt.

Wenn schon die Mitteilungen von Hinsberg, Freitag,
Lindt u. a. immerhin beredte Worte sprechen, so glaube ich,
daß auch die Zukunft dieses weiter zeigen wird.

Ich habe in zwei Fällen, die ich unten näher wiedergeben
möchte, meine Methode zur Anwendung gebracht.

In beiden Fällen verlief die Operation gut, leider wurde in
dem einen Falle der Erfolg durch ein nicht erkanntes schweres
Allgemeinleiden vereitelt, die Patientin ging später an Miliartuberkulose zu Grunde.

Die Operationsmethode ist kurz folgende:

Nach Ausführung der Totalaufmeißlung der Mittelohrräume,
meißle ich den Nervus facialis etwa von der Gegend des Chorda-
abganges beginnend aus dem Faloppischen Kanal frei. Anfangs
bis zur Eröffnung des Kanals benutze ich dazu den Schwartze-
schen Meißel. Die Freilegung in dem horizontalen Teile gelingt
auf diese Weise meist leicht. Darauf nehme ich einen besonderen
seitlich abgerundeten dünnen Flachmeißel und schlage die seitlichen
Teile vom Canalis Falopii fort, den horizontalen Bogengangwulst usw. Das Promontorium entferne ich wiederum mit einem
Schwartze'schen Meißel, der hier sehr zweckmäßig ist, da so
bei entsprechender Meißelstellung eine Carotis- und Jugularis-
verletzung am besten vermieden werden wird. Von Jansen ist
ja auf die Anomalien der Carotis- und Jugularislage hingewiesen
worden. Wir sind ja gewöhnt mit dem Meißel, ihn paradox auf-
setzend und in der richtigen Weise drehend auf dem Facialissporn
und auf der dura mater z. B. zu gebrauchen, hier handelt es sich
um dasselbe Prinzip. Ich habe so auch leicht den oberen Bogengang mit entfernt. Unter Benutzung der Hakensonde kann man nun
ganz entsprechend den Verhältnissen vorgehen. Man wird hier, wie
bei der Neumann'schen Methode, aber vom Fazialis ab, den man
ja nun vor sich hat, nach hinten bis zur Dura der linken Pyramidenfläche alles fortnehmen, also die Bogengänge, aquaeductus vestibuli,
je nachdem bis zum Porus acusticus internus vordringen. Auch

um die oberen Teile des vestibulären Teiles, also den oberen Bogengang zu entfernen, wird man sich am besten des Schwartze-schen Meißels bedienen, da auch hier die dura mater ausweichen wird.

Um die Cochlea zu entfernen, resp. um nekrotische, kariöse Teile von dort zu eliminieren, wird man vorsichtig einen passenden scharfen Löffel benutzen und dabei an die Lage des N. facialis der oberhalb auch etwas vor dem oberen Teile der Schnecke verläuft, und der Carotis, die davor liegt, denken. Intensive Beleuchtung und sorgfältige Blutstillung sind dabei nötig und werden das Arbeiten erleichtern. Man kann so das ganze Felsenbein exzidieren, jedenfalls so weit es für uns von Interesse ist, ohne den N. facialis ernstlich zu lädieren. Die sorgfältigste Kontrolle der gleichseitigen Gesichtshälfte seitens eines Assistenten ist selbstverständlich erforderlich. Natürlich wird eine Parese kaum zu vermeiden sein, diese wird, wenn auch oft erst nach geraumer Zeit, wieder zurückgehen. Daß bei sehr ausgedehnter Exzision der Labyrinthteile, ja des Felsenbeins — was ja übrigens nicht immer nötig ist —, eine ernste Verletzung des Fazialis möglich ist, wird nicht zu leugnen sein, das ist schon für die einfachen Methoden nicht in Abrede zu stellen (Hinsberg). Andererseits zeigt der Fall von Lindt, daß auch ohne jede Läsion bei der Operation eine ein halbes Jahr dauernde Fazialislähmung eintreten kann. Post operationem verläuft also der Fazialis isoliert quer durch die Pauken-Labyrinthhöhle. Die Ernährung wird offenbar durch das Periost aus dem Faloppischen Kanal und die ihn bald einbettenden Granulationen gesichert. Bei der nachträglichen Durchsicht der Literatur wurde mir der Panse'sche Vorschlag der Isolierung des unteren Fazialis bei der Bulbusoperation wieder in Erinnerung gebracht, was allerdings wohl nicht befolgt wird und auch nicht mehr erforderlich erscheint.

Auf diese Weise wird nicht nur das Labyrinth in eine ziemlich glattrandige Höhle verwandelt und leicht übersichtlich, sondern es fehlt auch die lästige Fazialisbrücke, an deren innerer Seite leicht nicht nachweisbare Prozesse zurückbleiben können. Ich möchte hier noch hinzufügen, daß ich mit Friedrich in Fällen von Labyrintheröffnung durchaus gegen eine primäre retroaurikuläre Naht plaidieren möchte. In diesen Fällen, wo doch zweifellos schwierigere Verhältnisse vorliegen, die dringend einer genauen Übersichtlichkeit bedürfen, soll man sich diese nicht durch einen primären retroaurikulären Verschluß der Wunde unnützer Weise zerstören. Ebenso ist die von Jansen und Ballance in je einem Falle ausgeführte Transplantation nach Thiersch in die eröffnete Labyrinthhöhle kaum nachahmenswert. Wenn sie schon mißliche Verhältnisse bei Anwendung derselben in der Paukenhöhle zeitigen kann, so ist sie hier wohl geradezu gefährlich. Ja man muß sogar, wie ein Fall von Friedrich zeigt, vorsichtig mit den Plastiklappen sein, das Labyrinth darf nicht verdeckt werden. Die Fraise zu benutzen, konnte ich mich nicht entschließen, da sie m. E. nicht ein so sicheres Arbeiten ermöglicht, wie der Meißel, — jedenfalls ist eine große Sicherheit nötig —, da andererseits das Operationsterrain durch den Knochenstaub leicht verschleiert wird (Hinsberg).

In unserem ersten Falle handelt es sich um besonders schwierige Verhältnisse, indem der Nervus facialis fast in seinem ganzen Verlaufe durch das Felsenbein freigelegt werden mußte. Es wurde das ganze Labyrinth, alle Bogengänge, Vorhof und Schnecke, diese z. T. sequestriert, entfernt. Die ganze hintere Fläche der Felsenbeinpyramide wurde einschließlich der lateralen Umrandung des Porus acusticus internus reseziert. Über der Eminentia arcuata wurde die Dura mater freigelegt. Trotzdem ist der Nervus facialis funktionsfähig geblieben, wenn er auch infolge der Jnsulte, die trotz aller Vorsicht nicht zu vermeiden sind, paretisch wurde.

Es handelte sich um kolossal ausgedehnte Cholesteatominvasionen der Labyrinthräume. An der hinteren Felsenbeinpyramidenfläche bestand ein Extraduralabszeß. Sehr interessant ist es, daß auch der Saccus endolymphaticus von dem Prozeß ergriffen war, man sah bei der Nachbehandlung an der entsprechenden Stelle der Dura mater der hinteren Schädelgrube eine flache scharf umgrenzte Vertiefung, deren Grund von Cholesteatommatrix bekleidet war.

Der Durchbruch des Cholesteatoms vom Mittelohr aus ins Labyrinth fand an der medialen Adituswand statt; die mediale Paukenwand war frei von Durchbruch.

Dementsprechend war trotz der fast totalen Ausbreitung des Prozesses im Labyrinth die Schnecke frei von Cholesteatom geblieben, aber durch die sehr destruktiven Prozesse in der Tiefe offenbar ungenügend ernährt und nekrotisch geworden.

Dieser absterbende Prozeß war noch nicht ganz vollendet, doch ließ sich die Schnecke leicht enfernen.

Es ist übrigens auch an diesem Falle erstaunlich, wie resistent der Nervus facialis ist, er war ante operationem ganz intakt. Dieses weist auch darauf hin, daß man es ruhig wagen kann, den Nervus aus seinem Kanal frei zu meißeln. Das ernährende Periost des Kanales bleibt ihm, während die Knochenbrücke kaum viel zu seiner Ernährung beitragen wird. Aber wenn auch in solchen Fällen von Labyrinthkomplikation bereits ante operationem, eine Parese des Nerven besteht, so wird man wenigstens in allen Fällen, wo keine Entartungsreaktion nachweisbar ist, in der beschriebenen Weise vorgehen können. Solche Paresen, ja mit Entartungsreaktion (Lindt), gehen ja oft, wenn auch zuweilen erst nach langer Zeit vollständig zurück. Heine teilt in seiner Operationslehre einen Fall von Cholesteatominvasion ins Labyrinth mit, wo er den paretischen Facialis mitreseziert hat, um die Verhältnisse gründlich freilegen zu können.

Bei dem zweiten zu beschreibenden Fall handelt es sich um einen subakuten eitrigen Prozeß, mit ganz eigenartigem klinischen Verlauf. Die bakteriologische Untersuchung des Mittelohrsekretes ergab Pneumokokkeninfektion. Die Perforation der Labyrinthwand geschah am ovalen Fenster, während die Bogengänge frei erschienen. Von dieser Labyrintheiterung aus, die nur ganz geringes Fieber verursachte, kam scheinbar eine Meningitis serosa mit sehr geringen zerebralen Erscheinungen und langsamem Verlaufe zur Ausbildung. Neben wechselnden Kopfschmerzen bestanden während 2—3 Wochen nur eine doppelseitige Abduzensparese. Auch in diesem Falle wurde der Facialis frei präpariert, und der gesamte vestibulare Apparat aufgedeckt.

Aus dem Ductus endolymphaticus floß sehr reichlich Liquor cerebrospinalis ab, wodurch eine weitere Lumbalpunktion überflüssig wurde. Der Abfluß dauerte 4—5 Tage (Hinsberg).

Die Abducensparese, durch Hirndruck bedingt, wie sie oft bei Meningitis serosa zuerst auftritt, ging post operationem in einigen Wochen zurück, kehrte dann aber wieder. Auffallend sind bei dem Falle die sehr schweren Veränderungen an dem Augenhintergrund. Die Patientin hat kurz nach der Operation nur mittelschwere Erscheinungen gehabt.

Plötzlich setzten dann schwere Respirationsstörungen mit heftigsten Stirnkopfschmerzen ein, die Punktion des Cerebellum ergab nichts, die Sektion deckte dann 5 große Konglomerattuberkel im Cerebellum auf, wodurch sich die Annahme einer Meningitis serosa als irrig erwies.

Ich bin mir nun wohl bewußt, daß die Veröffentlichung des ersten Falles etwas verfrüht erscheinen mag, doch glaube ich

aber trotzdem hinzufügen zu sollen, daß es sich hier in erster
Linie um die Operationsmethode und um die Indikationsstellung
handelt. Im nächsten Jahresbericht unserer Göttinger Poliklinik
wird definitiv noch darüber berichtet werden. Die Fälle bieten
mir einen willkommenen Beleg für meine Ausführungen.

1. Fall. Bührmann, Albert, 28 J., Bahnmeisteraspirant, Riestädt bei
Sangerhausen, kam am 22. Mai d J. in unsere Poliklinik mit der Angabe,
daß er seit Herbst vorigen Jahres an Mittelohreiterung r. leide. Früher ist
er nie krank gewesen. Als Kind von 8 Jahren in unserer Poliklinik wegen
Mittelohrkatarrh behandelt (ad integrum geheilt). Wegen Fehlens des linken
kleinen Fingers militärfrei. Im Frühjahr vorigen Jahres ist Patient vom
Kreisphysikus untersucht, damals als normalhörend bezeichnet, 7 m Flüstersprache. (?) Die Hörfähigkeit des r. Ohres soll erst seit Frühjahr 1907 allmählich abgenommen haben, zuletzt hat er .r. gar nichts mehr gehört. Seit
drei Wochen habe er heftige Schmerzen im r. Ohr, im Hinterhaupt und in
der rechten Schläfe, die bis jetzt anhalten. Er war auswärts in spezialärzt-
licher Behandlung gewesen. Am 19. Mai habe er an Übelkeit und Erbrechen
gelitten, das aber nicht wieder aufgetreten sei. Er habe niemals Sausen
oder Schwindel gehabt. Auch habe kein Fieber bestanden.

Der Patient macht einen schwerkranken Eindruck, eine sofort vorgenommene Messung der Temperatur ergab 39,4° (mittags).

Die Untersuchung des linken Ohres ergibt ganz geringe Einziehung,
Abmattung des Trommelfellglanzes, diffuse Trübung.

R. ist eine starke Schwellung der hinteren Wand des Gehörganges zu
konstatieren, hinter der man mit einer Sonde hinauf kommt. Im medialen
Teile des Gehörgangs liegen dicke Cholesteatommassen mit fötidem Eiter
gemischt. Das Trommelfell ist nicht zu sehen.

Die Umgebung des r. Ohres zeigt keine Besonderheiten, insbesondere
besteht keine Schwellung oder Druckempfindlichkeit.

Objektiv ist ebenfalls kein Schwindel und kein Nystagmus nachweisbar.

Wegen des schwerkranken Zustandes des Patienten können keine eingehenderen Untersuchungen vorgenommen werden.

Die Funktionsprüfung ergibt:

Linkes Ohr. Knochenleitung erhalten. Weber total nach l. lateralisiert.
Rinné +. Perzeptionsdauer: 10″. Uhr wird 40 cm gehört (post operationem
spontan 80 cm).

Rechtes Ohr. Knochenleitung —. Rinné —. Perzeptionsdauer 10″.
Uhr wird nicht gehört, nur laute Sprache ins Ohr. (Lucae-Dennert?)

Diagnose: Otit. med. suppur. chronica dextra (Cholesteatom). Perisinuöser
Abszess, (Sinusthrombose?).

Therapie: Totalaufmeißelung mit Freilegung des Sinus lateralis.

Status praesens: Kräftig gebauter, mittelgroßer Mann in gutem Ernährungszustande. Macht den Eindruck eines schwer Kranken. Nacken
wird steif gehalten, Bewegungen nach r. und l sind ohne Schmerzen möglich.
Bei Beugung des Kopfes nach vorn empfindet Patient lebhafte Schmerzen,
die nach unten in die Brustwirbelsäule ausstrahlen. Sensorium frei. Herz
und Lungen ohne Besonderheiten. Urin ohne Beimengungen. In der Bauchhöhle keine nachweisbaren Veränderungen. Rhomberg ist angedeutet, beim
Gehen mit geschlossenen Augen ist Patient unsicher und weicht nach links,
der gesunden Seite ab. Pupillen sind gleich weit, reagieren auf Beleuchtung
und bei Convergenz. Augenbewegung frei. Beim Blick nach rechts leichter
Fixationsnystagmus, der nur ganz kurze Zeit anhält. Kein Nystagmus. N.
facialis und n. hypoglossus frei. Patellarreflexe beiderseits erhalten. Kein
Babinskireflex, Fußklonus beiderseits auszulösen. Bauchdecken und Cremaster-
reflex erhalten.

22. Mai 1907, nachmittags. Totalaufmeißelung in Chloroformnarkose.
Weichteile blutreich, ohne Veränderung. Die Corticalis zeigt vor der spina supra
meatum eine Fistel, die mit Granulationen ausgefüllt ist. Im Prozessus mastoi-

deus sind die Zellen untereinander verschmolzen, die Septa rarefiziert, die Hohlräume erfüllt mit Cholesteatommassen. In der Tiefe sind die Verhältnisse schwer zu übersehen, ausgedehnte Zerstörungen. Die hintere Gehörgangswand ist durchbrochen, durch die Öffnung ragen die Cholesteatomschollen in den Gehörgang. Amboß fehlt, Hammer ist stark kariös. Der Sinus lateralis, in größerer Ausdehnung freigelegt, zeigt nur geringe Auflagerungen. Resistenzgefühl normal. Oberhalb des Facialwulstes geht ein größerer Recessus, der mit Cholesteatommassen erfüllt ist, in die Tiefe. Bei der Glättung des Tegmen antri et tympani löst sich die ganze Knochenschuppe und muß entfernt werden, so daß die Dura sich etwas senkt. Freilegung des n. facialis aus dem Fallopishen Kanal, dabei wiederholt Zucken der Gesichtsmuskulatur. Das Labyrinth wird weit eröffnet und einschließlich der hinteren Pyramidenfläche reseziert bis zum Porus acusticus internus. Der hintere Teil des Labyrinthes ist ausgefüllt von weißglänzenden Cholesteatomlamellen. Unterhalb des Facialiswulstes wird das Promontorium mit dem Schwartze'schen Meißel (4—6) entfernt unter Zuhilfenahme des scharfen Löffels und Kontrolle mit der Hakensonde. Die Knochenstücke werden vorsichtig entfernt. Dabei wird die Schnecke (modiolus mit lamina spiralis ossea) als Sequester herausgeholt. In dem cochleaen Teile zeigen sich mehr Granulationen. Die Dura mater der mittleren Schädelgrube wird oberhalb des oberen Bogenganges und der Schnecke und andererseits der ganzen hinteren Pyramidenfläche entsprechend bis zum Porus acusticus internus freigelegt, sie ist von schmutziggrauen Granulationen bedeckt. Die obere Pyramidenkante wird reseziert, sinus petrosus superior und Ansatz des tentorium cerebelli dadurch freigelegt. Ausspülung der Wundhöhle mit physiologischer Kochsalzlösung. Jodoformgazetamponade. Panse'sche Plastik. Verband.

23. Mai. Patient fühlt sich wohl. Die Schmerzen haben aufgehört. Kein Schwindel, kein Erbrechen. Keine Gleichgewichtsstörungen. Der Mundwinkel r. hängt herab und kann beim Mundspitzen nicht gehoben werden. Das obere Augenlid geht beim Schließen des Auges bis über die Mitte des Bulbus herab. Kein Nystagmus. Pupillen reagieren. Temperatur 37,3°. Kein Abfluß von Liquor cerebrospinalis.

25. Mai. 1. Verbandswechsel. Wundhöhle sieht gut aus, fast keine Sekretion. Lockere Jodoformgazetamponade. Die obere Wand, freigelegte Dura mater hat sich etwas gesenkt und verschließt z. T. den Zugang zur Labyrinthhöhle. Appetit gut. Augenlid schließt schon besser. 37,7°. Der n. facialis hat sich angelegt

3. Juni. Die Sinusverhältnisse machen gute Fortschritte, starke Granulationsbildung. An der Dura mater der hinteren Schädelgrube zeigt sich entsprechend der Lage des Saccus endolymphaticus eine scharf begrenzte flache Vertiefung, auf deren Grunde Cholesteatommatrix sitzt. Kein Nystagmus, keine Gleichgewichtsstörung, kein Schwindelgefühl, ebenso kein Sausen. Die Stärke des Händedrucks ist bds. gleich. Beim Gehen mit geschlossenen Augen kein typisches Abweichen, ebenso gibt das Stehen auf einem Beine keinen bestimmten Anhaltspunkt; die Sicherheit wechselt. Bei der Rotation um die eigene Körperachse tritt bds. auch auf der kranken Seite Nystagmus auf (Eschweiler). Der Lucae-Dennertsche Versuch positiv. Nachts bisweilen etwas Kopfschmerz, Schlaf mangelhaft. Rp. Ferr. lactic. Chinin. Ext. Valerianae. Sanatogen.

8 Juni. Schlaf gut. Appetit gut. Labyrinth fast total von Granulationen erfüllt. Keine Entartungsreaktion bei der galvanischen Prüfung des n. facilis.

14. Juni. Wohlbefinden. Galvanisation des n. facialis. 3 mal wöchentlich.

20. Juni. Die Wundhöhle ist fast ganz epidermisiert. Patient ist ohne jede Beschwerde.

N. facialis noch paretisch, aber schon wechselnd. Gut erhaltene Reaktion.

28. Juni. Die Wundhöhle ist epidermisiert. Patient entlassen.

2. Fall. Weiland, Hedwig, J. Maurerstochter aus Göttingen kam am 16. Mai d. J. in die Poliklinik mit der Klage, seit etwa 4 Wochen anfallsweise Kopfschmerzen zu haben. Seit der Zeit R. Ablenkung des Auges.

Keine Gleichgewichtsstörung, kein Schwindel, hat einmal erbrochen Sonst bestehen keinerlei Beschwerden. Die Kopfschmerzen lokalisierten sich allmählich mehr in die Stirngegend.

R. Ohr. Gehörgang, Umgebung und Trommelfell zeigen normalen Befund. Funktion ergiebt: Uhr 20 cm gehört, Knochenleitung erhalten. Weber nach links (der kranken Seite) lateralisiert. Perzeptionsdauer nicht einwandfrei zu prüfen. Uhr 15 cm gehört.

L. Gehörgang frei. Die Umgebung des Ohres zeigt keine Druckempfindlichkeit und keine Schwellung.

In der Tiefe des Gehörgangs Epithelschollen. Tfll. konvex, graurot. Funktionsprüfung ergibt Lateralisation beim Weber'schen Versuch nach links. Knochenleitung erhalten. Die Uhr wird ad concham gehört. Die ganze Tonreihe gehört.

Beiderseitige Abducenslähmung und Strabismus convergens rechts. Kein Nystagmus. Pupillen etwas eng, reagieren, nn. facialis, hypoglossus, trochlearis u. s. w. ohne Besonderheit. Rhomberg negativ.

Diagnose: Otitis med. exsudativa acuta sin.

Therapie: Paracentese.

Es fließt kein Sekret aus der Pauke ab, nur Blut.

Darauf etwas Nachlassen des Kopfschmerzes. Geringe Sekretion aus der Pauke.

Seit dem 29. Mai zunehmender Kopfschmerz. Das Kind hält ständig die Hände an die Stirn gedrückt, jammert und klagt über Schwindel.

30. und 31. Mai öfter Erbrechen, das Kind ist mittags zusammen gebrochen.

Das Kind ist in die Kgl medizinische Klinik aufgenommen, dort wurde folgender Status praesens erhoben: Mädchen cyanotisch, stumpf, teilnahmlos. mit nach hinten übergestrecktem Kopfe daliegend. Das Kind antwortet prompt und richtig und gibt als Sitz der Schmerzen die Stirn an. Geringe Nackenstarre, Kernig angedeutet.

Abducensparese bds., Strabismus convergens dexter. Pupillen different. reagieren beide prompt Beiderseitige stark ausgebildete Stauungspapille, rechts mit strichförmigen Blutungen. Druckpunkte der Trigeminusäste bds. empfindlich. Gesichts- und Zungenbewegung intakt. Puls 54—60, arythmisch. Leib eingesunken, gespannt. Sehnenreflexe am Knie und Ferse nicht auszulösen. Kein Babinski. Kein Rhomberg. Leukocyten 22 500.

Spinalpunktion 200—250 mm Druck. 15 cm laufen ab, unter Erniedrigung des Druckes auf 100 mm. Eiweißgehalt nicht vermehrt. Zucker vorhanden.

Verlegung in unser Spital.

Funktionsprüfung nicht ausführbar.

Diagnose: Seröse meningitis. Labyrintheiterung (?).

28. Mai. Totalaufmeißelung in Chloroformnarkose.

Operationsbericht: Weichteile ohne Besonderheit. Corticalis in dem hinteren Teile des Processus bläulich verfärbt. Sinus lateralis liegt direkt unter der Corticalis. Diese ist in dem oberen Teile der Pars mastoidea verdickt. Beim Anschlagen des Antrum mastoideum dringt unter Pulsationen Eiter hervor, der eigentümlich milchig gefärbt ist. In Antrum, Attikus und besonders auch in der Pauke zeigt sich geschwollene Schleimhaut. Der kurze Schenkel des Amboß ist stark kariös, auch sonst am Hammer und Amboß kleine kariöse Stellen. Der Stapes ist von Granulationen eingebettet und davon durchwachsen, er ist ohne weiteres damit herauszuholen. In der fossa ovalis Fistel nach dem Labyrinth zu konstatieren.

Der n. facialis wird aus seinem Kanal herauspräpariert. Dabei wiederholt Zucken der Gesichtshälfte. Darauf breite Eröffnung des Vestibulum und der Bogengänge, diese werden ganz entfernt Die Schnecke und der vordere vestibulare Abschnitt zeigen Eiter und eitrige infiltrierte Granulationen. Das Promontorium wird ganz entfernt. Beim Fortnehmen der hinteren Bogengangsgegend Abfluß von Liquor cerebrospinalis. Die hintere Felsenbeinpyramidenfläche wird z. T. mit entfernt, um die Dura mater frei zu legen. Diese erweist sich als gesund. Dura mater der mittleren Schädelgrube bloßgelegt, ohne krankhafte Auflagerung, wölbt sich stark vor. Ohne

Pulsation. Glättung der Wundhöhle. Auswaschen mit physiologischer Kochsalzlösung. Vioformgazetamponade. Panse'sche Plastik. Verband.

2. Juni. Es hat ständig starker Abfluß von Liquor cerebrospinalis stattgefunden. Der Verband war immer ganz durchfeuchtet und die Leibwäsche beschmutzt. 1. Verbandwechsel, da abends vorher 38°. Leichte Schwellung um die Wunde. Starker Foetor. Entfernung der Plastiknähte. Austupfen der Wundhöhle mit Hydrogeniumperoxydatum. Fieber abgefallen. Patientin fällt beim Aufrichten nach der gesunden Seite. Subjektiv kein Schwindel, kein Sausen. Beim Blick nach der gesunden Seite starker rotatorischer Nystagmus. Appetit leidlich. Facialis paretisch, besonders die unteren Äste. Keine Kopfschmerzen mehr. Die bakteriologische Untersuchung des Eiters hat Pneumokokken ergeben (Kgl. hygienisches Institut). Die mikroskopische Untersuchung des Granulationsgewebes aus der Pauke mit Stapes ergibt keinen besonderen Befund, ebenso ist eine Tuberkelbazillenfärbung resultatlos.

5. Juni. Der Abfluß von Liquor cerebrospinalis hat aufgehört. Immer Eiter in der Wunde, auch im Labyrinth. Nystagmus gering, nicht immer deutlich. Kein Schwindel. Beim Gehen starkes Schwanken und Unsicherheit. Keine Kopfschmerzen. Appetit gut. Keine Temperatur. Puls noch schwankend.

10. Juni. Die Abducenslähmung ist beiderseits bedeutend zurückgegangen. Die Pupillen sind etwa gleich weit, eher erscheint diejenige auf der linken Seite jetzt etwas enger. Die Veränderungen des Augenhintergrundes sind auf beiden Seiten noch sehr stark. Die Papillengrenzen sind ganz verwaschen. Die Papille wölbt sich nicht vor. Z. T. sind die Blutungen noch sichtbar, z. T. sieht man nur die Narben, sie sind resorbiert. Daneben sind strahlenförmige Degenerationsherde sichtbar. Das Gesicht ist gut. (Kgl. Augenklinik).

16. Juni. Patientin hat zweimal inzwischen kurz erbrochen. Es besteht keinerlei Sausen, Schwindelgefühl. Steht zeitweise auf, noch stärkere Gleichgewichtsstörung. Appetit gut. Die Veränderungen am Augenhintergrund noch ungefähr dieselben. N. facialis noch paretisch, er ist von gesund aussehenden Granulationen umgeben. In den vorderen Abschnitten der Labyrinthhöhle Granulationsbildung. Das Vestibulum zeigt noch nackten Knochen. Wohlbefinden. Oft Verbandwechsel.

18. Jul. Patientin war zur ambulatorischen Behandlung entlassen. War herumgelaufen. Starke Kopfschmerzen, geringes Erbrechen. Die Lumbalpunktion ergibt keine Drucksteigerung des Liquor cerebrospinalis; dieser ist ganz klar.

Neue Aufnahme.

25. Juli. Appetit stets sehr gut. Bisweilen Klage über sehr starke Stirnkopfschmerzen. Abducens wieder mehr paretisch. Pupillendifferenz gering. Der orbiculare Ast des Facialis reagiert. Läßt zeitweise unter sich. Sensorium aber immer ganz frei. Babinski positiv. Plötzlich nachts wird die Atmung sehr langsam, der Puls ebenfalls 60. Große Mattigkeit. Patientin kann nicht stehen. Babinski positiv.

Operation: Mit der Borchardt'schen Fraise wird nach Zurückschiebung der Weichteile ein größeres Stück der knöchernen Kleinhirnkapsel entfernt. In dem hinteren Winkel des Sinus transversus und sinus sigmoideus werden nach verschiedenen Richtungen Punktionen gemacht. Eine einsetzende Respirationslähmung wird durch künstliche Respiration besiegt. Kampferinjektion. Dann bei einer erneuten Punktion des Cerebellum mit Dilatation durch Peance Respirationslähmung, die trotz lange Zeit hindurch ausgeführter künstlicher Atmung, Kampherinjektion, Kochsalzinfusion nicht beseitigt werden konnte. Exitus letalis.

Die Sektion ergibt: In dem ganzen Körper verbreite Miliartuberkulose, die scheinbar etwas älteren Datums ist. Lunge, Darm, Leber, Milz, Mesenterium, Drüsen befallen. Während das Großhirn und die Meningen frei von Veränderungen sind, finden sich im Cerebellum 4 große, z. T. kleinwallnußgroße Konglomerattuberkel in der Rindenschicht, davon sitzt einer am Wurm, ein anderer ist mit der Kleinhirndura verwachsen und ist andererseits nur durch seinen Stiel mit der Kleinirnsubstanz verbunden. Im Bereiche der Operationswunde im Felsenbein finden sich weder an der Dura mater noch Nerven oder Blutwegen Veränderungen. Die Wundhöhle zeigt frisch aussehendes Granulationsgewebe. Außerdem besteht ein ziemlich hochgradiger Hydrocephalus. (Kgl. Patholog. Institut.)

Epikritische Bemerkungen: Bei dem 1. Falle ist besonders bemerkenswert, wie schleichend und symptomlos der so schwere Prozeß verlaufen ist. Patient ist sehr verständig und ziemlich intelligent. Zweifellos hat die Erkrankung früher bestanden, wie vom Patienten angegeben wurde. Auch die kreisärztliche Prüfung wird nicht unbedingt dagegen sprechen. Zur Zeit der Operation bestand nur ein totaler Ausfall des cochlearen Abschnittes, der des vestibularen war durch die anderen für die Erhaltung des Gleichgewichts in Frage kommenden Faktoren bereits vollkommen ausgeglichen. Auch die später vorgenommene dynamische Prüfung der beiden oberen Extremitäten, die Prüfung des Widerstandes beim festen Stehen ergaben keinen wesentlichen Unterschied, auch den von Eschweiler beobachteten Nystagmus beim Rotieren des Pat. von der gesunden zur kranken Seite, hier von l. nach r., u. z. beim Blick nach links, konnten wir deutlich wahrnehmen. Erst durch eine in der letzten Zeit auftretende Mischinfektion ist der Prozeß aus der Latenz herausgetreten und hat die schweren Erscheinungen gezeigt. Auffallend ist es, wie rasch sich der Patient vollkommen erholte. Die Funktionsprüfung. die leider vor der Operation keine vollständige sein konnte. damals auch nicht ganz sicher erschien, ergab auf dem kranken Ohr eine Perceptionsdauer für c^2 und c^1 von 10" (Spiegelbild des anderen Ohres [Bezold, Wanner]).

Bei dem zweiten Falle, wo wir im wesentlichen einen akuten Prozeß vor uns haben, traten offenbar lange vor dem vollendeten Durchbruch der Eiterung ins Labyrinth die endokraniellen Symptome auf.

Da man weder durch klinische Untersuchung, noch durch die anderen Untersuchungen: die bakteriologische Untersuchung des Liquor cerebrospinalis, des Pauken- und Labyrintheiters, die mikroskopische Untersuchung der veränderten Paukenschleimhaut, irgend einen Anhalt für Tuberkulose hatte, so wurde diese zeitweilig gehegte Befürchtung fallen gelassen. Gerade der Pneumokokkenbefund erschien als genügende Erklärung für das eigenartige Krankheitsbild. Die anfänglichen cerebralen Symptome sind wohl als hydrocephalische aufzufassen.

Die Schnecke, die anfangs auf jeden Fall noch funktionierte, war bald nach dem Labyrinthdurchbruch schwer beteiligt. Zur Zeit der Operation waren die Bogengänge noch im wesentlichen frei, und nur die Schnecke und der Vorhof ergriffen. Den Reizerscheinungen vor der Operation folgten nach dieser die Ausfallserscheinungen. Kurz nach der Operation war jedoch noch starker rotatorischer Nystagmus nachweisbar.

Die Gleichgewichtsstörungen, dynamischen Unterschiede nach der Operation, verschieden starker Händedruck, geringer Widerstand beim Stoßen nach der kranken Seite (Wanner) waren offenbar durch den Labyrinthverlust bedingt, da die krankhaften Prozesse im Cerebellum sich nur sehr langsam entwickelten und beiderseits bestanden.

Wenn auch durch die bestehende Tuberkulose des Kleinhirns (Schulze) das Krankheitsbild nicht ganz eindeutig ist — auch die Paukenaffektion ist vielleicht tuberkulöser Provenienz und als hämatogene Infektion aufzufassen, der Pneumokokkenbefund bedeutet dann nur eine stattgefundene Mischinfektion — so glaube ich trotzdem den Fall voll und ganz für das vorliegende Thema verwerten zu können, da für das Labyrinth und den nervus facialis die Verhältnisse ebenso so ungünstig lagen wie in anderen Fällen von Mittelohreiterung.

Zum Schluße möchte ich kurz über die von uns beobachteten Fälle von Mittelohreiterung mit Labyrinthkomplikation berichten, soweit sie operativ behandelt wurden. Alle heilten spontan nach Ausführung der Totalaufmeißlung der Mittelohrräume. Die Fälle wollen wir in akute und chronische trennen. In allen diesen Fällen mußte die Komplikation entweder wegen Nachweises einer Fistel an der Labyrinthkapsel oder wegen bestehender hochgradiger Taubheit mit schweren Erscheinungen seitens des Labyrinthes angenommen werden. Daß öfter eine Fistel an der medialen Paukenwand bestanden hat, ist anzunehmen, sie konnte wegen unseres oben mitgeteilten Standpunktes bei der Operation nicht immer nachgewiesen werden. Die Erscheinungen seitens des vestibularen Teiles waren in frischeren Fällen oft stürmisch, Übelkeit, Erbrechen, auch Schwindel, Kopfschmerz, Nystagmus, meist stärker nach der gesunden Seite, aber fast immer auch schwächer nach der kranken Seite, seltener Gleichgewichtsstörungen, wurde oft gleichzeitig bei demselben Individuum beobachtet. Die Erscheinungen traten meist in Attacken auf. Daneben bestanden oft starkes Sausen, Klingen u. a. Wir haben beobachtet, daß die Erscheinungen bei sonst empfindlichen, sensiblen Menschen besonders heftig waren

und auch unangenehmer empfunden wurden. Während nun alle
diese Symptome in einigen Fällen abortiv nach der Totalaufmeißelung abklangen, wie auch in den Fällen von J semer, bestand
der Nystagmus meist noch lange Zeit fort; ich konnte ihn oft
viele Monate, nachdem die Aufmeißelungshöhle total epidermisiert
war, bei den Patienten als einziges Symptom noch nachwiesen.
Ich möchte hier besonders betonen, daß gleich nach der Operation oft Nystagmus, z. T. sogar starker, nachweisbar ist, — besonders sehen wir das auch bei stark fiebernden Patienten, —
das sagt m. E. nichts Besonderes hinsichtlich des Labyrinthes; er
entsteht dann wohl durch die Erschütteung desselben beim Meißeln.
Es scheint auch, als ob die Individuen verschieden empfindlich
sind. Die Gleichgewichtsstörungen halten öfter auch längere Zeit
nach ausgeheilter Totalaufmeißlung noch an, treten aber meist
nur in der Dunkelheit oder bei der Arbeit in Erscheinung und
sind mehr unbestimmter Art.

In zwei Fällen haben wir Labyrinthentzündung bei akuter
Eiterung beobachtet; einmal heilten die stürmischen Erscheinungen
nach Ausführung der Totalaufmeißelung, in dem anderen (siehe
Fall 2 oben) wurde wegen der endokraniellen Komplikation
das Labyrinth total eröffnet. In dem einen Falle wurde eine
Fistel durch das ovale Fenster nachgewiesen, in dem anderen
wurde bei vollständigem Symptomenkomplex auf der Kuppe des
lateralen Bogenganges ein stark blutendes Gefäß gesehen.

22 Fälle von chronischer Labyrintheiterung mit ausgesprochenen
Labyrinthsymptomen und Erscheinungen kamen zur Operation.
Bei 12 von diesen Fällen ließ sich ein oder mehrere verschieden
große Defekte am lateralen Bogengang konstatieren. Daß immer
eine Fistel bestanden hätte, kann nicht behauptet werden, die
Sonde hakte aber immer in dem Defekt auf der Bogengang-
prominenz ein. Außerdem bestand sicher ein entzündlicher Prozeß
im Labyrinth mit schweren Reiz- und Ausfallserscheinungen, oder
es bestanden nur letztere. Bei diesen allen war mit 3 Ausnahmen
Cholesteatombildung nachzuweisen. Wir haben ein paar Mal beobachtet, wie der Patient bei Berührung des defekten Bogengangwulstes in der Narkose Würgbewegungen machte. In einzelnen Fällen wurden mehrere Fisteln, neben den an dem Tuber
ampullare auch solche an der medialen Paukenwand nachgewiesen.

In einem ganz vernachlässigten Falle mit hochgradiger Taubheit konnten wir auf der lateralen Prominenz den seltenen Befund
von Hyperostosen neben kariösen Stellen sehen, den Jansen

und Frey auch beobachteten, der von Zeroni mikroskopisch nachgewiesen wurde.

In 21 Fällen kam die chronische Labyrinthentzündung spontan zur Heilung, nachdem die Totalaufmeißlung der Mittelohrräume gemacht war, in einem Falle (1. Fall oben) wurde das Labyrinth total freigelegt.

Ein Fall von den übrigen ist ganz besonders erwähnenswert. Hier handelt es sich offenbar um einen Durchbruch der Mittelohreiterung ins Labyrinth mit konsekutiver Meningitis serosa. Der ganze schwere endokranielle Prozeß ist in vielen Wochen allmählich bis auf die Mittelohreiterung spontan geheilt. Die Anamnese ergibt, daß der Patient plötzlich sehr viel Übelkeit und Erbrechen mit Drehschwindel bekommen hat, dann sehr matt geworden ist, Kopfschmerzen und starkes Sausen aufgetreten ist, und der Patient dann bettlägerig wurde. Darauf ist er mit einer kurzen zeitweisen Besserung mehrere Wochen ganz bewußtlos gewesen. Außerdem bestand, was mir der behandelnde Kollege freundlichst mitteilte, Nackenstarre vorübergehend, Pulsverlangsamung, etwa 60, Temperatur um 38°. Spasmen und Lähmungen sind nicht aufgetreten. Allmählich ist Heilung eingetreten. Genickstarre war auszuschließen. Die Operation deckte später ein Cholesteatom der Mittelohrräume mit Fisteln an dem lateralen Bogengangwulst auf. Brieger berichtet über gleiche Erfahrungen, er führt die Erscheinungen auf umschriebene Meningitis mit Liquorvermehrung zurück.

In zwei Fällen bestanden bei nachgewiesener Fistel auf der lateralen Prominenz und leidlichem Gehörvermögen nur Erscheinungen seitens des Vestibularapparates, wobei niemals daneben Sausen bemerkt wurde. Einmal bestand bei den Fällen Facialparalyse, aber wiederholt lag der Nerv frei, wie bei der Operation festgestellt wurde. Eine häufige Erscheinung bei der Labyrinthentzündung ist eine ausgesprochene allgemeine Mattigkeit. — Ich glaube, daß es aus besonderen Gründen nicht zweckdienlich ist, das Verhältnis der Frequenz der Labyrintheiterung zu der der Mittelohreiterungen hier aufzustellen.

Benutzte Literatur:

Barany. M. f. O. Bd. XXXIX. p. 486. Archiv f. Ohrenhk. Bd. 69.

Bourguet. Anatomie chirurgicale du labyrinthe. Thèse du Toulouse 1905. Annales des maladies de l'oreille. Tom. XXXI.

Bezold, Das Hörvermögen der Taubstummen. Wiesbaden. Bergmann. 1896 und 3 Nachträge bis 1901.

Bezold, Über funktionelle Prüfung. Bd. II. 1902.

Brieger, Zur Pathologie der otogenen Meningitis. Verh. der otol. Ges. 1899. p. 71.

Eschweiler, Über Nystagmus bei einseitiger Labyrinthlosigkeit. Verh. der Deutsch. Otolog. Gesellsch. Trier 1902. S. 110.

Freitag, Zur Prognose der operativen Eröffnung des eitrig erkrankten Labyrinthes. Z. f. O. Bd. LI.

Frey. Beitrag zur Kenntnis der Knochenneubildung im Mittelohre bei chronischen Eiterungen. Arch. f. Ohrenh. LXIII. 1. S. 12.

Friedrich, Die Eiterungen des Ohrlabyrinthes. Wiesbaden 1905.

Heine, Operationen am Ohr. Berlin 1904.

Hinsberg, Über die Bedeutung des Operationsbefundes bei der Freilegung der Mittelohrräume für die Diagnose der Labyrintheiterung. II. Indikation zur Eröffnung des eitrigen Labyrinthes. Z. f. O. Bd. LII.

Hinsberg, Über Labyrintheiterungen. Habilitationsschrift. Breslau. Zeitschr. f. Ohrenh. XL.

Jansen, Labyrinthoperation in Blau's Enzyklopädie der Ohrenhk. 1900.

Jansen, Zur Kenntnis der durch Labyrintheiterung induzierten tiefen extraduralen Abzesse in der hinteren Schädelgrube. Archiv f. Ohrenhk. Bd. XXXV. p. 290.

Jansen, Über eine häufige Art der Beteiligung des Labyrinthes bei den Mittelohreiterungen. Arch. f. Ohrenhk. Bd. XLV. p. 193.

Isemer, Münchener medizin. Wochenschr. 1907. Nr, 1. S. 23.

Kümmel, Über infektiöse Labyrintherkrankungen. Zeitschr. f. klin. Medizin. Bd. 55.

Lindt, Zur Kasuistik der operativen Behandlung der eitrigen Labyrinthentzündung. Zeitschr. f. Ohrenhkd. Bd. 49. S. 299.

Neumann, Sitzung der Österreich. Otol. Gesellschaft 27. II. 1905. Ref. Monatsschr. f. Ohrenhk. Bd. XXXIX. Nr. 10.

Panse, Zur Technik der Freilegung des Bulbus venjugul. Arch. f. Ohrenh. 60. S. 53.

Politzer, Labyrinthbefunde bei chron. Mittelohreiterungen. Arch. f. Ohrenh. LXV. S. 161.

Scheibe, Durchbruch in das Labyrinth, insbesondere bei der akuten Form der Mittelohreiterung. Verh. d Deutsch. otolg. Gesellsch. 1898 p. 123.

Schulze, Ohreiterung und Hirntubercel. Arch. f. Ohrenh. LIX. 1. 2.

Stein, Die Nachbehandlung der Totalaufmeißelung ohne Tamponade. Archiv f. Ohrenh. Bd. 70. S. 271.

v. Stein, Sur le diagnostic et le traitement des suppurations du labyrinthe. Congrès 1904. Bordeaux 1905,

Wagener, Kritische Bemerkungen über das Empyem des Saccus endolymphaticus und die Bedeutung des Aquaeductus vestibuli als Infektionsweg. Arch. f. Ohrenh 78. p. 273—286.

Wanner, Verhandl. der Deutsch. otolog. Gesellsch. 1903. Funktionsprüfung bei einseitiger Taubheit.

Wanner, Über Erscheinungen von Nystagmus bei Normalhörenden, Labyrinthlosen und Taubstummen.

Zarniko, Sitzung des ärztlichen Vereins Hamburg. Deutsche med. Wochenschr. 1898.

Zeroni, Beitrag zur Pathologie des inneren Ohres. Archiv f. Ohrenh. Bd. LXIII. p. 174.

Zeroni, Über postoperative Meningitis. A. f. O. LXVI. p. 199.

Zur Mühlen, Zeitschr. f. Ohrenh. Bd. 39. S. 360.

Aus der Abteilung für Ohren-, Nasen- und Halskranke des k. u. k.
Garnisons-Spitals Nr. 1 in Wien.
(Vorstand Regimentsarzt Privatdozent Dr. C. Biehl.)

Circumscripte Labyrinth-Nekrose.

Kasuistische Mitteilung

von

Regimentsarzt Dr. **W. Zemann,** Sekundarius der Abteilnng.

(Mit 1 Abbildung.)

———

Nach dem letzten „Bericht über die neueren Leistungen in
der Ohrenheilkunde" von Blau beträgt die Zahl der bis Ende 1904
mitgeteilten Labyrinthnekrosen 104. Diese verhältnismäßig geringe Anzahl läßt auf das seltene Vorkommen dieses Krankheitsbildes schließen.

Nach Bezold[1]) „entfällt auf 3000 Ohrenkranke überhaupt
und auf 500 chronische Mittelohr-Eiterungen 1 Labyrinthnekrose".

Unter diesen sind die Schneckennekrosen relativ häufig. So
waren unter den im Blau'schen Berichte erwähnten 104 Fällen
von Labyrinthnekrose allein 53 Nekrosen der Schnecke.

Diese Zahlen rechtfertigen die Mitteilung der nachfolgenden
genau beobachteten Erkrankung.

Unterpionier L. D., geb. 1884, wurde am 8. Jan. 1906 von seinem Truppen-
körper dem Garnisons-Spital I zur fachärztlichen Behandlung seines Ohrenleidens übergeben.

Er stammt von gesunden Eltern. Im Anschlusse an einen im 9. Lebensjahre acquirierten Typhus trat eine rechtsseitige Ohreneiterung auf; dieselbe
machte weiter keine Beschwerden und sistierte zeitweise.

Befund bei der Übergabe in das Spital:

Patient ist mittelgroß, kräftig, bis auf sein Ohrenleiden vollständig
gesund.

Das linke Trommelfell ist stärker eingezogen, matt, der Lichtreflex
nur an der Spitze vorhanden.

Im äußeren Gehörgang rechterseits eingedickter übelriechender Eiter.
Nach trockener Reinigung sieht man die Membran stark eingezogen, das
Epithel abschilfernd. Im hinteren oberen Quadranten ist ein kleiner, rand-

---

1) Feststellung einseitiger Taubheit, Zeitschr. f. Ohrenh. XXX. 1897.

ständiger Defekt, von dem aus eine Fistel nach oben führt. Die innere Fläche der durch die Fistel mit der Sonde erreichbaren lateralen Attikwand ist rauh.

Die Tuben sind gut durchgängig. Die linke Nasenhälfte durch eine hohe crista septi stark verengt; Rachendach und Choanen sind frei.

Ergebnis der Funktionsprüfung:

$$W$$
$$R - L \qquad \text{(Zeichenerklärung unten)}$$
$$\text{in contin. } U \text{ in continuo}$$
$$+ \left(\frac{Us}{Uw} \right) +$$
$$- R -$$
$$15'' \; Cp \; 15''$$
$$7 \; Co \; 8$$
$$- 3 \, m \; Fl \; - 3 \, m$$
$$St$$
$$0.4 \; Gt \; 0.4 \; (20 \text{ cm vor dem Ohre})$$

Untere Tongrenze R und L 24 Doppelschwingungen. Obere Tongrenze Galtonpfeife 0.4. Gleichgewichtsstörungen sind nicht nachweisbar.

Diagnose: Chronische Mittelohreiterung des rechten Ohres, chronischer Mittelohrkatarrh links.

Da vorauszusehen war, daß wegen der Knochenerkrankung im Attik die konservative Behandlung in absehbarer Zeit nicht zum Ziele führen dürfte, so wurde am 31. Januar die Totalaufmeißlung vorgenommen (Regimentsarzt Doz. Dr. Biehl). Dieselbe ergab ausgedehnte Karies der lateralen Attikwand. Hammer und Amboß wurden entfernt, sind aber intakt.

Die Schleimhaut der medialen Wand der Paukenhöhle, besonders in der Gegend des runden Fensters stark granulierend.

Plastik nach Panse, Tamponade vom Gehörgang aus mit 3 % Isoformgaze; primäre Naht der retroaurikulären Wunde mit Michel'schen Klammern.

3. Februar. Verbandwechsel. Bisher glatter Wundverlauf. An diesem Tage abends plötzlich Temperatur 38,4°, verbunden mit starkem Brechreiz und Schwindelgefühl. Patient hat die Empfindung nach links aus dem Bette zu rollen und vermag sich nicht aufzurichten. Horizontaler Nystagmus besonders beim Blick nach links; kontinuierliches hohes Klingen im operierten Ohre.

4. Februar. Kein Fieber; Brechreiz und Schwindelgefühl geringer; Nystagmus noch vorhanden.

5. Februar. Mit Ausnahme des hohen Klingens sind alle subjektiven und objektiven Erscheinungen des Vortages verschwunden.

Im weiteren Wundverlaufe epidermisierten der erweiterte Gehörgang, Attik und Antrum rasch, während von der Promontorialwand noch immer reichlich Granulationen aufschossen und ein oftmaliges Abtragen mit der Schlinge und nachheriges Ätzen mit Chromsäure notwendig machten

Am 1. August endlich gibt Patient an, das Klingen im Ohre nicht mehr zu hören.

W = Weber'scher Versuch.
R = rechtes ⎫ Ohr
L = linkes ⎭
U = Uhr in der Luftleitung.
Us = Uhr an der Schläfe.
Uw = Uhr am Warzenfortsatz.
R = Rinne'scher Versuch: Cp Stimmgabel am proc. mastoideus (normal 15''), Co vor der Ohröffnung (normal 32'').
Gt = Galtonpfeife.
Fl = akzentuierte Flüsterstimme in m.
St = Stimme laut.

Am 9. August wurden beim abermaligen Abtragen der Granulationen von der medialen Wand ein großer Sequester (siehe Abbildung) und drei kleinere nicht näher zu differenzierende Knochenteile aus dem Mittelohre mit der Pinzette entfernt.

Am 28. November gingen noch zwei kleinere Knochenpartikelchen ab. Nun hörte die Granulationsbildung und Eiterung auf und am 2. Januar 1907 war die ganze Operationshöhle trocken und überhäutet.

Wie aus der Krankengeschichte zu ersehen ist, handelt es sich im vorliegenden Falle um eine partielle Nekrose der Schnecke und zwar entspricht der abgestoßene Sequester dem größeren Teil der basalen Windung samt der zugehörigen Spindel.

Verursacht war die Sequestrierung durch die während des Typhus im 9. Lebensjahre entstandene, durch 11 Jahre währende chronische Mittelohr-Eiterung.

Vor der Operation, bei der Aufnahme ins Spital waren Labyrinthsymptome bestimmt nicht nachweisbar. Der Befund am Operationstische, besonders die an der vorderen Begrenzung der Nische zum runden Fenster wuchernden Granulationen, konnten allerdings  auf eine Erkrankung der promontorialen Knochenwand hinweisen.

Dieselben mahnten auch zu erhöhter Vorsicht sowohl bei den einzelnen Meißelschlägen, als auch — und zwar insbesondere — bei der schließlichen Reinigung der Wundhöhle.

An dieser Stelle möge erwähnt werden, daß bei derartigen Eingriffen immer die mediale Paukenhöhlenwand mit kleinen Gazetampons geschützt wird. Dies hat auch den Vorteil, daß jederzeit die tiefer liegenden Teile — nach Entfernung des Tampons — ohne vorhergehende lange Reinigung dem Auge zugänglich gemacht werden können.

Trotz dieser Vorsichtsmaßregel sind sicherlich die am dritten Tage nach der Operation einsetzenden Labyrinthsymptome durch diese selbst, und zwar wahrscheinlich durch die Erschütterung bei den Meißelschlägen verursacht worden.

Der weitere Wundverlauf rechtfertigt diese Annahme und das Unterlassen jedes weiteren operativen Eingriffes. Ob durch einen solchen die bereits demarkierte Labyrintheiterung zur Heilung gelangt wäre, ist eine Frage, deren Beantwortung menschlicher Voraussicht nicht möglich ist.

Von den charakteristischen Symptomen müssen die

vom 3. bis 5. Febr. bestehenden Schwindelerscheinungen, Brechreiz, Nystagmus als vorübergehende Reizerscheinungen des statischen Labyrinths angesehen werden.

Leider konnten und durften wegen des schweren Krankheitszustandes während dieser Zeit genauere Untersuchungen nicht vorgenommen werden.

Später waren Koordinationsstörungen nicht mehr nachweisbar.

Als Reizerscheinungen von Seiten der Schnecke ist das vom 3. Febr. bis 1. Aug. kontinuierlich dauernde, den Kranken äußerst belästigende hohe Klingen zu erwähnen.

Schmerzen waren nie vorhanden, Fieber nur an einem Tage.

Der Fazialis — dessen dauernde oder vorübergehende Lähmung eine sehr häufige Komplikation (nach Bezold 83 %, nach Gerber 77 %) [1]) der Labyrinthnekrose bildet — blieb während des ganzen Krankheitsprozesses verschont.

Otoskopisch war die üppige, fast nicht einzudämmende Granulationswucherung von der medialen Paukenhöhlenwand für die Labyrinthnekrose charakteristisch.

Ausgang: Die Eiterung im inneren und mittleren Ohre heilte vollständig aus, der Fazialis blieb verschont. Die Funktion des statischen Labyrinths ist nicht gestört.

Drehschwindel, physiologischer Nystagmus, sowie das Gefühl der Gegendrehung sind beim aktiven und passiven Drehen nach beiden Drehrichtungen gut auslösbar.

Die von Stein'schen Versuche werden bei der statischen und dynamischen Prüfung — bei offenen und verdeckten Augen — richtig ausgeführt.

Einzig die Funktion der Schnecke ist zerstört, das Ohr ist taub.

Mit Rücksicht auf die Größe des Sequesters, das Verschontsein des statischen Labyrinths und des Fazialis konnte man annehmen, daß Teile der Schnecke ihre Funktion behalten hätten.

Genaue, nach Bezolds [2]) Anleitung durchgeführte Hörprüfungen widerlegten diese Vermutung; nachstehend das Resultat derselben:

---

1) Gerber, Über Labyrinthnekrose. Arch. f. Ohrenh. LX. 1904.
2) Über die funktionelle Prüfung des menschlichen Gehörorgans. Wiesbaden, Bergmann, Bd. I u. II. 1897 u. 1903.

Hörprüfung vom 20. Januar 1907.

(Zeichenerklärung oben.)

$$W$$
$$R < L$$
$$o\ U\ i\ .\ c$$
$$-\left(\begin{matrix}Us\\Uw\end{matrix}\right)+$$
$$R$$
$$10\ Cp\ 15''$$
$$-\ Co\ 7\ (-25)$$
$$-\ Fl\ 3\ m$$
$$2\ St$$
$$2\cdot8\ Gt\ 0\cdot4 \quad (20\ cm\ vor\ dem\ Ohre.)$$

Untere Tongrenze R a, L 24 Doppelschwingungen.
Obere Tongrenze R 2·8 ⎫
(Galtonpfeife) L 0.4 ⎭ Pfeifenlänge.

Hördauer (normal = 100).

	Rechtes Ohr	Linkes Ohr
A_1	—	88 %
A	—	88 %
a	Nur im Momente des Anschlagens	91 %
a^1	10 %	88 %
a^2	11 %	88 %
f^3	5 %	65 %
c^4	5 %	50 %
fis^4	4 %	40 %

Um jede Täuschung auszuschließen, wurde die Prüfung im Sinne der Lucae-Dennertschen Probe (beide Ohren verschlossen) wiederholt; das Resultat für das rechte Ohr blieb unverändert.

Wir finden, daß am rechten Ohre a nur im Momente des stärksten Anschlages gehört wird — von a nach abwärts wird nichts mehr gehört.

Das Hörfeld des linken Ohres ist gegen beide Grenzen zu eingeengt; die Hördauer für die untersuchten Stimmgabeltöne verkürzt, von a^2 bis fis^4 wird die Verkürzung bedeutend größer.

Ein ähnliches Verhalten „spiegelt sich im rechten Ohre wieder".

Das rechte Ohr ist also taub.

Bezüglich der Behandlung sei erwähnt, daß die operative Eröffnung des Labyrinths erwogen wurde, als am 3. Tage nach der Totalaufmeißelung die Reizerscheinungen von seiten des Labyrinths so stürmisch einsetzten.

Da sie aber ebenso rasch und vollständig wieder zurückgingen, beschränkte sich die Behandlung auf das Abtragen der Polypen und die trockene Reinigung des Ohres.

Der Patient wurde genau beobachtet, um nicht den richtigen Zeitpunkt eines eventuell notwendig werdenden Eingriffes zu verabsäumen; es ergab sich jedoch hierfür keine Notwendigkeit.

XXIX.

Diagnose des otitischen Hirnabszesses.

Von

Dr. **Theodor Heimann** in Warschau.

———

Die verhältnismäßig befriedigenden und ermunternden therapeutischen Erfolge bei einem so schweren Leiden, wie es der
otitische Hirnabszeß ist, veranlassen Chirurgen, vorwiegend aber
Ohrenärzte aller Kulturländer, unermüdlich immer neues literarisches
und kasuistisches Material, das zur frühzeitigen Diagnose und
verbesserten Operationstechnik dieser Krankheit beitragen kann,
zu liefern. Ungeachtet aber aller bisheriger Bemühungen kommt
es jetzt noch nicht selten vor, daß man den Abszeß erst auf dem
Sektionstisch findet, und oft ahnte man ihn nicht, oder dachte an
ihn zu spät, wo alle Bedingungen zu seiner Entfernung und zu
einem günstigen Erfolge vorhanden waren. Wieviel Verdruß man
unter solchen Umständen hat, wieviel ungerechtfertigte Vorwürfe
man sich oft dabei macht, davon weiß wohl fast jeder beschäftigte
Ohrenarzt ein Wort zu sagen. Und auf der anderen Seite hat
man eine wirkliche Befriedigung, wenn es gelungen ist einen
otitischen Hirnabszeß frühzeitig zu erkennen und zu entfernen,
wodurch man dem Kranken, der unbedingt zum Tode verurteilt
war, nicht nur das Leben rettet, sondern auch seine geistige und
physische Gesundheit zurückerstattet. — Daß ein bedeutender
Fortschritt auf diesem Gebiete zu verzeichnen ist, und daß durch
die richtige Deutung der Symptome und vorsichtige Analyse derselben, bessere Erfolge zur Zeit als einst erzielt werden, läßt sich
nicht bestreiten.

Die Ursachen einer irrtümlichen oder zu späten Diagnose der
otitischen Hirnabszesse sind verschieden. Jede der intrakraniellen
Komplikationen, welche durch eine Ohreiterung verursacht wird,
kann unter einem scharf ausgeprägten und daher die Diagnose

sichernden Bilde in Erscheinung treten. Für die Sicherheit der Diagnose ist aber nur ein deutlicher und ganz entwickelter Symptomenkomplex erforderlich. Sind die Konturen des Bildes weniger ausgeprägt oder gar verwischt, so erhebt sich die Diagnose nicht über Wahrscheinlichkeiten. Alle Komplikationen gehen von einem und demselben Herde aus, und sehr oft sind alle oder wenigstens zwei von ihnen gleichzeitig vertreten. Manche recht in die Augen springende Symptome, die man dem Abszesse zuschreibt, sind vielleicht gar nicht ihm eigen, sondern der ihn z. B. komplizierenden Meningitis. — Bedenkt man, wie sich die Komplikationen untereinander entwickeln, wie Symptome anderer Hirnleiden, Krankheiten des Gehörorgans oder sogar funktionelle Nervenstörungen vortäuschen können, so muß man auf sehr gemischte Darstellungen und auf oft nicht zu entwirrende Widersprüche im klinischen Verhalten der betreffenden Kranken gefaßt sein. Als eins von mehreren Beispielen möge dienen, daß ein so viel erfahrener Meister wie Schwartze in einem Falle in der Diagnose zwischen Temporalabszeß und Meningitis schwankte und die Autopsie erwies einen Kleinhirntumor (A. f. O. Bd. 38. S. 292). Kuhn beobachtete einen Fall (M. f. O. Bd. 29), wo alle Symptome und vor allem die amnestische Aphasie einen linksseitigen Schläfenlappenabszeß annehmen ließen. Die Operation und Autopsie entdeckte statt dessen eine diffuse Meningitis. Einen ähnlichen Fall beobachtete Panse. Nicht selten sprechen die Symptome für einen Großhirnabszeß, bei der Operation wird derselbe nicht gefunden und die Autopsie erweist einen Kleinhirnabszeß (Truckenbrod, Zaufal, Drummond D. Lannois-Armand).

Die große Verschiedenheit des häufig latenten Verlaufes des Hirnabszesses macht die Diagnose sehr oft schwierig, ja unmöglich. Die größten Schwierigkeiten bieten die Fälle, bei welchen das latente Stadium komplet ist, die Initialsymptome sehr leicht sind, und die Endsymptome plötzlich auftreten und einen ganz rapiden Verlauf nehmen. Man begegnet recht oft Kranken, die bei einer exazerbierten chronischen oder bei einer akuten Mittelohreiterung von gewissen Symptomen befallen werden, die scheinbar mit einem Hirnleiden nichts Gemeinsames haben. Das Grundleiden schwindet vollständig oder bessert sich so bedeutend, daß der Kranke sich für geheilt betrachtet und seiner üblichen Beschäftigung nachgeht. Zwar belästigen ihn noch hie und da manche wenig ausgesprochene Symptome, wie z. B. leichter Kopfschmerz, denen er kein großes Gewicht beilegt, und deretwegen

er oft sogar den Arzt nicht um Rat befragt. Wenn dieses aber
geschieht, werden meistens die Symptome vom Arzte gering-
geschätzt, unterschätzt oder nicht recht gewürdigt, oder dieselben
sind so unbedeutend und so undeutlich, daß es dem Arzte meistens
unmöglich ist, sie entsprechend zu würdigen. Als Beispiele eines
solchen Verlaufes mögen zwei von mir beobachtete Fälle dienen.

Im ersten Falle machte ein Soldat eine Otitis media acuta durch und
wurde vollständig gesund aus dem Hospital entlassen. Zwei Wochen später
starb er plötzlich im Regiment. Die Autopsie erwies einen hühnereigroßen
rechtsseitigen akuten Schläfenlappenabszeß. Im zweiten Falle war es ein
Soldat, der nach 33 tägiger Behandlung einer exazerbierten linksseitigen
chronischen Mittelohreiterung das Hospital relativ gesund verlassen sollte,
als er plötzlich an Symptomen einer akutesten Meningitis, die an die Entleerung eines Hirnabszesses denken ließ, in einigen Stunden einging. Die
Autopsie erwies einen großen linksseitigen Kleinhirnabszess, der sich in die
Schädelhöhle entleert hatte.

Für den Kleinhirnabszeß fand Okada: in 10 % trat der
Tod ein, bevor noch irgend welche Symptome auf eine intrakranielle Erkrankung deuteten. Fast in 14 % waren die Symptome, durch andere unerwartete Komplikationen otogener Natur
verdeckt, so daß oft nur letztere Komplikationen diagnostiziert
wurden. Eine irgendwie sichere Diagnose war unmöglich. In
fast 42 % war die Diagnose unmöglich infolge anderer intrakranieller Komplikationen, die mit dem Kleinhirnabszeß unmittelbar oder mittelbar zusammenhingen, wie Sinusphlebitis, Pachy-
und Leptomeningitis und auch Großhirnabszeß. Kleine Abszesse
in einer Großhirnhemisphäre machen nur dann Symptome, wenn
dieselben in unmittelbarer Nähe der motorischen Rindenzone
liegen, oder durch ihre Nachbarschaft indirekt auf diese Teile
oder auf andere Hirnganglien eine Wirkung ausüben.

Nicht aber nur kleine Abszesse können latent bleiben, sondern
auch, wie bekannt, können Frontallappenabszesse eine enorme
Größe erreichen und lange bestehen, bevor ein Symptom auftritt,
das Verdacht erregt. Sogar im Schläfenlappen kommen nur
dann Zeichen eines in ihm bestehenden Abszesses zum Vorschein,
wenn das Volumen des letzteren sich so vergrößert hat, daß dadurch Störungen in der Schädelhöhle entstehen, welche die raum-
beanspruchende Masse hervorruft und die bekanntlich in einer
Verlangsamung der Blutbewegung in der Schädelhöhle bestehen
und gemeinhin als Drucksymptome gedeutet werden. Glücklicherweise kann man in dreiviertel der Fälle eine richtige Diagnose
recht frühzeitig stellen, wenn man die Gehirnerscheinungen, die
zwar selbst nicht charakteristisch sind, da sie auch bei anderen
Hirnleiden vorkommen, mit den allgemeinen, für einen Eitervor-

gang sprechenden Erscheinungen assoziert und dabei die Ursachen, die einen Hirnabszeß gewöhnlich hervorrufen, im gegebenen Falle die bestehende oder vorausgegangene Ohreiterung
berücksichtigt. Es sollte deshalb in jedem Falle, in welchem
Hirnsymptome sich einstellen, oder Verdacht auf dieselben vorhanden ist, das Gehörorgan genau untersucht werden, ob es nicht
krank ist, oder ob es nicht krank war. Als Momente, die eine
Berücksichtigung bei der Diagnose des Hirnabszesses verdienen,
sind folgende Umstände zu erwähnen. Erkrankungen der mittleren Schädelhöhle führen zu Abszessen im Schläfenlappen, selten
zu Abszessen der übrigen Gehirnteile; solche im Gebiete der
hinteren Schädelgrube zum Abszesse im Kleinhirn. Knochenerkrankung spricht ceteris paribus für einen Hirnabszeß; Schleim-
hauterkrankung selten; Männer werden häufiger von Hirnabszessen
befallen, als Frauen, und wie es meine Statistik erwies, ist das
Verhältnis wie 3:1 (385 Männer, 140 Frauen). Das zweite und
dritte Dezennium spricht zu Gunsten eines Hirnabszesses. Am
seltensten kommt er vor bis zum fünften und nach dem sech-
zigsten Lebensjahre; ebenso beim weiblichen Geschlecht nach dem
vierten Dezennium.

Ein sehr wichtiges Moment, das zur Erleichterung der Diagnose beitragen kann, bildet die Zeit, wie lange der Kranke unter
der Beobachtung des Arztes sich befindet. Die Erfahrung des
Arztes ist auch hier, wie auf anderen Gebieten der Heilkunde,
von nicht zu unterschätzender Bedeutung.

Um die Diagnose eines Hirnabszesses otitischen Ursprungs
zu bestimmen, ist es nötig, denselben festzustellen, seine Stelle in
der Schädelhöhle zu bestimmen und die ihn begleitenden Komplikationen oder die Abwesenheit derselben zu erkennen. Leider
ist es fast unmöglich, für den Verlauf und Symptome eine typische Form aufzustellen. Gewisse Fälle verlaufen von Anfang an
stürmisch, mit mannigfachem Reiz und Druckerscheinungen und
führen schon in kurzer Zeit zum Tode; andere haben einen sehr
langen und langsamen Verlauf und geben dabei fast keine oder
gar keine bemerkenswerten Symptome; wieder andere Fälle zeigen
eine ganz wechselnde Natur ihrer Symptome; bald sind sie so
gut wie symptomlos, bald treten vorübergehend schwere Erscheinungen ein. Auch gibt es Fälle, welche ganz regelmäßig
und stadienmäßig verlaufen. Fälle letzter Kategorie sind unbedingt seltener, als die atypischen, und speziell betrifft das die
Kleinhirnabszesse. Deshalb spielen die atypischen Fälle eine

wichtigere Rolle in der Praxis und ihre Diagnose unterliegt vielen hie und da unüberwindlichen Schwierigkeiten.

Für den Verlauf eines otitischen Hirnabszesses sind zwei Hauptzüge charakteristisch, einmal, daß die Symptome ungemein selten vereinzelt vorkommen und dann, daß sie gewöhnlich einen anfallartigen Charakter von verschiedener Zeitdauer zeigen. Die eintretenden Remissionen halten manches Mal so lange an, daß man leicht an ein Genesen des Kranken glauben möchte. Die Zeit zwischen dem ersten und terminalen Anfalle kann sogar in Ausnahmsfällen 30 Jahre betragen. Jeder folgende Anfall ist heftiger, als der vorhergehende; in manchen Fällen sind die Anfälle einander ähnlich. Ihre Zahl ist verschieden; ein Mal tötet schon der erste Anfall; ein anderes Mal der 2.—4. In ihrer Intensität können sie verschieden sein. — Daß aber der Kranke in den Intervallen zwischen den Anfällen ganz symptomlos bleibt, kommt fast nicht vor. Nicht selten sind auch Fälle, in welchen die Symptome beständig sich steigern ohne Remissionen bis zum Tode. — Der anfallartige Charakter der Erscheinungen ist von der plötzlichen Steigerung des intrakraniellen Druckes resp. der Vergrößerung des Abszesses wie auch von Kreislauf- störungen in seiner Umgebung, die sich leicht ausgleichen können, abhängig.

Die Symptome des otitischen Hirnabszesses sind, wie bekannt, allgemeine und örtliche und werden, nach dem Vorgange von v. Bergmann in drei Gruppen eingeteilt, in solche, die von der Eiterung abhängig und ihr eigen sind; in solche, die einen ge- steigerten intrakraniellen Druck und störende intrakranielle Ver- schiebungen zeigen und in Herdsymptome, die dem Sitze des Abszesses entsprechen. Was den Verlauf des Hirnabszesses be- trifft, so erscheint es richtig, drei Stadien anzunehmen, die sich deutlich von einander unterscheiden. Das erste Stadium umfaßt das der Initialsymptome, das zweite die Erscheinungen des aus- gebildeten Abszesses, während im dritten Stadium Erscheinungen vorwiegen, welche durch die mannigfachen Ausgänge des Krank- heitsbildes bedingt sind. Die Symptome entsprechen dem patho- logischen Prozeß. Die initialen Symptome sind die der Ent- zündung, variieren aber in Bezug auf ihre Intensität. Manchmal sind sie so unbedeutend, daß sie übersehen werden; in anderen Fällen sind sie entsprechend schwer. Der Charakter der Sym- ptome wird durch die Natur des pathologischen Prozesses und durch seinen Sitz bestimmt. Lokale Erscheinungen, welche auf den Sitz der Affektion hinweisen, fehlen hier häufiger, als bei Tumoren. Dies hat einen zweifachen Grund. Einmal haben die Abszesse häufig ihren Sitz in Gehirnpartien, wie dem Schläfen- und Stirnlappen, in welchen lokale Affektionen, welcher Natur sie auch sein mögen, häufig keine lokalen Erscheinungen machen. Zweitens verursacht der langsam zur Entwicklung kommende Abszeß weniger schwere Folgeerscheinungen, wie der Druck eines Tumor.

Die Feststellung der Diagnose des Hirnabszesses in der Entzündungsperiode, im Initialstadium, d. h. des werdenden Abszesses, ist zwar wünschenswert, aber fast immer unmöglich, indem die Symptome dieser Periode fast vollständig mit den Symptomen des vorhandenen Ohrenleidens sich decken. Ein Verfehlen der Diagnose in diesem Stadium ist aber auch ohne Schaden für den Kranken, denn zu dieser Zeit ist noch kein eigentlicher Abszeß da, er fängt erst an sich zu bilden, und ein chirurgischer Eingriff würde deshalb erfolglos bleiben und den Arzt infolge des Mißerfolges vielleicht von weiteren Eingriffen zurückhalten. Es wird auch weder einem Chirurgen, noch einem Otiater in den Sinn kommen, nach einem Hirnabszeß zu suchen in Fällen, wo das Grundleiden resp. die Entzündung des Gehörorgans unter stürmischen Erscheinungen verläuft. Wenn man bedenkt, daß Schwartze bei 8425 Affektionen des mittleren und inneren Ohres im ganzen 8 Hirnabszesse, Jansen unter 5000 eitrig-entzündlichen Prozessen des Mittelohres 7 Hirnabszesse fand — und ein solches Verhältnis konstatierten alle mit dieser Frage sich beschäftigenden Ärzte —, so ist es leicht begreiflich, warum man eigentlich bei einer akuten oder chronischen Mittelohrentzündung anfangs den Verdacht nicht hat, daß im gegebenen Falle ein Hirnabszeß entsteht. Folgt dem wenig ausgeprägten Initialstadium eine länger oder kürzer dauernde Latenz, so wird es wahrscheinlich Niemanden überraschen, wenn bei einem solchen Verlaufe die Krankheit nicht erkannt werden wird, oder im besten Falle nur einen schwachen Verdacht ihres Vorhandenseins erregen wird. Das ist ja selbstverständlich, will man eine Krankheit diagnostizieren, muß man dafür einen gewissen Symptomenkomplex haben, der dies ermöglicht. Dasselbe gilt auch vom otitischen Hirnabszeß; um ihn zu erkennen, muß er gewisse Erscheinungen machen, und deshalb können wir die Diagnose eines otitischen Hirnabszesses erst dann mit Sicherheit oder Wahrscheinlichkeit stellen, wenn gewisse ihn charakterisierende, allgemeine und ört-

liche Erscheinungen zum Vorschein kommen. Wollte man aber
jedesmal mit dem therapeutischen Eingriff auf das volle Bild
eines Hirnabszesses, wie es in den Handbüchern angegeben ist,
warten, so würde es mit unseren therapeutischen Resultaten sehr
traurig aussehen. Zwar kann man bei der Anwesenheit eines
oder zweier Symptome keine Diagnose auf Hirnabszeß stellen;
das Abwarten aber auf alle allgemeinen und noch mehr auf örtlichen Symptome ist überflüssig und für den Kranken gefährlich. — Gewöhnlich reichen einige Symptome aus, bei der Berücksichtigung der Anamnese und anderer oben erwähnter Momente.

Bei der Analyse der den Hirnabszeß begleitenden Symptome
überzeugt man sich, daß dieselben vereinzelt für den Abszeß
nichts Charakteristisches besitzen; daß hier die allgemeinen Erscheinungen vorwiegend in den Vordergrund treten, umgekehrt
wie bei einem Tumor des Hirns, wo vor allem Lokalsymptome
beobachtet werden, daß in einer Reihe von Fällen ein gewisser
Komplex von Symptomen konstant vorhanden ist, in anderen dieselben nur teilweise hervortreten. Auch gibt es Fälle, wo Symptome beobachtet werden, die beim Abszeß nicht alltäglich zum
Vorschein kommen, sondern hie und da in vereinzelten Fällen
auftreten, und wir sind nicht sicher, ob sie wirklich dem Abszesse, oder einer anderen Komplikation in der Schädelhöhle angehören. Die lokalen Hirnsymptome, die von der Schädigung
bestimmter Hirnteile, von der Fernwirkung, und von der Schädigung von Hirnnerven in der Schädelhöhle abhängig sind, können
während des ganzen Verlaufes des Abszesses zum Vorschein
kommen, oder fast vollständig bis zum Tode fehlen, oder endlich
mannigfaltig auftreten. Gewöhnlich gehören sie zu den späteren
Erscheinungen des Abszesses und, falls sie da sind, erleichtern
sie seine Diagnose und Lokalisation. Nach dem heutigen Standpunkte der Wissenschaft gibt es aber noch keine einheitliche Symptomatologie des otitischen Hirnabszesses.

In dem Initialstadium, das der Entzündungsperiode des entstehenden Abszesses entspricht, beobachtet man, daß ein Mensch,
der an einer chronischen oder akuten Mittelohreiterung leidet,
oder dem infolge dieser Leiden der Warzenfortsatz eröffnet wurde,
plötzlich von recht starken Schmerzen im entsprechenden Ohre
wie auch in der entsprechenden Kopfhälfte befallen wird. Nicht
selten sind gar keine Ohrenschmerzen vorhanden, oder dieselben
sind nur unbedeutend, dafür klagt der Kranke über Schmerzen

in der Schädelkonvexität. Sehr oft tritt ein- oder mehrmaliges
Erbrechen ohne jegliche Übelkeit auf. Beim Ausbruch der Ex-
azerbation im Ohre läßt sich Schüttelfrost oder auch nur leichtes
Frösteln bemerken. Die Schüttelfröste variieren nicht allein in
Bezug auf ihre Intensität, sondern auch in Bezug auf ihre Dauer.
Wiederholte Schüttelfröste lassen den Schluß zu, daß mit dem
Abszesse eine Infektion des Organismus sich entwickelt, z. B. eine
Sinusphlebitis. Wenn sich Schüttelfröste in regelmäßigen Zwischenpausen einstellen, so handelt es sich um Personen, die entweder
zuvor an Wechselfieber gelitten hatten, oder um solche, bei denen
der Hirnabszeß mit einer anderen Erkrankung kompliziert ist
(Macewen). Im allgemeinen aber sind wiederholte Schüttelfröste beim Hirnabszeß selten. Bei einem fünfjährigen Kinde,
bei dem ich einen Schläfenlappenabszeß entleert habe, hielt noch
weitere sechs Wochen wechselfieberartige Temperatur an, die
Pyämie befürchten ließ. Die weitere Beobachtung überzeugte
aber, daß es sich in diesem Falle neben Hirnabszeß um Malaria-
fieber handelte. — Beim unkomplizierten Abszeß ist die Temperatur in der Initialperiode nur ein wenig gesteigert (37,7°—38,3°);
dazu kommt Pulsbeschleunigung, belegte Zunge, allgemeine
Schwäche. Alle erwähnten Symptome, wie auch Schwindel,
sind aber auch eigen einer eiterigen Mittelohrentzündung, ohne
das irgend eine intrakranielle Komplikation vorliegt. Andererseits
aber gibt es Hirnabszesse, wo das Initialsymptom des Schmerzes
sich nicht einstellt, und der Kranke verfällt vom ersten Augenblick in einen torpiden Zustand, der mit Übelbefinden, niedriger
Temperatur, Verlangsamung des Pulses und Respiration einhergeht. Die Initialperiode dauert gewöhnlich einige Stunden bis zu
einigen Tagen. Geht der Abszeß in das latente Stadium über,
so verliert man gewöhnlich den Kranken aus den Augen bis zur
Zeit, wo bestimmte Symptome zum Vorschein kommen. — Nicht
selten aber geht die Initialperiode unmittelbar in die manifeste
über, d. h. in die Periode, in welcher sich Symptome des verstärkten intrakraniellen Druckes und störender intrakranieller Ver-
schiebungen entwickeln. Die meisten Fälle des otitischen Hirnabszesses gelangen in dieser Periode zur Beobachtung. Im ersten
Stadium wird selten ein Kranker, bei dem man Verdacht auf
Hirnabszeß hätte, beobachtet. Ich hatte Gelegenheit, einen solchen
Fall, der in diesem Archiv Bd. 66 beschrieben wurde, zu behandeln.

Es versteht sich von selbst, daß zur Bestimmung einer exakten Diagnose des Hirnabszesses eine genaue Kenntnis aller

seiner Symptome, wie auch der ihn vortäuschenden und komplizierenden Krankheiten unbedingt notwendig ist, ich halte es
deshalb für nötig, in kurzem die Symptomatologie des otitischen
Hirnabszesses hier wiederzugeben.

Ein Kranker in diesem Stadium macht schon beim ersten
Augenblick den Eindruck eines sehr schwer Leidenden. Dieser
Eindruck ist ein merkwürdiger. Die Hautfarbe ist blaß, gelblich,
erdfahl. Der Kranke ist apathisch, somnolent, schaut träumerisch
in die Leere, und ein Mangel an andauernder Aufmerksamkeit ist
eine regelmäßige Begleiterscheinung der verlangsamten Hirntätig-
keit. Der somnolente Kranke antwortet ungern auf einfache
Fragen; wird jedoch an ihn eine längere Frage gerichtet, dann
schläft er dabei ein; auch gibt er nur einsilbige Antworten, oder
er gibt nur den ersten Teil einer längeren Antwort richtig an,
im weiteren Verlaufe folgen die Worte immer langsamer und die
Artikulation wird undeutlicher; das Sprechen ermüdet ihn überhaupt sehr leicht. Die Schläfrigkeit ist ähnlich dem Symptomen-
komplexe einer Opiumvergiftung (Macewen). Im weiteren Verlaufe nimmt die Benommenheit zu, so daß es schließlich schwer
wird, den Kranken für einen kurzen Augenblick wach zu bekommen. Die Fähigkeit seine Kräfte zu gebrauchen nimmt
nach und nach ab und geht schließlich ganz verloren. Die
Kranken haben die größte Neigung, nur fortwährend horizontal
zu liegen. Lage auf der Seite wird fast nicht beobachtet. Lageveränderung ruft fast immer Schwindel und oft Übelkeit und Erbrechen hervor. Manche sind schwatzhaftig. In seltenen Fällen
kommt es zum Ausbruch wirklicher Psychosen, und die Kranken
müssen in einem Irrenhause untergebracht werden. Die Intelligenz
leidet weniger, als bei anderen Hirnkrankheiten, speziell bei der
Meningitis und der Hirnerweichung (Lebert). Das Bewußtsein
ist beim chronischen Verlauf des Abszesses fast bis zum Tode
ungestört; in anderen Fällen ist es zeitweise getrübt, und in den
letzten Tagen vor dem Tode wieder vollkommen klar. Es gibt
aber auch Fälle mit anfallsweiser Bewußtlosigkeit, die nach einigen
Stunden wieder schwindet. Beim Kleinhirnabszesse ist das Bewußtsein wenig oder garnicht getrübt; es erlischt erst am Ende
der Erkrankung. Die Trübung des Bewußtseins kann bis zu
Stupor und Koma steigen. Es kommen auch Delirien oder ein
Depressionszustand, manchmal mit Neigung zum Selbstmord, vor.
Die Schmerzen im Ohre, wenn sie im Anfange vorhanden waren,
sind jetzt vollständig geschwunden.

Das erste fast nie fehlende Symptom einer erhöhten intrakraniellen Spannung in dieser Periode ist der Kopfschmerz. In vereinzelten Fällen kann der Kopfschmerz ausbleiben, und einen solchen Fall hatte ich Gelegenheit vor mehreren Jahren zu beobachten (Z. f. O. Bd. 23), gewöhnlich aber ist es eine der frühesten und konstantesten Erscheinungen des sich bildenden und ausgebildeten Hirnabszesses. Der Kopfschmerz ist bald andauernd, bald remittierend, bald intermittierend, er entspricht gewöhnlich der Stelle des Abszesses; aber das kann nicht als Regel gelten; denn manchmal kommen Fälle vor, wo Ohrenärzte und Chirurgen von der Lokalisation des Kopfschmerzes irre geleitet, den Abszeß bei der Operation an der entsprechenden Stelle nicht finden; erst die Autopsie erklärt es, daß die Diagnose zwar richtig war, aber die Lokalisation der Krankheit wurde nicht recht bestimmt. So kommt es vor, daß man z. B. den Abszeß im Schläfenlappen sucht, weil hier der Schmerz sich lokalisierte, und in Wirklichkeit befindet er sich im Kleinhirn oder umgekehrt. Es kommen sogar bei Kleinhirnabszessen Stirnschmerzen vor. Körner zitiert fünf Fälle von Schläfenlappenabszessen, in welchen der Schmerz ins Hinterhaupt verlegt wurde. Der Kopfschmerz ist von der mannigfachsten Intensität, von leichter Schwere des Kopfes bis zu den rasendsten und fast unmöglich zu lindernden Schmerzen. Sie sind auf eine bestimmte Gegend beschränkt oder sie benehmen den ganzen Kopf. Alles was den Blutdruck in der Schädelhöhle steigert, erweckt oder verstärkt den Kopfschmerz, z. B. alkoholische Getränke, Erhitzung, Pressen beim Stuhle, geistige Arbeit, manchmal das Gehen u. s. w. Kinder klagen gewöhnlich über diffusen Kopfschmerz. Das Beklopfen des Kopfes verursacht Schmerz an der Stelle, die dem Abszeß entspricht. Die Beschaffenheit des Schädelinhalts ist von Einfluß auf den Perkussionsschall (Macewen). Knapp hörte den Perkussionston symmetrischer Stellen des Schädels stärker von der kranken, als von der gesunden Seite her. Beim Kleinhirnabszeß wird der Kopfschmerz gewöhnlich ins Hinterhaupt fixiert. Es ist dies ein wichtiges differenzierendes Symptom und wird in der Hälfte der Fälle beobachtet. Oft ist aber der Schmerz nicht fixiert. Okada fand keinen fixierten Kopfschmerz in 54 % von Kleinhirnabszessen, Politzer betrachtet den Hinterhauptschmerz als das einzige Symptom eines latenten Kleinhirnabszesses.

Die Kopfschmerzen üben manchmal einen recht charakteristischen Einfluß auf den Gang und die Kopfhaltung des Kranken

aus (R. Müller). Der Gang ist vorsichtig und gespreizt, teils infolge cerebellarer Ataxie, teils um den Kopf nicht zu erschüttern.
Freilich hat dies Symptom nur so lange einen Wert, als noch der
Kranke herumgehen kann. Der Kopf wird möglichst ruhig und
steif gehalten. Beim Hinterhauptschmerz wird der Kopf nach der
kranken Seite und nach hinten über gebeugt. Auch der Nacken
und Rumpf wird seitlich nach hinten gebogen. Eine solche
Haltung kann eine Art Ferndiagnose auf Kleinhirnabszeß bilden
bei einem Kranken, der an einer chronischen Mittelohreiterung
leidet. — Kopfhyperästhesie wurde bisher beim Hirnabszeß dreimal beobachtet.

Vielfach findet man beim Schläfenlappen- oder Kleinhirnabszeß, der von Thrombose des Sinus transversus begleitet ist,
Rigidität des M. sterno-cleidomastoideus, sowie Schmerzhaftigkeit
des darunter liegenden Gewebes, die sich längs der Jugularis interna verfolgen läßt. Ein in die Tiefe gehender Druck auf die
Spitze des hinteren Dreiecks ruft eine Schmerzempfindung hervor
(Macewen).

Ein sehr wertvolles, ungemein wichtiges und immer bei unkomplizierten Hirnabszessen vorhandenes Symptom in dieser
Periode ist die Verminderung der Pulsschläge, die bis auf einige
dreißig in der Minute fallen kann; gewöhnlich beträgt die Pulsfrequenz 48—60 Schläge in der Minute. Die Pulsfrequenz entspricht nicht der Körperwärme. — Eine Verminderung der Pulsfrequenz wird aber auch bei anderen Hirnaffektionen, wie z. B.
beim Tumor, bei der Encephalitis als Folge einer Zunahme des
intrakraniellen Druckes beobachtet. Ein Moment ist nämlich beim
Abszeß von allgemeiner diagnostischer Bedeutung; wenn bei erhöhter Temperatur die Pulsfrequenz vermindert ist, dann läßt das
bestimmt auf das Vorhandensein eines intrakraniellen Leidens und
auf das Fehlen einer Allgemeinerkrankung schließen, und wenn
man dieselben Merkmale bei einer Ohreiterung, die das intrakranielle Leiden herbeigeführt hat, antrifft, so weisen sie auf eine
durch Encephalitis oder Hirnabszeß komplizierte Meningitis hin.
Eine Meningitis, die durch eine Infektion oder infektiöse Thrombose hervorgerufen ist, gibt einen kleinen und schnellen Puls. In
solchem Falle ist der Charakter des Pulses nicht vom Hirnleiden,
sondern von der Infektion abhängig.

Die Abnahme der Pulsfrequenz ist nicht immer proportional
der Größe des Abszesses; kleine Abszesse haben nicht selten eine
sehr deutliche Verminderung der Pulsfrequenz, ebenso wie die

großen. Es kann aber auch die Pulsfrequenz entsprechend dem Wachstume des Abszesses abnehmen. Wahrscheinlich ist der erhöhte intrakranielle Druck die Hauptursache der Pulsverlangsamung, da nach der Entleerung eines großen Abszesses der Puls auffallend beschleunigt wird. Wenn bei manchen Fällen von Hirnabszessen der intrakranielle Druck nur eine geringe Zunahme erfährt und zwar deshalb, weil der Eiterherd nur etwas mehr Raum als die zerstörte Hirnsubstanz einnimmt, dann wird natürlich nur eine geringe Herabsetzung der Pulsfrequenz eintreten. Nach v. Bergmann ist die Pulsfrequenz häufiger beim Kleinhirn — als beim Großhirnabszess herabgesetzt. Ich fand keinen Unterschied zwischen Groß- und Kleinhirnabszessen in dieser Hinsicht. Erschwerend für die Diagnose ist ein neben dem Abszeß vorhandenes Hirnleiden, bei welchem der Puls beschleunigt sein kann (Schwartze). Andererseits kann eine Pulsverlangsamung einen Abszeß vortäuschen (Koch). Ich hatte unlängst einen neunjährigen sehr heruntergekommenen Knaben beobachtet, der an einer chronischen rechtsseitigen Mittelohreiterung und von Zeit zu Zeit an rechtsseitigen Kopfschmerzen litt, bei welchem der Puls 42 Schläge in der Minute machte. Die Pulsverlangsamung war ausschließlich durch ein Herzleiden bedingt. Irregularität des Pulses kommt hie und da bei Kleinhirnabszessen vor.

Schwindelerscheinungen fehlen fast nie in dieser Periode; bei Kleinhirnabszessen sind sie nicht selten viel deutlicher als bei Großhirnabszessen ausgesprochen. Schwindel kann aber tatsächlich häufiger, als Erbrechen fehlen. Er ist verschiedener Art und Intensität; Steigerung des Kopfschmerzes und Lageveränderung rufen ihn hervor oder verstärken ihn bedeutend. Schwindelerscheinungen werden aber auch oft bei Erkrankungen des Labyrinthes ausgelöst.

Fast ein beständiges Symptom bildet das Erbrechen. Diese Erscheinung tritt aber bei anderen intrakraniellen Erkrankungen auch hervor. Beim Hirnabszeß zeigt sich das Erbrechen bei bettlägerigen Kranken, wenn dieselben sich aufrichten oder herumgehen wollen und wird von starken Schwindelerscheinungen begleitet. Beim Kleinhirnabszeß ist das Erbrechen gewöhnlich häufiger und anhaltender als beim Großhirnabszess, und es gehört zu den sehr wichtigen Symptomen des Kleinhirnabszesses, in dem es in 75 Proz. der Fälle beobachtet wird. Koch erwähnt einen Fall, wo das Erbrechen beim Kleinhirnabszeß für ein Symptom der Schwangerschaft betrachtet wurde. Die Autopsie erklärte den wahren Grund, Schwangerschaft war nicht vorhanden. Große Kleinhirnabszesse werden von Schluckbeschwerden begleitet infolge des Druckes auf die Brücke.

Übler Geruch aus dem Munde ist ein recht häufiges Symptom bei otitischen Hirnabszessen. Die Zunge ist zumeist dick belegt, oft trocken, bräunlich oder cyanotisch, beim Herausstrecken zitternd, auch die Zähne bedecken sich mit einem Belage. Der Geruch aus dem Munde ähnelt in hohem Grade dem von der Ohreiterung ausgehendem.

Ein gleicher Foetor kann aber bei vernachlässigter chronischer Otorrhoee ohne intrakranielle Komplikationen vorkommen. Bei infektiöser Sinusthrombose ist dieser Foetor jedenfalls viel stärker als beim unkomplizierten Hirnabszeß ausgeprägt.

In der Regel besteht Obstipation, die häufig sehr hartnäckig ist. Sie wird aber auch bei Meningitis, bei Tumoren konstant beobachtet. Bei Sinusthrombose ist Diarhoee vorwiegend. Appetitlosigkeit, seltener Gefräßigkeit wird sehr oft beim Hirnabszeß beobachtet. Die Kranken haben nicht selten einen solchen Widerwillen gegen jegliche Speise, daß sie künstlich gefüttert werden müssen.

Hochgradige Abmagerung gehört ebenfalls zu den häufigen Allgemeinerscheinungen des letzten Abschnittes dieser Periode, und wenn sie mit niedriger Temperatur und Verstopfung bei vorhandenem Kopfschmerz und Pulsverlangsamung einhergeht, so ist diese Symptomengruppe für die Diagnose des Hirnabszesses von großem Wert. Abmagerung von hohem Fieber, von Schüttelfrösten, Schweißen und Durchfall begleitet ist auf eine allgemeine Infektion, nicht aber auf einem Hirnabszeß zurückzuführen.

Die Atmung ist verlangsamt, zumeist jedoch regelmäßig. Bei Kleinhirnabszessen ist die Respiration im allgemeinen viel langsamer als bei Großhirnabszessen, zuweilen zeigt sie den Cheyne-Stokes'schen Typus, oder sie ist unregelmäßig. Bei Druck des Abszesses auf die Medulla kann die Atmung lange bevor der Herzschlag aussetzt, aufhören. Bei Meningitis, bei infektiöser Sinusthrombose ist die Atmung in der Regel beschleunigt; ist aber die hintere Schädelgrube in den Bereich der Leptomeningitis mit einbegriffen, kann die Atmung den Typus wie beim Hirnabszeß erhalten.

Zuweilen wird Verhaltung des Urins beobachtet. Manchmal erhält der Urin kleine Mengen Eiweiß, der mit der Eröffnung des Abszesses schwindet. In vereinzelten Fällen wurde Polyurie und Glykosurie notiert.

Schüttelfröste sind in dieser Periode ungemein selten. Sie werden beobachtet, sobald sich neue Eiterherde in der Peripherie des Abszesses entwickeln.

Die Temperatur ist im allgemeinen nahezu normal und dieses ihr Verhalten ist für Hirnabszeß durchaus typisch und steht im Gegensatz zu anderen otitischen Hirnkomplikationen, speziell zur Leptomeningitis. In manchen Fällen habe ich eine kurzdauernde, sehr mäßige Temperatursteigerung beobachtet. Eine bedeutendere und anhaltende Temperatursteigerung beweist das Hinzutreten anderer Hirnkomplikationen.

Oppenheim hat den Satz aufgestellt „daß anhaltende, bedeutende Temperatursteigerung es im hohem Maße wahrscheinlich macht, daß überhaupt kein Abszeß oder doch kein unkomplizierter Abszeß vorliegt", obgleich geringe und vorübergehende Temperatursteigerungen abgesehen vom Initial- und Terminalstadium recht häufig vorkommen. Koch teilt diese Meinung für den Kleinhirnabszeß. Okada fand in der Hälfte der Fälle von Kleinhirnabszessen ziemlich deutliche Fiebererscheinungen im ganzen Verlaufe. Das ist aber auch ganz natürlich, wenn man bedenkt, daß der Kleinhirnabszeß überhaupt selten unkompliziert vorkommt.

Wie überall unter den Hirndrucksymptomen nimmt auch hier die Neuritis optica eine wichtige Stelle ein, und sie gehört zu den recht häufigen Allgemeinerscheinungen des Hirnabszesses. Sie wird vorwiegend bei großen Abszessen und gewöhnlich gegen das Ende dieser Periode beobachtet; ich habe sie zuweilen im Anfange des manifesten Stadiums gesehen. Die Neuritis erreicht in der Regel keinen großen Umfang und ist selten so deutlich wie beim Tumor ausgesprochen. Selten schließt sich eine Atrophie des Opticus an. Ich habe eine solche einmal bei einem syphilitischen Kranken, bei dem alle Symptome für Hirnabszeß sprachen beobachtet, der Abszeß wurde aber weder durch Operation noch Autopsie festgestellt. Einige Mal wurde totale Amaurose bei Kleinhirnabszessen konstatiert. Gewöhnlich ist die Neuritis in einem Auge mehr als im anderen ausgeprägt. Ihre Entwicklung entspricht nicht immer der Seite der Hirnaffektion und sie zeigt zuweilen ein umgekehrtes Verhalten. Bei rapider Entwickelung des Abszesses pflegt sich die Neuritis optica nicht zu entwickeln, weil die für ihre Entstehung notwendige Zeit fehlt; ebenso ist es der

Fall bei kleinem Abszesse, wenn die Entzündung in seiner Umgebung nicht erheblich ist (Macewen). Ausnahmen davon habe
ich beobachtet. Einmal trat die Neuritis optica schon 8 Tage nach
dem Erscheinen der Symptome, die auf einen Abszeß deuteten,
hervor. Der Hirnabszeß war in diesem Falle akut und die Initialperiode ging unmittelbar in das manifeste Stadium über. Nach
Hansberg ist die Neuritis optica viel häufiger beim Kleinhirnabszeß (²/₃ der Fälle). Die Neuritis optica wird aber auch bei
anderen intrakraniellen Erkrankungen — Meningitis, Encephalitis,
Tumor — beobachtet. Sie kann sogar bei einer Eiterung in der
Paukenhöhle ohne intrakranielle Komplikationen vorkommen. In
diesem Falle soll sie infolge einer Läsion des Plexus caroticus
des sympatischen Nerven, die zu einer vasomotorischen Störung
des Sehnerven und Augenhintergrundes führt, entstehen; bewiesen
ist aber diese Tatsache nicht. Macewen macht dieselbe bei
Mittelohreiterung von einem geringen Grade von Meningitis abhängig.

Infolge des gesteigerten Druckes werden auch Pupillen-
störungen beobachtet. Bei Schläfen- und Frontallappen-Abszeß
kann das Auge auf der erkrankten Seite entweder Myosis oder
Mydriasis mit einem gewissen Grade von Pupillenstarre erkennen
lassen. Pupillenträgheit, Mydriasis oder Myosis auf der Seite wo
eine Ohreiterung vorhanden ist, bildet einen weiteren Beweis dafür,
daß der Eiterherd auf der entsprechenden Seite zu suchen sei.
Beim Kleinhirnabszesse kommt hier noch außerdem in Betracht
die Fernwirkung auf die Corpora Quadrigemina und auf den
vorderen Abschnitt des Oculomotoriuskern (Herderscheinung). Beim
Kleinhirnabszeß tritt regelmäßig anfangs beiderseits Pupillen-
verengerung als Symptom meningealer Reizung hervor; im manifesten Stadium — Pupillenerweiterung beiderseits oder nur auf
der kranken Seite. Bald erweitert sich die eine, bald die andere
Pupille. Die Pupillenerscheinungen sind nicht konstant. Normale
oder verengerte Pupillen schließen Kleinhirnabszeß nicht aus; im
allgemeinen läßt beiderseitige oder einseitige Erweiterung das Vorhandensein einer raumbeschränkenden Krankheit im Schädelinnern
annehmen. Bei diffuser Meningitis sind beide Pupillen gleichmäßig
verengt, bis in einem späteren Stadium Drucksymptome eintreten,
die Mydriasis und Starre der Pupillen bewirken. Die infektiöse
Hirnbluteiterthrombose mit Ausnahme der Thrombose des Sinus
cavernosus hat selten eine Pupillenstörung zur Folge. Strabismus
kommt selten vor, ebenso wie Zwangsstellung der Bulbi. Ptosis

ist öfter bei Schläfenlappen, als bei Kleinhirnabszessen. Exophtalmos ist selten, meistens nur bei Kleinhirnabszessen die mit Sinusthrombose kompliziert sind.

Konvulsionen sind in dieser Periode nur ausnahmsweise und vorwiegend bei Kindern vorhanden und haben nichts Charakteristisches. Meist schwindet dabei das Bewußtsein für kurze Zeit. Die Krämpfe entstehen auf Grund sekundärer Reizung des motorischen Rindengebietes oder seiner Leitungsbahn. Heftige Schüttelfröste werden manchmal von Seite der Angehörigen für Krämpfe gehalten (M a c e w e n).

Herderscheinungen können vollständig fehlen, oder dieselben sind unbedeutend, oder kommen 'erst spät zum Vorschein, was von der Größe und der Lokalisation des Abszesses abhängig ist. Herdsymptome haben für die Diagnose eine entscheidende Stellung. Sie bedeuten sehr viel, wenn der Abszeß in der Gegend der motorischen Region sich befindet, sehr wenig dagegen, wenn derselbe im frontalen, occipitalen oder temporalen Lappen seinen Sitz hat. Die Herdsymptome sind abhängig von der Zerstörung der Hirnsubstanz, oder ihrer Erweichung, oder von einem Oedem welches rings um den Eiterherd dessen schubweiser Vergrößerung vorangeht. Letzteres kann zurückgehen und das eine oder andere Herdsymptom kann wieder verschwinden. Der Eiter in dem Marklager drängt zunächst nur die Leitungen auseinander, ohne sie aufzuheben. Bleibt dabei die graue Substanz noch erhalten, so kann der Abszeß mächtige Ausdehnung annehmen, sich fast auf eine Hemisphäre erstrecken, ohne daß irgend ein Herdsymptom in Erscheinung tritt. Je mehr er sich der Hirnrinde oder der inneren Kapsel nähert, desto eher kommen Herdsymptome zum Vorschein. Da der Abszess an allen Stellen des Hirns vorkommen kann, müssen die Herdsymptome mit den Erscheinungen zusammenfallen, welche den Erkrankungen der verschiedenen Hirnregionen eigen sind.

Auftretende zentrale Gehörsstörung, — die zur völligen Taubheit nicht führt — auf dem gekreuzten vorher gesundem Ohre, ist ein ungemein wichtiges Herdsymptom. Meistens ist es aber unmöglich bei dem schläfrigen Kranken die Schwerhörigkeit auf dem gesunden Ohre zu prüfen. Selbstverständlich müßte dabei die Untersuchung, so weit solches möglich, · die Integrität des peripheren Gehörapparates nachweisen.

Ein recht häufiges Herdsymptom bilden verschiedenartige Sprachstörungen u. z. Worttaubheit, Leitungsaphasie, amnestische

Aphasie, Agraphie, Anarythmie, optische Aphasie, optico-akus-
tische Aphasie, topographische Aphasie, Seelenblindheit und motorische Aphasie. Letztere wird bei unkomplizierten Hirnabszessen
nicht beobachtet. Die verschiedenartigen Formen von Sprachstörungen kommen nur dann zum Vorschein, wenn der Abszeß
in bestimmten Abschnitten der linken Hemisphäre sich befindet.
Beim Kleinhirnabszeß hängen manchmal die Sprachstörungen
nicht unmittelbar von der Läsion der Fasern oder Kerne in der
Brücke, Medulla oder Schläfenlappen, sondern bloß von der allgemeinen Intelligenzstörung (Körner) oder von mechanischen
Störungen, Rigidität der Masseteren ab (Macewen). Außerdem
kommt ein vorübergehender Verlust der Sprache vor. Häufig
findet man eine derartige psychische Schwäche, daß die Entdeckung der Aphasie Schwierigkeiten macht.

Cerebelläre Ataxie und Kleinhirnschwindel die von einer
Destruktion des Wurms (Nothnagel) oder von Abszessen der
Hemisphären, die den Wurm insultieren, oder von Eiteransammlung über den Tentorium abhängig sind (v. Bergmann) haben
dann einen diagnostischen Wert, wenn sie frühzeitig, bei freiem
Sensorium, und stark ausgebildet sind, und wenn gleichzeitig eine
Labyrintheiterung auszuschließen ist. Letztere begleitet aber sehr
oft den Kleinhirnabszeß, Jansen notiert mehr als 80 solcher
Fälle. Diese Symptome können aber auch fehlen bei Affektion
des Wurms (Poulsen, Heimann). Andererseits kann Ataxie bei
hysterischen Ohrenkranken vorkommen (Oppenheim). Wenn
man aber berücksichtigt, daß in vielen Fällen infolge der Schwere
der Krankheit die Ataxie nicht nachweisbar sein kann, daß
Schwankungen durch Schwindelgefühl von der typischen Cere-
bellarataxie vielfach schwer zu unterscheiden sind, und wenn man
die nachgewiesenen Fälle in Betracht zieht, so kann man diesem
Symptome eine gewisse diagnostische Wichtigkeit nicht absprechen.
Patognomonisch für den Kleinhirnabszeß ist dieses Symptom aber
nicht, da derartige Gleichgewichtsstörungen vereinzelt auch beim
Schläfenlappenabszeß (5 Fälle), bei Meningitis serosa und zuweilen auch bei Meningitis purulenta vorkommen.

Außer den unmittelbaren Herdsymptomen führen otitische
Hirnabszesse zu charakteristischen Symptomen durch Fernwirkung,
die für den Abszeß speziell wichtig sind, weil diese Fernwirkung
stets von einer der bekannten Stellen ausgeht, an welchen otitische
Hirnabszesse zu sitzen pflegen. Diese Fernwirkung wird, wie bekannt, durch das entzündliche Oedem, daß in mehr oder weniger

breiter Zone den Abszeß umgibt, wie auch durch erhöhte Spannung des Liquor cerebro-spinalis infolge des erhöhten und dadurch bedingten Druck in der Schädelhöhle, hervorgerufen. Außer durch die Flüssigkeit in gleichmäßiger Weise, wird aber auch durch die festweiche Masse des Hirns der Druck fortgeleitet, hier natürlich ungleichmäßig, so daß die Hirnpartien in der Nähe des Schläfenlappens mehr als die von ihm entfernter liegenden betroffen werden. Die Fernwirkung beim Schläfenlappenabszeß erstreckt sich nicht über das Tentorium. Aber auch in anderen Hirngegenden ist sie beeinträchtigt, mit Ausnahme in der Richtung nach der Capsula interna. Bei Läsion derselben treten Paresen der gekreuzten Extremitäten, selten gekreuzte Paralysen, gekreuzte Spasmen und Krämpfe, auch tonischer Krampf auf der gekreuzten Seite auf. In manchen Fällen ist die Hemiplegie offenbar eine Druckerscheinung, da die Wiederherstellung der Funktionsfähigkeit bald nach der Entleerung des Eiters erfolgt. In anderen Fällen sind jedoch die erwähnten Erscheinungen auf Entzündung zurückzuführen. Es ist wichtig genau festzustellen in welcher Reihenfolge die einzelnen Teile der betreffenden Körperhälfte gelähmt werden, da man dadurch klar zu stellen vermag, ob die motorischen Rindenzentren oder die Leitungsbahnen der inneren Kapsel ergriffen sind. Wird zuerst das Gesicht, dann der Arm und schließlich das Bein befallen, ohne daß sich eine Sensibilitätsstörung hinzugesellt, dann übt wahrscheinlich der Schläfenlappenabszeß seine Fernwirkung auf das Rindengebiet der Zentralwindungen aus, die sich von unten nach oben ausbreitet. Die Paresen sind gewöhnlich an der gekreuzten oberen Extremität, und dort meist stärker als am Bein ausgesprochen. Bisweilen wird gekreuzte Hemianästhesie und homonyme bilaterale Hemiopie beobachtet. Gleichseitige Anosmie ist ungemein selten (Stoecker). Dazu kommen Paresen im Gebiete des gekreuzten Fazialis vor, selten Spasmen dieses Nerven. Die Parese ist Folge der Fernwirkung eines Schläfenlappenabszesses auf die innere Kapsel, eines Kleinhirnabszesses auf die Brücke oder Herdsymptom eines Brückenabszesses. Ist die Fazialislähmung Folge von Zerstörungsprozessen des Warzenfortsatzes und der Paukenhöhle, oder Folge von Druck eines Kleinhirnabszesses auf die Eintrittstelle in den Porus acusticus internus, so befinden sie sich auf ein und derselben Seite. Die Mitbeteiligung des Fazialis und Acusticus bei Kleinhirnabszessen wird von Hansberg mit Recht für die Diagnose des Kleinhirnabszesses in Abrede gestellt, denn diese Erkrankungen

beruhen auf einem Leiden des Facialiskanales im Gebiete der
Trommelhöhle. Es ist notwendig eine auf Rindenläsion beruhende
Lähmung der Gesichtsmuskeln von einer durch Lähmung des
N. facialis herbeigeführten Inaktivität einer Gesichtshälfte in solchen
Fällen zu unterscheiden. Eine Rindenläsion bedingt selten eine so
ausgedehnte Lähmung; bei einer solchen Läsion ist der Kranke
im Stande das Auge zu schließen, die erkrankte Gesichtshälfte behält bis zu einem gewissen Grade die Fähigkeit Gemütsbewegungen
zum Ausdruck zu bringen. Auch bleibt der Geschmackssinn in
den vorderen zwei Dritteln der Zunge intakt (Macewen).

Die Fernwirkung bei Kleinhirnabszessen betrifft häufig die
Medulla oblongata und führt durch Respirationslähmung den Tod
herbei. Kleinhirnabszesse in den Kleinhirnschenkeln und in der
Brücke können außer Respirationslähmung, Lähmung der gekreuzten Extremitäten, des gekreuzten Fazialis, beider Beine,
homonyme Hemiplegie, Trismus, Schwäche und Parese im gleichseitigen Arme und in beiden unteren Extremitäten hervorrufen.
Außerdem wurde noch beim Abszeß in der Brücke, im Corpus
striatum und im Thalamus opticus Anästhesie, Verlust des Muskelsinnes in den Extremitäten der anderen Seite, wahrscheinlich infolge von Miterkrankung des hinteren Teiles der internen Kapsel
beobachtet. Kleine Abszesse in diesen Gegenden können symptomlos bis zum Durchbruche verlaufen (Govers). Beim Abszeß in
der Brücke kommt auch Hemiplegia alternans zum Vorschein.

Nackenstarre mit Retraktion des Kopfes und leichtem Opisthotonus kommt auch anscheinend bei unkomplizierten Groß- und
Kleinhirnabszessen vor (Moos, Hansberg), öfter wird sie aber
bei Meningitis, beim Extraduralabszeß in der hinteren Schädelgrube, und bei purulenter Entzündung am Pons oder an der
Medulla durch Ruptur des Abszesses hervorgerufen, beobachtet.

Die Reflexe die von der Haut wie von tief gelegenen Gebilden aus hervorgerufen sind, lassen zuweilen einen Einfluß des
Hirnabszesses erkennen; darüber läßt sich aber nichts Bestimmtes
sagen. Der Patellarreflex verhält sich verschieden, bald ist er gesteigert, bald vermindert, bald wieder normal auf beiden Seiten
und in manchen Fällen fehlt er auf der Seite der Läsion. Nach
Koch bildet einseitiges Fehlen des Patellarreflexes auf der Seite
der Läsion ein wichtiges Symptom des Kleinhirnabszesses zum
Zweck der Differentialdiagnose gegen den Schläfenlappenabszeß. —

Fibrilläre Muskelzuckungen kommen gegen das Ende des
zweiten Stadiums oft zur Beobachtung und sind im Endstadium

sehr ausgesprochen. Sie haben aber nichts pathognomonisches für den Hirnabszeß.

Schläfenlappenabszesse rufen bei gewisser Größe partielle, selten totale Lähmung des Oculomotorius auf der kranken Seite hervor. Gewöhnlich wird Mydriasis und Ptosis, zuweilen Lähmung des Rectus internus und superior beobachtet. Bei totaler Lähmung dieses Nerven kommt außerdem zum Vorschein Auswärtsschielen, Starre der Pupillen und Lähmung aller äußeren Augenmuskeln mit Ausnahme des Obliquus superior und Rectus externus, weshalb die Bewegungen des Augapfels bis auf die Auswärtsdrehung und eine geringe Neigung nach unten unmöglich sind. Wie schon oben erwähnt wurde, kann der Oculomotorius in eine entzündliche Mitleidenschaft bei Meningitis gezogen werden. Findet man Lähmung des N. oculomotorius auf der Seite der Läsion, Hemiplegie der entgegengesetzten Körperhälfte, die im Gesicht ihren Anfang genommen hat und den Merkmalen der Lähmung entspricht, die im motorischen Rindenbezirk ihren Ursprung hat, d. h. in der Gesichtsmuskulatur sich am deutlichsten zeigt, den Arm nicht so stark ergriffen hat, während die untere Extremität intakt bleibt, und wenn dabei Sensibilitätsstörung fehlt, dann handelt es sich mit großer Wahrscheinlichkeit um eine ausgedehnte Läsion, die im Schläfenlappen ihren Sitz hat (Macewen). —

Gleichseitige Abduzenslähmung wird beim Groß- und Kleinhirnabszeß beobachtet; bei letzterem auch gekreuzte Lähmung dieses Nerven.

Neuralgie des Trigeminus und Hypoglossuslähmung sind beim Schläfenlappenabszeß selten. Im allgemeinen entwickelt sich die Affektion des Hirnnerven öfter infolge von Knochenerkankung oder Meningitis, als infolge des Abszesses selbst.

Zuweilen wird auch bei Hirnabszessen Lichtscheu, Déviation conjugée, Nystagmus, Singultus, unwillkürliche Harn- und Stuhlentleerung, Strangurie, Retentio und Incontinentia Urinae, wie auch Kreuzschmerzen und Neuralgie des Ischiadicus beobachtet.

Das Gehörorgan weist bei otitischen Hirnabszessen Symptome chronischer oder akuter Ohreiterung, Cholesetatom, Granulationen, entzündliche Erweichungen auf dem Warzenfortsatze, Symptome von Eiterretention usw. öfters auf. In einzelnen Fällen führen Fistelgänge unmittelbar vom erkrankten Knochen in die Schädelhöhle, durch welche, wie auch durch den äußeren Gehörgang sich die Abszeßflüssigkeit teilweise entleert. Viel seltener findet man nur Spuren einer vorhergegangenen Ohrentzündung oder sogar ein

scheinbar gesundes Trommelfell. In der überwiegenden Mehrzahl
der Fälle sind Kleinhirnabszesse mit Labyrintheiterung verbunden,
was schon oben erwähnt wurde. Entsprechend den Veränderungen
im Labyrinthe ist die Störung der Funktion beim Kleinhirnabszeß
labyrinthärer Natur. Zwar kann die Gehörprüfung nicht immer
zu einer exakten Diagnose führen, da labyrinthäre Funktionsstörungen nicht selten bei Großhirnabszessen vorkommen und
wieder bei Kleinhirnabszessen fehlen können, in zweifelhaften
Fällen aber kann sie uns recht wichtige Anhaltspunkte für die
Diagnose in Bezng auf die Lokalisation des Abszesses geben.
In vereinzelten Fällen zeigt sich bei einseitiger Ohreiterung, bei
Groß- und Kleinhirnabszessen eine plötzliche Zunahme der Schwerhörigkeit des Ohres der entgegengesetzten Seite oder eine plötzliche Besserung des Gehörs auf der kranken Seite (Schwartze,
Lucae, Herpin). Körner erklärt ersteres dadurch, daß das
Zentrum für das gekreuzte Ohr im Schläfenlappen liegt. So kann
man das Eintreten einer zerebralen Gehörsstörung auf dem gekreuzten vorher gesunden Ohre als ein entscheidendes Symptom
betrachten, aber nur wenn einseitige Ohreiterung vorliegt. Da
dies aber auch beim Kleinhirnabszeß beobachtet wurde, so ist
die Annahme Schwartze's, daß dieses Symptom auf hoch-
gradigem Hydrocephalus internus beruht, oder von einer Hyperämie
des Labyrinthes abhängig ist (Lucae) richtiger. —

Man wollte die fehlende Kopfknochenperzeption zur Diagnose
des Kleinhirnabszesses verwerten (Mc. Bride und Miller),
Körner aber überzeugte sich von der Unzuverlässigkeit dieser
Erscheinung, indem sie recht oft auch bei Schläfenlappenabszessen
beobachtet wird und wieder nicht selten bei Kleinhirnabszessen fehlt.

Nach dieser zweiten Periode des Hirnabszesses, die verschieden
lange dauern kann, kommt es, wie bekannt, zu dem sogenannten
Endstadium d. h. zum raschen Wachstum des Abszesses, zu seiner
deletären Wirkung auf lebenswichtige Teile, und zur Eiterentleerung
in einen Seitenventrikel, oder auf die Hirnoberfläche, die rasch
unter stürmischen Symptomen zum Tode führt. Die Kranken
gehen am häufigsten zu Grunde unter Erscheinungen einer gewaltigen und rasch tötenden Meningitis, oder das Endbild hat
den Schein eines tötlichen apoplektischen Anfalles. Stupor und
Koma nehmen allmählich zu, aber der Tod kann auch plötzlich
eintreten. Zuweilen kann sich ohne Eitererguß eine akute Leptomeningitis entwickeln, indem die entzündliche Grenzzone des Abszesses die Pia erreicht. War der Verlauf latent, oder begleiteten

ihn mehrere von den oben erwähnten Symptomen, so hat das keinen Einfluß auf das Bild des Endresultates. Der Kranke wird plötzlich von Frostanfall und Fieber befallen, der Kopfschmerz steigert sich ungemein heftig, es tritt mehrmaliges Erbrechen ein; dazu kommt Kollaps, Bewußtlosigkeit, beschleunigter kleiner Puls, Cheyne-Stokes'sche Atmung, oder vollständige Respirationslähmung, maximale Pupillenerweiterung und Starrheit, Koma, Sopor und der Kranke stirbt in wenigen Stunden. Konvulsionen sind selten, Paralyse aller Extremitäten oder Hemiplegie wird hie und da beobachtet. In vereinzelten, seltenen Fällen kann der Tod infolge einer interkurrenten Krankheit eintreten. Von allen Hirnabszessen brechen die des Schläfenlappens am leichtesten in den Seitenventrikel durch, daher schließt sich ihr Endstadium so oft unmittelbar an das ihrer Latenz an. Das ist aber auch der Grund, warum ein bestimmter Teil dieser Abszesse erst bei der Autopsie gefunden und ein anderer kurz vor dem Tode, an den Symptomen des Endstadium erkannt wurde. Das Endstadium dauert einige Minuten bis 24 Stunden, selten länger.

Als Hilfsmittel zur Sicherung der Diagnose des otitischen Hirnabszesses ist zuweilen die Lumbalpunktion zu betrachten. Dieser Handgriff ist aber beim Hirnabszeß gefährlich und muß bei Verdacht auf diesen sehr vorsichtig ausgeführt werden, da infolge von Raumverschiebungen in der Schädelhöhle durch den Abfluß des Hirnwassers, der Durchbruch des Abszesses beschleunigt oder herbeigeführt werden kann, was zur Leptomeningitis, oder direkt zum plötzlichen Tod führt. Letzterer Ausgang sollte öfters bei Hirngeschwülsten infolge plötzlicher Athmungslähmung beobachtet worden sein. Außerdem kann die Lumbalpunktion eine Lösung von frischen Verklebungen der weichen Häute um begrenzte Eiterungen hervorrufen. — Wenn wir einerseits dieses Moment in Erwägung nehmen, und andererseits die Anamnese und den reichen Symptomenkomplex eines Hirnabszesses der meistens zur Stellung der Diagnose ausreicht, berücksichtigen, so muß die Lumbalpunktion beim Hirnabszeß sich nur auf vereinzelte Fälle beschränken z. B. auf solche, bei denen die Symptome des Abszesses nicht deutlich ausgesprochen sind, und die Differentialdiagnose zwischen Hirnabszeß und Meningitis purulenta oder serosa auf große Schwierigkeiten stößt. Hier ist die Lumbalpunktion als diagnostisches Hilfsmittel unentbehrlich.

Nach den bisher erhaltenen Resultaten der Lumbalpunktion ist folgendes zu bemerken: 1. Getrübte Flüssigkeit mit Eiter-

körperchen oder Bakterien, erweckt Verdacht auf Hirnabszeß.
2. Stark getrübte Flüssigkeit mit Eiterkörperchen und Bakterien
spricht für eine diffuse, eitrige Meningitis. 3. Leicht getrübte Flüssigkeit mit Bakterien weist auf eine Erkrankung der weichen Hirnhäute, aber es bleibt zweifelhaft, ob eine diffuse, oder eine circumskripte Meningitis vorliegt. Eine gleichgeartete Flüssigkeit wurde
aber auch bei Hirnabszessen beobachtet und führte zu traurigen
Folgen, da der Abszeß uneröffnet blieb (Brieger, Ruprecht.
Wolff). 4. Ist die Flüssigkeit klar und frei von Eiterkörperchen
und Bakterien, so besteht keine oder nur umschriebene eiterige
Meningitis. Bei vermehrter und unter hohem Druck stehender
Flüssigkeit kommt in erster Linie Meningitis serosa und in zweiter
circumskripte purulente Entzündung in Frage. 5. Opalisierende
Trübung der Flüssigkeit spricht mit großer Wahrscheinlichkeit
für Meningitis tuberculosa, auch wenn Tuberkelbazillen im Liquor
nicht nachzuweisen sind.

So viele und so sichere Anhaltspunkte wir auch für die
Diagnose des otitischen Schläfenlappenabszesses haben, schützen
sie uns doch nicht vor Fehlgriffen und selbst charakteristische
Symptome können irreleiten. Umschriebener Kopfschmerz, Empfindlichkeit beim Perkutieren der Schläfenbeinschuppe oder des Hinter-
hauptes, Neuritis optica, Schwindelerscheinungen, Erbrechen und
der allgemeine Habitus des Kranken sind in vielen Fällen für
einen otitischen Hirnabszeß maßgebend, und doch ergaben Au-
topsien mancher solcher Fälle in der Hallenser Klinik, daß es
sich um eiterige diffuse Meningitis handelte. In anderen Fällen
sind die auf das Gehirn weisenden Störungen vieldeutig und unbestimmt, oder das klinische Bild des Abszesses ist durch andere
Komplikationen verschleiert. Am verhältnismässig leichtesten läßt
sich der Schläfenlappenabszeß bei Berücksichtigung der Symptome
und Anamnese diagnostizieren. Der Lieblingssitz der otitischen
Hirnabszesse ist überhaupt der Schläfenlappen und das Kleinhirn. Den Abszessen des Frontallappens, die überhaupt sehr
selten sind — in meiner Statistik sind 3 Frontallappenabszesse
auf 362 Schläfenlappenabszesse angegeben (A. f. O. Band 67)
fehlen sichere Lokalsymptome, ebenso wie bei den entsprechenden
Tumoren. Sie stellen sich erst bei einer gewssen Größe der Eiteransammlung als Fernwirkungen ein: Sprachstörungen bei linksseitigem Sitze und Monoplegien eines Facialis oder eines Armes
auf der gegenüberliegenden Seite. Ebenso sind die Hinterhaut-
lappenabszesse, wie Abszesse anderer Hirngegenden selten und

nach v. Bergmann sind die Abszesse des Hinterhauptlappens
ursprünglich tief im Schläfenlappen gelegene Abszesse, die sich
auffallend weit nach hinten verbreitet haben.

Bei Kindern und manchmal bei jungen Leuten verlaufen alle
otitischen intrakraniellen Eiterungen, ebenso wie die einfache
Mittelohrentzündung, unter stärkeren Reizerscheinungen als beim
Erwachsenen. Die Symptome des Hirnabszesses nähern sich
deshalb bei ihnen denen der Meningitis. Bei Kindern kann ein
gewöhnlicher Extraduralabszeß einen Hirnabszeß vortäuschen
(Körner). Außerdem können oft bei Kindern lokale Symptome
nicht genau oder gar nicht bestimmt werden.

Die Diagnose des Kleinhirnabszesses bietet im allgemeinen
viel mehr Schwierigkeiten als die des Schläfenlappenabszesses.
Meist ist das Bild des Kleinhirnabszesses unbestimmt und vieldeutig, seine Diagnose meistens eine Wahrscheinlichkeitsdiagnose
und oft kann sie nur aus den Eiterungs- oder Wundverhältnissen
am eröffneten Warzenfortsatz und dem bloßgelegten Sinus transversus gemacht werden. Nach Koch läßt sich das Bild des
otitischen Kleinhirnabszesses in drei Typen einteilen. Den ersten
Typus enthalten die Fälle, in welchen ausgesprochene und mehrfache Lokalerscheinungen die Diagnose geben, den zweiten die
mit ausgesprochenen allgemeinen Hirnsymptomen und spärlichen
und unsicheren Lokalsymptomen, und den dritten die, in denen
weder die allgemeinen, noch die lokalen Hirnsymptome deutlich
waren, aber die Art der Eiterung, der Verlauf der am Warzenfortsatz vorgenommenen Operationen, sowie bestehende in und
durch die Dura führende Fistelgänge zur Entdeckung des Kleinhirnabszesses führten. Zwei Groß- oder Kleinhirnabszesse, oder
je ein Abszeß im Groß- und Kleinhirn sind fast unmöglich zu
diagnostizieren. Schwinden die vorher vorhandenen allgemeinen
und örtlichen Symptome nach operativer Entleerung des Abszesses
nicht vollständig oder teilweise, so muß, sofern keine Eiterverhal-
tung vorliegt, Verdacht auf einen zweiten Abszeß entstehen,
dessen Lokalisation aus den vorhandenen Symptomen zu bestimmen ist.

Bei entwickelten Symptomen einer otitischen intrakraniellen
Komplikation hat die Differentialdiagnose zwischen Schläfen-
lappen- und Kleinhirnabszeß folgendes zu berücksichtigen: Die
allgemeinen Hirnsymptome mit Ausnahme des Kopfschmerzes,
der beim Schläfenlappenabszeß der Stelle des Abszesses meistens
entspricht und beim Kleinhirnabszeß meist ins Hinterhaupt oder

in die Stirn verlegt wird, wie auch der Störungen von seiten der Augenmuskeln, sind beiden Komplikationen gemeinsam. Besondere und direkte Herdsymptome dürfen wir bei dem Sitze des Abszesses in den Hemisphären des Kleinhirns nicht erwarten und deshalb ist das Kontingent der bis zum Tode latent verlaufenden Kleinhirnabszesse viel bedeutender als das der Großhirnabszesse. Freilich können die Kleinhirnabszesse auch ˙charakteristische Fernwirkungen, die in Störungen der Funktion der Kerne und Stämme der sechs letzten Hirnnerven bestehen, geben, aber sie tun es ungleich seltener, als z. B. Kleinhirngeschwülste. Gleichgewichts-, Gang-, Atmungs- und motorische Sprachstörungen, Nackensteifigkeit, Trismus, Nystagmus, gleichseitige Paresen des Fazialis, der Extremitäten, Amaurose ohne Sehnervenatrophie und zumal im Kindesalter häufige allgemeine Konvulsionen bilden Symptome des Kleinhirnabszesses. Die Sprachstörungen beim Kleinhirnabszeß haben bulbären Charakter. Gekreuzte Paresen, Paralysen, Spasmen, manchmal Konvulsionen, Hemianästhesie, amnestische und Leitungsaphasie, optiko-akustische Aphasie Worttaubheit, Agraphie, Hemiopie, Ptosis, Abduzenslähmung, totale Lähmung des Okulomotorius, sprechen häufiger für Schläfenlappenabszeß. Der Kleinhirnabszeß macht in $2/3$ aller Fälle wenig ausgebildete oder gar keine Lokalsymptome; der Schläfenlappenabszeß macht in der Regel mehr oder weniger Lokalsymptome. Der Schläfenlappenabszeß wird am öftesten bei Karies am Tegmen tympani oder antri gefunden; der Kleinhirnabszeß bei Karies der hinteren Wand des Felsenbeins und bei Labyrintheiterungen. Hier und da sind Fälle verzeichnet, wo man, nachdem man einen Eiterherd im Hirn diagnostizierte, einen Schläfenlappenabszeß für einen Kleinhirnabszeß gehalten hat und umgekehrt (Drumond, Garngee, Barr u. a.). Hansberg hat bei einem Schläfenlappenabszeß, welcher sich am hinteren und unteren Teil des Lappens befand und auf operativem Wege entleert wurde, die Diagnose auf Kleinhirnabszeß aufrecht gehalten; die Autopsie erwies, daß es sich um einen Schläfenlappenabszeß handelte, der ganz dicht am Kleinhirn lagerte.

Gewisse Schwierigkeiten der Lokalisation des Hirnabszesses können bei beiderseitiger Ohreneiterung entstehen; sie können sogar beim Kleinhirnabszeß unüberwindlich sein. Sind Sprachstörungen vorhanden, so ist es nicht schwer zu erkennen, daß der Abszeß ceteris paribus in der linken Hemisphäre sich befindet. Wichtige diagnostische Momente bilden hier die Lokalisation des

Schmerzes, Schmerzhaftigkeit der entsprechenden Stelle beim Beklopfen des Schädels und die Seite der gekreuzten und gleichseitigen Lähmungen.

Die Differentialdiagnose zwischen Labyrintheiterung und Kleinhirnabszeß begegnet großen Schwierigkeiten, da beide Krankheiten sehr oft gemeinsam auftreten und außerdem viele gemeinsame Symptome haben. Zu diesen gehören: Gleichgewichtsstörungen, Nackensteifigkeit, Schwindelgefühl, Übelkeit, Erbrechen, Kopfschmerzen und Nystagmus; Fieberbewegungen, falls letztere sich einstellen. Neuritis optica wird häufig bei Kleinhirnabszessen beobachtet, ausnahmsweise kommt sie bei Labyrintheiterungen vor; sie kann aber auch beim Kleinhirnabszeß fehlen. Hemiataxie und Hemiparese kommt nie bei Labyrintheiterungen vor. Gleichgewichtsstörungen können bei beiden Krankheiten fehlen. Nach Hinsberg (Z. f. O., Bd. 40, S. 166) sind unter Außerachtlassung der beiden Krankheiten gemeinsamen Symptome für den Kleinhirnabszeß charakteristisch die Allgemeinsymptome eines Hirnabszesses: Abmagerung, Mattigkeit, psychische Veränderungen, Neuritis optica, Strabismus, Zwangsstellung der Bulbi, motorische Reiz- und Ausfallserscheinungen, Pulsverlangsamung, Nackenschmerzen. Recht oft fehlen aber alle diese Symptome und nur gemeinsame Symptome der Labyrintheiterung und des Kleinhirnabszesses kommen zum Vorschein. Nach H. Neumann bildet der Nystagmus ein wichtiges differentialdiagnostisches Symptom. Bei Großhirnabszessen kommt er fast nie vor. Bei Kleinhirnabszessen wird sowohl nach der gesunden wie nach der kranken Seite gerichteter Nystagmus beobachtet; er nimmt zu bei zunehmender Intensität der Krankheit und erreicht schließlich einen solchen Grad, wie man ihn niemals bei Labyrintherkrankungen sieht. Neumann und Barány beobachteten, daß bei Labyrintherkrankungen anfangs Nystagmus nach der erkrankten Seite besteht, dann aber später fast vollständig verschwindet. Beim Kleinhirnabszeß besteht anfänglich Nystagmus nach der gesunden Seite, der dann plötzlich nach der kranken Seite ·umschlägt. Beobachtet man dieses Symptom, so kann mit Sicherheit Kleinhirnabszeß diagnostiziert und die Auslösung des Nystagmus vom Labyrinth ausgeschlossen werden. Außerdem nimmt, wenn Kleinhirnabszeß mit Labyrintheiterung kombiniert ist, der vom Labyrinth ausgelöste Nystagmus nach Labyrintheröffnung rasch an Intensität ab, während der vom Kleinhirnabszeß ausgelöste Nystagmus durch die Labyrinthoperation nicht beeinflußt wird. Der

Nystagmus ist stets ein rythmischer und zeigt überhaupt sämtliche Charaktere des vestibularen Nystagmus.

Die Differentialdiagnose gegenüber extraduralem Abszeß ist in vielen Fällen nicht schwer. Beim Extraduralabszeß werden manchmal auch Allgemeinerscheinungen, die dem Hirnabszeß eigen sind, beobachtet, wie allgemeines Unwohlfühlen, schlechtes Aussehen, Mattigkeit, Schwindel, Erbrechen usw. Gewöhnlich aber fehlen diese Symptome. Veränderungen des Pulses sind ungemein selten, z. B. ist er nur dann verlangsamt, wenn der extradurale Abszeß sehr groß ist (Hirndrucksymptom). Dasselbe läßt sich von anderen bei dem Hirnabszeß angetroffenen Erscheinungen sagen. Stauungspapille und Neuritis optica ist bis jetzt im ganzen viermal verzeichnet (Braunstein dreimal. Hölscher einmal). In akuten Fällen wurde leichte Hyperämie des Augenhintergrundes konstatiert (Braunstein). Nystagmus, Konvergenz- und Divergenzstellung eines Auges, Pupillenerweiterung usw. wurden hie und da beobachtet. In sehr seltenen Fällen kommen auch beim Extraduralabszeß in der mittleren Schädelgrube gekreuzte Paresen und bei linksseitigem Abszeß sensorische Sprachstörungen, nämlich bei Kindern, vor (Körner). Je einmal sind sogar melancholische Wahnideen (Biehl) und idée fixe (Hölscher) verzeichnet. Liegt der Abszeß in der hinteren Schädelgrube, so kommt auch Nackensteifigkeit vor. Höheres Fieber fehlt in der Mehrzahl der Fälle; ist es vorhanden, so ist es in der Regel durch Warzenfortsatzempyem oder durch Sinusphlebitis hervorgerufen. Geringe Temperaturerhöhungen kommen häufiger vor. Gewöhnlich aber gibt der extradurale Abszeß ebenso wie der Hirnabszeß keine Temperatursteigerung. Der Kopfschmerz ist inkonstant, in vielen Fällen kann er vollständig fehlen, in anderen besitzt er dieselben charakteristischen Zeichen, welchen man beim otitischen Hirnabszeß begegnet. Er wird auch über dem Ohre oder im Hinterhaupt oder an anderen, dem Abszeß nicht entsprechenden Stellen lokalisiert, selten ist er diffus. Geistige und physische Erschütterungen und Überanstrengungen, Perkussion der entsprechenden Stelle steigern ihn; ebenso exazerbiert er nachts. Neben Kopfschmerz wird häufig Ohrenschmerz angegeben. Außerdem wird beim Extraduralabszeß oft Periostitis und Fistelbildung, subperiostaler Abszeß angetroffen. Bringt man in Abzug die selten vorkommenden Allgemeinerscheinungen und die noch selteneren Herderscheinuugen beim Extraduralabszeß. so macht im allgemeinen die Differentialdiagnose zwischen Hirn-

und Extraduralabszeß keine großen Schwierigkeiten. Beim Hirnabszeß wird man einen mehr oder weniger ausgebildeten Symptomenkomplex von allgemeinen und Herderscheinungen konstatieren.
während beim Extraduralabszeß ein solcher Symptomenkomplex
zu den Ausnahmen gehört. Außerdem sind beim Extraduralabszeß, wie schon erwähnt wurde, krankhafte Veränderungen im
angrenzenden Knochen vorhanden. Eine auffallend starke Eiterung
aus dem Ohre, die zu groß ist, um aus den Mittelohrräumen
allein stammen zu können, spricht für einen Extraduralabszeß,
und seine Anwesenheit ist noch wahrscheinlicher, wenn mit der
Abnahme der Ohreiterung Hirnsymptome auftreten. Sind beide
Krankheiten gleichzeitig vorhanden, was nicht selten der Fall ist,
so ist eine richtige Diagnose ungemein schwierig, oft unmöglich.
Verläuft ein Extraduralabszeß unter Symptomen eines Hirnabszesses, so sind Irrtümer manchmal unmöglich zu vermeiden.
Die Differentialdiagnose kann in solchen Fällen erst auf dem
Operationstische gemacht werden.

Die tiefen Extraduralabszesse haben denselben Verlauf wie
die oberflächlichen, oft verlaufen sie ganz symptomlos, oder sie
geben dieselben Symptome wie die oberflächlichen Abszesse.
Ihre Diagnose ist nur eine Wahrscheinlichkeitsdiagnose und wird
erst nach der Warzenfortsatzeröffnung, wenn Groß- und Kleinhirnabszeß und ein oberflächlicher Extraduralabszeß ausgeschlossen
werden kann, festgestellt. Eine Labyrinthfistel erleichtert die
Diagnose. Das Empyem des Saccus endolymphaticus verläuft
symptomlos, führt aber manchmal zum Kleinhirnabszeß (Schulze).

Ebenso verhält es sich mit dem subduralen Abszeß und mit
der Pachymeningitis interna, die auch keine typischen Symptome machen mit Ausnahme der Fälle, wo es sich um eine typische
Lokalsymptome auslösende Beteiligung der Hirnrinde handelt.
In solchen Fällen ist aber auch eine Differentialdiagnose zwischen
Hirnabszeß und Subdural- ev. Rindenabszeß vor der Operation
unmöglich zu stellen. Subduralabszesse können vermöge ihrer
Ausdehnung und bisweilen vielfachen Komplikationen die verschiedenartigsten und schwer zu deutenden Symptome machen.
Bisweilen kommen lokale Herdsymptome, wie sensorielle Aphasie
bei Lokalisierung der Affektion am linken Schläfenlapqen vor,
so daß die Diagnose zwischen Meningitis und Schläfenlappen-
abszeß schwankt. Bei Pachymeningitis interna und gegen die
Subarachnoidalräume abgeschlossenem subduralem Abszeß ist der
Liquor cerebrospinalis in der Regel klar oder nur leicht getrübt.

Eine derartige Flüssigkeit spricht also bei der Lumbalpunktion
für einen abgegrenzten Eiterherd. Eine Entscheidung aber ob Sub-
dural- oder ob Hirnabszeß vorliegt, wird hierdurch noch nicht
herbeigeführt. Kommt nach der Spaltung der harten Hirnhaut
oder der inneren Sinuswand kein Eiter, so kommt in Frage das
Vorhandensein eines Hirnabszesses oder einer einfachen Pachymeningitis interna ohne Eiterbildung (Hölscher). Der Subduralabszeß und die Pachymeningitis interna können auch vom Durchbruche eines Hirnabszesses entstehen, öfter aber kompliziert
ersterer die Sinusthrombose und den extraduralen Abszeß.

Encephalitis circumscripta und Hirnabszeß sind in
einem frühen Stadium unmöglich zu unterscheiden, da beide Erkrankungen gleichzeitig vorhanden sind und die Encephalitis
eigentlich das Initialstadium des Abszesses darstellt. Bei der
Differentialdiagnose kann man sich nicht auf die Zeitdauer stützen,
vor allem muß die Ätiologie berücksichtigt werden.

Zwischen Leptomeningitis und Hirnabszeß ist in
typischen Fällen nicht schwer zu entscheiden. Beide Krankheiten
haben zwar eine gemeinsame Ätiologie, z. B. die Ohreneiterung und
mehrere gemeinsame Symptome, aber auch solche, die für jede
von ihnen charakteristisch sind. Es gibt aber auch Fälle, wo
beide Krankheiten leicht verwechselt werden können, und die
Unterscheidung kann daher nicht immer eine unbedingte sein.
Bei schleichendem Verlaufe der Leptomeningitis kann letztere
gewisse Ähnlichkeit mit einem Hirnabszeß haben. Zu den Symptomen gehören Kopfschmerz, der konstant auftritt. Nur in seltenen
Fällen bleibt er aus oder ist unbedeutend. Ferner Übelkeit, Erbrechen und Schwindelgefühl. Störungen des Sensoriums kommen
fast immer vor, nur die Art und Zeit ihres Auftretens ist verschieden. Ihr Grad variiert von leichter Trübung des Sensoriums
bis zum tiefsten Koma. Hierher gehören auch Aufregungs-
zustände, Reizbarkeit, Unruhe, Schlaflosigkeit, Delirien, Teilnahmslosigkeit, Stumpfheit, Schlaflosigkeit usw., totale oder partielle
Lähmung des Fazialis, Nackenstarre, die jedenfalls bei der
Meningitis viel deutlicher ausgesprochen ist; Lähmungen, Myosis,
träge Reaktion der Pupillen, Lichtscheu, später Mydriasis, Lähmungen der Augennerven, Deviation conjugée, Nystagmus, Fehlen
oder Steigerung der Patellarreflexe, Stuhlverstopfung und Strangurie. Neuritis optica und Stauungspapille sind selten (Macewen);
nach Govers sind sie häufig bei der Basalmeningitis. Wie beim
Hirnabszeß kommen Fälle vor, wo das Bewußtsein bis kurz vor

dem Tode erhalten bleibt und die Symptome anfallsweise auftreten. Beim Exsudat in der Fossa Sylvii wurde Aphasie beobachtet (Körner). Bei schleichendem Verlauf der Meningitis ist außerdem die Temperaturerhöhung nur gering, sie kann sogar normal und subfebril sein; auch der Puls kann verlangsamt sein. Bei einem solchen Symptomenkomplex kann die Differentialdiagnose unüberwindliche Schwierigkeiten bieten. Gewisse Anhaltspunkte kann die Lumbalpunktion geben, wovon oben die Rede war. Als charakteristisches Symptom der Leptomeningitis ist zu verzeichnen, daß die Hirnnerven in einer größeren Ausdehnung und unregelmäßigeren Anordnung als beim Hirnabszeß befallen werden. Die Prodromalerscheinungen sind bei der Meningitis von längerer Dauer. Die Hirnnerven können auch beim Abszeß in der Brücke in größerer Ausdehnung befallen werden, aber wie bekannt, sind die Abszesse dieser Hirngegend ungemein selten und unseren therapeutischen Eingriffen unzugänglich. Eine Fehldiagnose ist deshalb in solchen Fällen ohne praktische Bedeutung. Gewöhnlich aber fehlt das Fieber nie bei akutem und oft subakutem Entstehen der Krankheit; sein Charakter ist sehr verschieden, enthält aber nichts Typisches. Die Temperatur kann manchmal bis 41° steigen, gewöhnlich geht sie nicht über 39°. Nach Körner wird hohes Fieber vorwiegend bei Erkrankung der Konvexität beobachtet. Die Leptomeningitis convexitatis hat überhaupt einen mehr stürmischen Verlauf, als die der Basis. Der Puls zeigt meistens eine der Höhe der Temperatur entsprechende Frequenz. Im Endstadium der Krankheit ist er meist schnell, klein, aussetzend und oft kaum fühlbar. In seltenen Fällen bleibt er kräftig und regelmäßig. Außerdem werden bei Leptomeningitis Hyperästhesie der Haut, klonische und tonische Krämpfe des Fazialis, Konvulsionen und Lähmungen der entgegengesetzten Seite beobachtet; letztere erstrecken sich in gleichem Maße auf die obere und untere Extremität. Im Endstadium finden wir Krämpfe und Lähmung aller Extremitäten, teilweisen oder gänzlichen Verlust der Sprache, immer mehr zunehmende Bewußtlosigkeit, Kernigsche Flexionskontrakturen, kahnförmig eingezogenen Leib und unwillkürliche Harn- und Stuhlentleerung nach vorhergegangener Stuhlverstopfung und Urinverhaltung. Der Urin enthält nicht selten Eiweiß und nicht selten Pepton und Zucker. Lokale Symptome in den Hirnnerven entstehen hauptsächlich bei Meningitis basilaris; in den Extremitäten bei Meningitis convexitatis. Im Blute wird nicht selten eine starke Vermehrung der weißen Blutkörperchen beobachtet. Dieses Symptom wird aber auch beim Warzenfortsatzempyem und bei Sinusthrombose angetroffen. Oft stellt sich Herpes am Mund, Lippen, Naseneingange ein. Die Meningitis, welche nach dem Durchbruche eines Hirnabszesses entsteht, hat einen ungemein raschen, stürmischen, apoplektiformen Verlauf und, wenn sie beim Hirnabszeß zum Vorschein kommt, sind ihre Symptome vorherrschend und die Merkmale des Abszesses können ganz verdeckt werden.

Plötzliche Verschlechterung des Hörvermögens auf der gesunden Seite spricht mehr für Meningitis als für Hirnabszeß, obgleich dieses Symptom, wie schon erwähnt wurde, auch beim Hirnabszeß vorkommen kann.

Da die Fernwirkung des Kleinhirnabszesses zum Teil auf dem Wege der Meningen erfolgt, so werden sich die Erscheinungen beider Krankheiten zeitweise decken.

Otitische Abszesse in der Hirnsubstanz und Sinusphlebitis verlaufen bei Kindern bisweilen unter meningitischen Symptomen und werden oft irrtümlich für Meningitis gehalten. In anderen Fällen können sie neben Meningitis bestehen, ohne charakteristische Symptome zu machen, so daß die Meningitis allein in Erscheinung tritt.

In manchen Fällen können die bestehenden Symptome unmittelbar zu einer Fehldiagnose führen, indem entweder bei Meningitis das Bestehen einer anderen Komplikation oder umgekehrt beim Vorhandensein einer anderen intrakraniellen Erkrankung Meningitis vorgetäuscht wird. B r i e g e r z. B. beobachtete einen Fall von Großhirnabszeß, der die ausgeprägten Erscheinungen einer Meningitis bot. Das gleiche kommt auch mitunter bei Extraduralabszeß vor.

Beim Überwiegen von Allgemeinerscheinungen im Krankheitsbild kann der Eindruck einer allgemeinen septischen Erkrankung hervorgerufen werden. Auch muß man sich vergegenwärtigen, daß ein umschriebener Herd die Erscheinungen einer ausgebreiteten Meningitis machen kann, während andererseits Herdsymptome einen Hirnabszeß vortäuschen können.

Hirnabszeß und Meningitis serosa haben nahe verwandte, nicht selten identische Symptome. Letztere Krankheit stellt auch Symptome der diffusen Meningitis dar, doch prävalieren die Hirndrucksymptome. Von den allgemeinen Hirnsymptomen ist Neuritis optica und frühzeitige und tiefe Benommenheit des Bewußtseins für die Meningitis serosa gegenüber dem Hirnabszeß charakteristisch. Nackenstarre, Opisthotonus, Pupillendifferenz, Strabismus, Kopfschmerz, Schwindel, Erbrechen, Obstipation, Pulsverlangsamung, Temperaturkurve und von Herdsymptomen, Sprachstörungen, sind beiden Krankheiten in gleicher Weise eigentümlich. Gangstörungen, für Kleinhirnabszeß ein so wichtiges Symptom, überwiegen unbedingt bei der Meningitis serosa. Bei letzterer werden ernste Sehstörungen, wie Amaurose und Amblyopie recht häufig beobachtet. Taubheit, Geschmacks- und Geruchsverlust, auch doppelseitige Paresen und Lähmungen, z. B. beider Beine, beider Arme, beider N. N. faciales, beider N. N. abducentes, werden bei der Meningitis serosa nicht selten angetroffen. Diese Störungen kommen zuweilen auch halbseitig vor, und es würde ihr gekreuztes Auftreten gegen Hirnabszeß und für Meningitis sprechen. Krampfanfälle sind für die Meningitis serosa charakteristisch und sie werden in einem Drittel aller Fälle beobachtet (Koch). Sie wurden zwar auch hie und da beim Kleinhirnabszeß angetroffen, aber fast in allen diesen Fällen war Hydrocephalus internus vorhanden. Der Hauptunterschied liegt im Verlaufe. Die Meningitis serosa entwickelt sich plötzlich mit schweren Hirnsymptomen, die nach einigen Tagen und sogar Stunden vollständig schwinden, ohne etwaige Folgen zu hinterlassen. Der Abszeß aber in manifestem und Endstadium entwickelt sich stetig weiter bis zum Ende und seine Symptome dauern höchstens einige Wochen, oft nur einige Tage, während die Anfälle der Meningitis serosa Monate, sogar Jahre hindurch sich wiederholen können (Koch). Den wichtigsten Anhaltspunkt zur Differentialdiagnose dieser beiden Krankheiten bildet die Lumbalpunktion. Im allgemeinen ist die Meningitis serosa öfter die Komplikation eines otitischen Kleinhirnabszesses als einer gewöhnlichen Ohreiterung.

Tuberkulöse Meningitis und Hirnabszeß. Hier ist zu bemerken, daß erstere vorwiegend bei Kindern bis zum zehnten Lebensjahre vorkommt, während der Hirnabszeß in diesem Alter relativ selten ist. Aber auch bei Erwachsenen wird sie bis zum 30. Lebensjahre hie und da beobachtet. Gewöhnlich ist sie von allgemeiner Tuberkulose begleitet, doch können die sonstigen Erscheinungen der letzteren in den Hintergrund treten und die Meningealaffektion den Eindruck einer Primärerkrankung machen. Die tuberkulöse Meningitis ist häufig bei Kindern von Prodromalerscheinungen begleitet. Sie magern ab, werden schwach, traurig,

reizbar, der Schlaf ist unruhig und sie klagen oft über Kopfschmerzen, die durch Ermüdung oder geistige Arbeit hervorgerufen werden. Ein solcher Zustand kann wochenlang bestehen.
Dann zeigt sich ohne jeden Grund Erbrechen, das gewöhnlich
auf einen Diätfehler bezogen wird, und die Kopfschmerzen werden
heftiger. Rasch danach entwickeln sich allgemeine Hirnerscheinungen, die ganz dieselben sind, wie beim Hirnabszeß:
Somnolenz, Delirien, Konvulsionen, Nackensteifigkeit, Pupillendifferenz, Schwindel, Stuhlverstopfung, Pulsverlangsamung bis
40 Schläge in der Minute. Die Temperatur steigt in mäßigem
Grade (38,5). Von Herdsymptomen wird Aphasie, auch eine
schwach ausgesprochene Neuritis optica beobachtet. Die charakteristischen Chorioidealtuberkel können häufig fehlen. In der
zweiten Krankenwoche oder am Ende der ersten treten Erscheinungen im Gebiete der Hirnnerven auf, also Strabismus,
Ungleichheit der Pupillen, geringe Ptosis, Parese des Fazialis.
Die Somnolenz geht in Koma über, der Kopf wird, wenn dies
nicht schon vorher geschah, nach hinten geneigt gehalten und
die Extremitäten können rigide werden. Häufig bestehen auch
lokale Konvulsionen oder Paralysen, Hemiplegie oder Lähmung
eines Armes oder des Gesichts, selten eines Beines oder des Gesichts. Die Paralyse ist entweder vorübergehend oder dauernd.
Der Puls ist sehr beschleunigt (140—180). Die Respiration ist
erschwert oder unregelmäßig. Die Temperatur ist mäßig hoch
oder subnormal. Der Kranke stirbt im Koma. Zuweilen tritt
vor dem Tode eine scheinbare Besserung ein. Ist nur die Konvexität affiziert, was jedenfalls selten vorkommt, so fehlen Symptome von seiten der Hirnnerven, und Erbrechen ist auch seltener.
Delirien, Konvulsionen und Rigidität der Extremitäten sind die
Hauptsymptome.

Infolge der Gemeinsamkeit vieler allgemeiner und lokaler
Symptome bei dem Hirnabszeß und der tuberkulösen Meningitis
und durch die zufällige tuberkulöse Erkrankung anderer Organe
bei einem Kranken mit otogenem und zunächst nicht tuberkulösem
Kleinhirnabszeß, welcher häufig während des Verlaufes Neigung
zeigt, tuberkulös zu werden, können diagnostische Schwierigkeiten
oft unüberwindlich sein, hauptsächlich wenn man daran denkt,
daß bei Kindern eine akute eiterige Mittelohrentzündung heftige
Kopfschmerzen, Erbrechen, Fieber, Delirium, Schwindel, Konvulsionen, Strabismus und mehr oder weniger ausgesprochene Neuritis optica hervorrufen kann, und daß ein Hirnabszeß unter dem

Bilde der Meningitis oft verläuft. Im besten Falle kann man
nur eine Wahrscheinlichkeitsdiagnose stellen. Wenn bei einem
Kinde, das hereditär nicht belastet ist, eine sich hinziehende akute
oder chronische Ohreiterung besteht, plötzlich starke Ohren- und
Kopfschmerzen, Erbrechen und andere Symptome des gesteigerten
intrakraniellen Druckes zum Vorschein kommen, bei normaler
oder subnormaler Temperatur; wenn Krämpfe und Bewußtlosigkeit
auftreten und das Bewußtsein in den Pausen zwischen den Konvulsionen klar ist und andauernd klar bleibt, so spricht dies
ceteris paribus für einen Hirnabszeß. In solchen Fällen spricht
Nackensteifigkeit, Pupillendifferenz, Zwangsstellung der Bulbi,
Gleichgewichtsstörungen und Zwangsbewegungen für einen Kleinhirnabszeß. Ausgesprochene Neuritis optica am Ende der ersten
Krankheitswoche spricht für letztere Krankheit. Entscheidend für
die tuberkulöse Meningitis ist der Befund von Tuberkeln in der
Chorioidea und Tuberkelbazillen in der nach der Lumbalpunktion
erhaltenen Flüssigkeit, wie auch Lymphozyten in dem Sediment
des Liquor cerebrospinalis und seine leichte Gerinnbarkeit.
Tuberkeln und Tuberkelbazillen können aber häufig fehlen. Es
kann auch die Punktion des Arachnoidalsackes nach vorausgegangener Aufmeißelung vorgenommen werden.

Bei größeren Kindern und Erwachsenen sind die Symptome
der Meningitis tuberculosa dieselben wie bei kleinen Kindern, nur
Prodrome und Krämpfe sind seltener. Puls und Temperatur
können sich so verhalten, wie beim Abszeß. Schnell zunehmende
Bewußtlosigkeit, Delirien, ausgebildete Nackenstarre und gekreuzte
Störungen der Motilität und Sensibilität sprechen mehr für
Meningitis, deren Charakter durch Untersuchungen an anderen
Organen, durch genau durchgeführte Anamnese bis zu einem ge-
wissen Grade sich feststellen läßt. Ist tuberkulöse Karies des
Mittelohrs und seiner Nebenräume vorhanden, so ist die ent-
stehende Meningitis wahrscheinlich eine tuberkulöse, es kann aber
auch ein Hirnabszeß vorhanden sein. Entstehen bei einem Kinde
oder Erwachsenen die erwähnten allgemeinen und örtlichen
Symptome bei gesundem Gehörgange und bei Symptomen von
Tuberkulosis in anderen Körperteilen, so kann ein Hirnabszeß
entschieden ausgeschlossen werden.

Ein Tuberkelkonglomerat im Hirne führt zum tuberkulösen
Hirnabszeß in der Weise, wie es zuerst Virchow geschildert
hat. Ein solcher Knoten hat seinen Lieblingssitz zwischen grauer
und weißer Hirnsubstanz. Kolliquiert sein käsiger Inhalt, was

nicht häufig geschieht, so liegen mitten im Knoten kleine, mit
trüber molkiger Flüssigkeit gefüllte Höhlen. Um diesen Knoten
bemerkt man auch zuweilen eine Eiterschicht, oder sogar die
ganze Masse ist eitrig. Ein solcher Abszeß könnte leicht für
einen idiopatischen resp. für einen otitischen angesehen werden,
er unterscheidet sich dadurch von diesem, daß er mehr oder
weniger Tuberkelbazillen enthält. Die Symptome sind dieselben
wie die eines otitischen Hirnabszesses, man wird aber immer
gleichzeitig Veränderungen verschiedenen Grades in den Lungen
oder in anderen Organen auffinden. Zuweilen kommt es vor,
daß zum wirklichen otitischen Hirnabszeß Lungentuberkulose
hinzukommt, wie ich es einmal beim Kleinhirnabszeß zu konstatieren Gelegenheit hatte. Die tuberkulösen Hirnabszesse entstehen am häufigsten infolge von Schädel- ev. Schläfenbeintuber-
kulose.

Ein otitischer Hirnabszeß mit Meningitis cerebrospinalis epidemica ist wohl schwer zu verwechseln. Wenn
neben Ohreneiterung die Symptome der Meningitis, der heftige
Kopfschmerz, die Retraktion des Kopfes, die kutane Hyperästhesie,
Delirien, Rückenschmerz, Muskelrigidität, Schmerzhaftigkeit der
Nackenmuskeln und Herpes labialis usw. sich entwickeln, so
reichen diese Symptome, abgesehen vom epidemischen und infektiösen Charakter der Krankheit, vollständig aus, um eine
richtige Diagnose zu stellen. Kreuzschmerzen sind auch beim
Kleinhirnabszeß angegeben (Okada).

Sinusthrombose und Hirnabszeß. Eine Verwechselung
dieser beiden Komplikationen der Ohreiterung kommt selten vor.
In den meisten Fällen wird Sinusthrombose mindestens im Beginne von Kopfschmerz und Erbrechen begleitet. Der Kopfschmerz
ist bald diffus, bald auf die ohrkranke Seite beschränkt; der
Schmerz kann auch ins Ohr verlegt werden. In Fällen, wo nicht
gleichzeitig Hirnabszeß oder Meningitis besteht, ist das Bewußtsein anfangs nicht gestört, später ist Bewußtseinsstörung in verschiedenem Grade ausgesprochen. Es kommen aber auch Fälle
mit starken Bewußtseinsstörungen schon von Anfang an vor. Ich
habe mehrere Fälle von ausgesprochener Septiko-Pyämie beobachtet, wo bei der Autopsie stark ausgebreitete eitrige, vorwiegend
Basalmeningitis angetroffen, und bei Lebzeiten das Bewußtsein
erst einige Stunden vor dem Tode in nicht hohem Grade getrübt
wurde, abgerechnet die Betäubung, die vom infektiösen Prozesse
abhängig war. Psychische Depression, leichte Benommenheit

und allgemeiner Kräfteverfall sind sehr häufig. Neuritis optica wird selten angetroffen (Leutert, Hansen). Körner hat sie nie bei Affektion des Sinus transversus beobachtet. Sie soll bei Erkrankung des Sinus cavernosus vorkommen. Für Jansen hat die Neuritis optica bei Sinusthrombose einen diagnostischen Wert. Das wichtigste unterscheidende Symptom der pyämischen Infektion vom Hirnabszeß ist das charakteristische, pyämische Fieber mit seinen Schüttelfrösten und der rapide ansteigenden und abfallenden Temperatur (41, 5—36, 2) unter starkem Schweißausbruch. Bei Kindern kann der Frostanfall und der Schweiß fehlen, aber auch das Fieber selbst zeigt nicht immer bei ihnen die pyämische Kurve, selbst bei Vorhandensein von Metastasen. Der Puls verhält sich entsprechend der Temperatur, bei vorhandener Sepsis ist er auch während der Apyrexie beschleunigt. Es wird aber auch Pulsverlangsamung bis 42 in seltenen Fällen beobachtet (Kessel). Metastatische Hirnabszesse sind sehr selten und sind gewöhnlich multipel, es kann aber auch nur ein Abszeß im Hirn vorhanden und sogar operabel sein. Bei Ohreiterungen sind die metastatischen Abszesse vorwiegend peripherisch, d. h. in den Gelenken, im Unterhautzellgewebe und in den Muskeln, seltener schon werden sie in den Lungen, und am seltensten in anderen Organen angetroffen.

Von äußerlichen Zeichen, welche die Phlebothrombose charakterisieren, sind Schädigungen der Nerven, welche das Foramen jugulare passieren (Vagus, Accessorius, Glossopharyngeus), wie auch des Hypoglossus zu verzeichnen. Ferner gehören hierher schmerzhaftes Ödem am hinteren Rande des Warzenfortsatzes, Ödem der Augenlider (bei Erkrankung des Sinus cavernosus), stärkere Füllung der Stirnvenen auf der kranken Seite und ungleiche Füllung der Jugulares externae. Manchmal läßt sich deutlich ein harter schmerzhafter Strang der thrombosierten Vene und des infiltrierten benachbarten Bindegewebes durchfühlen. Die Bewegung des Kopfes nach der gesunden Seite sowie Drehung ist schmerzhaft. Heiserkeit, Aphonie und Atemnot sind häufig da. Auch Krämpfe im Gebiete des Accessorius, Schlucklähmung (Beck), Gaumenmuskellähmung, schmerzhafte Schwellung des Nackens treten in Erscheinung. Die Verstopfung des Sinus cavernosus verrät sich durch Symptome von Stauungserscheinungen im Gebiete der V. ophtalmica und in Schädigung eines oder mehrerer Nerven, die mit dem Sinus cavernosus in Berührung stehen. Hohes anhaltendes Fieber, schwacher und sehr beschleunigter Puls, Störungen des Bewußt-

19*

seins, ausgesprochener Verfall der Kräfte bilden Symptome einer septischen Intoxikation.

Bei Kindern verläuft zuweilen die unkomplizierte Sinusphlebitis unter sogenannten meningitischen Erscheinungen und ist in solchen Fällen nicht zu diagnostizieren. Die Lumbalpunktion kann gewisse Aufklärung bringen.

Ist Sinusthrombose mit Hirnabszeß kompliziert, oder ist gleichzeitig Leptomeningitis vorhanden, dann sind die Erscheinungen der allgemeinen Infektion so ausgesprochen, daß die übrigen Symptome bis zu einem gewissen Grade verdeckt werden. In vielen derartigen Fällen ist der Abszeß klein und kommt erst nach der Thrombose zur Entwicklung (Macewen).

Hirnabszeß und Apoplexie. Das Endstadium des Hirnabszesses, eventl. sein Durchbruch in einen Seitenventrikel oder auf die Hirnoberfläche kann manche Ähnlichkeit mit einem apoplektischen Anfall haben, hauptsächlich dann, wenn beim Hirnabszeß das ätiologische Moment unberücksichtigt bleibt. Auf der anderen Seite aber kann Apoplexie, wenn gleichzeitig Ohreiterung besteht, irrtümlich für einen Hirnabszeß angesehen werden. Bei der Apoplexie dominieren wie beim Abszeß zwei Kategorien von Erscheinungen, u. z. die allgemeinen und örtlichen. Dem Anfall können bestimmte Vorboten, wie Kopfschmerz, Schwindel, geringe geistige Störungen, leichte Sprachaffektionen vorangehen und diese Symptome können bei vorhandener Ohreiterung Verdacht auf einen latent verlaufenden und ruptuierten Hirnabszeß erregen. Die Apoplexie kommt aber vorwiegend in späterem Alter vor, die Hirnabszesse sind dagegen am häufigsten bis zum Ende des dritten Dezennium. Von den Allgemeinerscheinungen ist bei der Apoplexie die Bewußtlosigkeit, und von den lokalen die Hemiplegie am deutlichsten ausgesprochen. Der apoplektische Anfall tritt meist plötzlich auf; der Kranke fällt fühllos zusammen, nach einigen Minuten oder längerer Zeit wird er teilweise oder öfter vollständig bewußtlos, die Motilität und Sensibilität sind gänzlich erloschen, und der Kranke kann in einigen Stunden, manchmal in einer Stunde und sogar in einigen Minuten sterben. Der Puls ist im allgemeinen zuerst verlangsamt, häufig klein und kaum wahrnehmbar, zuweilen beschleunigt. Die Temperatur fällt meist eine Stunde nach dem Anfall und kann sogar unter 35° im Rektum sinken und so bleiben bis zum Tode, oder sich zur normalen heben. Eine Konvulsion kann den Anfall einleiten, in der Regel fehlt sie. Der Kranke kann sich in bestimmten Fällen erholen, die Allgemeinerscheinungen treten zurück, nur die Hemiplegie bleibt. Die Ruptur des Abszesses wird fast immer von Schüttelfrost und erhöhter Temperatur, ungemein heftigen, starken Kopfschmerz und Erbrechen begleitet; der Puls ist sehr beschleunigt, auch kommen andere Symptome einer akutesten Meningitis, von denen oben die Rede war, zum Vorschein. Diese letzteren Fälle endigen immer tödlich. Außerdem kann man sich beim Hirnabszeß in den meisten Fällen überzeugen, daß bestimmte allgemeine Hirnerscheinungen und nicht selten lokale Symptome schon vorher eine mehr oder minder längere Zeit vorhanden waren, während beim apoplektischen Anfall diese meist fehlen und, wenn sie zum Vorschein kamen, so waren sie nicht so deutlich, nicht so mannigfaltig und von viel kürzerer Dauer.

Hirnabszeß und Tumor. Hier ist die Ätiologie von größter Bedeutung. Das Fehlen einer jeden Ursache spricht für einen Tumor. Deutliche Herderscheinungen, langsame, allmähliche Zunahme der Symptome von gleichförmigem Verlauf, besonders mit progressiver Paralyse der Hirnnerven, sehr intensive Neuritis optica mit häufig progressiver Blindheit, zuweilen Hemianopsie, allgemeine und lokale Krämpfe, allgemeine Muskelschwäche, anfallsweiser Bewußtseinsverlust, sprechen zu gunsten einer Neubildung. Das Zurückgehen schwerer Symptome deutet auf einen Tumor. Die Temperatur unterliegt keinen Schwankungen beim Tumor; auch beim Abszeß ist der Zustand meistens afebril und die Temperatur kann sogar subnormal sein. Bei letzterer Affektion aber werden hie und da infolge anderer hinzutretender Hirnkomplikationen Temperaturschwankungen und zuweilen leichte Temperatursteigerungen während des Verlaufs beobachtet. Temperatursteigerung kommt gewöhnlich nur im Endstadium vor.

Rapide Entwicklung akuter und schwerer Hirnsymptome, nachdem vorher leichte Anzeichen einer Hirnaffektion bestanden haben, spricht für einen Abszeß. Beiden Krankheiten gemeinsame Symptome sind Kopfschmerzen, Schwindel, Erbrechen, geistige Benommenheit, Neuritis optica, die jedoch beim Abszeß seltener und nicht so deutlich ausgesprochen ist, als beim Tumor, und cerebelläre Ataxie bei Kleinhirntumor. Die Neuritis optica ist zuweilen ein sehr frühes Symptom, besonders bei Kleinhirngeschwulst und bei Erkrankung der Vierhügel, bei Großhirntumor tritt sie oft erst spät ein. Beim Tumor finden sich auch oft Konvulsionen, ehe noch irgend welcher Verdacht auf eine Neubildung vorhanden ist. Obgleich beim Tumor der Verlauf der Symptome

in der Regel ein langsamer und allmählicher ist, so ist er doch
selten gleichförmig. Doch hier kommen auch Ausnahmen vor.
Bei langsam wachsenden Neubildungen kann der Prozeß ebenso
wie beim Abszeß intermittierend sein, und es können für einige
Zeit stationäre Stadien eintreten. Zuweilen treten beim Tumor
Druckaffekte sehr schnell hervor, z. B. ein gesunder Fazialis kann
in einigen Tagen vollständig gelähmt werden, in anderen Fällen
kann wieder eine rasche Steigerung der Symptome eintreten infolge lokaler, durch die Geschwulst hervorgerufener Meningitis.
Häufig folgt vorübergehende oder dauernde hemiplegische Schwäche
nach einseitigen Krämpfen, oder auch ohne die letzteren. Bei
nachweisbarer Syphilis ist es wahrscheinlich, daß der Tumor
syphilitischer Natur ist, eventl. eine gummöse Geschwulst bildet,
die unter gewissen Umständen zerfallen und so das undeutliche
Bild eines Hirnabszesses geben kann. Die Diagnose kann wie
beim tuberkulösen Abszeß nur eine Wahrscheinlichkeitsdiagnose sein.

Das intrakranielle Aneurysma bildet auch einen Tumor, und
gibt Symtome, die oft ganz denjenigen eines anders gearteten
Tumors gleichen. Der einzige Unterschied ist die Anwesenheit
eines hörbaren Aneurysmageräusches, das deutlich im Schädel
lokalisiert ist.

In seltenen Fällen kann neben Ohreiterung und otitischem
Hirnabszeß eine Neubildung bestehen, was die vollständig richtige
Diagnose sehr erschwert und sogar unmöglich machen kann.

Hysterie kann unter Umständen bei einer Ohr- und Schläfen-
beineiterung und bei kurzdauernder Beobachtung einen Hirnabszeß
vortäuschen, hauptsächlich, wenn Kopfschmerz oder Erbrechen
bestehen. Der plötzliche Ausbruch nach Gemütsaffektionen und
das Fehlen aller Symptome einer organischen Krankheit und
einer Neuritis optica, die Art und Weise des Entstehens der subjektiven Symptome, wie auch der Umstand, daß hysterische Individuen große imitative Tendenz besitzen, lassen meist die richtige
Diagnose stellen. Hemianästhesie, Störungen in den Spezialsinnen
ohne gleichzeitige motorische Lähmung gehören zu den seltensten
Effekten des Hirnabszesses und Hirntumors.

Es kommt auch vor, daß ein Hirnabszeß für Hysterie gehalten wird, weil die Kranke weiblichen Geschlechts ist und weil
andere hysterische Symptome vorhanden sind. Um diagnostische
Irrtümer soweit wie möglich zu vermeiden, dürfen die bestehenden Symptome der Hysterie niemals die Diagnose beeinflussen,

bis entschieden ein organisches Hirnleiden ausgeschlossen werden kann. Eine genaue Kenntnis der Hysterie (Oppenheim) und eine genaue Kenntnis des Hirnabszesses (Körner), sowie eine reiche Erfahrung auf diesem Gebiete gewährt den sichersten Schutz vor diagnostischen Mißgriffen. Andererseits darf nicht vergessen werden, daß die Diagnose der Hysterie in den meisten Fällen keine nennenswerten Schwierigkeiten darbietet bei Berücksichtigung der Art der Entstehung des Leidens, des Verlaufes desselben und der Gegenwart gewisser charakteristischer Symptome. Die Erfahrung lehrt aber doch, daß die Hysterie häufig zu diagnostischen Irrtümern Anlaß gibt, und daß die Unterscheidung, ob gewisse Symptome der Hysterie angehören oder nicht, selbst für den erfahrenen Beobachter zu einem sehr schwierigen Problem sich gestalten kann. Handelt es sich darum, festzustellen, ob im gegebenen Falle Hysterie vorliegt, so hat man in erster Linie nach dem Vorhandensein der Stigmata der Krankheit zu forschen. Diese bestehen in psychisch-somatischen Störungen, wie: Anästhesien, hysterogenen Zonen, anfallsweise auftretenden Krämpfen u. s. w. An die Aufsuchung der Stigmata muß sich zunächst die Nachforschung nach sicheren Zeichen einer organischen Erkrankung resp. eines Hirnabszesses anschließen. Aber leider sind die dafür sprechenden Symptome nicht ganz selten bei der Hysterie. Außer gewissen Symptomen läßt die Art der Entstehung und weiteren Entwicklung der Krankheit gewisse Schlüsse über den Charakter des Leidens zu. Bei der Hysterie zeigt das Leiden sehr selten einen gleichmäßig fortschreitenden Gang. Schwere Störungen können ohne Besserung des Allgemeinzustandes plötzlich schwinden. Anfälle von jähem Hervortreten neuer, wie plötzlicher Beseitigung länger bestehender Symptome deuten auf Hysterie. Eine Reihe von hysterischen Erscheinungen (Anästhesien, Hyperästhesien, paretische Zustände, Kontrakturen, Tremor) kann von einer Körperhälfte auf die andere überspringen. Auch die Zusammengruppierung des Symptome gibt wertvolle diagnostische Anhaltspunkte, so z. B.: die hysterische Hemianästhesie vergesellschaftet sich nicht mit Hemiopie, die hysterische Paraplegie mit Anästhesie, welche sich auf die Beine beschränkt.

Wie weit die Hysterie schwere Hirnkomplikationen vortäuschen kann, dafür möge als Beispiel ein Fall von Boissard dienen.

Eine 45jährige Kranke wird plötzlich von heftigem Kopfschmerz und Erbrechen zerebralen Charakters befallen. Die Pupillen waren verengt, der

Puls verlangsamt (48 in der Minute) auch Obstipation fehlte nicht. Die
Temperatur war noimal. Es wurde an Meningitis tuberculosa gedacht, da
einige Mitglieder ihrer Familie an Lungenschwindsucht zugrunde gegangen
waren. Nach einigen Tagen trat jedoch Besserung ein, es stellte sich rechtsseitige Hemianästhesie ein, und alsbald war die hysterische Natur des
Leidens zweifellos.

Ich beobachtete vor einigen Jahren einen jungen Mann von 26 Jahren,
bei dem infolge einer rechtsseitigen chronischen Ohreiterung die Eröffnung
des Warzenfortsatzes ausgeführt wurde. Der Kranke klagte fortwährend
über Symptome, die einem Hirnabszeß eigen sind. Es wurde von einem
Chirurgen vergeblich zweimal trepaniert und die Hirnsubstanz exploriert.
Das ganze Verhalten des Kranken war das eines Hysterikers, der weitere
Operationen am Schädel verlangte.

Die Neurasthenie kann auch manchmal Anlaß dazu
geben, daß der Verdacht eines Hirnabszesses bei bestehender
Ohreiterung aufkommen kann. Der Hirnabszeß kann in seiner
Anfangsperiode Symptome aufweisen, die sich bei der Neurasthenie,
speziell bei der cerebralen, finden. Im Laufe der Zeit aber
treten zu den zweideutigen Symptomen beim Hirnabszeß solche
hinzu, die unzweifelhaft auf anatomischen Veränderungen beruhen.
Je länger es aber zu einer Entwickelung von Symptomen einer
organischen Läsion nicht kommt, desto bestimmter muß ceteris
paribus Neurasthenie angenommen werden. Daß sich neurasthenische Symptome durch ihren flüchtigen Charakter auszeichnen,
ist nicht ganz richtig. In vielen Fällen sind diese Symptome
sehr hartnäckig, so insbesondere die Kopfeingenommenheit, die
nervöse Asthenopie, die Herabsetzung der geistigen Arbeitskraft
Schwächezustände der Beine usw., Symptome, die nicht immer
für harmlos angesehen werden können, da sie beim Hirnabszeß
nicht selten vorkommen. Andererseits zeigt der Hirnabszeß
wenigstens bezüglich eines Teiles seiner Symptome sehr oft er-
hebliches Schwanken. Der Kopfschmerz erreicht bei Neur-
asthenischen selten ohne besondere Veranlassung höhere Grade
und dauert noch seltener in größerer Intensität längere Zeit an.
Perkussionsempfindlichkeit des Schädels ist nicht vorhanden,
ebenso verhält es sich mit dem Schwindel. Bei Neurasthenie
mangelt Erbrechen, beim Hirnabszeß fehlt es fast nie. Geistige
Depression, auffälliger Wechsel der Stimmung, flüchtige Schwächezustände, Differenzen der Pupillenweite sind beiden Krankheiten
gemeinsam. Die beim Hirnabszeß seltene Hyperästhesie der be-
haarten Kopfhaut ist häufig bei der Neurasthenie. Andauernde
Veränderungen der Sprache anarthrischer und aphasischer Natur
fehlen bei der Neurasthenie, obgleich in seltenen Fällen Paraphasie, Wortamnesie und Paragraphie vorkommen kann. Von
motorischen Störungen mangeln überhaupt bei Neurasthenie

länger andauernde Lähmungen an den Extremitäten. Lähmungs-
erscheinnngen des Fazialis und der Augenmuskeln; Myosis, reflektorische Pupillenstarre, mangelhafte Lichtreaktion, geringe Paresen
in den erwähnten Nervengebieten müssen schon als gegen die
Neurasthenie sprechend betrachtet werden. Der Puls ist bei der
Neurasthenie durchschnittlich 80—100 in der Minute. Die bei
Neurasthenie vorkommende Herabsetzung des Gehörs für Flüstersprache, Stimmgabel und für die Kopfknochenleitung ist labyrinthärer Natur. Nach Baginsky sind diese Störungen zentraler
Herkunft. Sie werden aber nur bei traumatischer Neurasthenie
beobachtet.

Koma diabeticum kann in vereinzelten Fällen, bei an
Ohreneiterung leidenden Personen, gewisse Ähnlichkeit mit Hirnabszeß in der Terminalperiode haben und somit zu diagnostischen
Fehlern Anlaß geben, hauptsächlich, wenn das Koma plötzlich
auftritt und wenn man den Kranken das erste Mal zu sehen
Gelegenheit hat. Beim Koma sind die Kranken vollständig bewußtlos oder somnolent. Das Koma ist selten von dämmerndem
Bewußtsein unterbrochen. Zeitweise kommen unbedeutende
klonische Krämpfe vor; man beobachtet Mydriasis und Starrheit
der Pupillen, die Lider sind halb geöffnet, der Puls ist klein und
beschleunigt, die Temperatur sinkt weit unter die Norm nach
vorheriger unbedeutender Steigerung; tiefe Inspirationen mit
kurzen Expirationen und wachsende Cyanose. Die Anamnese
ergibt in mehreren Fällen vorangegangenen Kopfschmerz, Schlaflosigkeit, Unruhe, Angst, Schwindel und mehrere Tage anhaltende
rauschartige Gefühle. Der stechende Acetongeruch, der aus dem
Munde des Kranken dringt, reicht schon aus zur differentiellen
Diagnose. Ein weiteres diagnostisches Moment ist Zucker im
Harn und seine ausnahmslos starke Reaktion mit Eisenchlorid.
Freilich kann neben dem Koma diabeticum ein otitischer Hirnabszeß bestehen, seine Nichterkennung hat aber unter solchen
Umständen keinen praktischen Wert.

Uraemie kann auch bei eiterigen Otitiden Veranlassung
zu Verwechselung mit Hirnabszeß geben. Man findet, wie bekannt bei der ersteren Anfälle, die sich durch Bewußtlosigkeit,
Koma, tonische oder klonische Krämpfe auszeichnen, und denen
Kopfschmerz, Schwindel, Teilnahmslosigkeit bis zu leichter Benommenheit, gesteigerte Schläfrigkeit, nicht selten Übelkeit und
Erbrechen und Pulsverlangsamung vorangehen. Bei abnorm
hoher, andere Male abnorm niedriger Temperatur (42—30°)

werden Lähmungen, Kontrakturen, Muskelzittern seltener beobachtet, noch seltener ist Manie, melancholische Verstimmung
oder Delirium vorhanden. Die Berücksichtigung der verhinderten
oder sehr verminderten Harnabsonderung mit ihren ursächlichen
Momenten, wie auch die Untersuchung des Augenhintergrundes
(Retinitis pigmentosa) werden fast ausnahmslos vor diagnostischen
Fehlern schützen. Die Amaurose, welche nicht ganz selten ohne
irgendwelche durch den Augenspiegel nachweisbare anatomische
Veränderungen nach dem urämischen Anfalle auftritt, schwindet
von selbst in kurzer Zeit, was beim Hirnabszeß nicht der Fall
ist. Auch hier kann neben der die Urämie veranlassenden
Krankheit und unabhängig von ihr ein otitischer Hirnabszeß
vorhanden sein und seine Diagnose kann die größten Schwierigkeiten darbieten, öfter aber auch fast unmöglich zu stellen sein.

Das Nacheinanderfolgen der Symptome beim Typhus hat
etwas so eigentümliches, daß man kaum über dessen Charakter
in Zweifel kommt; freilich darf man nicht auf eine solche Regelmäßigkeit, besonders auch im Temperaturgange rechnen, wie sie
das Schema für die Mehrzahl der Fälle angibt. Man muß darum
den Kranken während einer gewissen Zeit beobachten. Leichter
können Verwechselungen des Typhus mit Pyämie als mit Hirnabszeß vorkommen. Man muß aber auch daran denken, daß
Typhusinfektionen ohne erhöhte Temperatur, mit verlangsamtem
Puls, mit vorwiegenden Hirnsymptomen hie und da vorkommen,
die Anlaß zu diagnostischen Fehlern geben können. Die genaue
Kenntnis beider Krankheiten, längere und exakte Beobachtung.
wie auch die Agglutinationsprobe wird meistens vor Fehlern und
nicht entsprechender Therapie schützen.

Ich wurde bis jetzt zweimal von Internisten konsultiert, wo
der Verdacht auf otitischen Hirnabszeß vorlag; die genaue Untersuchung und Berücksichtigung aller Symptome überzeugte uns,
daß man es mit Typhus abdominalis zu tun hatte. In einem
von diesen Fällen war sogar kein Ohrenleiden vorhanden und
der Arzt stützte seine Diagnose auf beschränkten Kopfschmerz.
Perkussionsschmerz, stechende Schmerzen im entsprechenden
Ohre, Benommenheit, Erbrechen und erhöhter Temperatur.

Die Epilepsie ist nicht schwer vom otitischen Hirnabszeß
zu unterscheiden. Der epileptische Anfall zeichnet sich aus durch
vollständigen Verlust des Bewußtseins, plötzliches Umfallen, deutlich ausgesprochene Blässe des Gesichts, die rasch in Röte und
Cyanose übergeht und sehr oft von lautem, durchdringendem

Aufschreien und Rigidität des Körpers begleitet ist. Sehr rasch stellen sich tonische, dann klonische Krämpfe ein. Man beobachtet vollständigen Verlust der Sensibilität und jeglicher psychischer Prozesse. Die Pupillen sind erweitert und reaktionslos, dabei Trismus, Opisthotonus, blutiger Schleim auf den Lippen, das Herz schlägt ungemein heftig, der Puls ist voll und rasch. Nach mehr oder weniger kurzer Zeit, höchstens aber nach einer Stunde, gewöhnlich nach 10—15 Minuten, schwindet der Anfall. Die Epilepsie kommt am oftesten bis zum 20. Lebensjahre vor, später ist sie recht selten (5 Proz. bis zum 30. Jahre). Bewußtlosigkeit, Krämpfe kommen zwar auch beim Hirnabszeß vor, und auch hier können die Anfälle nach einiger Zeit schwinden; hier wird aber häufig Neuritis optica beobachtet, die Krämpfe sind nicht so allgemein und werden von Lähmungen begleitet.

Es sollen auch Verwechselungen zwischen Hirnabszeß und F. intermittens vorgekommen sein. Jedenfalls kann aber diagnostische Unsicherheit in solchen Fällen nur während einer sehr kurzen Zeit dauern, z. B. in den seltenen Fällen von Malaria, die ohne Fieber und ohne Milzvergrößerung verlaufen. Schon die hohe Temperatur, die bei F. intermittens konstant vorhanden ist, der lang anhaltende Schüttelfrost, der dem Hitzegefühl vorangeht, die Untersuchung des Blutes reichen aus, um etwaige diagnostische Fehler zu vermeiden. Schüttelfrost und hohes Fieber sind, wie bekannt, beim Hirnabszeß im manifesten Stadium fast ausgeschlossen und werden nur in der Anfangs- oder Endperiode beobachtet. In letzterer tritt rasch der Tod ein, bei F. intermittens ist tödlicher Ausgang während des Anfalles ungemein selten.

Als Kuriosum muß ich noch erwähnen, daß es mir vorgekommen ist, zweimal in Fällen zu konsultieren, wo bei gewöhnlichen umschriebenen rheumatischen und neuralgischen Schmerzen der Schläfenbeingegend, die paroxismal auftraten und bei Abwesenheit eines Ohrenleidens Verdacht auf otitischen Hirnabszeß vorlag.

Aus all dem Gesagten ersieht man, daß die Diagnose des otitischen Hirnabszesses durchschnittlich mit einiger Sicherheit gestellt werden kann. Aber wie in allen Gebieten der Medizin fehlt es auch hier nicht an schwer zu deutenden, widerspruchsvollen und unklaren Fällen. Wenn beim otitischen Hirnabszeß Fehldiagnosen noch recht häufig vorkommen oder wenn derselbe gar nicht diagnostiziert wird, so liegt es an der Krankheit selber,

die viel Ähnlichkeit mit den übrigen endokraniellen Komplikationen, die alle von einem Eiterherde im Gehörorgane abhängig
sind, haben kann, ferner daran, daß mehrere dieser Komplikationen
gleichzeitig mit dem Abszeß in Erscheinung treten oder durch
denselben entstehen und daher sein eigenes Krankheitsbild verdecken und schließlich an der Ähnlichkeit der Symptome des
Hirnabszesses mit denen anderer Allgemeinleiden, bei denen gar
keine Eiterung vorhanden ist.   Hoffen wir, daß mit dem Fortschritt der Wissenschaft auch die diagnostischen Mittel des
otitischen Hirnabszesses sich vervollkommnen werden.   Es ist
aber zweifelhaft, ob in der Zukunft ein otitischer Hirnabszeß
jedesmal mit Sicherheit diagnostiziert werden wird, denn Irren
liegt in der Menschennatur, nur muß man bestrebt sein, die Irrtümer so weit wie möglich zu beschränken, und dazu kann nur
weiteres Forschen, genaues Beobachten und richtiges Beurteilen
führen.

XXX.

Kurze, zusammenfassende Übersicht der bisher publizierten Fälle letaler Ohrblutungen und Bericht über einen eigenen Fall.

Von

A. de Forestier, Ohrenarzt in Libau.

Die ersten 13 Fälle von tödlichen Ohrblutungen brachte Hermann Schwartze im Jahre 1878 in seiner pathologischen Anatomie des Gehör-Organs. *) Dazu kamen dann in der wichtigen Bearbeitung dieses Gegenstandes von Hessler im Jahre 1881 (Arch. f. O. Bd. XVIII) dessen eigener und 6 gesammelte. Das sind die 20 älteren, gut kontrollierten Fälle.

Politzer führt 1893 in der III. Auflage seines Lehrbuches 3 weitere Fälle an.

In Schwartzes Handbuch der Ohrenheilkunde, Band II, gibt Hessler im Literaturverzeichnis p. 617 noch Fälle von P. Marcé und Toulmouche, Gruber, Bennet May, Körner, Zaufal an.

In der neuesten Zeit finden sich in der mir zugänglichen deutschen Literatur die 3 Fälle von Zeroni (A. f. O. Bd. 51), Abbe (Ztschft. f. O. Bd. 29 p. 222) und Heine (Blau und Jakobsohn Lehrbuch pag. 470).

---

1) **Anmerkung.** H. Schwartze führt pag. 12—15 Fälle von „Arrosion der Carotis cerebralis" an, von denen habe ich den Fall von Lavacherie nicht mitgezählt, weil hier im engeren Sinn nur die Zerreißungen der Carotis, die zu Ohrblutungen führten, addiert wurden. Der von Schwartze zitierte Kimmel'sche Fall kann als strittig weggelassen werden. Vollständig unzulässig ist es jedoch, den Böke'schen Fall auszuscheiden, wie Hessler tut, einfach weil er die von Schwartze angegebene Quelle nicht finden konnte. Es sind mithin nicht 19, wie Hessler pag. 627 im Handbuch Band II zählt, sondern 20 Fälle bis 1893 beobachtet worden.

Aus der französischen Literatur hat, wie aus einem Referat im Centralblatt für Chirurgie, N. 51, 1905 ersichtlich ist, Jourdin 54 Fälle gesammelt. Derselbe hat ferner über 3 eigene Fälle berichtet. (Les lésions du canal carotidien et les hémorrhagies de la carotide interne dans les caries du rocher. Annales des mal. de l'oreille etc. Nov. 1904). Wie weit in dieser Statistik bereits verwertete Fälle wiederholt werden, konnte ich nicht kontrollieren, das muß durch Vergleich, besonders in Bezug auf die älteren, schon bei Schwartze zitierten französischen Fälle nachgeprüft werden.

Wie leicht Ungenauigkeiten selbst gewissenhaften Forschern passieren können, geht aus des bekannten Warschauer Otologen Jürgens Arbeit über den gleichen Gegenstand hervor, der eine ganze Anzahl von Fällen doppelt aufzählt. Aus der eigenen Praxis führt er zwei Fälle an. (2 Fälle von Riß der carotis interna bei Erkrankungen des Mittelohrs. Wojennomedizinski shurnal. Dez. 1901.) Beides sind Fälle von kurz dauernder Eiterung bei Soldaten, die wahrscheinlich, um sich dem Militärdienst zu entziehen, starke Säuren ins Ohr gegossen hatten.

Von Schimanski stammt ein Fall von Verblutung (von mir referiert im Archiv f. O. Bd. 52).

Immerhin sind seit Schwartzes erster Publikation eine ganze Anzahl dieser zum Glück verhältnismäßig äußerst seltenen Komplikation veröffentlicht, auch ist als sicher anzunehmen, daß in unserer viel schreibenden Zeit noch mancher hierher gehörende Krankenbericht veröffentlicht worden ist, der mir entging, somit wäre ein weiteres Publizieren bei der großen Ähnlichkeit der Befunde kaum besonderes Bedürfnis. Ich muß jedoch zu meinen Gunsten, im Gegensatz zu diesen meistens durch Felsenbein-Caries bei Tuberkulose oder Cholesteatom bedingten Fällen, die Ätiologie der Hämorrhagie meines Falles anführen, dessen Ursprung ein zeitlich zurückliegendes Trauma bei intaktem Ohr gewesen zu sein scheint.

Der 3 jährige Sohn einer aus Baku zur Badesaison angereisten Familie hatte am Abend des 20. Juli (3. August) 1900 aus dem rechten Ohr eine kurzdauernde Blutung, die trotz Tamponade später rezidivierte und wegen deren mich am nächsten Tage der behandelnde Arzt, Herr Dr. Jagdhold konsultierte. Die Mutter gab an, daß der Knabe bereits einige Tage Kopfweh hätte, seit ungefähr 10 Tagen leicht, ohne Schüttelfrost fiebere und immer apathischer und matter werde. Das Ohr sei bisher immer gesund gewesen, wie dieses überhaupt die erste Krankheit des Kindes sei. Vor einem Monat und dann auch vor 3 Wochen sei das Kind aus nicht unbeträchtlicher Höhe gefallen, das eine mal über ein hohes Bettende. Etwas Näheres über diese Vorfälle ist wegen vollständiger Unzuverlässigkeit der

Wartefrau nicht zu eruieren. Unmittelbar nach dem Fallen sollen keinerlei Beschädigungen oder irgend welche Krankheitssymptome, speziell keine Blutung, kein Erbrechen, auch kein Ausfluß von Cerebrospinalflüssigkeit bemerkt worden sein. Erst seit 10 Tagen sei, zugleich mit der Temperatursteigerung, der Hals außen rechts geschwollen. -

Status: Kräftig gebauter, mit starkem Fettpolster versehener. sehr gesund und normal aussehender Knabe. Temperatur 38,5, Puls beschleunigt, 140. Athmung wenig beschleunigt. An der rechten Halsseite, unter dem proc. mast. und hinter und vor dem musc. sterno-cl. mast. eine breite und harte Schwellung von fast Kinderhandgröße. Die Haut über der Schwellung nicht verfärbt. nicht druckempfindlich, keine Fluktuation zu fühlen. Es besteht geringe Nackensteifigkeit. Sonst am Hals, Nacken und Schädel nichts Pathologisches wahrzunehmen, auch keinerlei von einem älteren Trauma herrührende Zeichen am Kopf. Umgebung des Ohres: nichts Besonderes. — Im rechten, sehr engen Gehörgang frisches, hellrotes Blut, das spärlich auszufließen scheint und auf Kompression der Carotis steht. Nach Säuberung sind keinerlei Spuren von Eiter oder Erscheinungen einer Entzündung zu bemerken. Die Gehörgangswände sind etwas verdickt, aber nicht besonders gerötet, das Blut scheint von dem oberen, vorderen Rande des nicht entzündeten, sonst intakten Trommelfells zu kommen.

Das Kind hört Gesprochenes gut. Von einer genaueren Hörprüfung und weiteren eingreifenden Untersuchungen mußte ich Abstand nehmen. Das linke Ohr normal. Im Rachen frisches Blut, Zunge belegt. Aus der Nase kein Blut. Keine Erscheinungen, die auf eine Störung in der Funktion der Hirnnerven hinweisen. Keinerlei anderweitige Erkrankung im Übrigen objektiv wahrnehmbar.

Es bestand hier, wie aus der Farbe des Blutes und dem Erfolg der Kompression ersichtlich war, obgleich das Blut weder im Strahl noch pulsierend aus dem Ohr floß, eine arterielle Blutung. Wo das Blut herstammte, solches genau anzugeben, war im Augenblick unmöglich. Es war vorläufig klar, daß es sich aus einem der Paukenhöhle benachbarten Gefäß in das Cavum tympani ergoß und von hier aus nach außen drang. Es handelte sich also darum, die Unterbindung eines größeren, zu der blutenden Stelle führenden Gefäßes vorzunehmen. Auf dem Transport zur Klinik trat, offenbar infolge der Bewegungen, eine überaus heftige Blutung ein. Eine Tamponade des Gehörgangs half nichts. Der Tampon wurde herausgeschwemmt. Wie viel Blut das Kind approximativ verlor, konnte nicht ermittelt werden, ein großes Handtuch war durchtränkt. Die Notwendigkeit etwas Radikales zu unternehmen wurde der Mutter dadurch noch klarer. Gemäß den bisher publizierten Erfahrungen wurde die Prognose der Ligatur fast total schlecht gestellt, aber die Hände in den Schoß legen und der Blutung zusehen war für uns unzulässig. Wie bekannt, ist es das Beste, nicht die Carotis interna, sondern die Carotis communis zu unterbinden, da, wie Hessler richtig bemerkt, die Unterbindung der interna, wenn Blutung der A. meningea med. vorliegt, nichts nützen würde. — Unter der liebenswürdigen Beihülfe der Kollegen Schmähmann und

Jagdhold unterband ich die Carotis communis. Der Hautschnitt wurde mit Schleich'scher Anästhesie gemacht, später
wurde, da das kräftige Kind vom Blutverlust noch wenig collabiert
war, ab und an etwas Chloroform gegeben. Nach sorgfältiger,
schichtweiser Präparation erwies sich die erwähnte Geschwulst
als ein Drüsenpaket (ich hatte zeitweilig an ein Hämatom gedacht), das hinter, unter und auch vor dem m. sterno-cl. m. gelegen war, die Carotis bedeckte und mit deren Scheide verwachsen war. Die Substanz der Drüsen war durchweg hart.
Die Wandungen der Jugularis und Carotis waren, soweit sie zu
übersehen waren, ganz unversehrt. Durch 2 Fäden wurde die
Jugularis zur Seite gezogen und die Carotis mit 4 dicken, sicher
liegenden Seidenligaturen unterbunden. Wir hatten die große
Freude, daß die Blutung sofort stand. Durch halbfeuchte Papp-
schienen wurde ein vom Kopf bis auf die Brust reichender,
fester Panzer gemacht, um so den Kopf nach Möglichkeit zu
immobilisieren. In den nächsten 3 Stunden erholte sich das
Kind zusehends, das Sensorium wurde frei, das Fieber fiel. Da,
3 Stunden nach der Operation, trat nach Angabe der dejourieren-
den Schwester, ohne daß das Kind sich irgendwie heftiger bewegt hätte, eine kolossale Blutung aus Nase, Mund und Ohr auf
und das Kind verschied in wenigen Minuten.

Ich glaube, daß es sich hier um folgendes gehandelt hat.
Das Kind ist mehrere Male, einmal sogar ca. 1½ Meter hoch,
beim Spielen und Klettern über ein Bettende gefallen. Damals
ist es zu einer offenbar indirekten Verletzung, zu einer wenig
ausgedehnten, unvollständigen Schädel-Fissur gekommen. Die
Gehörgangswand war intakt, auch war die Trommelhöhlenwand
nicht frakturiert, ebensowenig der Warzenfortsatz. Eine Beschädigung der Labyrinthkapsel und Eröffnung der Schädelhöhle
können desgleichen leicht ausgeschlossen werden. Es waren kein
seröser Ausfluß, kein Erbrechen, auch keine Gleichgewichtsstörungen vorhergegangen. Berücksichtigt man die Hessler'schen
Ausführungen über das Zustandekommen von Carotisblutungen
bei Felsenbeincaries — Arch. f. O. XVIII, pag. 40 —, so ist es
naheliegend, daß durch indirekte Gewalt die an die Paukenhöhle
grenzende, dünne Wand des Canalis caroticus mit zersplittert
war und das Gefäß bei den Bewegungen des Kopfes und den
von der Pulsation erzeugten, durch einen einem Knochensequester
ähnlichen Splitter allmählich durchsägt wurde. So mußte es
eines Tages zu der Blutung kommen. Da die Gefäßwand nicht

erweicht war, dauerte es in diesem Falle 3—4 Wochen. Wie das Fieber und die Drüsenschwellung zu erklären sind, weiß ich eigentlich nicht recht. Bei solchen Verletzungen kann Meningitis die Folge sein, so wären Fieber, Kopfschmerzen und die geringe Nackensteifigkeit gedeutet. Was die Drüsen anbelangt, so werden vergrößerte Lymphdrüsen wohl schon vorher bestanden haben. Der Knabe war recht fett, und konnten die Drüsen übersehen worden sein, erst als sie während des fieberhaften Zustandes stärker zu schwellen anfingen, wurden sie bemerkt. Das ist in kurzen Worten die Geschichte des Falles und die Rechtfertigung unseres Eingriffes.

XXXI

Ein rechtsseitiger Schläfenlappenabszess mit Aphasie bei einem Rechtshänder.

Von

Privatdozent Dr. Wittmaack aus Greifswald.

(Mit 1 Kurve.)

Der folgende Fall von otogenem rechtsseitigem Schläfen-lappenabszeß mit typischer Aphasie bei einem rechtshändigen Kranken scheint mir wegen der Seltenheit dieses Befundes und mit Rücksicht auf die diagnostischen Schwierigkeiten, die er mir infolgedessen bot, einer kurzen Mitteilung wert.

Die Krankengeschichte des Falles ist, in etwas abgekürzter Form wiedergegeben, folgende:

Anamnese: H. A., 26 Jahre, Chausseearbeiter, leidet seit Kindheit an übelriechender Eiterung auf dem rechten Ohre. Vor 13 Jahren bekam er bereits einmal stärkere Schmerzen mit nachfolgender Anschwellung hinter der Ohrmuschel, die seinerzeit vom behandelnden Arzte mit einem tiefen Einschnitt behandelt wurde. Hiernach blieb hinter der Ohrmuschel eine eiternde Fistel zurück, und auch die Eiterung aus dem Gehörgang bestand ununterbrochen fort. Sie war stets sehr übelriechend. Da er indessen keine Schmerzen oder sonstige Beschwerden mehr empfand ließ er das Ohr dauernd ohne weitere Behandlung. 14 Tage vor der Aufnahme stellten sich plötzlich wieder heftige Schmerzen und Fieber ein. Er hat seitdem oft gefroren, sodaß der ganze Körper zitterte und danach wieder große Hitze empfunden mit starkem Schweißausbruch. Außerdem hat er Kopfschmerzen, die er in die Stirn verlegt, dagegen keinen Schwindel. Erbrochen hat er niemals. Bis vor 14 Tagen will er stets völlig gesund gewesen sein. Er hat immer gearbeitet. — Hereditär ist er in keiner Weise belastet.

Allgemeiner Status am 24. März 1906. Angegriffen aussehender, kräftig gebauter Mann. An den inneren Organen keine Besonderheiten. Urin ohne Eiweiß und Zucker.

Ohrenbefund. Rechts Retroaurikulär ausgedehnte Narben, von zwei zu einander senkrecht stehenden Inzisionen herrührend An der Kreuzungs-stelle der Narbenzüge besteht eine für dicken Sondenknopf durchgängige Fistel, aus der höchst fötider dünnflüssiger Eiter quillt. Die Umgebung der Fistel ist stark gerötet, der Knochen bei Druck schmerzhaft Im Gehör-organ besteht mäßig reichliche, auch höchst fötide eitrige Sekretion. Er ist erfüllt mit leicht blutenden Granulationen, von denen einige entfernt werden, ohne daß es gelingt ein klares Bild zu erhalten. Hörvermögen: phonierte Sprache ad concham.

Links: Trübes mattes Trommelfell, sonst keine Besonderheiten. Hörvermögen: circa 3,0 m für Flüstersprache.

Es besteht keine Papillitis, kein Nystagmus bei seitlicher Blickrichtung oder sonstige Labyrinthsymptome.

Noch während der Untersuchung tritt ein starker Schüttelfrost auf, so daß sofort zur Operation vorbereitet wurde. Beginn der Operation mit primärer Jugularisunterbindung; Anlegung doppelter Ligatur, Durchtrennung der Vene, Herauspraeparieren der Vene kranialwärts und Herauslagern des Stumpfes in die äußere Wunde. Folgt Totalaufmeißelung: Schnitt in gewohnter Weise mit sekundären ;— Schnitt nach hinten, excidieren der Fistel, Ablösen der adhärenten Weichteile. Mehrere cm hinter der Umrandung des Gehörganges fistulöser Defekt im Knochen aus dem fötider bräunlicher dünnflüssiger Eiter abfließt. Folgt Anlegung der typischen Operationswundhöhle bei Totalaufmeißelung mit Abtragung der nach außen mündenden Knochenfistel. Hierbei wird ein großes Cholesteatom aufgedeckt und entfernt, das oberflächlich stark zerfallen und erweicht, in der Tiefe teilweise noch von festerer Konsistenz ist. In der Pauke finden sich reichliche Granulationen, die mit Kurette entfernt werden. Folgt Abtragung überhängender Knochenspangen, Glättung und Revision der Wundhöhle: An der hinteren Wand führt ein Fistelkanal in die Tiefe mit der Richtung nach dem Sinus. Bei Erweiterung desselben quillt sehr reichlich höchst fötider, bräunlicher, krümmelicher Eiter hervor. Nach Abtragen des Knochens in der Umgebung der Fistel liegt die mißfarbene Sinuswand und schwielig verdickte Dura des Kleinhirns vor. Folgt ausgedehnte Freilegung dieser Partien bis man auf annähernd normal aussehende Sinuswand bezw. Dura stößt. Der Sinus sigmoideus ist kurz vor seinem Übergang in den Sinus transsversus fistulös durchbrochen, sodaß man an dieser Stelle die Sonde nach oben und unten in sein Lumen einführen kann. Er wird zunächst unterhalb der Durchbruchsstelle breit eröffnet bis nahe an seinen Übergang in den bulbus venae jugularis. Seine Wände sind hier teilweise kollabiert, ein zusammenhängender Thrombus findet sich nicht, dagegen ein dicker Belag auf der Sinuswand, von zerfallenen Thrombusresten herrührend. Beim Spalten der Sinuswand nach oben fließt bald Blut aus, sodaß hier von einem weiteren Vorgehen abgestanden werden muß. Die Kleinhirndura erscheint auffallend prall gespannt und pulsiert nicht deutlich. Es werden daher einige Probepunktionen nach verschiedener Richtung vorgenommen, ohne daß Eiter aspiriert wird. Tamponade des Sinus und der Wundhöhle und Verband.

25. März 1906. Die Nacht ist gut verlaufen. Patient ist klar, teilnehmend, hat keine Klagen. Kein Schwindel, keine Kopfschmerzen, kein Erbrechen oder dergleichen.

26. März. Versucht zu lesen, hat leidlich guten Appetit und keine Klagen.

27. März. Keine wesentliche Veränderungen; klagt gegen Abend über leichte Kopfschmerzen, ist indessen sonst auffallend wohl und munter.

28. März. Verbandwechsel: Dura noch stark belegt, pulsiert sehr schwach, erscheint immer noch gespannt und etwas vorgewölbt. In der Wundhöhle nur geringe Granulationsbildung, sonst keine Besonderheiten, nirgends kommt Eiter nach.

Gegen Abend erscheint der Patient auffallend unklar; kann sich nur mit Mühe auf seinen Namen besinnen, antwortet meistens gleichmäßig mit „ganz schön" oder „ganz gut" auf die verschiedensten Fragen. Sonst keine cerebralen Symptome, keine Nervenlähmungen oder dergl. Augenhintergrund völlig normal (Privatdoc. Dr. Halben). Kein Druckpuls.

29. März. Der Zustand ist unverändert. Vorübergehend deutlicher Druckpuls (verlangsamt, gespannt, dicrotisch). Lumbalpunktion entleert wasserklare Flüssigkeit. Revision der Wunde Nur Dura des Kleinhirns und Sinuswand noch stark belegt, sonst deutlich bessere Granulationsbildung in der Wundhöhle. Inzision der Kleinhirndura und Eingehen mit der Kornzange in verschiedener Richtung, ohne daß Eiter entleert wird. Da das tegmen tympani und antri nirgends kariöse Processe erkennen lassen, wird von einer Freilegung der mittleren Schädelgrube und Probepunktion des Schläfenlappens zunächst noch abgestanden.

20*

Gegen Abend Temperaturabfall und Besserung des Allgemeinbefindens. Sonst keine Änderung des Zustandes. Sämtliche Antworten lauten „ganz gut" und „ganz schön" neben einigen unverständlichen Brocken. Zunge wird auf Befehl herausgestreckt, bei Aufgaben sonstiger Manipulationen z. B. Augenschließen oder dergl. beharrt er beim Herausstrecken der Zunge. Weiß weder Namen noch Alter von selbst anzugeben. Doch erkennt man deutlich die Anstrengungen die der Patient macht, um die Frage zu beantworten und an seinem Mienenspiel die Unzufriedenheit mit sich selbst, weil ihm dies nicht gelingt.

30. März. Zustand unverändert. Die Aphasie heute sehr deutlich. „Alles gut" und „ganz schön" sind die einzigen Antworten, die er auf alle Fragen gibt; nur einmal sagt er „mir ist nicht gut". Seinen Namen, sein Alter und dergl. vermag er auf diesbezügliche Fragen hin nicht anzugeben. Ebenso weiß er die meisten ihm vorgehaltenen Gegenstände nicht zu benennen. Statt Taschenmesser sagt er „Totamesser". Beim Vorhalten einer Uhr: „so ein Ding hab ich auch". Auch beim Anhalten der Uhr an das gesunde, gut hörende Ohr weiß er sie nicht zu benennen. Einen Schlüssel nimmt er aus der Hand und macht Schließbewegungen „ist zum zumachen" Beim Zeigen einer Bürste macht er die Bewegung des Abbürstens, beim Bleistift Schreibbewegungen. Eine Streichholzschachtel: „Teischaschar", das Portemonnaie bezeichnet er erst als Messer, dann schüttelt er verzweifelt den Kopf und sagt „wo Geld drin ist". „Meines ist hier" und zeigt auf seine Schublade im Krankentisch. Beim Zeigen eines Tintenfasses macht er die Bewegung des Eintauchens eines Federhalters, ohne auf den Namen Tintenfaß kommen zu können und in ähnlicher Weise sucht er beim Zeigen sonstiger Gegenstände durch Gesten zu verstehen zu geben, worum es sich handelt, ohne daß er die betreffenden Gegenstände (Uhr, Ring, Knopf etc.) zu benennen weiß. Zuweilen merkt man es deutlich, wie er sich bemüht, auf die richtige Antwort zu kommen, „Warte mal", „wie heißt das doch". bis er dann verzweifelt den Kopf schüttelt und sagt „ich kann nichts verstehen". Aber auch nach Vorsprechen kann er nur einige Worte nachsprechen, so Messer, Bleistift als Bleifist, ferner seinen Namen und Vornamen, sein Alter und Geburtsort mit Kreis, dagegen vieles andere nicht, z. B. Bürsten, Pantoffel, Uhr, Schlüssel, Ring usw.

Zahlen werden gut verstanden und nachgesprochen. Ebenso macht es ihm keine Schwierigkeiten, Zahlen abzulesen. So kann er z. B. genau die Zeit auf einer vorgehaltenen Uhr bestimmen. Sonst kann er nur das gut ablesen, was er nachsprechen kann, z. B. Namen, Vornamen, Alter, Geburtsort und das Wort Messer. Bei anderen Worten z. B. Bürsten, Uhr usw. buchstabiert er zunächst wie ein kleines Kind, bis er dann schließlich allermeist das Wort herausbringt.

Er schreibt völlig richtig und für seinen Bildungsgrad sogar glatt und flott seinen Namen, Vornamen, Alter und Geburtsort. Dagegen Worte, die er nicht nachsprechen kann, wie z. B. Uhr, kann er auch nicht schreiben. Messer, ein Wort, das er nachsprechen kann, kann er auch schreiben. Überhaupt fällt auf, daß ihm auch bei Angabe seines Namens etc. das Niederschreiben leichter und angenehmer ist als das Nachsprechen. Seinen Namen, Alter und Wohnort schreibt er auch ohne Vorsprechen auf. Da das Allgemeinbefinden eher etwas besser erscheint, die Temperatur niedriger ist. als am Tage zuvor, wird heute noch von der Vornahme eines operativen Eingriffes abgestanden, zumal die Deutung des Befundes auf Schwierigkeiten stieß, wie dies in der Epikrise noch erörtert werden soll.

31. März. Der Zustand ist genau derselbe wie am Tag zuvor. Die Aphasie völlig unverändert und sämtliche Prüfungen liefern dasselbe Resultat. Gegen Mittag deutliche Verschlechterung. Patient wird unruhig, will aus dem Bett, schneidet viel Grimassen und stöhnt häufig. Es ist nichts mit mit ihm anzufangen. Er gibt keine Antworten mehr. Pupillen reagieren etwas träger. Sonst objektiv keine Veränderungen im Befunde, keine Lähmungen oder Zuckungen in den von Gehirnnerven versorgten motorischen Gebieten und auch an den Extremitäten keine halbseitigen Lähmungen, Kontraktionen, Zuckungen, keine Perkussionsempfindlichkeit auf einer Seite

des Schädels oder dergl. Mit Rücksicht auf die typische Aphasie in der Annahme eines metastatischen Abszesses Trepanation auf den linken Schläfenlappen (Dr. Sauerbruch) mit Bildung eines großen osteoplastischen Lappens Dura stark gespannt; pulsiert aber nach einiger Zeit, Punktion in verschiedenster Richtung mit negativem Erfolg. Längsinzision der Dura. Das Gehirn quillt stark vor. Die Gefäße der weichen Hirnhäute erscheinen deutlich erweitert. Eingehen mit der Kornzange in verschiedener Richtung, ohne daß Eiter entleert wird. Keine Naht der Dura. Exstirpation der Knochenplatte. Sorgfältiges Vernähen der Weichteile mit Einnähen eines kleinen Drains. Verband.

1. April. Völlige Somnolenz, starke Unruhe. Schreit viel, aber unverständlich. Gegen Abend nimmt er spontan Nahrung und wird ruhiger Urin wird nicht spontan entleert. Es besteht ferner eine leichte Schwäche im rechten Fazialis und der rechten oberen Extremität. Sonstige Störungen von seiten des Nervensystems sind nicht nachweisbar.

2. April. Nimmt besser Nahrung zu sich, Aussehen entschieden etwas frischer; ist aber immer noch stark unruhig

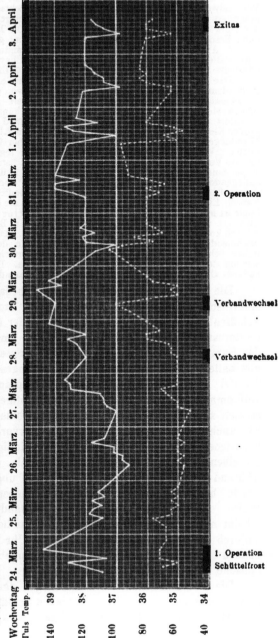

und unklar. Urin wird spontan entleert bei Vorhalten der Urinflasche. Beim Verbandwechsel keine Besonderheiten. Die rechtsseitige Operationshöhle granuliert frisch. Die Dura ist noch mäßig belegt An der Inzisionstelle der Dura besteht ein kleiner Kleinhirnprolaps. Die Trepanationswunde links ohne Besonderheiten. Der Weichteillappen scheint gut anzuheilen.

3. April. Morgens keine wesentlichen Veränderungen. Gegen Mittag wird Patient auffallend ruhig und apathisch. Cheyne-Stokes'sches Atmen. gänzliche Reaktionslosigkeit und Exitus abends 7 Uhr unter Atemstillstand.

Die Sektion ergab das Vorhandensein einer Sinusphlebitis; der Sinus sigmoideus war am Übergang in den Transversus von einem soliden Thrombus verschlossen, am Übergang in den bulbus kollabiert Metastatische Abszesse fanden sich nirgends. Die Dura in der Umgebung des Sinus war stark infiltriert uud verdickt, an der Inzisionsstelle fand sich ein circa wallnußgroßer Kleinhirnprolaps, keine Meningitis und kein Abszeß. Die knöchernen Wandungen der Operationshöhle waren in frischer Granulationsbildung begriffen. Weder am tegmen tympani noch am tegmen antri fanden sich kariöse Veränderungen am Knochen oder gar ein fistulöser Durchbruch. Dagegen fand sich im rechten Schläfenlappen in den dem tegmen tympani anliegenden Partien eine circa 3 cm im Durchmesser messende Abszoßhöhle mit putridem bräunlichgelbem krümlichen Eiter ohne deutliche Kapsel. Eine Kommunikation des Abszesses durch die Dura mit der Operationshöhle ist nicht aufzufinden. Die Dura der mittleren Schädelgrube ist überall völlig intakt und von normaler Beschaffenheit. Der Abszeß kommuniziert mit dem lateralen Ventrikel. Außerdem findet sich eine beginnende Meningitis in seiner Umgebung. An der Trepanationstelle im linken Schläfenlappen findet sich ein kleiner Erweichungsherd und Durchsetzung der Hirnmasse mit kleinen Hämorhagien. Der Sektionsbefund der anderen Organe zeigt keine erwähnenswerten Besonderheiten.

Die vorliegende Krankengeschichte bedarf nur einer kurzen epikritischen Besprechung. Hätte es sich um einen linksseitigen Schläfenlappenabszeß gehandelt, so böte der Fall überhaupt kaum erörternswerte Besonderheiten. Daß wir im vorliegenden Falle das Symptom der sensorischen bezw. amnestischen Aphasie vor uns hatten, daran kann nach der Krankengeschichte ja kaum ein Zweifel bestehen. Die vorhandenen Sprachstörungen glichen vollkommen denen, die wir bei linksseitigen Schläfenlappenabszessen zu beobachten pflegen. Die Kombination mit Paraphasie ist auch nichts Ungewöhnliches. Hervorheben möchte ich höchstens, daß dem Kranken die Verständigung durch Niederschreiben offenbar viel leichter fiel, als durch Aussprechen. während das Ablesen geschriebener Worte ungefähr in demselben Grade beeinträchtigt war, wie das Nachsprechen vorgesagter Worte. Auch das auffallend gute Verständnis für alle Zahlen scheint mir der Erwähnung wert. Es trat besonders frappierend dadurch hervor, daß er, obwohl er die Uhr nicht als solche benennen konnte, trotzdem genaue Zeitangaben machte. Eine optische Aphasie bestand nicht.

Die Besonderheiten des Falles liegen darin, daß die Aphasie durch einen rechtsseitigen otogenen Schläfenlappenabszeß hervorgerufen war, trotz Rechtshändigkeit des Kranken. An der

Rechtshändigkeit des Kranken ist nicht zu zweifeln. Nicht allein, daß er sich bei der Nahrungsaufnahme und bei sonstigen Manipulationen während des Aufenthaltes in der Klinik stets der rechten Hand bediente, auch die Mutter und seine Frau gaben mit aller Bestimmtheit an, daß er niemals die linke Hand bei irgend einer Beschäftigung bevorzugt hatte. Gerade hierdurch wurde die Deutung des Befundes außerordentlich erschwert.

Das am 5. Tage nach der Operation auftretende Herdsymptom der Aphasie ließ, als sich von neuem Temperatursteigerung hinzugesellte, bei dem deutlich nachweisbaren Druckpuls und der klaren Beschaffenheit der Punktionsflüssigkeit mit größter Wahrscheinlichkeit auf das Vorhandensein eines Hirnabszesses schließen, wenn auch weitere Symptome (Neuritis optica usw.) fehlten. Höchst unerwartet und in diagnostischer Hinsicht verwirrend erschien das Auftreten des Symptoms der Aphasie, eben deswegen, weil es sich um eine rechtsseitige Affektion handelte. Es war mir seinerzeit nicht bekannt, daß ein otogener rechtsseitiger Hirnabszeß mit typischer Aphasie schon von anderer Seite beobachtet worden war, und ich habe auch bei einer nachträglichen Durchsicht der mir zugänglichen Literatur nur einen — allerdings auch nur im kurzen Referat zugänglichen — Fall von Forselles[1]) beschrieben gefunden.

Daß rechtsseitige Tumoren in einigen seltenen Fällen zum Auftreten von Aphasie führten, ist ja bekannt; immerhin schien es mir doch etwas gewagt, im vorliegenden Falle ohne weitere Erwägungen vorzunehmen, trotz der Aphasie, die doch im allgemeinen als charakteristisches — um nicht zu sagen pathognomonisches — Zeichen einer Affektion des linken Schläfenlappens gilt, auf den rechten Schläfenlappen zu trepanieren. Dazu kam, daß bei der ersten Operation und bei der Revision der Wundhöhle am 28. März das Tegmen tympani und antri frei von kariösen Prozessen gefunden wurde und daß auch die Dura der mittleren Schädelgrube überall normales, bläulich glänzendes Aussehen zeigte, sodaß also der in erster Linie in Betracht kommende Überleitungsweg für die Eiterung von der Pauke bezw. dem Antrum zum Schläfenlappen im vorliegenden Falle nicht betreten sein konnte. Es war weiterhin zu bedenken, daß bei dem Patienten zweifellos eine Sinusphlebitis mit eitrigem Zerfall

---

1) Forselles Arthur af: Beitrag zur Kenntnis der otogenen Folgekrankheiten Finstka läkaresällsk handl. 1905. S. 203 referiert Zeitschrift f. Ohrenhlkde. 51. Bd. S. 316 u. Archiv f. Ohrenhlkde. 68. Bd. S. 150.

des Thrombus vorgelegen hatte, und mit Rücksicht hierauf mußte
ich auch die Möglichkeit eines metastatischen Abszesses im linken
Schläfenlappen in Erwägung ziehen. Freilich hatte auch diese Annahme, zumal sonstige Metastasen nicht nachweisbar waren, nicht
gerade sehr viel Wahrscheinlichkeit für sich. Ich stand also vor
der Wahl: entweder einen rechtsseitigen Schläfenlappenabszeß zu
vermuten, was bei dem Sitz der Ohreiterung ja bei weitem das
Nächstliegende gewesen wäre, aber durch das Vorhandensein der
typischen Aphasie viel an Wahrscheinlichkeit einbüßte, oder mit
Rücksicht auf die typische Aphasie und die vorhandenen Sinusphlebitis den an sich viel selteneren Fall eines metastatischen
linksseitigen Schläfenlappenabszesses anzunehmen. Beide Annahmen hielten sich meines Erachtens, was den Grad der Un-
wahrscheinlichkeit anbelangt, annähernd die Wage —, und doch
war eine andere Deutung des Befundes kaum denkbar.

Sonstige Symptome, die mir in der einen oder in der anderen
Hinsicht Fingerzeige hätten geben können, fehlten gänzlich. Ich
entschied mich schließlich in diesem Dilemma für die letztere
Annahme eines metastatischen Abszesses im linken Schläfenlappen
und traf damit das Falsche. Es handelte sich in der Tat um
einen rechtsseitigen Schläfenlappenabszeß mit typischer Lagerung,
trotz der vorhandenen Aphasie und obwohl kariöse Prozesse am
Tegmen tympani und antri fehlten und die Dura der mittleren
Schädelgrube gesund war. Darüber konnte schon nach dem
Ausfall der linksseitig vorgenommenen Trepanation kaum ein
Zweifel mehr bestehen. Ein Vorgehen gegen den rechten
Schläfenlappen war leider wegen des schnellen tödlichen Aus-
ganges und bei dem Schwächezustand des Patienten nicht
mehr möglich.

Der vorliegende Fall gehört wohl sicher zu den recht großen
Seltenheiten. Trotzdem könnte vielleicht doch dem einen oder
dem anderen mit seiner Veröffentlichung gedient sein. Wäre mir
ein analoger Fall seinerzeit bekannt gewesen, so hätte ich mich
wohl sicher für die andere Annahme eines rechtsseitigen Schläfenlappenabszesses trotz der typischen Aphasie entschieden und den
für den Patienten verhängnisvollen diagnostischen Fehler vermieden.

XXXII.

Über das Intensitätsverhältnis hoher und tiefer Töne.

Von

Dr. **Gustav Zimmermann** in Dresden.

Die Meinung, daß im Ohr für hohe und tiefe Töne je verschiedene Wege zum Endorgan vorgesehen seien, entsprang der
unkritischen Verwendung der Stimmgabel zu klinischen Vergleichungen. Es hat bei näherer Betrachtung sich keines der für
jene Meinung angezogenen Argumente bestätigen lassen und im
besonderen sich gezeigt, daß der Mittelohrapparat wohl ganz anderen
physiologischen Zwecken dient als denen, nur den Schall zum
inneren Ohr zu lenken. Es läßt sich aber auch rein physikalisch
dartun, daß hohe und tiefe Töne keine derartig verschiedenen
Bewegungen sind, daß sie jede an besondere Fortpflanzungsbedingungen gebunden wären.

Schon aus der bekannten Tatsache der gleichen Fortpflanzungs-
geschwindigkeit hoher und tiefer Töne wird man mit einigem
Rechte schließen können, daß in der Natur dieser Wellenbewegungen
kein qualitativer Unterschied gelegen ist.

Die Unterschiede, die bei der Fortpfanzung des Schalles, in
die Erscheinung treten, sind mehr quantitativer Art und nicht
von einer Wesensungleichheit zwischen hohen und tiefen Tönen
abhängig, sondern von einem innerhalb beider Gruppen gemeinsam
und gleichmäßig bestimmenden Faktor, von der Intensität. Man
hat dem bis vor kurzem viel zu wenig Beachtung geschenkt und
immer nur einseitig die Tonhöhe im Auge gehabt. Und doch ist
offenbar für die Überwindung von Leitungswiderständen das Entscheidende, nicht ob die Töne hoch oder tief sind, sondern ob sie
schwach oder stark sind.

Es ist neuerdings, um jene Meinung von der für hohe und
tiefe Töne verschiedenen Leitung im Ohr zu retten, die Behauptung

aufgestellt, daß hohen Tönen an sich eine größere Intensität zu
eigen sei. Und diese Behauptung konnte um so bequemer Eingang
finden, als sie mangels eines objektiven Stärkenmaßes experimentell
schwer anzugreifen war. Sie stützte sich auf die sogenannte tägliche Erfahrung und machte geltend, daß hohe Töne „durch Mauern
und Türen drängen, was tiefe Töne nicht vermöchten. Wie un-
zutreffend diese Beobachtung ist, liegt auf der Hand; es gibt
genug hohe Töne z. B. die einer leise angeschlagenen hohen
Stimmgabel, die nicht bis an die nächste Wand dringen, geschweige
sie durchdringen, und tiefe Töne z. B. einer Kirchenglocke oder
Orgel, die auch die stärksten Mauern ohne weiteres durchsetzen.

Läßt man die „tägliche Erfahrung" als Maßstab gelten, so
möchte eher zu behaupten sein, daß gerade die tiefen Töne besonders weit und energisch sich durchzusetzen vermögen. Wenn
man am Ufer eines Flusses stehend das Herankommen eines
Dampfschiffes beobachtet, so hört man schon in weiter Entfernung
das dumpfe rythmische Stampfen der Maschine und hört nichts
von den klirrenden und zischenden Geräuschen, die in der Nähe
bemerkbar und hier beinahe vorherrschend werden. Ähnliches
kann man beim Anrücken einer Marschmusik bemerken und auch
von der Brandung des Meeres und vom Donner hört man auf
weite Entfernung nur das dumpfe Rollen, während alle hoch-
tönigen Komponenten daneben erloschen sind. Solche Beispiele
lassen sich in beliebiger Anzahl erbringen.

Es sind ja nun viele Versuche gemacht, um die objektive
Intensität verschieden hoher Schallquellen zu messen; doch hat
keiner befriedigende Ergebnisse gezeitigt. Selbst bei den besten
Versuchsanordnungen ist bisher nicht genau bestimmbar, wie viel
von der aufgewendeten Kraft wirklich in Form von Schall erscheint, wie viel davon als Wärme und zur Deformierung der
schwingenden Teile verbraucht ist. Man ist auf eine mehr theoretische
Betrachtungsweise angewiesen an der Hand allgemeiner physi-
kalischer Gesetze.

Setzt man die Stärke eines beliebigen Stoßes, den die bewegten Luftteilchen dem Ohre erteilen, proportional der lebendigen
Kraft des bewegten Körpers, so findet sie ihren einfachsten Ausdruck in der alten Leibniz'schen Formel $\frac{m}{2} v^2$. Unter der Voraussetzung gleicher Massen ist sie deshalb gleich dem Quadrate
der Geschwindigkeit. Die Geschwindigkeit in diesem Falle ist
das Produkt aus Schwingungsanzahl und Amplitude. Und in dem

Produkte kann der eine Faktor beliebig vergrößert oder verkleinert werden, wenn gleichzeitig der andere entsprechend verringert oder vervielfacht wird. Wie es ja in der Mechanik auf
dasselbe Produkt herauskommt, ob ein Gewicht von 50 Zentnern,
1000 Fuß gehoben wird oder ein Gewicht von 1000 Zentnern 50 Fuß
so gilt es auch in der Akustik gleich viel, ob eine Schwingung
z. B. 50 mal 1000 Wegeinheiten in der Sekunde zurücklegt oder
eine andere 1000 mal 50 Einheiten. Das bedeutet, daß theoretisch
ein Ton von 50 Schwingungen bei 20 fach größerer Amplitude
just dieselbe Geschwindigkeit und damit den gleichen Kraftwert
hat, wie einer von 1000 Schwingungen mit entsprechend kleinerer
Amplitude. Hohe und tiefe Töne von gleicher Geschwindigkeit
müssen deshalb bei ihrer Fortpflanzung an sich gleich leicht oder
gleich schwer die Leitungswiderstände überwinden. Nur Töne,
deren Geschwindigkeit an sich irgendwie vermindert wäre —
einerlei ob die Amplitude oder die Anzahl der Schwingungen
oder beides daran Schuld ist — hätten auch eine verminderte
Durchschlagskraft.

Für die Beurteilung dieser Größe ist nun aber außer der Geschwindigkeit, wie gesagt, noch entscheidend der Einfluß der Masse.
Und es ist als ein durchgehendes Gesetz anzuerkennen, daß die
tiefen Töne erzeugt werden durch Körper von größerer oder
trägerer Masse. Während die Körper von kleineren Dimensionen,
durch welche die höheren Töne hervorgebracht werden, eines
relativ geringen Anstoßes bedürfen, erfordern Körper von den
mächtigen Abmessungen, an welche die tiefen Töne gebunden
sind, schon einen starken Antrieb, um das gleiche Quantum Geschwindigkeit auf ihre Weise zu erzielen. Und dieser stärkere
Impuls, den die tiefen Töne mit auf den Weg bekommen, macht,
daß sie trotz gleicher Geschwindigkeit Hindernisse, die sich bei
der Leitung ihnen entgegen stellen, besser überwinden müssen,
als hohe Töne.

Auf diese Weise erklären sich die oben zitierten Beispiele
von der durchdringenderen Wirkung der tieftönigen Schallarten.
Und es ist das auch experimentell bestätigt durch die schönen
Versuche von Warburg, der nachwies, daß aus einer Schallmenge bei hinreichend vermehrten inneren Widerständen in der
Leitung alle hohen Komponenten ausfielen und nur die tiefen noch
sich zu Gehör brachten.

Es erscheint deshalb, rein physikalisch betrachtet, als eine
ganz haltlose Behauptung, daß die tiefen Töne an sich zu schwäch-

lich sein sollen, um ohne einen Extrahebelapparat zum inneren
Ohre durchzudringen. Im Gegenteil wäre plausibel, daß für sie
Einrichtungen vorhanden wären, die ähnlich, wie der Dämpfer
auf dem Klavier, Störungen, — etwa durch längeres Nach-
schwingen oder durch zu große Amplituden bedingt — aus-
schalteten. Und diesem Zwecke allein scheint in der Tat der
Mittelohrapparat zu dienen, wie ich das früher ausführlicher dargestellt habe.

In dieser Beziehung sind noch einige Worte zu sagen über
die subjektive Empfindungsintensität des Ohres gegen hohe und
tiefe Töne. Es scheint, als ob das Ohr gegen die grellen und
schrillen Töne der höchsten Lagen ganz besonders empfindlich
wäre. Es kann das seinen Grund darin haben, daß eben die auf
die hohen Töne reagierenden Nervenfasern an und für sich
empfindlicher sind, infolge vielleicht der viel zahlreicher in der Zeit-
einheit ihnen zukommenden Anreize. Es kann aber auch auf jene
eben angedeuteten Dämpfungsvorrichtungen im Mittelohr zurückzuführen sein, die es zu unangenehmeren Empfindungen bei den
tiefen Tönen deswegen nicht kommen lassen, weil diese besonders
gut in ihren Resonanzschwingungen gedämpft werden können.

Läßt man einmal die Vorstellung fallen, daß jeder Schall
den Steigbügel in seinem Fester hin und her treiben müßte und
gibt, wie das theoretisch und teilweise schon experimentell gezeigt ist, zu, daß nur bei stärkerem Schall oder reflektorisch durch
Muskelkontraktion der Steigbügel sich isoliert gegen seinen Rahmen
verschiebt, so sind die Einwirkungen solchen Drucks aufs Labyrinth unschwer erkennbar. Es wird dadurch manometrisch meßbar
der intralabyrinthäre Druck erhöht und es werden damit die
schwingenden Fasern komprimiert und in ihren elastischen Eigenschaften geändert. Sie werden schwingungsuntüchtiger und das
um so mehr als bei normalem runden Fenster sie zugleich sämtlich in der Druckrichtung abgedrängt und festgestellt werden. Je mehr
Fläche sie dem einwirkenden Drucke bieten um so mehr ist das
natürlich der Fall. Es erklärt sich dadurch, daß die in relativ
großen Breiten schwingenden Fasern der oberen Windungen,
welche auf die tiefen Töne mitschwingen, am meisten gedämpft
werden, wie das jeder Valsalva'sche oder Gellé'sche Versuch
auf das deutlichste manifestiert.

Nach alledem wird man sagen müssen, daß alle Töne
von vergleichbarer Intensität, einerlei von welcher Tonhöhe,
gleicherweise an dieselben. Fortpflanzungsbedingungen gebunden

sind und daß auch im Ohr tiefe Töne ebenso gut wie die hohen dirckt durch den Knochen auf die mit ihm unmittelbar verbundenen Basilarfasern sich übertragen, statt den Umweg über die Kette und das Labyrinthwasser einschlagen zu müssen. Gerade die tiefen Töne haben bei sonst vergleichbarer Intensität die größere Wucht; sie brauchen deshalb am wenigsten eine Nachhilfe, um ihren Weg zu finden, und statt dessen Einrichtungen, damit störende oder schädliche Wirkungen im Endorgan hintangehalten werden.

Es ist zu bedauern, daß diesen interessanten und für die ganze wissenschaftliche Stellung unserer Disziplin bedeutsamen Fragen, ein Teil der Forscher voll Gleichgültigkeit und Vorurteil gegenübersteht. Die Fortschritte, wie sie auf dem chirurgischen Gebiete mit so glänzendem Erfolge S c h w a r t z e inauguriert hat winken bei gleicher ernster und voraussetzungsloser Arbeit auch auf dem physiologischen Gebiete.

XXXIII.

Über reine Transsudate im Mittelohr.

Von

Geheimrat **Walb** in Bonn.

————

In seinem Referat: „Die Bakteriologie der akuten Mittelohrentzündungen", welches Kümmel auf der Versammlung der Otolog. Gesellschaft in Bremen gegeben hat, hat Kümmel auch die Frage der Transsudate im Mittelohr gestreift und dabei erstens auf die Armut an Mikroben in denselben hingewiesen, so daß dieselben als steril angesehen werden können, und zweitens ihre Entstehung durch den negativen Druck betont. In der sich anschließenden Diskussion wurde, wenn ich nicht irre, von Winkler diese Ansicht nicht geteilt und die Sterilität dadurch erklärt, daß die Transsudate meistens aus Schleim beständen, der ein ungünstiger Nährboden für Mikroben sei. Ich teile im Gegensatz hierzu mit Kümmel, Scheibe u. a. die Ansicht, daß es sich bei den Transsudaten, und zwar bei den reinen Formen, in der Tat um Erzeugnisse des negativen Druckes handelt, und daß daher die Sterilität naturgemäß ist. Zunächst muß hervorgehoben werden, daß diese reinen Transsudate gar nicht aus Schleim bestehen, sondern eine wasserklare, rein seröse Flüssigkeit darstellen, die entweder farblos ist oder gelblich, zuweilen auch gelblichgrün erscheint. Diese Transsudate entwickeln sich bei Tubenkatarrh mit Verschluß unter der Einwirkung des negativen Druckes, bei rein passiver Beteiligung der Paukenhöhlenschleimhaut ohne aktive spezifische Schleimhautsekretion — der hydrops ex vacuo der Alten, und zwar der Alten im doppelten Sinne, einmal der älteren otiatrischen Schule und dann auch in dem Sinne, daß diese Form sehr häufig bei alten Leuten rein vorkommt, wie schon Gruber in der ersten Auflage seines Handbuches hervorgehoben, was sich durch die Rigidität der Gewebe und die

Brüchigkeit der Gefäße, die bei alten Leuten gefunden wird, erklärt. Im Gegensatz hierzu gibt es allerdings Mischformen, wo eine sekretorische Tätigkeit der Paukenhöhlenschleimhaut hinzukommt, sei es, daß gleichzeitig ein Katarrh der Mittelohrschleimhaut besteht, oder durch die längere Anwesenheit des Transsudates veranlaßt wird. Hier findet man häufig schleimige Beimengungen, oder der ganze Inhalt stellt eine gleichmäßige colloide, durchsichtige Masse dar. Es kommt aber auch vor, daß der ganze Befund und die Beschaffenheit des Paukenhöhleninhalts für Transsudat spricht und es sich doch um ein Exsudat handelt. Bekanntlich sind bei akuten Mittelohrentzündungen die Exsudate sehr häufig im Anfang rein serös und bleiben so selbst nach dem Eintritt der Perforation in der ersten Zeit. Man beobachtet nun gelegentlich Fälle, wo bei nicht perforierender Mittelohrentzündung die Exsudate nicht resorbiert werden nach Rückgang der entzündlichen Erscheinungen, und wo später, wenn das Trommelfell ganz abgeblaßt und wieder hinreichend pellucide ist, man sehr gut die restierenden Exsudate mit schwarzer Standlinie und allem Zubehör sehen kann. Das sieht genau so aus, wie ein Transsudat und ist doch keins. Alles dies schließt aber nicht aus, daß es reine Transsudate gibt, die nur durch den negativen Druck entstehen und durch den Tubenverschluß veranlaßt sind. Man kann dies durch bestimmte therapeutische Maßnahmen beweisen. Zur Entleerung rein seröser Flüssigkeiten aus dem Mittelohr genügt meist eine einfache Punktion des Trommelfells, wenn man daran die Luftdouche anschließt und durch vis a tergo die Flüssigkeit herausdrückt. Meist ist diese so geschaffene kleine Öffnung nach 24 Stunden schon wieder geschlossen. Man sieht dann häufig schon wieder Flüssigkeit in der Paukenhöhle angesammelt. Das kann so zu erklären sein, daß man nicht alles entleert hat und Flüssigkeitsteile, die im Kuppelraum zwischen den Gehörknöchelchen oder sonst wo festgehalten resp. von der treibenden Kraft nicht berührt wurden, sich am Boden der Paukenhöhle wieder angesammelt haben, oder daß schon wieder frisches Transsudat unter der sofortigen Wirkung des negativen Druckes nach Verschließung der Punktionsöffnung sich bildete.

Nicht immer tritt indes der Verschluß der Punktionsöffnung in so kurzer Zeit ein, namentlich in Fällen, wo durch frühere Anfälle, durch Entzündungen oder durch lange Dauer das Trommelfell atrophisch geworden ist, was namentlich häufig für

die hintere Hälfte gilt, wo man ja mit Vorliebe den Einstich
macht. Die hochgradige Verdünnung spricht sich ja hier u. a.
auch darin aus, daß häufig die Membran dem Punktionsinstru-
mente ausweicht Hier bleibt das kleine Loch oft mehrere Tage
offen und nun sieht man, daß zwar zuweilen am anderen Tage
der Gazestreifen, den man in das äußere Ohr gelegt hat, noch
etwas feucht an der Spitze ist, daß aber weiterhin der
Streifen ganz trocken bleibt und auch am Trommelfell absolut
nichts die Anwesenheit von alter oder neuer Flüssigkeit zeigt, ja
daß mit Sicherheit dies ausgeschlossen werden kann. Tritt nun
nach mehreren Tagen der Verschluß der kleinen Öffnung ein,
ist meist sofort das Transsudat wieder da. Dies hat mich
nun auf den Gedanken gebracht, in Fällen von Transsudat einen
größeren Schnitt zu machen. Es weichen dann meist die
Ränder auseinander und es entsteht ein ovaler Spalt, durch den
man hindurch einen größeren Teil der Paukenhöhlenschleimhaut
sehen kann, gerade so wie es bei ausgiebigen Rupturen der Fall
ist. Ein derartiger Spalt braucht oft mehrere Wochen zu seiner
Heilung. Es ist mir stets gelungen, denselben aseptisch zu halten,
und habe ich stets schließlich den Verschluß sich einstellen sehen,
aber wie gesagt, oft erst nach drei oder vier Wochen, gerade so
wie bei größeren Rupturen. Hier gestaltet sich nun der Verlauf
in sehr interessanter Weise. In den ersten Tagen ist die Schleimhaut, so weit sie sichtbar ist, ganz leicht gerötet, wie es ja auch
die Einwirkung des bis dahin bestandenen negativen Druckes
auf die Gefäße natürlich erscheinen läßt. Dann wird die Schleimhaut blaß und normal. Eine Absonderung findet vom zweiten
Tage an meist absolut nicht statt. Der Verlauf gestaltet sich nun
verschieden und hängt ganz davon ab, ob es einem bis zum Eintritt der Schnittheilung gelingt, den Tubenkatarrh zu beseitigen
durch Behandlung der induzierenden Krankheiten im Nasenrachenraum in der Nase etc., sowie durch Behandlung der Tube
selbst vom Nasenrachenraume aus. Gelingt dies in der bis zur
Schnittheilung gegebenen Frist, so bleibt das Transsudat
nach der Heilung des Schnittes aus, gelingt dies nicht,
was je seine verschiedenen Gründe haben kann, so stellt sich
das Transsudat sofort wieder ein, auch wenn es wochenlang sistiert hatte. Ich glaube damit ist der Beweis geliefert,
daß es sich in der Tat in solchen Fällen um reine Transsudate
handelt. Ich habe das Verfahren aus naheliegenden Gründen
in der Poliklinik meist nicht angewendet, da hier die Bedingungen

für einen gefahrlosen Verlauf meist nicht gegeben sind. Auf der anderen Seite habe ich allerdings größere Rupturen, die ja in gewissem Sinne als gleichartig anzusehen sind, auch in der Poliklinik bei ambulatorischer Behandlung ohne Entzündung und Eiterung heilen sehen. Durch die wenn auch tägliche Anwendung des Katheters wird meist die neue Transsudatbildung nicht verhindert, häufig allerdings auf ein geringeres Maß herabgesetzt. Auch ist in solchen Fällen der längere Gebrauch des Katheters häufig schädlich, da die Schleimhaut im Tubeneingang davon gereizt wird und diese, statt zu heilen und abzuschwellen, erst recht krank bleibt. In solchen Fällen eignet sich besser das Politzersche Verfahren, das unter Umständen zweimal täglich angewendet werden muß.

Lightning Source UK Ltd.
Milton Keynes UK
UKHW010341120219
337137UK00004B/204/P